여러분의 합격을 응원하는

해커스공무원의 특별 혜택

FREE 공무원 헌법 **동영상강의**

해커스공무원(gosi.Hackers.com) 접속 후 로그인 ▶ 상단의 [무료강좌] 클릭 ▶
좌측의 [교재 무료특강] 클릭

해커스공무원 온라인 단과강의 **20% 할인쿠폰**

5F8472A2E698F7X9

해커스공무원(gosi.Hackers.com) 접속 후 로그인 ▶ 상단의 [나의 강의실] 클릭 ▶
좌측의 [쿠폰등록] 클릭 ▶ 위 쿠폰번호 입력 후 이용

* 쿠폰 이용 기한: 등록 後 7일간 사용 가능

합격예측 모의고사 응시권 + 해설강의 수강권

FAB5D2AF38C7ZC8A

해커스공무원(gosi.Hackers.com) 접속 후 로그인 ▶ 상단의 [나의 강의실] 클릭 ▶
좌측의 [쿠폰등록] 클릭 ▶ 위 쿠폰번호 입력 후 이용

* 쿠폰 이용 기한: 등록 後 7일간 사용 가능

해커스공무원 평생 0원 패스 **5만원 할인쿠폰**

6247B465C2B9CBH9

해커스공무원(gosi.Hackers.com) 접속 후 로그인 ▶ 상단의 [나의 강의실] 클릭 ▶
좌측의 [쿠폰등록] 클릭 ▶ 위 쿠폰번호 입력 후 이용

* 쿠폰 이용 기한: 등록 後 7일간 사용 가능

쿠폰 이용 관련 문의 **1588-4055**

단기 합격을 위한

해커스 커리큘럼

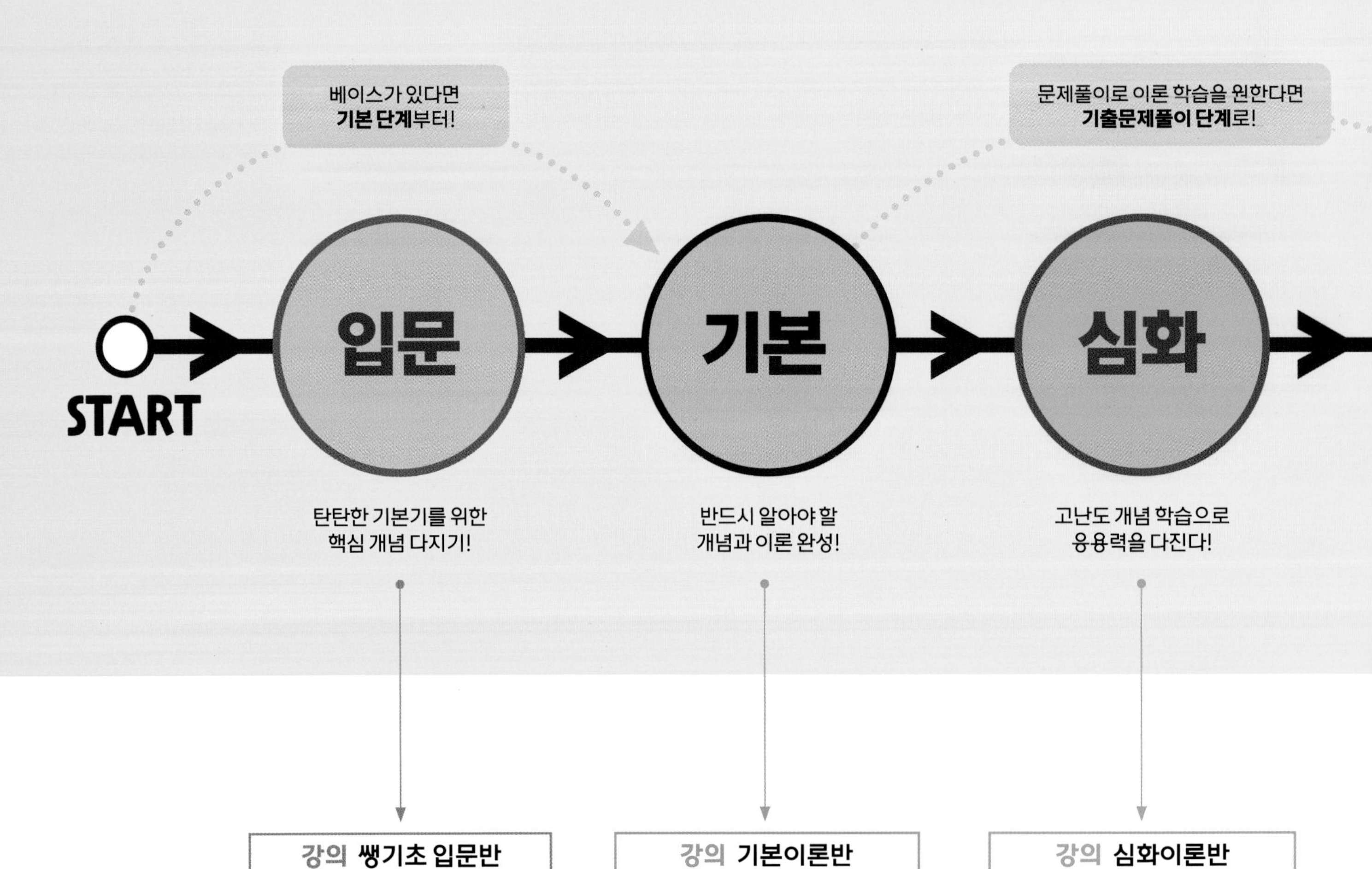

강의 쌩기초 입문반

이해하기 쉬운 개념 설명과 풍부한 연습문제 풀이로 부담 없이 기초를 다질 수 있는 강의

강의 기본이론반

반드시 알아야 할 기본 개념과 문제풀이 전략을 학습하여 핵심 개념 정리를 완성하는 강의

강의 심화이론반

심화이론과 중·상 난이도의 문제를 함께 학습하여 고득점을 위한 발판을 마련하는 강의

단계별 교재 확인 및
수강신청은 여기서!

gosi.Hackers.com

* 커리큘럼은 과목별·선생님별로 상이할 수 있으며, 자세한 내용은 해커스공무원 사이트에서 확인하세요.

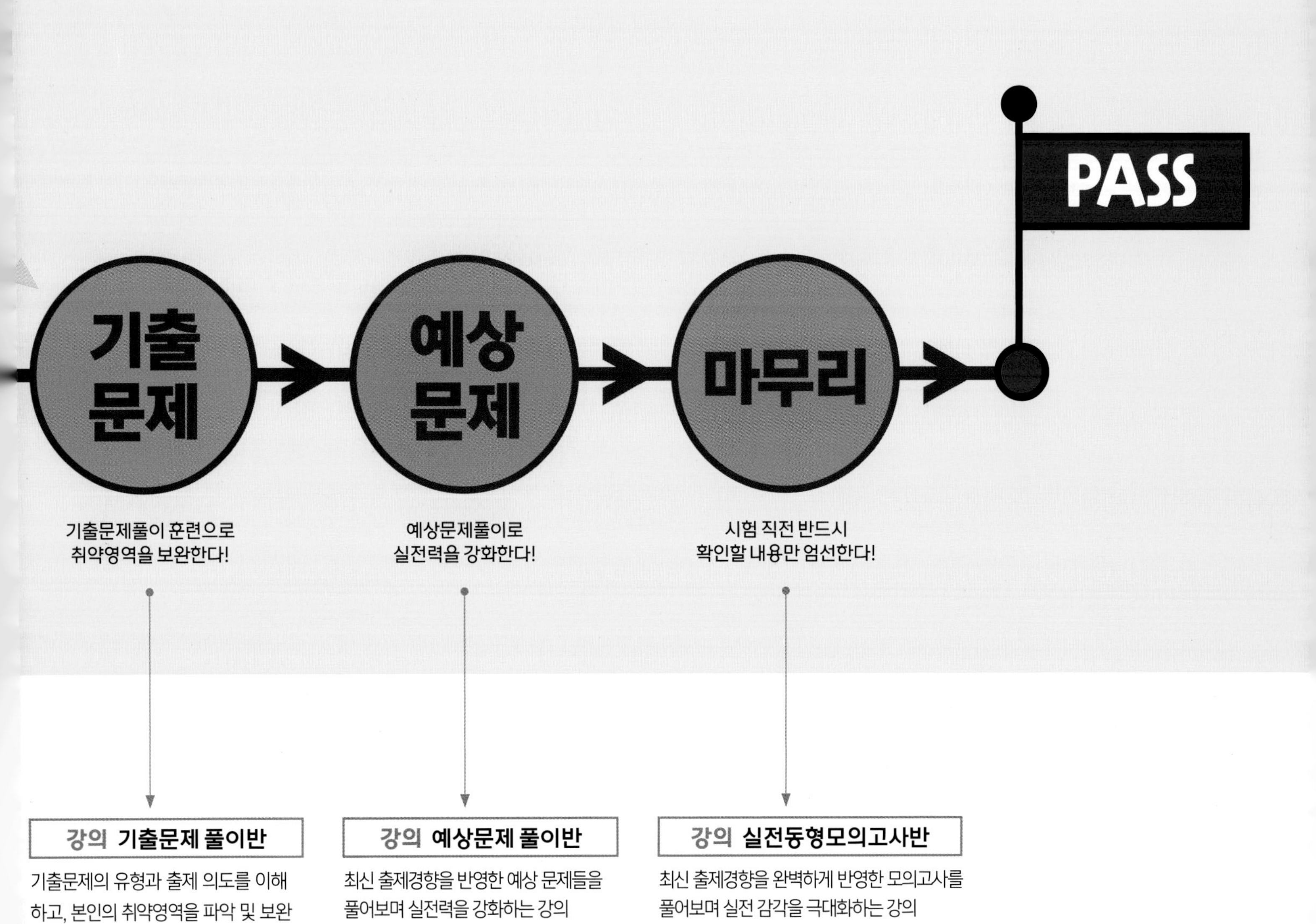

기출문제풀이 훈련으로
취약영역을 보완한다!

예상문제풀이로
실전력을 강화한다!

시험 직전 반드시
확인할 내용만 엄선한다!

강의 기출문제 풀이반

기출문제의 유형과 출제 의도를 이해하고, 본인의 취약영역을 파악 및 보완하는 강의

강의 예상문제 풀이반

최신 출제경향을 반영한 예상 문제들을 풀어보며 실전력을 강화하는 강의

강의 실전동형모의고사반

최신 출제경향을 완벽하게 반영한 모의고사를 풀어보며 실전 감각을 극대화하는 강의

강의 봉투모의고사반

시험 직전에 실제 시험과 동일한 형태의 모의고사를 풀어보며 실전력을 완성하는 강의

해커스공무원 **단기 합격생**이 말하는

공무원 합격의 비밀!

해커스공무원과 함께라면
다음 합격의 주인공은 바로 여러분입니다.

10개월 만에
전산직 1차 합격!

최*석 합격생

언어논리는 결국 '감'과 '기호화'의 체화입니다.

언어논리 **조은정 선생님**의 강의를 통해 **제시문 구조, 선지 구조 등 문제접근법**에 대해서 배웠고, 그 방식을 토대로 **문제 푸는 방식을 체화**해가면서 감을 찾아갔습니다. 설명도 깔끔하게 해주셔서 **도식화도 익힐 수 있었습니다.**

단 3주 만에
PSAT 고득점 달성!

김*태 합격생

총 준비기간 3주 만에 PSAT 합격했습니다!

자료해석 **김용훈 선생님**은 인강으로 봐었는데도 **정말 친절하셔서 강의 보기 너무 편안**했습니다. **분수비교와 계산방법** 등 선생님께서 쉽게 이해를 도와주셔서 많은 도움이 되었습니다.

7개월 만에
외무영사직 1차 합격!

문*원 합격생

상황판단은 무조건 '길규범' 입니다!

수험생이 접하기 어려운 과목임에도 불구하고 **길규범 선생님**께서는 정말 **여러가지의 문제풀이 방법**을 알려주십니다. 강의가 거듭될수록 **문제푸는 스킬이 나무처럼 카테고리화 되어서 문제에 쉽게 접근**할 수 있게 되었어요!

해커스공무원

황남기 헌법

진도별 모의고사 기본권편

문제

해커스공무원

황남기

약력

현 | 해커스공무원 행정법, 헌법 강의
해커스경찰 헌법 강의

전 | 외교부 사무관
제27회 외무고시 수석합격
2012년 공무원 승진시험 출제위원
동국대 법대 겸임교수

주요 저서

해커스공무원 황남기 헌법 기본서 1권
해커스공무원 황남기 헌법 기본서 2권
해커스공무원 황남기 헌법 진도별 모의고사 기본권편
해커스공무원 황남기 헌법 진도별 모의고사 통치구조론편
해커스공무원 황남기 헌법족보
해커스공무원 황남기 헌법 최신 판례집
해커스공무원 황남기 행정법총론 기본서
해커스공무원 황남기 행정법총론 문제족보를 밝히다
해커스공무원 황남기 행정법각론 기본서
해커스공무원 황남기 행정법 모의고사 Season 1
해커스공무원 황남기 행정법 모의고사 Season 2
해커스공무원 황남기 행정법 최신 판례집
해커스경찰 황남기 경찰헌법 기본서
해커스경찰 황남기 경찰헌법 핵심요약집
해커스경찰 황남기 경찰헌법 Season 1 쟁점별 기출모의고사
해커스경찰 황남기 경찰헌법 Season 1 진도별 모의고사
해커스경찰 황남기 경찰헌법 Season 2 진도별 모의고사 플러스
해커스경찰 황남기 경찰헌법 Season 3 전범위 모의고사 Vol.1 1차 대비
황남기 행정법총론 기출문제집, 멘토링
황남기 행정법각론 기출문제집, 멘토링

해커스공무원 황남기
헌법 진도별 모의고사

본 교재는 7급, 경찰간부, 소방간부, 경찰승진에 적합한 교재입니다. 일반 경찰 채용에는 추천하지 않습니다.

본 교재는 헌법 과목의 문제를 진도별로 정리했으며, 기출문제 공부를 충실히 했는지를 점검할 수 있는 모의고사 교재입니다. 모의고사는 이론공부보다 시험장과 비슷한 상황에서 훈련하는 것이 주된 목적입니다. 따라서 다음 사항에 주의하여 본 교재를 활용하시기 바랍니다.

1. 모의고사는 20문제당 14분 정도의 시간을 기준으로 풀기 바랍니다.

2. 틀린 문제는 암기가 안 된 것인지, 실수인지, 이해를 못해서인지 분석하시기 바랍니다.

3. 틀린 문제에 해당하는 범위의 기출문제를 다시 보시기 바랍니다.

4. 많이 틀린 파트는 발췌 강의를 수강하시거나 기본서 공부를 다시 하시기 바랍니다.

5. 이후에 모의고사 선지를 암기하시기 바랍니다.

가능한 한 현장에서 진행하는 모의고사에 참여해 보는 것이 실전 훈련에 큰 도움이 될 것입니다. 더불어 공무원 시험 전문 해커스공무원(gosi.Hackers.com)에서 학원강의나 인터넷동영상강의를 함께 이용하여 꾸준히 수강한다면 학습 효과를 극대화할 수 있습니다.

본 교재 작업에는 합격생 다수가 참여하여 정리 작업을 해주었습니다.

박진아 양은 경간 시험을 준비하면서 모의고사 문제 오류, 오탈자, 해설 부족 등을 꼼꼼히 보고 수정해주셔서 이번 교재가 나오는 데 큰 도움이 되었습니다. 부산에서 올라와 타지에서 열심히 공부하여 좋은 결과가 나오기를 기원합니다. 모의고사 조교를 하면서 모의고사 진행을 협조해 준 조준우 군에게도 감사의 뜻을 전하고 싶습니다.

또한 해커스 편집팀의 수고가 많이 담겨 좋은 교재로 나오게 되었습니다. 참여해 주신 분들에게 감사드립니다. 황남기 헌법 시리즈는 계속해서 출간될 예정이니 공부 후 실력 점검과 내용 보충에 활용하시기 바랍니다.

2022년 6월

저자 황남기

차례

해커스공무원 황남기
헌법 진도별 모의고사

문제

진도별 모의고사

차례

해커스공무원 황남기
헌법 진도별 모의고사

중간 테스트

정답과 해설

진도별 모의고사

차례

해커스공무원 황남기
헌법 진도별 모의고사

진도별 모의고사

중간 테스트

해커스공무원
gosi.Hackers.com

해커스공무원 황남기 헌법 진도별 모의고사

진도별 모의고사

진도별 모의고사

헌법의 의의 ~ 헌법변천

정답 및 해설 p.12

제한시간 : 14분 | 시작시각 ___시 ___분 ~ 종료시각 ___시 ___분 나의 점수 ______

01 헌법에 대한 설명으로 옳지 않은 것은?

① 북한헌법과 조선의 경국대전은 고유한 의미의 헌법에 해당한다.

② "영국에는 헌법이 없다."라는 토크빌의 주장에서 헌법에는 정부조직법, 공직선거법이 포함된다.

③ 1899년 고종의 대한국국제는 고유한 의미의 헌법이라고 할 수 있으나, 근대입헌주의헌법으로 볼 수 없다.

④ 기본권을 법률 안의 자유 또는 실정법적 권리로 보는 법실증주의는 근대입헌주의의 헌법이 아니라 외견적 입헌주의헌법의 이론적 근거를 제시했다.

02 헌법에 대한 설명으로 옳지 않은 것은?

① 헌법개정절차의 난이도에 따라 경성헌법과 연성헌법으로 나눌 수 있으며, 경성헌법은 개정절차에서 국민투표를 필수적으로 요구한다.

② 현대사회국가헌법의 특징으로 민주적 정당제도와 위헌법률심사제가 대표적이다.

③ 근대입헌주의헌법의 특징으로는 재산권의 절대적 보장, 기관중심의 권력통제를 들 수 있고 현대사회국가헌법은 기능중심의 권력분립을 특징으로 한다.

④ "자유와 권리, 권력분립이 보장되어 있지 않은 사회는 헌법을 가졌다고 할 수 없다."에서 헌법의 목적은 자유보장이고 수단은 권력분립이다.

03 헌법에 대한 설명으로 옳은 것은?

① 성문헌법은 개념필수적으로 경성헌법에 해당한다.

② 형식적 의미의 헌법은 법에 규정되어 있는 내용에 따라 정의한 개념이다.

③ 형식적 의미의 헌법은 법형식의 구애됨이 없이 통치관계에 관한 기본적인 법규범에 전부를 지칭한다.

④ 형식적 의미의 헌법이라면 내용적으로 실질적 의미의 헌법인 것과는 무관하게 헌법개정의 대상이 될 수 있다.

04 근대입헌주의헌법 시대에 본격적으로 도입된 헌법조항은 모두 몇 개인가?

ㄱ. 정당의 설립은 자유이며, 복수정당제는 보장된다.
ㄴ. 모든 행복을 추구할 권리를 가진다.
ㄷ. 법률과 적법한 절차에 의하지 아니하고는 처벌·보안처분 또는 강제노역을 받지 아니한다.
ㄹ. 재산권의 행사는 공공복리에 적합하도록 하여야 한다.
ㅁ. 모든 국민은 인간다운 생활을 할 권리를 가진다.
ㅂ. 모든 국민은 건강하고 쾌적한 환경에서 생활할 권리를 가진다.
ㅅ. 법률이 헌법에 위반되는 여부가 재판의 전제가 된 경우에는 법원은 헌법재판소에 제청하여 그 심판에 의하여 재판한다.
ㅇ. 국가는 균형 있는 국민경제의 성장 및 안정과 적정한 소득의 분배를 유지하고, 시장의 지배와 경제력의 남용을 방지하며, 경제주체 간의 조화를 통한 경제의 민주화를 위하여 경제에 관한 규제와 조정을 할 수 있다.

① 1개 ② 2개
③ 3개 ④ 4개

05 헌법에 대한 설명으로 옳지 않은 것은?

① 불문헌법국가에서도 헌법의 국가창설적 기능이 인정되고 불문헌법도 헌법변천이 가능하다.

② 성문헌법국가에서는 관습헌법은 인정된다.

③ 헌법재판에서 헌법을 해석·적용하는 작업의 범위에는 문제되는 헌법규정의 내용을 고전적 해석을 통해 밝혀내고 헌법현실에 적용하는 포섭의 방법 이외에도, 개방적인 헌법규범의 내용을 헌법의 구체화와 보충을 통하여 불문법적 요소에 의하여 보완하는 방법도 포함될 수 있으므로, 우리나라의 수도가 서울이라는 것을 불문의 관습헌법으로 인정하고 이러한 관습헌법에 성문헌법을 개폐하는 효력을 인정하는 것은 가능하다.

④ 관습헌법은 헌법개정의 대상이라고 할 수 있다.

06 헌법에 대한 설명으로 옳지 않은 것은?

① 헌법은 정치세력 간 최소한의 산물이므로 헌법해석을 통한 보충의 필요성은 법률해석의 필요성보다 크다.

② 행정법은 그 실효성을 확보하기 위한 개별적, 구체적, 직접적 강제수단을 두어 자기보장성을 강화시키고, 헌법도 자기보장규범을 특징으로 하면서 실효성을 확보하기 위한 개별적, 구체적, 직접적 강제수단을 두고 있다.

③ 헌법에 일반적 법률유보조항을 두는 것은 헌법의 최고규범성을 유지하기 위한 것으로 볼 수 없다.

④ 헌법은 개방성을 특징으로 하나, 개방된 사항의 결정을 위한 핵심절차까지 개방적이어서는 안 된다.

07 헌법조항들과의 관계에 대한 설명으로 옳지 않은 것을 모두 조합한 것은?

ㄱ. 법익이 충돌하는 경우 실제적 조화의 원칙이 적용되어야 하는 것은 헌법의 통일성의 원리로부터 나온다.
ㄴ. 헌법상 권리인 기본권 간에 서열이 있을 수 있다는 것이 헌법재판소 판례이다.
ㄷ. 헌법재판소는 헌법상으로 어떤 규정이 헌법핵 내지는 헌법제정규범으로써 상위규범이고 어떤 규정이 헌법개정규범으로서 하위규범인지 구별할 수 있다고 하여 칼 슈미트의 헌법핵과 헌법률의 구별론을 수용하였다.
ㄹ. 헌법재판소는 헌법조항 간의 이념적 논리적 우열관계를 인정하였으나, 헌법조항 간의 효력상 차이를 인정하지 않아 어떤 헌법조항이 다른 헌법조항에 위반된다고 하여 효력을 부정할 수는 없다고 하였다.
ㅁ. 헌법의 제 규정 가운데는 헌법의 근본가치를 보다 추상적으로 선언한 것도 있고 이를 보다 구체적으로 표현한 것도 있으므로, 헌법의 어느 특정 규정이 다른 규정의 효력을 전면 부인할 수 있는 정도로 개별적 헌법규정 상호 간의 효력상 차등을 인정할 수 있다.

① ㄱ, ㄷ, ㄹ　　② ㄱ, ㅁ
③ ㄷ, ㅁ　　④ ㄴ, ㄹ, ㅁ

08 헌법에 대한 설명으로 옳지 않은 것은 모두 몇 개인가?

ㄱ. 헌법을 해석하는 기관은 헌법해석을 통해서 헌법이 분배한 기능의 분배를 변경시켜서는 안 된다.
ㄴ. 헌법규정에 불확정한 것이 있을 경우에 이를 해석하기 위하여 정치적·사회적 사실을 고려해서 정치적 해석을 해서는 안 된다.
ㄷ. 헌법재판소의 헌법해석은 헌법이 내포하고 있는 특정한 가치를 탐색·확인하고 이를 규범적으로 관철하는 작업인 점에 비추어, 헌법재판소가 행하는 구체적 규범통제의 심사기준은 원칙적으로 헌법재판을 할 당시에 규범적 효력을 가지는 헌법이다.
ㄹ. 헌법재판소가 헌법이 확정한 한계를 넘어서 입법자의 형성의 자유의 범위를 좁히거나 스스로 형성적 해석을 하는 것은 허용되지 않는다.
ㅁ. 헌법재판소는 헌법상 법관신분 보장규정을 법관정년제를 전제로 그 재직 중 신분을 보장하는 것으로 해석하는 것이 헌법상 법관신분 보장규정과 법관정년제 규정을 조화롭게 해석하는 방법이라고 이해한다.
ㅂ. 헌법해석은 입법작용 등 헌법소송과 관련없는 영역에서는 인정되지 않는다.

① 1개　　② 2개
③ 3개　　④ 4개

09 헌법조항에 대한 사법적 통제에 관한 헌법재판소의 판례와 일치하는 것은?

① 독일 헌법재판소는 헌법제정 당시 조문만 위헌법률심판이나 헌법소원의 대상이 될 수 없다고 하였으나, 우리 헌법재판소는 제정 당시 조문뿐 아니라 개정된 조문도 위헌법률심판이나 헌법소원의 대상이 될 수 없다는 입장이다.

② 헌법재판소는 헌법조문이 헌법에 명백히 위반된 경우에는 헌법조문의 효력을 정지시킬 수 있다고 한다.

③ 헌법제정권과 개정의 구별론이나 헌법개정의 한계론은 헌법개별규정에 관하여 규범심사를 할 수 있다는 논거로 원용될 수 있다.

④ 최근 헌법재판소는 헌법 제16조(모든 국민은 주거의 자유를 침해받지 아니한다. 주거에 대한 압수나 수색을 할 때에는 검사의 신청에 의하여 법관이 발부한 영장을 제시하여야 한다)와 헌법 제29조 제2항(군인·군무원·경찰공무원 기타 법률이 정하는 자가 전투·훈련 등 직무집행과 관련하여 받은 손해에 대하여는 법률이 정하는 보상 외에 국가 또는 공공단체에 공무원의 직무상 불법행위로 인한 배상은 청구할 수 없다)에 대해 헌법불합치결정을 하면서 헌법개정을 명한 바 있다.

10 합헌적 법률해석에 대한 설명으로 옳은 것은 모두 몇 개인가?

> ㄱ. 법률이 일의적 의미를 가지는 경우에도 합헌적 법률해석은 허용된다.
> ㄴ. 합헌적 법률해석이란 법률이 외형상 위헌적으로 보일 경우라도 그것이 헌법의 정신에 맞도록 해석될 여지가 조금이라도 있는 한 이를 쉽사리 위헌이라고 판단해서는 안 된다는 헌법의 해석지침을 말한다.
> ㄷ. 헌법이 다의적 의미를 가지는 경우 헌법을 해석하는 지침으로서 합헌적 법률해석은 법적 안정성 확보에 기여한다.
> ㄹ. 합헌적 법률해석에서 헌법은 저촉규칙으로 기능하나, 규범통제에서는 헌법은 해석규칙으로 기능한다.
> ㅁ. 합헌적 법률해석을 하기 위해서는 헌법에 명시적인 근거가 있어야 하므로 우리 헌법도 이에 대한 명시적 규정을 두고 있다.
> ㅂ. 합헌적 법률해석은 규범통제과정에서만 이루어지고 규범통제과정을 강화하는 기능을 한다.

① 없음. ② 1개
③ 2개 ④ 3개

11 합헌적 법률해석에 대한 설명으로 옳은 것을 모두 조합한 것은?

> ㄱ. 합헌적 법률해석은 입법권을 침해하지 아니하는 범위 내에서 사법부가 최대한 해석상 재량을 발휘하는 것으로 사법적극주의의 전형적인 표현이다.
> ㄴ. 합헌적 법률해석은 미국에서 출발해서 독일에 영향을 주었고 우리나라 대법원과 헌법재판소 모두 인정하고 있다.
> ㄷ. 구체적 사건에서의 법률의 해석·적용권한은 사법권의 본질적 내용을 이루는 것으로서, 합헌적 법률해석은 대법원을 정점으로 하는 일반법원이 하여야 하는 임무이고, 법률의 위헌심사를 맡는 헌법재판소의 임무는 아니다.
> ㄹ. 헌법재판소는 법원이 일반법률의 해석·적용을 충실히 수행한다는 것을 전제하고, 합헌적 법률해석의 요청에 의하여 위헌심사의 관점이 법률해석에 바로 투입되는 경우가 아닌 한 먼저 나서서 일반법률의 해석·적용을 확정해서는 안 된다.
> ㅁ. 합헌적 법률해석은 헌법재판소가 법률을 해석할 때 사용하는 해석기법이나, 일반법원과 무관하다.

① ㄱ, ㄴ ② ㄴ, ㄹ
③ ㄴ, ㄷ, ㅁ ④ ㄹ, ㅁ

12 합헌적 법률해석의 근거에 대한 설명으로 옳은 것은?

① 조약이나 일반적으로 승인된 국제법규는 법률이 아니므로 합헌적 법률해석의 대상이 될 수 없다.

② 합헌적 법률해석은 법률의 위헌적 요소가 부분적으로 있으나 합헌으로 해석할 수 있는 부분도 있다면 법률의 효력을 존속시키는 기능을 하므로 사법부가 입법부를 존중하는 법률해석방법이다.

③ 법원과 헌법재판소는 합헌적 법률해석을 할 수 있으나, 사법기관이 아닌 법령소관기관과 자치법규를 소관하는 지방자치단체의 장은 합헌적 법률해석을 할 수 없다.

④ 합헌적 법률해석은 헌법재판소가 헌법과 법률을 해석·적용함에 있어서 입법자의 입법취지대로 해석하여야 한다는 것으로 민주주의와 권력분립원칙의 관점에서 입법자의 입법권에 대한 존중과 규범유지의 원칙에 의하여 정당화된다.

13 합헌적 법률해석의 한계에 대한 설명으로 옳지 않은 것을 모두 조합한 것은?

ㄱ. 헌법재판소의 합헌적 법률해석이 입법목적에서 벗어났다면, 위헌법률을 무효선언하는 규범통제보다 입법부의 법률제정권을 더 침해한 것이라 볼 수 있다.
ㄴ. 국가 간에 체결된 조약에 있어서는, 조약상대방이 이해하고 있는 조약 내용을 조약의 다른 상대방이 합헌적 해석이라는 이름하에 달리 해석하는 것은 허용되지 않는데, 이런 점에서 조약의 합헌적 해석에는 한계가 있다.
ㄷ. 합헌적 법률해석은 경제적 자유 규제입법보다 정신적 자유 규제입법에서 보다 널리 허용된다.
ㄹ. 입법권자가 그 법률의 제정으로써 추구하고자 하는 입법자의 명백한 의지와 입법의 목적을 헛되게 하는 내용으로 법률조항을 해석할 수 없다는 '법목적에 따른 한계'는 인정될 수 있다.
ㅁ. 합헌적 법률해석은 해석하고자 하는 법조문만이 아니라 그 해석의 기준이 되는 헌법조문의 해석도 필요한바, 법률의 헌법합치적 해석이 헌법의 법률합치적 해석으로 나아가서는 아니 된다.
ㅂ. 법률이 위헌으로 보일지라도 헌법의 합법률적 해석으로 헌법과 법률의 정합성을 확보할 필요가 있다.

① ㄱ, ㅁ, ㅂ
② ㄱ, ㄷ, ㅂ
③ ㄹ, ㅁ, ㅂ
④ ㄷ, ㅂ

14 합헌적 법률해석에 대한 설명으로 옳지 않은 것은?

① 의료인은 하나의 의료기관만을 개설할 수 있도록 한 「의료법」은 복수면허 의료인에 관해서는 "의사로서 하나의 의료기관, 한의사로서 하나의 의료기관을 개설할 수 있되, 하나의 장소에서 개설하여야 한다."라고 합헌적 법률해석을 할 수 있고, 이 경우에는 집행행위는 취소되어 복수면허 의료인들의 직업의 자유 등 기본권 침해상태는 제거된다.

② 구 「사회보호법」의 보호감호에 대하여 법이 정한 일정한 요건이 충족된 경우 법원으로 하여금 재범의 위험성 유무를 불문하고 반드시 보호감호를 선고하도록 하고 있는 경우 재범의 위험성이 있는 경우에 한하여 보호감호를 부과하도록 합헌적 법률해석을 할 수 없다.

③ 법인의 종업원 등이 법인의 업무에 관하여 범죄행위를 하면 그 법인에게도 동일한 벌금형을 과하도록 규정하고 있는 「수질 및 수생태계 보전에 관한 법률」 제81조가 그 문언상 '법인의 종업원에 대한 선임감독상의 과실 기타 귀책사유'가 명시되어 있지 않더라도 그와 같은 귀책사유가 있는 경우에만 처벌하는 것으로 해석할 수 없으므로 한정합헌결정 또는 한정위헌결정할 수 없다.

④ 만약 계속 재판을 하였더라면 무죄판결이 나올 것이 명백하였으나 공소기각재판을 한 경우를 무죄선고에 포함하여 소급적으로 봉급을 받도록 하는 법률해석은 입법자의 취지에 반하지 않으므로 합헌적 법률해석으로 정당화될 수 있다.

15 합헌적 법률해석에 대한 설명으로 옳은 것은?

① 법률이 합헌으로도 위헌으로도 해석될 가능성이 있는 경우 합헌으로 해석될 가능성을 택하여 가능한 한 위헌결정을 하지 말라는 요청을 헌법합치적 법률해석이라고 부르는데, 우리 헌법재판소는 이러한 요청을 헌법불합치결정을 통하여 구체화하고 있다.

② 헌법재판소의 야간시위금지결정 중 합헌적 법률해석을 구체적으로 적용한 것은 야간시위금지와 관련된 헌법재판소의 결정이다.

③ 헌법재판소의 법률에 대한 한정합헌결정은 합헌적 법률해석과 차원을 달리하는 위헌법률심판의 결정유형에 관한 문제이므로 양자는 특별한 관계가 없다.

④ 합헌결정이나 위헌결정은 합헌적 법률해석의 유형이다.

16 **합헌적 법률해석에 대한 설명으로 옳지 않은 것은?**

① 「지방공무원법」 제29조의3(지방자치단체의 장은 다른 지방자치단체의 장의 동의를 얻어 그 소속 공무원을 전입할 수 있다)은 당해 공무원의 동의를 전제로 해석된다는 것이 대법원 판례였는데, 헌법재판소도 동일하게 해석하면서 합헌결정한 바 있다.

② 「공무원연금법」 제64조 제3항(금고 이상의 형의 선고를 받은 공무원의 연금지급정지)에 대해 대법원은 퇴직 후의 사유를 포함하지 않는 것으로 해석했는데, 헌법재판소는 동일하게 해석하면서 한정위헌결정한 바 있다.

③ 헌법소원심판대상 법률조항에 관한 대법원의 합헌적 해석이 헌법재판소의 견해와 일치할 경우 헌법재판소는 한정위헌결정을 내리는 태도를 견지하고 있다고 할 수 없다.

④ 헌법재판소는 옥외집회 720시간 전부터 48시간 전에 신고를 하도록 하면서 신고하지 않은 집회에 대해 처벌하도록 한 「집회 및 시위에 관한 법률」 중 긴급집회 주최자에게 48시간 전에 신고서를 제출하도록 하는 부분에 대하여 위헌을 선언하였다.

17 **구법인 조세감면규제법 부칙규정은 법인세 부과의 근거조항이었다. 조세감면규제법이 전부 개정되었는데 입법자는 개정법에 구법 부칙조항의 효력을 유지시키는 경과규정을 두지 않았다. 이에 아래와 같이 청구인은 주장하면서 헌법재판소법 제68조 제2항의 헌법소원을 청구하기에 이르렀다. 이에 대한 설명으로 옳은 것은?**

> [청구인들의 주장]
>
> (1) 과세관청은 이 사건 부칙조항을 적용하여 이 사건 각 부과처분을 하였는데, 구 「조세감면규제법」이 전부 개정되면서 이 사건 부칙조항에 관하여는 경과규정도 두지 아니하였는바, 이 사건 부칙조항과 같은 종전의 법률 부칙의 경과규정도 실효되었다고 보아야 할 것이다.
>
> (2) 이 사건 부칙조항이 전부 개정된 구 「조세감면규제법」의 시행에도 불구하고 대법원은 '특별한 사정'이 있기 때문에 실효되지 않았다고 판시하였는바, 그와 같이 해석하는 한 이 사건 부칙조항은 헌법에 규정된 국회의 입법권을 침해하고 조세법률주의에 위반되는 것으로서 위헌이다.

① 법률이 전부 개정되었음에도 구법의 부칙의 효력을 유지한다고 보고 구법의 부칙이 과세처분의 근거가 된다는 것은 헌법상의 권력분립원칙, 죄형법정주의, 조세법률주의의 원칙에 반한다.

② 과세요건법정주의 및 과세요건명확주의를 포함하는 조세법률주의가 지배하는 조세법의 영역에서는 경과규정의 미비라는 명백한 입법의 공백을 방지하고 형평성의 왜곡을 시정하는 것은 원칙적으로 입법자의 권한이나 법률조항의 법문의 한계 안에서 법률을 해석·적용하여야 하는 법원이나 과세관청의 몫이기도 하다.

③ 헌법정신에 맞도록 법률의 내용을 해석·보충하거나 정정하는 '헌법합치적 법률해석' 역시 '유효한' 법률조항의 의미나 문구를 대상으로 하는 것이지, 이를 넘어 이미 실효된 법률조항을 대상으로 하여 헌법합치적인 법률해석을 할 수 있다.

④ 헌법재판소에 따르면, 법률이 전부 개정된 경우에는 기존 법률을 폐지하고 새로운 법률을 제정하는 것과 마찬가지여서 종전의 본칙은 물론 부칙규정도 모두 소멸하는 것이므로 특별한 사정이 없는 한 종전의 법률 부칙의 경과규정도 실효된다.

18 헌법제정에 대한 설명으로 옳은 것은?

① 쉬에스에 따르면 헌법제정권력은 오직 국민뿐이나, 칼 슈미트에 따르면 헌법제정권력의 주체는 개인, 소수자, 또는 국민이 될 수 있다고 한다.

② 우리나라 제헌헌법은 루소의 인민주권의 영향을 받아 제헌의회의 의결을 거쳐 국민투표를 통해 확정되었다.

③ 헌법제정권력은 위임할 수 있다.

④ 헌법제정의 한계로 국제법적 한계, 법원리적 한계, 정치이념적 한계, 실정법적 한계가 있다.

19 헌법변천과 헌법개정에 대한 설명으로 옳지 않은 것은 모두 몇 개인가?

> ㄱ. 이전 헌법과의 동일성이 유지되는 헌법개정이라 하더라도 헌법이 정하는 개정절차에 따르지 않은 경우 위헌적인 헌법개정이다.
> ㄴ. 헌법개정은 헌법의 기본적 동일성을 유지하여야 하는데 이는 헌법개정의 필요성이고, 헌법개정을 하는 이유는 헌법의 규범력을 높이기 위함이므로 이는 헌법개정의 한계이다.
> ㄷ. 헌법변천은 헌법개정이 끝나는 곳에서 시작된다. 따라서 헌법변천은 헌법개정의 제동적 또는 한계적 기능을 한다.
> ㄹ. 헌법규범과 헌법현실 간에 괴리가 생긴 경우, 헌법개정은 그 괴리를 좁혀 궁극적으로 규범력을 높이는 기능을 하나, 헌법변천은 그와 같은 기능을 하지 못한다는 점에서 양자는 차이가 있다.
> ㅁ. 헌법개정과 마찬가지로 헌법변천은 묵시적, 암묵적, 무의식적으로 이루어진다.
> ㅂ. 헌법개정과 다르게 헌법변천에서는 헌법조문의 변화 없이 헌법이 새로운 의미를 가진다.
> ㅅ. 성문헌법국가에서도 헌법변천은 인정될 수 있다.

① 4개　　② 5개

③ 6개　　④ 모두

20 헌법개정절차에 대한 설명으로 옳은 것은?

① 제6차 개정헌법에 따르면 헌법개정은 국회 재적의원 과반수의 찬성으로 제안될 수 있다.

② 제6차 개정헌법에 따르면 국회의원 선거권자 50만 인 이상의 찬성으로 헌법개정안을 발의할 수 있었다.

③ 제6차 개정헌법에 따르면 국회의 재적의원 3분의 1 이상 또는 국회의원 선거권자 50만 인 이상의 찬성 또는 대통령이 헌법개정안을 발의할 수 있었다.

④ 제6차 개정헌법에 따르면 제안된 헌법개정안은 대통령이 20일 이상의 기간 이를 공고하여야 한다.

2회

진도별 모의고사

헌법의 개정 ~ 헌법 보호

정답 및 해설 p.17

제한시간 : 14분 | 시작시각 ___시 ___분 ~ 종료시각 ___시 ___분 나의 점수 ______

01 헌법개정에 대한 설명으로 옳지 않은 것은?

① 헌법개정은 국회 재적의원 과반수 또는 대통령의 발의로 제안되고, 헌법개정안에 대한 국회의 의결은 국회의원 재적의원 3분의 2 이상의 찬성을 얻어야 한다.

② 헌법개정안은 국회가 의결한 후 30일 이내에 국민투표에 붙여야 하고, 국회의원 선거권자 과반수의 투표와 투표자 과반수의 찬성을 얻어야 한다.

③ 우리나라 헌법은 9차례 개정되었는데, 그중 국회의 의결과 국민투표를 모두 거쳐 개정된 헌법은 제6차 및 제9차 개정헌법이다.

④ 현행헌법은 제9차 개정헌법으로 국회의 의결을 거친 다음 국민투표에 의하여 확정되었고, 대통령이 즉시 이를 공포함으로써 그 효력이 발생하였다.

02 대통령 중임금지조항의 개정에 대한 설명으로 옳지 않은 것은?

① 제8차 개정헌법은 대통령 임기는 7년으로 하면서 대통령의 중임금지를 규정하였다.

② 헌법 제128조 제2항은 "대통령의 임기 연장 또는 중임 변경을 위한 헌법개정은 그 헌법개정 제안 당시의 대통령에 대하여는 효력이 없다."라고 규정하고 있는데, 이는 민주화운동의 성과물로서 현행헌법에서 처음으로 규정된 것이다.

③ 대통령의 중임을 허용하는 헌법으로 개정되더라도 제안 당시 대통령은 다음 선거에 입후보할 수 없다.

④ 대통령 중임금지조항을 개정할 수 있다.

03 헌법개정절차에 대한 설명으로 옳은 것은?

① 제안된 헌법개정안은 20일 이상 이를 공고하여야 하는데 비상사태하에서도 이를 생략할 수 없다.

② 대통령의 발의로 제안된 헌법개정안은 국회의장이 20일 이상의 기간 이를 공고하여야 하며, 국회는 헌법개정안이 공고기간이 만료된 날로부터 60일 이내에 의결하여야 한다.

③ 헌법개정안이 공고된 날로부터 60일 이내에 국회는 의결하여하며 수정의결을 할 수 있다.

④ 1952년 개정된 제1차 개정헌법은 공고절차를 밟아 개정된 헌법이다.

04 헌법개정절차에 대한 설명으로 옳지 않은 것은?

① 헌법개정안은 반드시 국회의 의결을 거쳐야 하고 국회의 의결은 기명으로 표결하며 헌법개정안은 반드시 국민투표에 부쳐야 하고 국회의원 선거권자 과반수의 투표와 투표자 과반수의 찬성을 얻어야 한다.

② 헌법 제130조의 헌법개정안 국민투표는 대의기관인 국회와 대통령의 의사결정에 대한 국민의 승인절차라고 할 수 있다.

③ 현재 재적 국회의원 정수를 고려할 때, 국회의원 100인이 반대하는 경우라 하더라도 헌법을 개정하는 것이 불가능한 것은 아니다.

④ 헌법상 임의적 국민투표에 관해서는 의결정족수규정이 있으나 필요적 국민투표에 관해서는 의결정족수규정이 없어 임의적 국민투표에 관련된 의결정족수규정이 필요적 국민투표에 적용될 수 있다는 견해가 제기된다.

05 헌법개정에 대한 설명으로 옳은 것은?

① 헌법개정의 발의정족수인 국회 재적의원 과반수와 헌법개정안 의결정족수인 국회의원 재적 3분의 2 이상은 소수자 보호를 위한 것으로 볼 수 없다.

② 1972년 개정헌법에 따르면 대통령이 제안한 헌법개정안은 국회의 의결을 거쳐 국민투표로 확정되었고 1972년 개정헌법에 따르면 국회의원이 제안한 헌법개정안은 국회의 의결을 거쳐 국민투표로 확정된다.

③ 제7차 개정헌법(1972년 헌법)에서 반드시 국민투표절차를 거쳐 헌법을 개정하도록 하고 있었다.

④ 국민투표로 확정된 최초 헌법은 제5차 개정헌법이다.

06 헌법개정에 대한 설명으로 옳은 것은?

① 제헌헌법과 제1차 개정헌법은 국민투표를 통해 확정되었다.

② 헌법개정절차와 관련해서 직접민주적 요소가 처음으로 도입된 헌법은 제5차 개정헌법이었다.

③ 현행헌법에서 헌법개정시 국민투표는 필요적 절차이므로 국회의 의결로도 생략할 수 없다.

④ 제3공화국 헌법은 제2공화국 헌법조항에 근거하여 국민투표를 거쳐 개정되었다.

07 헌법개정에 대한 설명으로 옳지 않은 것은?

① 한미무역협정의 경우, 국회의 동의를 필요로 하는 조약의 하나로서 법률적 효력이 인정되므로, 그에 의하여 성문헌법이 개정될 수는 없으며, 따라서 한미무역협정으로 인하여 청구인의 헌법 제130조 제2항에 따른 헌법개정절차에서의 국민투표권이 침해될 가능성은 인정되지 아니한다.

② 대통령은 이의가 있으면 헌법개정안에 대해 이송된 날로부터 15일 이내 이의서를 붙여 국회로 환부하여 재의를 요구할 수 있다.

③ 헌법개정은 국민투표에서 가결된 후 대통령이 공포함으로써 확정되는 것이 아니라 국민투표로 확정된 후 대통령이 공포한다.

④ 현행헌법상 대통령의 국민투표부의권(제72조)에 의하여 헌법개정안을 국민투표에 부칠 수 없다.

08 헌법개정에 대한 설명으로 옳지 않은 것은?

① 헌법을 제·개정할 것인지 여부, 헌법을 개정한다면 어떠한 내용으로 할 것인지 여부의 제반 결정권은 제헌헌법 이래 현행헌법에 이르기까지 국민에게 있으며, 헌법을 개정하거나 폐지하고 다른 내용의 헌법을 모색하는 것은 주권자이자 헌법제·개정권력자인 국민이 보유하는 가장 기본적인 권리이다.

② 헌법을 개정하거나 다른 내용의 헌법을 모색하는 것은 기본적인 권리라고 할 수 있으므로 국민의 유신헌법 반대운동을 금지하는 긴급조치 제1호, 제2호는 국가긴급권이 갖는 내재적 한계를 일탈한 것으로서, 이 점에서도 목적의 정당성이나 방법의 적절성을 갖추지 못하였다.

③ 헌법의 개정은 헌법의 조문이나 문구를 수정, 삭제, 보완, 삽입하는 등의 명시적이고 직접적인 변경을 내용으로 하는 헌법개정안의 제출에 의하여야 하고, 하위규범인 법률의 형식으로 일반적인 입법절차에 의하여 개정될 수는 없다.

④ 죄형법정주의는 법률에 적용되는 헌법상 원칙이므로 긴급조치는 법률이 아니므로 죄형법정주의가 적용되지 않는다.

09 헌법개정에 대한 설명으로 옳지 않은 것은?

① 우리나라 헌정사에서 국민발안과 국민투표가 헌법개정 절차에서 같이 규정된 헌법은 제5차, 제6차 개정헌법이었다.

② 국민투표의 효력에 관하여 이의가 있는 투표인과 정당은 투표인 10만 인 이상의 찬성을 얻어 대통령을 피고로 하여 투표일로부터 30일 이내에 헌법재판소에 제소할 수 있다.

③ 국민은 헌법제정이나 개정으로 성문헌법을 형성할 수 있으나 헌법전에 포함되지 아니한 헌법사항을 필요에 따라 관습의 형태로 직접 형성할 수 있다.

④ 헌법개정을 위한 국민투표권은 「헌법재판소법」 제68조 제1항의 기본권이므로 국민투표권 침해를 이유로 헌법소원심판을 청구할 수 있다.

10 신행정수도의 건설을 위한 특별조치법에 대한 헌법재판소 판례와 일치하지 않는 것을 모두 조합한 것은?

ㄱ. 성문헌법이라고 하여도 그 속에 모든 헌법사항을 빠짐없이 완전히 규율하는 것은 불가능하고 또한 헌법은 국가의 기본법으로서 간결성과 함축성을 추구하기 때문에 형식적 헌법전에는 기재되지 아니한 사항이라도 이를 불문헌법 내지 관습헌법으로 인정할 소지가 있다. ㄴ. 보편적 헌법원리와 같은 것은 반드시 명문의 규정을 두어야 하는 것은 아니다. ㄷ. 헌법사항에 관하여 형성되는 관행 내지 관례는 관습헌법이 된다. ㄹ. 관습헌법이 성립하기 위해서는 관습이 성립하는 사항이 헌법적으로 중요한 사항이어야 하는데 어떤 사항이 헌법의 기본적 사항이냐는 일반적·추상적 기준에 의해 확정되어야 한다. ㅁ. 헌법재판소는 관습헌법의 성립요건으로 반복성, 항상성, 계속성, 추상성, 국가의 승인을 들고 있다.

① ㄱ, ㄴ, ㄷ ② ㄱ, ㄹ
③ ㄹ, ㅁ ④ ㄷ, ㄹ, ㅁ

11 신행정수도의 건설을 위한 특별조치법에 대한 헌법재판소 판례와 일치하는 것은?

① 관습헌법은 주권자인 국민에 의하여 유효한 헌법규범으로 인정되는 동안에만 존속하는 것이고, 관습법의 존속요건의 하나인 국민적 합의성이 소멸하면 관습헌법으로서의 법적 효력도 상실하게 되므로, 관습헌법의 요건들은 성립의 요건이나 효력 유지의 요건은 아니다.

② 서울이 수도라는 것은 중요한 정책이므로 수도이전문제는 헌법 제72조의 국민투표의 대상이 되므로 서울이 수도라는 관습헌법을 변경하면서 국민투표에 부의하지 않고 「신행정수도의 건설을 위한 특별조치법」으로 하는 것은 헌법 제72조의 국민투표권을 침해한다.

③ 관습헌법의 개정은 헌법개정에 의해서 가능하고 관습헌법의 효력 상실도 헌법개정으로만 가능하다.

④ 관습헌법이 성문헌법과 동일한 효력을 가진다고 할 수 있어 관습헌법은 법률제·개정으로도 변경할 수 없다.

12 신행정수도 후속대책을 위한 연기·공주지역 행정중심복합도시 건설을 위한 특별법에 대한 헌법재판소 판례와 일치하지 않는 것은?

① 입법기능이 수행되는 곳으로서 입법기관의 소재지와 대통령의 활동이 수행되는 장소, 사법권이 행사되는 장소와 도시의 경제적 능력은 국민정서상의 상징가치를 가지고 심리적으로 국가통합의 계기를 이루는 것으로 수도성 판단의 본질적인 중요성을 가진다.

② 상당수 행정기관을 연기·공주지역 행정중심복합도시로 이전하는 것은 수도의 변경 또는 수도분산이 아니므로 「신행정수도 후속대책을 위한 연기·공주지역 행정중심복합도시 건설을 위한 특별법」은 국민투표권 침해가능성이 없다.

③ 대통령과 국무총리가 서울이라는 하나의 도시에 소재하고 있어야 한다는 관습헌법의 존재를 인정할 수 없으므로 국무총리 소재지만 세종시로 이전하려면 법률제정으로 할 수 있다.

④ 대통령과 국무총리가 서울이라는 하나의 도시에 소재하고 있어야 한다는 관습헌법의 존재를 인정할 수 없다.

13 헌법개정에 대한 설명으로 옳지 않은 것은?

① 현행헌법에는 헌법개정의 실정법적 한계를 규정하고 있지 않으나, 제2차 개정헌법부터 이에 대한 규정을 두었다.

② 칼 슈미트는 헌법개정절차조항을 개정할 수 없다고 하여 헌법개정조항을 헌법핵으로 보았다.

③ 사법권이 행사되는 장소(대법원, 헌법재판소)를 이전하는 것은 수도의 변경이 아니므로 법률개정으로 변경할 수 있다.

④ 연성헌법을 경성헌법으로 개정하는 것과 경성헌법을 연성헌법으로 개정하는 것은 허용되지 않는다.

14 헌법개정의 한계긍정설과 한계부정설의 논거에 대한 설명으로 옳은 것은 모두 몇 개인가?

ㄱ. 한계부정설에 따르면 주권자인 국민이 헌법을 개정하였으므로 헌법개정의 한계를 인정하기 힘들다.
ㄴ. 헌법제정권력과 헌법개정권력을 구별하는 견해는 헌법개정의 한계를 인정한다.
ㄷ. 가치상대주의는 헌법개정의 한계부정설의 논거이다.
ㄹ. 완성된 사실이론과 사실의 규범력설은 개정한계설의 대표적인 논거이다.
ㅁ. 헌법개정의 한계를 인정하는 견해는 헌법의 규정 안에는 핵심적인 규정과 부수적인 규정이 존재한다고 주장한다.
ㅂ. 실정헌법의 상위에 자연법원리 또는 실정법을 초월한 헌법적 가치가 존재한다고 보는 견해는 헌법개정의 한계를 인정한다.
ㅅ. 헌법과 헌법률의 구별을 부정하는 이론에 따르면 헌법제정의 한계와 헌법개정의 한계 모두 부정된다.
ㅇ. 경성헌법의 원리를 중시하면 헌법변천은 헌법해석과 헌법개정의 한계를 초월할 수 없다.
ㅈ. 헌법개정의 무한계설의 논거로 헌법전 내의 모든 규정은 서열이 동일하다고 보는 것을 들 수 있다.

① 5개 ② 6개
③ 7개 ④ 8개

15 다음 중 헌법개정을 해야 하는 것은 모두 몇 개인가?

ㄱ. 대통령 피선거권 연령을 35세로 하는 것
ㄴ. 법관의 임기를 10년에서 6년으로 변경하는 것
ㄷ. 국회의원 피선거권 연령을 17세로 낮추는 것
ㄹ. 대통령 선거권 연령을 17세로 낮추는 것
ㅁ. 헌법재판소 재판관의 정년을 75세로 하는 것
ㅂ. 대통령 피선거권 자격 중 국내주소 5년 이상을 3년 이상으로 낮추는 것
ㅅ. 지방자치단체장 임기를 5년으로 하는 것
ㅇ. 국회의장 임기를 4년으로 하는 것
ㅈ. 국회의원 정수를 199인으로 하는 것
ㅊ. 국회의 정기회는 법률이 정하는 바에 의하여 매년 2회 집회한다.
ㅋ. 정기회의 회기는 90일을, 임시회의 회기는 40일을 초과할 수 없다.
ㅌ. 국회에서 의결된 법률안은 정부에 이송되어 20일 이내에 대통령이 공포한다.
ㅍ. 제안된 헌법개정안은 대통령이 10일 이상의 기간 이를 공고하여야 한다.
ㅎ. 국무위원이 아닌 자 중에서 행정안전부장관을 임명한다.

① 7개 ② 8개
③ 9개 ④ 10개

16 다음 중 헌법을 개정해야 하는 것은 모두 몇 개인가?

ㄱ. 대통령 중임허용
ㄴ. 대법원장 중임허용
ㄷ. 대법관 연임허용
ㄹ. 헌법재판소 재판관과 헌법재판소장의 연임허용
ㅁ. 감사원장, 감사위원 3차에 한하여 연임허용
ㅂ. 중앙선거관리위원회 위원 연임허용
ㅅ. 지방자치단체장 계속 재임 2기로 한정
ㅇ. 국회의원의 국무위원 및 국무총리 겸직금지
ㅈ. 헌법재판소 재판관 임기 4년
ㅊ. 선거권 연령 17세
ㅋ. 대통령 피선거권 연령 30세
ㅌ. 국회의원 피선거권 연령 17세
ㅍ. 대통령이 궐위된 때 또는 대통령 당선자가 사망하거나 판결 기타의 사유로 그 자격을 상실한 때에는 70일 이내에 후임자를 선거한다.

① 2개 ② 3개
③ 5개 ④ 6개

17 다음 중 헌법을 개정하지 않고도 채택할 수 있는 것은 모두 몇 개인가?

ㄱ. 대법관의 수를 15인으로 하는 것
ㄴ. 헌법재판소 재판관의 수를 12인으로 하는 것
ㄷ. 국회부의장을 3인으로 하는 것
ㄹ. 감사위원 수를 9인으로 하는 것
ㅁ. 국무위원 수를 14인으로 하는 것
ㅂ. 지방의회 폐지
ㅅ. 기초지방자치단체 폐지
ㅇ. 국무회의 폐지
ㅈ. 대법원 폐지
ㅊ. 고등법원의 폐지
ㅋ. 국가원로자문회의 폐지
ㅌ. 국가안전보장회의 폐지
ㅍ. 국가기관의 회계감사를 국회로 이전하는 것
ㅎ. 감사원의 소속을 대통령에서 국회로 이전하는 것
a. 국가정보원을 국무총리 소속으로 하는 것
b. 감사위원 수를 4인으로 하는 것
c. 국회의 의원제명에 대해 법원에 제소할 수 있다.
d. 대법원을 서울특별시에서 세종특별자치시로 이전하는 것

① 5개 ② 6개
③ 7개 ④ 8개

18 다음 중 헌법을 개정하지 않고도 채택할 수 있는 것은 모두 몇 개인가?

ㄱ. 법률에 대한 위헌심사에 있어서 재판의 전제성을 요건으로 하지 않고 추상적 규범통제를 인정하는 것
ㄴ. 권한쟁의심판 인용결정 정족수를 재판관 6인 이상으로 하는 것
ㄷ. 헌법재판소의 법률에 대한 위헌결정을 재판관 과반수의 찬성으로 하는 것
ㄹ. 법원의 재판을 헌법소원심판의 대상으로 하는 것
ㅁ. 종래의 헌법재판소의 헌법과 법률의 해석을 변경하는 것을 재판관 재적 과반수로 하는 것
ㅂ. 위헌결정된 법률을 소급적으로 효력을 상실시키는 것
ㅅ. 재판관이 아닌 자 중에서 헌법재판소장 임명
ㅇ. 국회의원의 무자격결정을 재적의원 과반수로 하는 것
ㅈ. 국회는 헌법 또는 법률에 특별한 규정이 없는 한 재적의원 과반수의 찬성으로 의결한다. 가부동수인 때에는 의장이 결정권을 가진다.

① 2개 ② 3개
③ 4개 ④ 5개

19 헌법변천에 대한 설명으로 옳지 않은 것은?

① 헌법개정의 한계는 헌법변천의 한계로 볼 수 없으나, 헌법해석의 한계를 넘는 헌법변천은 인정될 수 있다.

② 우리나라 헌정사에서 헌법변천이라고 볼만한 사례는 대표적으로 제2차 개정헌법하의 양원제를 단원제로 운영한 것과 군법회의 설치를 들 수 있다.

③ 독일은 위헌법률심판을 헌법에 규정하였으나, 미국은 위헌법률심판을 헌법에 규정하지 않았고 판례가 누적되어 헌법변천으로 성립되었다는 점에서 차이가 있다.

④ 영국과 같은 불문헌법국가에서 헌법변천은 인정될 수 있다.

20 헌법 보호에 대한 설명으로 옳은 것은?

① 법치주의의 특별한 보장자로서 국회와 헌법재판소가 역할을 분담하고 있는 탄핵제도는 '민주적 정당성이 부여되는 주기의 변형'의 결과를 감수하면서도 직무집행상 중대한 위헌·위법행위를 저지른 공직자에게 부여된 민주적 정당성을 박탈함으로써 헌법을 수호하는 '비상적 수단'의 성격을 가진다.

② 권력분립과 헌법개정의 경성 그리고 탄핵제도와 위헌정당강제해산제도는 사후적 헌법수호제도이다.

③ 한스 켈젠은 대통령을, 칼 슈미트는 대통령, 의회, 헌법재판소를 헌법의 수호자라고 주장하였다.

④ 헌법개정방식으로 헌법이 침해될 수 없으므로 헌법개정의 경성과 헌법개정의 한계규정은 헌법 보호제도로 볼 수 없다.

진도별 모의고사

헌법 보호 ~ 헌정사

정답 및 해설 p.24

제한시간 : 14분 | 시작시각 ___시 ___분 ~ 종료시각 ___시 ___분 나의 점수 ______

01 헌법 보호에 대한 설명으로 옳지 않은 것은?

① 유신헌법인 제7차 개정헌법은 긴급조치권을 국가긴급권으로 규정하였다.

② 헌법재판소는 비상시 헌법수호기능을 한다면, 대통령은 평상시 헌법수호기능을 한다는 점에 차이가 있다.

③ 헌법수호의 범위는 형식적 의미의 헌법뿐 아니라 불문헌법이나 실질적 의미의 헌법도 포함된다.

④ 비상시적 헌법 보장제도로는 저항권와 계엄선포권을 들 수 있다.

02 헌법 보호에 대한 설명으로 옳지 않은 것은?

① 국가긴급권은 국가의 존립이나 헌법질서를 위태롭게 하는 비상사태가 발생한 경우에 국가를 보전하고 헌법질서를 유지하기 위한 헌법 보장의 한 수단이지만, 평상시의 헌법질서에 따른 권력 행사방법만으로는 대처할 수 없는 중대한 위기상황에 대비하여 헌법이 중대한 예외로서 인정한 비상수단이므로, 헌법이 정한 국가긴급권의 발동요건·사후통제 및 국가긴급권에 내재하는 본질적 한계는 엄격히 준수되어야 한다.

② 국가비상사태의 해제를 규정한 특별조치법 제3조는 국회에 의한 민주적 사후통제절차를 규정하고 있지 아니하며, 이에 따라 임시적·잠정적 성격을 지녀야 할 국가비상사태의 선포가 장기간 유지될 수 있도록 하였다면 헌법이 인정하지 아니하는 초헌법적 국가긴급권을 대통령에게 부여하는 법률로서 헌법에 위반된다.

③ 북한의 남침가능성의 증대라는 추상적이고 주관적인 상황인식만으로도 긴급조치를 발령할 만한 국가적 위기상황이 존재한다고 볼 수 있다.

④ 대통령은 공공복리, 새로운 사회질서 확립을 위하여 국가긴급권을 행사할 수 없다.

03 긴급조치에 대한 설명으로 옳지 않은 것은?

① 대법원은 긴급조치는 국회의 입법권 행사라는 실질을 전혀 가지지 못한 것으로서, 헌법재판소의 위헌심판대상이 되는 '법률'에 해당한다고 할 수 없고, 긴급조치의 위헌 여부에 대한 심사권은 최종적으로 대법원에 속한다고 한다.

② 긴급조치는 유신헌법 제53조에 근거한 것으로서 헌법상 기본권을 잠정적으로 정지할 수 있다는 점에서 헌법과 동일한 효력을 가진다는 것이 헌법재판소 판례이다.

③ 유신헌법 제53조 제4항은 "긴급조치는 사법적 심사의 대상이 되지 아니한다."라고 규정하고 있었으나, 헌법재판소와 대법원 모두 긴급조치가 사법적 심사의 대상이 되는지 여부는 유신헌법 제53조 제4항의 적용이 배제되고 현행헌법을 기준으로 판단해야 한다고 하였다.

④ 헌법재판소는 긴급조치 위헌 여부의 심사기준은 유신헌법이 아니라 현행헌법이라고 밝혔으나, 대법원은 유신헌법과 현행헌법 모두를 심사기준으로 한 바 있다.

04 저항권에 대한 설명으로 옳지 않은 것은?

① 1948년 이래 우리 헌법에는 저항권을 인정하는 명문규정이 없다.

② 저항권은 헌법 전문의 4·19 민주이념 계승이 그 근거이므로 헌법 전문의 법적 효력을 부정한다면 저항권은 인정될 수 없다.

③ 헌법재판소는 헌법 전문의 4·19 민주이념 계승을 저항권의 근거로 들고 있지는 않으나, 저항권을 인정했다고 볼 수 있다.

④ 저항권은 실정법에 규정되어 있느냐와 무관하게 인정될 수 있는 기본권이므로 기본권의 보호를 위하여 저항권을 헌법에 규정하여야 하느냐에 대해 저항권은 인간의 당연한 권리이고 실정법질서와 충돌할 수 있어 반드시 규정할 필요는 없다.

05 시민불복종과 저항권에 대한 설명으로 옳지 않은 것을 모두 조합한 것은?

ㄱ. 형식적으로 보면 합법적으로 성립된 실정법이지만 실질적으로는 국민의 인권을 유린하고 민주적 기본질서를 문란케 하는 내용의, 실정법상의 의무 이행이나 이에 대한 복종을 거부하는 등을 내용으로 하는 저항권은 헌법에 명문화되어 있지 않았더라도 일종의 자연법상의 권리로서 이를 인정하는 것이 타당하다 할 것이고 이러한 저항권이 인정된다면 재판규범으로서의 기능을 배제할 근거가 없다고 할 것이다.
ㄴ. 대법원은 「공직선거법」에 위반되는 낙선운동을 시민불복종운동으로서 헌법상의 기본권 행사범위 내에 속하는 정당행위이거나 형법상 사회상규에 위반되지 아니하는 정당행위 또는 긴급피난의 요건을 갖춘 행위로 인정하고 있다.
ㄷ. 저항권은 그 목적이 소극적으로는 기존질서회복을 위해서 행사할 수 있고 적극적으로는 인권 보장에 적합한 사회를 형성하기 위하여 새로운 사회·경제적 개혁을 위해 행사될 수 있다.
ㄹ. 소위 민청학련사건에서 대법원은 저항권을 위법성조각사유로 인정할 수 없다고 보았다.

① ㄱ.　② ㄱ, ㄴ
③ ㄱ, ㄴ, ㄷ　④ ㄱ, ㄴ, ㄷ, ㄹ

06 시민불복종과 저항권에 대한 설명으로 옳은 것을 모두 조합한 것은?

ㄱ. 시민불복종은 국가권력에 의하여 헌법의 기본원리에 대한 중대한 침해가 행하여지고 그 침해가 헌법의 존재 자체를 부인하는 것으로서 다른 합법적인 구제수단으로는 목적을 달성할 수 없을 때에 국민이 자기의 권리·자유를 지키기 위하여 실력으로 행사하는 권리이다.
ㄴ. 국가권력 행사의 불법이 객관적으로 명백하고 민주적 기본질서를 중대하게 침해하고 헌법의 존재 자체를 부인하는 경우에만 국민은 시민불복종운동을 행사할 수 있다.
ㄷ. 저항권은 다른 법적 구제수단이 없을 경우에 행사하여야 한다는 보충성을 요건으로 한다는 점에서는 시민불복종과 구별된다.
ㄹ. 저항권은 폭력적 수단을 행사할 수 있으나, 시민불복종은 폭력적인 수단을 행사할 수 없다.
ㅁ. 시민불복종은 공권력의 행사에 대한 '실력적' 저항이어서 그 본질상 질서교란의 위험이 수반되므로, 저항권의 행사에는 개별 헌법조항에 대한 단순한 위반이 아닌 민주적 기본질서라는 전체적 질서에 대한 중대한 침해가 있거나 이를 파괴하려는 시도가 있어야 한다.

① ㄱ, ㄴ　② ㄴ, ㄹ
③ ㄷ, ㄹ　④ ㄷ, ㅁ

07 저항권에 대한 설명으로 옳지 않은 것은?

① 저항권은 공권력의 행사자가 민주적 기본질서를 침해하거나 파괴하려는 경우 이를 회복하기 위하여 국민이 공권력에 대하여 폭력·비폭력, 적극적·소극적으로 저항할 수 있다는 국민의 권리이자 헌법수호제도를 의미한다.

② 저항권 행사는 민주적 기본질서의 유지, 회복이라는 소극적인 목적에 그쳐야 하고 정치적, 사회적, 경제적 체제를 개혁하기 위한 수단으로 이용될 수 없다.

③ 저항권의 주체로서 국민 개인뿐 아니라 외국인, 단체·정당도 포함될 수 있으나, 국가기관이나 지방자치단체와 같은 공법인은 저항권의 객체이므로 저항권의 주체가 될 수 없다.

④ 저항권은 민주적 기본질서의 유지, 회복에 있는 것이지 집권이라는 적극적인 목적을 위해서는 사용될 수 있다.

08 저항권에 대한 설명으로 옳지 않은 것은?

① 혁명은 새로운 사회질서를 위해 기존질서를 부정하는 것이라면 저항권은 기존질서 회복을 위한 것이다.

② 저항권은 민주적 기본질서의 유지, 회복을 목적으로 저항할 수 있을 뿐, 기존의 위헌적인 정권을 물러나게 하기 위한 목적으로는 행사할 수 없다.

③ 헌법재판소에 따르면, 저항권은 국가권력에 의하여 헌법의 기본원리에 대한 중대한 침해가 행하여지고 그 침해가 헌법의 존재 자체를 부인하는 것으로서 다른 합법적인 구제수단으로는 목적을 달성할 수 없을 때에 국민이 자기의 권리·자유를 지키기 위하여 실력으로 저항하는 권리이기 때문에, 「국회법」 소정의 협의 없는 개의시간의 변경과 회의일시를 통지하지 아니한 입법과정의 하자는 저항권 행사의 대상이 아니다.

④ 소수의 특수집단을 중심으로 헌정체제의 변화를 유발하는 쿠데타는 혁명이나 저항권과 같이 국민적 정당성을 확보한다고 볼 수 없다. 국민적 정당성은 선거나 국민의 여론에 의한 지지에 의해 부여되기 때문이다.

09 헌법 보호에 대한 설명으로 옳은 것은?

① 제1공화국 당시의 진보당은 위헌정당해산절차에 따라 헌법재판소에 의해 해산되었다.

② 1949년 독일 헌법은 위헌정당해산제도와 기본권 실효제도를 규정하고 있는데, 우리나라는 1960년 헌법에 위헌정당해산제도와 기본권 실효제도가 규정되었다.

③ 위헌정당해산제도는 독일 본기본법의 영향을 받아 제헌헌법에 규정되었다.

④ 계엄선포권은 제헌헌법부터 현행헌법까지 규정되어 왔다.

10 방어적 민주주의에 대한 설명으로 옳지 않은 것을 모두 조합한 것은?

ㄱ. 우리나라의 경우 대법원과 헌법재판소는 모두 방어적 민주주의를 수용하고 있다.
ㄴ. 방어적 민주주의는 자유민주적 기본질서에 대한 관용의 지향을 그 특징으로 한다.
ㄷ. 가치상대주의적 민주주의 정신에 입각한 이념들의 경쟁관계를 이론적 근거로 하고 있다.
ㄹ. 민주주의는 가치의 상대방을 전제로 다른 사상이나 주장을 포용하는 정치원리이므로 방어적 민주주의는 관용을 지향하는 민주주의이다.

① ㄱ, ㄴ　　② ㄷ, ㄹ
③ ㄱ, ㄴ, ㄷ　　④ ㄴ, ㄷ, ㄹ

11 방어적 민주주의에 대한 설명으로 옳은 것은?

① 방어적 민주주의는 국민의 일반의사를 방어하기 위해 도입되었는바, 동일성 민주주의에서 도출된 민주주의이다.

② 방어적 민주주의는 민주주의의 적으로부터 민주주의를 수호하기 위한 것이기 때문에 강력한 수단을 갖고 있어야 하고 그 효력이 강력할수록 방어적 민주주의에 대한 신뢰도 커진다.

③ 위헌정당해산제도와 민주적 기본질서는 '민주주의는 어떠한 이념도 수용할 수 있다'는 상대적 민주주의에 근거한 것이다.

④ 통일의 구체적 방안이나 통일 이후의 정부조직형태 등은 그 내용이 확정된 것이 아니고, 특정한 방식의 통일정책이 민주적 기본질서에 포함되어 있다고 보기는 어렵다.

12 대통령 관련 헌정사에 대한 설명으로 옳지 않은 것은?

① 1954년 개정헌법(제2차 개정헌법)은 같은 헌법 공포 당시의 대통령에 한하여 중임 제한을 철폐하고, 대통령의 궐위시에는 국무총리가 그 지위를 계승하도록 하였다.

② 제헌헌법(1948년)에서 대통령과 부통령은 국회에서 무기명투표로 각각 선거하였다.

③ 제헌헌법에서는 의결기관인 국무원을 두었으며, 대통령이 국무원의 의장이었다.

④ 1952년 제1차 개정헌법은 대통령과 부통령을 직선제로 선출하였고 국회를 양원제로 구성하도록 규정하였다.

13 정부 관련 헌정사에 대한 설명으로 옳은 것은?

① 제헌헌법은 국무회의를 심의기관으로 규정하였으나, 제3차 개정헌법은 의원내각제를 채택하면서 국무회의를 의결기관으로 규정하였다.

② 제5차 개정헌법은 국회의원의 국무위원 겸직을 규정하였다.

③ 제8차 개정헌법에서는 대통령은 국회에서 간접선거로 선출하도록 규정하였다.

④ 1952년 헌법에는 국무총리제를 폐지하고 국무위원에 대한 개별적 불신임제를 채택하였다.

14 국회 관련 헌정사에 대한 설명으로 옳지 않은 것은?

① 국회의 국정조사권은 제헌헌법에서부터 규정되어 오다가 1972년 제7차 개정헌법에서 폐지되었으나 현행 헌법에서 다시 규정되었다.

② 1952년 개정헌법은 대통령제를 채택하였으며, 국회는 양원제를 실시하였다.

③ 1948년 제헌헌법에서 국회의원의 임기와 국회에서 선거되는 대통령의 임기는 모두 4년으로 규정되었다.

④ 제헌헌법은 2년 임기의 직선으로 선출된 198명의 의원으로 구성되었다.

15 법원에 대한 설명으로 옳지 않은 것은?

① 제3차 개정헌법(1960년)은 대법원장과 대법관 선거제를 두었고, 위헌법률심판을 담당하는 헌법재판소를 두었으며, 정당조항을 신설하였다.

② 1960년 헌법(제3차 개정헌법)은 대법원장과 대법관을 법관의 자격이 있는 자로 조직되는 선거인단이 선거하고 대통령이 이를 확인하며, 그 외의 법관은 대법관회의의 결의에 따라 대법원장이 임명하도록 하였다.

③ 제5차 개정헌법(1962년)은 헌법기관으로 법관추천회의를 두고, 모든 법관을 법관추천회의의 제청을 거쳐 임명하도록 하였다.

④ 제7차 개정헌법은 대통령이 모든 법관을 직접 임명했던 유일한 헌법이다.

16 선거 관련 헌정사에 대한 설명으로 옳지 않은 것은?

① 1962년 개정헌법은 대통령 피선거권 연령 제한을 40세 이상으로 헌법에서 처음으로 규정하였다.

② 1972년 헌법(제7차 개정헌법)은 대통령의 임기를 6년으로 하고, 통일주체국민회의에서 대통령을 토론 없이 무기명투표로 선거하도록 하였으며, 통일주체국민회의에서 재적 대의원 과반수의 찬성을 얻은 자를 대통령당선자로 하도록 규정하였다.

③ 1972년 제7차 개정헌법에서 대통령이 국회의원 정수의 3분의 1에 해당하는 수의 국회의원을 임명하도록 규정하였다.

④ 제4공화국 헌법에서는 임기 6년의 대통령을 통일주체국민회의에서 무기명투표로 선거하도록 하였다.

17 기본권 관련 헌정사에 대한 설명으로 옳지 않은 것은?

① 언론·출판에 대한 허가나 검열금지, 집회·결사에 대한 허가금지를 규정한 것은 제3차 개정헌법이고 제7차 개정헌법에서 폐지되었다가 제8차 개정헌법에서 다시 규정되었다.

② 피의자 형사보상청구권은 현행헌법에서 처음 채택되었다.

③ 일반적 법률유보조항은 제헌헌법부터 규정되었으나 1960년 헌법은 기본권의 자연권적·천부인권적 성격을 강조하면서 일반적 법률유보조항에 본질적 내용 침해금지조항을 추가하고 제1972년 헌법은 일반적 법률유보조항에 국가안전보장을 기본권 제한의 목적으로 추가했다.

④ 제8차 개정헌법(1980년 헌법)에서는 행복추구권, 사생활의 비밀과 자유 등을 기본권으로 새로이 규정하였으며, 적부심사청구권과 본질적 내용 침해금지원칙을 다시 규정하였다.

18 국민발안과 국민투표에 대한 설명으로 옳지 않은 것은?

① 1954년 헌법에는 대한민국의 주권의 제약 또는 영토의 변경을 가져올 국가안위에 관한 중요사항은 국회의 가결을 거친 후에 국민투표에 부하여 민의원의원 선거권자 3분지 2 이상의 투표와 유효투표 3분지 2 이상의 찬성을 얻어야 한다는 규정을 두었다.

② 제2차 개정헌법(1954년)에 도입된 헌법개정안의 국민발안제도는 제7차 개정헌법(1972년)에서 삭제되었다.

③ 제2차 개정헌법(1954년)은 주권의 제약이나 영토변경의 경우에 국회의 가결을 거친 후 국민투표를 거치게 하였으며, 헌법개정에 관하여 국민발안제를 채택하고, 헌법개정시 개폐할 수 없는 조항을 명시하였다.

④ 국민투표권을 최초로 규정한 것은 1962년 제5차 개정헌법 때였다.

19 헌정사에 대한 설명으로 옳지 않은 것은?

① 1962년의 제5차 개정헌법은 국회의 의결 없이 국가재건최고회의가 의결하였으며 국민투표로 확정하였다. 이것은 제2공화국 헌법의 헌법개정절차에 따른 개정이 아니었다.

② 현행헌법은 신체의 자유 보장에 있어 적법절차원리를 도입하는 등 기본권의 절차적 보장을 확대·강화하고, 범죄피해자구조청구권 등의 새로운 유형의 기본권들을 신설한 것이 특색이다.

③ 1962년 헌법 및 1969년 헌법은 대통령뿐만 아니라 국회의원 선거권자 50만 인 이상의 국민에게도 헌법개정의 제안을 인정하였다.

④ 대한민국 임시정부의 법통 계승은 현행헌법(1987년 헌법)에 최초로 명문화되었다.

20 기본권 관련 헌정사에 대한 설명으로 옳지 않은 것은?

① 1948년 헌법은 평등권, 신체의 자유 및 직업의 자유를 비롯한 고전적 기본권을 보장하였을 뿐만 아니라, 근로3권과 사기업에 있어서 근로자의 이익분배균점권, 생활무능력자의 보호, 혼인의 순결과 가족의 건강의 특별한 보호 등 일련의 사회적 기본권까지 규정하여 사회주의적 요소를 가미하였다.

② 1948년 헌법은 근로3권과 사기업에 있어서 근로자의 이익분배균점권, 생활무능력자의 보호, 가족 보호 등 다양한 사회적 기본권을 규정하였다.

③ 1980년 헌법(제8차 개정헌법)은 국가의 사회보장·사회복지 증진 노력의무, 중소기업의 사업활동 보호·육성, 소비자 보호운동의 보장 등을 규정하였다.

④ 1980년 제8차 개정헌법은 기본권에 대한 본질적 내용의 침해금지조항을 두었다.

4회

진도별 모의고사

주권론 ~ 국적

정답 및 해설 p.29

제한시간 : 14분 | 시작시각 ___시 ___분 ~ 종료시각 ___시 ___분 나의 점수 _______

01 국가에 대한 설명으로 옳지 않은 것은?

① 대한민국은 민주공화국이고 이는 헌법의 핵심조항이어서 헌법개정으로도 군주제는 허용되지 않는다.

② 연방국가제도는 지방국의 의사를 대리 또는 대표하는 자가 필요하여 상원을 지방국의 대표로 구성하는데, 국회구성에 있어서 양원제를 그 특징으로 한다.

③ 연방국가에서는 연방국가만이 대외적으로 국제법 책임을 지는 국가이나, 국가연합에서는 구성국이 국제법 책임을 지는 국가이다.

④ 연방국가에서 지방국은 사법권을 가지나, 단일국가에서 지방자치단체는 입법권과 사법권을 가지지 못한다.

02 주권론에 대한 설명으로 옳은 것은?

① 홉스는 사회계약을 통해 권리를 양도할 수 있다고 보아 권리를 침해하더라도 계약을 취소할 수 없다고 하나, 로크는 국가가 자유와 권리를 침해한다면 사회계약을 취소할 수 있다고 하여 저항권을 인정한다.

② 루소는 국가의 권력이 인민의 일반의사에 기초하고 있다고 보아 국민과 국가기관 간의 대표관계를 인정하여 대표기관은 정책결정권을 독자적으로 가질 수 있다고 하였다.

③ 형식적 국민주권은 무기속위임과 자유위임을 본질적 요소로 하므로 반대표이론과 결합되기 쉬우나, 실질적 국민주권인 인민주권은 명령위임·기속위임을 본질적 요소로 하므로 반대표이론과 결합되기 어렵다.

④ 실질적 국민주권은 아베 쉬에스가 이론적 근거를 제시하였고 시민대표가 전권을 가지고 국가권력을 독점하는 순수대표제를 주장한다.

03 주권론에 대한 설명으로 옳지 않은 것은?

① 루소의 인민주권론에 따르면 국민투표를 통해 헌법제정이 이루어져야 한다.

② 루소의 인민주권 또는 실질적 국민주권론에 따르면 국민이 실질적으로 국가의사를 결정할 수 있어야 하나, 형식적 국민주권에 따르면 국민이 직접 국가를 결정할 수 있는 것은 아니다.

③ 주권은 대외적 독립과 대내적 최고 권력으로, 주권을 제약하는 것은 우리 헌법에서는 인정되고 있지 않다.

④ 형식적 국민주권에서는 선거라는 절차를 거쳐 선임된 국민대표의 의사결정이 전체 국민의 의사결정으로 법적으로 의제되며, 대표자의 의사결정이 국민의 뜻에 반하는 경우 국민은 법적 항변을 할 수 없다.

04 국적에 대한 설명으로 옳은 것은 모두 몇 개인가?

ㄱ. 외국인이 특정한 국가의 국적을 선택할 권리는 자연법적 권리 또는 헌법상 기본권으로 인정된다고는 할 수 없다고 할 것이다.
ㄴ. 국적은 국가의 생성과 더불어 발생하는 것이 아니라 「국적법」 규정에 의해서 발생한다.
ㄷ. 국가의 소멸은 국적상실사유가 된다.
ㄹ. 헌법은 국적취득요건을 정하는 것을 입법자에게 위임하고 있으므로 입법자는 누가, 어떠한 요건하에서 대한민국 국민이 될 수 있는지를 정할 수 있다.
ㅁ. 헌법의 위임에 따라 국민 되는 요건을 법률로 정하는 것이므로, 국적에 관한 모든 규정은 정책의 당부 즉 입법자가 합리적인 재량의 범위를 벗어난 것인지 여부가 심사기준이 된다.
ㅂ. 중국 국적 동포의 대한민국 국적선택을 위한 특별법 제정의무는 헌법 제2조 제2항의 재외국민 보호조항에서 도출된다.
ㅅ. 헌법 제2조 제1항은 '대한민국의 국민이 되는 요건은 법률로 정한다'고 하여 대한민국 국적의 취득에 관하여 위임하고 있으나, 국적의 유지나 상실을 둘러싼 전반적인 법률관계를 법률에 규정하도록 위임하고 있는 것으로 풀이할 수는 없다.

① 1개　　② 2개
③ 3개　　④ 4개

05 국적에 대한 설명으로 옳지 않은 것은?

① 출생할 당시에 부는 외국인이고 모가 대한민국의 국민인 경우 출생에 의해서 국적을 취득한다.
② 출생하기 전에 부가 사망한 경우에는 사망 당시의 부가 대한민국의 국민이었던 자라면 출생과 동시에 국적을 취득한다.
③ 부모가 모두 분명하지 아니한 경우 대한민국에서 출생한 자는 출생과 동시에 국적을 취득한다.
④ 대한민국에서 발견된 기아는 대한민국에서 출생한 것으로 간주한다.

06 귀화허가요건에 대한 설명으로 옳은 것은?

① 대한민국의 국적취득사실이 있었던 외국인도 법무부장관의 귀화허가를 받을 수 있다.
② 귀화허가를 받으려면 반드시 대한민국에 주소가 있어야 하나, 우리나라 「민법」상 성년요건은 일반귀화와 간이귀화의 요건이나 특별귀화의 요건은 아니다.
③ 대한민국에서 영주할 수 있는 체류자격을 가지고 있을 것이라는 요건은 일반귀화뿐 아니라 간이귀화나 특별귀화의 요건이다.
④ 법령을 준수하는 등 법무부령으로 정하는 품행 단정의 요건을 갖출 것은 일반귀화요건이나 간이귀화, 특별귀화의 요건은 아니다.

07 귀화허가에 대한 설명으로 옳은 것을 모두 조합한 것은?

ㄱ. 귀화허가의 요건을 갖추었다면 귀화허가는 법무부장관의 기속행위이므로, 「국적법」 요건을 갖춘 자에 대해서 법무부장관은 귀화허가를 해야 한다.
ㄴ. 간이귀화의 경우에도 허가를 받으려면 대한민국 「민법」상 성년이고, 품행이 단정해야 하고, 생계를 유지할 능력이 있어야 하고, 국어능력과 대한민국의 풍습에 대한 이해가 있어야 한다.
ㄷ. 특별귀화의 경우에도 허가를 받으려면 대한민국 「민법」상 성년이어야 한다.
ㄹ. 특별귀화의 경우에도 허가를 받으려면 품행이 단정할 것, 국어능력과 대한민국의 풍습에 대한 이해 등 국민으로서 기본 소양이 있을 것을 요건으로 한다.
ㅁ. 귀화허가를 받은 사람은 법무부장관의 귀화허가를 받은 때에 대한민국 국적을 취득한다.

① ㄹ　　② ㄱ, ㄴ, ㅁ
③ ㄷ, ㄹ, ㅁ　　④ ㄴ, ㄹ

08 귀화허가요건 중 거주요건에 대한 설명으로 옳은 것은?

① 부 또는 모가 대한민국의 국민이었던 자는 일반귀화의 대상자이므로 대한민국에 5년 이상 계속하여 주소가 있어야 귀화허가를 받을 수 있다.

② 부 또는 모가 대한민국의 국민이었던 외국인은 대한민국에 일정 기간 거주하지 않아도 귀화허가를 받을 수 있다.

③ 배우자가 대한민국 국민인 외국인으로서 그 배우자와 혼인에 따라 출생한 미성년의 자를 양육하고 있거나 양육하여야 할 사람은 법무부장관이 상당하다고 인정하는 경우에 거주기간과 주소에 관계없이 귀화허가를 받을 수 있다.

④ 대한민국 국민과 혼인한 외국인은 그 배우자와 혼인한 상태로 대한민국에 2년 이상 계속하여 주소가 있으면 귀화허가를 받을 수 있다.

09 귀화허가요건 중 거주요건에 대한 설명으로 옳은 것은?

① 부 또는 모가 대한민국의 국민이었던 사람은 5년 이상 주소가 있을 것을 요건으로 한다.

② 대한민국에 특별한 공로가 있는 사람도 대한민국에 주소가 있어야 귀화허가를 받을 수 있다.

③ 대한민국 국민과 혼인한 외국인은 혼인한 후 3년이 지나면 대한민국에 주소를 둔 적이 없다 하더라도 귀화허가를 받을 수 있다.

④ '대한민국에 특별한 공로가 있는 사람'이나 '과학·경제·문화·체육 등 특정 분야에서 매우 우수한 능력을 보유한 사람으로서 대한민국의 국익에 기여할 것으로 인정되는 사람'은 대한민국에 주소가 없어도 귀화허가를 받을 수 있다.

10 귀화허가에 대한 설명으로 옳지 않은 것은?

① 대한민국 국민인 배우자와 혼인한 상태로 대한민국에 주소를 두고 있던 중 배우자가 사망하거나 이혼한 경우에도 대한민국 국적취득은 가능하다.

② 외국인의 처로서 남편이 귀화허가를 신청할 때 함께 국적을 신청하는 수반 취득을 신청할 수 없고 별도로 귀화허가절차를 밟아 국적을 취득할 수 있다.

③ 귀화허가를 받은 사람은 법무부장관 앞에서 국민선서를 하고 귀화증서를 수여받은 때에 대한민국 국적을 취득하나, 연령, 신체적·정신적 장애 등으로 국민선서의 의미를 이해할 수 없거나 이해한 것을 표현할 수 없다고 인정되는 사람에게는 국민선서를 면제할 수 있다.

④ 귀화와 마찬가지로 국적회복허가는 국내에 주소가 있을 것을 요건으로 한다.

11 국적에 대한 설명으로 옳은 것은?

① 외국인의 자로서 대한민국의 「민법」상 미성년인 사람은 부 또는 모가 귀화허가를 받을 때 함께 대한민국 국적을 취득한다.

② 병역을 기피할 목적으로 대한민국 국적을 상실한 사람은 국적회복허가를 받아 대한민국 국적을 취득할 수 없다.

③ 외국인이 복수국적을 누릴 자유가 우리 헌법상 행복추구권에 의하여 보호되는 기본권이다.

④ 국적을 이탈하거나 변경하는 것은 헌법 제14조가 보장하는 거주·이전의 자유에 포함되지 않는다.

12 국적회복허가에 대한 설명으로 옳은 것은?

① 국적회복는 선천적 국적취득이나 귀화는 외국인이 후천적으로 법무부장관의 허가라는 주권적 행정절차를 통하여 대한민국 국적을 취득하는 제도라는 점에서 차이가 있다.

② 「국적법」상 '병역을 기피할 목적으로 대한민국 국적을 상실하였거나 이탈하였던 사람'에 대하여 법무부장관은 국적회복을 허가하지 아니한다.

③ 국적회복허가는 대한민국 국적을 취득한 사실이 없는 순수한 외국인이 법무부장관의 허가를 받아 대한민국 국적을 취득할 수 있도록 하는 절차인데 비해(「국적법」 제4조 내지 제7조), 귀화는 한 때 대한민국 국민이었던 자를 대상으로 한다는 점에서 차이가 있다.

④ 국적회복허가는 일정한 요건을 갖춘 사람에게만 허가할 수 있는 반면, 귀화는 일정한 사유에 해당하는 사람에 대해서만 허가하지 아니한다는 점에서 차이가 있다.

13 외국인이 대한민국 국적을 취득한 경우에 대한 설명으로 옳은 것은?

① 대한민국의 「민법」상 성년이 되기 전에 외국인에게 입양된 후 외국 국적을 취득하고 외국에서 계속 거주하다가 국적회복허가를 받은 자는 대한민국 국적을 취득한 날부터 1년 내에 외국 국적을 포기하거나 법무부장관이 정하는 바에 따라 대한민국에서 외국 국적을 행사하지 아니하겠다는 뜻을 법무부장관에게 서약하여야 한다.

② 외국인이 대한민국 국적을 취득한 날로부터 1년 내 외국 국적을 포기하지 않거나 외국 국적을 행사하지 않겠다고 서약하지 않으면 외국 국적을 상실한다.

③ 대한민국의 국적을 취득한 외국인으로서 외국 국적을 가지고 있는 자는 대한민국의 국적을 취득한 날부터 6월 내에 그 외국 국적을 포기하여야 하며, 이를 이행하지 아니하여 대한민국의 국적을 상실한 자가 그 후 1년 내에 그 외국 국적을 포기한 때에는 법무부장관에게 신고함으로써 대한민국의 국적을 재취득할 수 있다.

④ 외국 국적 포기의무를 이행하지 아니하여 대한민국 국적을 상실한 자가 1년 내에 그 외국 국적을 포기한 때는 법무부장관의 허가를 얻어 대한민국 국적을 재취득할 수 있다.

14 복수국적자에 대한 설명으로 옳은 것은 모두 몇 개인가?

ㄱ. 외국 국적을 행사하지 아니하겠다는 뜻을 서약한 자가 그 뜻에 현저히 반하는 행위를 하는 경우에는 법무부장관은 1년 내에 하나의 국적을 선택할 것을 명령할 수 있다.
ㄴ. 「국적법」은 출생이나 그 밖에 「국적법」에 따라 대한민국 국적과 외국 국적을 함께 가지게 된 자, 즉 복수국적자는 대한민국의 법령 적용에 있어서 외국 국민으로 처우한다.
ㄷ. 대한민국 국민이 자진하여 미국의 시민권을 취득하는 경우 그 시민권은 국적과 그 법적 성격이나 기능이 거의 동일하다고 할 것이어서 대한민국과 미국의 복수국적자가 되기 때문에, 「국적법」 규정에 따라 국적선택을 하지 않거나 법무부장관의 허가를 얻어 대한민국의 국적을 이탈하여야 비로소 대한민국의 국적을 상실하게 된다.
ㄹ. 중앙행정기관의 장이 복수국적자를 외국인과 동일하게 처우하는 내용으로 법령을 제정 또는 개정하려는 경우에는 미리 법무부장관에게 통보하여야 한다.
ㅁ. 국적이탈신고를 한 자는 법무부장관이 신고를 수리한 때에 대한민국 국적을 상실한다.
ㅂ. 복수국적자로서 외국 국적을 선택하려는 자는 국내에 주소가 있는 경우에만 주소지 관할 재외공관의 장을 거쳐 법무부장관에게 대한민국 국적을 이탈한다는 뜻을 신고할 수 있다.

① 1개 ② 2개
③ 3개 ④ 4개

15 국적에 대한 설명으로 옳은 것은?

① 복수국적자로서 대한민국에서 외국 국적을 행사하지 아니하겠다는 뜻을 서약한 자가 그 뜻에 현저히 반하는 행위를 한 경우 법무부장관은 청문을 거쳐 대한민국 국적의 상실을 결정할 수 있다.

② 「국적법」에 따라 대한민국에서 외국 국적을 행사하지 아니하겠다는 뜻을 서약한 복수국적자가 그 뜻에 현저히 반하는 행위를 한 경우에 법무부장관은 6개월 내에 하나의 국적을 선택할 것을 명할 수 있다.

③ 만 20세가 되기 전에 복수국적자가 된 자는 성년이 되기 전까지, 만 20세가 된 후에 복수국적자가 된 자는 그때부터 2년 내에 하나의 국적을 선택해야 한다.

④ 만 20세가 되기 전에 복수국적자가 된 자는 만 22세가 되기 전까지 국적을 선택하지 않으면 대한민국 국적을 상실한다.

16 국적이탈에 대한 설명으로 옳은 것은?

① 복수국적자로서 외국 국적을 선택하려는 자는 외국에 주소가 있는 경우에만 주소지 관할 재외공관의 장을 거쳐 법무부장관에게 대한민국 국적을 이탈한다는 뜻을 신고할 수 있다.

② 대한민국 국민이 자진하여 미국의 시민권을 취득하는 경우 그 시민권은 국적과 그 법적 성격이나 기능이 거의 동일하다고 할 것이어서 대한민국과 미국의 복수국적자가 되기 때문에, 「국적법」 규정에 따라 국적선택을 하지 않거나 법무부장관의 허가를 얻어 대한민국의 국적을 이탈하여야 비로소 대한민국의 국적을 상실하게 된다.

③ 복수국적자로서 외국 국적을 선택하려는 자는 외국에 주소가 있는 경우에는 주소지 관할 재외공관의 장을 거쳐 외교부장관에게 대한민국 국적을 이탈한다는 뜻을 신고할 수 있고, 외국에 주소가 없는 경우에만 법무부장관에게 대한민국 국적을 이탈한다는 뜻을 신고할 수 있다.

④ 출생 당시 모가 자녀에게 외국 국적을 취득하게 할 목적으로 외국에서 체류 중이었던 사실이 인정되는 자는 대한민국에서 외국 국적을 행사하지 않겠다는 서약을 한 후 대한민국 국적을 선택한다는 뜻을 신고할 수 있다.

17 국적이탈에 대한 설명으로 옳지 않은 것은?

① 직계존속이 외국에서 영주할 목적 없이 체류한 상태에서 출생한 자는 병역의무 이행과 관련하여 병역면제처분을 받은 경우 국적이탈신고를 할 수 있다.

② 직계존속이 외국에서 영주할 목적 없이 체류한 상태에서 출생한 자는 병역의무 이행과 관련하여 제2국민역(현 전시근로역)에 편입된 경우 국적이탈신고를 할 수 있다.

③ 출생에 의한 복수국적자가 22세가 되기 전에 대한민국 국적을 선택하려고 할 때 외국 국적을 포기한 경우에만 법무부장관에게 대한민국 국적을 선택한다는 뜻을 신고할 수 있다.

④ 20세 이후 복수국적자가 된 경우 2년이 경과 한 후에는 대한민국 국적을 선택하려는 자는 외국 국적을 포기한 경우에만 법무부장관에게 대한민국 국적을 선택한다는 뜻을 신고할 수 있다.

18 국적에 대한 설명으로 옳지 않은 것을 모두 조합한 것은?

ㄱ. 복수국적자가 국적 선택기간이 경과해도 바로 국적을 상실하는 것이 아니라 법무부장관의 국적선택의 명령을 받고도 이를 따르지 아니한 자는 그 기간이 지난 때에 대한민국 국적을 상실한다.
ㄴ. 「국적법」에 규정된 신청이나 신고와 관련하여 그 신청이나 신고를 하려는 자가 15세 미만이면 법정대리인이 대신하여 이를 행한다.
ㄷ. 출생을 이유로 대한민국 국적과 외국 국적을 함께 가지게 된 자가 국가안보, 외교관계 및 국민경제 등에 있어서 대한민국의 국익에 반하는 행위를 하는 경우, 혹은 대한민국의 사회질서의 유지에 상당한 지장을 초래하는 행위로서 대통령령으로 정하는 경우에 해당하여 대한민국의 국적을 보유하는 것이 현저히 부적합하다고 인정되는 경우에는 법무부장관이 청문을 거쳐 대한민국의 국적상실을 결정할 수 있다.
ㄹ. 헌법의 위임에 따라 국민 되는 요건을 법률로 정하는 것이므로, 국적에 관한 모든 규정은 정책의 당부 즉 입법자가 합리적인 재량의 범위를 벗어난 것인지 여부가 심사기준이 된다.

① ㄱ, ㄴ　　② ㄴ, ㄷ
③ ㄷ, ㄹ　　④ ㄴ, ㄹ

19 우리나라 국민이 외국 국적을 취득한 경우에 대한 설명으로 옳은 것은 모두 몇 개인가?

ㄱ. 대한민국 국민으로서 자진하여 외국 국적을 취득한 자는 법무부장관의 허가를 받아 대한민국 국적을 상실한다.
ㄴ. 외국인과의 혼인으로 그 배우자의 국적을 취득하게 된 자는 외국 국적을 취득한 때부터 1년 내에 법무부장관에게 대한민국 국적을 보유할 의사가 있다는 뜻을 신고하지 아니하면 6개월이 경과한 때 대한민국 국적을 상실한다.
ㄷ. 대한민국의 국민으로서 자진하여 외국 국적을 취득한 자는 그 외국 국적취득신고를 한 때에 대한민국 국적을 상실한다.
ㄹ. 대한민국의 국민으로서 외국인에게 입양되어 그 양부의 국적을 취득하게 된 자는 그 외국 국적을 취득한 때부터 1년 내에 법무부장관에게 대한민국 국적을 보유할 의사가 있다는 뜻을 신고하지 아니하면 그 외국 국적을 취득한 때로 소급하여 대한민국 국적을 상실한 것으로 본다.
ㅁ. 대한민국 국적을 상실한 자는 대한민국의 국민이었을 때 취득한 것으로서 양도할 수 있는 것은 그 권리와 관련된 법령에서 따로 정한 바가 없으면 1년 내에 대한민국의 국민에게 양도하여야 한다.

① 없음. ② 1개
③ 2개 ④ 3개

20 국적에 대한 설명으로 옳은 것은?

① 중국 국적 동포의 대한민국 국적선택을 위한 특별법 제정의무는 헌법 제2조 제2항의 재외국민 보호조항에서 도출된다.
② 헌법 제2조 제1항은 '대한민국의 국민이 되는 요건은 법률로 정한다'고 하여 대한민국 국적의 취득에 관하여 위임하고 있으나, 국적의 유지나 상실을 둘러싼 전반적인 법률관계를 법률에 규정하도록 위임하고 있는 것으로 풀이할 수는 없다.
③ '국적이탈의 자유'의 개념에는 '국적선택에 대한 자기결정권'이 전제되어 있다.
④ 대한민국의 국민이 되는 요건은 대통령령으로 정한다.

5회

진도별 모의고사

국적 ~ 헌법 전문

정답 및 해설 p.37

제한시간 : 14분 | 시작시각 ___시 ___분 ~ 종료시각 ___시 ___분　　나의 점수 ______

01 국적에 대한 설명으로 옳은 것은?

① 부모가 모두 분명하지 아니하거나 국적이 없는 경우에 대한민국에서 출생한 자는 출생과 동시에 대한민국의 국적을 취득하며 대한민국에서 발견된 기아는 대한민국에서 출생한 것으로 간주한다.

② 외국인의 자(子)로서 대한민국의 「민법」상 성년인 사람은 부 또는 모가 귀화허가를 신청할 때 함께 국적 수반 취득을 신청할 수 있다.

③ 외국인 여자가 한국인 남자와의 혼인으로 인하여 한국의 국적을 취득하고 동시에 해당 국가의 국적을 상실한 뒤 한국인 남자와 이혼하였다고 하여 한국 국적을 상실하고 본래 국적을 당연히 다시 취득하는 것은 아니다.

④ 「국적법」에 규정된 신청이나 신고와 관련하여 그 신청이나 신고를 하려는 자가 18세 미만이면 법정대리인이 대신하여 이를 행한다.

02 국적에 대한 설명으로 옳지 않은 것은?

① 부계혈통주의원칙을 채택한 「국적법」은 모가 한국인인 자녀와 그 모에게 불리한 영향을 끼치므로 헌법 제11조 제1항의 남녀평등원칙에 어긋난다.

② 구법상 부가 외국인이기 때문에 대한민국 국적을 취득할 수 없었던 한국인 모의 자녀 중에서 신법(부모양계혈통주의조항) 시행 전 10년 동안에 태어난 자에게만 대한민국 국적을 취득하도록 하는 경과규정은 평등원칙에 위배된다.

③ 1978.6.14.부터 1998.6.13. 사이에 태어난 모계출생자가 대한민국 국적을 취득할 수 있도록 특례를 두면서 2004.12.31.까지 국적취득신고를 한 경우에만 대한민국 국적을 취득하도록 한 「국적법」 조항은 평등원칙에 위배된다고 할 수 없다.

④ 법무부장관으로 하여금 거짓이나 그 밖의 부정한 방법으로 귀화허가를 받은 자에 대하여 그 허가를 취소할 수 있도록 규정하면서도 그 취소권의 행사기간을 따로 정하고 있지 아니한 「국적법」 조항은 귀화허가 취소의 기준·절차와 그 밖의 필요한 사항을 모두 하위법령에 위임하고 있어 시행령의 내용을 종합적으로 살펴보더라도 취소권의 행사기간을 전혀 예측할 수 없으므로 포괄위임입법금지원칙에 위반된다.

03 국적에 대한 설명으로 옳지 않은 것은?

① 대한민국 국민이 자진하여 외국 국적을 취득한 경우 대한민국 국적을 상실하도록 한 「국적법」 조항은 청구인의 거주·이전의 자유 및 행복추구권을 침해하지 않는다.

② 품행단정을 귀화허가의 요건으로 하고 있는 「국적법」은 명확성원칙에 위배된다고 할 수 없다.

③ 국적은 성문의 법령을 통해서가 아니라 국가의 생성과 더불어 존재하는 것이므로 헌법의 위임에 따라 「국적법」이 제정되나, 그 내용은 국가의 구성요소인 국민의 범위를 구체화, 현실화하는 헌법사항을 규율하고 있는 것이다.

④ 외국인이 귀화허가를 받기 위해서는 품행이 단정할 것의 요건을 갖추도록 규정한 「국적법」 제5조 제3호는 명확성원칙에 위배된다.

04 병역법 제8조에 따라 병역준비역에 편입된 자는 편입된 때부터 3개월 이내에 하나의 국적을 선택하도록 한 국적법에 대해 헌법소원이 청구되었다. 이에 대한 설명으로 옳은 것은?

① 국적이탈의 자유는 '국적선택에 대한 자기결정권'와 구별되는 기본권이므로 '국적선택에 대한 자기결정권'을 분리하여 따로 살펴보아야 한다.

② 심판대상은 '외국에 주소와 생활기반이 있는 복수국적자'와 '국내에 주소와 생활기반이 있는 복수국적자'를 차별하고, 남성과 여성을 차별하므로 평등권 침해 여부를 판단해야 한다.

③ 심판대상법률은 과잉금지원칙에 위배되어 국적이탈의 자유를 침해한다.

④ 가족관계기록사항에 관한 증명서를 국적이탈신고서에 첨부하도록 한 「국적법 시행규칙」 제12조는 과잉금지원칙에 위배되어 청구인의 국적이탈의 자유를 침해한다.

05 공무원과 국민의 범위에 대한 설명으로 옳지 않은 것은?

> 헌법 제1조 ① 대한민국의 주권은 국민에게 있고, 모든 권력은 국민으로부터 나온다.
>
> 제7조 ① 공무원은 국민 전체에 대한 봉사자이며, 국민에 대하여 책임을 진다.
> ② 공무원의 신분과 정치적 중립성은 법률이 정하는 바에 의하여 보장된다.
>
> 제11조 ① 모든 국민은 법 앞에 평등하다.
>
> 제29조 ① 공무원의 직무상 불법행위로 손해를 받은 국민은 법률이 정하는 바에 의하여 국가 또는 공공단체에 정당한 배상을 청구할 수 있다. 이 경우 공무원 자신의 책임은 면제되지 아니한다.
>
> 제33조 ② 공무원인 근로자는 법률이 정하는 자에 한하여 단결권·단체교섭권 및 단체행동권을 가진다.
>
> 제38조 모든 국민은 법률이 정하는 바에 의하여 납세의 의무를 진다.

① 헌법 제1조 제2항의 국민과 헌법 제11조 제1항의 국민과 헌법 제38조의 국민의 범위에서 법인은 헌법 제1조 제2항의 국민에 해당하지 않으나, 헌법 제11조 제1항의 국민과 헌법 제38조의 국민에 해당한다.

② 헌법 제7조 제1항의 공무원과 헌법 제29조 제1항의 공무원은 동일한 범위의 공무원으로서 공무를 담당하는 사인을 포함하는 최광의의 공무원이다.

③ 헌법 제7조 제2항의 공무원은 헌법 제7조 제1항의 공무원과 헌법 제29조 제1항의 공무원에 비하여 좁은 개념이고, 헌법 제7조 제2항에 따른 공무원법상의 공무원의 범위는 헌법 제29조 제1항에 따른 「국가배상법」 상의 공무원의 범위보다 좁다.

④ 헌법 제33조 제2항에 따른 공무원법상 근로3권을 가지는 공무원의 범위는 헌법 제29조 제1항의 공무원보다 넓다.

06 재외국민 보호에 대한 설명으로 옳지 않은 것은?

① 헌법 전문의 대한민국 임시정부 법통의 계승 또는 헌법 제2조 제2항의 재외국민 보호의무규정은 대한민국 정부에게 중국 동포와 같이 특수한 국적상황에 처해 있는 사람들의 이중국적 해소 또는 국적선택을 위한 특별법 제정의무를 명시적으로 위임한 것이다.

② 헌법상 재외국민의 보호조항이 국가로 하여금 특정한 협약에 가입하거나 조약을 체결하여야 하는 입법위임을 한 취지라고 할 수 없다.

③ 재외국민은 「국가유공자 등 예우 및 지원에 관한 법률」 또는 「독립유공자예우에 관한 법률」에 따른 보훈급여금을 받을 수 있고, 외국 국적 동포 또한 같다.

④ 국내에 주소를 두지 아니한 피상속인의 국내 소재 재산에 대하여 상속세를 부과함에 있어 인적 공제를 하지 않도록 한 구 「상속세법」 제11조 제1항은 헌법 제2조의 재외국민 보호조항에 위반되지 아니한다.

07 재외국민 보호에 대한 설명으로 옳지 않은 것은?

① 재외국민의 경우 「부동산 실권리자명의 등기에 관한 법률」을 적용하면서 외국 국적 동포에 대해서는 「부동산 실권리자명의 등기에 관한 법률」 적용을 배제하는 것은 합리적 이유가 없는 차별이므로 평등권 침해이다.

② 대한민국 수립 이후의 재외동포를 보호대상에서 포함시키면서 대한민국 수립 이전의 재외동포는 보호대상에서 제외한 「재외동포의 출입국과 법적 지위에 관한 법률」 제2조 제2호는 평등원칙에 위반된다.

③ 주민등록만을 요건으로 주민투표권의 행사 여부가 결정되도록 함으로써 '주민등록을 할 수 없는 국내 거주 재외국민'을 '주민등록이 된 국민인 주민'에 비해 차별하고, 나아가 '주민투표권이 인정되는 외국인'과의 관계에서도 차별을 하는 것은 국내 거주 재외국민의 평등권을 침해하는 것으로 위헌이다.

④ 단순한 단기체류가 아니라 국내에 거주하는 재외국민, 특히 외국의 영주권을 보유하고 있으나 상당한 기간 국내에서 계속 거주하고 있는 자들은 일반 국민과 실질적으로 동일하므로, 국내에 거주하는 대한민국 국민을 대상으로 하는 보육료·양육수당 지원에 있어 양자를 달리 취급할 아무런 이유가 없다.

08 재외국민 보호에 대한 설명으로 옳지 않은 것은?

① 「대일항쟁기 강제동원 피해조사 및 국외강제동원 희생자 등 지원에 관한 특별법」은 국민이 부담하는 세금을 재원으로 하여 국외강제동원 희생자와 그 유족에게 위로금 등을 지급함으로써 그들의 고통과 희생을 위로해 주기 위한 법으로서 국가가 유족에게 일방적인 시혜를 베푸는 것이므로, 그 수혜범위에서 외국인인 유족을 배제하고 대한민국 국민인 유족만을 대상으로 한 것은 평등원칙에 위배되지 않는다.

② 국제협력요원이 병역의무를 이행하기 위하여 개발도상국 등에 파견되어 일정한 봉사업무에 종사하던 중 사망한 경우 「국가유공자 등 예우 및 지원에 관한 법률」에 의하여 보상하여야 하는지에 관련된 사건에 관하여 국가의 재외국민 보호의무의 보호법익이 그대로 적용된다고 보기 어렵다.

③ 구 「상속세법」이 비거주자에 대하여 상속세 인적 공제 적용을 배제하였다면 이는 국가의 재외국민 보호의무에 위배된다.

④ 선거인명부에 오를 자격이 있는 국내거주자에 대해서만 부재자신고를 허용함으로써 재외국민과 단기해외체류자 등 국외거주자 전부의 국정선거권을 부인하고 있는 구 「공직선거 및 선거부정방지법」의 규정은 정당한 입법목적을 갖추지 못한 것으로 헌법 제37조 제2항에 위반하여 국외거주자의 선거권과 평등권을 침해하고 보통선거원칙에도 위반된다.

09 국민주권주의에 대한 설명으로 옳은 것을 모두 조합한 것은? (다툼이 있는 경우 판례에 의함)

> ㄱ. 지역농협 임원 선거도 국민주권 내지 대의민주주의의 원리의 구현과 직접적인 관계가 있는 단체 내부의 조직구성에 관한 것으로 상대적으로 폭넓은 제한이 허용된다고 할 수 없다.
> ㄴ. 지방자치단체의 장과 지방의회는 정치적 권력기관이긴 하지만 지방자치제도가 본질적으로 훼손되지 않는다면, 중앙·지방 간 권력의 수직적 분배라고 하는 지방자치제의 권력분립적 속성상 중앙정부와 국회 사이의 구성 및 관여와는 다른 방법으로 국민주권·민주주의원리가 구현될 수 있다.
> ㄷ. 교육부문에 있어서의 국민주권·민주주의의 요청도 정치부문과는 다른 모습으로 구현될 수는 없다.
> ㄹ. 헌법 제72조에 의한 중요정책에 관한 국민투표는 국가안위에 관계되는 사항에 관하여 대통령이 제시한 구체적인 정책에 대한 주권자인 국민의 승인절차라 할 수 있고, 헌법 제130조 제2항에 의한 헌법개정에 관한 국민투표는 대통령 또는 국회가 제안하고 국회의 의결을 거쳐 확정된 헌법개정안에 대하여 주권자인 국민이 최종적으로 그 승인 여부를 결정하는 절차이다.

① ㄱ, ㄴ　　② ㄱ, ㄷ
③ ㄴ, ㄹ　　④ ㄱ, ㄷ, ㄹ

10 국가의 영역에 대한 설명으로 옳은 것은?

① 헌법 제3조는 영토와 영해에 대한 규정을 두고 있다.

② 외국선박은 대한민국의 평화·공공질서 또는 안전보장을 해치지 아니하는 범위에서 대한민국의 영해를 무해통항할 수 있으나, 외국의 군함 또는 비상업용 정부선박이 영해를 통항할 수 없다.

③ 대한민국의 영해는 기선으로부터 측정하여 그 외측 12해리의 선까지에 이르는 수역이므로 일정 수역의 경우에는 12해리 이내에서 영해의 범위를 따로 정할 수 없다.

④ 접속수역은 기선으로부터 24해리이며 영해를 제외한 수역이다.

11 국가의 영역에 대한 설명으로 옳은 것은?

① 간도협약의 무효를 주장해야 할 헌법상 의무는 인정되지 않으므로 간도협약의 무효를 주장하지 아니한 외교부장관의 부작위는 헌법소원의 대상이 되는 공권력 불행사라 할 수 없다.

② 영토고권이란 영역을 자유로이 사용, 수익, 처분하고 영역 내의 사람과 사무를 독점적·배타적으로 지배할 수 있는 국가권력을 의미하는 것으로 국가뿐 아니라 지방자치단체도 지방자치단체의 영역 내에서 영토고권을 가진다.

③ 대한민국의 배타적 경제수역은 기선으로부터 그 외측 200해리의 선까지에 이르는 수역으로서 대한민국의 영해를 포함한 수역이다.

④ 제헌헌법은 영토조항을 최초로 규정하면서 국민투표에 의한 영토 변경을 규정하였다.

12 국가의 영역에 대한 설명으로 옳지 않은 것은?

① 북한 문화재가 단순경유지가 아닌 제3국으로부터 남한지역에 도착한 경우에도 이를 「관세법」상의 수입에 해당하는 것으로 보아 「관세법」을 적용하는 것은 헌법 제3조의 영토조항에 위반된다고 할 수 없다.

② 영토조항은 제헌헌법부터 현행헌법까지 동일하게 규정되어 왔으며 영토조항은 반드시 헌법에 규정되어야 할 필수적 사항은 아니고, 헌법개정에 의해서 개정될 수 있다.

③ 영토조항은 제헌헌법에서, 평화통일원칙은 제7차 개정헌법에서, 자유민주적 기본질서에 입각한 평화 통일 정책을 수립하고 이를 추진한다는 헌법 제4조는 현행헌법에서 최초로 규정되었다.

④ 외국환거래에 있어서 아태위원회나 북한 주민이 국내거주자인지 비거주자인지 또는 「남북교류협력에 관한 법률」상 '북한의 주민'에 해당하는지 여부는 법률해석의 문제가 아니라 헌법 제3조의 영토조항에 따라 결정할 문제이다.

13 국가의 영역에 대한 설명으로 옳은 것은?

① 영토는 국가 구성요소에 해당하므로 영토조항만을 근거로 하여 국민의 개별적 기본권을 인정하는 것은 가능하다.

② 우리 헌법이 영토조항(제3조)을 두고 있는 이상 대한민국의 헌법은 북한지역을 포함한 한반도 전체에 그 효력이 미치고, 따라서 북한지역은 당연히 대한민국의 영토가 된다.

③ 우리 헌법이 '대한민국의 영토는 한반도와 그 부속도서로 한다'는 영토조항을 두고 있는 이상 북한지역은 당연히 대한민국의 영토가 되며, 개별 법률의 적용에서 북한지역을 외국에 준하는 지역으로, 북한의 주민 또는 법인 등을 외국인에 준하는 지위에 있는 자로 규정하는 것은 헌법상 영토조항에 위반되어 허용될 수 없다.

④ '대한민국과 일본국 간의 어업에 관한 협정'(조약 제1477호)에 의하여 배타적 경제수역으로 간주하는 수역에서는 연안국이 어업에 관한 주권적 권리를 행사하지만, 타국의 배타적 경제수역에서는 어업이 불가능하다.

14 국가의 영역와 국민에 대한 설명으로 옳지 않은 것은 모두 몇 개인가?

ㄱ. 독도 등을 중간수역으로 정한 '대한민국과 일본국 간의 어업에 관한 협정'은 배타적 경제수역을 직접 규정한 것이 아니고, 독도의 영유권 문제나 영해 문제와는 직접적인 관련을 가지지 아니하기 때문에 헌법상 영토조항에 위반되지 않는다.
ㄴ. 북한이탈주민은 일정한 요건을 갖추어 법무부장관의 허가를 얻어 국적을 회복할 수 있다.
ㄷ. 대법원은 제헌헌법의 공포와 동시에 대한민국의 국적을 취득한 자가 그 후 다시 북한법의 규정에 따라 북한 국적을 취득하여 중국주재 북한대사관으로부터 북한의 해외공민증을 발급받은 경우라면 대한민국 국적을 상실한 것으로 의제된다고 하였다.
ㄹ. 헌법조문이나 해석을 통하여 탈북의료인에게 국내의료면허를 부여할 입법의무가 발생한다.

① 1개　　② 2개
③ 3개　　④ 4개

15 북한 주민에 대한 설명으로 옳지 않은 것은?

① 북한 주민이 북한 국적이나 공민증을 발급받았어도 대한민국 국적을 유지하는 데 아무런 영향을 끼칠 수 없다.

② 남북은 국제연합(UN)에 2개의 국가로 동시 가입하였으므로 북한 주민은 별도의 국적취득절차를 거쳐야 대한민국 국민이 된다.

③ 북한 주민은 「대일항쟁기 강제동원 피해조사 및 국외강제동원 희생자 등 지원에 관한 특별법」상 위로금 지급 제외대상인 '대한민국 국적을 갖지 아니한 사람'에 해당하지 않는다.

④ 북한 주민은 대한민국 국민이므로 입국의 자유의 주체가 될 수 있다.

16 북한이탈북이탈주민에 대한 설명으로 옳지 않은 것은?

① 마약거래범죄자인 북한이탈주민을 보호대상자로 결정하지 않을 수 있도록 규정한 「북한이탈주민의 보호 및 정책지원에 관한 법률」 제9조 제1항은 마약거래범죄자인 북한이탈주민의 인간다운 생활을 할 권리를 침해한다고 할 수 없다.

② 북한의 의과대학은 헌법 제3조의 영토조항에 따라 국내대학으로 인정될 수 없으므로, 북한의 의과대학 등을 졸업한 탈북의료인의 경우 국내 의료면허를 취득한다고 할 수 없다.

③ 북한에서 취득한 한의사 자격을 대한민국의 한의사자격으로 인정할 것을 요구하는 취지의 민원에 대하여 보건복지부장관과 국회 보건복지위원장이 한 회신은 헌법소원의 대상이 되는 공권력의 행사에 해당하지 않는다.

④ 「북한이탈주민의 보호 및 정착지원에 관한 법률」상 '북한이탈주민'이란 군사분계선 이북지역에 주소, 직계가족, 배우자, 직장 등을 두고 있는 사람으로서 북한을 벗어난 후 외국 국적을 취득한 사람을 포함한다.

17 헌법 전문에 대한 설명으로 옳은 것은?

① 헌법 전문으로부터 국민의 권리와 의무는 도출되지 않으므로 국가의 의무도 도출되지 아니한다.

② 건국 60년 기념사업추진행위가 헌법 전문에 기재된 대한민국 임시정부의 법통을 계승하는 부분에 위배되더라도 헌법상 보호되는 명예권이나 행복추구권의 침해가능성 및 법적 관련성이 인정되지 아니한다.

③ 헌법 전문은 법령의 공포문의 일종으로서 법의 일부가 아니므로 규범적 효력을 가지지 못한다.

④ 제헌헌법부터 존재하던 헌법 전문은 1972년 제7차 헌법개정에서 최초로 개정이 이루어졌다.

18 헌법 전문에 대한 설명으로 옳은 것은?

① 사할린 지역 강제동원 피해자를 1990.9.30.까지 사망 또는 행방불명된 사람으로 정의하고, 대한민국 국적을 가지지 아니한 사람을 위로금 지급대상에서 제외한 「대일항쟁기 강제동원 피해조사 및 국외강제동원 희생자 등 지원에 관한 특별법」 조항들은 심판대상조항이 '정의·인도와 동포애로써 민족의 단결을 공고히' 할 것을 규정한 헌법 전문의 정신에 위반된다.

② 미연방헌법이 전문을 규정한 이래 1871년 비스마르크 헌법도 헌법 전문을 규정하였고, 1919년 바이마르헌법도 헌법 전문에 헌법의 제정경위와 연혁을 규정하고 헌법상 원리 등을 규정하지 아니함으로써 헌법 전문의 법적 효력이 인정되지 아니하였다.

③ 법실증주의자들은 헌법 전문에 대한 규범적 효력을 긍정하나, 결단주의자들은 헌법 전문의 규범적 효력을 부정한다.

④ 미국 연방대법원은 헌법 전문의 규범적 효력을 부정한다.

19 헌법 전문이 직접 언급하고 있는 것은 모두 몇 개인가?

A. 조국의 민주개혁
B. 안전과 자유와 행복
C. 개인의 자유와 창의 존중
D. 사회적 불의 타파
E. 전통문화의 계승과 발전
F. 6월 민주화운동의 시민정신 계승
G. 국민생활의 균등한 향상
H. 대한민국의 영토
I. 항구적인 세계평화와 인류공영
J. 불의에 항거한 4·19 민주이념
K. 일반적으로 승인된 국제법규준수
L. 자유민주적 기본질서를 확고히 한다.
M. 국가의 영속성과 헌법을 준수할 대통령의 책무
N. 국제평화유지에 노력하고 침략전쟁부인
O. 인간의 존엄과 가치

① 4개 ② 5개
③ 6개 ④ 7개

20 헌법 전문에 대한 설명으로 옳은 것은?

① 헌법제정 및 개정의 주체, 건국이념과 대한민국의 정통성, 자유민주주의적 기본질서의 확립, 평화통일과 국제평화주의의 지향은 물론 대한민국이 민주공화국이고 모든 권력이 국민으로부터 나온다는 사실도 헌법 전문에 선언되어 있다.

② '헌법 전문에 기재된 3·1 정신'은 우리나라 헌법의 연혁적·이념적 기초로서 헌법이나 법률해석에서의 해석기준으로 작용한다고 할 수 있지만, 그에 기하여 곧바로 국민의 개별적 기본권성을 도출해낼 수는 없다.

③ 헌법 전문에 기재된 3·1 정신은 우리나라 헌법의 연혁적·이념적 기초로서 헌법이나 법률의 해석에서 해석기준으로 작용할 뿐만 아니라, 이로부터 국민의 기본권이 도출되므로 독립유공자의 유족으로서 국가보훈처장에게 서훈추천을 신청하였다가 거부된 경우에는 공권력의 불행사에 대한 헌법소원을 청구할 수 있다.

④ 헌법 전문에서 '3·1 운동으로 건립된 대한민국 임시정부의 법통을 계승'한다고 선언하고 있는바, 국가는 일제로부터 조국의 자주독립을 위하여 공헌한 독립유공자와 그 유족에 대하여는 응분의 예우를 하여야 할 헌법적 의무를 지니며, 이러한 헌법적 의무는 당사자가 주장하는 특정인을 독립유공자로 인정해야 한다는 것을 뜻한다.

6회

진도별 모의고사

헌법 전문 ~ 법치주의

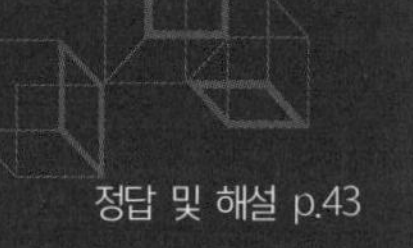

정답 및 해설 p.43

제한시간 : 14분 | 시작시각 ___시 ___분 ~ 종료시각 ___시 ___분 나의 점수 _______

01 헌법 전문에 대한 설명으로 옳지 않은 것은?

① 헌법재판소 결정에 의하면 헌법 전문은 헌법규범의 일부로서 헌법으로서의 규범적 효력을 나타내기 때문에 구체적으로는 헌법소송에서의 재판규범이 된다.

② 헌법 전문상 대한민국은 대한민국 임시정부의 법통을 계승하고 있으므로 1938.4.1.부터 1945.8.15. 사이의 일제 강제동원 사태와 관련한 입법을 하면서, 국내 강제동원자를 지원대상에서 제외한 것은 국가의 기본권 보호의무를 위반한 것이다.

③ 3·1운동으로 건립된 대한민국 임시정부의 법통의 계승을 천명하고 있는 헌법 전문에 비추어 외교부장관은 일본군 위안부 피해자들의 일본에 대한 배상청구권 실현을 위해 적극적으로 노력할 구체적 작위의무가 있다.

④ 대한민국 임시정부의 법통의 계승을 천명하고 있다는 점에서 지금의 정부는 일제강점기에 일본군 위안부로 강제 동원되어 인간의 존엄과 가치가 말살된 상태에서 장기간 비극적인 삶을 영위하였던 피해자들의 훼손된 인간의 존엄과 가치를 회복시켜야 할 의무를 부담한다.

02 헌법 전문에 대한 설명으로 옳지 않은 것을 모두 조합한 것은?

ㄱ. 1972년 제7차 개정헌법의 전문에서는 3·1 운동의 숭고한 독립정신과 4·19 의거 및 5·16 혁명의 이념을 계승한다고 규정하였다.
ㄴ. 헌법 전문이란 헌법전(憲法典)의 일부를 구성하는 헌법 서문을 말하지만, 성문헌법의 필수적 구성요소는 아니다.
ㄷ. 현행헌법의 전문은 성문헌법을 구성하는 일부분이 아니라 헌법의 제정목적과 과정을 설명하는 공포문의 성격을 가진다.
ㄹ. 1948년 헌법 전문에는 3·1 운동으로 건립된 대한민국 임시정부의 법통과 독립정신을 규정하고 있으며, 안으로는 국민생활의 균등한 향상을 기하고 밖으로는 국제평화의 유지에 노력할 것을 언급하고 있다.
ㅁ. 현행헌법은 전문에서 헌법의 개정권자를 명문으로 밝히고 있다.

① ㄱ, ㄴ ② ㄴ, ㄷ
③ ㄷ, ㄹ ④ ㄱ, ㄹ

03 국민주권에 대한 설명으로 옳은 것을 모두 조합한 것은?

> ㄱ. 헌법 제1조 제2항의 "모든 권력은 국민으로부터 나온다."에서의 권력은 가분적이고 위임할 수 있으나, '대한민국의 주권은 국민에게 있고'에서의 주권은 양도할 수 없고 주권의 가분성도 인정되지 않는다.
> ㄴ. 통일정신, 국민주권원리 등은 우리나라 헌법의 연혁적·이념적 기초로서 헌법이나 법률해석에서의 해석기준으로 작용한다고 할 수 있지만, 그에 기하여 곧바로 국민의 개별적 기본권성을 도출해내기는 어렵다.
> ㄷ. 지역농협 임원 선거는 국민주권과 직접적으로 관계되는 것이므로 공적인 역할을 수행한다는 점에서 상대적으로 폭넓게 제한하는 것은 허용되지 않는다.
> ㄹ. 저조한 투표율에도 불구하고 유효투표의 다수만 얻으면 당선인으로 될 수 있도록 한 규정이 선거의 대표성의 본질을 침해하고 국민주권주의에 위반한다.
> ㅁ. 국민이 직접 국민투표를 제안할 권리는 인정하고 있음을 고려할 때 주민발안권의 인정 여부나 구체적 범위가 국민주권의 원리의 한 내용을 이루고 있다고는 볼 수 있다.

① ㄱ, ㄴ　　② ㄱ, ㄷ
③ ㄴ, ㅁ　　④ ㄹ, ㅁ

04 국민주권에 대한 설명으로 옳은 것은?

① 루소는 국가권력이 인민의 일반의사에 기초하고 있으며, 이는 대표이론에 근거를 제공한 것으로 본다.

② 국민의 개념을 이념적 통일체로서 전체 국민으로 파악할 때, 국민은 주권의 보유자이지만 구체적인 국가의사결정에 있어서 주권의 행사자는 국민대표가 된다.

③ 장 보댕(J. Bodin)은 국민주권이론을 체계화하였고, 이를 통하여 왕권을 제한하는 데 결정적 역할을 하였다.

④ 국민주권·민주주의원리는 우리 헌법의 기본원리로서 모든 국가의 작용영역에서 일관되게 구현되어야 하므로 권력분립원리에 의하여 중앙·지방 간 권력의 수직적 분배를 위한 지방자치제의 경우에도 중앙정치기관의 구성과 일치되는 방법으로 국민주권·민주주의원리가 구현되어야 한다.

05 국민주권에 대한 설명으로 옳은 것은?

① 국회의원이 계속 특정 상임위원회에서 활동하기를 원하고 있다면 그 위원회와 관련하여 위법하거나 부당한 행위를 한 사실이 인정되는 경우가 아닌 한 본인의 의사에 반하여 강제로 위원회에서 사임시킬 수는 없다.

② 소속 교섭단체의 결정에 반대하여 국회에서 투표한 행위를 이유로 소속 국회의원을 정당에서 제명조치한 경우, 당해 국회의원이 이러한 제명에 의해 의원직을 상실하게 된다면 이는 대의제원리에 위배된다.

③ 자유위임하에서 국회의원은 선거구민이나 정당의 지령에 법적으로 구속되지 않는바, 헌법은 이러한 자유위임의 원칙에 대한 명문규정을 두고 있다.

④ 외교, 국방, 통일, 기타 국가안위에 관한 중요정책이 국가의 미래에 관련될 때에는 대통령은 반드시 국민투표의 형태로 결정하여야 한다.

06 민주주의에 대한 설명으로 옳은 것은?

① 헌법 제8조 제4항의 민주적 기본질서는 방어적 민주주의에서 방어할 헌법의 기본질서이므로 가치중립적 민주주의에 근거를 두고 있다.

② 현행규정에 자유민주적 기본질서는 전문과 제4조(통일조항)에 규정되어 있고, 민주적 기본질서는 제8조 제4항(위헌정당강제해산조항)에 규정되어 있으며, 자유민주적 기본질서는 민주적 기본질서보다 먼저 헌법에 수용되었다.

③ 우리 헌법 제8조 제4항이 의미하는 민주적 기본질서는 개인의 자율적 이성을 신뢰하고 모든 정치적 견해들이 각각 상대적 진리성과 합리성을 지닌다고 전제하는 다원적 세계관에 입각한 것이다.

④ 모든 폭력적·자의적 지배를 배제하고, 다수를 존중하면서도 소수를 배려하는 민주적 의사결정과 자유·평등을 기본원리로 하여 구성되고 운영되는 정치적 질서를 말하며, 구체적으로는 국민주권의 원리, 사회적 시장경제질서, 혼인가족제도 등이 현행헌법상 주요한 요소라고 볼 수 있다.

07 민주주의에 대한 설명으로 옳은 것은?

① 상대적 민주주의는 민주주의의 내용을 중시하는 민주주의로서 민주주의 이념을 부정하는 적에 대해서는 관용을 베풀 수 없다는 민주주의이다.

② 동일성 민주주의에서는 국민에 의한 지배, 직접민주주의를 지향한다.

③ 방어적 민주주의는 민주주의를 정치과정에서 준수되어야 할 정치적 경기규칙으로 보고, 정치적 이념을 전제로 하지 않는 가치중립적 민주주의이다.

④ 상대적 민주주의는 다수결원칙을 민주주의의 수단으로 보고 있다는 점에서 문제가 있다.

08 민주주의에 대한 설명으로 옳지 않은 것은?

① 헌법 제8조 제4항이 의미하는 '민주적 기본질서'는, 개인의 자율적 이성을 신뢰하고 모든 정치적 견해들이 각각 상대적 진리성과 합리성을 지닌다고 전제하는 다원적 세계관에 입각한 것으로서, 모든 폭력적·자의적 지배를 배제하고, 다수를 존중하면서도 소수를 배려하는 민주적 의사결정과 자유·평등을 기본원리로 하여 구성되고 운영되는 정치적 질서를 말하며, 구체적으로는 국민주권의 원리, 기본적 인권의 존중, 권력분립제도, 복수정당제도 등이 현행헌법상 주요한 요소라고 볼 수 있다.

② 정당은 오늘날 민주주의에 있어서 필수불가결한 요소이기 때문에 정당의 자유로운 설립과 활동은 민주주의 실현의 전제조건이라고 할 수 있다.

③ 모든 정당의 존립과 활동이 최대한 보장되어야 하는 것은 아니므로, 어떤 정당이 민주적 기본질서를 부정하고 이를 적극적으로 공격하는 경우에는 행정부의 통상적인 처분에 의해서도 해산될 수 있다.

④ 대의제 민주주의원리에 기초한 자유위임은 최소한 국회 운영과 관련되는 한 정당과 교섭단체의 지시에 국민대표기관인 국회의원이 기속되는 것을 배제하는 근거가 된다고 할 수 없다.

09 고용노동부장관은 전국교직원 노동조합이 교원의 노동조합 설립 및 운영 등에 관한 법률상 자격이 없는 해고된 교원을 조합원을 인정하자 시정을 촉구하였는데 이를 시정하지 않자 전국교직원 노동조합을 법외노조로 통보하였다. 이에 대한 설명으로 옳지 않은 것은?

① 고용노동부장관의 전국교직원 노동조합에 대한 시정요구에 대하여 항고소송을 제기하여야 함에도 이를 거치지 아니한 헌법소원심판청구는 보충성 요건을 결하였다.

② 「노동조합 및 노동관계조정법 시행령」 제9조 제2항에 기초한 위 법외노조 통보는 법적 근거를 상실하여 위법하다.

③ 법률의 시행령으로 법률에 의한 위임이 없더라도 법률이 규정한 개인의 권리·의무에 관한 내용을 변경·보충하거나 법률에 규정되지 아니한 새로운 내용을 규정할 수는 있다.

④ 법외노조 통보를 규정한 「노동조합 및 노동관계조정법 시행령」 제9조 제2항에 근거한 법외노조 통보는 이미 법률에 의하여 법외노조가 된 것을 사후적으로 고지하거나 확인하는 행위가 아니라 그 통보로써 비로소 법외노조가 되도록 하는 형성적 행정처분이다.

10 법치국가원리에 대한 설명으로 옳지 않은 것은 모두 몇 개인가?

ㄱ. 형식적 법치주의는 악법도 법이라는 주장으로 요약되고 실질적 법치주의는 불법적 법률의 위험성을 문제삼는다.
ㄴ. 형식적 법치주의의 입장은 과거 법실증주의가 지배하던 시절에, 특히 독일에서 군주제가 아직 극복되지 못한 상황에서 많이 주장되었으며, 당시의 현실을 설명하거나 정당화하는 역할을 하였다.
ㄷ. 모든 국가를 법치국가로 보는 켈젠(H. Kelsen)은 형식적 법치주의의 입장을 요약하여 법치국가를 엄격한 '합법성의 체계'로 표현하고 법치국가와 정치적 자유 사이의 연관성을 강조하였다.
ㄹ. 실질적 법치주의의 입장을 관철하기 위한 수단으로 커다란 비중을 갖는 것은 위헌법률심판을 비롯한 헌법재판이다.
ㅁ. 헌법재판소는 신뢰보호의 중요성은 강조하면서도 공권력행사의 예측가능성 보장에 대해서는 언급을 하지 않고 있다.
ㅂ. 법치주의는 본질상 유동성을 가지고 있으나, 정당제 민주주의는 법치주의의 유동적인 측면을 제도적으로 안정시켜주는 기능을 한다.
ㅅ. 신뢰보호의 원칙은 「민법」상 신의성실의 원칙에서 유래한 것으로 헌법상 법치국가원리의 파생원칙으로 보기는 어렵다.
ㅇ. 신뢰보호원칙은 민주주의원리에서 파생된 원칙이다.
ㅈ. 기본권 제한입법에 있어서 규율대상이 지극히 다양하거나 수시로 변화하는 성질의 것이어서 입법기술상 일의적으로 규정할 수 없는 경우라도 명확성의 요건이 강화되어야 한다.

① 3개 ② 4개
③ 5개 ④ 6개

11 법치주의에 대한 설명으로 옳은 것은?

① 법의 지배는 명예혁명 이후에 성립되는 의회의 제정법 지배, 보통법 지배의 정신에 따라 위헌법률심판을 부정하므로 형식적 법치주의와 맥을 같이 한다.

② 영국의 법의 지배는 독일의 법치국가과 마찬가지로 국가를 형성하는 구조적 원리였다.

③ 법치주의와 사회국가원리는 서로 상호보완적으로 보는 것이 일반적 견해이다.

④ 법실증주의는 법치국가를 새로운 국가의 창설의 원리로 보지 않고 국가권력을 제한하는 원리로 이해한 반면, 슈미트는 법치국가를 새로운 국가의 창설의 원리로 이해함으로써 법치국가원리를 정치적 원리로 이해했다.

12 법치주의에 대한 설명으로 옳은 것은?

① 현행헌법상 법치주의를 선언하고 있는 명문의 규정은 있으므로 법치주의는 헌법의 기본원리로 인정된다.

② 바이마르헌법하에서는 일반적으로 법치국가의 의미를 형식적으로 이해하여 나치의 합법적 권력장악과 통치를 저지하고자 했으나 결국 실패하였고, 본(Bonn)기본법은 이러한 형식적 법치주의의 이념을 폐기하고 실질적 법치주의 이념을 지향하였다.

③ 모든 국가를 법치국가로 보는 켈젠은 법치국가를 엄격한 '합법성의 체계'로 표현하고 법치국가와 정치적 자유 사이의 연관성을 강조하였다.

④ 헌법재판소는 신뢰보호의 중요성은 강조하면서도 공권력 행사의 예측가능성 보장에 대해서는 언급을 하지 않고 있다.

13 법치주의에 대한 설명으로 옳지 않은 것은?

① 독일의 법치국가는 법에 의해 권력을 제한하려는 점에서 법의 지배와 목적이 같다. 그런데 독일의 오토 마이어(O. Mayer)는 법치국가를 행정의 합법률성을 기반으로 하는 국가로 파악하였다.

② 슈미트(C. Schmitt)에 의하면, 법치주의는 단순히 법률에 의하지 않고는 강제되지 않는 자유의 보장수단 또는 권리 침해에 대해서 사법적 권리구제를 요구하는 비정치적이고 법기술적인 국가권력의 통제수단이 아니고, 국가의 전체적인 기능이나 조직형태에 관한 구조적 원리를 뜻한다.

③ 법치국가원리의 법적 성격에 관해서 국가권력의 구조원리로 이해하는 데 이견이 없지 않다.

④ 헌법에 규정된 대통령의 '헌법을 준수하고 수호해야 할 의무'는 헌법상 법치국가원리가 대통령의 직무집행과 관련하여 구체화된 헌법적 표현이다.

14 법치주의에서 도출되는 원리에 대한 설명으로 옳은 것은?

① 범죄행위의 무게 및 그 범행자의 책임에 상응하는 정당한 비례성을 감안하여, 기본권의 제한은 필요한 최소한에 그쳐야 한다는 것은 헌법상 법치국가의 원리에서 나온다.

② 헌법은 국가권력의 남용으로부터 국민의 기본권을 보호하려는 법치국가의 실현을 기본이념으로 하고 있고, 법치국가의 개념은 범죄에 대한 법정형을 정함에 있어 포함하고 있으므로, 어떤 행위를 범죄로 규정하고 어떠한 형벌을 과할 것인가에 대해서는 원칙적으로 입법자에게 무제한적인 입법형성권이 인정된다.

③ 법치주의는 본질상 유동성을 가지고 있으나, 정당제 민주주의는 법치주의의 유동적인 측면을 제도적으로 안정시켜주는 기능을 한다.

④ 입법자가 법원으로 하여금 증거조사 없이도 형을 선고하도록 하는 법률을 제정하는 것은 입법의 의해서 사법의 본질적인 중요 부분을 대체시킨 것은 아니기 때문에 권력분립원칙에 어긋나는 것은 아니라는 것이 판례이다.

15 체계정당성원리에 대한 설명으로 옳지 않은 것은?

① 체계정당성의 원리라는 것은 동일 규범 내에서 또는 상이한 규범 간에 그 규범의 구조나 내용 또는 규범의 근거가 되는 원칙면에서 상호 배치되거나 모순되어서는 아니 된다는 하나의 헌법적 요청이다.

② 체계정당성의 원리는 비례의 원칙이나 평등의 원칙 등 일정한 헌법의 규정이나 원칙을 위반하여야만 비로소 그 위반이 인정된다.

③ 체계정당성의 원리는 규범 상호 간의 구조와 내용 등이 모순됨이 없이 체계와 균형을 유지하여야 한다는 헌법적 원리이지만, 곧바로 입법자를 기속하는 것이라고는 볼 수 없다.

④ 신뢰보호원칙에 위반되는 법률은 위헌이지만, 체계정당성에 위반되는 법률이라는 이유 때문에 바로 위헌이라고 할 수는 없다.

16 법치주의원리에 대한 설명으로 옳지 않은 것은?

① 체계정당성의 원리는 동일 규범 내에서 또는 상이한 규범 간에 그 규범의 구조나 내용 또는 규범의 근거가 되는 원칙면에서 상호 배치되거나 모순되어서는 안 된다는 하나의 헌법적 원칙으로, 이러한 체계정당성의 위반을 정당화할 합리적인 사유의 존재에 대하여는 입법재량이 인정될 수 없다.

② 체계정당성의 원리는 동일 규범 내에서 또는 상이한 규범 간에 그 규범의 구조나 내용 또는 규범의 근거가 되는 원칙면에서 상호 배치되거나 모순되어서는 안 된다는 하나의 헌법적 요청이며, 국가공권력에 대한 통제와 이를 통한 국민의 자유와 권리의 보장을 이념으로 하는 법치주의원리로부터 도출된다.

③ 자기책임의 원리는 민사법이나 형사법에 국한된 원리라기보다는 근대법의 기본이념으로서 법치주의에 당연히 내재하는 원리이다.

④ '책임 없는 자에게 형벌을 부과할 수 없다'는 형벌에 관한 책임주의는 형사법의 기본원리로서, 헌법상 법치국가의 원리에 내재하는 원리인 동시에, 헌법 제10조의 취지로부터 도출되는 원리이고, 법인의 경우도 자연인과 마찬가지로 책임주의원칙이 적용된다.

17 명확성원칙에 대한 설명으로 옳지 않은 것은?

① 실정법이 규율하고자 하는 내용이 명확하여 다의적으로 해석·적용되어서는 안 된다는 명확성의 원칙은 법치국가의 원리에서 파생된 원칙이다.

② 기본권 제한입법의 명확성의 원칙이란 기본적으로 최대한이 아닌 최소한의 명확성을 요구하는 것이므로 법문언의 해석을 통해서 그 의미 내용을 확인해낼 수 있다면 명확성의 원칙에 반한다고 할 수 없다.

③ 법률조항의 불명확성이 인정된다면 장기간에 걸쳐 형성된 법원의 판례에 의해서는 그 불명확성이 치유될 수 없다.

④ 위임입법에 있어 급부행정영역에서는 기본권 침해영역보다는 위임의 구체성의 요구가 다소 약화되어도 무방하며, 다양한 사실관계를 규율하거나 사실관계가 수시로 변화될 것이 예상될 때는 위임의 명확성의 요건이 완화된다.

18 명확성원칙에 대한 설명으로 옳은 것은?

① 기본권을 제한하는 법률의 명확성에 관하여 법적 안정성과 예측가능성의 보장은 법치국가의 중요한 내용이기 때문에 법률의 규율영역과 상관없이 동일하게 엄격한 기준이 적용된다.

② 기본권 제한입법에 있어서 규율대상이 지극히 다양하거나 수시로 변화하는 성질의 것이어서 입법기술상 일의적으로 규정할 수 없는 경우라도 명확성의 요건이 강화되어야 한다.

③ 명확성원칙은 법치국가원리의 한 표현으로서 기본권을 제한하는 법규범의 내용은 명확하여야 한다는 헌법상의 원칙이고, 명확성의 정도는 모든 법률에 있어서 동일한 정도로 요구되며, 개개의 법률이나 법조항의 성격에 따라 요구되는 정도에 차이가 있을 수 없다.

④ 기본권 제한과 관련한 법률명확성의 원칙은 개괄조항이나 불확정 법개념의 사용을 금지하는 것이 아니다.

19 법치주의에 대한 설명으로 옳은 것은?

① 검사에 대한 징계사유 중 하나인 '검사로서의 체면이나 위신을 손상하는 행위를 하였을 때'의 의미는 그 포섭범위가 지나치게 광범위하므로 명확성의 원칙에 반하여 헌법에 위배된다.

② 집행명령은 모법에 규정이 없는 새로운 입법사항을 규정하거나 법률에 없는 국민의 새로운 권리·의무를 규정할 수 없다.

③ 오늘날 사회현상의 복잡화에 따라 국민의 권리·의무에 관한 사항이라 하여 모두 입법부에서 제정한 법률만으로 다 정할 수는 없으므로 반드시 구체적이고 개별적으로 한정된 사항이 아니더라도 하위법령에 위임하는 것이 허용된다.

④ 구 「보건범죄 단속에 관한 특별조치법」상 형벌의 구성요건 일부에 해당하는 식품의 제조방법기준을 식품의약품안전처 고시에 위임한 것은 헌법에서 정한 위임입법의 형식을 갖추지 못하여 헌법에 위반된다.

20 법치주의에 대한 설명으로 옳지 않은 것은?

① 법령의 직접적인 위임에 따라 위임행정기관이 그 법령을 시행하는 데 필요한 구체적 사항을 정한 것이면, 그 제정형식은 비록 법규명령이 아닌 고시, 훈령, 예규 등과 같은 행정규칙이더라도 그것이 상위법령의 위임한계를 벗어나지 아니하는 한, 상위법령과 결합하여 대외적인 구속력을 갖는 법규명령으로서 기능하게 된다.

② 시행령은 모법인 법률에 의하여 위임받은 사항이나 법률이 규정한 범위 내에서 법률을 현실적으로 집행하는데 필요한 세부적인 사항만을 규정할 수 있을 뿐, 법률에 의한 위임이 없는 한 법률이 규정한 개인의 권리·의무에 관한 내용을 변경·보충하거나 법률에 규정되지 아니한 새로운 내용을 규정할 수는 없다.

③ 위임입법이 대법원규칙인 경우에도 수권법률에서 헌법 제75조에 근거한 포괄위임금지원칙을 준수하여야 하나, 대법원규칙으로 규율될 내용들은 법원의 전문적이고 기술적인 사무에 관한 것이 대부분일 것이므로 수권법률에서의 위임의 구체성·명확성의 정도는 다른 규율영역에 비해 완화될 수 있다.

④ 법률이 대통령령으로 위임하는 경우 규정될 내용 및 범위의 기본사항이 구체적이고 명확하게 규정되어 있지 않더라도 관련 분야의 평균인이 볼 때 당해 법률로부터 대통령령에 규정될 내용의 대강을 예측할 수 있으면 위임입법의 한계를 넘은 것이 아니다.

7회 진도별 모의고사

법치주의 ~ 소급입법금지원칙

정답 및 해설 p.49

제한시간 : 14분 | 시작시각 ___시 ___분 ~ 종료시각 ___시 ___분

나의 점수 ______

01 법치주의에 대한 설명으로 옳지 않은 것은?

① 위임입법과 관련하여, 위임조항 자체에서 위임의 구체적 범위를 명백히 규정하고 있지 않다고 하더라도 당해 법률의 전반적 체계와 관련 규정에 비추어 위임조항의 내재적인 위임의 범위나 한계를 객관적으로 분명히 확정할 수 있다면 이를 포괄적인 백지위임에 해당하는 것으로는 볼 수 없다.

② 법률이 자치적인 사항을 공법적 단체의 정관으로 정하도록 위임한 경우 헌법 제75조, 제95조의 포괄위임입법금지원칙이 적용되지 않는다.

③ 위임입법의 한계의 법리는 헌법의 근본원리인 권력분립주의와 의회주의 내지 법치주의에 바탕을 두는 것이기 때문에 행정부에서 제정된 대통령령에서 규정한 내용이 정당한지 여부와는 직접적으로 관계가 없다.

④ 범죄와 형벌에 관한 사항에 관해서는 위임입법의 근거와 한계에 관한 헌법 제75조가 적용될 수 없다.

02 법치주의에 대한 설명으로 옳은 것은?

① 국회입법에 대한 헌법 제40조와 행정입법에 대한 헌법 제75조 및 제95조의 의미를 체계적으로 살펴보면, 포괄위임금지원칙은 입법부와 행정부 사이의 권력배분의 문제이므로 법률이 대법원규칙에 입법을 위임할 경우 포괄위임금지원칙은 적용되지 않는다.

② 행정규칙은 법규명령과 같은 엄격한 제정 및 개정절차를 요하지 아니하므로 위임입법이 제한적으로 인정되지만, 위임이 불가피하게 인정되는 경우 법률의 위임은 반드시 구체적·개별적으로 한정된 사항에 대하여 행해져야 하는 것은 아니다.

③ 공법적 기관의 정관 제정주체가 사실상으로는 행정부에 해당할 경우 헌법 제75조와 제95조의 포괄위임입법금지원칙이 적용된다.

④ 포괄위임입법금지원칙에 대한 판단기준인 예측가능성 유무는 당해 특정 조항을 기준으로 판단하여야 하고, 당해 조항이 아닌 다른 조항까지 함께 고려하여 판단하게 되면 예측가능성의 인정범위가 지나치게 넓어지므로 허용될 수 없다.

03 법치주의에 대한 설명으로 옳지 않은 것은?

① 도시환경정비사업의 시행자인 토지등소유자가 사업시행인가를 신청하기 전에 얻어야 하는 토지등소유자의 동의요건은 국민의 권리에 관한 기본적 사항으로 볼 수 없으므로 정관에 위임하면 법률유보원칙에 위반된다고 할 수 없다.

② 기본권을 제한하는 내용의 입법을 위임할 때에는 법규명령에 위임하는 것이 원칙이고, 고시와 같은 형식으로 입법위임을 할 때에는 법령이 전문적·기술적 사항이나 경미한 사항으로서 업무의 성질상 위임이 불가피한 사항에 한정된다.

③ 법률에서 위임받은 사항에 관하여 대강을 정하고 그 중의 특정 사항을 범위를 정하여 하위법령에 다시 위임하는 경우에만 재위임이 허용된다.

④ 운전면허 취소 또는 정지처분의 요건으로서 구호조치를 취하지 않은 경우의 개별적 유형을 입법자가 반드시 법률로 규율하여야 하는 것은 아니므로 교통사고로 사람을 사상한 후 필요한 조치를 하지 아니한 경우 행정자치부령(현 행정안전부령)이 정하는 바에 따라 운전면허를 취소 또는 정지시킬 수 있도록 한 「도로교통법」은 법률유보원칙에 위배된다고 할 수 없다.

04 법치주의에 대한 설명으로 옳지 않은 것은?

① 유치원의 학교에 속하는 회계의 예산과목 구분을 정한 '사학기관 재무·회계규칙'이 법률유보원칙에 위반된다고 볼 수 없다.

② 특별한 법적 근거 없이 엄중격리대상자의 수용거실에 CCTV를 설치하여 24시간 감시하는 행위는 법률유보의 원칙에 위배된다.

③ 법외노조 통보를 규정한 「노동조합 및 노동관계조정법 시행령」 제9조 제2항는 법률의 구체적이고 명시적인 위임도 없이 헌법이 보장하는 노동3권에 대한 본질적인 제한을 규정한 것으로서 법률유보원칙에 반한다.

④ 법외노조 통보는 입법자가 스스로 형식적 법률로써 규정하여야 할 사항이고, 행정입법으로 이를 규정하기 위하여는 반드시 법률의 명시적이고 구체적인 위임이 있어야 한다. 그런데 「노동조합 및 노동관계조정법 시행령」 제9조 제2항은 법률의 위임 없이 법률이 정하지 아니한 법외노조 통보에 관하여 규정함으로써 헌법상 노동3권을 본질적으로 제한하고 있으므로 그 자체로 무효이다.

05 법치주의에 대한 설명으로 옳은 것은?

① 고졸검정고시 또는 고등학교 입학자격 검정고시에 합격했던 자는 해당 검정고시에 다시 응시할 수 없도록 응시자격을 제한한 전라남도 교육청 공고는 위임받은 바 없는 응시자격의 제한을 새로이 설정한 것으로서 기본권 제한의 법률유보원칙에 위배하여 청구인의 교육을 받을 권리 등을 침해한다.

② 운전면허를 받은 사람이 자동차 등을 이용하여 살인 또는 강간 등 행정안전부령이 정하는 범죄행위를 한 때 운전면허를 취소하도록 한 「도로교통법」은 법률유보원칙에 위반된다.

③ 인구주택총조사의 조사항목은 사생활의 비밀에 관한 사항이므로 법률에서 직접 정해야 하는 사항이다.

④ 지방의회에 유급 보좌관을 두는 것은 반드시 국회가 법률로 정해야 할 사항이 아니므로 조례로 정할 수 있다.

06 법치주의에 대한 설명으로 옳지 않은 것은?

① 텔레비전 수신료 금액은 반드시 의회가 직접 결정해야 할 사항이므로 이를 한국방송공사 이사회가 정하도록 한 구 「한국방송공사법」 제36조는 법률유보원칙에 위반된다.

② 규율대상이 기본권적 중요성을 가질수록, 그리고 그에 관한 공개적 토론의 필요성 내지 상충하는 이익 간 조정의 필요성이 클수록, 그것이 국회의 법률에 의해 직접 규율될 필요성 및 그 규율밀도의 요구 정도는 그만큼 더 증대되는 것으로 보아야 한다.

③ 특정 사안과 관련하여 법률에서 하위법령에 위임을 한 경우에 모법의 위임범위를 확정하거나 하위법령이 위임의 한계를 준수하고 있는지 여부를 판단할 때에는, 하위법령이 규정한 내용이 입법자가 형식적 법률로 스스로 규율하여야 하는 본질적 사항으로서 의회유보의 원칙이 지켜져야 할 영역인지 여부는 고려되어야 할 사항이다.

④ 법률유보의 원칙은 기본권과 관련하여 국가행정권에 의한 기본권 침해가 문제되는 경우뿐만 아니라 기본권 규범과 전혀 관련없는 경우에도 준수되어야 한다.

07 법치주의에 대한 설명으로 옳은 것은?

① 특정 사안과 관련하여 법률에서 하위법령에 위임을 한 경우에 모법의 위임범위를 확정하거나 하위법령이 위임의 한계를 준수하고 있는지 여부를 판단할 때에는, 하위법령이 규정한 내용이 입법자가 형식적 법률로 스스로 규율하여야 하는 본질적 사항으로서 의회유보의 원칙이 지켜져야 할 영역인지 여부는 고려되어야 할 사항이라고 볼 수는 없다.

② 헌법 제37조 제2항에서 규정하는 '법률로써'란 말은 국민의 자유나 권리를 제한하는 행정작용의 경우 적어도 그 본질적인 사항에 관한 한 국회가 제정하는 법률에 근거를 두는 것만으로 충분하다는 것을 의미한다.

③ 수신료 금액의 결정은 납부의무자의 범위, 징수절차, 누가 징수하느냐 등과 함께 수신료에 관한 본질적이고도 중요한 사항이므로, 수신료 금액의 결정은 입법자인 국회 스스로 해야 한다.

④ 시행령규정이 법률의 위임 없이 미결수용자의 면회횟수를 매주 2회로 제한하고 있는 것은 접견교통권을 침해하는 것이다.

08 법치주의에 대한 설명으로 옳지 않은 것은?

① 전기판매사업자로 하여금 전기요금에 관한 약관을 작성하여 산업통상자원부장관의 인가를 받도록 한 「전기사업법」 제16조 제1항은 전기의 보편적 공급의 기본요소인 전기요금의 산정에 관하여 전기공급약관의 인가기준의 핵심적인 사항에 대해 정하지 않고 약관으로 정하도록 하고 있으므로 법률유보원칙에 위반된다.

② 상장규정이 자치규정이라는 점에서는 정관과 차이가 없으므로, 법률이 자치적인 사항을 정관으로 정하도록 한 경우에 포괄위임금지원칙은 원칙적으로 적용되지 않는다고 본 판단은 상장규정에도 동일하게 적용된다.

③ 이해관계인에 대한 매각기일 및 매각결정기일의 통지는 집행기록에 표시된 이해관계인의 주소에 대법원규칙이 정하는 방법으로 발송할 수 있다고 규정한 「민사집행법」 제104조 제3항이 법률유보원칙에 위반되지 않는다.

④ 입주자들이 국가나 사업주체의 관여 없이 자치활동의 일환으로 구성한 입주자대표회의는 사법상의 단체로서, 그 구성에 필요한 사항을 대통령령에 위임하도록 한 것은 법률유보원칙에 위반되지 않는다.

09 법률유보원칙에 대한 설명으로 옳지 않은 것을 모두 조합한 것은?

> 「경찰관 직무집행법」 제2조(직무의 범위) 경찰관은 다음 각 호의 직무를 수행한다.
> 7. 그 밖에 공공의 안녕과 질서 유지
>
> 제10조(경찰장비의 사용 등) ① 경찰관은 직무수행 중 경찰장비를 사용할 수 있다. 다만, 사람의 생명이나 신체에 위해를 끼칠 수 있는 경찰장비(이하 이 조에서 '위해성 경찰장비'라 한다)를 사용할 때에는 필요한 안전교육과 안전검사를 받은 후 사용하여야 한다.
> ② 제1항 본문에서 '경찰장비'란 무기, 경찰장구, 최루제와 그 발사장치, 살수차, 감식기구, 해안 감시기구, 통신기기, 차량·선박·항공기 등 경찰이 직무를 수행할 때 필요한 장치와 기구를 말한다.
> ④ 위해성 경찰장비는 필요한 최소한도에서 사용하여야 한다.
> ⑥ 위해성 경찰장비의 종류 및 그 사용기준, 안전교육·안전검사의 기준 등은 대통령령으로 정한다.

> ㄱ. 집회나 시위 해산을 위한 살수차 사용은 중요한 기본권에 대한 중대한 제한이므로, 살수차 사용요건이나 기준은 법률에 근거를 두어야 한다.
> ㄴ. 위해성 경찰장비 사용의 위험성과 기본권 보호 필요성에 비추어 볼 때, 「경찰관 직무집행법」과 대통령령에 규정된 위해성 경찰장비의 사용방법은 법률유보원칙에 따라 엄격하게 제한적으로 해석하여야 한다.
> ㄷ. 최루액을 섞은 혼합살수행위는 집회·시위의 현장에서 최루제를 실제로 분사할 때 그 분사하는 구체적 방법에 관한 것일 뿐 새로운 위해성 경찰장비에 해당하지 않을 뿐 아니라 「경찰관 직무집행법」 제10조 제2항에 근거를 두고 있으므로 법률유보원칙에 위배된다고 할 수 없다.
> ㄹ. 직사살수행위로 시위참가자를 사망케 이르게 한 것은 직사살수행위는 「경찰관 직무집행법」 등에 근거하고 있지 않은 바, 법률유보원칙에 위배된다.
> ㅁ. 경찰권 발동의 근거가 되는 일반조항을 인정하더라도 경찰권 발동에 관한 조리상의 원칙이나 법원의 통제에 의해 그 남용이 억제될 수 있다는 점을 종합해 보면, 경찰 임무의 하나로서 '기타 공공의 안녕과 질서유지'를 규정한 구 「경찰법」 제3조 및 「경찰관 직무집행법」 제2조는 일반적 수권조항으로서 경찰권 발동의 법적 근거가 될 수 있다고 할 것이므로, 위 조항들에 근거한 이 사건 통행제지행위는 법률유보원칙에 위배된 것이라고 할 수 없다.

① ㄱ, ㄴ, ㄹ ② ㄱ, ㄹ, ㅁ

③ ㄴ, ㄷ, ㅁ ④ ㄷ, ㄹ, ㅁ

10 소급입법금지원칙에 대한 설명으로 옳지 않은 것은?

① 헌법 제13조 제2항이 금하고 있는 소급입법은 진정소급효를 가지는 법률이지 부진정소급효의 입법은 아니다.

② 기존의 법에 의하여 형성되어 이미 굳어진 개인의 법적 지위를 사후입법을 통하여 박탈하는 것 등을 내용으로 하는 진정소급입법은, 기존의 법을 변경하여야 할 공익적 필요는 심히 중대하고 그 법적 지위에 대한 개인의 신뢰를 보호하여야 할 필요가 경미한 경우 허용될 수 있다는 것이 헌법재판소의 입장이다.

③ 진정소급입법도 특정의 법적 상황에 대한 신뢰가 객관적으로 정당화될 수 없는 경우에는 예외적으로 허용될 수 있다.

④ 소급입법이 예외적으로 허용되기 위해서는 '그럼에도 불구하고 소급입법을 허용할 수밖에 없는 공익상의 이유'가 인정되어야 한다. 이러한 필요성도 없이 단지 소급입법을 예상할 수 있었다는 사유만으로 소급입법을 허용하는 것은 헌법 제13조 제2항의 소급입법금지원칙을 형해화시킬 수 있으므로 예외사유에 해당하는지 여부는 매우 엄격하게 판단하여야 하는 것은 아니다.

11 소급입법금지원칙에 대한 설명으로 옳지 않은 것은?

① 부진정소급입법은 원칙적으로 허용되지만 소급효를 요구하는 공익과 신뢰보호의 요청 사이의 교량과정에서 신뢰보호의 관점이 입법자의 형성권에 제한을 가하게 된다.

② 부진정소급입법의 경우, 일반적으로 과거에 시작된 구성요건사항에 대한 신뢰는 더 보호될 가치가 있는 것이므로, 신뢰보호의 원칙에 대한 심사는 장래 입법의 경우보다 일반적으로 더 강화되어야 한다.

③ 헌법 제13조 제2항이 금하고 있는 소급입법은, 이미 과거에 완성된 사실·법률관계를 규율의 대상으로 하는 이른바 진정소급효의 입법과 이미 과거에 시작하였으나 아직 완성되지 아니하고 진행과정에 있는 사실·법률관계를 규율의 대상으로 하는 이른바 부진정소급효의 입법을 모두 의미한다.

④ 디엔에이신원확인정보의 수집·이용은 수형인 등에게 심리적 압박으로 인한 범죄예방효과를 가진다는 점에서 보안처분의 성격을 지니지만, 처벌적인 효과가 없는 비형벌적 보안처분으로서 소급입법금지원칙이 적용되지 않는다.

12 소급입법금지원칙에 대한 설명으로 옳은 것은?

① 소급입법에 의한 재산권의 박탈은 진정소급효의 입법, 부진정소급효의 입법 등 소급입법의 태양에 관계없이 원칙적으로 금지되고, 예외적으로 헌법적 정당성이 있는 경우에만 허용된다.

② 기존의 법에 의하여 형성되어 이미 굳어진 개인의 법적 지위를 사후입법을 통하여 박탈하는 것 등을 내용으로 하는 진정소급입법은 개인의 신뢰보호와 법적 안정성을 내용으로 하는 법치국가원리에 의하여 헌법적으로 허용되지 않기 때문에 기존의 법을 변경하여야 할 공익적 필요는 심히 중대하고 그 법적 지위에 대한 개인의 신뢰를 보호하여야 할 필요가 상대적으로 정당화될 수 없는 경우라도 허용될 수 없다는 것이 헌법재판소의 입장이다.

③ 퇴역연금 등의 급여액 산정의 기초를 종전에 '퇴직 당시의 보수월액'으로 하던 것을 '평균보수월액'으로 변경한 것은 진정소급입법에 해당한다.

④ 법령불소급의 원칙은 법령의 효력 발생 전에 완성된 요건 사실에 대하여 당해 법령을 적용할 수 없다는 의미일 뿐, 계속 중인 사실이나 그 이후에 발생한 요건사실에 대한 법령 적용까지를 제한하는 것은 아니다.

13 소급입법금지원칙에 대한 설명으로 옳은 것은?

① 부진정소급입법에 의한 문제는 종래의 법적 상태에서 새로운 법적 상태로 이행하는 과정에서 불가피하게 발생하는 법치국가적 문제, 구체적으로 신뢰보호의 문제이므로 일반적으로는 신뢰보호원칙 위반 여부의 판단에 포섭된다.

② 신법이 이미 종료된 사실관계나 법률관계에 적용되는 부진정소급입법에 있어서는 소급효를 요구하는 공익상의 사유와 신뢰보호 요청 사이의 교량과정에서 신뢰보호의 관점이 입법자의 형성권에 제한을 가하게 된다.

③ 러·일전쟁 개전시부터 1945.8.15.까지 친일반민족행위자가 취득한 재산을 친일행위의 대가로 취득한 재산으로 추정하는 「친일반민족행위자 재산의 국가귀속에 관한 특별법」 조항은 추정 번복을 어렵게 하고 있어 법치국가원리가 요구하는 적법절차원칙과 과잉금지원칙에 위배된다.

④ 새로운 입법으로 과거에 소급하여 과세하는 것은 소급입법금지 원칙에 위반되지만, 이미 납세의무가 존재하는 경우에 소급하여 중과세하는 것은 소급입법금지원칙에 위반되지 않는다.

14 소급입법금지원칙에 대한 설명으로 옳은 것은?

① 결손금 소급공제대상 중소기업이 아닌 법인이 결손금 소급공제로 부당환급받은 세액은 국가의 환수대상이고 당해 법인 역시 국가의 환수조치를 충분히 예상할 수 있었으므로 이를 소급하여 징수할 수 있도록 한 것은 재산권 침해가 아니다.

② 법 시행일 이후에 이행기가 도래하는 퇴직연금에 대하여 소득과 연계하여 그 일부의 지급을 정지할 수 있도록 한 「공무원연금법」 조항을 이미 확정적으로 연금수급권을 취득한 자에게도 적용하도록 한 것은, 이미 종료된 과거의 사실관계 또는 법률관계에 새로운 법률이 소급적으로 적용되어 과거를 법적으로 새로이 평가하는 진정소급입법에 해당한다.

③ 기존에 총포의 소지허가를 받은 자는 「총포·도검·화약류 등의 안전관리에 관한 법률」 시행일부터 1개월 이내에 허가관청이 지정하는 곳에 총포와 그 실탄 또는 공포탄을 보관하여야 하도록 한 「총포·도검·화약류 등의 안전관리에 관한 법률」 부칙조항은 헌법 제13조 제2항이 금하는 진정소급입법에 해당한다.

④ 현재 공무원이나 사립학교 교직원으로 재직하고 있는 자가 퇴직연금에 대하여 가지는 기대는 아직 완성되지 아니하고 진행과정에 있는 사실 또는 법률관계를 규율대상으로 하는 이른바 부진정소급입법에 해당한다. 따라서 종래의 법적 상태의 존속을 신뢰한 자들에 대한 신뢰보호만이 문제될 뿐, 소급입법에 의한 재산권 박탈의 문제는 생기지 않는다.

15 소급입법금지원칙에 대한 설명으로 옳지 않은 것은?

① 부당환급받은 세액을 징수하는 근거규정인 개정조항을 개정된 법 시행 후 최초로 환급세액을 징수하는 분부터 적용하도록 규정한 「법인세법」 부칙조항은 이미 완성된 사실·법률관계를 규율하는 진정소급입법에 해당하나, 이를 허용하지 아니하면 위 개정조항과 같이 법인세 부과처분을 통하여 효율적으로 환수하지 못하고 부당이득반환 등 복잡한 절차를 거칠 수밖에 없어 중대한 공익상 필요에 의하여 예외적으로 허용된다.

② 선불식 할부거래업자에게 개정 법률이 시행되기 전에 체결된 선불식 할부계약에 대하여도 소비자피해보상보험계약 등을 체결할 의무를 부과한 「할부거래에 관한 법률」 조항은 소급입법금지원칙에 위반되지 아니한다.

③ 소급효를 가지는 법률이 헌법 제13조 제2항이 금하는 소급입법에 해당하지 아니하더라도 신뢰보호원칙 위반이 될 수 있다. 이 사건 부칙조항은 헌법 제13조 제2항이 금하는 소급입법에 해당하지 아니하고, 다만 총포소지허가를 받은 자가 해당 공기총을 직접 보관할 수 있을 것이라고 종래의 법적 상태의 존속을 신뢰한 청구인에 대한 신뢰보호가 문제될 뿐이다.

④ 1990.1.13. 법률 제4199호로 개정된 「민법」의 시행일 이전에 발생한 전처의 출생자와 계모 사이의 친족관계를 1990년 개정 「민법」 시행일부터 소멸하도록 규정한 「민법」 부칙은 헌법 제13조 제2항이 금하는 소급입법에 해당하지 아니한다.

16 소급입법금지원칙에 대한 설명으로 옳지 않은 것은?

① 과거에 소멸한 저작인접권을 회복시키는 「저작권법」 조항은 과거의 음원 사용행위에 대한 것이 아니라 개정된 법률 시행 이후에 음원을 사용하는 행위를 규율하고 있으므로, 헌법 제13조 제2항이 금지하는 소급입법에 의한 재산권 박탈에 해당하지 아니한다.

② 「독점규제 및 공정거래에 관한 법률」 위반행위에 대한 시정조치 및 과징금 부과처분의 시한을 '공정거래위원회가 조사를 개시한 때는 조사 개시일부터 5년, 조사를 개시하지 않은 때에는 법 위반행위 종료일부터 7년'으로 정한 「독점규제 및 공정거래에 관한 법률」을 최초로 조사하는 사건부터 적용하는 부칙은 신뢰보호원칙에 위반되지 않는다.

③ 헌법불합치결정으로 구법 조항이 실효되어 이미 전액 지급된 공무원 퇴직연금의 일부를 다시 환수할 수 있도록 규정한 부칙조항은 진정소급입법으로서 국회가 개선입법을 하지 않은 것에 기인함에도 불구하고, 법 집행의 책임을 퇴직공무원들에게 전가하는 것으로 소급입법금지원칙에 위반된다.

④ 2009.12.31. 공무원이거나 공무원이었던 자가 재직 중의 사유로 금고 이상의 형을 받은 경우(직무와 관련이 없는 과실로 인한 경우 및 소속 상관의 정당한 직무상의 명령에 따르다가 과실로 인한 경우는 제외한다), 대통령령으로 정하는 바에 따라 퇴직급여 및 퇴직수당의 일부를 감액하여 지급하도록 한 「공무원연금법」 조항을 2010.1.1.부터 적용하도록 규정한 「공무원연금법」 부칙 본문은 진정소급입법에 해당하므로 신뢰보호원칙에 위배되어 헌법에 위반된다.

17 소급입법금지원칙에 대한 설명으로 옳지 않은 것은?

① 과거에 완성된 사실 또는 법률관계를 규율하는 진정소급입법은 특단의 사정이 없는 한 구법에서 이미 얻은 자격 또는 권리를 존중해야 하나, 이미 과거에 시작되었으나 아직 완성되지 아니하고 진행과정에 있는 사실관계 또는 법률관계를 규율하는 부진정소급입법의 경우에는 특단의 사정이 없는 한 구법관계 내지 구법상의 기대이익을 존중하여야 할 입법의무가 없다.

② 종전 「약사법」에 의하여 약국개설 등록을 받은 장소에서 법 시행일 후 1년 뒤에는 기존 약국을 더 이상 운영할 수 없도록 한 것은, 이미 개설 등록된 기존 약국의 효력이나 이제까지의 약국영업과 관련한 사법상의 법률효과를 소급하여 부인하는 것이므로, 헌법 제13조 제2항에서 의미하는 소급입법에 해당한다.

③ 1990.1.13. 법률 제4199호로 개정된 「민법」의 시행일 이전에 발생한 전처의 출생자와 계모 사이의 친족관계를 1990년 개정 「민법」 시행일부터 소멸하도록 규정한 「민법」 부칙은 헌법 제13조 제2항이 금하는 소급입법에 해당하지 아니한다.

④ 「언론중재 및 피해구제 등에 관한 법률」(이하 '언론중재법'이라 한다) 시행 전의 언론보도로 인한 정정보도청구에 대하여도 언론중재법을 적용하도록 규정한 언론중재법 부칙 제2조는 소위 진정소급입법에 해당한다.

18 소급입법금지원칙에 대한 설명으로 옳은 것은?

① 종전의 「수산업법」에 의하여 아무런 제한 없이 주장이 가능하던 관행어업권에 대하여 「수산업법」 시행 이후부터는 등록하여야만 주장할 수 있는 것으로 변경하는 것은 재산권을 소급적으로 박탈하는 규정으로 위헌이다.

② 2005.5.26. 「주택법」 개정 전에 사용검사 또는 사용승인을 얻은 공동주택의 담보책임 및 하자보수에 관하여 「주택법」 제46조의 하자담보책임을 적용하도록 한 「주택법」은 진정소급입법으로서 신뢰보호원칙에 위배된다.

③ 이미 발생하여 이행기에 도달한 퇴직연금수급권의 내용을 변경하지 않고 부칙조항 시행 이후에 장래 이행기가 도래하는 퇴직연금수급권의 내용을 변경하는 것은 진정소급입법에 해당한다.

④ 현재 공무원으로 재직 중인 자가 퇴직하는 경우 장차 받게 될 퇴직연금의 지급시기를 변경하는 것은, 아직 완성되지 아니한 사실 또는 법률관계를 규율대상으로 하는 진정소급입법에 해당되는 것이어서 원칙적으로 허용된다.

19 **1945.8.9. 이후 성립된 거래를 전부 무효로 한 재조선미국육군사령부군정청 법령 제2호 제4조 본문과 1945.8.9. 이후 일본 국민이 소유하거나 관리하는 재산을 1945.9.25.자로 전부 미군정청이 취득하도록 정한 재조선미국육군사령부군정청 법령 제33호 제2조에 대한 헌법재판소의 결정에 대한 설명으로 옳지 않은 것은?**

① 이 사건 법령들은 1945.9.25, 1945.12.6. 공포되었음에도 이 사건 무효조항은 1945.8.9.을 기준으로 하여 일본인 소유의 재산에 대한 거래를 전부 무효로 하고 있으므로 진정소급입법으로서의 성격을 갖는다.

② 이 사건 법령들은 1945.9.25, 1945.12.6. 공포되었고 공포될 당시에는 "모든 국민은 소급입법에 의하여 … 재산권을 박탈당하지 아니한다."라는 헌법 제13조 제2항와 같은 헌법규정이 존재하지 아니하였으므로 현행헌법에 따라 소급입법금지원칙에 위반되는지 여부에 따라 헌법 위반을 심사할 수 없다.

③ 이 사건 법령들은 진정소급입법에 해당하나, 소급입법금지원칙에 위반되지 아니한다.

④ 한국인이 일본인으로부터 취득한 재산임에도 심판대상조항에 따라 귀속재산으로 인정되어 재산권이 제한될 수도 있으나, 이는 소급입법으로 인한 부수적인 결과에 불과하다. 결국 청구인들의 위 주장은 소급입법에 의하여 재산권이 박탈당하였다는 주장에 다름 아니므로, 이에 대하여는 별도로 판단하지 아니한다.

20 **보조금 지원을 받아 배출가스저감장치를 부착한 자동차소유자가 자동차 등록을 말소하려면 배출가스저감장치 등을 서울특별시장 등에게 반납하여야 한다고 규정한 '구 수도권 대기환경개선에 관한 특별법'에 대한 헌법소원청구에 대한 설명으로 옳지 않은 것은?**

① 보조금 지원을 받아 배출가스저감장치를 부착한 자동차소유자가 자동차 등록을 말소하려면 배출가스저감장치 등을 서울특별시장 등에게 반납하여야 한다고 규정한 구 「수도권 대기환경개선에 관한 특별법」은 재산권을 제한한다.

② 보조금 지원을 받아 배출가스저감장치를 부착한 자동차소유자가 자동차 등록을 말소하려면 배출가스저감장치 등을 서울특별시장 등에게 반납하여야 한다고 규정한 「수도권 대기환경개선에 관한 특별법」은 헌법 제23조 제3항에 따른 정당한 보상이 없는 수용에 해당한다고 할 수 없다.

③ 어떤 법률이 소급입법금지원칙에 위배되지 않는다면 신뢰보호원칙에 위배되지 않는다.

④ 보조금 지원을 받아 배출가스저감장치를 부착한 자동차소유자가 자동차 등록을 말소하려면 배출가스저감장치 등을 서울특별시장 등에게 반납하여야 한다고 규정한 「수도권 대기환경개선에 관한 특별법」이 신설되기 전에 이미 배출가스저감장치를 부착하였던 소유자들에 대한 관계에서 부진정소급입법에 해당한다.

8회

진도별 모의고사

시혜적 소급입법 ~ 경제질서

정답 및 해설 p.57

제한시간 : 14분 | 시작시각 ___시 ___분 ~ 종료시각 ___시 ___분 나의 점수 ______

01 시혜적 소급입법에 대한 설명으로 옳은 것은?

① 법치주의로부터 도출되는 신뢰보호의 원칙상 모든 법규범은 현재와 장래에 한하여 효력을 가지기 때문에 시혜적 소급입법은 금지된다.

② 신법이 피적용자에게 유리하게 개정된 경우 이른바 시혜적인 소급입법이 가능하므로 이를 피적용자에게 유리하게 적용하는 것은 입법자의 의무이다.

③ 「공직선거법」 시행 전에 선거범으로 처벌을 받아 피선거권이 박탈된 자에 대하여 개정된 유리한 신법인 「공직선거법」을 소급적용하지 아니하였다면 헌법 위반이다.

④ 순직공무원의 적용범위를 확대한 개정 「공무원연금법」을 소급하여 적용하지 아니하도록 한 개정 법률 부칙은 평등의 원칙에 위배된다고 할 수 없다.

02 소급입법에 대한 설명으로 옳은 것은?

① 시혜적 소급입법은 수익적인 것이어서 헌법상 보장된 기본권을 침해할 여지가 없어 위헌 여부가 문제되지 않는다.

② 개정된 신법이 피적용자에게 유리한 경우에 이른바 시혜적인 소급입법을 하여야 한다는 입법자의 의무가 헌법상의 원칙들로부터 도출된다.

③ 시혜적인 소급입법의 위헌 여부에 대한 심사는 침익적 법을 소급적용한 경우와는 동일한 심사기준이 적용된다.

④ 구 「조세감면규제법」의 개정으로 인한 소득공제율을 축소하면서 경과규정을 두지 않고 한 회계연도에 축소된 공제율을 적용한 것으로 청구인의 신뢰가 상당한 정도로 침해되었다고 판단된다.

03 신뢰보호에 대한 설명으로 옳은 것은?

① 현행헌법은 신뢰보호원칙에 대한 명문규정을 두고 있다.

② 조세에 관한 법규·제도의 개정과 관련하여, 납세의무자로서는 특별한 사정이 있는지와 관계없이 원칙적으로 세율 등 현재의 세법이 변함없이 유지되리라고 신뢰할 수 있다.

③ 실종기간이 구법 시행기간 중에 만료되는 때에도 그 실종이 개정 「민법」 시행일 후에 선고된 때에는 상속에 관하여 개정 「민법」의 규정을 적용하도록 한 「민법」 부칙 제12조 제2항은 법 제13조 제2항이 금지하는 진정소급입법에 해당한다.

④ 신뢰보호의 원칙은 법률이나 그 하위법규뿐만 아니라 국가관리의 입시제도와 같이 국·공립대학의 입시전형을 구속하여 국민의 권리에 직접 영향을 미치는 제도운영지침의 개폐에도 적용된다.

04 신뢰보호에 대한 설명으로 옳은 것을 모두 조합한 것은?

ㄱ. 판사임용자격에 일정 기간 법조경력을 요구하는 법 개정 당시 사법연수원에 입소한 연수생들에게 적용하는 것은 신뢰보호원칙에 위반된다.
ㄴ. 사회환경이나 경제여건의 변화에 따른 필요성에 의하여 법률이 신축적으로 변할 수 있고, 변경된 새로운 법질서와 기존의 법질서 사이에 이해관계의 상충이 불가피하더라도 국민이 가지는 모든 기대 내지 신뢰는 헌법상 권리로서 보호되어야 한다.
ㄷ. 법조인이 되고자 하는 청구인들이 가지고 있던 신뢰, 즉 변호사 자격을 취득하기만 하면 세무사 자격 역시 자동으로 취득할 수 있다는 신뢰는 강도 높게 보호할 필요가 있는 신뢰에 해당한다.
ㄹ. 20년이 지나 과거에 소멸한 저작인접권을 발생한 날로부터 50년간 존속하도록 한 「저작권법」은 소급입법에 의한 재산권 박탈에 해당한다고 할 수 없다.
ㅁ. 구법상의 자격부여요건을 갖춘 세무공무원 경력자는 국세업무 전반에 걸친 폭넓은 이해와 세무법률관계에 관한 실무적·이론적 지식을 갖추고 있으며, 이들이 갖추고 있는 능력과 지식은 행정실무적 능력뿐 아니라 법률제도에 대한 기본적인 소양이나 세법에 대한 이론적인 지식이 필요한 세무사업무의 수행에 적합하다는 점에서 세무사 자격을 부여하는 데에 합리적인 이유가 있으므로 이를 고려하지 않고 국세 관련 경력공무원에 대하여 세무사 자격을 부여하지 않도록 개정된 「세무사법」 제3조는 과잉금지원칙에 위배되어 甲의 직업선택의 자유를 침해한다.

① ㄱ, ㄷ ② ㄴ, ㄷ, ㅁ
③ ㄱ, ㄹ ④ ㄱ, ㄹ, ㅁ

05 신뢰보호에 대한 설명으로 옳은 것은?

① 입법자는 새로운 인식을 수용하고 변화한 현실에 적절하게 대처해야 하기 때문에, 국민은 현재의 법적 상태가 항상 지속되리라는 것을 원칙적으로 신뢰할 수 없다.

② 법령에 따른 개인의 행위가 국가에 의해서 일정 방향으로 유인된 신뢰의 행사라고 볼 수 있어 특별히 보호가치가 있는 신뢰이익이 인정된다면, 아무리 법적 상태의 변화에 대한 개인의 예측가능성이 있더라도 그 개인의 신뢰는 언제나 보호되어야 한다.

③ 친일재산에는 취득 당시 반사회적 가치 내지 범죄성이 내재하고 있었고, 과거사 청산절차를 밟지 못한 우리나라에서는 그 반사회성 및 범죄성이 현재까지도 지속되고 있으므로, 친일재산을 그 취득·증여 등 원인행위 시에 국가의 소유로 하는 「친일반민족행위자 재산의 국가귀속에 관한 특별법」 규정은 현재 진행 중인 사실관계 또는 법률관계에 작용하는 부진정소급입법으로서 허용된다.

④ 경과규정 등의 특별규정 없이 법령이 변경된 경우, 그 변경 전에 발생한 사항에 대하여 적용할 법령은 개정 법령이다.

06 신뢰보호에 대한 설명으로 옳은 것은?

① 「자동차관리법 시행규칙」 제120조 제1항 제1호에 의하여 성능점검부 발행업무를 행하던 자동차매매사업조합을 발행주체에서 배제하기로 면서 6개월간의 유예기간을 둔 것은 성능점검부 발행업자로서의 신뢰이익을 보호하기에 지나치게 짧은 기간이라고 할 수도 없으므로 개정 규칙 제120조 제1항은 직업선택의 자유를 침해하지 않는다.

② 공무원보수 인상률방식에 의하여 공무원연금액을 조정하던 것을 전국 소비자물가 변동률을 기준으로 하여 연금액을 조정한 「공무원연금법」 조항은 연금재정의 파탄을 막고 공무원연금제도를 유지하려는 공익의 가치보다 구법에 대한 퇴직연금수급자의 신뢰가치가 크므로 신뢰보호원칙에 위반된다.

③ 후임자의 임명으로 공무원의 직위를 박탈하도록 한 구 「국가보위입법회의법」 부칙규정(제4항)은 신뢰보호의 원칙에 위배되는 것으로서 입법형성권의 한계를 벗어난 것이라 할 수 없다.

④ 위법건축물에 대하여 이행강제금을 부과하도록 하면서 이행강제금제도 도입 전의 위법건축물에 대하여도 이행강제금제도 적용의 예외를 두지 아니한 것은 신뢰보호원칙에 위배된다.

07 신뢰보호에 대한 설명으로 옳은 것은?

① 신뢰보호의 원칙은 법률이나 그 하위법규의 개폐에만 적용될 뿐, 국가관리의 입시제도와 같은 제도운영지침의 개폐에는 적용되지 않는다.

② 법치주의원리로부터 파생되는 신뢰보호의 원칙은 입법부가 하는 법률의 개정에 있어서는 적용되지 않으므로 법률개정으로 야기되는 당사자의 손해 여부나 그 정도와는 무관하게 새로운 법률로 달성하고자 하는 공익적 목적이 있다면 입법자는 자유로이 새 법령을 제정하여 시행하거나 적용할 수 있다.

③ 법적 안정성의 객관적 측면은 한번 제정된 법규범은 원칙적으로 존속력을 갖고 자신의 행위기준으로 작용하리라는 개인의 신뢰를 보호하는 것이다.

④ 광명시가 고등학교 비평준화지역으로 남아 있을 것이라는 신뢰는 헌법상 보호하여야 할 가치나 필요성이 있다고 보기 어려우며, 교육감이 추첨에 의하여 고등학교를 배정하는 지역에 광명시를 포함시킨 것은 신뢰보호원칙에 위반되지 아니한다.

08 신뢰보호에 대한 설명으로 옳지 않은 것은?

① 위법건축물에 대하여 이행강제금을 부과하도록 하면서 이행강제금제도 도입 전의 위법건축물에 대하여도 이행강제금제도 적용의 예외를 두지 아니한 것은 신뢰보호원칙에 위배된다고 볼 수 없다.

② 어업면허의 우선순위에 관하여 청구인에게 헌법상 보호가치 있는 신뢰이익이 인정되므로 어촌계 등에 어업면허를 하는 경우 우선순위규정의 적용대상에서 제외하도록 규정한 「수산업법」은 신뢰보호원칙에 반한다.

③ 종래 인정되던 관행어업권에 대해 등록하도록 한 「수산업법」은 신뢰보호 위반이 아니다.

④ 기존 국세 관련 경력공무원 중 일부에게만 구법의 규정을 적용하여 세무사 자격이 부여되도록 규정한 「세무사법」 부칙 제3항은 국세공무원의 신뢰이익을 침해하고 평등원칙에도 위반된다.

09 신뢰보호에 대한 설명으로 옳지 않은 것은?

① 2011.4.28. 개정된 「의료법」에서 전문과목을 표시한 치과의원은 그 전문과목에 해당하는 환자만을 진료하도록 규정하고, 이를 2014.1.1.부터 시행되도록 한 것은 신뢰보호원칙을 위반하여 치과전문의의 직업수행의 자유를 침해한다.

② 유치원의 학교에 속하는 회계의 예산과목 구분을 정한 '사학기관 재무·회계규칙'이 신뢰보호의 원칙에 위반된다고 할 수 없다.

③ 「독점규제 및 공정거래에 관한 법률」 위반행위에 대한 시정조치 및 과징금 부과처분의 시한을 '공정거래위원회가 조사를 개시한 때는 조사 개시일부터 5년, 조사를 개시하지 않은 때에는 법 위반행위 종료일부터 7년'으로 정한 「독점규제 및 공정거래에 관한 법률」을 최초로 조사하는 사건부터 적용하는 부칙은 신뢰보호원칙에 위반되지 않는다.

④ 판사임용자격에 일정 기간 법조경력을 요구하는 「법원조직법」을 법 개정 당시 사법시험에 합격하였으나 아직 사법연수원에 입소하지 않은 자에게 적용하는 것은 신뢰보호원칙에 위배된다고 할 수 없다.

10 신뢰보호에 대한 설명으로 옳지 않은 것은?

① PC방 전체를 금연구역으로 지정하기로 한 「국민건강증진법」 중 2년의 경과규정을 둔 것은 신뢰보호원칙에 위배되지 아니한다.

② 개인의 신뢰이익에 대한 보호가치는 법령에 따른 개인의 행위가 국가에 의하여 일정 방향으로 유인된 신뢰의 행사인지, 아니면 단지 법률이 부여한 기회를 활용한 것으로서 원칙적으로 사적 위험부담의 범위에 속하는 것인지 여부에 따라 달라지는 것은 아니다.

③ 법령 시행일 이전에 적법하게 설치한 기존의 노래연습장 시설을 이전 또는 폐쇄하도록 규정한 것은 학교환경위생정화구역과 관련되어 유해환경으로부터 청소년 학생을 보호하기 위한 것으로서 5년간의 유예기간을 주는 등의 경과조치를 두었다면 신뢰보호의 원칙에 위배된다고 할 수 없다.

④ 부진정소급입법에 의한 문제는 종래의 법적 상태에서 새로운 법적 상태로 이행하는 과정에서 불가피하게 발생하는 법치국가적 문제, 구체적으로 신뢰보호의 문제이므로 일반적으로는 신뢰보호원칙 위반 여부의 판단에 포섭된다.

11 신뢰보호에 대한 설명으로 옳은 것은?

① 국가에 의하여 일정 방향으로 유인된 신뢰가 아니라 단지 법률이 부여한 기회를 활용한 신뢰의 이익도 법적으로 보호해야 한다.

② 법률에 따른 개인의 행위가 국가에 의하여 일정 방향으로 유인된 것이라도 헌법상 보호가치가 있는 신뢰이익으로 인정될 수 없다.

③ 1953년부터 시행된 "교사의 신규채용에 있어서는 국립 또는 공립 교육대학 사범대학의 졸업자를 우선하여 채용하여야 한다."라는 「교육공무원법」 조항에 대한 헌법재판소의 위헌결정에도 불구하고 헌법재판소의 위헌결정 당시의 국·공립 사범대학 등의 재학생과 졸업자의 신뢰는 보호되어야 하므로, 입법자가 위헌법률에 기초한 이들의 신뢰이익을 보호하기 위한 법률을 제정하지 않은 부작위는 헌법에 위배된다.

④ 입법자는 구법질서가 더 이상 그 법률관계에 적절하지 못하며 합목적적이지도 아니함에도 불구하고 그 수혜자군을 위하여 이를 계속 유지하여 줄 의무는 없다.

12 신뢰보호에 대한 설명으로 옳은 것은?

① 정부가 1976년부터 자도소주구입제도를 시행한 것을 고려할 때, 주류판매업자로 하여금 매월 소주류 총구입액의 100분의 50 이상을 당해 주류판매업자의 판매장이 소재하는 지역과 같은 지역에 소재하는 제조장으로부터 구입하도록 명하는 자도소주구입명령제도에 대한 소주제조업자의 강한 신뢰보호이익이 인정되지만, 이러한 신뢰보호도 '능력경쟁의 실현'이라는 보다 우월한 공익에 직면하여 종래의 법적 상태의 존속을 요구할 수는 없다.

② 법치주의원리로부터 파생되는 신뢰보호의 원칙은 입법부가 하는 법률의 개정에 있어서는 적용되지 않으므로 법률개정으로 야기되는 당사자의 손해 여부나 그 정도와는 무관하게 새로운 법률로 달성하고자 하는 공익적 목적이 있다면 입법자는 자유로이 새 법령을 제정하여 시행하거나 적용할 수 있다.

③ 자율형 사립고등학교를 후기학교로 정하여 신입생을 일반고와 동시에 선발하도록 한 「초·중등교육법 시행령」 규정은 신뢰보호원칙에 위배되는바, 동시선발로 달성할 수 있는 공익에 비해 학교법인의 신뢰를 보호하여야 할 가치나 필요성이 더 크기 때문이다.

④ 의무사관후보생의 병적에서 제외된 사람의 징집면제 연령을 31세에서 36세로 상향 조정한 「병역법」 규정은 신뢰보호원칙에 위반되는 것이다.

13 신뢰보호에 대한 설명으로 옳지 않은 것은?

① 헌법재판소는 수급권자 자신이 종전에 지급받던 평균임금을 기초로 산정된 장해보상연금을 수령하고 있던 수급권자에게, 실제의 평균임금이 노동부장관(현 고용노동부장관)이 고시한 한도금액 이상일 경우 그 한도금액을 실제임금으로 의제하는 내용으로 신설된 최고보상제도를, 2년 6개월의 유예기간 후 적용하는 「산업재해보상보험법」 부칙조항이 신뢰보호원칙에 위배된다고 판시하였다.

② 사회환경이나 경제여건의 변화에 따라 구법질서가 더 이상 적절하지 아니하다는 입법자의 정책적인 판단에 의한 법을 개정하였다 하더라도 구법질서에서 누리던 신뢰가 손상되었다 하더라도 이를 일컬어 헌법적 한계를 넘는 위헌적인 공권력 행사라고는 평가할 수 없다.

③ 자도소주구입명령제도에 대한 소주제조업자의 강한 신뢰보호이익이 인정된다. 이러한 신뢰보호도 법률개정을 통한 '능력경쟁의 실현'이라는 보다 우월한 공익에 직면하여 종래의 법적 상태의 존속을 요구할 수는 있다 할 것이고, 개인의 신뢰는 적절한 경과규정을 통하여 고려되기를 요구할 수 있는 데 지나지 않는다 할 수는 없다.

④ 법률의 개정시 구법질서에 대한 당사자의 신뢰가 합리적이고도 정당하며 법률의 개정으로 야기되는 당사자의 손해가 극심하여 새로운 입법으로 달성하고자 하는 공익적 목적이 그러한 당사자의 신뢰의 파괴를 정당화할 수 없다면 그러한 새 입법은 신뢰보호의 원칙상 허용될 수 없다.

14 신뢰보호에 대한 설명으로 옳지 않은 것은?

① 위헌적 법률에 기초한 신뢰이익은 합헌적인 법률에 기초한 신뢰이익과 동일한 정도의 보호, 즉 '헌법에서 유래하는 국가의 보호의무'까지는 요청할 수 없다.

② 퇴직연금수급자가 퇴직 후에 사업소득이나 근로소득을 얻게 된 경우 소득심사제에 의하여 퇴직연금 중 일부의 지급을 정지하는 것은 신뢰보호원칙에 위반된다.

③ 종합생활기록부에 의하여 절대평가와 상대평가를 병행, 활용하도록 한 교육부장관지침(종합생활기록부제도개선보완시행지침, 1996.8.7.)은 교육개혁위원회의 교육개혁방안에 따라 절대평가가 이루어 질 것으로 믿고 특수목적 고등학교에 입학한 학생들의 신뢰이익을 침해하였다고 볼 수 없다.

④ 지방고시의 최종시험일을 예년과 달리 연도 말로 정함으로써 전년도 공무원 채용을 위한 제1차 시험에 합격한 청구인의 연령이 응시상한연령을 5일 초과하게 하여 청구인이 제2차 시험에 응시할 수 있는 자격을 박탈한 것은 청구인의 정당한 신뢰를 해한 것이다.

15 신뢰보호에 대한 설명으로 옳지 않은 것은?

① 세무당국에 사업자등록을 하고 운전교습업을 영위해 오던 운전교습업자라도 「도로교통법」상의 운전학원으로 등록하지 아니하면 운전교육행위를 할 수 없도록 한 것은 신뢰보호의 원칙에 위배되지 않는다.

② 세무당국에 사업자등록을 하고 운전교습에 종사해 왔음에도 불구하고, 자동차운전학원으로 등록한 경우에만 자동차운전교습업을 영위할 수 있도록 법률을 개정하는 것은 관련자들의 정당한 신뢰를 침해하는 것이다.

③ 「성폭력범죄의 처벌 등에 관한 특례법」 부칙을 「성폭력범죄의 처벌 등에 관한 특례법」 시행 전 행하여진 성폭력범죄로 아직 공소시효가 완성되지 아니한 사건에도 적용하도록 한 「성폭력범죄의 처벌 등에 관한 특례법」은 신뢰보호원칙에 반한다고 할 수 없다.

④ 국민이 어떤 법률이나 제도가 장래에도 그대로 존속될 것이라는 합리적인 신뢰를 바탕으로 하여 일정한 법적 지위를 형성한 경우, 국가는 그와 같은 법적 지위와 관련된 법규나 제도의 개폐에 있어서 국민의 신뢰를 최대한 보호하여야 한다.

16 신뢰보호에 대한 설명으로 옳지 않은 것은?

① 「개발이익 환수에 관한 법률」 시행 전에 이미 개발에 착수하였다면 비록 법 시행 당시 개발이 완료되지 아니하였더라도 개발부담금을 부과하는 것은 소급입법 금지의 원칙에 위배된다.

② 입법자는 구법질서가 더 이상 그 법률관계에 적절하지 못하며 합목적적이지도 아니함에도 불구하고 그 수혜자군을 위하여 이를 계속 유지하여 줄 의무는 없다.

③ 법률의 제정이나 개정시 구법질서에 대한 당사자의 신뢰가 합리적이고도 정당하며 법률의 제정이나 개정으로 야기되는 당사자의 손해가 극심하여 새로운 입법으로 달성하고자 하는 공익적 목적이 그러한 당사자의 신뢰의 파괴를 정당화할 수 없다면, 그러한 새로운 입법은 신뢰보호원칙상 허용될 수 없다.

④ 보호해야 할 신뢰의 가치는 그다지 크지 않은 반면 공익적가치가 중대한 경우, 별도의 경과규정을 두지 않은 법률조항은 신뢰보호원칙에 위반된다고 할 수 없다.

17 사회국가원리에 대한 설명으로 옳지 않은 것은?

① 우리 헌법은 명문으로 사회국가원리를 천명하고 있다.

② 현대민주주의국가에 이르러서는 모든 공무원들에게 보호가치 있는 이익과 권리를 인정해 주는 등의 내용을 갖는, 사회국가원리에 입각한 공직제도의 중요성이 특히 강조되고 있다.

③ 사회국가원리에 근거하여 실업방지 및 부당한 해고로부터 근로자를 보호하여야 할 국가의 의무를 도출할 수는 있을 것이나, 국가에 대한 직접적인 직장존속보장청구권을 근로자에게 인정할 헌법상 근거는 없다.

④ 장애인의 복지를 향상해야 할 국가의 의무가 다른 다양한 국가과제에 대하여 최우선적인 배려를 요청할 수 없을 뿐 아니라, 헌법규범으로부터는 장애인을 위한 저상버스의 도입과 같은 구체적인 국가의 행위의무를 도출할 수 없다.

18 사회국가원리에 대한 설명으로 옳은 것은?

① 법치국가를 국가작용의 형식적 합법성만을 지향하는 의미로 이해할 때 사회국가와 법치국가는 상호모순될 수 밖에 없다.

② 헌법 제34조 제5항의 '신체장애자'에 대한 국가 보호의무조항은 사회국가원리를 구체화한 것이므로, 이 조항으로부터 장애인을 위하여 저상버스를 도입해야 한다는 구체적 내용의 의무가 도출된다.

③ 자유와 평등의 실질적 보장을 추구하는 사회국가원리에 비추어 볼 때 국가는 기회의 균등을 형식적으로 보장하는 데 그칠 것이 아니라 공정한 경쟁이 이루어질 수 있는 조건을 적극적으로 조성해야 할 책무를 진다고 할 것이다. 이러한 점에서 사회적 약자에 대한 우선적 처우의 위헌 여부가 문제되는 경우 엄격한 비례성의 원칙에 따른 심사가 이루어져야 할 필요성이 더욱 크다고 할 것이다.

④ 사회국가원리로부터 구체적 권리가 국민에게 도출되지 아니함으로 국민은 사회국가원리 침해를 이유로 소를 제기할 수 없다. 사회국가원리가 국민의 주관적 권리를 도출하지 아니하므로 사회국가원리로부터 주관적 권리에 대응하는 국가의 의무도 발생하지 않는다.

19 사회국가원리에 대한 설명으로 옳지 않은 것은?

① 국가가 저소득층 지역가입자를 대상으로 소득수준에 따라 「국민건강보험법」상의 보험료를 차등 지원하는 것은 사회국가원리에 의하여 정당화된다.

② 사회국가원리를 수용하는 방법에 있어서 독일 헌법은 사회국가원리를 규정하여 수용하고 있어 사회적 기본권(급부청구권)을 규정하고 있으나, 바이마르헌법은 사회국가원리를 규정하고 있다. 우리나라는 바이마르식에 가깝다.

③ 사회국가는 사회적 문제를 해결하는 데에 있어서 개인과 사회의 자율을 우선하며, 이러한 개인과 사회의 노력이 기능하지 않을 때에만 국가는 부차적으로 도움을 제공하고 배려하며 조정한다는 기본적 사고를 바탕으로 하고 있으므로, 사회국가의 실현은 보충성의 원리에 의하여 제한된다.

④ 조세나 보험료와 같은 공과금의 부과에 있어서 사회국가원리는 입법자의 결정이 자의적인가를 판단하는 하나의 중요한 기준을 제공하며 일반적으로 입법자의 결정을 정당화하는 헌법적 근거로서 작용한다.

20 경제질서와 기본권에 대한 설명으로 옳은 것은?

① 국가의 경제정책에 대한 헌법적 지침인 헌법 제119조의 경제질서는 직업의 자유와 같은 경제에 관한 기본권에 의하여 구체화된다.

② 허가받지 않은 지역의 의료기관이 더 가까운 경우에도 허가 받은 지역의 의료기관으로 환자를 이송할 수밖에 없도록 강제하고 있는 「응급의료에 관한 법률」 조항은 응급환자이송업체 사이의 자유경쟁을 막아 헌법상 경제질서에 위배된다.

③ 헌법상의 경제질서인 사회적 시장경제질서는 헌법의 지도원리로서 모든 국민·국가기관이 헌법을 존중하고 수호하도록 하는 지침이 되며, 기본권의 해석 및 기본권 제한입법의 합헌성 심사에 있어 해석기준의 하나로서 작용하고 구체적 기본권을 도출하는 근거는 될 수 있다.

④ 경제적 기본권의 제한을 정당화하는 공익은 헌법에 명시적으로 규정된 목표에 제한되지 않으나, 경제적 기본권을 제한하는 법률의 합헌성 여부를 판단함에 있어 모든 공익을 고려해야 하는 것은 아니다.

진도별 모의고사

경제질서 ~ 문화국가원리

정답 및 해설 p.64

제한시간 : 14분 | 시작시각 ___시 ___분 ~ 종료시각 ___시 ___분 나의 점수 ______

01 다음 중 헌법재판소 판례와 일치하지 않는 것은?

> 헌법 제119조 ① 대한민국의 경제질서는 개인과 기업의 경제상의 자유와 창의를 존중함을 기본으로 한다.
> ② 국가는 균형 있는 국민경제의 성장 및 안정과 적정한 소득의 분배를 유지하고, 시장의 지배와 경제력의 남용을 방지하며, 경제주체 간의 조화를 통한 경제의 민주화를 위하여 경제에 관한 규제와 조정을 할 수 있다.
>
> 제123조 ② 국가는 지역 간의 균형 있는 발전을 위하여 지역경제를 육성할 의무를 진다.
> ③ 국가는 중소기업을 보호·육성하여야 한다.
>
> 제126조 국방상 또는 국민경제상 긴절한 필요로 인하여 법률이 정하는 경우를 제외하고는, 사영기업을 국유 또는 공유로 이전하거나 그 경영을 통제 또는 관리할 수 없다.

① 토지거래시장도 헌법 제119조 제1항에 따라 개인의 자유와 창의를 보장하는 시장경제에 맡기는 것이 원칙이나 투기가 성행하여 시장의 정상적인 기능이 마비되고 사회적으로 여러 가지 폐단과 모순을 노정하는 경우 국가가 헌법 제119조 제2항에 근거하여 토지에 대한 거래를 규제하는 것은 헌법 제119조 제1항에 위반되지 아니한다. 또한 토지거래허가제는 헌법 제122조에 근거한 재산권 제한의 한 형태로 재산권의 본질적인 내용을 침해하지 아니한다.

② 부실기업의 정리를 사기업인 은행의 자율에 맡기지 아니하고 재무부장관(현 기획재정부장관)이 주도하여 부실기업을 해체한 것은 헌법 제119조 제1항의 기업의 경제상의 자유와 창의정신에 위반되고 법률에 근거 없이 사영기업을 해체한 것은 헌법 제126조에도 위반된다.

③ 자도에서 생산된 소주를 50/100 이상 구입하도록 한 「주세법」 제38조는 헌법 제123조 제2항과 제5항을 실현하기 위한 적정한 수단으로 볼 수 없다.

④ 사법(私法)의 영역에서 과실책임주의 내지 자기책임주의로 구현되고 있다. 그런데 이 사건 법률조항은 불가항력이나 제3자의 일방적인 과실에 의하여 승객이 사망하거나 부상한 경우에도 과실 없는 운행자에게 승객에 대한 손해배상책임을 지움으로써 헌법 제119조 제1항에서 파생되는 과실책임의 원칙에 위반된다.

02 헌법상 경제질서에 대한 설명으로 옳지 않은 것은?

① 신문판매업자가 독자에게 유료대금의 20%를 초과한 경품이나 무가지 제공을 금지한 신문고시 제3조는 헌법 제119조 제2항의 시장의 지배와 경제력 남용방지에 근거한 것이고 과잉금지원칙에 위배되지 아니하며 헌법 제119조 제1항에 위배되지 아니한다.

② 대한민국의 경제질서는 개인과 기업의 경제상의 자유와 창의를 존중함을 기본으로 하며, 공기업의 설립은 허용되지 아니한다.

③ 어떤 법률조항이 헌법 제119조 제1항에 위반되지 않는다고 판단하는 경우에도 헌법 제15조의 직업의 자유나 헌법 제23조의 재산권 침해라고 결론내릴 수 있다.

④ 법령에 의한 인허가 없이 불특정 다수인으로부터 자금을 조달하는 것을 업으로 하는 유사수신행위를 금지하는 「유사수신행위 규제에 관한 법률」 제3조는 헌법 제119조 제2항의 경제주체 간의 조화를 통한 경제민주화에 근거하고 있는 것이므로 우리 헌법의 경제질서에 반하는 것은 아니다.

03 다음 헌법조항에 대한 설명으로 옳은 것은?

> 헌법 제119조 ① 대한민국의 경제질서는 개인과 기업의 경제상의 자유와 창의를 존중함을 기본으로 한다.
> ② 국가는 균형 있는 국민경제의 성장 및 안정과 적정한 소득의 분배를 유지하고, 시장의 지배와 경제력의 남용을 방지하며, 경제주체 간의 조화를 통한 경제의 민주화를 위하여 경제에 관한 규제와 조정을 할 수 있다.

① 국가에 대하여 경제에 관한 규제와 조정을 할 수 있도록 규정한 헌법 제119조 제2항이 보유세 부과 그 자체를 금지하는 취지로 보이지 아니하므로 주택 등에 보유세인 종합부동산세를 부과하는 그 자체를 헌법 제119조에 위반된다.

② 조세의 기능은 국가재정 수요의 충당이라는 고전적이고도 소극적인 목표에 그쳐야 하지 국민이 공동의 목표로 삼고 있는 일정한 방향으로 국가사회를 유도하고 그러한 상태를 형성한다는 보다 적극적인 목적을 가지고 조세를 부과해서는 안 된다.

③ 경제조항은 제헌헌법부터 독립된 장으로 규정되어 왔고 자유시장 경제질서는 제2차 개정헌법에서 처음으로 채택되었고, 개인의 자유와 창의존중(헌법 제119조 제1항)은 제5차 개정헌법에서 처음으로 규정되었다. 독과점 규제는 제8차 개정헌법에 규정된 바 있었으나, 현행헌법에서는 삭제되었다. 다만, 현행헌법 제119조 제2항의 시장의 지배와 경제력 남용 방지를 독과점 규제의 근거로 이해하는 것이 헌법재판소 판례이다.

④ 현행헌법의 경제조항들이 비교적 상세한 것은 제헌헌법의 자유주의적 시장경제질서를 복지국가적 시각에서 교정하여 혼합경제질서를 위해 제헌헌법 이후의 역대 개정헌법들이 경제에 대한 국가 개입을 강화해 온 추세를 반영한 것이다.

04 경제조항에 대한 설명으로 옳은 것은?

① 자유시장 경제질서를 기본으로 하면서도 사회국가원리를 수용하고 있는 우리 헌법의 이념에 비추어 볼 때, 일반불법행위책임에 관하여 과실책임의 원리를 기본원칙으로 하면서도 일정한 영역의 특수한 불법행위책임에 관하여 위험책임의 원리를 수용하는 것은 헌법에 의해 직접적으로 부과되는 명령이므로, 입법자의 재량에 속한다고 볼 수 없다.

② 우리 헌법상 경제질서는 '개인과 기업의 경제상의 자유와 창의의 존중'이라는 기본원칙과 '경제의 민주화 등 헌법이 직접 규정하는 특정 목적을 위한 국가의 규제와 조정의 허용'이라는 실천원리로 구성되고, 어느 한쪽이 우월한 가치를 지닌다고 할 수는 없다.

③ 토지거래허가제 지역의 토지를 허가를 받지 아니한 토지거래계약은 사법적 효력이 부인되며 허가받을 것을 전제로 토지거래계약을 체결한 경우 사후에 허가를 받으면 그 계약이 소급해서 유효가 되는 것은 아니므로 허가 후에 새로이 거래계약을 체결해야만 토지거래계약은 유효가 된다.

④ 헌법 제119조 제2항이 국가가 경제영역에서 실현해야 할 목표의 하나로서 '적정한 소득의 분배'를 들고 있으므로 입법자는 사회·경제정책을 시행함에 있어서 이에 대하여 정책적으로 항상 최우선적인 배려를 해야 한다.

05 경제조항에 대한 설명으로 옳지 않은 것은?

① 경제적 약자를 보호하기 위하여 사인 간의 약정이자를 제한하는 것은 「민법」상의 일반원칙에 반할 뿐만 아니라 자유시장적 경제질서를 침해하는 것으로 이에 대한 입법자의 재량은 허용될 수 없다.

② 헌법 제119조 제1항은 기업의 생성·발전·소멸은 어디까지나 기업의 자율에 맡긴다는 기업자유의 표현이며 국가의 공권력은 특단의 사정이 없는 한 이에 대한 불개입을 원칙으로 한다는 뜻이다.

③ 헌법 제119조 이하의 경제에 관한 장은 국가가 경제정책을 통하여 달성하여야 할 공익을 구체화하고, 동시에 헌법 제37조 제2항의 기본권 제한을 위한 일반적 법률유보에서의 공공복리를 구체화하고 있다.

④ 자경농지의 양도소득세 면제의 요건으로 농지소재지 거주요건을 둔 것은 헌법상 경자유전의 원칙에 위배된다고 볼 것은 아니다.

06 경제조항에 대한 설명으로 옳지 않은 것은?

① 오늘날 조세는 국민이 공동의 목표로 삼고 있는 일정한 방향으로 국가사회를 유도하고 그러한 상태를 형성한다는 적극적인 목적을 가지고 부과되는 경향이 있는바, 이러한 조세의 유도적·형성적 기능은 국가로 하여금 경제에 관한 규제와 조정을 할 수 있도록 한 헌법 제119조 제2항 등의 규정에 의하여 헌법적 정당성이 뒷받침되고 있다.

② 법령에 의한 인·허가 없이 장래의 경제적 손실을 금전 또는 유가증권으로 보전해 줄 것을 약정하고 회비 등의 명목으로 금전을 수입하는 행위를 금지하고 이에 위반시 형사처벌하는 법률조항은 사인 간의 사적 자치를 침해하고 헌법의 시장경제질서에 위배된다.

③ 국가의 경쟁정책은 시장경제가 제대로 기능하기 위한 전제조건으로서의 가격과 경쟁의 기능을 유지하고 촉진하려고 하는 것인바, 독과점 규제의 목적이 경쟁의 회복에 있다면 이 목적을 실현하는 수단 또한 자유롭고 공정한 경쟁을 가능하게 하는 방법이어야 한다.

④ 국가는 자연자원에 관한 강력한 규제권한을 가지는 한편 자연자원에 대한 보호의무를 지므로, 자연자원인 지하수의 이용에 대하여 부담금 부과라는 수단을 동원하더라도, 그것이 자연자원에 관한 국가적 보호조치의 일환으로서 의도되고 그 방법상 다른 헌법상의 한계를 일탈하지 아니한다면 허용된다고 본다.

07 경제조항에 대한 설명으로 옳지 않은 것은?

① 국가가 보조금이나 세제상의 혜택 등을 통하여 시장의 형성과정에 지역적으로 또는 경제부문별로 관여함으로써 시장에서의 경쟁이 국가의 지원조치에 의하여 조정된 새로운 기초 위에서 이루어질 수 있도록 하는 것이 헌법 제123조의 목적이다.

② 의료광고를 전면 금지하는 것은 새로운 의료인들에게 광고와 선전을 할 기회를 배제함으로써 기존의 의료인과의 경쟁에서 불리한 결과를 초래하므로 자유롭고 공정한 경쟁을 추구하는 헌법상의 시장경제질서에 부합하지 않는다.

③ 명의신탁의 효력과 관련된 「부동산 실권리자명의 등기에 관한 법률」의 규정들은 헌법 제37조 제2항의 질서유지 또는 공공복리를 위하여 필요한 조항으로서, 헌법 제119조 제1항의 자본주의적 시장경제질서에 내재된 재산권 보장의 원칙의 본질을 침해하였다고 볼 수 없다.

④ 농업 경영에 이용하지 않는 경우에도 예외적으로 농지 소유를 허용하면서 그러한 예외에 종중(宗中)을 포함하지 않은 규정은 과잉금지원칙에 위반하여 종중의 재산권을 침해한다.

08 경제조항에 대한 설명으로 옳지 않은 것은?

① 신문판매업자가 독자에게 1년 동안 제공하는 무가지와 경품류를 합한 가액이 같은 기간에 당해 독자로부터 받는 유료신문대금의 20%를 초과하는 경우 동 무가지와 경품류의 제공행위를 불공정거래행위로서 금지하는 것은 헌법 119조 제1항에 정한 자유경제질서에 반한다.

② 국산영화의무상영제는 외국영화의 수입업과 이를 상영하는 소비시장만이 과도히 비대해지는 것을 방지하고 균형 있는 영화산업의 발전을 위한 것으로 헌법상 경제질서에 반하지 않는다.

③ 중계유선방송사업자가 방송의 중계송신업무만 할 수 있고, 보도, 논평, 광고는 할 수 없도록 제한하고 이를 위반한 경우 과징금 등의 제재를 가하도록 한 것은 '시장의 지배와 경제력의 남용을 방지하며, 경제주체 간의 조화를' 도모하기 위한 것으로서(헌법 제119조 제2항) 헌법상 경제질서를 위반한 것이 아니다.

④ 도시개발구역에 있는 국가나 지방자치단체 소유의 재산으로서 도시개발사업에 필요한 재산에 대한 우선매각대상자를 도시개발사업의 시행자로 한정하고 국공유지의 점유자에게 우선매수자격을 부여하지 않는 「도시개발법」 관련 규정은 사적자치의 원칙을 기초로 한 자본주의 시장경제질서를 규정한 헌법 제119조 제1항에 위반되지 않는다.

09 소비자 보호운동에 대한 설명으로 옳지 않은 것은?

> 헌법 제124조 국가는 건전한 소비행위를 계도하고 생산품의 품질향상을 촉구하기 위한 소비자 보호운동을 법률이 정하는 바에 의하여 보장한다.

① 헌법이 보장하는 소비자 보호운동은 소비자의 제반 권익을 증진할 목적으로 이루어지는 구체적 활동을 의미하는 것으로, 단체를 통한 활동뿐만 아니라 하나 또는 그 이상의 소비자가 동일한 목표로 함께 의사를 합치하여 벌이는 운동도 포함한다.

② 불매운동의 목표로서 '소비자의 권익'이란 원칙적으로 사업자가 제공하는 물품이나 용역의 소비생활과 관련된 것으로서 상품의 질이나 가격, 유통구조, 안전성 등 시장적 이익에 국한된다고 할 수 없다.

③ 소비자의 권리는 사적 경제영역에서 영리를 추구하는 기업이 제공하는 물품 또는 서비스를 이용하는 소비자가 기업에 대하여 갖는 권리이므로 국가가 제공하는 재판제도의 이용의 문제에 적용할 수 없다고 할 것이다.

④ 소비자불매운동은 모든 경우에 있어서 그 정당성이 인정될 수는 없고, 헌법이나 법률의 규정에 비추어 정당하다고 평가되는 범위에 해당하는 경우에만 형사책임이나 민사책임이 면제된다.

10 소비자 보호운동에 대한 설명으로 옳지 않은 것은?

① 헌법과 법률이 보장하고 있는 한계를 넘어선 소비자불매운동은 정당성을 결여한 것으로서 정당행위 기타 다른 이유로 위법성이 조각되지 않는 한 업무방해죄로 형사처벌할 수 있다.

② 소비자불매운동은 모든 경우에 있어서 그 정당성이 인정될 수는 없고, 헌법이나 법률의 규정에 비추어 정당하다고 평가되는 범위에 해당하는 경우에만 형사책임이나 민사책임이 면제된다.

③ 소비자불매운동의 목표로서의 '소비자의 권익'이란 원칙적으로 사업자가 제공하는 물품이나 용역의 소비생활과 관련된 것으로서 상품의 질이나 가격, 유통구조, 안전성 등 시장적 이익에 국한된다. 따라서 일간신문의 정치적 입장이나 보도논조의 편향성은 해당 신문을 구매하는 '소비자의 권익'과 관련되는 문제가 아니므로, 헌법이 보장하는 소비자불매운동의 목표가 될 수 없다.

④ 소비자 보호운동에서 보호되는 '불매행위'에는, 단순히 불매운동을 검토하고 있다는 취지의 의견을 표현하는 행위뿐만 아니라, 다른 소비자들에게 불매운동을 촉구하는 행위, 불매운동 실행을 위한 조직행위, 직접적으로 불매를 실행하는 행위 등이 모두 포괄될 수 있다.

11 소비자 보호운동에 대한 설명으로 옳지 않은 것은?

① 소비자불매운동이란 하나 또는 그 이상의 운동주도세력이 소비자의 권익을 향상시킬 목적으로 개별 소비자들로 하여금 시장에서 특정 상품의 구매를 억지하거나 제3자로 하여금 그렇게 하도록 설득하는 조직화된 행위를 의미한다.

② 소비자불매운동이 예정하고 있는 '불매행위'에는, 단순히 불매운동을 검토하고 있다는 취지의 의견을 표현하는 행위는 포함되나, 다른 소비자들에게 불매운동을 촉구하는 행위, 불매운동 실행을 위한 조직행위, 직접적으로 불매를 실행하는 행위 등은 포괄될 수 없다.

③ 특정한 사회, 경제적 또는 정치적 대의나 가치를 주장·옹호하거나 이를 진작시키기 위한 수단으로 선택한 소비자불매운동도 헌법상 보호를 받을 수 있다.

④ 현행헌법이 보장하는 소비자 보호운동이란 '공정한 가격으로 양질의 상품 또는 용역을 적절한 유통구조를 통해 적절한 시기에 안전하게 구입하거나 사용할 소비자의 제반 권익을 증진할 목적으로 이루어지는 구체적 활동'을 의미하고, 단체를 조직하고 이를 통하여 활동하는 형태, 즉 근로자의 단결권이나 단체행동권에 유사한 활동뿐만 아니라, 하나 또는 그 이상의 소비자가 동일한 목표로 함께 의사를 합치하여 벌이는 운동이면 모두 이에 포함된다.

12 소비자 보호운동에 대한 설명으로 옳은 것을 모두 조합한 것은?

> ㄱ. 소비자불매운동이 정당화되려면 객관적으로 진실한 사실을 기초로 행해져야 하고, 소비자불매운동에 참여하는 소비자의 의사결정의 자유가 보장되어야 하며, 불매운동을 하는 과정에서 폭행, 협박, 기물파손 등 위법한 수단이 동원되지 않아야 하고, 특히 물품 등의 공급자나 사업자 이외의 제3자를 상대로 불매운동을 벌일 경우 그 경위나 과정에서 제3자의 영업의 자유 등 권리를 부당하게 침해하지 않을 것이 요구된다.
> ㄴ. 특정한 사회, 경제적 또는 정치적 대의나 가치를 주장·옹호하거나 이를 진작시키기 위한 수단으로 선택한 소비자불매운동은 헌법상 보호를 받을 수 없다.
> ㄷ. 소비자불매운동의 목표로서의 '소비자의 권익'이란 원칙적으로 사업자가 제공하는 물품이나 용역의 소비생활과 관련된 것으로서 상품의 질이나 가격, 유통구조, 안전성 등 시장적 이익에 국한된다. 따라서 일간신문의 정치적 입장이나 보도논조의 편향성은 해당 신문을 구매하는 '소비자의 권익'과 관련되는 문제가 아니므로, 헌법이 보장하는 소비자불매운동의 목표가 될 수 없다.
> ㄹ. 일간신문에 대한 불매운동의 수단으로 해당 신문에 광고를 게재하는 광고주들을 대상으로 '전화걸기'는 설령 그것이 조직적으로 행해진 것이라 하더라도, 전화 그 자체만으로는 심리적 압박과 두려움을 느낄 정도의 물리력 행사로서 사회통념의 허용한도를 벗어나 피해자의 자유의사를 제압하기에 족한 '위력'이 될 수 없으므로, 형법상 '위력에 의한 업무방해죄'의 구성요건에 해당하지 않는다.
> ㅁ. 현행헌법이 보장하는 소비자 보호운동이란 '공정한 가격으로 양질의 상품 또는 용역을 적절한 유통구조를 통해 적절한 시기에 안전하게 구입하거나 사용할 소비자의 제반 권익을 증진할 목적으로 이루어지는 구체적 활동'을 의미하므로, 소비자 권익의 증진을 위한 단체를 조직하고 이를 통하여 활동하는 형태에 이르지 않으면 소비자 보호운동에 포함되지 않는다.

① ㄱ ② ㄱ, ㄴ
③ ㄱ, ㄷ, ㄹ ④ ㄴ, ㄹ, ㅁ

13 조합에 대한 헌법재판소 판례와 일치하는 것은?

> 헌법 제123조 ① 국가는 농업 및 어업을 보호·육성하기 위하여 농·어촌종합개발과 그 지원 등 필요한 계획을 수립·시행하여야 한다.
> ⑤ 국가는 농·어민과 중소기업의 자조조직을 육성하여야 하며, 그 자율적 활동과 발전을 보장한다.

① 헌법 제123조 제5항에 의한 국가의 협동조합육성의무와 이에 근거한 「축협법」에 따라 설치되는 축협을 공법인이라고 할 수 없고 지역별·업종별 축협은 공법인이라고 하기보다는 사법인으로 본 판례도 있고 공법인이라기보다는 사법인에 가깝다고 한 판례도 있다. 축협중앙회는 공법인적 성격과 사법인적 성격을 모두 가지는 단체로서 기본권의 주체가 될 수 있고 농지개량조합에 대해서는 헌법소원청구능력을 인정한 바 있다.

② 조합원은 반드시 하나의 조합에의 가입만을 한정할 것이 아니고 그 필요에 따라 자유로이 복수의 조합을 설립하여 가입하는 것도 가능한 것이 원칙인데 구 「축협법」 제99조 제1항은 조합의 구역 내에는 같은 업종의 조합을 2개 이상 설립할 수 없도록 하고 있으므로 조합공개원칙에 반한다고 할 것이다.

③ 농지개량조합은 공법인이므로 농지개량조합은 헌법 제21조의 결사의 자유의 보호법익의 대상이 되는 단체가 아니므로 농지개량조합을 해산하는 구 「농지기반공사 및 농지관리기금법」 부칙 제2조는 결사의 자유을 침해한다.

④ 농지개량조합의 조합원으로서의 지위는 생활의 기본적 수요를 충족하기 위한 계속적 소득활동이므로 직업의 자유에서 보호되나 농지개량조합을 해산하는 구 「농지기반공사 및 농지관리기금법」 부칙 제2조는 직업의 자유 침해라고 할 수 없다.

14 다음 헌법상 경제조항에 대한 설명으로 옳은 것은?

> 헌법 제120조 ① 광물 기타 중요한 지하자원·수산자원·수력과 경제상 이용할 수 있는 자연력은 법률이 정하는 바에 의하여 일정한 기간 그 채취·개발 또는 이용을 특허할 수 있다.
>
> 제123조 ⑤ 국가는 농·어민과 중소기업의 자조조직을 육성하여야 하며, 그 자율적 활동과 발전을 보장한다.
>
> 제126조 국방상 또는 국민경제상 긴절한 필요로 인하여 법률이 정하는 경우를 제외하고는, 사영기업을 국유 또는 공유로 이전하거나 그 경영을 통제 또는 관리할 수 없다.

① 헌법 제126조의 사기업의 '경영에 대한 통제 또는 관리'라 함은 기업에 대한 소유권의 보유주체에 대한 변경을 포함하여 사기업 경영에 대한 국가의 광범위하고 강력한 감독과 통제 또는 관리의 체계를 의미한다고 할 것이다.

② 광물이 포함되어 있는 광석을 석재용으로 판매하기 위하여 채취하는 것은 광업권 설정의 목적을 벗어나는 것으로서 광업권의 범위에 속한다.

③ 축협중앙회를 해산하고 농협으로 통합한 것은 헌법 제123조 제5항의 농어민의 자조조직을 육성해야 할 국가의 의무에 근거한 것으로 헌법 제123조 제5항에 위반되지 아니한다.

④ 지방의회가 조례를 제정하여 조례에 근거한 사영기업의 국공유화나 사영기업의 경영의 관리·통제는 헌법 제126조에 위반되지 않는다.

15 다음 경제조항에 대한 설명으로 옳지 않은 것은?

> 헌법 제123조 ⑤ 국가는 농·어민과 중소기업의 자조조직을 육성하여야 하며, 그 자율적 활동과 발전을 보장한다.
>
> 제126조 국방상 또는 국민경제상 긴절한 필요로 인하여 법률이 정하는 경우를 제외하고는, 사영기업을 국유 또는 공유로 이전하거나 그 경영을 통제 또는 관리할 수 없다.

① 헌법 제123조 제5항은 국가에게 '농·어민의 자조조직을 육성할 의무'와 '자조조직의 자율적 활동과 발전을 보장할 의무'를 아울러 규정하고 있는바, 국가는 자조조직이 제대로 활동하고 기능하는 시기에는 적극적으로 이를 육성하여야 할 전자의 의무를 다하여야 하지만, 만약 어떠한 이유에서든 그 조직이 제대로 기능하지 못하고 향후의 전망도 불확실하다면 그 조직의 자율성을 침해하지 않도록 하는 후자의 의무를 다하면 된다.

② 우리 헌법은 경제주체의 경제상 자유와 창의를 존중함을 기본으로 하므로 국민경제상 긴절한 필요가 있어 법률로 규정한다면 사영기업을 국유 또는 공유로 이전하는 것은 인정된다.

③ 사납금제를 금지하기 위하여 택시운송사업자의 운송수입금 전액 수납의무와 운수종사자의 운송수입금 전액 납부의무를 규정한 구 「자동차운수사업법」은 사기업의 국공유화를 금지한 헌법 제126조에 위반된다고 할 수 없다.

④ 국방상 국민경제상 긴절한 필요가 있다면 법률뿐 아니라 긴급재정경제명령으로 사기업을 국·공유하거나 관리·통제할 수 있다.

16 헌법 경제조항과 일치하는 것은?

① 국가는 지속가능한 국민경제의 성장 및 안정과 균등한 소득의 분배를 유지하고, 시장의 지배와 경제력의 남용을 방지하며, 경제주체 간의 조화를 통한 경제의 민주화를 위하여 경제에 관한 규제와 조정을 할 수 있다.

② 농지의 소작제도는 금지되나 농업생산성의 제고와 농지의 합리적인 이용을 위하거나 불가피한 사정으로 발생하는 농지의 임대차와 위탁경영은 법률이 정하는 바에 의하여 인정된다.

③ 국가는 대기업과 기간산업을 보호·육성하여야 한다.

④ 국토와 자원은 국가의 보호를 받으며, 국가는 국토의 효율적이고 지속가능한 개발과 보전을 위하여 필요한 계획을 수립한다.

17 다음 중 헌법상 경제조항에 규정되지 않은 것은 모두 몇 개인가?

ㄱ. 한국은행의 독립성 보장
ㄴ. 토지생산성의 제고
ㄷ. 국가표준제도의 확립
ㄹ. 경자유전의 원칙
ㅁ. 농수산물의 수급균형
ㅂ. 독과점의 규제와 조정
ㅅ. 수력과 풍력의 개발 또는 이용의 특허
ㅇ. 환경 보호운동의 보장
ㅈ. 과학기술의 혁신과 정보 및 인력의 개발
ㅊ. 소비자의 권리
ㅋ. 광물 기타 중요한 지하자원, 수산자원, 수력과 경제상 이용할 수 있는 자연력은 국유로 한다.
ㅌ. 중요한 운수, 통신, 금융, 보험, 전기, 수리, 수도, 가스 및 공공성을 가진 기업은 국영 또는 공영으로 한다.
ㅍ. 국가의 중소기업 보호·육성의무
ㅎ. 농지는 농민에게 분배하며 그 분배의 방법, 소유의 한도, 소유권의 내용과 한계는 법률로써 정한다.
a. 국가는 농수산물의 수급균형과 유통구조의 개선에 노력하여 가격안정을 도모함으로써 소비자의 이익을 보호한다.

① 7개 ② 8개
③ 9개 ④ 10개

18 경제질서에 대한 설명으로 옳은 것은?

① 헌법 제121조는 국가에 대해 '경자유전 원칙의 달성'을 요청하는 한편 '불가피한 사정으로 발생하는 농지의 임대차와 위탁경영'을 허용하고 있는바, 「농지법」상 상속으로 농지를 취득하여 소유하는 경우 자기의 농업경영에 이용하지 아니할지라도 농업경영에 이용하도록 한다면 농지를 소유할 수 있다.

② 국가는 지역 간의 균형 있는 발전을 위하여 지역경제를 육성할 의무를 지나, 중소기업을 보호·육성하여야 할 의무를 지지 아니한다.

③ 헌법 제123조 제5항은 국가에게 '농·어민의 자조조직을 육성할 의무'와 '자조조직의 자율적 활동과 발전을 보장할 의무'를 아울러 규정하고 있는데, 국가가 농·어민의 자조조직을 적극적으로 육성하여야 할 의무까지도 수행하여야 한다고 볼 수 없다.

④ 구 「자동차운수사업법」상의 운송수입금 전액관리제로 인하여 사기업은 그 본연의 목적을 포기할 것을 강요받을 뿐만 아니라, 기업경영과 관련하여 국가의 광범위한 감독과 통제 및 관리를 받게 되므로, 위 전액관리제는 헌법 제126조의 '사영기업을 국유 또는 공유로 이전'하는 것에 해당한다.

19 문화와 국가에 대한 설명으로 옳은 것은?

① 우리나라는 제9차 개정헌법에서 문화국가원리를 헌법의 기본원리로 처음 채택하였으며, 문화국가원리는 국가의 문화국가실현에 관한 과제 또는 책임을 통하여 실현된다.

② 어떤 표현이 가치가 없거나 유해한 경우 그 표현의 해악을 시정하는 1차적 기능은 국가가 아니라 시민사회 내부에 존재하는 사상의 경쟁메커니즘에 맡겨져 있다.

③ 헌법 전문(前文)과 헌법 제9조에서 말하는 '전통', '전통문화'란 역사성과 시대성을 띤 개념으로 이해하여야 하므로, 과거의 어느 일정 시점에서 역사적으로 존재하였다는 사실만으로도 헌법의 보호를 받는 전통이 되는 것이다.

④ 문화국가원리와 밀접 불가분의 관계를 맺게 되는 국가의 문화정책은 국가의 문화국가 실현에 관한 적극적인 역할을 감안할 때, 문화풍토의 조성이 아니라 특정 문화 그 자체의 산출에 초점을 두어야 한다.

20 문화와 국가에 대한 설명으로 옳은 것은?

① 문화국가원리는 국가의 문화국가실현에 관한 과제 또는 책임을 통하여 실현되고 국가의 문화정책과 밀접불가분의 관계를 맺고 있으므로, 오늘날 문화국가에서도 국가의 적극적인 문화간섭정책은 당연한 것으로 여겨진다.

② 우리 헌법상 문화국가원리는 견해와 사상의 다양성을 그 본질로 하지만, 이를 실현하는 국가의 문화정책이 국가가 어떤 문화현상에 대하여도 이를 선호하거나 우대하는 경향을 보이지 않는 불편부당의 원칙을 따라야 하는 것은 아니다.

③ 문화체육관광부장관이 야당 소속 후보를 지지하였거나 정부에 비판적 활동을 한 문화예술인이나 단체를 정부의 문화예술 지원사업에서 배제할 목적으로, 한국문화예술위원회, 영화진흥위원회, 한국출판문화산업진흥원 소속 직원들로 하여금 특정 개인이나 단체를 문화예술인 지원사업에서 배제하도록 한 일련의 지시행위는 급부행위를 배제하는 것에 불과하므로 법률유보원칙이 적용되지 않는다.

④ 역사적 전승으로서 오늘의 헌법이념에 반하는 것은 헌법 전문에서 타파의 대상으로 선언한 '사회적 폐습'이 될 수 있을지언정 헌법 제9조가 '계승·발전'시키라고 한 전통문화에는 해당하지 않는다.

10회 진도별 모의고사

문화국가원리 ~ 국제평화주의

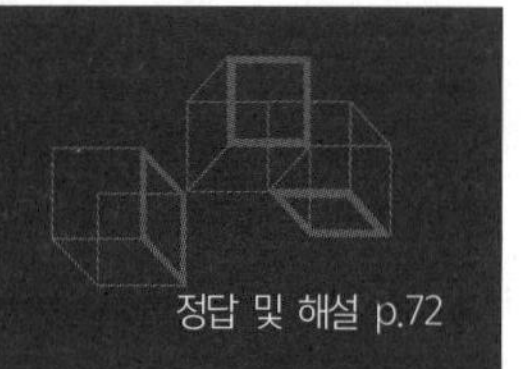

정답 및 해설 p.72

제한시간 : 14분 | 시작시각 ___시 ___분 ~ 종료시각 ___시 ___분 나의 점수 ______

01 문화와 국가에 대한 설명으로 옳은 것은?

① 국가의 문화육성의 대상에는 원칙적으로 다수의 사람에게 문화창조의 기회를 부여한다는 의미에서 엘리트문화를 제외한 서민문화, 대중문화를 정책적인 배려의 대상으로 하여야 한다.

② 자유민주주의 국가에 있어서 국가는 문화에 대하여 철저히 중립적 태도를 취하여야 한다.

③ 헌법 제9조의 규정취지와 민족문화유산의 본질에 비추어 볼 때, 국가가 민족문화유산을 보호하고자 하는 경우 이에 관한 헌법적 보호법익은 '민족문화유산의 존속' 그 자체를 보장하는 것에 그치고, 민족문화유산의 훼손 등에 관한 가치보상이 있는지 여부도 이러한 헌법적 보호법익과 직접적인 관련이 없다.

④ 문화재는 국가의 전통문화 계승·발전과 민족문화 창달에 노력할 의무를 규정한 우리 헌법 제9조의 정신에 비추어 그에 관한 재산권 행사에 일반적인 재산권 행사보다 강한 사회적 의무성이 인정된다고 할 수 없다.

02 문화와 국가에 대한 설명으로 옳은 것은?

① 국가는 다양한 문화적 가치에 대하여 중립적이어야 하기 때문에 문화적 가치에 대한 평가는 전적으로 사회적 및 개인적 판단에 유보되어야 한다.

② 개인의 존엄과 양성평등에 반하는 호주제도는 헌법 제9조의 전통문화 계승·발전을 근거로 그 헌법적 정당성을 주장할 수 있다.

③ 관습화된 문화요소로 인식되는 종교적 의식행사에 대한 국가의 지원은 전통문화의 계승·발전이라는 문화국가원리에 부합하며 정교분리원칙에 위배되지 않는다.

④ 문화국가원리는 제8차 개정헌법부터 헌법상 기본원리로 인정되어온바, 이 원리의 구체적인 실현을 위해서는 국가가 어떤 문화현상도 특별히 선호하거나 우대하는 경향을 보이지 않는 불편부당의 원칙에 입각한 정책이 바람직하다.

03 문화국가원리에 대한 설명으로 옳지 않은 것은?

① 개인의 정치적 견해를 기준으로 청구인들을 문화예술계 정부지원사업에서 배제되도록 차별취급한 것은 헌법상 문화국가원리에 반하는 자의적인 것으로 정당화될 수 없다.

② 피청구인 대통령의 지시로 피청구인 대통령 비서실장, 정무수석비서관, 교육문화수석비서관, 문화체육관광부장관이 야당 소속 후보를 지지하였거나 정부에 비판적 활동을 한 문화예술인이나 단체를 정부의 문화예술 지원사업에서 배제할 목적으로, 한국문화예술위원회, 영화진흥위원회, 한국출판문화산업진흥원 소속 직원들로 하여금 특정 개인이나 단체를 문화예술인 지원사업에서 배제하도록 한 일련의 지시행위는 헌법상 문화국가원리와 법률유보원칙에 반하는 자의적인 것으로 정당화될 수 없다.

③ 국가 및 지방자치단체에게 '초·중등교육과정에 지역어 보전 및 지역의 실정에 적합한 기준과 내용의 교과를 편성할 구체적인 의무'는 헌법 제10조(행복추구권), 제31조(교육을 받을 권리), 제9조(전통문화의 계승·발전과 민족문화의 창달에 노력할 국가의무)로부터 도출된다.

④ 영화상영관 경영자에게 관람객과 가까이 있다는 이유로 부과금 징수 및 납부의무를 부담시킨 것은 관람객의 재산권과 영화관 경영자의 직업수행의 자유를 침해하였다고 볼 수 없다.

04 문화국가원리에 대한 설명으로 옳지 않은 것은?

① 문예진흥기금 확보를 위해 공연관람자에게 부담금을 부과하는 것은 헌법의 문화국가이념(제9조)에 역행하는 것이다.

② 문화국가원리의 특성은 문화의 개방성 내지 다원성의 표지와 연결되므로, 국가는 엘리트문화를 제외한 서민문화·대중문화의 가치를 인정하고 정책적인 배려의 대상으로 하여야 한다.

③ 헌법은 문화국가를 실현하기 위하여 양심과 사상의 자유, 종교의 자유, 언론·출판의 자유, 학문과 예술의 자유 등을 규정하고 있는바, 이들은 문화국가원리의 불가결의 조건이라고 할 수 있다.

④ 문화국가원리에서 도출되는 가족제도에 관한 전통·전통문화는 적어도 가족제도에 관한 헌법이념인 개인의 존엄과 양성의 평등에 반하는 것이어서는 안 된다.

05 문화국가원리에 대한 설명으로 옳지 않은 것은?

① 원칙적으로 모든 과외교습행위를 금지하고 그에 위반된 경우 형사처벌하도록 한 규정은 문화국가원리에 위반되는 것이다.

② 헌법 제22조 제2항은 "저작자·발명가·과학기술자와 예술가의 권리는 법률로써 보호한다."라고 하여, 학문과 예술의 자유를 제도적으로 뒷받침하고 학문과 예술의 자유에 내포된 문화국가실현의 실효성을 높이기 위하여 저작자 등의 권리 보호를 국가의 과제로 규정하고 있는바, 저작자 등의 권리를 보호하는 것은 학문과 예술을 발전·진흥시키고 문화국가를 실현하기 위하여 불가결하다.

③ 대학의 학교환경위생정화구역에서 극장영업을 일반적으로 금지하는 법률규정은 극장운영자의 표현의 자유 및 예술의 자유를 필요한 이상으로 과도하게 침해하며, 공연장 및 영화상영관 등이 담당하는 문화국가형성기능의 중요성을 간과하고 있다.

④ 건설공사과정에서 매장문화재 발굴로 인하여 문화재 훼손 위험을 야기한 건설공사시행자에게 원칙적으로 발굴경비를 부담시키는 구 「문화재보호법」 조항은 합리적인 이유 없이 부당한 재산상 부담을 지워 재산권을 침해하므로 헌법에 위반된다.

06 국제평화주의에 대한 설명으로 옳은 것은?

① 한미연합 군사훈련을 하기로 한 결정은 대통령의 국군통수권 행사 및 한반도를 둘러싼 국제정치관계 등 관련 제반 상황을 종합적으로 고려한 고도의 정치적 결단의 결과로서 통치행위에 해당하여 사법심사의 대상이 되지 않는다.

② 전국의 주한 미군기지를 통폐합하여 평택지역으로 집중 재배치하는 내용의 미군기지 이전협정과 이행합의서는 지역주민의 자기결정권을 직접적으로 제한한다.

③ 소송비용담보 제공명령에 관한 법률규정은 우리나라에 효력이 있는 국제법과 조약 중 국내에 주소 등을 두고 있지 아니한 외국인이 소를 제기한 경우에 소송비용담보 제공명령을 금지하는 것을 찾아 볼 수 없으므로, 헌법 제6조 제2항에 위배되지 아니한다.

④ 미군의 지위에 관한 협정과 한미상호방위조약에 따라 일반 국민의 재산에 공용수용·사용·제한과 같은 권리변동이 직접 초래될 수 있다는 것이 헌법재판소 판례이다.

07 국제평화주의에 대한 설명으로 옳지 않은 것은?

① 개정교토협약과 외국 입법례를 「관세법」 조항에 대한 위헌심사의 척도로 삼을 수 없다.

② 상호방위조약을 체결한 국가에 전쟁이 발발한 경우 그 것이 자위전쟁이라면, 그 국가에 군대를 파견하는 것은 헌법에 위반되지 않는다.

③ 외국에 국군을 파견하는 결정과 같이 성격상 외교 및 국방에 관련된 고도의 정치적 결단이 요구되는 사안에 대한 국민의 대의기관의 결정은 비록 헌법과 법률이 정한 절차를 지켰음이 명백하더라도, 헌법이 침략적 전쟁을 부인하는 이상 사법심사가 자제되어야 할 대상이 되지 않는다.

④ 외교관계에 관한 비엔나협약에 의하여 외국의 대사관저에 대하여 강제집행이 불가능하게 된 경우, 국가가 청구인들에게 손실을 보상하는 법률을 제정하여야 할 의무가 없다.

08 조약에 대한 설명으로 옳지 않은 것은?

① 국제법과 국내법의 관계를 별개의 법질서로 이해하는 이원론에 따르면 국제법이 국내법보다 우위라는 국제법우위설과 국내법이 국제법보다 우위라는 국내법우위설이 도출될 수 없다.

② 국제법적으로 조약은 국제법 주체들이 일정한 법률효과를 발생시키기 위하여 체결한 국제법의 규율을 받는 국제적 합의를 말하며 서면에 의한 경우가 대부분이지만 예외적으로 구두합의도 조약의 성격을 가질 수 있다.

③ 자유권규약위원회는 자유권규약의 이행을 위해 만들어진 조약상의 기구이므로 규약의 당사국은 그 견해를 존중하여야 하며, 우리 입법자는 자유권규약위원회의 견해의 구체적인 내용에 구속되어 그 모든 내용을 그대로 따라야 하는 의무를 부담한다.

④ 자기집행조약은 법률의 입법이 없이 국내에서 효력을 발생하지만, 비자기집행조약은 이를 집행하기 위한 법률의 제정이 있어야 비로소 국내에서 적용할 수 있다.

09 조약에 대한 설명으로 옳지 않은 것은?

① 조약의 개념에 관하여 우리 헌법에 명문의 규정을 두고 있지 않다.

② 국제법적으로 조약은 국제법 주체들이 일정한 법률효과를 발생시키기 위하여 체결한 국제법의 규율을 받는 국제적 합의를 말하므로 서면으로 하며 구두합의는 조약의 성격을 가질 수 없다.

③ 조약과는 달리 법적 효력 내지 구속력이 없는 합의는 대체적으로 조약체결의 형식적 절차를 거치지 않는다.

④ 조약과 비구속적 합의를 구분함에 있어서는 합의의 명칭, 합의가 서면으로 이루어졌는지 여부 등과 같은 형식적 측면 외에도 합의의 과정과 내용·표현에 비추어 법적 구속력을 부여하려는 당사자의 의도가 인정되는지 여부 등 실체적 측면을 종합적으로 고려하여야 한다.

10 조약에 대한 설명으로 옳지 않은 것은?

① 조약의 개념에 관하여 우리 헌법에 명문의 규정을 두고 있지는 않으나, 헌법 제60조에서 일정한 조약의 체결 비준에 대한 국회의 동의권과 헌법 제89조 제3호에서 조약안은 국무회의의 심의를 거치도록 규정하고 있다.

② 대한민국 외교부장관과 일본국 외무대신이 2015.12.28. 공동발표한 일본군 위안부 피해자 문제 관련 합의'를 통해 일본군 '위안부' 피해자들의 권리가 처분되었다거나 대한민국 정부의 외교적 보호권한이 소멸하였다고 볼 수 없다.

③ '대한민국 외교부장관과 일본국 외무대신이 2015.12.28. 공동발표한 일본군 위안부 피해자 문제 관련 합의'는 일본군 '위안부' 피해자들의 법적 지위에 영향을 미친다고 볼 수 있으므로 이에 대한 헌법소원청구는 허용된다.

④ 헌법소원청구 이후에 사망하였고, 그 상속인들이 심판절차의 수계신청을 하지 않았다면 사망한 청구인들에 대한 심판절차는 각 청구인들의 사망으로 종료된다.

11 다음 조약 유무에 대한 설명으로 옳은 것은 모두 몇 개인가?

ㄱ. 국제연합의 인권에 관한 세계선언은 일반적으로 승인된 국제법규로서 국내법과 같은 효력을 가지는 조약에 해당한다.
ㄴ. 국회의 동의를 요하는 조약은 널리 국가 간 합의를 포괄하는 개념이므로 당사국 간의 신의에 기초하여 이루어진 정치적 합의, 즉 신사협정도 조약에 해당한다.
ㄷ. 특정의 외국 농산물의 긴급수입제한조치를 더 이상 연장하지 않겠다는 취지의 대한민국정부와 당해 외국과의 합의는 헌법 제6조 제1항 소정의 조약이므로 반드시 조약공포의 방법으로 국민에게 공개되어야 한다.
ㄹ. 「가축전염병 예방법」에 따라 농림수산식품부장관(현 농림축산식품부장관)이 가축방역 및 공중위생상 필요하다고 인정하여 미국산 쇠고기의 수입위생조건을 정한 고시는 헌법 제60조 제1항에서 말하는 조약에 해당하지 아니하므로 국회의 동의를 받아야 하는 것은 아니다.
ㅁ. 외교통상부장관(현 외교부장관)이 2006.1.19. 미합중국 국무장관과 발표한 '동맹 동반자 관계를 위한 전략대화 출범에 관한 공동성명'은 국회의 동의가 필요 없는 조약이다.
ㅂ. 남북기본합의서는 국내법과 동일한 효력이 있는 조약이나, 이에 준하는 것으로 볼 수 있다.

① 없음. ② 1개
③ 2개 ④ 3개

12 조약에 대한 설명으로 옳지 않은 것은?

① 조약 자체가 국민의 권리·의무에 관한 법규범을 포함하고 있어서 그 문구나 내용으로 보아 국내의 법 적용기간에 의해서 조약이 직접 구체적인 사건에 적용될 수 있는 경우가 있다.

② 조약과 헌법의 효력관계에 있어서 조약우위설은 국제주의 또는 국제협조주의의 규정상 국제조약이 헌법에 우월하다고 본다.

③ 조약과는 달리 법적 효력 내지 구속력이 없는 합의는 대체적으로 조약체결의 형식적 절차를 거치지 않는다.

④ 조약의 체결권한은 대통령에게 있고, 비준권은 국회에 속한다.

13 조약에 대한 설명으로 옳은 것은?

헌법 제6조 ① 헌법에 의하여 체결·공포된 조약과 일반적으로 승인된 국제법규는 국내법과 같은 효력을 가진다.

제89조 다음 사항은 국무회의의 심의를 거쳐야 한다.
3. 헌법개정안·국민투표안·조약안·법률안 및 대통령령안

① 국회의 동의권은 규정되어 있지 않으나, 국회의원의 권한은 규정하고 있다.

② 우리 헌법은 조약의 체결·비준에 관하여 대통령에게 전속적인 권한을 부여하면서도 조약을 체결·비준함에 있어서는 반드시 국회의 동의를 거치도록 하고 있다.

③ 우리 헌법은 조약의 체결·비준에 관하여 대통령에게 전속적인 권한을 부여하면서도 조약을 체결·비준함에 있어서는 반드시 국무회의의 심의를 거치도록 하고 있다.

④ 국회의 동의를 요하는 조약안은 국무회의의 심의를 거쳐야 하나, 국회의 동의가 필요 없는 조약안에 대해서는 국무회의의 심의를 거칠 필요가 없다.

14 조약 체결·비준을 함에 있어 국회의 동의에 대한 설명으로 옳지 않은 것을 모두 조합한 것은?

ㄱ. 헌법 제60조 제1항에 따라 국회의 동의가 있더라도, 대통령이 이에 구속되어 반드시 그 조약을 체결·비준해야 하는 것은 아니다.
ㄴ. 국회는 상호원조 또는 안전보장에 관한 조약, 중요한 국제조직에 관한 조약, 어업조약, 우호통상항해조약, 주권의 제약에 관한 조약, 강화조약, 국가나 국민에게 중대한 재정적 부담을 지우는 조약 또는 입법사항에 관한 조약의 체결·비준에 대한 동의권을 가진다.
ㄷ. 대한민국 외교부장관과 일본국 외무부대신이 2015.12.28. 공동발표한 일본군 위안부 피해자 문제 관련 합의는 조약에 해당하지 않는다.
ㄹ. 주권의 제약에 관한 조약은 체결할 수 없다.
ㅁ. '대한민국과 아메리카합중국 간의 상호방위조약 제4조에 의한 시설과 구역 및 대한민국에서의 합중국군대의 지위에 관한 협정'은 국회의 관여 없이 체결되는 행정협정처럼 보이기도 하나, 우리나라의 입장에서 볼 때에는 외국군대의 지위에 관한 것이고 국가에게 재정적 부담을 지우는 내용과 입법사항을 포함하고 있으므로 국회의 동의를 요하는 조약에 해당한다.

① ㄱ, ㄴ ② ㄷ, ㄹ, ㅁ
③ ㄴ, ㄹ ④ ㄱ, ㄹ, ㅁ

15 조약의 효력에 대한 설명으로 옳지 않은 것은?

① 이원론에 따르면 국제법은 국내법으로 그 형태를 바꾸는 변형이 있어야만 국내법적 효력이 인정되나, 일원론에 따르면 국제법인 조약은 국내법으로 전환되지 않아도 국내법적 효력이 인정된다.

② 국회의 동의를 받아야 할 조약이 국회의 동의를 받지 아니한 경우 조약은 국내법적으로는 효력을 상실하나, 국제법적으로는 효력을 유지한다.

③ 마라케쉬협정은 적법하게 체결되어 공포된 조약이므로 국내법과 같은 효력을 갖는 것이어서, 마라케쉬협정에 의하여 「관세법」 위반자의 처벌이 가중된다고 하더라도 이를 들어 법률에 의하지 아니한 형사처벌이라고 할 수 없다.

④ 헌법에 의하여 체결·공포된 조약은 형식적 의미의 법률과 같은 효력을 갖는 것으로 헌법에 명시되어 있다.

16 조약의 효력에 대한 설명으로 옳지 않은 것은?

① 대한민국과 일본국 간의 어업에 관한 협정(조약 제1477호)은 우리나라와 일본 간의 어업에 관해 헌법에 의하여 체결·공포된 조약으로서 국내적으로 법률과 같은 효력을 가진다.

② 헌법 제6조 제1항의 '국내법과 같은 효력'이란 반드시 법률과 동일한 효력만을 의미하는 것은 아니다.

③ 우리 헌법은 어떠한 조약에 대해서도 헌법과 동일한 효력을 인정하지 않는다.

④ 헌법재판소는 법률보다 상위의 효력을 가지는 조약을 인정한 바 있다.

17 국내법적 효력을 가지는 조약인지에 대한 설명으로 옳은 것은?

① 헌법재판소는 국제연합의 인권선언 및 국제연합의 교육과학문화기구와 국제노동기구가 채택한 '교원의 지위에 관한 권고'에 대해 일반적으로 승인된 국제법규성을 인정하여 그 국내법적 효력을 인정하고 있다.

② 노조전임자에 대한 급여지급을 금지하는 「노동조합 및 노동관계조정법」은 국제노동기구협약에 배치되므로 국제법 존중원칙에 위배된다.

③ 부정수표 발행인에 대해 형사처벌하는 「수표법」은 계약상 의무 이행불능으로 처벌하는 것이 아니라 사기적인 죄질이 있다 하여 처벌하는 것이므로 계약상 의무 이행불능을 이유로 한 처벌금지를 규정하고 있는 국제인권규약 제11조에 위반된다고 할 수 없다.

④ 국제노동기구의 결사의 자유위원회나 국제연합의 경제·사회적 및 문화적 관리위원회, 경제협력개발기구의 노동자문위원회 등의 국제기구들이 공무원에게 근로3권을 보장할 것을 권고하고 있다면 이에 반하는 국내법률조항이 위헌으로써 효력을 상실한다.

18 헌법 제6조에 대한 설명으로 옳지 않은 것은?

> 헌법 제6조 ① 헌법에 의하여 체결·공포된 조약과 일반적으로 승인된 국제법규는 국내법과 같은 효력을 가진다.

① 일반적으로 승인된 국제법규에는 국제관습법뿐 아니라 우리나라가 체약당사자가 아닌 조약으로서 국제사회에서 일반적으로 그 규범성이 승인된 일반조약도 포함된다는 견해가 다수설이다.

② 양심적 병역 거부권의 보장에 관한 국제관습법이 형성되었다고 할 수 없어 양심적 병역 거부가 일반적으로 승인된 국제법규로서 우리나라에 수용될 수는 없다.

③ 국제형사재판소에 관한 로마규정은 일반적으로 승인된 국제법규로서가 아니라 헌법에 의하여 체결·공포된 조약으로서 국내법과 같은 효력을 갖는다.

④ 헌법 제6조 제1항의 국제법존중주의는 우리나라가 가입한 조약과 일반적으로 승인된 국제법규가 국내법과 같은 효력을 가진다는 것으로서 조약이나 국제법규가 국내법에 우선한다는 것이다.

19 조약에 관한 규범통제에 대한 설명으로 옳지 않은 것을 모두 조합한 것은?

ㄱ. 국회의 동의를 받은 조약은 법원이 헌법재판소에 위헌제청을 통해 심사할 수도 있고 위헌제청신청을 법원이 기각한 경우 당사자가 헌법소원을 청구할 수도 있다.
ㄴ. 국회의 동의를 받지 않은 조약은 헌법재판소가 「헌법재판소법」 제68조 제1항에 따라 통제할 수 있고, 법원이 헌법 제107조 제2항에 따라 통제할 수 있다. 헌법재판소와 법원이 위헌결정한 경우 조약은 당해 사건에 한해 적용되지 아니한다.
ㄷ. 국회의 동의를 요하지 않는 조약이 헌법에 위반되는지 여부가 재판의 전제가 된 경우 대법원이 최종적으로 심사한다.
ㄹ. 조약에 대한 위헌 여부의 심사는 「헌법재판소법」 제41조 제1항에 따른 위헌법률심판과 「헌법재판소법」 제68조 제2항에 따른 위헌심사형 헌법소원의 형태로는 가능하지만, 「헌법재판소법」 제68조 제1항에 따른 권리구제형 헌법소원의 형태로는 불가능하다.
ㅁ. 국회의 동의를 요하는 조약에 대해서 헌법재판소가 위헌결정한 경우 국내법적 효력은 상실되나, 국제법적 효력은 상실되지 아니한다.

① ㄱ, ㄴ　　② ㄴ, ㄹ
③ ㄷ, ㅁ　　④ ㄷ, ㄹ, ㅁ

20 한·일어업조약에 대한 헌법재판소 판례와 일치하지 않는 것은 모두 몇 개인가?

ㄱ. 한·일어업협정체결은 「헌법재판소법」 제68조 제1항의 공권력 행사로서 헌법소원의 대상이 된다.
ㄴ. 헌법 전문에 기재된 3·1 정신은 우리나라 헌법의 연혁적·이념적 기초로써 헌법이나 법률해석의 해석기준으로 작용할 뿐만 아니라 국민의 개별적 기본권성을 도출해낼 수 있는 근거이다.
ㄷ. 이 사건 조약의 재산권과 직업선택의 자유 침해 여부를 판단하는 이상 경제적 기본권 침해 여부를 별도로 판단할 필요 없다.
ㄹ. 영토조항을 헌법상 기본권으로 보는 견해는 거의 존재하지 않는다. 영토조항만을 근거로 하여 독자적으로 헌법소원을 청구할 수는 없다. 다만, 영토의 변경은 국민의 주관적 기본권의 영향을 미치지 않을 수 없으므로 국민의 기본권 침해에 대한 권리구제를 위하여 그 전제조건으로써 영토권을 헌법상 기본권으로 간주할 수 있다.
ㅁ. 어업 관련 업무에 종사하는 자는 자기관련성이 인정되나, 어업 관련 업무에 종사하지 않은 자는 자기관련성이 인정되지 않는다.
ㅂ. 국회 본회의에서의 동의절차가 국회의 의결권과 국민의 평등권을 침해하였다고 볼 수 없다.
ㅅ. 한·일간의 합의의사록도 헌법 제6조의 조약에 해당하므로 국회의 동의가 필요한 조약이다.
ㅇ. 독도 등을 중간수역으로 정한 대한민국과 일본국 간의 어업에 관한 협정은 배타적 경제수역을 직접 규정한 것이 아니고, 독도의 영유권 문제나 영해 문제와는 직접적인 관련을 가지지 아니하므로 헌법상 영토조항에 위반되지 않는다.

① 1개　　② 2개
③ 3개　　④ 4개

진도별 모의고사

통일의 원칙 ~ 지방자치단체

정답 및 해설 p.78

제한시간 : 14분 | 시작시각 ___시 ___분 ~ 종료시각 ___시 ___분 나의 점수 _______

01 남북합의서에 대한 설명으로 옳지 않은 것은 모두 몇 개인가?

ㄱ. 이른바 남북기본합의서는 남북한 당국이 성의 있는 이행을 약속한 것이므로 국가 간의 조약은 아니나 적어도 그에 준하는 것에 해당한다.
ㄴ. 남북합의서는 한민족공동체 내부의 특수관계를 기초로 하여 합의된 것으로서 일종의 공동성명 내지 신사협정에 준하므로, 남북합의서의 채택 및 발효는 북한을 반국가단체로 인정하는 것에 영향을 미치지 않는다.
ㄷ. 북한이 남·북한의 유엔동시가입, 이른바 '남북합의서'의 채택·발효 및 「남북교류협력에 관한 법률」 등의 시행 후에도 적화통일의 목표를 버리지 않고 각종 도발을 자행하고 있으며 남·북한의 정치, 군사적 대결이나 긴장관계가 조금도 해소되고 있지 않음이 현실인 이상, 「국가보안법」의 해석·적용상 북한을 반국가단체로 보고 이에 동조하는 반국가활동을 규제하는 것 자체가 국제평화주의에 위반된다고 할 수 없다.
ㄹ. 남북기본합의서는 일종의 조약으로서 국회의 동의를 거쳐 발효되어야 하나, 그러한 절차를 경료하지 않았으므로 구속력이 없다는 것이 판례의 입장이다.
ㅁ. 남북합의서에 의하여 북한의 반국가단체성은 소멸했다고 볼 수 없고 「국가보안법」의 효력이 상실되었고 할 수 없다.
ㅂ. 남북기본합의서는 남북한 당국이 성의 있는 이행을 약속한 것이므로 국가 간의 조약은 아니나 적어도 그에 준하는 것에 해당하므로 법률조항이 남북합의서와 배치되는 내용을 포함하고 있다면 헌법재판소는 그 조항의 위헌 여부 판단에 이를 고려하여야 한다.

① 없음. ② 1개
③ 2개 ④ 3개

02 국가보안법에 대한 설명으로 옳지 않은 것은 모두 몇 개인가?

ㄱ. 국가보위입법회의가 제정한 법률의 제정절차의 하자를 이유로 다툴 수 없다.
ㄴ. 국가보위입법회의가 제정한 법률의 제정절차의 하자는 물론 내용에 대해서도 다툴 수 없다.
ㄷ. 「국가보안법」의 해석·적용상 북한을 반국가단체로 보고 이에 동조하는 반국가활동을 규제하는 것 자체가 헌법이 규정하는 국제평화주의나 평화통일의 원칙에 위반된다고 할 수 없다.
ㄹ. 「국가보안법」은 헌법 제3조에 근거를 두는 법률로서 헌법 제37조 제2항의 일반적 법률유보와는 관계가 없다.
ㅁ. 북한을 반국가단체로 보고 있는 「국가보안법」은 우리 헌법이 규정하고 있는 국제평화주의나 평화통일의 원칙에 모순되지 않는다.
ㅂ. 「국가보안법」과 「남북교류협력에 관한 법률」은 입법목적과 규제대상을 달리하고 있어, 구 「국가보안법」 제6조 제1항 소정의 잠입·탈출죄에서의 '잠입·탈출'과 「남북교류협력에 관한 법률」 제27조 제1항 소정의 죄에서의 '왕래'는 각 행위의 목적이 다르고 두 죄는 각기 그 구성요건이 다르기 때문에 「형법」 제1조 제2항이 적용될 수 없다.
ㅅ. 「남북교류협력에 관한 법률」과 「국가보안법」의 상호관계에 대해서, 헌법재판소는 양 법률의 규제대상이 동일한 점을 들어 일반법과 특별법의 관계로 파악하고 있다.
ㅇ. 피의자 구속기간을 최장 50일로 하는 「국가보안법」 제19조를 찬양고무죄·불고지죄에 적용하는 경우 일반형사사건의 피의자 최장구속기간인 30일보다 20일이나 많은 50일을 피의자 구속기간으로 하는 국가보안법 제19조는 과잉금지원칙에 위반된다.
ㅈ. 피의자 구속기간을 최장 50일로 하는 「국가보안법」 제19조를 통신회합죄에 적용하는 경우 일반 형사사건의 피의자 최장구속기간인 30일보다 20일이나 많은 50일을 피의자 구속기간으로 하는 「국가보안법」 제19조는 과잉금지원칙에 위반된다.

① 1개 ② 2개
③ 3개 ④ 4개

03 통일조항에 대한 설명으로 옳은 것은 모두 몇 개인가?

ㄱ. 평화적 통일정책의 수립과 추진을 규정한 조항은 1980년 헌법에서 처음으로 규정되었다.
ㄴ. 통일의 방법으로 이른바 흡수통일은 평화통일의 원칙에 반하므로 헌법적으로 허용되지 않는다.
ㄷ. 헌법 제3조의 영토조항은 제헌헌법 당시부터 규정되어 왔고 제4조의 통일조항은 현행헌법에서 비로소 규정되었으므로 제4조로 인하여 제3조가 사문화된다는 데 학설은 일치한다.
ㄹ. 현 단계에 있어서의 북한은 대남적화노선을 고수하면서 대한민국 자유민주주의체제의 전복을 획책하고 있는 반국가단체라는 성격만을 가지므로, 한반도의 이북지역을 불법적으로 점유하고 있는 불법단체에 불과하다.
ㅁ. 헌법상의 여러 통일 관련 조항들은 국가의 통일의무를 선언한 것이므로, 그로부터 국민 개개인의 통일에 대한 기본권, 특히 국가기관에 대하여 통일과 관련된 구체적인 행위를 요구하거나 일정한 행동을 할 수 있는 권리도 도출된다.

① 없음. ② 1개
③ 2개 ④ 3개

04 남북교류협력에 관한 법률에 대한 설명으로 옳지 않은 것은?

① 헌법상 규정된 통일이라는 국가목표를 저해하지 않는 한 입법자는 남북한관계를 적대적으로 또는 우호적으로 규정하는 유동적인 입법을 할 수 있다.

② 헌법재판소는 「남북교류협력에 관한 법률」 등이 공포·시행되었다 하여 「국가보안법」의 필요성이 소멸되었다거나 북한의 반국가단체성이 소멸되었다고는 할 수 없다고 하였다.

③ 통일부장관이 북한 주민 등과의 접촉을 원하는 자로부터 승인신청을 받아 그 접촉의 시기와 장소, 대상과 목적 등 구체적인 내용을 검토하여 승인 여부를 결정하도록 하는 것은 평화통일원칙을 규정한 헌법 제4조에 위반된다고 볼 수 없다.

④ 「남북교류협력에 관한 법률」에 관하여 헌법재판소는 남한의 주민이 북한의 주민과 접촉하고자 할 때에 통일부장관의 승인을 얻도록 한 것은 남북교류협력의 일관성을 유지하고 책임소재를 명백히 하려는 데에 그 입법목적이 있지만, 국민들의 평화적 교류·협력을 통일부장관의 자의적 판단에 일임함으로써 포괄위임금지원칙에 위배된다고 하였다.

05 북한에 대한 설명으로 옳은 것은?

① 「국가보안법」은 반국가단체와 관련된 행위를 규제하고 있는데, 북한을 반국가단체로 규정하고 있다.

② 남북한이 유엔(UN)에 동시 가입하였다면 이로써 곧 남북한 상호 간에 국가승인의 효력이 발생한다.

③ 현행헌법 제3조(영토조항)에 의하면 북한지역도 대한민국의 영토이기 때문에 당연히 대한민국의 주권이 미친다.

④ 북한은 대화와 협력의 동반자이자 반국가단체라는 이중적 지위를 가지고 있으며 대화와 협력의 동반자의 지위를 보장하기 위해서 「국가보안법」이 시행되고 있다.

06 남북관계 발전에 관한 법률에 대한 설명으로 옳지 않은 것은?

① 통상조약의 체결절차 및 이행과정에서 남한과 북한 간의 거래는 「남북교류협력에 관한 법률」 제12조에 따라 국가 간의 거래가 아닌 민족 내부의 거래로 본다.

② 국가나 국민에게 중대한 재정적 부담을 지우는 남북합의서 또는 입법사항에 관한 남북합의서는 비준하기에 앞서 국무회의 심의와 국회의 동의를 요한다.

③ 대통령이 이미 체결·비준한 남북합의서의 이행에 관하여 단순한 기술적·절차적 사항만을 정하는 남북합의서는 비준하기에 앞서 국무회의심의와 국회의 동의를 요한다.

④ 국회의 동의 또는 국무회의의 심의를 거친 남북합의서는 「법령 등 공포에 관한 법률」의 규정에 따라 대통령이 공포한다.

07 지방자치제도에 대한 설명으로 옳은 것은?

① 최초의 지방의회가 구성된 것은 제1공화국 기간이었던 1950년이었고, 지방의회를 조국통일이 이루어질 때까지 구성하지 아니한다는 것을 헌법 부칙에 규정한 것은 1980년 제8차 개정헌법에서였다.

② 1948년 헌법에서부터 지방자치에 관한 규정을 두고 있었으며, 1972년 헌법에서는 부칙에서 지방의회는 지방자치단체의 재정자립도를 감안하여 순차적으로 구성하되, 그 구성시기는 법률로 정한다고 규정하였다.

③ 지방자치제도는 헌법상 제도적 보장이기 때문에 기본권 보장과 마찬가지로 최대보장의 원칙이 적용된다.

④ 헌법에 의하여 지방자치단체의 자치사무만 규정하고 있고 단체위임사무를 처리할 권한은 「지방자치법」에서 부여된다.

08 지방자치단체의 자치권에 대한 설명으로 옳지 않은 것을 모두 조합한 것은?

> ㄱ. 지방자치단체는 국가의 간섭으로부터 벗어나 스스로 자신의 조직을 자주적으로 정하는 권능으로서 자치행정을 실시하기 위한 행정조직을 결정할 조직고권을 가진다.
> ㄴ. 지방자치단체의 헌법상의 권능에는 자치입법권과 자치행정권 외에도 자치사법권이 포함된다.
> ㄷ. 헌법상 제도적으로 보장된 자치권 가운데에는 자치사무의 수행에 있어 다른 행정주체(특히 중앙행정기관)로부터 합법성에 관하여 명령·지시를 받지 않는 권한도 포함된다고 볼 수 있다.
> ㄹ. 헌법이 규정하는 이러한 자치권 가운데에는 자치에 관한 규정을 스스로 제정할 수 있는 자치입법권은 물론이고 그밖에 그 소속 공무원에 대한 인사와 처우를 스스로 결정하고 이에 관련된 예산을 스스로 편성하여 집행하는 권한이 성질상 당연히 포함된다.

① ㄱ, ㄴ ② ㄴ, ㄷ
③ ㄷ, ㄹ ④ ㄱ, ㄹ

09 지방자치단체의 자치권에 대한 설명으로 옳은 것은?

① 지방자치단체의 자치권은 법령에 의하여 제한이 가능한 것이므로, 그 제한이 법령에 근거한 이상 자치권의 본질을 다소 훼손하는 점이 있다 하더라도 헌법에 반하는 것은 아니다.

② 헌법 제117조와 제118조에 의하여 제도적으로 보장되는 지방자치는 지방자치의 본질적 내용인 핵심영역이 어떠한 경우라도 입법 기타 중앙정부의 침해로부터 보호되어야 한다는 것을 의미하는 것은 아니다.

③ 지방자치단체의 자치권은 법령에 의하여 제한이 가능한 것이므로, 그 제한이 법령에 근거한 이상 자치권의 본질을 다소 훼손하는 점이 있다 하더라도 헌법에 반하는 것은 아니다.

④ 제도적 보장으로서 주민의 자치권은 원칙적으로 개별 주민들에게 인정된 권리라 볼 수 없으며, 청구인들의 주장을 주민들의 지역에 관한 의사결정에 참여 내지 주민투표에 관한 권리 침해로 이해하더라도 이러한 권리를 헌법이 보장하는 기본권인 참정권이라고 할 수 없고, 헌법상 주민자치의 범위는 법률에 의하여 형성되고, 핵심영역이 아닌 한 법률에 의하여 제한될 수 있는 것이다.

10 지방자치단체의 재정권에 대한 설명으로 옳지 않은 것은?

① 국가는 정책상 필요하다고 인정할 때에는 예산의 범위에서 지방자치단체에 보조금을 교부할 수 있는데, 지방자치단체에 보조금을 교부할 때 법령에서 정한 경우에는 재원 부담 지시를 할 수 있으나, 조례에서 정한 경우에는 재원 부담 지시를 할 수 없다.

② 지역축산업협동조합의 업무 및 재산에 대하여는 국가 및 지방자치단체의 조세외의 부과금을 면제한다고 규정한 구 「농업협동조합법」 제8조은 지방자치단체의 자치수입권에 관한 헌법 제117조 제1항에 위반된다고 할 수 없다.

③ 지역축산업협동조합의 업무 및 재산에 대하여는 국가 및 지방자치단체의 조세 외의 부과금을 면제한다고 규정한 구 「농업협동조합법」 제8조는 명확성원칙에 위반되지 않는다.

④ 자치재정권은 지방자치단체가 법령의 범위 내에서 수입과 지출을 자신의 책임하에 운영할 수 있는 권한으로서, 지방자치단체의 자치재정권은 절대적인 것은 아니고, 「지방세법」, 「지방재정법」, 「지방공기업법」 등 법률에 의하여 형성되고 제한을 받는 것이다.

11 지방자치제도에 대한 설명으로 옳지 않은 것은?

① 지방자치단체의 장의 선임방법 기타 지방자치단체의 조직과 운영에 관한 사항은 법률로 정하나, 지방의회의 조직·권한·의원선거에 관한 사항은 조례로 정한다.

② 지방자치단체의 권한에 부정적인 영향을 주어서 법적으로 문제되는 경우에는 사실행위나 내부적인 행위도 권한쟁의심판의 대상이 되는 처분에 해당한다.

③ 지방자치단체는 헌법 또는 법률에 의하여 부여받은 그의 권한, 즉 지방자치단체의 사무에 관한 권한이 침해되거나 침해될 우려가 있는 때에 한하여 권한쟁의심판을 청구할 수 있으므로, 기관위임사무에 대하여는 권한쟁의심판을 청구할 수 없다.

④ 우리나라의 현행 지방자치의 기본적인 모습은 광역자치단체, 기초자치단체의 2단계 구조로 되어 있다. 다만, 광역자치단체 중 세종특별자치시와 제주특별자치도의 경우에는 기초자치단체를 두지 않고 있어, 지방자치단체가 1단계로 이루어져 있다.

12 지방의회의원 선거와 지방자치단체의 장 선거에 대한 설명으로 옳은 것은?

① 헌법 제118조 제1항 및 제2항은 지방의회의 설치와 지방의회의원 선거를 규정함으로써 주민들이 지방의회의원을 선출할 수 있는 선거권 및 주민들이 지방의회의원이라는 선출직공무원에 취임할 수 있는 공무담임권을 기본권으로 보호하고 있다.

② 지방의회의원 선거권은 헌법에 명시적 규정은 없으나, 헌법상 기본권에 해당한다.

③ 헌법은 지방자치단체의 종류, 지방의회의원과 지방자치단체의 장의 선거방법에 대해서는 법률로 정하도록 하고 있다.

④ 지방자치단체의 장 선거권은 헌법에 명시적으로 기본권으로 규정되어 있다.

⑤ 지방자치단체의 장 선거권을 지방의회의원 선거권, 나아가 국회의원 선거권 및 대통령 선거권과 구별하여 하나는 법률상의 권리로, 나머지는 헌법상의 권리로 이원화하는 것이 헌법에 부합된다.

13 지방자치단체에 대한 설명으로 옳은 것은?

① 특정 지방자치단체의 존속을 보장하는 것은 헌법상 지방자치제도 보장의 핵심적 영역 내지 본질적 부분이 아니므로 현행법상의 지방자치단체의 중층구조를 계속 존속하도록 할지 여부는 국회의 법률제정권의 범위 안에 있다.

② 헌법이 보장하는 지방자치제도의 취지와 기능에 비추어 볼 때 지방자치단체의 종류가 다양한 계층구조로 구성되는 것이 필요하며, 주민들은 대개 기초지방자치단체의 지역범위 내에서 생활을 영위하여 단일 광역지방자치단체영역 내에서도 서로 이해관계를 달리할 수 있으므로, 제주도 지역의 모든 기초자치단체를 폐지하는 것은 지방자치제도의 제도적 본질을 침해·훼손하는 것이다.

③ 지방자치단체를 중층구조에서 단층구조로 하는 것, 즉 지방자치단체 내의 시·군을 모두 폐지하는 것은 헌법에 위반된다.

④ 헌법상 지방자치제도 보장의 핵심영역 내지 본질적 부분은 특정 지방자치단체의 존속을 보장한다.

14 지방자치단체에 대한 설명으로 옳지 않은 것은?

① 지방자치의 헌법적 보장은 특정 지방자치단체의 존속을 보장한다는 것은 아니기 때문에, 국회가 법률로써 특정 지방자치단체를 폐지하여 다른 지방자치단체에 병합하더라도 헌법이 보장하는 지방자치제도의 본질적 내용을 침해하는 것은 아니다.

② 법률로 지방자치단체를 폐지할 수 있으나 지방의회를 폐지할 수 없다.

③ 국회의 입법에 의하여 지방자치권이 침해되었는지 여부를 심사함에 있어서는 지방자치권의 본질적 내용이 침해되었는지 여부만을 심사하면 족하지 않고, 기본권 침해를 심사하는 데 적용되는 과잉금지원칙이나 평등원칙 등을 적용해야 한다.

④ 지방의회를 폐지하는 법률은 헌법에 위반되므로 지방의회를 폐지하려면 헌법을 개정해야 한다.

15 지방자치단체에 대한 설명으로 옳지 않은 것은 모두 몇 개인가?

ㄱ. 지방자치단체는 법인격 없는 사단으로 한다.
ㄴ. 「지방자치법」상 일반지방자치단체는 시·도와 시·군·자치구이며, 특별시·광역시·특별자치시·특별자치도는 특별지방자치단체이다.
ㄷ. 지방자치단체를 폐지하거나 설치하거나 나누거나 합칠 때에 주민투표절차가 필수적으로 요구되는 것은 아니므로, 이를 거치지 아니하였다하여 적법절차원칙에 위반하였다고는 할 수 없다.
ㄹ. 자치단체의 폐지에 대한 이해관계자들의 참여, 즉 의견개진의 기회 부여는 문제가 된 사항의 본질적 내용과 그 근거에 관하여 이해관계인에게 고지하고 그에 관한 의견의 진술 기회를 부여하는 것으로 족하며, 입법자가 그 의견에 반드시 구속되는 것은 아니다.
ㅁ. 지방자치단체의 폐치·분합에 관한 법률은 헌법소원의 대상이 될 수 있다.
ㅂ. 지방자치단체의 폐치·분합에 관한 것은 지방자치제도의 문제이므로 기본권 침해의 문제가 발생할 수 없다.

① 1개 ② 2개
③ 3개 ④ 4개

16 지방자치단체에 대한 설명으로 옳은 것은?

① 광역자치단체의 명칭변경은 법률에 의하여야 하나, 기초자치단체의 명칭변경은 기초자치단체의 조례나 주민투표에 의하여 할 수 있다.

② 지방자치단체를 폐지하거나 설치하거나 나누거나 합칠 때 또는 그 명칭이나 구역을 변경할 때에는 반드시 주민투표에 부쳐야 한다.

③ 행정혁신을 위해 현행 2단계(특별시, 광역시 등과 시, 군, 구)의 지방자치단체를 1단계로 조정하려면 헌법개정이 필수적이다.

④ 인구 50만 이상의 일반 시에는 자치구가 아닌 구를 두고 그 구청장은 시장이 임명하도록 한, 「지방자치법」 제3조 제3항 중 '특별시·광역시 및 특별자치시가 아닌 인구 50만 이상의 시에는 자치구가 아닌 구를 둘 수 있고' 부분과 「지방자치법」 제118조 제1항 중 '자치구가 아닌 구의 구청장은 시장이 임명한다' 부분은 주민들의 평등권을 침해하지 않는다.

17 지방자치단체에 대한 설명으로 옳은 것은?

① 행정구의 경우 기초자치단체인 시 관할 구역 안에 있는 것을 감안하여 지방자치단체의 지위를 부여하지 않고, 현행 지방자치의 일반적인 모습인 2단계 지방자치단체의 구조를 형성한 입법자의 선택이 현저히 자의적이라고 보기 어렵다.

② 지방자치단체의 명칭과 구역은 종전과 같이 하고, 명칭과 구역을 바꾸거나 지방자치단체를 폐지하거나 설치하거나 나누거나 합칠 때에는 대통령령으로 정한다.

③ 지방자치단체를 폐지하거나 설치하거나 나누거나 합칠 때뿐 아니라, 지방자치단체의 관할 구역 경계구역 변경, 지방자치단체 한자 명칭 변경은 법률로 정한다.

④ 국회가 지방자치단체를 폐치·분합함에 있어서는 반드시 지방의회의 의견을 들어야 한다.

18 지방자치단체의 관할 구역에 대한 설명으로 옳지 않은 것은?

① 「지방자치법」에 규정된 지방자치단체의 구역은 주민·자치권과 함께 자치단체의 구성요소이고, 자치권이 미치는 관할 구역의 범위에는 육지는 물론 바다도 포함되므로, 공유수면에 대해서도 지방자치단체의 자치권한이 미친다.

② 지방자치단체에게는 자신의 관할 구역 내에 속하는 영토·영해·영공을 자유로이 관리하고 관할 구역 내의 사람과 물건을 독점적·배타적으로 지배할 수 있는 권리가 부여되어 있다.

③ 지방자치단체의 관할 구역 경계를 결정함에 있어서 명시적 법령이 없는 경우에는 경계에 관한 불문법을 따라야 하며, 불문법도 존재하지 않으면 헌법재판소가 형평의 원칙에 입각하여 합리적이고 공평하게 관할 구역의 경계를 획정할 수밖에 없다.

④ 국가기본도에 표시된 해상경계선에 따른 행정청의 관행이 있다면 국가기본도상의 해상경계선은 지방자치단체 관할 경계에 관하여 불문법으로서 그 기준이 될 수 있다.

19 매립지 귀속에 대한 설명으로 옳은 것은?

① 매립하기 전 공유수면의 경계에 따라 매립지의 지방자치단체 귀속을 결정해야 한다.

② 「지방자치법」 제4조 제1항에 따라 지방자치단체는 관할구역 안 공유수면이 매립된 경우 매립지에 대한 관할 권한을 가진다.

③ 「공유수면 관리 및 매립에 관한 법률」에 따른 매립지가 속할 지방자치단체는 행정안전부장관이 결정한다.

④ 관계 지방자치단체는 매립지 귀속결정에 이의가 있으면 그 결과를 통보받은 날부터 15일 이내에 헌법재판소에 소송을 제기할 수 있다.

20 주민의 권리에 대한 설명으로 옳은 것은?

① 지방자치단체 주민으로서의 자치권 또는 주민권은 헌법 전문과 헌법 제2조, 제10조, 제37조 제1항, 제117조 등에 의하여 간접 보장된 개인의 주관적 공권으로서, 지방자치단체 주민은 그 침해를 이유로 하여 자신이 거주하는 지방자치단체의 관할 구역에 세워진 고속철도역의 명칭결정의 취소를 구하는 헌법소원심판을 청구할 수 있다.

② 헌법은 선거권과 공무담임권, 국가안위에 관한 중요정책 및 헌법개정에 대한 국민투표권을 헌법상의 참정권으로 보장하고 있는바, 「지방자치법」상의 주민투표권도 그 성질상 선거권·공무담임권·국민투표권과 마찬가지이므로 헌법이 보장하는 참정권이라고 할 수 있다.

③ 조례제정·개폐청구권은 헌법 제37조 제1항의 '헌법에 열거되지 아니한 권리'로 볼 수 있으므로, 해당 지방자치단체의 주민이 그 침해를 이유로 제기한 「헌법재판소법」 제68조 제1항에 의한 헌법소원심판청구는 적법하다.

④ 「지방자치법」은 지방의회와 지방자치단체의 장에게 독자적 권한을 부여하고 상호 견제와 균형을 이루도록 하고 있으므로, 법률에 특별한 규정이 없는 한 조례로써 견제의 범위를 넘어서 고유권한을 침해하는 규정을 둘 수 없다. 「지방자치법」에 따르면, 주민투표의 시행 여부는 지방자치단체의 장의 임의적 재량에 맡겨져 있으므로, 지방의회가 조례로 정한 특정한 사항에 관하여는 일정한 기간 내에 반드시 주민투표를 실시하도록 규정한 조례안은 지방자치단체의 장의 고유권한을 침해하는 규정이어서 법령에 위반된다.

12회 진도별 모의고사

지방자치단체

정답 및 해설 p.86

제한시간 : 14분 | 시작시각 ___시 ___분 ~ 종료시각 ___시 ___분 나의 점수 ______

01 주민투표에 대한 설명으로 옳은 것은?

① 주민투표에 관련된 구체적 절차와 사항에 관하여는 따로 법률로 정하도록 하였다면 주민투표에 관련된 구체적인 절차와 사항에 대하여 입법하여야 할 헌법상 의무가 국회에게 발생하였다고 할 수는 있다.

② 주민투표를 실시함에 있어서 투표인명부 작성기준일을 투표일 전 19일로 정한 「주민투표법」이 작성기준일 이후에 전입신고를 한 청구인으로 하여금 주거지역에서 주민투표를 할 수 없도록 하여 청구인의 평등권을 침해한다.

③ 국가정책사항에 관한 주민투표에 있어서 주민투표소송을 배제하도록 규정한 「주민투표법」은 재판청구권과 평등권을 침해한다.

④ 지방자치단체의 폐치·분합에 관련하여 지방자치단체는 행정자치부장관(현 행정안전부장관)에게 주민투표 실시요구를 해 줄 것을 요구할 권한이 인정되지 않으므로 행정자치부장관이 서귀포시장에게 주민투표 실시를 요구하지 않았다면, 서귀포시에게 주민투표 실시를 요구할 권한이 발생했다고 볼 수 없다.

02 주민투표에 대한 설명으로 옳은 것은?

① 중앙행정기관의 장은 지방자치단체를 폐지하거나 설치하거나 나누거나 합치는 경우 또는 지방자치단체의 구역을 변경하거나, 주요시설을 설치하는 등 국가정책의 수립에 관하여 주민의 의견을 듣기 위하여 필요하다고 인정하는 때에는 주민투표의 실시구역을 정하여 관계 지방자치단체의 장에게 주민투표의 실시를 요구한 경우 지방자치단체의 장이 주민투표를 실시해야 한다.

② 지방자치단체의 장은 주민에게 과도한 부담을 주거나 중대한 영향을 미치는 지방자치단체의 주요결정사항으로서 그 지방자치단체의 조례로 정하는 사항에 대해서 지방의회 동의 없이 직권으로 주민투표를 실시할 수 있다.

③ 지방의회는 재적의원 과반수의 출석과 출석의원 3분의 2 이상의 찬성으로 그 지방자치단체의 장에게 주민투표의 실시를 청구할 수 있다.

④ 18세 이상 주민 중에 주민투표청구권자 총수의 20분의 1 이상 5분의 1 이하의 범위 내에서 대통령령이 정하는 수 이상의 서명으로 그 지방자치단체의 장에게 주민투표의 실시를 청구할 수 있다.

03 주민투표에 대한 설명으로 옳은 것을 모두 조합한 것은?

ㄱ. 주민투표의 대상, 발의자, 발의요건, 그 밖에 투표절차는 「지방자치법」에 규정되어 있다.
ㄴ. 「주민투표법」상 투표운동은 주민투표 발의일부터 주민투표일의 전일까지에 한하여 할 수 있는데, 해당 지방의회의원은 투표운동을 할 수 없으나 해당 지방자치단체의 장은 투표운동을 할 수 있다.
ㄷ. 지방자치단체의 예산·회계·계약 및 재산관리에 관한 사항과 지방세·사용료·수수료·분담금 등 각종 공과금의 부과 또는 감면에 관한 사항은 주민투표의 대상이 아니다.
ㄹ. 출입국관리 관계 법령에 따라 대한민국에 계속 거주할 수 있는 자격(체류자격변경허가 또는 체류기간연장허가를 통하여 계속 거주할 수 있는 경우를 포함한다)을 갖춘 외국인으로서 지방자치단체의 조례로 정한 사람에게 투표권이 인정된다.
ㅁ. 서울시 관악구 주민투표의 효력에 관하여 이의가 있는 주민투표권자는 주민투표권자 총수의 100분의 1 이상의 서명으로 서울시 선거관리위원회에 소청을 제기하고 이를 거쳐 대법원에 소를 제기할 수 있다.

① ㄱ, ㄷ, ㄹ　② ㄷ, ㄹ
③ ㄷ, ㄹ, ㅁ　④ ㄱ, ㄴ, ㅁ

04 주민투표에 대한 설명으로 옳은 것은?

① 주민투표에 부쳐진 사항은 주민투표권자 과반수 투표와 투표자 과반수의 찬성을 얻음으로써 확정된다.
② 지방자치단체의 장 및 지방의회는 주민투표 결과 확정된 사항에 대하여 2년 이내에는 이를 변경하거나 새로운 결정을 할 수 없다.
③ 지방자치단체의 결정사항에 대한 주민투표의 경우, 지방자치단체의 장 및 지방의회는 주민투표 결과에 구속되거나 주민투표 결과에 의하여 확정된 내용대로 행정·재정상의 필요한 조치를 하여야 할 법적인 의무를 부담한다고 할 수 없다.
④ 국가정책에 관한 주민투표가 확정된 경우 지방자치단체장 및 지방의회는 주민투표 결과 확정된 내용대로 행정·재정상의 필요한 조치를 취할 의무가 있다.

05 주민조례발안에 대한 법률에 대한 설명으로 옳지 않은 것은?

① 18세 이상의 주민으로서 해당 지방자치단체의 관할 구역에 주민등록이 되어 있는 사람은 조례를 제정하거나 개정 또는 폐지할 것을 청할 수 있다.
② 18세 이상의 주민으로서 「출입국관리법」 제10조에 따른 영주할 수 있는 체류자격 취득일 후 3년이 지난 외국인으로서 같은 법 제34조에 따라 해당 지방자치단체의 외국인등록대장에 올라 있는 사람은 조례를 제정하거나 개정 또는 폐지할 것을 청할 수 있다.
③ 18세 이상의 주민으로서 해당 지방자치단체의 관할 구역에 주민등록이 되어 있는 사람은 해당 지방자치단체의 장에 조례를 제정하거나 개정 또는 폐지할 것을 청구(주민조례청구)할 수 있다.
④ 지방세·사용료·수수료·부담금을 부과·징수 또는 감면하는 사항, 행정기구를 설치하거나 변경하는 사항, 공공시설의 설치를 반대하는 사항은 조례개폐청구의 대상이 되지 않는다.

06 주민조례발안에 관한 법률에 대한 설명으로 옳은 것은?

① 조례를 제정하거나 개정·폐지하여 줄 것을 청구하는 경우 특별시와 인구 800만 이상의 광역시나 도의 경우 해당 지방자치단체의 18세 이상 주민인 청구권자 총수의 200분의 1 이내에서 해당 지방자치단체의 대통령령으로 정하는 청구권자 수 이상이 연대 서명하여야 한다.
② 지방자치단체의 장은 주민조례청구를 수리한 날부터 60일 이내에 주민청구조례안을 지방의회에 부의하여야 한다.
③ 지방의회는 주민청구조례안이 수리된 날부터 1년 이내에 주민청구조례안을 의결하여야 한다.
④ 주민청구조례안은 주민청구조례안을 수리한 당시의 지방의회의원의 임기가 끝나면 다음 지방의회의원의 임기까지는 의결되지 못한 것 때문에 폐기된다.

07 지방자치법의 주민감사청구권에 대한 설명으로 옳은 것은?

① 동작구 지방자치단체의 19세 이상의 주민으로서 150명을 넘지 않는 범위 내에서 대통령령이 정하는 주민 수의 연서로 감사를 청구할 수 있다.

② 지방자치단체의 장의 권한에 속하는 사무처리가 법령에 위반된 경우에 한하여 지방의회 또는 감사원에 감사를 청구할 수 있다.

③ 시·도에서는 행정안전부장관에게, 시·군 및 자치구에서는 시·도지사에게 그 지방자치단체와 그 장의 권한에 속하는 사무의 처리가 법령에 위반되거나 공익을 현저히 해친다고 인정되면 감사를 청구할 수 있다.

④ 주민의 감사청구는 지방자치단체의 장의 사무처리가 있었던 날이나 끝난 날부터 3년이 지나면 제기할 수 없다.

08 지방자치법의 주민감사청구권에 대한 설명으로 옳지 않은 것은?

① 「출입국관리법」 제10조에 따른 영주할 수 있는 체류자격 취득일 후 3년이 경과한 외국인으로서 같은 법 제34조에 따라 해당 지방자치단체의 외국인등록대장에 올라 있는 사람도 감사청구권을 가진다.

② 다른 기관에서 감사하였거나 감사 중인 사항은 주민감사청구대상에서 제외된다.

③ 주무부장관이나 시·도지사는 주민감사청구를 처리(각하를 포함한다)할 때 청구인의 대표자에게 반드시 증거제출 및 의견진술의 기회를 주어야 한다.

④ 주무부장관이나 시·도지사는 감사청구를 수리한 날부터 90일 이내에 감사청구된 사항에 대하여 감사를 끝내야 하며, 감사 결과를 청구인의 대표자와 해당 지방자치단체의 장에게 서면으로 알리고, 공표하여야 한다.

09 주민소송에 대한 설명으로 옳지 않은 것은?

① 감사청구한 주민만 주민소송을 제기할 수 있으므로 주민감사청구를 반드시 거쳐야 주민소송을 제기할 수 있다.

② 감사청구한 서울시 관악구 주민은 감사 결과가 60일 지나도 감사를 끝내지 못한 경우 주민소송을 제기할 수 있다.

③ 주민소송은 대법원에 제기한다.

④ 주민소송을 적법하게 제기한 관악구 주민이 사망한 경우 소송절차는 중단되고 변호사가 소송대리인으로 있는 경우에도 마찬가지이다.

10 주민소송에 대한 설명으로 옳지 않은 것은?

① 동일한 소송이 진행 중이면 다른 주민은 같은 사항에 대하여 별도의 소송을 제기할 수 없다.

② 소송의 계속 중에 소송을 제기한 주민이 사망하거나 주민의 자격을 잃었다는 사실을 안 날부터 6개월 이내에 소송절차를 수계할 수 있다. 이 기간에 수계절차가 이루어지지 아니할 경우 그 소송절차는 종료된다.

③ 주민소송에서 당사자는 법원의 허가를 받지 아니하고도 소의 취하, 소송의 화해 또는 청구의 포기를 할 수 있다.

④ 주민소송은 「행정소송법」 제3조의 민중소송으로서 법률이 정한 경우 법률이 정한 자만 제기할 수 있다.

11 주민소환에 대한 설명으로 옳은 것은?

① 주민소환권은 주민소환제에 부수하여 법률상 창설된 권리일 뿐, 헌법에서 열거되지 아니한 기본권으로 볼 수는 없다.

② 주민소환제의 제도 형성에 관해서는 입법자에게 광범위한 입법재량이 인정되지만, 주민소환제는 주민의 참여를 적극 보장하고 이로써 주민자치를 실현하여 지방자치에도 부합하므로, 주민소환제 자체는 지방자치의 본질적인 내용에 해당한다.

③ 주민소환제 자체는 지방자치의 본질적인 내용이라고 할 수 있으므로 이를 보장하지 않는 것은 위헌이고, 어떤 특정한 내용의 주민소환제를 보장해야 한다는 헌법적인 요구가 있다고 볼 수 있다.

④ 주민소환제는 기본적으로 정치적 성격보다는 사법적 성격이 강한 것으로 평가될 수 있다.

12 주민소환에 대한 설명으로 옳은 것은?

① 주민소환투표의 청구시 주민소환의 청구사유에 제한을 두지 않는 것은 주민소환제가 남용될 소지가 크므로 선거로 선출된 대표자의 공무담임권을 침해한다.

② 주민소환투표가 발의되어 공고되었다는 이유만으로 곧바로 주민소환투표대상자의 권한 행사가 정지되도록 한 것은 주민소환투표대상자의 공무담임권을 침해한다.

③ 「주민소환법」에는 주민소환의 청구사유를 두고 있으므로 주민소환의 청구사유에 규정되지 아니한 사유로는 주민소환을 청구할 수 없다.

④ 주민소환투표청구를 위한 서명요청활동을 '소환청구인서명부를 제시'하거나 '구두로 주민소환투표의 취지나 이유를 설명하는' 두 가지 경우로만 엄격히 제한하고 이에 위반할 경우 형사처벌하는 「주민소환법」은 표현의 자유를 침해했다고 할 수 없다.

13 주민소환에 대한 설명으로 옳은 것을 모두 조합한 것은?

ㄱ. 주민은 그 지방자치단체의 장, 지역구지방의회의원 및 비례대표지방의회의원을 소환할 권리를 가진다.
ㄴ. 주민소환 투표 결과는 주민소환투표권자 총수의 3분의 1 이상의 투표와 투표자 과반수의 찬성으로 확정된다.
ㄷ. 「주민소환에 관한 법률」에 따르면, 주민소환투표인명부 작성기준일 현재 18세 이상의 외국인으로서 「출입국관리법」 제10조의 규정에 따른 영주의 체류자격 취득일 후 3년이 경과한 자 중 같은 법 제34조의 규정에 따라 당해 지방자치단체 관할 구역의 외국인등록대장에 등재된 자에게는 주민소환투표권이 부여된다.
ㄹ. 서울시장의 임기가 1년 미만일 때에도 주민소환투표의 실시를 청구할 수 없다.
ㅁ. 주민소환으로 그 직을 상실한 자는 그로 인하여 실시하는 이 법 또는 「공직선거법」에 의한 해당 보궐선거에 후보자로 등록할 수 없다.

① ㄱ, ㄴ　　② ㄹ, ㅁ
③ ㄷ, ㄹ, ㅁ　　④ ㄴ, ㄷ, ㄹ, ㅁ

14 주민소환에 대한 설명으로 옳지 않은 것은?

① 주민소환투표대상자는 관할 선거관리위원회가 주민소환투표안을 공고한 때부터 주민소환투표 결과를 공표할 때까지 그 권한 행사가 정지된다.

② 지방자치단체의 장의 권한이 정지된 경우에는 부지사·부시장·부군수·부구청장이 그 권한을 대행한다.

③ 주민소환이 확정된 때에는 주민소환투표대상자는 그 결과가 공표된 시점부터 그 직을 상실한다.

④ 주민소환제는 지방자치의 핵심이자 가장 본질적인 내용이라고 할 수 있으므로 이를 보장하지 않는 것은 위헌이다.

15 지방자치법에 대한 설명으로 옳은 것은?

① 주민은 지방자치단체 규칙(권리·의무와 직접 관련되는 사항으로 한정한다)의 제정, 개정 또는 폐지와 관련된 의견을 해당 지방자치단체의 장에게 제출할 수 있다.

② 지방의회의 의장은 지방자치단체의 장이나 재적 지방의회의원 3분의 1 이상이 요구하면 15일 이내에 임시회를 소집하여야 한다.

③ 지방자치단체의 장은 지방의회 사무직원을 지휘·감독하고 법령과 조례·의회규칙으로 정하는 바에 따라 그 임면·교육·훈련·복무·징계 등에 관한 사항을 처리한다.

④ 시·도와 시·군 및 자치구는 사무를 처리할 때 서로 겹치지 아니하도록 하여야 하며, 사무가 서로 겹치면 시·도에서 먼저 처리한다.

16 지방자치법에 대한 설명으로 옳지 않은 것은?

① 지방의회의 의장은 의결에서 표결권을 가지며, 찬성과 반대가 같으면 결정권을 가진다.

② 지방의회의원은 다른 의원의 자격에 대하여 이의가 있으면 재적의원 4분의 1 이상의 찬성으로 지방의회의 의장에게 자격심사를 청구할 수 있으며 자격심사대상인 지방의회의원에 대한 자격상실 의결은 재적의원 3분의 2 이상의 찬성이 있어야 한다.

③ 지방자치단체의 장의 임기는 4년으로 하며, 3기 내에서만 계속 재임할 수 있다.

④ 지방자치단체의 장은 회계연도마다 예산안을 편성하여 시·도는 회계연도 시작 50일 전까지, 시·군 및 자치구는 회계연도 시작 40일 전까지 지방의회에 제출하여야 한다.

17 지방자치단체의 장에 대한 설명으로 옳은 것은?

① 지방자치단체의 장이 궐위된 경우, 공소제기된 후 구금상태에 있는 경우, 금고 이상의 형이 선고되어 확정되지 않은 경우 부지사·부시장·부군수·부구청장이 그 권한을 대행한다.

② 지방자치단체의 장이 그 직을 가지고 그 지방자치단체의 장 선거에 입후보하면 예비후보자 또는 후보자로 등록한 날부터 선거일까지 단체장이 그 지방자치단체의 장의 권한을 행사한다.

③ 지방자치단체의 장은 지방의회가 지방의회의원이 구속되는 등의 사유로 제73조에 따른 의결정족수에 미달될 때와 지방의회의 의결사항 중 주민의 생명과 재산 보호를 위하여 긴급하게 필요한 사항으로서 지방의회를 소집할 시간적 여유가 없거나 지방의회에서 의결이 지체되어 의결되지 아니할 때에는 선결처분을 할 수 있다.

④ 선결처분은 지체 없이 지방의회에 보고하여 승인을 받아야 하나 지방의회에서 승인을 받지 못하면 그 선결처분은 소급하여 그 효력을 상실한다.

18 지방자치법에 대한 헌법재판소 판례와 일치하지 않는 것은?

① 농업협동조합의 조합장과 지방의회의원 직의 겸직을 금지하고 있는 「지방자치법」은 참정권을 침해한다.

② 정부투자기관 직원의 경우 지방의원 겸직을 금지하는 「지방자치법」은 헌법에 위반된다.

③ 헌법재판소에 따르면 지방자치단체장이 금고 이상의 형의 선고를 받고 그 판결이 확정될 때까지 부단체장이 권한을 대행하도록 한 「지방자치법」이 공무담임권을 침해한다.

④ 공소제기된 후 구금상태에 있는 경우 지방자치단체장의 권한을 부단체장이 대행한다는 「지방자치법」 규정은 공무담임권을 침해한다고 할 수 없다.

19 조례에 대한 설명으로 옳은 것은?

① 지방의회는 법령에 위반되지 않는 한 고유사무에 관하여 법률의 구체적 수권이나 위임이 없어도 조례를 제정할 수 있다.

② 조례제정은 원칙적으로 자치사무에 한정되며 단체위임사무와 기관위임사무에 대해서는 조례를 제정할 수 없다. 다만, 기관위임사무는 개별 법령에서 위임한 경우 예외적으로 그 효력을 인정할 수 있다.

③ 조례제정은 지방자치단체 또는 그 집행기관이 수행하는 사무를 위한 것이므로 지방자치단체는 자치사무와 단체위임사무 그리고 기관위임사무에 관하여 원칙적으로 조례를 제정할 수 있다.

④ 시·도교육청의 직속기관을 포함한 지방교육행정기관의 행정기구의 설치는 기본적으로 법률로 정할 사항이지 조례로써 결정할 사항이 아니다.

20 조례에 대한 설명으로 옳은 것은?

① 주민의 권리 제한 또는 의무 부과에 관한 사항이나 벌칙에 해당하는 조례를 제정할 경우에는 그 조례의 성질을 묻지 아니하고 법률의 위임이 있어야 하고 그러한 위임 없이 제정된 조례는 효력이 없다.

② 정보공개조례는 알 권리와 관련이 있으므로 「지방자치법」 제28조 단서의 법률의 위임이 있어야 제정할 수 있다.

③ 조례는 법령의 위임 또는 법령을 집행하기 위해 필요한 사항을 규율하는 자치법규이므로 국가법인 법령이 제정되어 있지 않다면 지방의회는 자치사무에 관한 조례를 제정할 수 없다.

④ 학교 운영자나 학교의 장, 교사, 학생 등으로 하여금 성별, 종교, 나이, 사회적 신분, 출신지역, 출신국가, 출신민족, 언어, 장애, 용모 등 신체조건, 임신 또는 출산, 가족형태 또는 가족상황, 인종, 경제적 지위, 피부색, 사상 또는 정치적 의견, 성적 지향, 성별 정체성, 병력, 징계, 성적 등의 사유를 이유로 한 차별적 언사나 행동, 혐오적 표현 등을 통해 다른 사람의 인권을 침해하지 못하도록 규정하고 있는 '서울특별시 학생인권조례'는 법률의 위임을 요하지 않는다.

진도별 모의고사

지방자치단체 ~ 제도적 보장

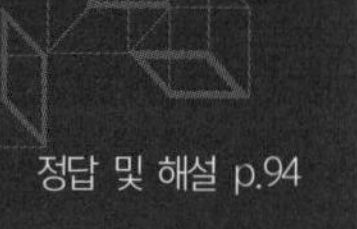

정답 및 해설 p.94

제한시간 : 14분 | 시작시각 ___시 ___분 ~ 종료시각 ___시 ___분 나의 점수 ______

01 조례에 대한 설명으로 옳은 것을 모두 조합한 것은?

> ㄱ. 지방자치단체는 조례의 실효성을 확보하기 위한 수단으로 조례 위반행위에 대한 벌칙을 정할 수 있는데, 여기서 말하는 벌칙의 개념에는 별도의 제한이 없으므로, 지방자치단체는 법률의 위임이 없이도 조례 위반행위에 대한 벌칙으로서 벌금, 구류, 과료와 같은 형벌을 정하여 부과할 수 있다.
> ㄴ. 조례 위반행위에 대하여 과태료를 부과하는 조례를 제정하는 것은 죄형법정주의에 위반된다.
> ㄷ. 법률에서 위임받은 사항을 전혀 규정하지 않고 하위법령에 재위임하는 것을 금지하는 '복위임금지원칙'은 조례가 「지방자치법」 제28조 단서에 따라 주민의 권리 제한 또는 의무 부과에 관한 사항을 법률로부터 위임받은 후 이를 다시 지방자치단체장이 정하는 '규칙'이나 '고시'에 재위임하는 경우에는 적용된다.
> ㄹ. 조례가 규정하고 있는 사항이 자치사무나 단체위임사무에 관한 것이라면 이는 자치조례로서 구 「지방자치법」 제28조가 규정하고 있는 '법령의 범위 안'이라는 사항적 한계가 적용될 뿐, 위임조례와 같이 국가법에 적용되는 일반적인 위임입법의 한계가 적용될 여지는 없다.

① ㄱ, ㄴ ② ㄴ, ㄷ
③ ㄷ, ㄹ ④ ㄴ, ㄹ

02 조례에 대한 설명으로 옳은 것은?

① 조례에 위임할 사항이 헌법 제75조 소정의 행정입법에 위임할 사항보다 더 포괄적이면 헌법에 반한다.
② 지방자치단체의 세 자녀 이상 세대 양육비 등 지원에 관한 조례안은 그 제정에 있어서 반드시 법률의 개별적 위임이 따로 필요하다.
③ 조례가 규율하는 특정 사항에 관하여 그것을 규율하는 국가의 법령이 이미 존재하는 경우에는 곧바로 그 조례는 상위법에 반하여 무효가 된다.
④ 학교 구성원인 청구인들의 표현의 자유를 제한하는 조례에 대한 법률의 위임은 반드시 구체적으로 범위를 정하여 할 필요가 없으며 포괄적인 것으로 족하다.

03 조례에 대한 설명으로 옳지 않은 것은?

① 조례가 지방의회의 의결로 제정되는 지방자치단체의 자주법이라고 하더라도 그것이 법률의 위임에 따라 제정되는 것인 이상, 조례도 위임명령과 마찬가지로 포괄적 위임은 허용될 여지가 없다.

② 처벌법규의 위임은, 헌법이 특별히 인권을 최대한으로 보장하기 위하여 죄형법정주의와 적법절차를 규정하고 법률에 의한 처벌을 특별히 강조하고 있는 기본권 보장 우위사상에 비추어 바람직스럽지 못한 일이므로, 그 요건과 범위가 보다 엄격하게 제한적으로 적용되어야 한다.

③ 헌법재판소는 「지방세법」에서 지방자치단체가 과세면제조례를 제정할 때 미리 감독관청의 허가를 받도록 정한 것이 자치입법권의 침해가 아니라고 한다.

④ 동일한 행위에 대하여 甲 기초자치단체의 조례와 乙 기초자치단체의 조례가 규정한 벌칙이 상이하다고 하여 그 이유만으로는 특별한 사정이 없는 한 평등의 원칙에 위배된다고 할 수 없다.

04 조례제정절차에 대한 설명으로 옳은 것은?

① 조례안이 지방의회에서 의결되면 지방의회의 의장은 의결된 날부터 5일 이내에 그 지방자치단체의 장에게 이송하여야 한다.

② 지방자치단체의 장은 조례안을 이송받으면 15일 이내에 공포하여야 한다.

③ 지방자치단체의 장은 조례안의 일부에 대하여 또는 조례안을 수정하여 재의를 요구할 수 있다.

④ 지방의회는 재의요구를 받으면 조례안을 재의에 부치고 재적의원 과반수의 출석과 출석의원 3분의 2 이상의 찬성으로 수정의결을 하면 그 조례안은 조례로서 확정된다.

05 조례제정절차에 대한 설명으로 옳은 것은?

① 지방자치단체의 장이 법정기간 내 공포하지 아니하거나 재의요구를 하지 아니하면 그 조례안은 폐기된다.

② 지방의회에서 확정된 조례가 지방자치단체의 장에게 이송된 후 5일 이내에 지방의회의 의장이 공포한다.

③ 조례안이 지방의회에서 의결되면 의장은 의결된 날부터 15일 이내에 그 지방자치단체의 장에게 이를 이송하여야 한다.

④ 조례와 규칙은 특별한 규정이 없으면 공포한 날부터 20일이 지나면 효력을 발생한다.

06 조례에 대한 설명으로 옳은 것은?

① 조례안의 재의결에 대해서 무효확인소송이 제기된 경우 그 심리대상은 재의결된 모든 사항이므로 지방의회에 재의를 요구할 당시 이의사항으로 지적되어 재의결에서 심의의 대상이 된 것에 국한된다고 할 수 없다.

② 재의결의 내용 전부가 아니라 그 일부만이 위법한 경우라도 대법원은 재의요구에서 지적한 이의사항만 효력을 부인하는 것이 아니라 재의결 전부 효력을 부인한다.

③ 조례가 집행행위의 개입 없이도 그 자체로서 직접 국민의 구체적인 권리·의무나 법적 이익에 영향을 미치는 등의 법률상 효과를 발생하는 경우 그 조례는 항고소송의 대상이 되는 행정처분에 해당하고, 이러한 조례에 대한 무효확인소송을 제기함에 있어서 피고적격이 있는 처분 등을 행한 행정청은 행정주체인 지방자치단체이다.

④ 조례에 의하여 기본권을 침해받고 있다고 주장하는 자는 그 권리구제를 위해서 당해 조례에 대한 헌법소원심판청구를 할 수 없다.

07 지방자치단체에 관한 헌법재판소 판례에 대한 설명으로 옳지 않은 것은?

① 학기당 2시간 정도의 인권교육의 편성·실시는 「지방자치법」 제9조 제2항 제5호가 지방자치단체의 사무로 예시한 교육에 관한 사무로서 초등학교·중학교·고등학교 등의 운영·지도에 관한 사무에 속한다.

② 법률의 위임에 의하여 형벌규정을 조례로 정하는 경우에도, 그 한도 내에서 일반적인 국가법이 되는 것은 아니고 해당 지방자치단체에서만 효력을 가진다.

③ 지방자치제도는 헌법상 제도적 보장이기 때문에 기본권 보장과 마찬가지로 최대보장의 원칙이 적용된다.

④ 수도권지역에서 공장 신설 등의 총 허용량을 정한 뒤 이를 초과하는 부분의 신설 등을 제한하는 '공장총량제'는 지방자치제도의 본질적 내용을 침해하지 않는다.

08 지방자치제도에 대한 설명으로 옳은 것은?

① 피청구인 강남구선거관리위원회의 청구인 서울특별시 강남구에 대한 지방자치단체 선거관리경비 산출 통보행위는 권한쟁의심판의 대상이 되는 처분에 해당한다.

② 각종 선거의 선거비용 부담주체가 정당이나 후보자 이외에는 반드시 국가여야 한다는 것은 아니며, 선거의 성격이 무엇이냐에 그 경비 부담주체도 달라질 수 있다.

③ 지방선거관리사무는 국가의 권한과 책임하에 이루어지는 국가사무라고 할 것인바, 피청구인 국회가 「공직선거법」 규정을 개정하여 지방선거관리비용을 해당 지방자치단체에게 부담시킨 것은 지방자치단체의 지방재정권을 침해한 것으로서 무효이다.

④ 지방선거관리사무에 대하여 헌법기관이자 국가기관인 선거관리위원회가 전적인 권한과 책임을 가짐으로써 지방자치단체는 해당 단체장 및 지방의회의원을 선출하는 데 있어서 아무런 결정 및 관여를 할 수 없는 점에 비추어 볼 때, 지방선거관리사무를 지방자치단체의 자치사무에 포함시킬 수는 없다.

09 기관위임사무에 대한 설명으로 옳지 않은 것은?

① 국가사무로서의 성격을 가지고 있는 기관위임사무의 집행권한의 존부 및 범위에 관하여 지방자치단체가 청구한 권한쟁의심판청구는 지방자치단체의 권한에 속하지 아니하는 사무에 관한 심판청구로서 그 청구가 부적법하다.

② 지방자치단체의 장이 기관위임사무를 처리한 경우 그 효과는 해당 지방자치단체에 귀속된다.

③ 지방자치단체의 장이 기관위임사무인 국가사무를 처리하는 경우에 국가는 그 사무의 처리에 관하여 지방자치단체의 장을 상대로 항고소송을 제기할 수 없다.

④ 지방자치단체의 장은 법령이나 조례의 범위 내에서 규칙을 제정할 수 있고, 이때 규칙의 규율범위는 자치사무, 단체위임사무, 기관위임사무를 포괄한다.

10 지방자치제도에 대한 설명으로 옳지 않은 것은?

① 교육감 소속 교육장 등에 대한 징계의결요구 내지 그 신청사무는 징계사무의 일부로서 대통령, 교육부장관으로부터 교육감에게 위임된 국가위임사무이다.

② 지방자치단체의 폐치·분합 법률은 기본권의 침해 문제가 발생하지 않으므로 헌법소원심판을 청구할 수 없다.

③ 지방자치단체의 권한에 부정적인 영향을 주어서 법적으로 문제되는 경우에는 사실행위나 내부적인 행위도 권한쟁의심판의 대상이 되는 처분에 해당한다.

④ 지방의회가 의결한 예산이 예산편성기준 등에 관하여 직접 규율하는 법령이나 조례에 위배되는 경우 그러한 예산 관련 행위는 위법하고 세출예산의 집행목적이 법령이나 조례에 위반된다고 하여 해당 예산안 의결이 효력이 없다.

11 지방자치단체장의 명령이나 처분에 대한 통제에 대한 설명으로 옳지 않은 것을 모두 조합한 것은?

ㄱ. 지방자치단체의 단체위임사무에 관한 지방자치단체의 장(제103조 제2항에 따른 사무의 경우에는 지방의회의 의장을 말한다. 이하 이 조에서 같다)의 명령이나 처분이 법령에 위반되거나 현저히 부당하여 공익을 해친다고 인정되면 시·도에 대해서는 주무부장관이, 시·군 및 자치구에 대해서는 시·도지사가 기간을 정하여 서면으로 시정할 것을 명하고, 그 기간에 이행하지 아니하면 이를 취소하거나 정지할 수 있다.
ㄴ. 주무부장관은 지방자치단체의 단체위임사무에 관한 시장·군수 및 자치구의 구청장의 명령이나 처분이 법령에 위반되거나 현저히 부당하여 공익을 해침에도 불구하고 시·도지사가 시정명령을 하지 아니하면 시·도지사에게 기간을 정하여 시정명령을 하도록 명할 수 있다.
ㄷ. 주무부장관은 시·도지사가 시장·군수 및 자치구의 구청장에게 시정명령을 하였으나 이를 이행하지 아니한 데 따른 취소·정지를 하지 아니하는 경우에는 시·도지사에게 기간을 정하여 시장·군수 및 자치구의 구청장의 명령이나 처분을 취소하거나 정지할 것을 명하고, 그 기간에 이행하지 아니하면 주무부장관이 이를 직접 취소하거나 정지할 수 있다.
ㄹ. 지방자치단체의 자치사무에 관한 지방자치단체의 장의 명령이나 처분이 법령에 위반되거나 현저히 부당하여 공익을 해친다고 인정되면 시·도에 대해서는 주무부장관이, 시·군 및 자치구에 대해서는 시·도지사가 기간을 정하여 서면으로 시정할 것을 명하고, 그 기간에 이행하지 아니하면 이를 취소하거나 정지할 수 있다.
ㅁ. 지방자치단체장은 단체위임사무에 관한 명령이나 처분의 취소 또는 정지에 대하여 이의가 있으면 그 취소처분 또는 정지처분을 통보받은 날부터 15일 이내에 대법원에 소를 제기할 수 있다.

① ㄱ, ㄷ　　② ㄷ, ㄹ
③ ㄴ, ㅁ　　④ ㄹ, ㅁ

12 지방자치단체의 장에 대한 직무이행명령에 대한 설명으로 옳지 않은 것을 모두 조합한 것은?

ㄱ. 지방자치단체의 장에 대한 직무이행명령은 기관위임사무에 한정된다.
ㄴ. 지방자치단체의 장이 법령에 따라 그 의무에 속하는 국가위임사무나 시·도위임사무의 관리와 집행을 명백히 게을리하고 있다고 인정되면 시·도에 대해서는 행정안전부장관이, 시·군 및 자치구에 대해서는 시·도지사가 기간을 정하여 서면으로 이행할 사항을 명령할 수 있다.
ㄷ. 주무부장관이나 시·도지사는 해당 지방자치단체의 장이 직무이행명령기간에 이행명령을 이행하지 아니하면 그 지방자치단체의 비용부담으로 대집행 또는 행정상·재정상 필요한 조치를 할 수 있다. 이 경우 행정대집행에 관하여는 「행정대집행법」을 준용한다.
ㄹ. 주무부장관은 시장·군수 및 자치구의 구청장이 법령에 따라 그 의무에 속하는 국가위임사무의 관리와 집행을 명백히 게을리하고 있다고 인정됨에도 불구하고 시·도지사가 직무이행명령을 하지 아니하는 경우 시·도지사에게 기간을 정하여 이행명령을 하도록 명할 수 있다.
ㅁ. 지방자치단체의 장은 직무이행명령에 이의가 있으면 이행명령서를 접수한 날부터 20일 이내에 헌법재판소에 소를 제기할 수 있다. 이 경우 지방자치단체의 장은 이행명령의 집행을 정지하게 하는 집행정지결정을 신청할 수 있다.

① ㄱ, ㄴ　　② ㄱ, ㅁ
③ ㄴ, ㅁ　　④ ㄷ, ㄹ

13 지방의회의 의결에 대한 설명으로 옳은 것은?

① 지방의회의 의결이 법령에 위반되거나 공익을 현저히 해친다고 판단되면 시·도에 대해서는 주무부장관이, 시·군 및 자치구에 대해서는 시·도지사가 해당 지방자치단체의 장에게 재의를 요구하게 할 수 있고, 재의요구지시를 받은 지방자치단체의 장은 의결사항을 이송받은 날부터 15일 이내에 지방의회에 이유를 붙여 재의를 요구하여야 한다.

② 시·군 및 자치구의회의 의결이 법령에 위반되거나 공익을 현저히 해친다고 판단되면 시·도지사가 재의를 요구하게 하지 아니한 경우 주무부장관이 직접 시장·군수 및 자치구의 구청장에게 재의를 요구하게 할 수 있다.

③ 지방의회가 재의의 요구에 대하여 재의한 결과 재적의원 과반수의 출석과 출석의원 3분의 2 이상의 찬성으로 전과 같은 의결을 하면 그 의결사항은 확정된다.

④ 지방자치단체의 장은 재의결된 사항이 법령에 위반되거나 공익을 현저히 해친다고 판단되면 재의결된 날부터 20일 이내에 대법원에 소를 제기할 수 있다.

14 감사원의 지방자치단체 자치사무 감사에 대한 헌법재판소 결정과 일치하는 것은?

① 「감사원법」을 살펴보면, 지방자치단체의 사무의 성격이나 종류에 따른 감사의 범위를 구별해서 규정하고 있다.

② 지방자치단체의 자치사무에 대한 감사원의 감사를 합법성 감사에 한정하지 않아도 그 목적의 정당성과 합리성을 인정할 수 없다.

③ 중앙행정기관의 장은 자치사무에 대하여 사전적·포괄적 감사를 할 수 없으나, 감사원은 자치사무에 대하여 사전적·포괄적 감사를 할 수 있다.

④ 헌법재판소 결정에 의할 때, 감사원이 지방자치단체를 상대로 감사를 하면서 위임사무에 대하여 뿐만 아니라 자치사무에 대하여도 합법성 감사와 더불어 합목적성 감사까지 하는 것은 그것이 법률에 근거하여 이루어진 감사행위라고 하여도 헌법상 보장된 지방자치권의 본질적 내용을 침해한 것이다.

15 군사제도에 대한 설명으로 옳은 것은?

① 대통령의 국군통수권에는 국군지휘권, 국군편성권, 국군규율권, 군사재판권 등이 포함된다.

② 대통령의 국군통수권 행사는 대통령령이 정하는 바에 따르도록 하여 군통수에도 법치주의를 관철하고 있다.

③ 군에 대한 문민통제의 원칙상 국방부장관에게 군사작전권인 군령권을 부여하고, 합동참모의장에게 군을 조직·유지·관리하는 양병권인 군정권을 부여하고 있다.

④ 국군통수권은 군령과 군정에 관한 권한을 포괄하고, 여기서 군령이란 국방목적을 위하여 군을 현실적으로 지휘·명령하고 통솔하는 용병작용을, 군정이란 군을 조직·유지·관리하는 양병작용을 말한다.

16 군사제도에 대한 설명으로 옳은 것은?

① 국군의 조직과 편성은 대통령령으로 정하도록 하고 있다.

② 안전보장에 관한 조약과 강화조약은 물론 선전포고, 국군의 외국 파견 또는 외국 군대의 대한민국 영역 안에서의 주류에 대해서도 국회의 동의를 얻도록 하고 있다.

③ 군사에 관한 중요사항, 합동참모의장과 각군 참모총장의 임명은 국무회의의 심의를 거칠 수 있도록 하고 있다.

④ 국내 정치에 군을 동원할 목적으로 계엄선포권이 남용될 수 있기 때문에, 이를 통제하기 위하여 대통령에게는 국회에 계엄선포를 통지할 의무를 부과하고, 국회에는 계엄승인권을 부여하고 있다.

⑤ 징집대상자의 범위를 결정하는 문제는 그 목적이 국가안보와 직결되어 있고, 그 성질상 '최적의 전투력'을 유지할 수 있도록 합목적적으로 정해야 하는 사항이라고는 할 수 없기 때문에, 본질적으로 입법자의 입법형성권이 광범위하게 인정되어야 하는 영역은 아니다.

17 기본권의 역사에 대한 설명으로 옳지 않은 것은 모두 몇 개인가?

ㄱ. 1776년 6월 버지니아권리장전과 1776년 7월 미국 독립선언에서는 국민에게 저항권이 있음을 천명하고 있으며, 1787년에 제정된 미국 연방헌법은 권리장전을 두어 종교의 자유 표현의 자유, 신체의 자유, 사유재산제도의 보장, 주거의 안전 등을 규정하고 있다.
ㄴ. 1849년 프랑크푸르트헌법은 선진적 헌법이었으나 좌초되었고 사회적 기본권은 독일의 바이마르헌법에서 보장된 후 각국 헌법에 널리 계승되었으며, 1946년 10월 프랑스 제4공화국 헌법은 전문에서 생존권을 규정하였고, 1949년 독일 기본법도 사회국가원리를 선언하고 있다.
ㄷ. 영국의 권리장전들에서 보장되는 자유와 권리는 기존의 자유와 권리를 재확인한 것으로 절차적 보장에 역점을 둔 측면이 강한 반면에, 미국이나 프랑스에서는 천부적 인권의 불가침성을 강조하였다.
ㄹ. 1776년 버지니아권리장전과 미국 독립선언은 행복추구권을 규정하였으나, 인간의 존엄성을 규정하지는 않았다.
ㅁ. 1789년 프랑스 인간과 시민의 권리에 관한 제 선언은 인권의 자연권성과 불가양성을 거듭하여 강조하고 권력분립과 자유가 없는 사회는 헌법을 가졌다고 할 수 없다고 규정하여 근대입헌주의를 정의한 바 있고, 오늘날 프랑스에서도 규범적 효력이 유지되고 있다.
ㅂ. 1949년 제정된 본(Bonn)기본법은 인간의 존엄성 보장을 위한 장치로서 자유권과 사회권에 관한 규정을 두고 있다.

① 1개 ② 2개
③ 3개 ④ 4개

18 기본권에 대한 설명으로 옳지 않은 것은?

① 켈젠(H. Kelsen)은 기본권은 반사적 이익이며 국가권력이 부여한 은혜적인 것이므로 기본권을 근거로 국가에게 작위나 부작위를 청구할 수 없다고 주장하였다.

② 기본권이 주관적 권리이자 객관적 질서라는 이중성은 칼 슈미트가 인정한 권리의 성격이다.

③ 법률에서 창설된 권리 침해를 이유로 헌법소원심판을 청구할 수 없으나, 계약의 자유는 헌법상 권리이므로 계약의 자유 침해를 이유로 헌법소원심판을 청구할 수 있다.

④ 칼 슈미트에 따르면 자유는 법률안의 자유로서 실정법적 권리가 아니고 전국가적 권리이며, 국가에게 부작위를 청구하는 소극적 권리이다.

19 기본권에 대한 설명으로 옳지 않은 것은?

① 기본권의 대사인적 효력이 인정되는 것은 바로 기본권의 주관적 공권성에서 인정되는 기본권의 효력이 인정되기 때문이다.

② 독일 헌법은 기본권의 양면성을 규정하고 있으나, 우리 헌법은 이에 대한 규정을 두고 있지 않다. 기본권의 양면성이 인정되더라도 기본권의 1차적 의미는 주관적 권리 또는 방어적 권리로서의 성격이다.

③ 기본권의 객관적 질서로서의 성격에 따라 국가조직법과 절차법이 규정됨으로서 기본권의 주관적 공권은 강화되므로 객관적 질서로서의 성격은 인정되어도 주관적 공권으로서의 성격이 약화되는 것은 아니라는 것이 기본권의 양면성을 인정하는 자들의 주장이다.

④ 헌법재판소는 직업의 자유, 양심의 자유 등에 대하여 기본권의 주관적 권리성과 객관적 질서의 성격을 가진다고 명시적으로 인정하고 있다.

20 제도적 보장에 대한 설명으로 옳은 것은?

① 칼 슈미트는 "자유는 제도이다."라고 하여 자유와 제도를 동일시하는 제도적 보장이론을 주장하였다.

② 제도적 보장은 헌법에 의해서 비로소 창설된 제도를 그대로 유지함을 목표로 한다.

③ 제도적 보장이론은 통합주의자인 스멘트의 주장에 영향을 받은 이론이다.

④ 제도적 보장이론을 체계화한 것은 칼 슈미트인데, 그에 의하면 제도적 보장의 대상은 역사적·전통적으로 형성된 기존의 제도일 뿐이므로, 헌법으로 특정의 제도를 창설하는 것을 의미하지는 않는다.

진도별 모의고사

제도적 보장 ~ 기본권 주체성

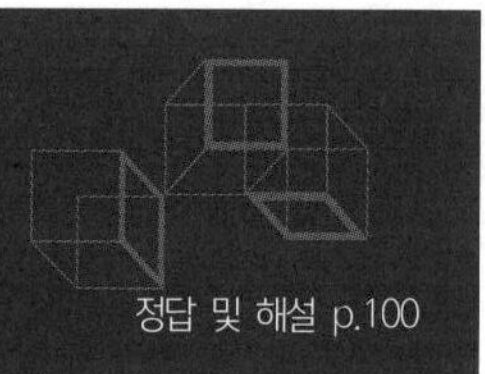

정답 및 해설 p.100

제한시간 : 14분 | 시작시각 ___시 ___분 ~ 종료시각 ___시 ___분 나의 점수 ______

01 제도적 보장에 대한 설명으로 옳은 것을 모두 조합한 것은?

ㄱ. 제도적 보장은 헌법제정권자가 특히 중요하고도 가치가 있어서 헌법적으로 보장할 필요가 있다고 생각되는 국가제도를 법률에 규정함으로써 장래에 법 발전, 법형성의 방침과 범주를 미리 규율하는 데 있다.
ㄴ. 제도적 보장은 헌법에 의하여 일정한 제도가 보장되었다면 입법자는 그 제도를 설정하고 유지할 입법의무를 진다.
ㄷ. 기본권이 입법권·집행권·사법권을 구속하는 법규범인데 반하여, 제도적 보장은 프로그램적 규정으로서 재판규범으로서의 기능을 하지 못한다.
ㄹ. 헌법에 의하여 일정한 제도가 보장되면 입법자는 그 제도를 설정하고 유지할 입법의무를 지게 될 뿐만 아니라 헌법에 규정되어 있기 때문에 법률로써 제도를 폐지할 수 없다.

① ㄱ, ㄴ ② ㄴ, ㄷ
③ ㄴ, ㄹ ④ ㄱ, ㄹ

02 제도적 보장에 대한 설명으로 옳은 것은 모두 몇 개인가?

ㄱ. 제도 보장규정은 주관적 권리가 아닌 객관적 법규범이라는 점에서 기본권과 구별되며, 제도 보장 그 자체만을 근거로 소를 제기할 수는 없는 것이지만, 단순한 프로그램적 규정이 아니라 재판규범으로서의 성질을 갖는다.
ㄴ. 우리나라의 학설과 판례에 의하면 제도는 국법질서에 의하여 국가 내에서 인정되는 객관적 법규범인 동시에 재판규범으로 기능하며, 기본권과 달리 최대한의 보장을 내용으로 한다.
ㄷ. 기본권과 제도적 보장은 보충적 내지 중복적으로 보장될 수 있다.
ㄹ. 제도적 보장이란 것은 그 제도의 폐지나 본질적 침해를 방지하고자 하는 소극적·최소한도의 보장을 의미하는 것으로서, 그 본질적 내용이 입법에 의하여 결정된다.
ㅁ. 헌법 제23조 재산권조항은 사유재산권과 사유재산제도를 동시에 보장하는 보장병존형에 해당한다.
ㅂ. 제도적 보장은 최대한 보장의 원칙에 따라 입법자는 제도적 보장의 구체적인 내용과 형태의 형성권을 폭넓게 인정받을 수 없다.
ㅅ. 교육을 받을 권리와 교육제도에 관련해서, 교육을 받을 권리가 교육제도에 수반되는 형태다.

① 1개 ② 2개
③ 3개 ④ 4개

03 기본권의 구체적 권리 또는 추상적 권리에 대한 헌법재판소 및 대법원 판례와 일치하지 않는 것은 모두 몇 개인가?

ㄱ. 피의자와 피고인이 변호인과 상담하고, 조언을 구할 권리는 헌법 제12조 제4항의 변호인의 조력을 받을 권리의 내용 중 구체적 입법형성 없이 바로 도출되는 구체적 권리이다.
ㄴ. 알 권리는 구체적 법률제정이 없더라도 헌법 제21조의 언론의 자유에서 직접 인정되는 구체적 권리이다.
ㄷ. 헌법 제27조 제3항의 신속한 재판을 받을 권리는 법률에 의한 구체적 형성 없이는 신속한 재판을 위한 어떤 직접적이고 구체적인 청구권이 발생하지 아니한다.
ㄹ. 중등학교 무상교육을 받을 권리는 법률규정이 있어야 헌법상 인정되는 권리이다.
ㅁ. 인간의 존엄에 상응하는 최소한의 물질적 유지에 필요한 급부 그 이상의 급부를 요구할 수 있는 권리도 헌법 제34조의 인간다운 생활을 할 권리로부터 직접 도출되는 구체적 권리이다.
ㅂ. 산재피해 근로자에게 인정되는 산재보험수급권도 그와 같은 입법재량권의 행사에 의하여 제정된 「산업재해보상보험법」에 의하여 비로소 구체화되는 '법률상의 권리'이며, 개인에게 국가에 대한 사회보장·사회복지 또는 재해예방 등과 관련된 적극적 급부청구권은 인정하고 있지 않다.
ㅅ. 환경권은 명문의 법률규정이나 관계 법령의 규정취지 및 조리에 비추어 권리의 주체, 대상, 내용, 행사방법 등이 구체적으로 정립될 수 있어야만 인정되는 것이므로, 사법상의 권리로서의 환경권을 인정하는 명문의 규정이 없는데도 환경권에 기하여 직접 방해배제청구권을 인정할 수 없다. 따라서 헌법 제35조의 환경권은 추상적 권리이다.
ㅇ. 대법원 판례에 따르면 만나고 싶은 사람을 만날 권리는 헌법 제10조의 행복추구권에서 직접 도출되는 것이므로 「형사소송법」상의 수용자의 접견권규정은 확인적 의미에 불과하다.

① 1개 ② 2개
③ 3개 ④ 4개

04 다음 중 기본권에 해당하지 않은 것은 모두 몇 개인가?

ㄱ. 학교법인을 운영할 권리
ㄴ. 자기결정권
ㄷ. 근로자가 연가를 받을 권리
ㄹ. 평화적 생존권
ㅁ. 국가인권위원회의 조사를 받을 권리
ㅂ. 육아휴직권
ㅅ. 재정사용의 합법성과 타당성을 감시하는 납세자의 권리
ㅇ. 명예권
ㅈ. 주민투표권
ㅊ. 부모의 자녀교육권
ㅋ. 개인정보자기결정권
ㅌ. 주민소환권
ㅍ. 영토권
ㅎ. 지방자치단체장 선거권
a. 국회구성권
b. 국회의원의 법률안 심의·표결권
c. 기업의 경쟁의 자유
d. 직장존속청구권
e. 노동조합에 가입하지 아니할 자유
f. 미결수용자가 변호인이 아닌 자와 접견할 권리
g. 통일에 대한 기본권

① 8개 ② 9개
③ 10개 ④ 11개

05 기본권 주체에 대한 설명으로 옳지 않은 것은?

① 기본권의 주체가 아닌 자는 「헌법재판소법」 제68조 제1항에 따른 헌법소원심판을 청구할 수 없다.
② 기본권의 주체가 될 수 있는 자만이 헌법소원을 청구할 수 있고, 이때 기본권의 주체가 될 수 있는 '자'라 함은 통상 출생 후의 인간을 가리키는 것이다.
③ 기본권 보유능력은 국민이면 누구나 가지는 것이며, 미성년자의 경우 기본권 보유능력을 갖고 있을 뿐만 아니라 기본권 행사능력도 있으나 일정한 경우에 제한될 뿐이다.
④ 기본권능력을 가진 사람은 모두 기본권 주체가 되고 기본권 주체가 기본권의 행사능력을 가진다.

06 기본권 주체에 대한 설명으로 옳은 것은?

① 입법자가 선거연령을 제한하는 것은 기본권의 보유능력을 제한하는 것이라 할 수 있다.

② 기본권 보유능력은 「민법」상의 권리능력과 일치하지 않는다.

③ 기본권의 성질상 인간의 권리에 해당하는 기본권은 외국인도 그 주체가 될 수 있다고 할 때 그것은 기본권 행사능력을 가짐을 의미한다.

④ 헌법은 국회의원 피선거권 행사능력을 18세로 직접 제한하고 있다.

07 기본권 주체에 대한 설명으로 옳은 것은?

① 기본권 보유능력은 국민이면 누구나 가지는 것이지만, 사자에게는 인정될 여지가 없다.

② 인간의 존엄과 가치, 행복추구권은 대체로 인간의 권리로서 외국인이 주체가 될 수 있고, 평등권도 인간의 권리로서 외국인이 주체가 될 수 있으나 참정권 등에 대한 성질상의 제한 및 상호주의에 따른 제한이 있을 수 있다.

③ 참정권은 국민주권의 원리상 국민에게만 부여되는 기본권으로서 외국인에게는 인정할 수 없지만, 현행법제는 지방선거에서 외국인에게 선거권과 피선거권을 인정한다.

④ 부모의 자녀에 대한 교육권은 모든 인간이 국적과 관계없이 누리는 양도할 수 없는 불가침의 인권이라기보다는 국민의 권리이므로 외국인은 그 주체성이 부정된다.

08 기본권 주체에 대한 설명으로 옳은 것은?

① 출국만기보험금은 퇴직금의 성질을 가지고 있으나 그 지급시기에 관한 것은 근로조건의 문제이므로 외국인인 청구인들에게 기본권 주체성이 인정되지 않는다.

② 근로의 권리의 내용 중 일할 자리에 관한 권리는 사회권적 기본권의 성격도 갖고 있으나, 외국인 근로자라고 하여 이에 대한 기본권 주체성을 부인할 수는 없다.

③ 인간의 권리로서 외국인에게도 주체성이 인정되는 일정한 기본권은 불법체류 여부에 따라 그 인정 여부가 달라지는 것은 아니다.

④ 불법체류 중인 외국인이라 하더라도 불법체류라는 것은 관련 법령에 의하여 체류자격이 인정되지 않는다는 것일 뿐이므로, '인간의 권리'로서 외국인에게도 주체성이 인정되는 일정한 기본권에 관하여 불법체류 여부에 따라 그 인정 여부가 달라지는 것은 아니다. 그러므로 불법체류 중인 외국인이 '국가인권위원회의 공정한 조사를 받을 권리' 역시 변호인의 조력을 받을 권리, 재판청구권 등과 마찬가지로 외국인에게도 헌법상 인정되는 기본권에 해당한다고 보아야 한다.

09 기본권 주체에 대한 설명으로 옳은 것을 모두 조합한 것은?

ㄱ. 출입국관리법령에 따라 취업활동을 할 수 있는 체류자격을 받지 아니한 외국인근로자도 「노동조합 및 노동관계조정법」상의 근로자성이 인정되면, 노동조합을 설립하거나 노동조합에 가입할 수 있다.
ㄴ. 사회적 기본권은 외국인에게는 보장되지 않는 것이 원칙이다. 이에 따라 대법원은 외국인 노동자에게 「산업재해보상보험법」상의 요양급여청구권을 부정하였다.
ㄷ. 외국인은 해당 국가의 상호 보증이 있는 경우에만 형사보상청구권의 주체가 될 수 있다.
ㄹ. 외국인의 국가배상청구권은 상호 보증이 있는 때에 한하여 인정된다.

① ㄱ, ㄷ ② ㄴ, ㄷ
③ ㄷ, ㄹ ④ ㄱ, ㄹ

10 기본권 주체에 대한 설명으로 옳은 것은?

① 특별한 조약이 없는 한 외국인에게 입국을 허가할 의무가 없으므로 외국인은 원칙적으로 입국의 자유가 없다.

② 직장선택의 자유는 성질상 참정권, 사회권적 기본권, 입국의 자유 등과 같이 외국인의 기본권 주체성을 전면적으로 부정할 수 있다.

③ 외국인이 법률에 따라 고용허가를 받아 적법하게 근로관계를 형성한 경우에도 외국인은 그 근로관계를 유지하거나 포기하는 데 있어서 직장선택의 자유에 대한 기본권 주체성을 인정할 수 없다.

④ 기본권 주체성의 인정 문제와 기본권 제한의 정도는 별개의 문제이므로 외국인에게 근로의 권리에 대한 기본권 주체성을 인정한다는 것이 곧바로 우리 국민과 동일한 수준의 보장을 한다는 것을 의미한다.

11 법인의 기본권 주체성에 대한 설명으로 옳은 것은?

① 자동차매매사업조합은 비영리사단법인으로서 기본권 주체가 될 수 있으므로 헌법소원심판을 청구할 수 있다.

② 국가, 지방자치단체나 그 기관 또는 국가조직의 일부나 공법인은 원칙적으로 기본권의 수범자이자 동시에 기본권의 주체가 되는 이중적 지위에 있다.

③ 법인은 자연인과 마찬가지로 포괄적인 기본권 주체로서 인정된다.

④ 법인이 아닌 사단·재단의 경우 대표자가 있고 독립된 사회적 조직체로 활동하고 있다 해도 법인이 아니어서 권리의 귀속주체가 될 수 없으므로 기본권 주체성이 부인된다.

12 법인의 기본권 주체성에 대한 설명으로 옳은 것은?

① 「민법」상 법인격 없는 사단은 대표자의 정함이 있고 독립된 사회적 조직체로 활동하는 경우에도 그 자체에 대하여 기본권 주체성이 인정되는 것이 아니라, 개개의 구성원에 대하여 기본권 주체성이 인정될 뿐이다.

② 법인은 직업수행의 자유의 주체가 될 수 있으나, 자연인의 권리인 거주·이전의 자유의 주체가 될 수는 없다.

③ 인간의 존엄과 가치에서 유래하는 인격권은 자연적 생명체로서 개인의 존재를 전제로 하는 기본권으로서 그 성질상 법인에게는 적용될 수 없으므로 법인의 인격권을 과잉제한했는지 여부를 판단하기 위해 기본권 제한에 대한 헌법원칙인 비례심사를 할 수는 없다.

④ 전형적인 법실증주의의 관점에서는 법인은 기본권의 주체가 될 수 있다는 것이 원칙이다.

13 법인의 기본권 주체성에 대한 설명으로 옳은 것은?

① 기본권을 초국가적·자연법적 성격을 가지는 것으로 보는 칼 슈미트의 기본권관에 의할 때 법인에게는 기본권 주체성을 인정하기 쉽다.

② 법인도 사단법인·재단법인 또는 영리법인·비영리법인은 가리지 아니하고 위 한계 내에서는 헌법상 보장된 기본권이 침해되었음을 이유로 헌법소원심판을 청구할 수 있으나, 법인 아닌 사단·재단은 그의 이름으로 헌법소원심판을 청구할 수 없다.

③ 서울시의회는 기본권의 '수범자'이지 기본권의 주체로서 그 '소지자'가 아니고 오히려 국민의 기본권을 보호 내지 실현해야 할 책임과 의무를 지니고 있는 지위에 있을 뿐이므로, 기본권의 주체가 될 수 없고 따라서 헌법소원을 제기할 수 있는 적격이 없다.

④ 공직자는 국가기관의 지위에서 순수한 직무상의 권한행사와 관련하여 기본권 침해를 주장하는 경우에는 기본권의 주체성을 인정하기 어려울 뿐 아니라 그 외의 사적인 영역에 있어서는 기본권의 주체가 될 수 없다.

14 법인의 기본권 주체성에 대한 설명으로 옳은 것은?

① 우리 헌법은 내국법인의 기본권 주체성을 직접 규정하고 있지 않으므로 판례에서는 이를 인정하고 있지 않다.

② 공법상 재단법인인 방송문화진흥회가 최다출자자인 방송사업자는 관련 규정에 의하여 공법상의 의무를 부담하고 있기 때문에 기본권 주체가 될 수 없다.

③ 사립중·고등학교는 교육을 위한 시설에 불과하여 청구인 ㅇㅇ중·상업고등학교는 교육을 위한 시설에 불과하여 우리 「민법」상 권리능력이나 「민사소송법」상 당사자능력이 없다.

④ 대한예수교장로회 신학연구원은 비법인재단에 해당되므로 기본권의 주체가 될 수 없다.

15 법인의 기본권 주체성에 대한 설명으로 옳지 않은 것은?

① 사단법인 한국급식협회는 기본권의 주체가 될 수 있으므로 청구인 협회의 이름으로 헌법소원심판을 청구할 수 있다.

② 헌법재판소는 법인에 대해서 기본권 주체성을 인정하였고, 법인이 아닌 사단·재단에 대해서도 기본권의 주체가 될 수 있다고 하였다.

③ 대학의 자율성은 학문의 자유의 보장수단으로 대학에게 부여된 헌법상 기본권이므로 사립대학교와 마찬가지로 국립대학교도 이를 원용할 수 있으나, 교수회는 대학의 자치의 주체가 될 수 없다.

④ 학교안전공제회는 공법인적 성격과 사법인적 성격을 겸유하고 있는데, 재판청구권의 주체가 될 수 있다.

16 공법인의 기본권 주체성에 대한 설명으로 옳지 않은 것은?

① 헌법상 기본권에 의해 보호되는 생활영역에 직접 편입되어 있는 공법인은 기본권 주체가 될 수 있다.

② 공법인이나 이에 준하는 지위를 가진 자라 하더라도 공무를 수행하거나 고권적 행위를 하는 경우가 아닌 사경제주체로서 활동하는 경우나 조직법상 국가로부터 독립한 고유업무를 수행하는 경우, 그리고 다른 공권력주체와의 관계에서 지배복종관계가 성립되어 일반 사인처럼 그 지배하에 있는 경우 등에는 기본권 주체가 될 수 있다.

③ 헌법상 기본권의 주체가 될 수 있는 법인은 원칙적으로 사법인에 한하는 것이고, 공법인은 헌법의 수범자이지 기본권의 주체가 될 수 없다. 또 예외적으로 공법인적 성질을 가지는 법인이 기본권의 주체가 되는 경우에도 그 공법인적 성격으로 인한 제한을 받지 않을 수 없다.

④ 공법인이 다른 공법인에 대해 기본권관계인 복종관계가 성립하는 경우뿐 아니라 공법인이 국가와 지시·감독관계에 있는 경우에는 기본권의 주체가 될 수 있다.

17 기본권 주체성에 대한 설명으로 옳지 않은 것은?

① 공제회가 일부 공법인적 성격을 갖고 있다고 하더라도 공무를 수행하거나 고권적 행위를 하는 경우가 아닌 사경제주체로서 활동하는 경우나 조직법상 국가로부터 독립한 고유업무를 수행하는 경우, 그리고 다른 공권력 주체와의 관계에서 지배복종관계가 성립되어 일반 사인처럼 그 지배하에 있는 경우 등에는 기본권 주체가 될 수 있다.

② 헌법재판소는 정부와 민간이 함께 주주로서 참여하는 주식회사 형태의 공사혼합기업인 한국전력공사는 기본권 주체성이 인정하였다.

③ 국회의원은 국회 내 의안처리과정에서 질의권·토론권 및 표결권 등을 침해받았음을 원인으로 하는 경우 헌법소원을 제기할 적격이 있다.

④ 서울특별시의회는 기본권의 주체가 될 수 없으므로 헌법소원을 제기할 수 있는 적격이 없다.

18 **지방자치단체와 그 장의 기본권 주체성에 대한 설명으로 옳은 것은?**

① 지방자치단체의 장은 주민들의 기본권을 보호하기 위해 필요한 범위 내에서 그 자신이 기본권의 주체가 될 수 있다.

② 지방자치단체의 장은 주민의 복리를 증진하기 위하여 활동하는 범위 내에서 기본권을 향유할 수 없다.

③ 선출직공무원인 하남시장에 대한 주민소환은 공무담임권과 관련된 것이라기보다는 직무상의 권한 행사와 관련된 것이므로 지방자치단체의 장에게는 기본권의 주체성이 인정된다 할 수 없다.

④ 지방자치단체장은 국민의 기본권을 보호 내지 실현하여야 할 책임과 의무를 가지는 국가기관의 지위를 갖기 때문에 「주민소환에 관한 법률」의 관련 규정으로 인해 자신의 공무담임권이 침해됨을 이유로 헌법소원을 청구할 수 있는 기본권 주체로 볼 수 없다.

19 **기본권 주체성에 대한 설명으로 옳지 않은 것을 모두 조합한 것은?**

ㄱ. 「상공회의소법」에 따른 규율을 받는 상공회의소는 결사의 자유의 주체가 될 수 있다.
ㄴ. 법인 등 결사체도 그 조직과 의사형성에 있어서, 그리고 업무수행에 있어서 자기결정권을 가지므로 결사의 자유의 주체가 된다.
ㄷ. 헌법상 기본권인 선거권 및 국민투표권은 대한민국 국적을 가진 자연인인 대한민국 국민에게만 인정되는 것이고, 그 권리의 성질상 법인이나 단체는 선거권 및 국민투표권 행사의 주체가 될 수 없으므로, ○○유권자총연합회는 선거권 등의 기본권을 제한받는 자라 할 수 없다.
ㄹ. 인천전문대학 기성회 이사회는 독립적인 별개의 단체이므로 기본권의 주체가 될 수 있다.
ㅁ. 행정심판청구를 인용하는 재결이 행정청을 기속하도록 규정한 「행정심판법」에 대해 지방자치단체의 장인 이 사건 청구인은 기본권의 주체가 될 수 있으므로 재판청구권 침해를 주장할 수 있다.

① ㄱ, ㄴ　② ㄷ, ㄹ
③ ㄷ, ㅁ　④ ㄹ, ㅁ

20 **공법인의 기본권 주체성에 대한 설명으로 옳지 않은 것은?**

① 원칙적으로 국가기관 또는 국가조직의 일부는 기본권의 수범자로서 국민의 기본권을 보호해야 할 책임과 의무를 지지만, 대통령은 사인의 지위에서는 제한적으로 기본권의 주체가 될 수 있다.

② 「국가균형발전 특별법」에 의한 도지사의 혁신도시 입지선정과 관련하여 그 입지선정에서 제외된 지방자치단체는 자의적인 선정기준을 다투는 평등권의 주체가 된다.

③ 사법절차적 기본권은 성격상 자연인, 법인을 가리지 아니하고 사법절차에 참가한 자는 누구나 원용할 수 있어야 한다.

④ 검사가 발부한 형집행장에 의해 검거된 벌금 미납자의 신병에 관한 업무에 있어서 경찰공무원은 기본권 주체가 아니므로 헌법소원심판을 청구할 적격이 없다.

15회 진도별 모의고사

기본권의 효력 ~ 기본권 충돌

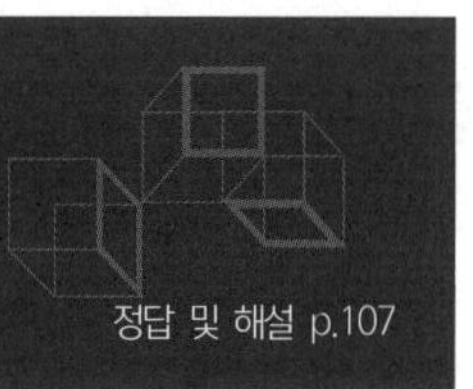

정답 및 해설 p.107

제한시간 : 14분 | 시작시각 ___시 ___분 ~ 종료시각 ___시 ___분 나의 점수 ______

01 기본권의 효력에 대한 설명으로 옳은 것은?

① '입법자의 형성의 자유' 때문에 평등권의 입법권에 대한 구속력을 인정하지 않는 것이 일반적이다.

② 모든 국가권력은 국민의 기본권에 기속된다.

③ 통치행위는 고도의 정치적 행위로서 사법적 심사의 대상이 되지 아니하는 행위이므로 헌법소원심판에 대상이 되지 않는다. 따라서 통치행위에 의하여 기본권이 침해당하는 경우에 이를 다툴 수 있는 법적 절차가 없으므로 통치행위에 대해서는 기본권의 구속력이 미치지 않는다.

④ 기본권은 입법권을 구속하며 입법자에 의하여 기본권이 침해되는 경우 위헌법률심판이나 헌법소원심판을 통하여 이를 다툴 수 있으나 「헌법재판소법」 제68조 제1항은 법원의 재판을 헌법소원심판에서 제외하고 있으므로 사법권에 의한 기본권 침해시 이를 다툴 법적 절차가 존재하지 아니하므로 사법권에 대해서는 기본권의 효력이 미치지 아니한다.

02 기본권의 제3자적 효력에 대한 설명으로 옳지 않은 것은?

① 자연법사상, 사적 자치영역의 확장, 칼 슈미트의 자유주의적 기본권이론은 기본권의 대사인적 효력을 인정하는 근거가 된다.

② 독일 헌법은 단결권의 대사인적 효력을 직접 규정하고 있는 한편, 우리 현행헌법도 근로의 권리와 근로3권의 대사인적 효력을 직접 규정하고 있지는 않으나 직접 적용된다는 것이 유력한 학설이다.

③ 기본권의 제3자적 효력은 기본권이 사회적 압력단체나 사인(私人)에 의해서도 침해될 수 있다는 현실적 문제에서 출발한 이론이다.

④ 기본권의 직접적인 대사인적 효력을 주장하는 학자의 경우에도 모든 기본권의 효력이 사법질서에 전적으로 미쳐야 한다고 하지는 않는다.

03 기본권의 제3자적 효력에 대한 설명으로 옳은 것은 모두 몇 개인가?

ㄱ. 미국의 국가행위의제이론은 기본권의 이중성이론 또는 기본권의 객관적 질서론을 매개로 하여 기본권의 효력을 미치게 하는 이론이다.
ㄴ. 미국 판례의 입장은 결국 국가의 관여가 있거나 사인의 행위를 국가의 행위로 볼 수 있는 일정한 경우에 기본권 보장이 직접 적용된다는 것이고, 그 밖에도 사법상의 조리(Common Sense)를 접점으로 하여 사인간의 생활영역 전반에 걸쳐 직접 적용된다는 것이다.
ㄷ. 국가행위의제이론은 기본권의 양면성이론을 근거로 하여 사인의 행위를 국가행위로 의제하여 기본권을 사인 간에 간접 적용하는 견해이다.
ㄹ. 사인이나 사적 단체가 국가의 재정적 원조를 받거나 국가시설을 임차하는 경우 또는 실질적으로 행정적 기능을 수행하는 경우 등 국가와의 밀접한 관련성이 구체적으로 인정될 때, 그 행위를 국가행위와 동일시하여 헌법상 기본권의 구속을 받게 하는 것이 미국에서의 국가행위의제이론(state action theory)이다.
ㅁ. 미국에서는 원래는 적법절차를 규정한 수정헌법 제14조의 대상이 국가로 되어 있다는 점을 들어 대사인간 효력을 부인하였는데, 후에는 국가작용으로의 의제를 통하여 우회적으로 인정한 셈이 되었다.

① 1개 ② 2개
③ 3개 ④ 4개

04 기본권의 제3자적 효력에 대한 설명으로 옳은 것은?

① 사법(私法)의 일반조항을 통하여 직접 적용된다고 보는 것이 통설과 판례의 입장이다.

② 직접적용설에서는 전체 법질서의 통일성과 사법질서(私法秩序)의 독자성을 동시에 존중하고자 하여, 헌법은 최고법이므로 모든 법은 헌법의 테두리 내에서만 타당하며 사법(私法)도 예외일 수 없다는 기초에서 출발한다.

③ 우리나라에서는 기본권의 대사인적 효력에 관하여 간접효력설이 다수설이지만, 일부 기본권에 대해서는 예외적으로 직접적인 효력이 인정되기도 한다.

④ 사인 간의 관계에서 평등권 침해의 위법성이 인정되려면 사인 간의 평등권 보호에 관한 별개의 입법이 있어야 한다.

05 기본권의 제3자적 효력에 대한 설명으로 옳은 것은?

① 대법원은 기본권규정이 사법상의 일반원칙을 규정한 「민법」 제2조, 제103조, 제750조, 제751조 등의 내용을 형성하고 그 해석기준이 되는 경우에는 직접적으로 사법관계에 효력을 미친다고 판시하였다.

② 기본권규정은 민사상 법률관계에 직접적으로 적용할 수는 없는 것이나, 다만 사법상의 일반원칙을 규정한 「민법」 제2조, 제103조, 제750조 등의 내용을 형성하고 그 해석기준이 되므로 간접적으로 사법관계에 효력을 미치게 된다.

③ 기본권의 대사인적 효력은 사법질서의 독자성과 사적 자치의 원칙 때문에 오로지 법원의 판결을 통한 간접효력으로만 인정된다.

④ 대법원은 사적 단체가 남성 회원에게는 별다른 심사 없이 총회의결권 등을 가지는 총회원 자격을 부여하면서도 여성 회원의 경우에는 지속적인 요구에도 불구하고 원천적으로 총회원 자격심사에서 배제하여 온 것에 대해 평등권의 효력이 간접적으로 사법관계에 미친다고 하면서 기본권 침해를 인정하였다.

06 기본권의 제3자적 효력에 대한 설명으로 옳지 않은 것은?

① 甲은 사기업인 A 회사에 입사하면서 향후 10년간 퇴사하지 않고 만약 그 이전에 퇴사하는 경우에는 퇴직금을 포기하는 것을 조건으로 고용계약을 체결하였다. 기본권의 '간접효력설(간접적 사인효력설)'에 의하면, 甲이 계약을 지키지 못하고 퇴사하는 경우 퇴직금을 반환받기 위해서는 A 회사를 상대로 고용계약이 사법상의 일반조항에 반하여 무효임을 주장하여야 한다.

② 간접효력설에 따르면 사법관계에 1차적으로 기본권이 적용되는 것이 아니라 사법의 일반원칙이 적용된다.

③ 기본권의 제3자적 효력을 주장하는 견해에 따르면 모든 기본권이 사인 간에 직접 적용된다.

④ 전통적인 공·사법의 이원적 체계를 가진 독일과 한국에서는 모든 기본권조항을 직접적으로 사인 간에 적용하는 데에 난점이 있어 전면적 직접적용설보다는 간접적용설이 보다 많은 지지를 얻고 있다.

07 기본권의 제3자적 효력에 대한 설명으로 옳지 않은 것은?

① 기본권의 간접적인 제3자적 효력을 취하는 입장에서는 기본권이 사법(私法)상의 법률관계에 적용되기 위하여는 사법상의 일반원칙이라는 매개물이 필요하다고 하여 사법상의 사적 자치를 존중하고 있다.

② 독일과 우리나라의 통설인 간접효력설은 기본권을 자연법적 권리로 인정하는 입장에서 대사인적 효력을 인정하려고 한다.

③ 기본권이 사인 사이에서도 직접 효력을 가지는 것으로 볼 경우 사법의 고유성 또는 사적 자치의 원칙이 침해될 우려가 있다.

④ 평등권, 사생활의 비밀과 자유, 통신의 비밀을 침해받지 않을 권리, 주거의 자유 등은 사인 간에 간접 적용된다.

08 기본권의 제3자적 효력에 대한 설명으로 옳지 않은 것은 모두 몇 개인가?

> ㄱ. 헌법재판소는 헌법상의 근로3권조항, 언론·출판의 자유조항, 연소자와 여성의 근로의 특별보호조항을 사인 간의 사적인 법률관계에 직접 적용되는 기본권 규정으로 인정하고, 국가배상청구권과 형사보상청구권은 원칙적으로 국가권력만을 구속한다고 하여 그 대사인적 효력을 부인하고 있다.
> ㄴ. 근로자의 근로3권은 성질상 사인 사이에서도 직접적으로 적용되는 기본권이다.
> ㄷ. 국가배상청구권, 형사보상청구권은 그 성질상 사인 간의 관계에 적용될 수 없다.
> ㄹ. 평등권·사법절차적 기본권·청구권적 기본권은 성질상 사인 사이에서는 적용될 여지가 없다.
> ㅁ. 우리 헌법상 노동3권과 언론·출판의 자유, 통신의 자유, 혼인과 가족생활에 있어서 양성의 평등 등은 직접적이든, 간접적이든 사인 간에도 효력을 인정할 여지가 있을 것이고, 무죄추정의 원칙 등 처음부터 국가에 대한 보장이 문제되어 온 기본권은 그 적용의 여지가 없다.
> ㅂ. 우리 헌법에는 독일 기본법에서와는 달리 '근로자의 단결권'에 관해서 직접적 사인효력을 인정하는 명문 규정이 없고, 사인 간의 기본권효력을 부인하는 명문 규정도 없다.

① 1개 ② 2개
③ 3개 ④ 4개

09 기본권의 경합과 충돌에 대한 설명으로 옳은 것은?

① 기본권 충돌은 반드시 상이한 기본권 간에 발생한다.
② 기본권 경합은 동일한 기본권 간에도 발생한다
③ 기본권 경합에 관하여 최강효력설은 제한의 가능성이 보다 더 큰 기본권을 우선시켜야 한다는 견해이다.
④ 기본권 경합이란 하나의 기본권 주체가 국가에 대해 동시에 여러 기본권의 적용을 주장하는 경우를 말한다.

10 경합과 충돌에 대한 설명으로 옳은 것은?

① 경찰공무원 A는 「공무원보수규정」의 해당 부분이 자신의 평등권, 재산권, 직업선택의 자유 및 행복추구권 등을 침해한다고 주장하는바, 이는 기본권 충돌에 해당한다.
② 예술적 표현수단을 사용하여 상업적 광고를 하는 경우 영업의 자유, 예술의 자유 등 복합적인 기본권 충돌의 문제가 발생한다.
③ 이라크전쟁을 반대하는 노동조합의 집회 개최에서 노동자의 노동3권과 집회의 자유는 진정한 기본권의 경합관계에 있지 않다.
④ 평화주의사상을 가진 화가 甲이 국민들에게 반전의식을 계도할 목적의 전시회를 기획하고 이를 위하여 대학병원에 보관된 시신을 훔쳐서 전쟁의 참상을 상징하는 전시물을 제작·전시하였다면 기본권 충돌의 사례로 다루어야 하고, 또한 甲이 자신의 사상을 강연해 주도록 초청받은 집회에 참석하러 갔다가 경찰의 제지로 입장하지 못했다면 예술의 자유와 집회의 자유 간 기본권 경합의 사례로 다루어야 할 것이다.

11 기본권의 제한에 대한 설명으로 옳지 않은 것은?

① 형제·자매에게 가족관계등록부 등의 기록사항에 관한 증명서 교부청구권을 부여하는 것은 본인의 개인정보자기결정권을 제한하는 것으로 개인정보자기결정권 침해 여부를 판단한 이상 인간의 존엄과 가치 및 행복추구권, 사생활의 비밀과 자유는 판단하지 않는다.
② 학교정화구역 내 극장영업금지를 규정한 「학교보건법」 제6조는 극장영업자의 직업의 자유와 예술의 자유를 제한하나 예술의 자유는 간접적으로 제약되고 입법자의 객관적 동기를 참작하여 볼 때 사안과 가장 밀접한 관계에 있고 또 침해의 정도가 가장 큰 주된 기본권은 직업의 자유이므로 직업의 자유 침해만을 판단하는 것으로 족하므로 예술의 자유 침해 여부를 판단할 필요는 없다.
③ 대통령 선거에서 후보자등록에 일정 금액의 기탁금을 요구하는 것은 평등권, 재산권, 공무담임권이 모두 관련되는 것으로 하나의 규제로 인해 여러 기본권이 동시에 제약을 받는 기본권 경합에 해당한다.
④ 종교단체가 양로시설을 설치하고자 하는 경우 신고하도록 의무를 부담시키는 것은 종교단체의 종교의 자유를 제한하나 인간다운 생활을 할 권리를 제한한다고 할 수 없다.

12 기본권의 제한에 대한 설명으로 옳지 않은 것은?

① 어떤 법령이 직업의 자유와 행복추구권 양자를 제한하는 외관을 띠는 경우 두 기본권의 경합 문제가 발생하는데, 보호영역으로서 '직업'이 문제될 때 직업의 자유는 행복추구권과의 관계에서 특별기본권의 지위를 가지므로, 행복추구권의 침해 여부에 대한 심사는 배제된다.

② 수용자가 작성한 집필문의 외부 반출을 불허하고 이를 영치할 수 있도록 한 것은 수용자의 통신의 자유와 표현의 자유를 제한한다.

③ 제한의 정도가 상이한 기본권들이 경합하는 경우 어느 기본권을 우선 적용할 것인가에 관해 최약효력설과 최강효력설이 대립하고 있는데, 최강효력설에 따르면 서로 경쟁하는 기본권들 중에서 그 제한의 가능성과 제한의 정도가 제일 적은, 가장 강한 기본권에 따라서 국민의 자유와 권리가 보호되어야 한다고 한다.

④ 인터넷 신문을 발행하려는 사업자가 취재인력과 편집인력 포함 5인 이상 상시 고용하도록 하는 법률은 언론의 자유를 직접 제한한다.

13 기본권의 경합에 대한 설명으로 옳지 않은 것을 모두 조합한 것은?

ㄱ. 일반적 기본권과 특별한 기본권이 경합하는 경우 예를 들면 공무담임권과 직업의 자유가 경합하는 경우 직업의 자유의 침해 여부를 판단한다.
ㄴ. 사생활 비밀과 통신비밀이 경합하는 경우 사생활 비밀의 침해 여부만 심사하면 족하다.
ㄷ. 성범죄자에 대한 신상정보등록을 규정한 「아동·청소년의 성보호에 관한 법률」로 제한되는 기본권은 개인정보자기결정권이고, 개인정보자기결정권 침해 여부를 판단을 하면 족하지 행복추구권 침해 여부를 판단할 필요는 없다.
ㄹ. 종교단체가 노인주거복지시설을 설치하고자 하는 경우에 신고의무를 부과한 「노인복지법」에 의해 거주이전의 자유와 인간다운 생활을 할 권리 제한은 발생하지 않고, 종교법인의 인격권과 법인운영의 자유 침해 여부를 판단할 필요 없이 종교의 자유 침해 여부를 판단하는 것으로 족하다.

① ㄱ, ㄴ　　② ㄱ, ㄷ
③ ㄴ, ㄹ　　④ ㄷ, ㄹ

14 기본권의 경합에 대한 설명으로 옳지 않은 것은?

① 통상 출퇴근과정에서의 재해를 업무상 재해에서 제외한 「산업재해보상보험법」은 공정한 재판을 받을 권리를 침해한다는 주장은 평등원칙에 위배된다는 내용과 동일하므로 공정한 재판을 받을 권리의 침해라는 주장은 별도로 판단할 필요가 없다.

② 전문과목을 표시한 치과의원은 그 표시한 전문과목만 진료하도 록 한 「의료법」 조항에 대하여 치과전문의들의 직업수행의 자유 침해 여부를 검토하면서 판단하는 이상 이에 관한 평등권 침해 주장은 다시 별도로 판단하지 아니한다.

③ 교원노동조합의 설립, 가입주체를 초·중등학교 현직 교원으로 한정한 「교원의 노동조합 설립 및 운영 등에 관한 법률」 조항에 대하여 단결권 침해 여부를 판단하는 이상 별도로 평등권을 판단하지 아니한다.

④ 혼인 해소 후 300일을 친생추정의 기준으로 삼고 있는 구 「민법」 조항에 관해 인격권 등의 침해 여부를 검토하면서 판단하는 이상 이에 관한 평등권 침해 주장은 다시 별도로 판단하지 아니한다.

15 기본권의 경합에 대한 설명으로 옳은 것은?

① 일반음식점영업소에 음식점 시설 전체를 금연구역으로 지정하여 운영하여야 할 의무를 부담시키는 것은 음식점 시설에 대한 재산권을 제한한다고 할 수 없다.

② 전동킥보드의 최고속도는 25km/h를 넘지 않아야 한다고 규정한 구 '안전확인대상생활용품의 안전기준'은 전동킥보드를 구입하고자 하는 청구인의 신체의 자유와 자기결정권 및 일반적 행동자유권을 제한한다.

③ 법무법인 구성원변호사의 채무연대책임을 인정하고 있는 구 「변호사법」은 직업의 자유, 결사의 자유 등을 제한하나, 주된 기본권인 직업의 자유 침해 여부를 중심으로 위헌 여부를 심사한다.

④ 형제자매가 가족관계등록부의 기록사항에 관하여 증명서교부를 청구할 수 있도록 한 「가족관계의 등록 등에 관한 법률」의 기본권 침해 여부는 개인정보자기결정권 침해 여부를 판단하더라도 인간의 존엄과 가치 사생활의 비밀 침해 여부 판단하여야 한다.

16 기본권 충돌에 대한 설명으로 옳은 것은?

① 자기낙태죄조항의 위헌 여부를 임신한 여성의 자기결정권과 태아의 생명권의 직접적인 충돌을 해결해야 한다.

② 기본권 충돌은 기본권을 국가로부터의 자유로 이해하는 기본권관에서는 이론적으로 문제되지 않는다.

③ 학생이 가지는 소극적 종교행위의 자유 및 소극적 신앙고백의 자유는 부작위에 의하여 자신의 종교적 신념을 외부로 표현하고 실현하는 기본권이고, 학교법인은 종교교육의 자유를 보유하고 있으므로, 원칙적으로는 양자의 기본권적 가치에 관한 추상적 이익형량을 통하여 우선하는 기본권이 무엇인지를 확정할 필요가 있다.

④ 종립학교가 가지는 종교의 자유와 학생들의 소극적 종교행위의 자유가 충돌하는 경우, 법익형량을 통해 법익이 더 큰 기본권을 우선시켜야 한다.

17 기본권 충돌에 대한 설명으로 옳은 것은?

① 흡연권과 혐연권은 사생활의 자유를 실질적 핵으로 하는 것이며 흡연권과 혐연권의 충돌은 상하의 위계질서가 있는 기본권끼리의 충돌로 볼 수 없지만, 혐연권은 사생활의 자유뿐만 아니라 생명권에까지 연결되는 것이므로 흡연권은 혐연권을 침해하지 않는 한에서 인정되어야 한다.

② 흡연권과 혐연권의 관계처럼 상하의 위계질서가 있는 기본권끼리 충돌하는 경우 상위기본권우선의 원칙에 따라 하위기본권이 제한될 수 있으므로, 혐연권은 흡연권을 침해하지 않는 한에서 인정되어야 한다.

③ 흡연자가 비흡연자에게 아무런 영향을 미치지 않는 방법으로 흡연을 하는 경우에는 기본권의 충돌이 일어나지 않으나, 흡연자와 비흡연자가 함께 생활하는 공간에서의 흡연행위는 필연적으로 흡연자의 기본권과 비흡연자의 기본권이 충돌하는 상황이 초래된다.

④ 흡연권과 혐연권이 충돌하는 경우 두 기본권 사이에 적정한 비례관계를 유지하도록 하여야 하므로 흡연권을 부정하지 않는 한에서 혐연권이 인정되어야 한다.

18 기본권 충돌에 대한 설명으로 옳은 것은?

① 기본권의 충돌이란 상이한 복수의 기본권 주체가 서로의 권익을 실현하기 위해 하나의 동일한 사건에서 국가에 대하여 서로 대립되는 기본권의 적용을 주장하는 경우를 말한다. 이때의 해법으로는 기본권의 서열이론, 법익형량의 원리, 실제적 조화의 원리 등을 들 수 있고, 헌법재판소는 충돌하는 기본권의 성격과 태양에 따라 그때그때마다 적절한 해결방법을 선택, 종합하여 이를 해결하여 왔다.

② 이익형량에 의하여 기본권의 충돌을 해결하는 방법은 모든 기본권이 독자적 의미와 기능을 갖는다는 점에서 원칙적으로 각 기본권은 동등하며 또한 제한 없이 보장된다는 것을 전제로 한다.

③ 기본권 충돌의 해결이론으로써 법익형량원칙은 기본권 간의 위계질서를 전제로 하지 않으나, 규범조화적 해석은 기본권 간의 위계질서를 전제로 한다는 점에서 차이가 있다.

④ 자녀의 생명을 구하기 위한 방법은 수혈뿐인데 종교상의 이유로 부모가 수혈을 인정하지 아니하는 경우 후견법원이나 친족회의 동의를 얻어 수술하는 것은 상위 기본권인 생명권 우선의 원칙에 입각한 해결방법이다.

19 기본권 충돌에 대한 설명으로 옳은 것은?

① 친양자 입양은 친생부모의 기본권과 친양자가 될 자의 기본권이 서로 대립·충돌하는 관계라고 볼 수 없다.

② 헌법재판소가 채권자취소권을 합헌으로 본 것은 채권자의 재산권과 채무자의 일반적 행동의 자유권 중에서 채권자의 재산권이 상위의 기본권이라고 보았기 때문이다.

③ 기본권 충돌시의 법익형량의 원칙에 따르면 시각장애인의 '생존권'이 비시각장애인의 '직업의 자유'보다 우선한다.

④ 정보주체인 변호사들의 동의 없이 개인정보를 공개함으로써 침해되는 인격적 법익과 정보주체의 동의 없이 자유롭게 개인정보를 공개하는 표현행위로서 보호받을 수 있는 법적 이익이 하나의 법률관계를 둘러싸고 충돌하는 경우, 변호사 정보 제공회사의 표현의 자유와 변호사들의 인격권이 충돌한 경우, 양 법익을 함께 실현할 수 있는 조화로운 방법이 모색되어야 한다.

20 기본권 충돌에 대한 설명으로 옳은 것은?

① 반론권은 인격권 및 사생활의 비밀과 자유를 보호하기 위한 제도이므로 피해자의 반론권 행사로 말미암아 비록 언론기관의 보도의 자유가 간접적으로 제한되는 측면이 있다고 하더라도 피해자의 반론권과 언론기관의 언론의 자유가 충돌하는 것은 아니다.

② 교사의 수업권과 학생의 수학권이 충돌하는 경우 두 기본권 모두 효력을 나타내는 규범조화적 해석에 따라 기본권 충돌이 해결되어야 한다.

③ 교원의 개인정보자기결정권과 학부모의 알 권리가 충돌한 경우, 양자를 최대한 보장하는 조화로운 방법에 따라 해결해야 한다.

④ 헌법재판소는 공개되지 아니한 타인 간의 대화를 녹음 또는 청취하여 지득한 대화의 내용을 공개하거나 누설한 자를 처벌하는 「통신비밀보호법」에 의해 대화자의 통신의 비밀과 공개자의 표현의 자유라는 두 기본권이 충돌하는 경우, 법익형량에 의해 기본권 간의 충돌을 해결하였다.

16회 진도별 모의고사

기본권 충돌 ~ 본질적 내용 침해금지

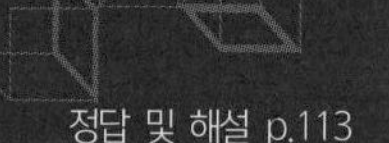

정답 및 해설 p.113

제한시간 : 14분 | 시작시각 ___시 ___분 ~ 종료시각 ___시 ___분 나의 점수 ______

01 기본권 충돌에 대한 설명으로 옳지 않은 것은?

① 헌법재판소에 따르면 모욕죄를 규정하고 있는 「형법」에 의해 명예권과 표현의 자유라는 두 기본권이 충돌하게 된다. 이와 같이 두 기본권이 충돌하는 경우 규범조화적 해석에 의해 기본권 충돌을 해결해야 한다.

② 개인적 단결권과 집단적 단결권이 충돌하는 경우 기본권의 서열이론에 입각하여 어느 기본권이 더 상위의 기본권이라고 단정할 수 없다.

③ 근로자에게 보장되는 적극적 단결권이 단결하지 아니할 자유보다 특별한 의미를 갖고 있고, 노동조합의 조직강제권도 이른바 자유권을 수정하는 의미의 생존권(사회권)적 성격을 함께 가지는 만큼 근로자 개인의 자유권에 비하여 보다 특별한 가치로 보장되는 점 등을 고려하면, 노동조합의 적극적 단결권은 근로자 개인의 단결하지 않을 자유보다 중시된다고 할 것이다.

④ 근로자의 3분의 2 이상을 대표하는 노동조합에 한해 근로자의 노동조합 가입을 강제함으로써 근로자의 기본권과 노동조합의 기본권이 충돌한 경우 규범조화적 해석에 따라 해결해야 한다.

02 기본권에 대한 설명으로 옳은 것은?

① 기본권의 보호영역 확정은 헌법해석을 통해서 이루어지는데 이때 역사적·시대적 상황, 국가의 경제적 능력 등에 따라 헌법을 해석할 필요가 있으므로 추상적인 이익형량을 통해서 보호영역이 결정된다.

② 만약 음란표현이 언론·출판의 자유의 보호영역에 해당하지 아니한다고 해석할 경우 음란표현에 대하여는 언론·출판의 자유의 제한에 대한 헌법상의 기본원칙, 예컨대 명확성의 원칙, 검열금지의 원칙 등에 입각한 합헌성 심사를 할 수 없다.

③ 헌법재판소 역시 독일에서와 같이 절대적 기본권을 인정할 수 없으므로 기본권의 내재적 한계는 인정되지 않는다.

④ 우리나라 헌법이 직접 제한하고 있는 기본권으로는 사생활의 비밀과 자유, 언론·출판의 자유, 재산권, 국가배상청구권, 근로3권, 정당의 활동과 목적을 들 수 있다.

03 기본권 제한에 대한 설명으로 옳지 않은 것은?

① 입법자가 종전에 없던 재산권을 새로이 형성하는 경우 그 형성에 포함되지 않은 부분은 재산권의 범위에 속하지 않으므로, 그 부분에 대하여 재산권의 제한은 성립할 수 없다.

② 헌법 제29조 제2항은 헌법이 직접 군인, 군무원, 경찰공무원 등의 국가배상청구권을 제한하고 있는 개별적 법률유보조항으로 볼 수 있다.

③ 헌법 제37조 제2항은 국민의 모든 자유와 권리에 대한 제한을 규정하고 있어, 생명권 역시 헌법 제37조 제2항에 의한 일반적 법률유보의 대상이 될 수 있다.

④ 법률유보란 기본권의 제한을 국민의 대표기관인 입법권자에게 위임하여 입법권자가 제정한 법률에 의하여 기본권을 제한할 수 있게 하는 것이다. 법률유보에도 개별적 법률유보와 일반적 법률유보가 있는데 우리 헌법에는 개별적, 일반적 법률유보 모두 규정이 있다.

04 기본권 제한의 형식에 대한 설명으로 옳은 것은?

① 우리나라 헌법에는 일반적 헌법유보조항과 일반적 법률유보조항은 있다.

② 국가긴급권에 의한 기본권 제한도 허용되는데, 헌법 제76조와 헌법 제77조에서는 긴급명령과 비상계엄으로 제한할 수 있는 기본권 유형을 명시적으로 규정하고 있다.

③ 기본권의 내재적 한계이론으로서 독일에서 논의되는 것은 3단계이론, 개념내재적 한계이론, 특별희생이론, 국가공동체유보이론, 규범조화를 위한 한계이론 등이 있다.

④ 긴급명령과 긴급재정경제명령은 법률의 근거 없이도 국민의 자유와 권리를 제한할 수 있다.

05 법률유보에 대한 설명으로 옳은 것은 모두 몇 개인가?

ㄱ. 헌법 및 법률이나 법률적 효력을 가지는 규범에 근거하지 아니하는 명령에 의한 기본권의 제한은 특별한 사정이 있더라도 허용되지 않는다.
ㄴ. 기본권의 제한이 원칙적으로 국회에서 제정한 형식적 의미의 법률에 의해서만 가능하다는 것과, 직접 법률에 의하지 아니하는 예외적인 경우라 하더라도 엄격히 법률에 근거하여야 한다는 것을 의미한다.
ㄷ. 헌법 제37조 제2항의 법률유보의 원칙은 '법률에 의한' 규율만을 의미하는 것이지 '법률에 근거한' 규율을 요청하는 것은 아니므로 기본권 제한의 형식은 반드시 법률의 형식이어야 한다.
ㄹ. 기본권의 제한은 원칙적으로 국회에서 제정한 형식적 의미의 법률에 의해서만 가능하다.

① 1개 ② 2개
③ 3개 ④ 4개

06 헌법 제37조 제2항(기본권 제한의 법률유보)에 요구되는 법률에 대한 설명으로 옳은 것은?

① 조약이나 일반적으로 승인된 국제법규는 형식적 의미의 법률이 아니므로 기본권 제한은 허용되지 않는다.

② 총리령 또는 부령 등 법규명령의 형식으로만 가능하며, 금융감독위원회의 고시와 같은 행정규칙의 형식으로는 위임할 수 없다.

③ 법률유보원칙은 법률에 의한 규율을 의미하므로 위임입법에 의한 기본권 제한은 헌법상 인정되지 않는다.

④ 기본권 제한과 관련한 법률의 명확성원칙은 법률을 제정함에 있어서 개괄조항이나 불확정 법개념의 사용을 금지하는 것은 아니다.

07 처분적 법률에 대한 설명으로 옳지 않은 것은? (다툼이 있는 경우에는 판례에 의함)

① 개별사건법률금지원칙의 기본정신은 입법자에 대하여 기본권을 제한하는 법률은 일반적 성격을 가져야 한다는 형식을 요구함으로써 평등원칙 위반의 위험성을 입법과정에서 미리 제거하려는 데 있으므로, 특정 규범이 어떤 개별사건에만 적용되는 개별사건법률에 해당한다면 실질적 내용이 정당한지 여부를 따져볼 필요도 없이 곧바로 위헌이라고 보아야 한다.

② 개별사건법률의 위헌 여부는 그 형식만으로 가려지는 것이 아니라, 나아가 평등의 원칙이 추구하는 실질적 내용이 정당한지 아닌지를 따져야 비로소 가려진다.

③ 헌법은 처분적 법률의 정의규정을 따로 두고 있지 않음은 물론, 처분적 법률의 제정을 금지하는 명문의 규정도 두고 있지 않으므로, 특정 규범이 개인대상법률 또는 개별사건법률에 해당한다고 하여 그것만으로 바로 헌법에 위반되는 것은 아니다.

④ 특정 규범이 개인대상법률 또는 개별사건법률이라 하여 그것만으로 바로 헌법에 위반되는 것은 아니고, 합리적인 이유로 정당화되는 경우에는 이러한 처분적 법률도 허용된다.

08 처분적 법률에 대한 설명으로 옳지 않은 것은? (다툼이 있는 경우에는 판례에 의함)

① 보안관찰처분대상자에게 출소 후 7일 내에 출소사실의 신고의무를 발생시키는 「보안관찰법」 제6조 제1항 전문 후단에 대하여 헌법재판소는 처분적 법률 내지 개인적 법률이라고 보았다.

② '그 소속 공무원은 이 법에 의한 후임자가 임명될 때까지 그 직을 가진다'는 내용의 구 「국가보위입법회의법」 부칙 제4항 후단에 대하여 헌법재판소는 처분적 법률이라고 보았다.

③ 특정한 시기에 발생한 헌정질서파괴행위에 대하여 공소시효의 진행을 정지시키는 법률규정은 다른 유사한 상황의 불특정 다수의 사건에 적용될 가능성을 배제하고 오로지 특정 사건에 관련된 헌정질서파괴범만을 그 대상으로 하고 있다. 따라서 이러한 법률은 「5·18민주화운동 등에 관한 특별법」 제정 당시 이미 적용의 인적 범위가 확정되거나 확정될 수 있는 내용의 것이므로 개별사건법률이다.

④ 세무대학 설치의 법적 근거로 제정된 기존의 「세무대학설치법」을 폐지하는 「세무대학설치법폐지법률」은 세무대학을 폐교하는 법적 효과를 발생하는 것이므로, 세무대학과 그 폐지만을 규율목적으로 삼는 처분적 법률에 해당한다.

09 **법률유보에 대한 설명으로 옳지 않은 것은 모두 몇 개인가?**

ㄱ. 방송위원회의 경고는 법률에 근거가 없었지만 방송법에서 명시적으로 규정한 제재조치보다 더 경미한 제재조치이므로 법률의 명시적 근거를 요하지 않으므로 「방송법」에 경고라는 제재조치가 규정은 없을지라도 법률유보원칙에 위반된다고 할 수 없다.
ㄴ. 도로를 차단하고 불특정 다수인을 상대로 실시하는 일제단속식 음주단속은 법률에 근거한 것으로 볼 수 없다.
ㄷ. 찜질방업자로 하여금 심야시간대 청소년의 출입을 제한하도록 한 「공중위생관리법 시행규칙」 [별표 4] 제2호 라목 중 (10) 부분은 법률유보원칙에 위배되지 않는다.
ㄹ. 고졸검정고시 또는 '고등학교 입학자격 검정고시'에 합격했던 자는 해당 검정고시에 다시 응시할 수 없도록 응시자격을 제한한 전라남도 교육청 공고 중 해당 검정고시 합격자 응시자격 제한 부분은 법률유보원칙을 위반하여 청구인들의 교육을 받을 권리를 침해한다.
ㅁ. 구금시설 내 CCTV 설치·운용에 관하여 직접적으로 규정한 법률규정은 없으며, CCTV에 의하여 녹화된 내용은 얼마든지 재생이 가능하고 복사 또는 편집되어 유포될 가능성이 있는 것이어서 교도관의 시선계호를 전제로 한 「형의 집행 및 수용자의 처우에 관한 법률」 규정을 이 사건 CCTV 설치행위에 대한 근거법률로 보기는 어려우므로, 결국 CCTV 설치행위는 헌법 제17조 및 제37조 제2항에 위반된다.

① 1개 ② 2개
③ 3개 ④ 4개

10 **기본권 침해 여부의 심사에서 과잉금지원칙(비례원칙)이 적용된 경우가 아닌 것은 모두 몇 개인가? (다툼이 있는 경우 판례에 의함)**

ㄱ. 고졸검정고시 또는 고입검정고시에 합격한 자는 해당 검정고시에 다시 응시할 수 없도록 응시자격을 제한한 것이 해당 검정고시 합격자의 교육을 받을 권리를 침해하는지 여부
ㄴ. 교육공무원인 대학 교원을 「교원의 노동조합 설립 및 운영 등에 관한 법률」의 적용대상에서 배제한 것이 교육공무원인 대학 교원의 단결권을 침해하는지 여부
ㄷ. 세종특별자치시의 특정 구역 내 건물에 입주한 업소에 대해 업소별로 표시할 수 있는 광고물의 총 수량을 원칙적으로 1개로 제한한 것이 업소 영업자의 표현의 자유 및 직업수행의 자유를 침해하는지 여부
ㄹ. 자율형 사립고등학교를 지원한 학생에게 평준화지역 후기학교 주간부에 중복지원하는 것을 금지한 것이 자율형 사립고등학교에 진학하고자 하는 학생의 평등권을 침해하는지 여부
ㅁ. 1990년 개정 「민법」의 시행일인 1991.1.1.부터 그 이전에 성립된 계모자 사이의 법정혈족관계를 소멸시키도록 한 「민법」

① 없음. ② 1개
③ 2개 ④ 3개

16회

해커스공무원 황남기 헌법 진도별 모의고사

11 **헌법재판소의 위헌 또는 헌법불합치결정 중에서 목적의 정당성이 인정된 것은 모두 몇 개인가? (다툼이 있는 경우 판례에 의함)**

ㄱ. 유신헌법을 부정·반대·왜곡 또는 비방하거나, 유신헌법의 개정 또는 폐지를 주장·발의·제안 또는 청원하는 일체의 행위, 유언비어를 날조·유포하는 행위 등을 전면적으로 금지하고, 이를 위반하면 비상군법회의에서 재판하여 처벌하도록 한 대통령긴급조치 제1호 및 제2호
ㄴ. 제대군인이 공무원채용시험 등에 응시한 때 과목별 득점에 과목별 만점의 5% 또는 3%를 가산하는 「제대군인지원에 관한 법률」 및 동법 시행령 조항
ㄷ. 피의자신문에 참여한 변호인인 청구인에게 피의자 후방에 앉으라고 요구한 행위
ㄹ. 혼인을 빙자하여 음행의 상습 없는 부녀를 기망하여 간음한 자를 처벌하는 「형법」 조항
ㅁ. 동성동본인 혈족 사이에서는 혼인하지 못하는 동성혼 등의 금지에 관한 「민법」 조항
ㅂ. 변호사시험 성적을 합격자에게 공개하지 않도록 규정한 「변호사시험법」의 규정
ㅅ. 경비업을 경영하고 있는 자들이나 다른 업종을 경영하면서 새로이 경비업에 진출하고자 하는 자들로 하여금, 경비업을 전문으로 하는 별개의 법인을 설립하지 않는 한 경비업과 그 밖의 업종을 겸영하지 못하도록 한 구 「경비업법」 조항
ㅇ. 배우자 있는 자의 간통행위 및 그와의 상간행위를 2년 이하의 징역에 처하도록 규정한 「형법」 제241조
ㅈ. 운전면허를 받은 사람이 다른 사람의 자동차 등을 훔친 경우에는 운전면허를 필요적으로 취소하도록 한 구 「도로교통법」
ㅊ. 「형법」 제269조 제1항의 자기낙태죄조항

① 4개 ② 5개
③ 6개 ④ 7개

12 **기본권 제한에 대한 설명으로 옳은 것은?**

① 간통죄는 기본권 제한의 방법으로도 적합성이 없다.
② 「형법」 제269조 제1항의 자기낙태죄조항은 태아의 생명을 보호하기 위한 것으로서 그 입법목적은 정당하지만, 낙태를 방지하기 위하여 임신한 여성의 낙태를 형사처벌하는 것은 이러한 입법목적을 달성하는 데 적절하고 실효성 있는 수단이라고 할 수 없다.
③ 수형자의 선거권을 전면적으로 제한하고 있는 「공직선거법」은 목적은 정당하지 않다.
④ 변호사시험 성적을 합격자에게 공개하지 않도록 규정한 「변호사시험법」은 수단의 적정성은 인정된다.

13 **과잉금지에 대한 설명으로 옳지 않은 것은 모두 몇 개인가?**

ㄱ. 법률의 근거 없이 특정 지역 사범대 출신자 또는 복수·부전공 교사 자격증 소지자에게 일정한 가산점을 주도록 한 교사 임용시험 시행요강은 사범계 대학 출신자에 대한 가산점 부여는 객관적 타당성을 인정할 수 없고, 복수·부전공 교사 자격 소지자가 실제로 복수의 교과목 모두를 충분히 전문성 있게 가르칠 능력을 갖추었는지에 관한 실증적 근거가 지나치게 빈약하고 미임용 교원의 적체 해소에 부정적이며 교사의 전문성이 저하될 수도 있다는 점에서 복수·부전공 가산점을 통해 추구되는 공익적 성과는 그로 인한 부정적 효과와 합리적 비례관계를 이루고 있다고 하기 어려우므로 위와 같은 사범대 가산점 및 복수·부전공 가산점 항목은 헌법 제37조 제2항의 법률유보원칙에 위배되는 외에 실체적으로도 위헌이다.
ㄴ. 비례대표기탁금조항의 입법목적의 정당성에 관하여 살피건대, 정당 난립을 방지한다는 목적, 즉 진지성과 성실성을 결여한 정당의 선거 참여 자체를 억제한다는 목적은 오늘날 정당제 민주주의 아래에서의 정당의 기능 및 그 엄격한 설립절차와 등록요건 등에 비추어 볼 때 그 입법목적이 정당하다고 할 수 없다.
ㄷ. 경비업을 경영하고 있는 자들이나 다른 업종을 경영하면서 새로이 경비업에 진출하고자 하는 자들로 하여금, 경비업을 전문으로 하는 별개의 법인을 설립하지 않는 한 경비업과 그밖의 업종을 겸영하지 못하도록 금지하고 있는 「경비업법」은 방법이 적정하지 않다.
ㄹ. 국가유공자 가족에게 10% 가산점 부여는 목적과 방법은 적정하나 피해최소성원칙에 위배된다.
ㅁ. 제대군인가산점제도는 입법목적이 정당하나 방법은 적합성이 없다.
ㅂ. 해당 법관으로 하여금 미결구금일수를 형기에 산입하되, 그 산입범위는 재량에 의하여 결정하도록 한 「형법」 제57조는 남상소를 방지라는 입법목적 달성을 위한 적절한 수단이라고 할 수 없다.

① 1개 ② 2개
③ 3개 ④ 4개

14 과잉금지원칙에 대한 설명으로 옳은 것은?

① 과잉금지원칙에서 수단의 적합성의 원칙이 의미하는 수단은 정당한 목적 달성을 위한 최상의 또는 최적의 수단이어야 하는 것은 아니고 목적 달성에 기여하는 것으로 족하다.

② 방법 또는 수단의 적정성은 입법목적을 달성하기 위한 방법 또는 수단으로서 유일하게 효과적이고도 적합한 것을 선택하여야 함을 뜻한다.

③ 입법목적을 달성하기 위하여 가능한 여러 수단들 가운데 구체적으로 어느 것을 선택할 것인가의 문제는 기본적으로 입법재량에 속하지만, 반드시 가장 합리적이며 효율적인 수단을 선택해야 한다.

④ 국가작용에 있어서 선택하는 수단은 목적을 달성함에 있어서 필요하고 효과적이며 상대방에게 최소한의 피해를 줄 때에 한해서 정당성을 가지게 되고 상대방은 그 침해를 감수하게 되는 것인바, 국가작용에 있어서 취해지는 어떠한 조치나 선택된 수단은 그것이 달성하려는 사안의 목적에 적합하여야 함은 물론이고, 그 조치나 수단이 목적 달성을 위하여 유일무이한 것이어야 한다.

15 과잉금지원칙에 대한 설명으로 옳은 것은?

① 과잉금지원칙의 요소인 목적의 정당성, 방법의 적절성, 피해의 최소성, 법익의 균형성 중 어느 하나라도 준수하지 못하는 국가행위는 허용되지 않는다.

② 방법의 적정성이란 기본권의 제한에 관하여 그 목적을 달성하는 데 적합한 수단이 여러 개가 있을 경우에 입법자는 최소한의 기본권 침해를 가져오는 방법을 선택해야 한다는 것을 말한다.

③ 침해의 최소성의 관점에서, 입법자는 그가 의도하는 공익을 달성하기 위하여 우선 기본권을 보다 적게 제한하는 단계인 기본권 행사의 '여부'에 관한 규제로써 공익을 실현할 수 있는가를 시도하고 이러한 방법으로는 공익 달성이 어렵다고 판단되는 경우에 비로소 그 다음 단계인 기본권 행사의 '방법'에 관한 규제를 선택해야 한다.

④ 입법자가 임의적 규정으로도 법의 목적을 실현할 수 있을 경우에 구체적 사안의 개별성과 특수성을 배제하는 필요적 규정을 두는 것은 '방법의 적정성원칙'에 위배된다.

16 과잉금지원칙에 대한 설명으로 옳은 것은?

① 입법자가 임의적 규정으로도 법의 목적을 실현할 수 있는 경우에 구체적 사안의 개별성과 특수성을 고려할 수 있는 가능성 일체를 배제하는 필요적 규정을 두었다고 해서 과잉금지원칙에 위배된다고 할 수 없다.

② 최소침해의 원칙에 따르면 목적 달성을 위하여 취해진 기본권 제한조치보다 완화된 수단이 있을 경우에는 언제나 이 원칙에 반하여 위헌적 제한법률이 되게 된다.

③ 국가가 어떠한 목적을 효과적으로 달성하기 위하여 필요한 경우 원칙적으로 최소침해성의 원칙의 적용을 배제할 수 있으며, 입법에 의하여 보호하려는 이익과 침해되는 이익을 형량하는 법익균형성의 원칙에 따라야 한다.

④ 학설상으로는 긴급재정경제명령에 의한 기본권 제한도 헌법 제76조의 요건과 한계 외에 헌법 제37조 제2항의 한계도 준수하여야 한다는 견해가 있으나, 헌법재판소는 헌법 제76조의 요건과 한계에 부합하는 것이라면 과잉금지원칙을 준수한 것이라고 본다.

17 과잉금지원칙에 대한 설명으로 옳지 않은 것은?

① 헌법 제37조 제2항의 규정은 기본권 제한입법의 수권규정이지 기본권 제한입법의 한계규정이라고 할 수 없다.

② 일정한 범죄에 대하여 어떠한 형벌을 과할 것인가를 정하는 것은 입법재량에 속하나, 여기에는 비례의 원칙이 준수되어야 한다.

③ 법익균형성원칙에 의하면 기본권 제한을 통해서 얻으려는 공익이 사익보다 더 커야 한다.

④ 비상계엄이 선포된 경우, 영장제도와 언론·출판·집회·결사의 자유에 대한 특별한 조치를 통하여 기본권 제한을 할 수 있는 명시적인 헌법상 근거가 존재한다.

18 이중기준원칙에 대한 설명으로 옳지 않은 것은?

① 경제정책입법은 위헌이라고 주장하는 측에서 입증책임을 지나, 정치적 권리를 제한하는 법률은 합헌이라고 방어하는 측에서 입증책임을 진다.

② 정당설립의 자유에 대한 제한의 합헌성의 판단과 관련하여 '수단의 적합성' 및 '최소침해성'을 심사함에 있어서 입법자의 판단이 명백하게 잘못되었다는 소극적인 심사에 그쳐야 하므로 입법자로 하여금 법률이 공익의 달성이나 위험의 방지에 적합하고 최소한의 침해를 가져오는 수단이라는 것을 어느 정도 납득시킬 것을 요구하는 것은 아니다.

③ 이중기준의 원칙에 의하면 정신적 자유 규제입법은 경제정책입법과 달리 합헌성 추정이 배제된다는 논리에 근거하고 있다.

④ 인신의 자유와 표현의 자유를 제한하는 경우 경제적 자유를 제한하는 경우보다, 엄격한 기준(이른바 '이중기준의 이론')을 적용하여 해석하거나 필요최소한도의 규제수단을 채택하여야 할 것이다.

19 본질적 내용 침해금지에 대한 설명으로 옳지 않은 것은?

① 기본권 제한의 내용상의 한계는 본질적 내용의 침해금지를 말하는데, 이는 제3차 개정헌법에 신설되어 제7차 개정헌법에서 폐지된 뒤 제8차 개정헌법에 다시 규정되었다.

② 기본권의 본질적 내용은 만약 이를 제한하는 경우에는 기본권 그 자체가 무의미하여지는 경우에 그 본질적인 요소를 말하는 것으로서, 이는 개별 기본권마다 다를 수 있다.

③ 기본권의 본질적인 핵심, 최소한의 내용을 보장한다는 절대설은 그 내용이 인간의 존엄성이라는 점에 대하여 일치하고 있다.

④ 헌법 제37조 제2항에서 규정하는 '본질적 내용'을 개별적인 경우에 따라 상대적으로 이해하는 견해에 의하면, 기본권 제한의 공적 필요성과 기본권 제한 내용을 비교형량해서 기본권의 본질적 내용을 확정하게 된다.

20 본질적 내용 침해금지에 대한 설명으로 옳지 않은 것은?

① 헌법재판소는 사형제도에 관한 결정에서 기본권의 본질적 내용을 비례의 원칙에 따라 심사함으로써 사형제도가 생명권의 본질적 내용을 침해하지 않는다고 하였다.

② 헌법 제37조 제2항의 기본권의 본질적 내용 침해금지의 의미에 대하여 절대설과 상대설의 대립이 있는데, 사형제도에 대한 헌법재판소의 합헌결정은 상대설을 따른 것이다.

③ 기본권의 본질적 내용 침해 여부만을 기준으로 판단하되, 기본권 본질적 내용의 보장대상을 기본권의 주관적 권리성을 중심으로 이해하는 주관설에 따르고 그 보장 정도에 관하여는 핵심영역을 중심으로 하는 절대설에 따른다면, 사형제도는 헌법에 위반되는 것으로 판단될 가능성이 크다.

④ 기본권의 제한에서 과잉금지원칙에 위반되면 당연히 본질적 내용이 침해된다는 것이 헌법재판소의 기본적인 태도이다.

⑤ 생명권의 제한이 정당화될 수 있는 예외적인 경우에는 생명권의 박탈이 초래된다 하더라도 기본권의 본질적인 내용을 침해하는 것이라 볼 수 없다.

17회 진도별 모의고사

특별권력관계 ~ 인간의 존엄과 가치

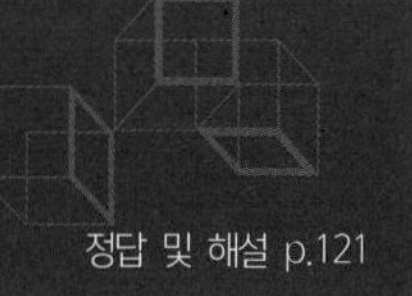

정답 및 해설 p.121

제한시간 : 14분 | 시작시각 ___시 ___분 ~ 종료시각 ___시 ___분　　나의 점수 ______

01 특별권력관계에 대한 설명으로 옳지 않은 것은?

① 특별권력관계에 속하는 자로서 공무원, 군인 등을 들 수 있다.

② 전통적(고전적)인 특별권력관계론에 따르면 특별권력관계는 법으로부터 자유로운 영역으로서 사법심사가 미치지 못하는 것으로 본다.

③ Ule는 종래의 특별권력관계를 기본관계와 내부관계(경영관계)로 나누고, 기본관계에서는 개별적인 법률적 근거 없이도 포괄적 지배권을 행사할 수 있다고 한다.

④ 통설에 따르면 오늘날에는 특별권력관계가 법규에 의하여 강제적으로 성립된 경우에는 헌법에 직접 규정되어 있거나 적어도 헌법이 그것을 전제하고 있는 경우에만 기본권의 제한이 가능하다.

02 특별권력관계에 대한 설명으로 옳지 않은 것은?

① 특별권력관계에서도 위법·부당한 특별권력의 발동으로 인하여 권리를 침해당한 자는 그 위법·부당한 처분의 취소를 구할 수 있다는 대법원 판례가 있다.

② 경찰공무원을 비롯한 공무원의 근무관계인 이른바 특별권력관계에 있어서 행정청의 위법한 처분 또는 공권력의 행사·불행사 등으로 인하여 권리 또는 법적 이익을 침해당한 자는 행정소송 등에 의하여 그 위법한 처분 등의 취소를 구할 수 없다.

③ 헌법 제27조가 재판청구권을 기본권의 하나로 보장하고 있고 헌법 제37조에 따른 기본권의 제한방식으로서 법률유보를 선언한 법치주의원리에 비추어 볼 때, 군인에 대한 징계가 재판청구권을 행사하였음을 그 사유로 하는 때에는 그러한 재판청구권의 행사를 제한할 수 있는 법률의 근거가 있어야만 한다.

④ “군인은 복무와 관련된 고충사항을 진정·집단서명 기타 법령이 정하지 아니한 방법을 통하여 군 외부에 그 해결을 요청하여서는 아니 된다.”라고 규정하고 있는 군인복무규율 제25조 제4항의 사전건의절차를 거쳐야 할 의무가 있다고 보기 어려우므로 이를 전제로 원고가 사전건의의무 등을 위반하였음을 징계사유로 삼을 수 없다.

03 군인의 징계에 대한 설명으로 옳지 않은 것은?

① 사관생도는 그 존립목적을 달성하기 위하여 필요한 한도 내에서 일반 국민보다 상대적으로 기본권이 더 제한될 수 있으나, 그러한 경우에도 법률유보원칙, 과잉금지원칙 등 기본권 제한의 헌법상 원칙들을 지켜야 한다.

② 사관생도의 음주가 교육 및 훈련 중에 이루어졌는지 여부나 음주량, 음주 장소, 음주행위에 이르게 된 경위 등을 묻지 않고 일률적으로 2회 위반시 원칙으로 퇴학 조치하도록 정한 것은 사관학교가 금주제도를 시행하는 취지에 비추어 보더라도 사관생도의 기본권을 지나치게 침해하는 것이므로 사관생도의 일반적 행동자유권, 사생활의 비밀과 자유 등 기본권을 과도하게 제한하는 것이다.

③ 군인이 상관의 지시나 명령에 대하여 재판청구권을 행사하는 것은 정당한 기본권의 행사이므로 군인의 복종의무를 위반하였다고 볼 수 있다.

④ 법령에 군인의 기본권 행사에 해당하는 행위를 금지하거나 제한하는 규정이 없는 이상, 그러한 행위가 군인으로서 군복무에 관한 기강을 저해하거나 기타 본분에 배치되는 등 군무의 본질을 해치는 특정 목적이 있다고 하기 위해서는 권리 행사로서의 실질을 부인하고 이를 규범 위반행위로 보기에 충분한 구체적·객관적 사정이 인정되어야 한다.

04 헌법소원에 대한 설명으로 옳지 않은 것은?

① 원행정처분에 대한 헌법소원심판청구를 받아들여 이를 취소하는 것은 원행정처분을 심판의 대상으로 삼았던 법원의 재판이 예외적으로 헌법소원심판의 대상이 되어 그 재판 자체가 취소되는 경우에 한한다.

② 법인 아닌 사단·재단이라고 하더라도 대표자의 정함이 있고 독립된 사회적 조직체로서 활동하는 때에는 성질상 법인이 누릴 수 있는 기본권을 침해당하게 되면 그의 이름으로 헌법소원심판을 청구할 수 있다. 언론인이 직무 관련 여부 및 기부·후원·증여 등 그 명목에 관계없이 동일인으로부터 일정 금액을 초과하는 금품 등을 받거나 요구 또는 약속하는 것을 금지하는 「부정청탁 및 금품등 수수의 금지에 관한 법률」 조항과 관련하여, 사단법인 한국기자협회는 기본권 침해의 자기관련성이 인정되므로 그 구성원을 위하여 또는 구성원을 대신하여 헌법소원청구가 허용된다.

③ 유치장 수용자에 대한 신체수색은 유치장의 관리주체인 경찰이 우월적 지위에서 피의자 등에게 일방적으로 강제하는 성격을 지닌 것이므로 권력적 사실행위에 해당하고, 이는 헌법소원심판청구의 대상이 되는 「헌법재판소법」 제68조 제1항의 공권력의 행사에 해당한다.

④ 단체도 헌법소원의 청구권자가 될 수 있지만, 원칙적으로 단체 자신의 기본권을 직접 침해당한 경우에만 그 이름으로 헌법소원심판을 청구할 수 있을 뿐이다.

05 기본권 보호의무에 대한 설명으로 옳지 않은 것은?

① 국가의 기본권 보호의무란 기본권적 법익을 국가에 의한 위법한 침해 또는 침해의 위험으로부터 보호하여야 하는 국가의 의무를 말하며, 주로 국가에 의한 개인의 생명이나 신체의 훼손에서 문제된다.

② 지뢰피해자 및 그 유족에 대한 위로금 산정시 사망 또는 상이를 입을 당시의 월평균임금을 기준으로 하고, 그 기준으로 산정한 위로금이 2천만 원에 이르지 아니할 경우 2천만 원을 초과하지 아니하는 범위에서 조정·지급할 수 있도록 한 「지뢰피해자 지원에 관한 특별법」에 의한 기본권 보호의무 위반이 문제가 아니라 국가에 의한 기본권 제한의 문제이다.

③ 주방에서 발생하는 음식물 찌꺼기 등을 분쇄하여 오수와 함께 배출하는 주방용 오물분쇄기의 판매와 사용을 금지하는 '주방용 오물분쇄기의 판매·사용금지'하는 환경부 고시는 국가가 직접 주방용 오물분쇄기의 사용을 금지하여 개인의 기본권을 제한하는 경우에는 국가의 기본권 보호의무 위반 여부가 문제되지 않는다.

④ 헌법 제10조 제2문은 "국가는 개인이 가지는 불가침의 기본적 인권을 확인하고 이를 보장할 의무를 진다."라고 규정하고 있는데, 이러한 국가의 기본권 보호의무로부터 국가 자체가 불법적으로 국민의 생명권, 신체의 자유 등 기본권을 침해하는 경우 그에 대한 손해배상을 해 주어야 할 국가의 작위의무가 도출된다고 볼 수 있다.

06 동물 장묘업의 지역적 등록제한사유를 불충분하게 규정한 동물보호법에 대한 설명으로 옳지 않은 것을 모두 조합한 것은?

ㄱ. 기본권 침해가 국가가 아닌 제3자로서의 사인에 의해서 유발된 것이라고 하더라도 국가의 적극적인 보호의 의무는 기본권의 주관적 공권성으로부터 도출된다.
ㄴ. 환경피해는 생명·신체의 보호와 같은 중요한 기본권적 법익 침해로 이어질 수 있는 점 등을 고려할 때, 일정한 경우 국가는 사인인 제3자에 의한 국민의 환경권 침해에 대해서도 적극적으로 기본권 보호조치를 취할 의무를 부담한다.
ㄷ. 국가가 국민의 건강하고 쾌적한 환경에서 생활할 권리를 보호할 의무를 진다고 하더라도, 국가의 기본권 보호의무를 어떻게 실현하여야 할 것인가 하는 문제는 원칙적으로 권력분립과 민주주의의 원칙에 따라 국민에 의하여 직접 민주적 정당성을 부여받고 자신의 결정에 대하여 정치적 책임을 지는 대통령의 책임 범위에 속한다.
ㄹ. 동물장묘업 등록에 관하여 「장사 등에 관한 법률」 제17조 외에 다른 지역적 제한사유를 규정하지 않았다고 하더라도 청구인들의 환경권을 보호하기 위한 입법자의 의무를 과소하게 이행하였다고 평가할 수는 없다.

① ㄱ, ㄹ　　② ㄷ, ㄹ
③ ㄴ, ㄷ　　④ ㄱ, ㄷ

07 기본권 보호의무에 대한 설명으로 옳지 않은 것은?

① 기본권 보호의무는 기본권적 법익을 기본권 주체인 사인에 의한 위법한 침해 또는 침해의 위험으로부터 보호하여야 하는 국가의 의무를 말한다. 주로 사인인 제3자에 의한 개인의 생명이나 신체의 훼손에서 문제되는데, 이는 국가의 보호의무 없이는 타인에 의하여 개인의 신체나 생명 등 법익이 무력화될 정도의 상황에서만 적용될 수 있다.

② 국가의 보호의무와 관련해서 피해자는 국가에게 작위를 청구하므로 적극적 지위를 가진다.

③ 국민의 기본권에 대한 국가의 적극적 보호의무는 궁극적으로 입법행위를 통하여 비로소 실현될 수 있는 것이다.

④ 국가가 기본권 보호의무를 어떻게 실현할 것인지는 입법자의 책임범위에 속하는 것으로서 보호의무 이행을 위한 행위의 형식에 관하여도 폭넓은 형성의 자유가 인정되지 않으므로 보호의무 이행은 반드시 법령에 의하여야 한다.

08 기본권 보호의무에 대한 설명으로 옳지 않은 것은?

① 헌법이 명문으로 국가의 기본권 보호의무를 규정하고 있음에 비추어 볼 때, 이는 단순한 도의적·윤리적 의무가 아니라 법적 의무라고 보아야 할 것이다.

② 국가의 기본권 보호의무 선언은 국가가 국민과의 관계에서 국민의 기본권 보호를 위해 노력하여야 할 의무가 있다는 의미뿐만 아니라 국가가 사인 상호 간의 관계를 규율하는 사법질서를 형성하는 경우에도 헌법상 기본권이 존중되고 보호되도록 할 의무가 있다는 것을 천명한 것이다.

③ 국가가 국민의 생명·신체의 안전을 보호할 의무를 진다 하더라도 국가의 보호의무를 입법자 또는 그로부터 위임받은 집행자가 어떻게 실현하여야 할 것인가 하는 문제는 원칙적으로 입법자의 책임범위에 속하므로, 헌법재판소는 단지 제한적으로만 입법자 또는 그로부터 위임받은 집행자에 의한 보호의무의 이행을 심사할 수 있다.

④ 국가가 국민의 생명·신체의 안전에 대한 보호의무를 다하지 않았는지 여부를 헌법재판소가 심사할 때에는 국가가 이를 보호하기 위하여 최대한의 보호조치를 취하였는가를 기준으로 심사한다.

09 기본권 보호의무 위반 심사에 대한 설명으로 옳은 것은?

① 외교행위는 고도의 정치행위로서 사법심사에서 제외되므로 외교행위의 기본권 보호의무 위반 여부에 대한 사법적 심사는 자제되어야 한다.

② 국가가 국민의 건강하고 쾌적한 환경에서 생활할 권리를 보호할 의무를 진다고 하더라도, 국가의 기본권 보호의무를 입법자 또는 그로부터 위임받은 집행자가 어떻게 실현하여야 할 것인가 하는 문제는 원칙적으로 입법자의 책임범위에 속한다.

③ 과잉금지원칙은 국가가 국민의 소극적 방어권으로서의 기본권을 제한하는 경우뿐 아니라, 사인 상호 간에 기본권적 법익 침해가 문제되어 국가가 생명발전의 각 단계에서 그 각 단계별로 생명 보호를 위해 어떤 수단을 투입하는 것이 바람직할 것인가를 판단하는 경우에 적용되는 법리이다.

④ 헌법재판소는 「교통사고처리 특례법」이 교통사고 피해자가 업무상 과실 또는 중대한 과실로 인하여 중상해를 입은 경우까지 면책되도록 규정한 것은 국민의 신체와 생명에 대한 국가의 보호의무를 위반하는 것이라고 결정하였다.

10 기본권 보호의무에 대한 설명으로 옳지 않은 것은 모두 몇 개인가?

> ㄱ. 「공직선거법」이 선거운동을 위해 확성장치를 사용할 수 있는 기간과 장소, 시간, 사용 개수 등을 규정하고 있는 이상, 확성장치의 소음 규제기준을 정하지 않았다고 하여 기본권 보호의무를 과소하게 이행하였다고 볼 수는 없다.
> ㄴ. 흡연과 폐암 등의 질병 사이에 필연적인 관계가 있다거나 흡연자 스스로 흡연 여부를 결정할 수 없을 정도로 의존성이 높아서 국가가 개입하여 담배의 제조 및 판매 자체를 금지하지 아니한 「담배사업법」이 국가의 보호의무에 관한 과소보호금지원칙을 위반하여 청구인의 생명·신체의 안전에 관한 권리를 침해하였다고 볼 수 없다.
> ㄷ. 세월호 참사에 대한 대통령의 대응조치에 미흡하고 부적절한 면이 있었다고 하여 곧바로 피청구인이 생명권 보호의무를 위반하였다고 인정하기는 어렵다.
> ㄹ. 일정한 한약서에 수재된 처방에 해당하는 품목의 한약제제를 안전성·유효성 심사대상에서 제외한 것은 보건권을 침해하지 아니한다.
> ㅁ. 외국 대사관 관저에 대하여 강제집행을 하지 아니한 경우 보상입법을 해야 할 헌법상 의무가 인정되지 않는다.
> ㅂ. 원자력발전소건설을 내용으로 하는 전원개발사업 실시계획에 대한 승인권한을 산업통상자원부장관에게 부여하고 있는 「전원개발촉진법」 제5조 제1항 본문이 국가의 기본권 보호의무를 위반했다고 볼 수 없다.
> ㅅ. 발전용원자로 및 관계시설의 건설허가신청시 필요한 방사선환경영향평가서 및 그 초안을 작성하는 데 있어 '중대사고'에 대한 평가를 제외하고 있는 원자력이용시설 방사선환경영향평가서 작성 등에 관한 규정이 국가의 기본권 보호의무를 위반하여 청구인들의 생명·신체의 안전에 대한 권리를 침해했다고 할 수 없다.
> ㅈ. 외교관계에 관한 비엔나협약에 의하여 외국의 대사관저에 대하여 강제집행을 할 수 없다는 이유로 집행관이 강제집행의 신청의 접수를 거부하여 강제집행이 불가능하게 되었다면 국가는 이러한 경우 손실을 보상하는 법률을 제정하여야 할 의무가 있다.

① 1개 ② 2개
③ 3개 ④ 4개

11 기본권 보호의무에 대한 설명으로 옳지 않은 것은?

① 미국산 쇠고기 제품 수입위생조건을 완화하는 고시는 국민의 생명권 보호정신에 비추어보면 기본권 보호의무에 위반된다고 할 수 없다.

② 산업단지의 지정권자로 하여금 산업단지계획안에 대한 주민의견청취와 동시에 환경영향평가서 초안에 대한 주민의견청취를 진행하도록 한 구 「산업단지 인·허가 절차 간소화를 위한 특례법」 제9조 제2항 중 '환경·교통·재해 등에 관한 영향평가법에 따른 환경영향평가에 관한 부분'이 국가의 기본권 보호의무에 위배되었다고 할 수 없다.

③ 구 「태평양전쟁 전후 국외 강제동원희생자 등 지원에 관한 법률」 제6조 제1항 중 '강제동원생환자' 정의에 관한 제2조 제2호가 의료지원금 지급대상의 범위에서 국내 강제동원자를 제외하고 있는 것은 국가의 기본권 보호의무에 위배된다고 할 수 없다.

④ 「환경정책기본법」상의 환경기준은 행정기관을 직접 기속하거나 국민의 권리·의무를 규율하는 것이므로 환경영향평가 대상사업의 사업자로 하여금 환경영향평가를 실시하기 위한 환경보전목표를 설정함에 있어 환경기준을 단순히 참고하도록 한 구 「환경영향평가법」 제7조 제2항 제1호는 국가의 기본권 보호의무에 위배된다.

12 다음 설명 중 사람은 생존한 동안 권리와 의무의 주체가 된다고 규정한 민법 제3조와 태아는 손해배상청구권에 관하여는 이미 출생한 것으로 본다고 규정한 민법 제762조와 관련된 헌법재판소 판례와 일치하지 않는 것은 모두 몇 개인가?

> ㄱ. 모든 인간은 헌법상 생명권의 주체가 되며, 형성 중의 생명인 태아에게도 생명에 대한 권리가 인정되어야 한다. 따라서 태아도 헌법상 생명권의 주체가 되며, 국가는 헌법 제10조에 따라 태아의 생명을 보호할 의무가 있다.
> ㄴ. 「민법」 제762조는 "태아는 손해배상의 청구권에 관하여는 이미 출생한 것으로 본다."라고 규정함으로써 '살아서 출생한 태아'와는 달리 '살아서 출생하지 못한 태아'에 대해서는 손해배상청구권을 부정함으로써 후자에게 불리한 결과를 초래하고 있으나 이러한 결과는 사법(私法)관계에서 요구되는 법적 안정성의 요청이라는 법치국가이념에 의한 것으로 헌법적으로 정당화된다 할 것이므로, 그와 같은 차별적 입법조치가 있다는 이유만으로 곧 국가가 기본권 보호를 위해 필요한 최소한의 입법적 조치를 다하지 않아 그로써 위헌적인 입법적 불비나 불완전한 입법상태가 초래된 것이라고 볼 수 없다.
> ㄷ. 태아가 살아서 출생한 경우 태아 상태에서 가해진 불법행위로 인한 손해배상청구는 「민법」 제762조에 의해 유효하게 행사할 수 있으므로, 태아가 사산한 경우 태아 자신에게 불법적인 생명 침해로 인한 손해배상청구권을 인정하지 않고 있다고 하여 입법자가 태아의 생명 보호를 위해 국가에게 요구되는 최소한의 보호조치마저 취하지 않은 것이라 비난할 수는 없다.
> ㄹ. 사산된 태아에게 불법적인 생명 침해로 인한 손해배상청구권을 인정하지 않는 것은 입법형성의 한계를 명백히 일탈한 것으로 보기 어려우므로 기본권 보호의무를 위반한 것으로 볼 수 없다.
> ㅁ. 국가는 헌법 제10조에 따라 태아의 생명을 보호할 의무가 있지만, 태아를 위하여 「민법」상 일반적 권리능력까지도 인정하여야 한다는 헌법적 요청이 도출되지는 않는다.

① 없음. ② 1개
③ 2개 ④ 3개

13 대한민국과 일본국 간의 재산 및 청구권에 관한 문제의 해결과 경제협력에 관한 협정에 대한 헌법재판소 결정과 일치하는 것은?

> 대한민국과 일본국 간의 재산 및 청구권에 관한 문제의 해결과 경제협력에 관한 협정(1965.6.22. 체결, 1965.12.18. 발효) 제2조 1. 양 체약국은 양 체약국 및 그 국민(법인을 포함함)의 재산, 권리 및 이익과 양 체약국 및 그 국민 간의 청구권에 관한 문제가 1951년 9월 8일에 샌프런시스코우시에서 서명된 일본국과의 평화조약 제4조 (a)에 규정된 것을 포함하여 완전히 그리고 최종적으로 해결된 것이 된다는 것을 확인한다.
> 3. 2의 규정에 따르는 것을 조건으로 하여 일방체약국 및 그 국민의 재산, 권리 및 이익으로서 본 협정의 서명일에 타방체약국의 관할하에 있는 것에 대한 조치와 일방체약국 및 그 국민의 타방체약국 및 그 국민에 대한 모든 청구권으로서 동일자 이전에 발생한 사유에 기인하는 것에 대하여는 어떠한 주장도 할 수 없는 것으로 한다.
>
> 제3조 1. 본 협정의 해석 및 실시에 관한 양 체약국 간의 분쟁은 우선 외교상의 경로를 통하여 해결한다.
> 2. 1의 규정에 의하여 해결할 수 없었던 분쟁은 어느 일방체약국의 정부가 타방체약국의 정부로부터 분쟁의 중재를 요청하는 공한을 접수한 날로부터 30일의 기간 내에 각 체약국 정부가 임명하는 1인의 중재위원과 이와 같이 선정된 2인의 중재위원이 당해 기간 후의 30일의 기간 내에 합의하는 제3의 중재위원 또는 당해 기간 내에 이들 2인의 중재위원이 합의하는 제3국의 정부가 지명하는 제3의 중재위원과의 3인의 중재위원으로 구성되는 중재위원회에 결정을 위하여 회부한다. 단, 제3의 중재위원은 양 체약국 중의 어느 편의 국민이어서는 아니 된다.

① 헌법 제10조의 국민의 인권을 보장할 의무, 제2조 제2항의 재외국민 보호의무, 헌법 전문(前文)은 국가의 국민에 대한 일반적·추상적 의무를 선언한 것이거나 국가의 기본적 가치질서를 선언한 것일 뿐이어서 그 조항 자체로부터 국가의 국민에 대한 구체적인 작위의무가 나올 수 없다.

② 외교부장관은 분쟁이 발생한 이상, 협정 제3조에 의한 분쟁해결절차에 따라 외교적 경로를 통하여 해결하여야 하고, 그러한 해결의 노력이 소진된 경우 이를 중재에 회부하여야 하는 것이 원칙이다.

③ 일본군 위안부 피해자들의 배상청구권의 실현을 가로막는 것은 헌법상 재산권 문제는 아니고 근원적인 인간으로서의 존엄과 가치의 침해와 직접 관련이 있다.

④ '소모적인 법적 논쟁으로의 발전가능성' 또는 '외교관의 불편'을 고려하면 일본군 위안부 피해자가 주장하는 외교협상과 중재요청 작위의무의 이행을 기대하기 어렵다.

14 구 교통사고처리 특례법 제4조 제1항 본문 중 업무상 과실 또는 중대한 과실로 인한 교통사고로 말미암아 피해자로 하여금 상해에 이르게 한 경우 공소를 제기할 수 없도록 한 부분에 대한 헌법재판소 판례와 일치하지 않는 것은 모두 몇 개인가?

ㄱ. 교통사고 피해자가 업무상 과실 또는 중대한 과실로 인하여 '중상해'를 입은 경우, 구 「교통사고처리 특례법」 제4조 제1항 본문 중 업무상 과실 또는 중대한 과실로 인한 교통사고로 말미암아 피해자로 하여금 상해에 이르게 한 경우 공소를 제기할 수 없도록 한 부분은 그 목적의 정당성이 인정되며, 그 수단의 적절성도 인정된다.

ㄴ. 교통사고 피해자가 업무상 과실 또는 중대한 과실로 인하여 '중상해가 아닌 상해'를 입은 경우 구 「교통사고처리 특례법」 제4조 제1항 본문 중 업무상 과실 또는 중대한 과실로 인한 교통사고로 말미암아 피해자로 하여금 상해에 이르게 한 경우 공소를 제기할 수 없도록 한 부분은 과잉금지원칙에 위배되어 재판절차진술권을 침해한다.

ㄷ. 교통사고 피해자가 업무상 과실 또는 중대한 과실로 인하여 '중상해'를 입은 경우 구 「교통사고처리 특례법」 제4조 제1항 본문 중 업무상 과실 또는 중대한 과실로 인한 교통사고로 말미암아 피해자로 하여금 상해에 이르게 한 경우 공소를 제기할 수 없도록 한 부분에는 엄격한 심사기준에 의하여 판단한다.

ㄹ. 교통사고 피해자가 업무상 과실 또는 중대한 과실로 인하여 '중상해'를 입은 경우 구 「교통사고처리 특례법」 제4조 제1항 본문 중 업무상 과실 또는 중대한 과실로 인한 교통사고로 말미암아 피해자로 하여금 상해에 이르게 한 경우 공소를 제기할 수 없도록 한 부분은 교통사고로 중상해를 입은 피해자들의 평등권을 침해하는 것이라 할 것이다.

ㅁ. 구 「교통사고처리 특례법」 제4조 제1항 본문 중 업무상 과실 또는 중대한 과실로 인한 교통사고로 말미암아 피해자로 하여금 상해에 이르게 한 경우 공소를 제기할 수 없도록 한 부분은 국가의 기본권 보호의무의 위반 여부에 관한 심사기준인 과소보호금지의 원칙에 위반한 것이라고 볼 수 없다.

ㅂ. 구 「교통사고처리 특례법」 제4조 제1항 본문 중 업무상 과실 또는 중대한 과실로 인한 교통사고로 말미암아 피해자로 하여금 상해에 이르게 한 경우 공소를 제기할 수 없도록 한 부분이 과소보호금지원칙에 위배되지 않으면 과잉금지원칙 위반을 심사할 수 없다.

① 1개 ② 2개
③ 3개 ④ 4개

15 국가인권위원회에 대한 설명으로 옳지 않은 것은 모두 몇 개인가?

ㄱ. 인권위원은 탄핵결정 또는 금고 이상의 형의 선고에 의하지 아니하고는 그 의사에 반하여 면직되지 아니한다.

ㄴ. 국가인권위원회의 인권위원은 퇴직 후 2년간 교육공무원이 아닌 공무원으로 임명되거나 구 「공직선거 및 선거부정방지법」에 의한 선거에 출마할 수 없도록 규정한 「국가인권위원회법」 제11조가 인권위원의 참정권 등 기본권을 제한함에 있어서 준수하여야 할 과잉금지의 원칙에 위배된다.

ㄷ. 위원장은 위원 중에서 국회의 동의를 얻어 인사청문특별위원회 인사청문를 거쳐 대통령이 임명한다.

ㄹ. 국가인권위원회 위원은 정무직공무원으로 임명한다.

ㅁ. 정당의 당원은 국가인권위원회의 위원이 될 수 있다.

① 1개 ② 2개
③ 3개 ④ 4개

16 국가인권위원회에 대한 설명으로 옳지 않은 것은 모두 몇 개인가?

ㄱ. 국회의 입법 또는 법원·헌법재판소의 재판에 의하여 헌법 제2장인 제10조 내지 제37조에 보장된 인권을 침해당하거나 차별행위를 당한 경우, 그 인권 침해를 당한 사람이나 단체는 국가인권위원회에 그 내용을 진정할 수 있다.
ㄴ. 사법인, 사적 단체 또는 사인(私人)에 의하여 평등권 침해의 차별행위를 당한 경우 진정할 수 있다.
ㄷ. 독신여성에게 결혼 후 사직을 약속하는 소위 독신조항을 포함하는 임용계약을 요구하는 사영기업의 고용주에 대하여 이 독신여성의 친구는 국가인권위원회에 진정할 수 있다.
ㄹ. 인권위원회에 진정하려는 자는 법률상 이익을 가져야 하므로 원고적격을 요한다.
ㅁ. 인권위원회는 인권을 침해당한 사람 등의 진정이 없는 경우에도 인권 침해사안에 대해 조사할 수 있다.
ㅂ. 국가인권위원회의 조정안에 대해 법정기간 내 이의를 신청하지 아니하는 경우의 조정을 갈음하는 결정은 재판상 화해와 같은 효력이 있다.
ㅅ. 위원회는 진정을 조사한 결과 인권 침해가 있다고 인정할 때 피진정인 또는 인권 침해에 책임이 있는 자에 대한 징계를 요구할 수 없다.
ㅇ. 현존하는 차별을 없애기 위하여 특정한 사람(특정한 사람들의 집단을 포함한다)을 잠정적으로 우대하는 행위와 이를 내용으로 하는 법령의 제정·개정 및 정책의 수립·집행은 평등권 침해의 차별행위로 볼 수 없다.
ㅈ. 국가인권위원회가 진정을 조사한 결과 인권 침해나 차별행위가 일어났다고 판단할 때에는 피진정인, 그 소속 기관·단체 또는 감독기관의 장에게 구제조치의 이행 또는 법령·제도·정책·관행의 시정 또는 개선을 명령하거나 요구할 수 없다.

① 1개 ② 2개
③ 3개 ④ 4개

17 국가인권위원회에 대한 설명으로 옳지 않은 것은?

① 진정의 원인이 된 사실이 범죄행위에 해당된다고 믿을 만한 상당한 이유가 있고 그 혐의자의 도주 또는 증거의 인멸 등을 방지하거나 증거의 확보를 위하여 필요하다고 인정할 경우에 국가인권위원회는 검찰총장 또는 관할 수사기관의 장에게 수사의 개시와 필요한 조치를 의뢰할 수 있다.

② 국가인권위원회는 조사에 필요한 자료 등이 있는 곳 또는 관계인에 관하여 파악하려면 그 내용을 알고 있다고 믿을 만한 상당한 이유가 있는 사람에게 질문하거나 그 내용을 포함하고 있다고 믿을 만한 상당한 이유가 있는 서류 및 그 밖의 물건을 검사할 수 있다.

③ 관계 국가행정기관 또는 지방자치단체의 장은 인권의 보호와 향상에 영향을 미치는 내용을 포함하고 있는 법령을 제정하거나 개정하려는 경우 미리 국가인권위원회에 통보하여야 한다.

④ 위원회는 진정에 관한 위원회의 조사, 증거의 확보 또는 피해자의 권리구제를 위하여 필요하다고 인정하면 피해자를 위하여 피해자의 명시적 의사에도 불구하고 대한법률구조공단 또는 그 밖의 기관에 법률구조를 요청할 수 있다.

18 국가인권위원회에 대한 설명으로 옳은 것은?

① 관계 국가행정기관 또는 지방자치단체의 장은 인권의 보호와 향상에 영향을 미치는 내용을 포함하고 있는 법령을 제정하거나 개정하려는 경우 미리 국가인권위원회의 동의를 받아야 한다.

② 국가인권위원회는 인권 침해혐의가 명백한 자에 대해 영장을 발부받아 인권 침해기관에 대해 압수·수색할 수 있다.

③ 법원의 재판을 국가인권위원회에 진정할 수 있는 대상에서 제외하는 「국가인권위원회법」 제30조 제1항 제1호가 평등권을 침해한다고 할 수 없다.

④ 인권 침해행위나 차별행위를 당하였다는 진정이 접수된 경우에는 원칙적으로 피진정인에게 출석을 요구하여 진술을 들어야 한다.

19 인간의 존엄과 가치와 행복추구권에 대한 설명으로 옳은 것은 모두 몇 개인가?

ㄱ. 인간으로서의 존엄과 가치는 1962년 제3공화국 헌법에서 규정된 이래 1980년 개정헌법에서 행복추구권이 추가되었다.
ㄴ. 인간의 존엄과 가치가 기본권의 방법적 기초라면, 평등원칙은 기본권 실현의 이념적 출발이다.
ㄷ. 인간의 존엄과 가치는 법률이나 국가긴급권으로도 제한할 수 없고, 동의가 있거나 포기한 경우에 한해 제한이 가능하다.
ㄹ. 헌법재판소는 인간의 존엄과 가치를 헌법원리라고 보아 주관적 권리성을 인정하여 인간의 존엄과 가치 침해를 이유로 헌법소원을 청구할 수 있다고 한다.
ㅁ. 인간의 존엄과 가치는 행사할 능력을 가진 자가 그 주체가 된다.

① 1개 ② 2개
③ 3개 ④ 4개

20 의사에 대해 태아의 성별에 대하여 이를 고지하는 것을 금지하는 구 의료법 제19조의2 제2항에 대한 헌법소원에 대한 설명으로 옳은 것은 모두 몇 개인가?

ㄱ. 이 사건 규정의 태아 성별고지금지는 낙태, 특히 성별을 이유로 한 낙태를 방지함으로써 성비의 불균형을 해소하고 태아의 생명권을 보호하기 위해 입법된 것이므로 그 목적이 정당하다 할 것이다. 남아선호사상 내지 그 경향이 완전히 근절되었다고 단언하기 어려운 오늘날의 현실에서 태아의 성별에 대한 고지를 금지하면 성별을 이유로 하는 낙태를 예방할 수 있는 가능성을 배제할 수 없다. 그러므로 이 사건 규정은 성별을 이유로 하는 낙태 방지라는 입법목적에 어느 정도 기여할 수 있을 것으로 예상되므로 수단의 적합성 또한 인정된다고 할 것이다.
ㄴ. 관련 기본권의 침해 여부에 대한 판단은 주로 과잉금지원칙에 따른다.
ㄷ. 심판대상조항으로 인하여 의사의 직업수행의 자유가 직접 제한된다.
ㄹ. 임부의 생명을 위태롭게 할 위험이 있음에도 불구하고 임신 후반기에 태아의 성별을 이유로 낙태할 가능성이 있으므로 임부 및 태아의 생명 보호와 성비의 불균형 해소를 위해서 전체 임신기간 동안 태아의 성별 고지를 금지하는 것은 헌법상 정당화된다.
ㅁ. 이 사건 규정이 태아 성별고지행위를 태아의 생명을 박탈하는 행위로 간주하고 태아의 성별고지행위 금지에 태아의 생명 보호라는 입법목적을 설정한 것은 그 자체로서 정당화될 수 없다. 따라서 이 사건 규정은 입법목적의 정당성이 인정되지 않으므로 헌법에 위반된다고 할 것인바, 이 사건 태아 성별고지금지제도는 그 제도 자체가 정당성을 가질 수 없는 위헌인 제도이므로 단순위헌을 선고하여 제도의 효력을 즉시 상실시켜야 한다.
ㅂ. 이 사건 태아 성별고지금지조항은 의료인의 자유로운 직업수행과 부모의 태아 성별 정보에 대한 접근을 방해받지 않을 권리를 제한하고 있다고 할 것이다.
ㅅ. 부모의 알 권리를 침해한다.

① 2개 ② 3개
③ 4개 ④ 5개

진도별 모의고사

인간의 존엄과 가치 ~ 행복추구권

정답 및 해설 p.130

제한시간 : 14분 | 시작시각 ___시 ___분 ~ 종료시각 ___시 ___분 나의 점수 ______

01 낙태죄에 대한 설명으로 옳지 않은 것은 모두 몇 개인가?

ㄱ. 태아가 비록 그 생명의 유지를 위하여 모에게 의존해야 하지만, 그 자체로 모와 별개의 생명체이고 특별한 사정이 없는한 인간으로 성장할 가능성이 크므로 태아에게도 생명권이 인정되어야 하며, 태아가 독자적 생존능력을 갖추었는지 여부를 그에 대한 낙태 허용의 판단기준으로 삼을 수는 없다.
ㄴ. 모든 인간은 헌법상 생명권의 주체가 되며, 형성 중의 생명인 태아에게도 생명에 대한 권리가 인정되어야 한다. 따라서 국가는 헌법 제10조 제2문에 따라 태아의 생명을 보호할 의무가 있고, 생명을 보호하는 입법적 조치를 취함에있어 인간생명의 발달단계에 따라 그 보호 정도나 보호수단을 달리하여서는 아니된다.
ㄷ. 「모자보건법」상의 정당화사유에는 사회적·경제적 사유도 포함되는데, 이에 해당하더라도 임신 24주 이내에만 낙태가 가능하므로 임신한 여성의 자기결정권을 보장하기에는 불충분하다.
ㄹ. 태아의 생명을 보호하기 위하여 낙태를 금지하고 형사처벌하는 것 자체가 모든 경우에 헌법에 위반된다고 볼 수는 없다.
ㅁ. 헌법재판소는 임신 제1삼분기(임신 14주 무렵까지)에는 사유를 불문하고 낙태가 허용되어야 하므로 자기낙태죄규정에 대하여 단순위헌결정을 하였다.
ㅂ. 자기낙태죄조항은 태아의 생명을 보호하기 위한 것으로서, 정당한 입법목적을 달성하기 위한 적합한 수단이나, 자기낙태죄조항은 입법목적을 달성하기 위하여 필요한 최소한의 정도를 넘어 임신한 여성의 자기결정권을 제한하고 있어 침해의 최소성을 갖추지 못하였으므로 임신한 여성의 자기결정권을 침해한다.

① 1개 ② 2개
③ 3개 ④ 4개

02 인간의 존엄과 가치의 보호영역에 대한 설명으로 옳지 않은 것은?

① 헌법 제10조로부터 도출되는 일반적 인격권에는 각 개인이 그 삶을 사적으로 형성할 수 있는 자율영역에 대한 보장이 포함되어 있음을 감안할 때, 장래 가족의 구성원이 될 태아의 성별정보에 대한 접근을 국가로부터 방해받지 않을 부모의 권리는 이와 같은 일반적 인격권에 의하여 보호된다.

② 헌법 제10조로부터 도출되는 일반적 인격권에는 개인의 명예에 관한 권리도 포함되며, 사자(死者)에 대한 사회적 명예와 평가의 훼손은 사자와의 관계를 통하여 스스로의 인격상을 형성하고 명예를 지켜온 그 후손의 인격권을 제한한다.

③ 이동전화번호의 한시적 번호이동을 허용하도록 한 방송통신위원회의 이행명령은 010번호 이외의 식별번호 사용자의 인격권과 개인정보자기결정권을 제한한다.

④ 성명은 개인의 정체성과 개별성을 나타내는 인격의 상징으로서 개인이 사회 속에서 자신의 생활영역을 형성하고 발현하는 기초가 되는 것이라 할 것이므로 자유로운 성의 사용 역시 헌법상 인격권으로부터 보호된다고 할 수 있다.

03 인간의 존엄과 가치의 보호영역에 대한 설명으로 옳지 않은 것은?

① 방송사업자가 방송심의규정을 위반한 경우 시청자에 대한 사과를 명할 수 있도록 한 「방송법」 규정은, 방송사업자의 의사에 반한 사과행위를 강제함으로써 양심의 자유를 침해한 것으로 헌법에 위반된다.

② 「일제강점하 반민족행위 진상규명에 관한 특별법」에 근거한 친일반민족행위진상규명위원회의 조사대상자 선정 및 친일반민족행위 결정이 이루어질 당시 조사대상자가 이미 사망한 경우라 하더라도 그 유족은 자신의 인격권 침해를 이유로 헌법소원심판을 청구할 수 있다.

③ 청소년 성매수 범죄자들은 일반인에 비해서 인격권과 사생활의 비밀의 자유도 그것이 본질적인 부분이 아닌 한 넓게 제한받을 여지가 있다.

④ 혼인 종료 후 300일 이내에 출생한 자를 전남편의 친생자로 추정하는 「민법」은 인격권과 행복추구권, 개인의 존엄과 양성의 평등에 기초한 혼인과 가족생활에 관한 기본권을 제한하나 사생활의 비밀과 자유가 제한된다고 보기는 어렵다.

04 경찰관 A은 사기 혐의로 구속된 청구인을 ○○경찰서 조사실에서 조사하면서, 같은 날 경찰서 기자실에서 '교통사고 위장, 보험금 노린 형제 보험사기범 검거'라는 제목의 보도자료를 기자들에게 배포하였다. 또한 A는 보도자료 배포 직후 기자들의 취재 요청에 응하여 청구인이 ○○경찰서 조사실에서 양손에 수갑을 찬 채 조사받는 모습을 촬영할 수 있도록 허용하였다. 이에 대한 피의자의 헌법소원청구에 대한 설명으로 옳지 않은 것은?

① 피의자에 대한 촬영 허용은 초상권을 포함한 일반적 인격권을 제한하고 공인이 아니며 보험사기를 이유로 체포된 피의자가 경찰서에 수갑을 차고 얼굴을 드러낸 상태에서 조사받는 과정을 기자들로 하여금 촬영하도록 허용하는 행위는 기본권 제한의 목적의 정당성은 인정되나 법익균형성원칙에 위반된다.

② 수사기관에 의한 피의자의 초상 공개에 따른 인격권 제한의 문제는 수사기관에 의한 인격권 침해가 피의자 및 그 가족에게 미치게 될 영향의 중대성 및 파급효 등을 충분히 고려하여 헌법적 한계의 준수 여부를 엄격히 판단하여야 한다.

③ 피의자 촬영을 허용한 수사기관의 행위에 대해서는 다른 법률의 구제절차를 거치지 아니하고 바로 헌법소원심판을 청구할 수 있으므로 보충성원칙의 예외에 해당한다.

④ 기자에게 피의사실에 관련한 보도자료를 배포한 것과 조사과정에서 피의자 촬영을 허용한 행위는 헌법소원심판청구의 대상이 되는 공권력 행사에 해당한다.

05 인간의 존엄과 가치와 행복추구권에 대한 설명으로 옳은 것은?

① 한국인 BC급 전범들의 대일청구권이 '대한민국과 일본국 간의 재산 및 청구권에 관한 문제의 해결과 경제협력에 관한 협정' 제2조 제1항에 의하여 소멸하였는지 여부에 관한 한·일 양국 간 해석상 분쟁을 이 사건 협정 제3조가 정한 절차에 따른 외교적 협상 등 분쟁해결절차에 나아가지 아니한 부작위는 청구인들의 중대한 헌법상 기본권인 인간으로서의 존엄과 가치를 침해한다.

② 피해자들이나 유족에게 경찰조직을 대표하는 경찰청장, 경찰청이 속해 있는 행정안전부장관, 검찰사무의 최고 감독자인 법무부장관 모두 청구인 정○○에게 직접 사과하거나 이에 관해 명시적인 대국민 사과를 한 사실이 없다면 피해자의 인간으로서의 존엄성을 침해한다.

③ 행정안전부장관이나 법무부장관이 「진실·화해를 위한 과거사정리 기본법」에 따른 진실규명사건의 피해자의 명예를 회복하고 피해자와 가해자 간의 화해를 적극 권유하여야 할 작위의무를 부담한다.

④ 행정안전부장관이나 법무부장관에게 진실규명사건의 피해자 및 그 가족인 청구인들의 피해를 회복하기 위해 「국가배상법」에 의한 배상이나 「형사보상 및 명예회복에 관한 법률」에 의한 보상과는 별개로 금전적 배상·보상이나 위로금을 지급하여야 할 헌법에서 유래하는 작위의무가 도출된다.

06 양벌규정에 대한 설명으로 옳지 않은 것은?

① 구 「조세범 처벌법」 제3조 본문 중 "법인의 대리인, 사용인, 기타의 종업원이 그 법인의 업무 또는 재산에 관하여 제11조의2 제4항 제3호에 규정하는 범칙행위를 한 때에는 그 법인에 대하여서도 본조의 벌금형에 처한다."라는 부분은 책임주의에 반한다.

② 종업원이 고정조치의무를 위반하여 화물을 적재하고 운전한 경우 그를 고용한 법인을 면책사유 없이 형사처벌하도록 규정한 구 「도로교통법」 조항은 책임주의원칙에 위배된다.

③ 법인의 대리인·사용인 기타의 종업원이 그 법인의 업무에 관하여 「노동조합 및 노동관계조정법」 제81조 제1호, 제2호 단서 후단, 제5호를 위반하여 부당노동행위를 한 때에는 그 법인에 대하여도 벌금형을 과하도록 한 「노동조합 및 노동관계조정법」은 책임주의원칙에 위배된다.

④ 법인의 대표자가 업무에 관하여 범죄행위를 하였다는 이유만으로 법인에 대하여 형사처벌을 과하고 있는 「노동조합 및 노동관계조정법」은 다른 사람의 범죄에 대하여 그 책임 유무를 묻지 않고 형벌을 부과하는 것으로서, 법치국가의 원리 및 죄형법정주의로부터 도출되는 책임주의원칙에 반하여 헌법에 위반된다.

07 연명치료 중단에 대한 헌법재판소의 결정에 대한 설명으로 옳은 것은?

① 비록 연명치료 중단에 관한 결정 및 그 실행이 환자의 생명단축을 초래한다 하더라도 이를 생명에 대한 임의적 처분으로서 자살이라고 평가할 수 없고, 오히려 이는 생명권의 한 내용으로서 보장된다.

② 연명치료 중인 환자의 자녀들이 제기한 '연명치료의 중단에 관한 기준, 절차 및 방법 등에 관한 법률'의 입법부작위 위헌확인에 관한 헌법소원심판청구는 자기관련성이 인정된다.

③ 연명치료 중단에 관한 자기결정권은 헌법상 보장된 기본권이지만, 헌법해석상 '연명치료 중단 등에 관한 법률'을 제정할 국가의 입법의무가 명백하다고 볼 수 없으므로 환자 본인이 그러한 입법부작위의 위헌확인에 관하여 헌법소원심판청구를 제기한 것은 부적법하다.

④ 의학적으로 환자가 의식의 회복가능성이 없고 생명과 관련된 중요한 생체기능의 상실을 회복할 수 없으며 환자의 신체상태에 비추어 짧은 시간 내에 사망에 이를 수 있음이 명백한 경우 환자가 자기결정권을 행사하는 것으로 인정되는 경우에는 특별한 사정이 없는 한 연명치료의 중단이 허용될 수 있고, 이러한 환자의 연명치료 거부 내지 중단에 관한 의사는 명시적인 것이어야 하지, 여러 사정을 종합하여 이를 추정하여서는 아니된다.

08 연명치료 중단에 대한 헌법재판소의 결정에 대한 설명으로 옳지 않은 것은?

① 의식의 회복가능성을 상실하여 더 이상 인격체로서의 활동을 기대할 수 없고 회복불가능한 사망의 단계에 이른 후에는 의학적으로 무의미한 연명치료를 환자에게 강요하는 것이 오히려 인간의 존엄과 가치를 해한다.

② 환자가 회복불가능한 사망의 단계에 이르렀을 경우에 대비하여 '사전의료지시'를 한 후에는 특별한 사정이 없는 한 사전의료지시에 의하여 자기결정권을 행사한 것으로 인정할 수 있다.

③ 연명치료 중단에 관한 환자의 의사 추정은 주관적으로 이루어져야 한다. 따라서 환자가 평소 일상생활을 통하여 가족, 친구 등에 대하여 한 의사표현, 타인에 대한 치료를 보고 환자가 보인 반응, 환자의 종교, 평소의 생활태도 등을 통해 그 의사를 추정할 수 있다.

④ 환자 측이 직접 법원에 소를 제기한 경우가 아니라면, 환자가 회복불가능한 사망의 단계에 이르렀는지 여부에 관하여는 전문의사 등으로 구성된 위원회 등의 판단을 거치는 것이 바람직하다.

09 생명권에 대한 설명으로 옳은 것은?

① 독일 기본법이나 일본 헌법도 한국 헌법과 같이 명문으로 생명권 보장에 관한 명문의 규정을 두고 있다.

② 태아는 생명의 유지를 모(母)에게 의존하는 형성 중의 생명이라는 점에서 국가가 헌법 제10조 제2문에 따라 태아의 생명을 보호할 의무를 부담한다고 볼 수는 없다.

③ 자연법적 권리로서의 생명권의 향유자는 내국인 및 외국인을 불문한다. 그러나 생명권의 본질에 비추어 법인이 아닌 자연인만이 그 주체가 될 수 있다.

④ 상관을 살해한 경우 사형만을 유일한 법정형으로 규정한 「군형법」은 군대 내 명령·지휘체계를 유지하고 유사시 군의 전투력을 확보할 필요성에 비추어 볼 때 헌법에 위반되지 않는다.

10 사형제도에 대한 설명으로 옳은 것은? (다툼이 있는 경우 헌법재판소 결정례에 의함)

① 비상계엄하의 군사재판에서 사형을 선고하는 경우를 정하는 헌법규정은 비상계엄하의 군사재판에서 사형을 선고할 경우에는 불복할 수 있어야 한다는 것을 천명한 것으로 제한적으로 해석되어야 하므로 이 규정을 이유로 헌법이 사형제도를 간접적으로라도 인정한다고 볼 수는 없다.

② 사형제도를 존치시킬 것인지 또는 폐지할 것인지의 문제는 민주적 정당성을 가진 입법부가 결정할 입법정책의 문제이다.

③ 생명권은 헌법에 명문으로 규정하고 있지 않지만 다른 어느 기본권보다 우월한 가치를 가지는 절대적 권리로서 헌법 제37조 제2항에 의한 일반적 법률유보의 대상이 될 수 없다.

④ 생명권은 생명의 보호를 위해서만 제한될 수 있을 뿐이다.

11 배아에 대한 설명으로 옳지 않은 것은?

① 법학자, 윤리학자, 철학자, 의사 등의 직업인들이 보존기간이 경과한 잔여배아를 각종 연구에 사용할 수 있도록 허용하고 있는 「생명윤리 및 안전에 관한 법률」 조항에 의해 불편을 겪는다고 하더라도, 이는 사실적·간접적 불이익에 불과하여 기본권 침해의 가능성 및 자기관련성을 인정할 수 없다.

② 어느 시점부터 기본권 주체성이 인정되는지, 또 어떤 기본권에 대해 기본권 주체성이 인정되는지는 생명의 근원에 대한 생물학적 인식을 비롯한 자연과학·기술 발전의 성과와 그에 터 잡은 헌법의 해석으로부터 도출되는 규범적 요청을 고려하여 판단하여야 할 것이다.

③ 초기배아는 기본권 주체성이 인정되지 않으므로 초기배아라는 원시생명체에 대하여 국가의 보호의무가 인정되지 않는다.

④ 배아생성자의 배아에 대한 자기결정권은 자기결정이라는 인격권적 측면에도 불구하고 배아의 법적 보호라는 헌법적 가치에 명백히 배치될 경우에는 그 제한의 필요성이 상대적으로 큰 기본권이라 할 수 있다.

12 배아에 대한 설명으로 옳은 것은?

① 배아에 대한 5년의 보존기간 및 보존기간 경과 후 폐기의무를 규정한 것은 배아생성자의 배아에 대한 자기결정권을 침해한다.

② 초기배아는 수정이 된 배아라는 점에서 형성 중인 생명의 첫걸음을 떼었다고 볼 여지가 있기는 하나 아직 모체에 착상되거나 원시선이 나타나지 않은 이상 기본권 주체성 및 국가의 보호필요성을 인정할 수 없다.

③ '연명치료 중단에 관한 결정권'을 보장하는 방법으로서 '법원의 재판을 통한 규범의 제시'와 '입법' 중 어떤 방법을 선택할 것인지의 문제는 입법부가 결정할 입법정책적 문제이다.

④ 헌법재판소는 아직 태어나지 아니한 태아도 헌법상 생명권을 가지므로 국가는 이를 보호해야 할 의무를 진다고 결정하였지만, 배아에게도 헌법상 생명권이 인정되는지 여부에 대해서는 아직 판단하지 아니하였다.

13 행복추구권의 보호영역에 대한 헌법재판소의 결정으로 옳은 것은?

① 공물을 사용·이용하게 해달라고 국가에 대하여 청구할 수 있는 권리, 즉 공물이용권이 행복추구권에 포함되므로 일반 공중에게 개방된 장소인 서울광장을 개별적으로 통행하거나 서울광장에서 여가활동이나 문화활동을 하는 것은 일반적 행동자유권의 내용으로 보장된다.

② 법률행위의 영역에 있어서 계약을 체결할 것인가의 여부, 체결한다면 어떠한 내용의, 어떠한 상대방과의 관계에서, 어떠한 방식으로 계약을 체결하느냐 여부 등의 계약자유의 원칙은 일반적 행동자유권으로부터 파생된다.

③ 「국민건강보험법」에 의하여 요양급여를 요구할 권리는 포괄적 자유권인 행복추구권의 내용에 포함된다고 할 수 있다.

④ 행복추구권이란 국민이 행복을 추구하기 위한 활동을 국가권력의 간섭 없이 자유롭게 할 수 있다는 소극적 권리의 성격만을 가지는 것이 아니라 국민이 행복을 추구하기 위해 필요한 급부를 국가에게 요구할 수 있는 적극적 권리의 성격도 가진다.

14 행복추구권의 보호영역에 대한 헌법재판소의 결정으로 옳은 것은?

① 국가 등의 양로시설에 입소하는 국가유공자에게 일정 요건하에서 보상금수급권에 대한 지급정지를 규정하고 있는 것은 자유권이나 자유권의 제한영역에 관한 규정이 아니므로 행복추구권을 침해한다고 할 수 없다.

② 광장에서 여가활동이나 문화활동을 하는 것은 일반적 행동자유권의 보호영역에 포함되지만, 그 광장 주변을 출입하고 통행하는 개인의 행위는 거주이전의 자유로 보장될 뿐 일반적 행동자유권의 내용으로는 보장되지 않는다.

③ 일반적 행동자유권의 보호대상으로서 행동이란 국가가 간섭하지 않으면 자유롭게 할 수 있는 행위를 의미하므로 병역의무 이행으로서 현역병 복무도 국가가 간섭하지 않으면 자유롭게 할 수 있는 행위에 속한다는 점에서 현역병으로 복무할 권리도 일반적 행동자유권에 포함된다.

④ 평화적 생존권은 인간의 존엄과 가치를 실현하고 행복을 추구하기 위한 기본전제가 되는 것이므로 행복추구권의 내용이 된다.

15 행복추구권의 보호영역에 대한 헌법재판소의 결정으로 옳지 않은 것은 모두 몇 개인가?

ㄱ. 부모의 분묘를 가꾸고 봉제사를 하고자 하는 권리는 행복추구권의 내용이 된다.
ㄴ. 지역방언을 자신의 언어로 선택하여 공적 또는 사적인 의사소통과 교육의 수단으로 사용하는 것은 행복추구권에서 파생되는 일반적 행동의 자유 내지 개성의 자유로운 발현의 내용이 된다.
ㄷ. 일반적 행동자유권은 모든 행위를 할 자유와 행위를 하지 않을 자유로 가치 있는 행동만 그 보호영역으로 하는 것은 아니므로, 그 보호영역에는 개인의 생활방식과 취미에 관한 사항도 포함되고, 여기에는 위험한 스포츠를 즐길 권리와 같은 위험한 생활방식으로 살아갈 권리도 포함된다.
ㄹ. 외국인은 입국의 자유의 주체가 될 수 없으며, 외국인이 복수 국적을 누릴 자유는 헌법상 행복추구권에 의하여 보호되는 기본권에 해당하지 않는다.
ㅁ. 기부행위자는 자신의 재산을 사회적 약자나 소외 계층을 위하여 출연함으로써 자기가 속한 사회에 공헌하였다는 행복감과 만족감을 실현할 수 있으므로, 기부행위는 행복추구권과 그로부터 파생되는 일반적 행동자유권에 의해 보호된다.
ㅂ. 결혼식 하객들에게 주류와 음식물을 접대하는 행위는 인류의 오래된 보편적인 사회생활의 한 모습으로 일반적 행동자유권의 보호대상이다.
ㅅ. 행복추구권에는 개인의 자기운명결정권이 전제되는 것이고, 이 자기운명결정권에는 성행위 여부 및 그 상대방을 결정할 수 있는 성적 자기결정권 또한 포함되어 있다.
ㅇ. 자기운명결정권에는 임신과 출산에 관한 결정, 즉 임신과 출산의 과정에 내재하는 특별한 희생을 강요당하지 않을 자유가 포함되어 있다.
ㅈ. 헌법 제10조가 정하고 있는 행복추구권에서 파생되는 자기결정권 내지 일반적 행동자유권은 이성적이고 책임감 있는 사람의 자기의 운명에 대한 결정·선택을 존중하되 그에 대한 책임은 스스로 부담함을 전제로 한다.
ㅊ. 무면허의료행위라 할지라도 지속적인 소득활동이 아니라 취미, 일시적 활동 또는 무상의 봉사활동으로 삼는 경우에는 일반적 행동자유권의 보호영역에 포섭된다.

① 없음. ② 1개
③ 2개 ④ 3개

16 행복추구권의 보호영역에 대한 헌법재판소의 결정으로 옳지 않은 것은?

① 운전 중 휴대용 전화를 사용할 자유는 헌법 제10조의 행복추구권에서 나오는 일반적 행동자유권의 보호영역에 속한다고 할 수 있다.

② 일반 공중의 사용에 제공된 공공용물을 그 제공목적대로 이용하는 일반사용 내지 보통사용에 관한 권리는 일반적 행동자유권의 보호영역에 포함되지 않는다.

③ 학교운영위원회 위원은 공무원도 아니고 직업도 아니므로 공무담임권 또는 직업의 자유에서 보호되지 않는다. 이와 같이 특정 기본권에서 보호되지 않는 부분사회의 자치적 운영에 참여하는 것도 일반적 행동자유권의 대상이 된다.

④ 자신이 마실 물을 선택할 자유는 헌법 제10조에 규정된 행복추구권의 내용을 이룬다.

17 행복추구권 제한에 대한 설명으로 옳지 않은 것은?

① 행복추구권도 국가안전보장, 질서유지 또는 공공복리를 위하여 제한될 수 있는 것이며, 공동체의 이익과 무관하게 무제한의 경제적 이익의 도모를 보장하는 것이라고 할 수 없다.

② 단체의 재정 확보를 위한 모금행위가 단체의 결성이나 결성된 단체의 활동과 유지에 있어서 중요한 의미를 가질 수 있기 때문에 기부금품모집행위의 제한이 결사의 자유에 영향을 미칠 수 있다는 것은 인정되나, 결사의 자유에 대한 제한은 기부금품모집행위를 규제하는 데서 오는 간접적이고 부수적인 효과일 뿐이고, 기부금품모집행위의 규제에 의하여 제한되는 기본권은 행복추구권이다.

③ 「주세법」 제38조의7 등이 규정한 구입명령제도는 소주판매업자에게 자도소주의 구입의무를 부과함으로써, 소주제조업자의 기업의 자유 및 경쟁의 자유를 제한하고, 소비자가 자신의 의사에 따라 자유롭게 상품을 선택하는 것을 제약함으로써 소비자의 행복추구권에서 파생되는 자기결정권도 제한하고 있다.

④ 고졸검정고시 또는 고입검정고시에 합격했던 자가 해당 검정고시에 다시 응시할 수 없게 됨으로써 제한되는 주된 기본권은 자유로운 인격발현권인데, 이러한 응시자격 제한은 검정고시제도 도입 이후 허용되어 온 합격자의 재응시를 경과조치 등 없이 무조건적으로 금지하는 것이어서 과잉금지원칙에 위배된다.

18 행복추구권 제한에 대한 설명으로 옳지 않은 것은?

① 간통죄는 개인의 성적 자기결정권과 헌법 제17조가 보장하는 사생활의 비밀과 자유 역시 제한한다.

② 비어업인이 잠수용 스쿠버장비를 사용하여 수산자원을 포획·채취하는 것을 금지하는 「수산자원관리법 시행규칙」 조항은 일반적 행동의 자유를 제한한다.

③ 형의 집행유예와 동시에 사회봉사명령을 선고받는 경우, 신체의 자유가 제한될 뿐이지 일반적 행동자유권이 제한되는 것은 아니다.

④ 근로자의 날을 관공서 공휴일에 포함시키지 않는 「관공서의 공휴일에 관한 규정」은 자유권의 제한영역에 관한 것이 아니므로 청구인의 행복추구권을 제한한다고 할 수 없다.

19 행복추구권 제한에 대한 설명으로 옳지 않은 것은?

① 구 「국가보안법」 제9조 제2항에서 규제대상이 되는 편의 제공은 법운영당국이 편의 제공자가 누구인가에 따라 법규문언 그대로 적용하여 합헌행위까지도 처벌할 경우, 헌법 제10조 소정의 행복추구권에서 파생하는 국민의 일반적 행동자유권을 위축시킬 수도 있다.

② 혼인을 빙자하여 부녀를 간음한 남자를 처벌하는 구 「형법」 조항은 사생활의 비밀과 자유를 제한하는 것이라고 할 수 있지만, 혼인을 빙자하여 부녀를 간음한 남자의 성적 자기결정권을 제한하는 것은 아니다.

③ 공동주택의 대표기관을 선출할 권리와 그 선거에 입후보할 기회는 일반적 행동의 자유에서 보호되나, 대표기관의 지위를 획득할 기회까지 보호된다고 할 수 없으므로 공동주택의 동별 대표자 선출시 입후보자가 1명인 경우 입주자 등의 과반수 투표 및 투표자의 과반수 찬성으로 선출하도록 규정하고 있는 「주택법 시행령」은 일반적 행동의 자유를 제한하지 않는다.

④ "누구든지 응급의료종사자의 응급환자에 대한 진료를 폭행, 협박, 위계, 위력, 그 밖의 방법으로 방해하여서는 아니된다."라고 규정한 「응급의료에 관한 법률」 제12조는 자기결정권 내지 일반적 행동의 자유의 제한이 아니다.

20 행복추구권 제한에 대한 설명으로 옳지 않은 것은?

① 무면허의료행위라 할지라도 지속적인 소득활동이 아니라 취미, 일시적 활동 또는 무상의 봉사활동으로 삼는 경우에는 일반적 행동자유권의 보호영역에 포함되지 않으므로 무면허 의료인의 의료행위를 금지하는 「의료법」은 일반적 행동의 자유를 제한하는 규정이라고 할 수 없다.

② 술에 취한 상태로 도로 외의 곳에서 운전하는 것을 금지하고 이를 위반했을 때 처벌하는 것은 일반적 행동의 자유를 제한한다.

③ 국가 등의 양로시설 등에 입소하는 국가유공자에게 부가연금, 생활조정수당 등의 지급을 정지하도록 한 「국가유공자 등 예우 및 지원에 관한 법률」은 행복추구권을 제한한다고 할 수 없다.

④ 자동차 운전 중 휴대용 전화를 사용하는 것을 금지하고 위반시 처벌하는 「도로교통법」은 청구인의 일반적 행동자유권을 제한한다.

19회 진도별 모의고사

행복추구권

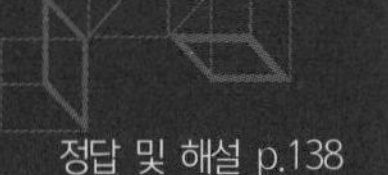

정답 및 해설 p.138

제한시간 : 14분 | 시작시각 ___시 ___분 ~ 종료시각 ___시 ___분 나의 점수 ______

01 행복추구권에 대한 설명으로 옳지 않은 것을 모두 조합한 것은?

ㄱ. 민간투자사업에 유료도로를 포함시키고 유료도로의 사용료를 징수할 수 있도록 한 「사회기반시설에 대한 민간투자법」은 일반적 행동의 자유를 제한한다.
ㄴ. 주민등록은 거주하는 사람의 결단에 따른 행동과는 무관한 것이므로 이를 일반적 행동자유권의 내용으로 볼 수 없으므로 영내에 기거하는 군인은 그가 속한 세대의 거주지에서 등록하여야 한다고 규정하고 있는 「주민등록법」 제6조 제2항은 영내 기거 현역병의 일반적 행동자유권으로 제한으로 볼 수 없다.
ㄷ. 운전할 때 좌석안전띠를 매야 할 의무를 지우고 이에 위반했을 때 범칙금을 부과하고 하는 「도로교통법」은 청구인의 일반적 행동의 자유를 제한한다고 할 수 없다.
ㄹ. 운전할 때 운전자가 좌석안전띠를 착용하는 문제는 더 이상 사생활영역의 문제가 아니어서 사생활의 비밀과 자유에 의하여 보호되는 범주를 벗어난 행위라고 볼 것이다.
ㅁ. 운전 중 운전자의 좌석안전띠착용은 양심의 자유의 보호영역에 속하므로 이 사건 심판대상조항들은 청구인의 양심의 자유를 제한한다.

① ㄴ, ㄹ
② ㄱ, ㄴ, ㄷ
③ ㄴ, ㄹ, ㅁ
④ ㄱ, ㄷ, ㅁ

02 인간의 존엄과 가치와 행복추구권에 대한 설명으로 옳은 것은?

① 태아 성별고지금지의무의 주체를 의료인으로 정하고 있으나 태아의 부모도 태아 성별고지금지규정에 의해 직접적으로 기본권 제한한다고 할 수 없다.

② 변호사에 대한 징계결정정보를 인터넷 홈페이지에 공개하도록 한 「변호사법」 제98조의5 제3항과 징계결정정보의 공개범위와 시행방법을 정한 「변호사법 시행령」으로 인격권을 제한하나 재산권을 제한한다고 할 수 없다.

③ 시체를 해부용도로 제공할 것인지 여부도 생명권에서 보호되므로 본인의 생전 의사에 관계없이 인수자가 없는 시체를 해부용으로 제공하도록 규정하고 있는 법률조항은 생명권을 제한한다고 할 것이다.

④ 헌법 제110조 제4항은 법률에 의하여 사형이 형벌로서 규정되고 그 형벌조항의 적용으로 사형이 선고될 수 있음을 전제로 하여, 사형을 선고한 경우에는 비상계엄하의 군사재판이라도 단심으로 할 수 없고 사법절차를 통한 불복이 보장되어야 한다는 취지의 규정으로, 우리 헌법은 사형제도를 직접적으로 인정하고 있다.

03 행복추구권 보호영역과 제한에 대한 설명으로 옳지 않은 것은?

① 학교폭력 가해학생에 대한 징계를 규정한 「학교폭력예방 및 대책에 관한 법률」에 의해 제한을 받는 자유롭게 교육을 받을 권리, 즉 학습의 자유는 헌법 제10조에서 보호된다.

② 보건복지부장관이 「의료법」과 대통령령의 위임에 따라 치과전문의 자격시험제도를 실시할 수 있도록 시행규칙을 개정하거나 필요한 조항을 신설하는 등 제도적 조치를 마련하지 아니하는 부작위에 대한 헌법소원청구에 대해 헌법재판소는 직업의 자유 침해뿐 아니라 행복추구권을 침해한다고 하였다.

③ 선거범죄에 대한 선거관리위원회 위원과 직원의 자료제출요구에 따르도록 한 「공직선거법」의 일반적 행동자유권의 침해 여부를 판단하는 이상 인간으로서의 존엄과 가치, 인격권 침해에 대해서는 별도로 살피지 아니한다.

④ 의료인이 아닌 자의 의료행위를 금지하는 「의료법」 제25조는 행복추구권에서 파생하는 일반적 행동의 자유를 제한하는 규정이나 직업선택의 자유를 제한하는 규정이라고 할 수 없다.

04 행복추구권 보호영역과 제한에 대한 설명으로 옳은 것은?

① 행복추구권과 기타 개별 기본권이 경합하는 경우에도 행복추구권 침해 여부에 대하여 독자적으로 판단하여야 한다.

② 학원교습시간 제한에 관한 조례에 의하여 제한되는 기본권은 배우고자 하는 아동과 청소년의 인격의 자유로운 발현권 및 학원을 운영하는 자의 직업수행의 자유이고, 자녀교육에 대하여 결정할 수 있는 부모의 교육권이다.

③ 보호영역으로서 '직업'이 문제되는 경우 직업의 자유 침해 여부와 행복추구권 관련 위헌 여부의 심사도 병행되어야 한다.

④ 교도소장이 교도소 독거실 내 화장실 창문과 철격자 사이에 안전철망을 설치한 행위를 다투는 이 사건에서는 우선적으로 적용되는 행복추구권을 주 기본권으로 삼아 판단하기로 한다.

05 학교폭력 가해학생에 대한 징계를 규정한 학교폭력예방 및 대책에 관한 법률에 대한 헌법소원심판청구에 설명으로 옳지 않은 것은?

① 학교폭력 가해학생에 대해 일정한 조치가 내려졌을 경우 그 조치가 적절하였는지 여부에 대해 가해학생 학부모가 의견을 제시할 수 있는 권리는 학부모의 자녀교육권의 내용에 포함된다.

② 학교폭력 가해학생에 대한 징계를 규정한 「학교폭력예방 및 대책에 관한 법률」에 의해 제한을 받는 자유롭게 교육을 받을 권리, 즉 학습의 자유는 헌법 제31조의 교육을 받을 권리에서 보호된다.

③ 자신의 능력과 개성, 적성에 맞는 학교를 선택할 권리, 즉 학생의 학교선택권은 헌법 제10조에서 보호된다.

④ 가해학생의 선도·교육을 도모하기 위한 관점에서도 출석정지기간의 상한은 반드시 규정되어야 함에도 상한을 규정하지 않은 「학교폭력예방 및 대책에 관한 법률」 제17조는 과잉금지원칙에 위반되어 청구인들의 자유롭게 교육을 받을 권리, 즉 학습의 자유를 침해한다고 볼 수 없다.

06 성년후견인제도에 대한 설명으로 옳은 것은?

① 정신적 제약으로 사무를 처리할 능력이 지속적으로 결여된 사람에 대하여 일정한 자의 청구가 있으면 성년후견심판을 하도록 한 「민법」 제9조의 위헌 여부는 자기결정권과 일반적 행동자유권 침해 여부와는 별도로 행복추구권의 침해 여부를 판단한다.

② 「민법」 제9조 제1항은 '4촌'과 같은 넓은 범위의 친족과 후견사무 관계인, 관청의 성년후견개시심판청구권을 인정하고 있는 「민법」 제9조 제1항 중 성년후견개시심판 청구권자 부분은 침해의 최소성 및 법익균형성에 반하여 자기결정권을 침해하는 것으로서 헌법에 합치되지 않는다.

③ 가정법원은 성년후견개시 또는 한정후견개시의 심판을 할 경우에는 피성년후견인이 될 사람이나 피한정후견인이 될 사람의 정신상태에 관하여 의사에게 감정을 시켜야 한다고 규정한 「가사소송법」 제45조의2(정신상태의 감정 등)은 피성년후견인이 될 사람의 자기결정권 및 일반적 행동자유권을 침해하였다.

④ 피성년후견인의 법률행위를 후견인이 취소할 수 있도록 한 「민법」 제10조는 피성년후견인의 자기결정권 및 일반적 행동자유권을 침해하였다고 볼 수 없다.

07 수용자에 대한 헌법재판소의 결정으로 옳지 않은 것은?

① 교도관이 「마약류 관리에 관한 법률」 위반 혐의의 미결수용자에게 입감시 검사의 취지와 방법을 설명하고 반입금지품을 제출하도록 안내한 후, 외부와 차단된 검사실에서 같은 성별의 교도관 앞에 돌아서서 하의속옷을 내린 채 상체를 숙이고 양손으로 둔부를 벌려 항문을 보이는 방법으로 미결수용자에게 실시한 정밀신체검사는 미결수용자가 느끼는 모욕감이나 수치심보다 구치소 내의 안전과 질서를 보호하는 공익이 훨씬 크다고 할 것이므로 과잉금지원칙에 위배한 기본권 침해라고 할 수 없다.

② 유치인들이 경찰서 유치장에 수용되어 있는 동안 차폐시설이 불충분하여 사용과정에서 신체부위가 다른 유치인들이나 경찰관들에게 관찰될 수 있고, 냄새가 유출되는 유치실 내 화장실을 사용하도록 강제되었더라도 이는 유치인들의 자살이나 자해방지, 환자의 신속한 발견 등 감시와 보호목적을 달성하기 위한 것이므로 인격권을 침해하는 것이 아니다.

③ 교정시설의 1인당 수용면적이 수형자의 인간으로서의 기본 욕구에 따른 생활조차 어렵게 할 만큼 지나치게 협소하다면, 이는 그 자체로 국가형벌권 행사의 한계를 넘어 수형자의 인간의 존엄과 가치를 침해하는 것이다.

④ 수용자를 교정시설에 수용할 때마다 전자영상 검사기를 이용하여 수용자의 항문 부위에 대한 신체검사를 하는 것이 필요한 최소한도를 벗어나 과잉금지원칙에 위배되어 수용자의 인격권 내지 신체의 자유를 침해한다고 볼 수 없다.

08 수용자에 대한 헌법재판소의 결정으로 옳지 않은 것은 모두 몇 개인가?

ㄱ. 상체승의 포승과 수갑을 채우고 별도의 포승으로 다른 수용자와 연승한 행위는 과잉금지원칙에 반하여 청구인의 인격권을 침해한다.

ㄴ. 교도소에 수용된 때에는 국민건강보험급여를 정지하도록 한 「국민건강보험법」 조항은 수용자의 인간의 존엄성과 행복추구권을 침해하는 것이 아니다.

ㄷ. 교도소장이 교도소 수용자의 동절기 취침시간을 21시로 정한 행위는 수용자의 일반적 행동자유권을 침해하지 않는다.

ㄹ. 금치기간 중 신문·도서·잡지 외 자비구매물품의 사용을 제한하는 「형의 집행 및 수용자의 처우에 관한 법률」 조항은 수용자의 일반적 행동의 자유를 침해하지 않는다.

ㅁ. 마약반응검사를 위하여 수용자가 법률상 근거 없이 의무도 없는 소변채취를 강요당했다면 헌법 제10조의 인간의 존엄과 가치 및 행복추구권에 의하여 보장되는 일반적 행동의 자유권의 침해 여부가 문제될 수 있다.

ㅂ. 법무부훈령인 '법무시설 기준규칙'은 수용동의 조도기준을 취침 전 200룩스 이상, 취침 후 60룩스 이하로 규정하고 있는데, 수용자의 도주나 자해 등을 막기 위해서 취침시간에도 최소한의 조명을 유지하는 것은 수용자의 숙면방해로 인하여 인간의 존엄과 가치를 침해한다.

① 1개　② 2개

③ 3개　④ 4개

09 수용자와 행복추구권에 대한 설명으로 옳지 않은 것은?

① 수용시설 밖으로 나가는 수형자에게 고무신의 착용을 강제하는 것은 도주의 방지를 위한 불가피한 수단이라고 보기 어렵고 효과적인 도주 방지수단이 될 수도 없으며, 오히려 수형자의 신분을 일반인에게 노출시켜 모욕감과 수치심을 갖게 할 뿐으로서 이는 행형의 정당한 목적에는 포함되지 아니하므로, 기본권 제한의 한계를 벗어나 수형자의 인격권과 행복추구권을 침해한다.

② 민사재판의 당사자로 출석하는 수형자에 대하여, 사복착용을 허용하는 「형의 집행 및 수용자의 처우에 관한 법률」 제82조를 준용하지 아니한 것이 수형자의 인격권 및 행복추구권을 침해하는 것은 아니다.

③ 수사 또는 재판을 받을 때에 미결수용자에게 재소자용 의류를 입게 하는 것은 무죄추정의 원칙에 반한다.

④ 수형자라 하더라도 확정되지 않은 별도의 형사재판에서만큼은 미결수용자와 같은 지위에 있으므로, 이러한 수용자로 하여금 형사재판 출석시 아무런 예외 없이 사복착용을 금지하고 재소자용 의류를 입도록 하는 것은 소송관계자들에게 유죄의 선입견을 줄 수 있어 무죄추정의 원칙에 위배될 소지가 클 뿐만 아니라 공정한 재판을 받을 권리, 인격권, 행복추구권을 침해한다.

10 4·16 세월호참사 피해구제 및 지원 등을 위한 특별법(이하 '세월호피해지원법'이라 한다)에 대한 헌법재판소 판례에 대한 설명으로 옳지 않은 것은?

① 심의위원회의 배상금 등 지급결정에 신청인이 동의한 때에는 국가와 신청인 사이에 「민사소송법」에 따른 재판상 화해가 성립된 것으로 보는 세월호피해지원법 제16조는 신청인이 배상금 등 지급결정에 동의한 경우 재판상 화해와 같은 효력을 부여함으로써 지급절차를 신속히 종결하고 배상금 등을 지급할 수 있도록 한 규정으로, 그 입법목적의 정당성과 수단의 적절성이 인정된다.

② 배상금 등을 지급받으려는 신청인으로 하여금 "4·16 세월호참사에 관하여 어떠한 방법으로도 일체의 이의를 제기하지 않을 것임을 서약합니다."라는 내용이 기재된 배상금 등 동의 및 청구서를 제출하도록 규정한 세월호피해지원법 시행령은 청구인들의 일반적 행동의 자유를 새롭게 제한하는 효과가 생기는 것은 아니다. 따라서 이의제기금지조항은 청구인들의 기본권을 새로이 침해하는 공권력의 행사에 해당하지 아니한다.

③ 심의위원회의 배상금 등 지급결정에 신청인이 동의한 때에는 국가와 신청인 사이에 「민사소송법」에 따른 재판상 화해가 성립된 것으로 보는 세월호피해지원법 제16조는 법원에 손해배상청구권 행사를 금지하므로 과잉금지원칙을 위반하여 청구인들의 재판청구권을 침해한다고 할 수 없다.

④ 배상금 등을 지급받으려는 신청인으로 하여금 "4·16 세월호참사에 관하여 어떠한 방법으로도 일체의 이의를 제기하지 않을 것임을 서약합니다."라는 내용이 기재된 배상금 등 동의 및 청구서를 제출하도록 규정한 세월호피해지원법 시행령은 세월호피해지원법의 근거 없이 대통령령으로 청구인들에게 세월호 참사와 관련된 일체의 이의제기금지의무를 부담시킴으로써 일반적 행동의 자유를 침해한다.

11 **수형자의 민원인에 대해서만 인터넷화상접견과 스마트접견을 신청할 권리를 인정하면서 미결수용자의 가족에게는 이를 인정하지 않은 수용관리 및 계호업무 등에 관한 지침에 대해 헌법소원심판이 청구되었다. 이에 대한 설명으로 옳지 않은 것을 모두 조합한 것은?**

> ㄱ. 미결수용자가 가족과 접견하는 것과 미결수용자의 가족이 미결수용자와 접견하는 것 역시 헌법 제10조가 보장하고 있는 인간으로서의 존엄과 가치 및 행복추구권 가운데 포함되는 헌법상의 기본권이다.
> ㄴ. 미결수용자의 가족이 인터넷화상접견이나 스마트접견과 같이 영상통화를 이용하여 접견할 권리가 접견교통권의 핵심적 내용에 해당되어 헌법에 의해 직접 보장된다.
> ㄷ. 미결수용자의 배우자에 대해서는 인터넷화상접견과 스마트접견을 허용하지 않는 구 '수용관리 및 계호업무 등에 관한 지침'은 행복추구권 또는 일반적 행동자유권의 제한은 인정하기 어렵다.
> ㄹ. 수용관리 및 계호업무 등에 관한 지침이 미결수용자의 배우자와 수형자의 배우자와의 사이에 차별하고 있으나 이는 단순히 사실상의 이익의 차별이므로 인터넷화상접견대상자 지침조항 및 스마트접견대상자 지침조항에 의해 청구인의 평등권이 제한된다고 할 수 없다.
> ㅁ. 수형자의 민원인에 대해서만 인터넷화상접견과 스마트접견을 신청할 권리를 인정하면서 미결수용자의 가족에게는 이를 인정하지 않은 '수용관리 및 계호업무 등에 관한 지침'에 의한 평등권 침해 여부는 차별에 합리적 이유가 있는지를 살펴보는 방식으로 심사하는 것이 적절하다.

① ㄱ, ㄷ ② ㄴ, ㄹ
③ ㄱ, ㄹ ④ ㄴ, ㄷ

12 **혼인과 행복추구권에 대한 설명으로 옳지 않은 것은 모두 몇 개인가?**

> ㄱ. 중혼을 혼인 취소의 사유로 정하면서 그 취소청구권의 제척기간 또는 소멸사유를 규정하지 않은 「민법」 조항은 후혼배우자의 인격권 및 행복추구권을 침해하지 아니한다.
> ㄴ. 부모가 자녀의 이름을 지어주는 것은 자녀의 양육과 가족생활을 위하여 필수적인 것이고, 가족생활의 핵심적 요소라 할 수 있으므로, '부모가 자녀의 이름을 지을 자유'는 혼인과 가족생활을 보장하는 헌법 제36조 제1항과 행복추구권을 보장하는 헌법 제10조에 의하여 보호받는다.
> ㄷ. 혼인 종료 후 300일 이내에 출생한 자를 전남편의 친생자로 추정하는 「민법」의 규정은 모가 가정생활과 신분관계에서 누려야 할 인격권을 침해하였다.
> ㄹ. 협의상 이혼을 하고자 하는 사람에게 부부가 함께 관할 가정법원에 출석하여 협의이혼의사확인신청서를 제출하도록 하는 것은 협의상 이혼을 하고자 하는 사람의 일반적 행동자유권을 침해한다.
> ㅂ. 친생부인의 소의 제척기간을 규정한 「민법」 제847조 제1항 중 '부(夫)가 그 사유가 있음을 안 날부터 2년 내' 부분은 친생부인의 소의 제척기간에 관한 입법재량의 한계를 일탈하지 않은 것으로서 헌법에 위반되지 아니한다.
> ㅅ. 입양이나 재혼 등과 같이 가족관계의 변동과 새로운 가족관계의 형성에 있어서 구체적인 사정들에 따라서는 양부 또는 계부 성(姓)으로의 변경이 개인의 인격적 이익과 매우 밀접한 관계를 가짐에도 부성(父姓)의 사용만을 강요하여 성(姓)의 변경을 허용하지 않는 것은 개인의 인격권을 침해한다.
> ㅇ. 결혼식 등의 당사자가 자신을 축하하러 온 하객들에게 주류와 음식물을 접대하는 행위는 혼인의 자유의 영역에 의하여 보호되는 것으로 개인의 일반적인 행동의 자유영역에 속하는 행위라 할 수 없다.
> ㅈ. 「형법」이 간통 및 상간행위를 형사처벌하도록 한 것 자체는 헌법에 위반되지 아니하나, 법정형으로 징역형만을 규정한 것은 구체적 사안의 개별성과 특수성을 고려할 수 있는 가능성을 배제 또는 제한하여 책임과 형벌 간 비례의 원칙에 위배되어 헌법에 위반된다.
> ㅊ. 친생부인의 소의 제소기간과 그 기산점에 관하여 '그 출생을 안 날로부터 1년 내'라고 정한 것은 인간의 존엄과 가치, 행복추구권을 보장한 헌법 제10조와 혼인과 가족생활의 권리 침해금지를 보장한 헌법 제36조 제1항에 위반된다.
> ㅋ. 인지청구의 소의 제소기간을 부 또는 모의 사망을 안 날로부터 1년 내로 제한하는 것은 인간의 존엄과 가치 및 행복추구권을 침해하는 것이다.
> ㅌ. 이름(성명)은 개인의 정체성과 개별성을 나타내는 인격의 상징으로서 개인이 사회 속에서 자신의 생활영역을 형성하고 발현하는 기초가 되므로, 부모가 자녀의 이름을 지을 자유는 혼인과 가족생활을 보장하는 헌법 제36조 제1항이 아니라 일반적 인격권 및 행복추구권을 보장하는 헌법 제10조에 의하여 보호받는다.

① 3개 ② 4개
③ 5개 ④ 6개

13 자기결정권에 대한 설명으로 옳은 것은?

① 먹는 샘물 제조업자에게 수질개선부담금을 부과하는 것은 가격전가를 통하여 먹는 샘물의 소비자에게 심각한 경제적 부담을 가하는 것이므로 결국 국민의 마시고 싶은 물을 자유롭게 선택할 가능성을 제한하여 행복추구권을 침해한다.

② 개인별로 주민등록번호를 부여하면서 주민등록번호 변경에 관한 규정을 두고 있지 않은 구 「주민등록법」 제7조는 개인정보자기결정권을 침해하지 않는다.

③ 개인이 자유의지에 의하여 자유롭게 자기의 삶과 운명을 결정할 수 있는 권리를 말하고, 헌법 명문의 규정으로 인정되고 있다.

④ 인수자가 없는 시체를 생전의 본인의 의사와는 무관하게 해부용 시체로 제공되도록 규정한 「시체 해부 및 보존에 관한 법률」 규정은 추구하는 공익이 사후 자신의 시체가 자신의 의사와는 무관하게 해부용 시체로 제공됨으로써 침해되는 사익보다 크다고 할 수 없으므로 청구인의 시체처분에 대한 자기결정권을 침해한다.

14 부모의 자녀교육권에 대한 설명으로 옳지 않은 것은?

① '부모의 자녀에 대한 교육권'은 비록 헌법에 명문으로 규정되어 있지는 않지만, 혼인과 가족생활을 보장하는 헌법 제36조 제1항, 교육을 받을 권리를 규정한 헌법 제31조 제1항에서 직접 도출되는 권리이다.

② 양육권은 공권력으로부터 자녀의 양육을 방해받지 않을 권리라는 점에서는 자유권적 기본권으로서의 성격을, 자녀의 양육에 관하여 국가의 지원을 요구할 수 있는 권리라는 점에서는 사회권적 기본권으로서의 성격을 아울러 가지며, 육아휴직을 신청할 수 있는 대상자를 제한하는 것은 사회권적 기본권으로서의 양육권을 제한하는 것으로 볼 수 있다.

③ 학부모의 교육참여권을 구체적으로 실현시키고자 도입한 학교운영위원회의 설치를 사립학교의 임의에 맡김으로써 실제로 대부분의 사립학교가 학교운영위원회를 설치하지 않게 되어 결과적으로 사립학교 학부모의 교육참여권을 제한한 것은 헌법 제31조 제1항 및 제2항에 의거한 학부모의 교육참여권을 침해하여 헌법에 위반된다고 할 수 없다.

④ 자녀의 양육과 교육에 있어서 부모의 교육권은 교육의 모든 영역에서 존중되어야 한다.

15 부모의 자녀교육권에 대한 설명으로 옳은 것은?

① 부모가 자녀의 이익을 가장 잘 보호할 수 있다는 점에 비추어 자녀가 의무교육을 받아야 할지 여부를 부모가 자유롭게 결정할 수 없도록 하는 것은 부모의 교육권에 대한 침해한다고 할 수 없다.

② 학교 내외의 교육영역에서 국가는 헌법 제31조에 의하여 원칙적으로 독립된 독자적인 교육권한을 부여받았고, 학교 밖의 교육영역에서는 원칙적으로 부모의 교육권보다 국가의 교육권한이 우위를 차지한다.

③ 학교교육에 관한 한 국가는 헌법 제31조에 의하여 부모의 교육권으로부터 원칙적으로 독립된 독자적인 교육권한을 부여받음으로써 부모의 교육권보다 우위를 차지하지만, 학교 밖의 영역에서는 원칙적으로 부모의 교육권이 우위를 차지한다.

④ 부모의 교육권은 교육의 모든 영역에서 존중되어야 하지만 학교교육의 범주 내에서는 국가의 교육권한이 헌법적으로 독자적인 지위를 부여받음으로써 부모의 교육권보다 우위를 차지하나, 학교 밖의 교육영역에서는 원칙적으로 부모의 교육권이 우위를 차지한다.

16 부모의 자녀교육권에 대한 설명으로 옳지 않은 것은?

① 부모의 자녀에 대한 교육권은 비록 헌법에 명문으로 규정되어 있지는 않지만, 이는 모든 인간이 국적과 관계없이 누리는 양도할 수 없는 불가침의 인권이다.

② 학교교육에 관한 한, 국가는 헌법에 의하여 부모의 교육권으로부터 독립된 독자적인 교육권한을 부여받음으로써 교육제도의 형성에 관한 폭넓은 권한을 가지며, 학교교육의 영역에서는 부모의 교육권은 국가의 교육권한에 의하여 배제된다.

③ 자녀의 양육과 교육에 있어서 부모의 교육권은 교육의 모든 영역에서 존중되어야 하며, 다만, 학교교육의 범주 내에서는 국가의 교육권한이 헌법적으로 독자적인 지위를 부여받음으로써 부모의 교육권과 함께 자녀의 교육을 담당하지만, 학교 밖의 교육영역에서는 원칙적으로 부모의 교육권이 우위를 차지한다.

④ 자녀에 대한 교육의 책임과 결과는 궁극적으로 그 부모에게 귀속된다는 점에서, 국가는 제2차적인 교육의 주체로서 교육을 위한 기본조건을 형성하고 교육시설을 제공하는 기관이다.

17 부모의 자녀교육권에 대한 설명으로 옳은 것은?

① 부모의 자녀교육권이란 부모의 자기결정권이라는 의미에서 보장되는 자유가 아니라, 자녀의 보호와 인격발현을 위하여 부여되는 것이므로, 자녀의 행복이란 관점에서 교육방향을 결정하라는 행위지침을 의미할 뿐 부모의 기본권이라고는 볼 수 없다.

② 학부모의 교육참여권을 구체적으로 실현시키고자 도입한 학교운영위원회의 설치를 사립학교의 임의에 맡김으로써 실제로 대부분의 사립학교가 학교운영위원회를 설치하지 않게 되어 결과적으로 사립학교 학부모의 교육참여권을 제한한 것은 헌법 제31조 제1항 및 제2항에 의거한 학부모의 교육참여권을 침해하여 헌법에 위반된다.

③ 국·공립학교처럼 사립학교에도 학교운영위원회를 의무적으로 설치하도록 한 것은 현저히 자의적이거나 비합리적으로 사립학교의 공공성만을 강조하고 사립학교의 자율성을 제한한 것이라 보기 어렵다.

④ 공립학교뿐만 아니라 사립학교에 있어서도 학부모가 참여하는 학교운영위원회를 의무적으로 설치하도록 하는 것은 사립학교의 자율성과 재산권을 침해하는 것으로서 위헌이다.

18 부모의 자녀교육권에 대한 설명으로 옳은 것은?

① 일반적으로 부모의 교육권으로부터 학부모의 학교참여권이 도출된다고 보기 어렵고, 학부모가 미성년자인 학생의 교육과정에 참여할 당위성이 부정되므로, 입법자가 학부모의 집단적인 교육참여권을 법률로써 인정하는 것은 헌법상 허용되지 않는다.

② 헌법은 국가의 교육권한과 부모의 교육권의 범주 내에서 학생에게도 자신의 교육에 관하여 스스로 결정할 권리를 부여하고 있으므로, 학생은 국가의 간섭을 받지 아니하고 자신의 능력과 개성, 적성에 맞는 학교를 자유롭게 선택할 권리를 가진다.

③ 부모는 아직 성숙하지 못하고 인격을 닦고 있는 초·중·고등학생인 자녀를 교육시킬 교육권을 가지고 있지만, 그 교육권의 내용에 자녀를 교육시킬 학교선택권은 포함되지 않는다.

④ 부모의 자녀교육권은 헌법상 교육을 받을 권리와 불가분의 관계에 있으므로, "모든 국민은 능력에 따라 균등하게 교육을 받을 권리를 가진다."라는 헌법규정에 의하여 보호된다.

19 학생의 권리에 대한 설명으로 옳지 않은 것은?

① 초·중등학교 재학 중인 학생은 아직 성숙하지 못한 인격체이지만, 자신의 교육에 관하여 스스로 결정할 권리를 가진다.

② 헌법이 보장하는 인간의 존엄성 및 행복추구권은 국가의 교육권한과 부모의 교육권의 범주 내에서 아동에게도 자신의 교육환경에 관하여 스스로 결정할 권리와 자유롭게 문화를 향유할 권리를 부여한다.

③ 학원교습시간 제한에 관한 조례에 의하여 제한되는 기본권은 배우고자 하는 아동과 청소년의 인격의 자유로운 발현권 및 학원을 운영하는 자의 직업수행의 자유이고, 자녀교육에 대하여 결정할 수 있는 부모의 교육권이 아니다.

④ 공문서의 한글전용을 규정한 「국어기본법」 및 「국어기본법 시행령」의 해당 조항은 '공공기관 등이 작성하는 공문서'에 대하여만 적용되고, 일반 국민이 공공기관 등에 접수·제출하기 위하여 작성하는 문서나 일상생활에서 사적 의사소통을 위해 작성되는 문서에는 적용되지 않으므로 청구인들의 행복추구권을 침해하지 않는다.

20 학생의 권리에 대한 설명으로 옳지 않은 것은?

① 초등학교 정규교과에서 영어를 배제하거나 영어교육 시수를 제한하는 것은 학생들의 인격의 자유로운 발현권을 제한하나, 이는 균형적인 교육을 통해 초등학생의 전인적 성장을 도모하고 영어과목에 대한 지나친 사교육의 폐단을 막기 위한 것으로 학생들의 기본권을 침해하지 않는다.

② 교육과 행복추구권에 대한 초·중등학교에서 한자교육을 선택적으로 받도록 한 '초·중등학교 교육과정'의 'Ⅱ 학교 급별 교육과정 편성과 운영' 중 한자교육 및 한문 관련 부분은 학생의 자유로운 인격발현권을 침해하지 않는다.

③ 고등학교 평준화정책에 따라 종교단체가 설립한 사립고등학교에 강제배정된 학생의 경우, 이 학교가 특정 종교의 교리를 전파하는 종교과목 수업을 실시하면서 참가 거부가 사실상 불가능한 분위기를 조성하고 대체과목을 개설하지 않은 것은 종교를 갖지 않은 학생의 기본권을 고려하지 않아 그 학생의 종교에 관한 인격적 법익을 침해한다.

④ 피해학생의 보호에만 치중하여 가해학생에 대하여 무기한 내지 지나치게 장기간의 출석정지조치가 취해질 수 있는, 즉 출석정지기간의 상한을 두지 아니한 징계조치조항은 침해의 최소성원칙에 위배된다.

20회 진도별 모의고사

평등권 ~ 행복추구권

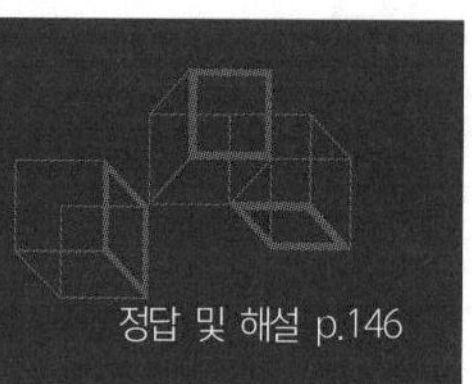

정답 및 해설 p.146

제한시간 : 14분 | 시작시각 ___시 ___분 ~ 종료시각 ___시 ___분   나의 점수 ______

01 분할복무를 신청하여 복무중단 중인 사회복무요원이 대학에서의 수학행위를 할 수 없게 한 병역법에 대한 설명으로 옳지 않은 것은? (다툼이 있는 경우 헌법재판소 판례에 따름)

① 분할복무를 신청하여 복무중단 중인 사회복무요원이 대학에서의 수학행위를 할 수 없게 한 「병역법」으로 인한 불이익은 병역의무 이행 중에 입는 불이익에 해당할 뿐 헌법 제39조 제2항에서 규정하고 있는 병역의무의 이행으로 인한 불이익에 해당하지 않는다.

② 입법자는 사회복무요원에 대한 구체적인 병역의무의 내용과 범위를 정하는 사항에 관하여 폭넓은 입법형성권을 갖는다.

③ 분할복무를 신청하여 복무중단 중인 사회복무요원에 대해서도 대학에서 수학하는 행위를 제한하고 있는데, 복무 중이 아닌데도 구체적인 사정을 고려하지 않고 예외 없이 대학에 복학할 수 없게 하는 것은 과도하여 과잉금지원칙에 반하여 청구인의 교육을 통한 자유로운 인격발현권을 침해한다.

④ 사회복무요원에 대한 병역의무의 내용과 범위를 정할 때 다른 종류의 병역 사이에 병역부담의 형평을 유지할 필요가 있다.

02 행복추구권에 대한 설명으로 옳은 것은?

① LPG를 연료로 사용할 수 있는 자동차 또는 그 사용자의 범위를 제한하고 있는 「액화석유가스의 안전관리 및 사업법 시행규칙」 조항은 LPG승용자동차를 소유하고 있거나 운행하려는 자의 일반적 행동자유권을 침해한다고 할 수 없다.

② 정보통신망을 통하여 공중이 게임물을 이용할 수 있도록 서비스하는 게임물 관련 사업자로 하여금 게임물 이용자의 회원가입시 본인인증을 할 수 있는 절차를 마련하도록 한 조항은 인터넷게임 이용자의 일반적 행동자유권을 침해한다.

③ 구 「음반·비디오물 및 게임물에 관한 법률」이 게임이용자에게 제공할 수 있는 경품의 종류와 지급방법 등에 관한 기준을, 행정적 제재의 요건이나 범죄구성요건, 즉 권리·의무에 관한 법규적 사항을 헌법상 열거된 법규명령이 아닌 '문화관광부장관(현 문화체육관광부장관)의 고시'에 위임하여 위헌이므로, 위헌인 법률에 근거하여 제정된 이 사건 심판대상규정을 포함한 이 사건 고시 역시 그 내용이 청구인들의 기본권을 침해하였는지 여부를 판단할 필요 없이 헌법에 위반된다.

④ 전국기능경기대회 입상자가 국내기능경기대회에 참가하여 또 입상하게 되면 다른 참가자들의 입상 기회는 완전히 박탈되어 숙련기술인의 기술연마를 장려하려는 취지에 부합되지 않으므로 전국기능경기대회 입상자의 국내기능경기대회 참가를 금지하는 「숙련기술장려법 시행령」은 행복추구권을 침해한다고 할 수 없다.

03 행복추구권에 대한 설명으로 옳지 않은 것은 모두 몇 개인가?

ㄱ. 변호사 정보 제공 웹사이트 운영자가 변호사들의 개인신상정보를 기반으로 변호사들의 '인맥지수'를 산출하여 공개하는 서비스를 제공하는 행위는 인맥지수의 사적·인격적 성격, 산출과정에서 왜곡가능성, 인맥지수 이용으로 인한 변호사들의 이익 침해와 공적 폐해의 우려, 이용으로 달성될 공적인 가치의 보호 필요성 정도 등을 종합적으로 고려하면, 변호사들의 개인정보에 관한 인격권을 침해하여 위법하다.
ㄴ. 변호사에 대한 징계결정정보를 인터넷 홈페이지에 공개하도록 한 「변호사법」 조항과 징계결정정보의 공개범위와 시행방법을 정한 「변호사법 시행령」 조항은 청구인의 인격권을 침해하지 않는다.
ㄷ. 국산영화 의무상영제는 균형 있는 영화산업의 발전이라는 경제적 고려와 공동체의 이익을 위한 목적에서 비롯된 행복추구권에서 파생되는 소비자의 자기결정권을 정당한 이유 없이 제한하고 있다고 볼 수 없다.
ㄹ. 탁주의 공급구역 제한제도로 인하여 부득이 다소간의 소비자선택권의 제한이 발생한다고 하더라도 이를 두고 행복추구권에서 파생되는 소비자의 자기결정권을 정당한 이유 없이 제한하고 있다고 볼 수 없다.
ㅁ. 행복추구권은 인격권을 자유롭게 발현할 수 있는 자유권적 성격을 갖는 것이므로 군검찰관의 자의적인 기소유예처분은 행복추구권의 침해로 볼 수 있다.
ㅂ. 아동·청소년대상 성범죄자에게 1년마다 정기적으로 새로 촬영한 사진을 제출하도록 한 구 「아동·청소년의 성보호에 관한 법률」 제34조 제2항 단서와 정당한 사유 없이 사진제출의무를 위반한 경우 형사처벌을 하도록 한 같은 법 제52조 제5항 제2호은 부득이한 사정으로 사진제출기한을 준수하지 못하는 경우도 예상할 수 있음에도 예외 없이 형사처벌로 강력하게 제재하는 것은 사익에 대한 지나친 침해로서 법익의 균형성이 인정되지 아니하므로 이 사건 심판대상 조항은 일반적 행동의 자유를 침해한다.

① 없음. ② 1개
③ 2개 ④ 3개

04 행복추구권에 대한 설명으로 옳지 않은 것은 모두 몇 개인가?

ㄱ. 노래연습장에 18세 미만자의 출입을 금지하는 것은 18세 미만의 청소년들의 행복추구권을 침해한 것이라고 할 수 없다.
ㄴ. 18세 미만의 당구장 출입금지는 당구장 경영자의 행복추구권을 침해한다.
ㄷ. 피치료감호자에 대한 치료감호가 가종료되었을 때 필요적으로 3년간의 보호관찰이 시작되도록 한 「치료감호법」은 일반적 행동자유권을 침해하지 아니한다.
ㄹ. 16세 미만 청소년에게 오전 0시부터 오전 6시까지 인터넷게임의 제공을 금지하는 이른바 '강제적 셧다운제'를 규정한 「청소년 보호법」 조항은 청소년의 일반적 행동자유권을 침해한다.
ㅁ. 「성폭력범죄의 처벌 등에 관한 특별법」 제16조 제2항 중 같은 법 제14조 제2항의 범죄를 범한 사람에 대하여 유죄판결을 선고하는 경우 성폭력 치료프로그램의 이수명령을 병과하도록 한 부분이 일반적 행동자유권을 침해한다고 할 수 없고, 이중처벌금지원칙에 위반되지 않는다.
ㅂ. 경찰이 신고범위를 벗어난 동안에 집회참가자들을 촬영한 행위는 과잉금지원칙을 위반하여 집회참가자인 청구인들의 일반적 인격권, 개인정보자기결정권 및 집회의 자유를 침해한다고 볼 수 없다.

① 없음. ② 1개
③ 2개 ④ 3개

05 행복추구권에 대한 설명으로 옳지 않은 것은 모두 몇 개인가?

ㄱ. 비어업인이 잠수용 스쿠버장비를 사용하여 수산자원을 포획·채취하는 것을 금지하는 「수산자원관리법 시행규칙」은 일반적 행동의 자유를 제한한다.
ㄴ. 일정 규모 이상의 사회복지법인에 외부감사를 선임하도록 하는 「사회복지사업법」은 사회복지법인의 법인운영의 자유를 침해하지 아니한다.
ㄷ. 정보통신망을 통하여 공중이 게임물을 이용할 수 있도록 서비스하는 게임물 관련 사업자로 하여금 게임물 이용자의 회원가입시 본인인증을 할 수 있는 절차를 마련하도록 한 조항은 인터넷게임 이용자의 일반적 행동자유권을 침해하지 않는다.
ㄹ. 기부금품의 모집행위나 기부행위 그 자체는 사회적으로 해로운 행위라고 보기 어려우므로 이를 금지하거나 허가대상으로 삼는 것은 일반적 행동의 자유를 지나치게 제한하는 것이다.
ㅁ. 육군 장교가 민간법원에서 약식명령을 받아 확정되면 자진신고할 의무를 규정한, '2020년도 장교 진급 지시'를 규정한 육군지시 자진신고조항 및 21년도 육군지시 자진신고조항이 과잉금지원칙에 반하여 일반적 행동의 자유를 침해하지 않는다.
ㅂ. 정당한 사유 없는 예비군 훈련 불참을 형사처벌하는 「예비군법」은 예비군대원의 일반적 행동자유권을 제한하나 과잉금지원칙에 반하여 청구인의 일반적 행동자유권을 침해하지 아니한다.

① 없음. ② 1개
③ 2개 ④ 3개

06 인간의 존엄과 행복추구권에 대한 설명으로 옳지 않은 것은 모두 몇 개인가?

ㄱ. 자필증서에 의한 유언에 있어서 전문과 성명의 자서에 더하여 날인을 요구하는 「민법」 제1066호 제1항은 일반적 행동의 자유와 재산권 제한에 해당한다.
ㄴ. 보험회사를 상대로 손해배상청구소송을 제기한 교통사고 피해자들의 장해 정도에 관한 증거자료를 수집할 목적으로 보험회사 직원이 피해자들의 일상생활을 촬영한 행위는 초상권을 침해한다고 할 수 없다.
ㄷ. 명예회복과 관련하여 피청구인들은 피해자의 사망 여부와 무관하게 피해자뿐만 아니라 피해자의 가족 및 유족 모두의 명예회복을 위해 적절한 조치를 취하여야 할 의무를 부담한다.
ㄹ. 환각물질 섭취·흡입행위를 금지하고 이를 처벌하는 「화학물질관리법」은 청구인의 일반적 행동자유권을 제한한다.
ㅁ. 환각물질 섭취·흡입행위를 금지하고 이를 처벌하는 「화학물질관리법」이 과잉금지원칙을 위반하여 일반적 행동자유권을 침해한다고 할 수 없다.
ㅂ. 문화재청장이나 시·도지사가 지정한 문화재, 도난물품 또는 유실물인 사실이 공고된 문화재 및 출처를 알 수 있는 중요한 부분이나 기록을 인위적으로 훼손한 문화재의 선의취득을 배제하는 「문화재보호법」은 행복추구권을 침해한다고 할 수 없다.

① 없음. ② 1개
③ 2개 ④ 3개

07 유치원의 학교에 속하는 회계의 예산과목 구분을 정한 '사학기관 재무·회계 규칙'에 대한 헌법소원사건에 대한 설명으로 옳은 것은?

① 심판대상은 사립유치원의 직업의 자유와 가장 밀접한 관계에 있으므로 사립학교의 운영의 자유에 대한 침해 여부는 따로 판단하지 아니한다.

② 심판대상으로 사립유치원 운영자의 재산권 제한이 발생한다.

③ 재무회계 관련하여 사립유치원은 국가 및 지방자치단체의 재정지원을 받는 점에서 개인병원과 본질적 차이가 있으므로 비교집단이 될 수 없으나 국·공립학교나 다른 사립학교와 본질적 차이가 없으므로 들을 동일하게 취급한다고 하여 평등원칙에 위반된다고 볼 수 없다.

④ 심판대상조항이 입법형성의 한계를 일탈하여 사립유치원 설립·경영자의 사립유치원 운영의 자유를 침해한다.

08 평등권에 대한 설명으로 옳은 것은?

① 평등원칙은 행정권과 사법권만을 구속할 뿐, 입법권까지 구속하는 것은 민주주의의 원칙과 권력분립의 원칙에 반한다.

② 법 앞에 평등이란 법의 적용과 집행이 평등해야 한다는 '법제정의 평등'만이 아니라 법의 내용도 평등해야 한다는 '법 적용의 평등'을 의미한다.

③ 법내용평등설은 평등이 입법자를 구속하지 않고 집행부·사법부만 구속한다는 견해로서 법실증주의자들에 의해 제시된 학설이다.

④ 헌법 제11조 제1항의 규범적 의미는 '법 적용의 평등'에서 끝나지 않고, 더 나아가 입법자에 대해서도 그가 입법을 통해서 권리와 의무를 분배함에 있어서 적용할 가치평가의 기준을 정당화할 것을 요구하는 '법제정의 평등'을 포함한다.

09 평등권에 대한 설명으로 옳지 않은 것은?

① 유사한 성격의 규율대상에 대하여 이미 입법이 있다 하더라도, 평등원칙을 근거로 입법자에게 청구인들에게도 적용될 입법을 하여야 할 헌법상의 의무가 발생한다고 볼 수 없다.

② 헌법 제32조 제4항(여자의 근로는 특별한 보호를 받으며, 고용·임금 및 근로조건에 있어서 부당한 차별을 받지 아니한다)은 입법자에게 양성평등채용목표제를 실시하는 법률을 제정할 행위의무 내지 보호의무를 발생시킨다.

③ 차별조항의 위헌성이 그 차별의 효과가 지나치다는 것에 기인할 때에는, 그 위헌성의 제거는 입법부가 행하여야 할 것이므로 헌법재판소는 그 조항에 대하여 헌법불합치결정을 하여야 한다.

④ 조례에 의한 규제가 지역의 여건이나 환경 등 그 특성에 따라 다르게 나타나는 것은 헌법이 지방자치단체의 자치입법권을 인정한 이상 당연히 예상되는 불가피한 결과이므로, 학원교습시간 제한에 관한 조례가 제정된 지역의 주민들이 그렇지 않은 지역의 주민들에 비하여 더 심한 규제를 받게 되었다 하더라도 헌법상 평등권이 침해되었다고 볼 수는 없다.

10 평등권에 대한 설명으로 옳지 않은 것은?

① 평등원칙은 원칙적으로 입법자에게 헌법적으로 아무런 구체적인 입법의무를 부과하지 않고, 다만, 입법자가 평등원칙에 반하는 일정 내용의 입법을 하게 되면, 이로써 피해를 입게 된 자는 직접 당해 법률조항을 대상으로 하여 평등원칙의 위반 여부를 다툴 수 있다.

② 헌법상 평등의 원칙은 국가가 언제 어디에서 어떤 계층을 대상으로 하여 기본권에 관한 사항이나 제도의 개선을 시작할 것인지를 선택하는 것을 방해하지 않으므로 제도의 단계적 개선을 추진하는 경우 언제 어디에서 어떤 계층을 대상으로 하여 제도 개선을 시작할 것인지를 선택하는 것에 대하여 입법자에게 형성의 자유를 인정하고 있다.

③ 중학교 의무교육을 일시에 전면실시하지 아니하고 단계적으로 확대실시하도록 한 구 「교육법」 조항은 비록 그것이 국가의 재정적 부담을 고려한 것이라 하더라도 실질적 평등의 원칙에 부합되는 것으로는 볼 수 없다.

④ 국고작용으로 인한 민사관계에 있어서도 국가를 일반인과 같이 원칙적으로 대등하게 다루어져야 하므로 국가를 우대하는 것은 평등원칙에 반한다.

11 차별금지사유에 대한 설명으로 옳은 것은?

① 여자는 고용에 있어서 부당한 차별을 받지 않는다고 헌법이 명시적으로 규정하고 있다.

② 헌법은 차별금지사유로 성별, 종교, 인종 또는 사회적 신분을 명시적으로 규정하고 있다.

③ 헌법 제11조는 국적에 의한 차별을 명시적으로 금지하는 규정을 두고 있지는 않아 「근로기준법」에 따르면 사용자가 근로자에 대하여 국적을 기준으로 하여 근로조건에 대해 차별적 대우할 수 있다.

④ 경찰청장은 100미터 달리기 12초를 초과한 경우 경찰공무원이 될 수 없다는 경찰시험 공고를 하였다. 이 공고는 남녀에게 동일하게 적용된다면 남녀차별에 해당한다고 할 수 없다.

12 차별금지사유에 대한 설명으로 옳지 않은 것은?

① 헌법 제11조 제1항은 "모든 국민은 법 앞에 평등하다. 누구든지 성별·종교 또는 사회적 신분에 의하여 정치적·경제적·사회적·문화적 생활의 모든 영역에 있어서 차별을 받지 아니한다."라고 규정하고 있는데, 고위공직자라는 이유로 수사처의 수사 등을 받게 되는 것은 고위공직자라는 사회적 신분에 따른 차별이라 할 수 있다.

② 고위공직자라는 이유로 수사처의 수사 등을 받게 되는 것은 평등권을 침해한다고 할 수 없다.

③ 「국가인권위원회법」상 '평등권 침해의 차별행위'에는 합리적인 이유 없이 성적 지향을 이유로 성희롱을 하는 행위도 포함된다.

④ "여호주가 사망하거나 출가하여 호주상속이 없이 절가된 경우, 유산은 그 절가된 가(家)의 가족이 승계하고 가족이 없을 때는 출가녀가 승계한다."라는 구 관습법은 사회적 특수계급을 인정하지 않는 헌법 제11조 제2항에 위반된다.

13 시혜적 법률과 평등권에 대한 설명으로 옳지 않은 것은?

① 입법자는 제도의 단계적 개선을 추진할 수 있으므로 가능한 지역에서 먼저 재외국민의 투표를 실시한다고 하여 평등원칙에 대한 침해가 문제될 여지가 있다.

② '수혜적 법률'의 경우에는 반대로 수혜범위에서 제외된 자가 그 법률에 의하여 평등권이 침해되었다고 주장하는 당사자에 해당되고, 당해 법률에 대한 위헌 또는 헌법불합치결정에 따라 수혜집단과의 관계에서 평등권 침해상태가 회복될 가능성이 있다면 기본권 침해성이 인정된다.

③ 수혜적 성격의 법률에는 입법자의 광범위한 형성의 자유가 인정되나, 그 내용이 합리적인 근거를 가지지 못하여 현저히 자의적일 경우에만 헌법에 위반된다.

④ 법원은 수혜적 법률의 위헌 여부는 재판의 전제가 인정될 수 있으므로 수혜적 법률에 대해 헌법재판소에 위헌제청할 수 있다.

14 평등권에 대한 설명으로 옳은 것은?

① 미국 연방대법원은 성별에 의한 차별에 대해 평등원칙 심사기준으로서 중간심사를 하였는데, 우리 헌법재판소는 이를 받아들여 성별에 의한 차별에 대해 중간심사를 하고 있다.

② 미국 연방대법원 판례에 의해서 형성된 우선처우론은 기회의 균등으로는 현존하는 차별을 시정할 수 없다는 한계를 인정하고 결과의 평등을 실현하고자 하는 이론이다.

③ 현존하는 차별을 없애기 위하여 특정한 사람을 잠정적으로 우대하는 행위와 이를 내용으로 하는 법령의 제정·개정 및 정책의 수립·집행은 평등권 침해의 차별행위이다.

④ 공무원 임용에 있어서 여성채용목표제는 기회의 균등을 통해 차별을 시정하려는 제도로서 기능을 하였다.

15 차별취급으로 인한 평등권의 침해가 문제시되는 경우에 차별이 존재하는지 여부를 확인하기 위해서 차별집단의 비교대상성을 먼저 검토하게 된다. 헌법재판소 판례에 의할 때 아래에서 차별의 비교집단에 대한 설명으로 옳지 않은 것은?

① 비교대상을 이루는 두 개의 사실관계 사이에 서로 상이한 취급을 정당화할 수 있을 정도의 차이가 없음에도 불구하고 두 사실관계를 서로 다르게 취급한다면, 입법자는 이로써 평등권을 침해한 것으로 볼 수 있다.

② 식품, 먹는 샘물 등의 먹는 물 또는 주류는 「약사법」 조항이 규율하는 대상인 의약품과 동일한 성질의 물품이라 할 수 없으므로 주류 등을 매매하는 식품판매업자는 평등원칙을 심사함에 있어 의약품 도매상과 비교집단이 될 수 없다.

③ 다가구주택의 건축을 허용하면서 그 가구 수를 제한하는 고양일산지구 도시설계시행지침사건에서 차별의 비교집단은 고양시 일산도시설계지구 내에 거주하는 주민들과 고양시 일산도시설계지구를 제외한 모든 지역에 거주하는 주민들이다.

④ 「사립학교교직원 연금법」상의 유족급여수급권자와 「산업재해보상보험법」상의 유족급여수급권자가 본질적으로 동일한 비교집단이라고 보기 어려우므로 「산업재해보상보험법」과 달리 형제자매를 유족으로 규정하지 아니한 「사립학교교직원 연금법」은 헌법상 평등의 원칙에 위배된다고 할 수 없다.

16 차별취급으로 인한 평등권의 침해가 문제시되는 경우에 차별이 존재하는지 여부를 확인하기 위해서 차별집단의 비교대상성을 먼저 검토하게 된다. 헌법재판소 판례에 의할 때 아래에서 차별의 비교집단에 대한 설명으로 옳지 않은 것을 모두 조합한 것은?

ㄱ. 퇴직 이후에 폐질상태가 확정되었을 때 일반 공무원에게는 장해급여수급권이 인정되지만 군인에게는 상이연금수급권이 인정되지 않는 경우, 이에 대한 평등심사에 있어서 퇴직 이후에 폐질상태가 확정된 자 중 군인과 일반 공무원은 비교집단이 될 수 없다.
ㄴ. 다른 자격시험과 변호사시험은 응시기회 제한조항에 의한 차별취급이 문제되는 본질적으로 동일한 비교집단으로 볼 수 없어 변호사시험 응시횟수 제한은 평등권 침해 문제는 발생하지 않으므로 직업의 자유 침해 여부를 판단해야 한다.
ㄷ. 공상으로 폐질상태에 이른 공무원과 비공상장해 공무원은 폐질상태로 인하여 보호를 받을 사실상의 필요성이 있는 공무원이라는 점이 같으므로, 본질적으로 동일한 비교집단으로 보아야 한다.
ㄹ. 주민투표권이 헌법상 기본권이 아닌 법률상의 권리에 해당한다 하더라도 비교집단 상호 간에 차별이 존재할 경우에 헌법상의 평등권 심사까지 배제되는 것은 아니다.

① ㄱ, ㄷ　② ㄴ, ㄹ
③ ㄱ, ㄴ　④ ㄷ, ㄹ

17 차별취급으로 인한 평등권의 침해가 문제시되는 경우에 차별이 존재하는지 여부를 확인하기 위해서 차별집단의 비교대상성을 먼저 검토하게 된다. 헌법재판소 판례에 의할 때 아래에서 차별의 비교집단에 대한 설명으로 옳지 않은 것은?

① 공무원 임용시험의 군필자 가산점제도의 위헌 여부 사건에서 제대군인에 대한 차별의 비교집단은 군복무를 지원하지 아니한 여성, 징병검사 결과 질병 또는 심신장애로 병역면제처분을 받은 남성, 보충역으로 군복무를 마쳤거나 제2국민역(현 근로전시역)에 편입된 남성이다.

② 「재외동포의 출입국과 법적 지위에 관한 법률」 사건에서 차별의 비교집단은 1948년 대한민국 정부수립 이전에 해외로 이주한 동포와 1948년 대한민국 정부수립 이후에 해외로 이주한 동포이며, 각 비교집단은 실질적으로 대부분 중국과 구 소련지역에 거주하는 정부수립 이전 이주동포와 대부분 미주지역이나 유럽 등에 거주하는 정부수립 이후 이주동포로 파악할 수 있다.

③ 경찰공무원과 군인은 「공무원보수규정」상의 봉급표에 있어서 본질적으로 동일·유사한 지위에 있다고 볼 수 없으므로 경찰공무원인 청구인의 평등권 침해는 문제되지 않는다.

④ 먹는 샘물 제조업자에 대한 수질개선부담금 부과사건에서 차별의 비교집단은 먹는 샘물 제조업자와 주류·청량음료 제조업자들을 포함한 다른 지하수 사용자들이다.

18 차별취급으로 인한 평등권의 침해가 문제시되는 경우에 차별이 존재하는지 여부를 확인하기 위해서 차별집단의 비교대상성을 먼저 검토하게 된다. 헌법재판소 판례에 의할 때 아래에서 차별의 비교집단에 대한 설명으로 옳은 것은?

① 경찰공무원과 일반직공무원은 업무의 성격·위험성 및 직무의 곤란성 정도가 전혀 유사하지 않으므로, 경찰공무원과 일반직공무원을 보수 책정에 있어서 의미 있는 비교집단으로 보기 어렵다.

② 퇴직 이후에 폐질상태가 확정되었을 때 일반 공무원에게는 장해급여수급권이 인정되지만 군인에게는 상이연금수급권이 인정되지 않는 경우, 군인 중 폐질상태가 퇴직 이전에 확정된 자와 퇴직 이후에 확정된 자만 비교집단이 될 수 없다.

③ 「군사정전에 관한 협정 체결 이후 납북피해자의 보상 및 지원에 관한 법률」의 납북자의 범위에서 6·25 전쟁 중 납북자를 제외하고 있는 것에 대한 평등심사에 있어서, '6·25 전쟁 중 납북자'와 '군사정전협정 체결 이후 납북자'는 전시와 정전상태라는 점에서 차이가 있으므로 동일·유사한 집단이라고 할 수 없다.

④ 비교의 대상을 이루는 두 개의 사실관계는 서로 비교될 수 있는 사실관계가 모든 관점에서 완전히 동일해야 한다.

19 **평등권에 대한 설명으로 옳지 않은 것은?**

① 관련 자격증 소지자에게 세무직 국가공무원 공개경쟁 채용시험에서 일정한 가산점을 부여하는 구 「공무원임용시험령」의 위헌 여부는 평등권 침해 문제와 공무담임권 침해 문제와 중복되지 않으므로 별도로 판단해야 한다.

② 인터넷 게시판 본인확인제는 인터넷이라는 매체에 글을 쓰고자 하는 자와 다른 매체에 글을 쓰는 자를 차별취급하고 있고, 이러한 차별취급에 관한 판단은 익명표현의 자유의 침해 여부에 관한 판단과 동일하다고 할 수 있으므로 평등권 침해 여부를 별도로 판단하지 아니한다.

③ 주민투표권은 헌법상 기본권이 아닌 법률상의 권리에 해당하나, 주민투표권에 관하여 비교집단 상호 간에 차별이 존재한다면 헌법상의 평등권은 문제가 발생한다.

④ 법학전문대학원 졸업예정자에 한하여 필기전형을 실시하도록 정한 법원행정처장의 '재판연구원 신규 임용계획' 및 법학전문대학원 졸업예정자에 한하여 실무기록평가를 실시하도록 정한 법무부장관의 '검사 임용 지원안내' 공고는 평등권 침해가능성이 없다.

20 **독립유공자 손자녀의 보상을 받을 권리에 대한 설명으로 옳지 않은 것은?**

① 보상금을 받을 권리가 다른 손자녀에게 이전되지 않도록 「독립유공자예우에 관한 법률」은 독립유공자 자녀와 손자녀를 합리적 이유 없이 차별한 것으로 평등권을 침해하지 않는다.

② 독립유공자의 손자녀 중 1명에게만 보상금을 지급하도록 하면서, 독립유공자의 선순위 자녀의 자녀에 해당하는 손자녀가 2명 이상인 경우에 나이가 많은 손자녀를 우선하도록 규정한 「독립유공자예우에 관한 법률」은 청구인의 평등권을 침해한다.

③ 생활수준 등을 고려하여 손자녀 1명에게 보상금을 지급하도록 하면서 생활수준이 동일한 경우에 보상금 지급 손자녀의 범위를 '손자녀 1명에 한정하면서 나이가 많은 손자녀를 우선'하는 「독립유공자예우에 관한 법률」은 평등권을 침해한다.

④ 독립유공자의 유족에 대한 보상금 지급을 규정하면서, 손자녀의 경우에는 독립유공자가 1945.8.14. 이전에 사망한 경우에만 보상금을 지급받을 수 있도록 규정한 「독립유공자예우에 관한 법률」은 평등권을 침해한다고 할 수 없다.

21회

진도별 모의고사

평등권

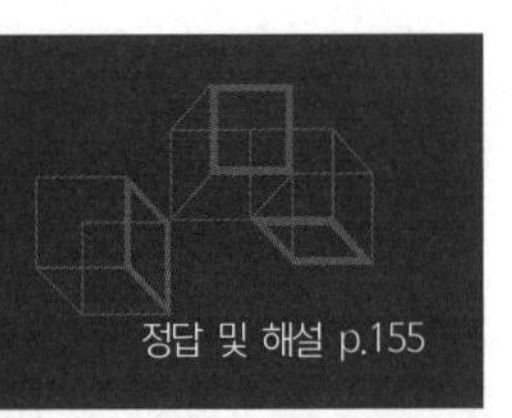

정답 및 해설 p.155

제한시간 : 14분 | 시작시각 ___시 ___분 ~ 종료시각 ___시 ___분　　　나의 점수 _______

01 **평등원칙 위반 여부에 관한 심사기준에 대한 설명으로 옳은 것은?**

① 헌법재판소는 헌법이 스스로 차별의 근거로 삼아서는 아니 되는 사유를 제시하고 있는 경우 그러한 사유에 기한 차별에 대하여는 엄격한 심사척도가 적용되며, 그 결과 입증책임의 전환이 일어난다고 판시하였다.

② 평등원칙은 행위규범으로서 입법자에게 객관적으로 같은 것은 같게 다른 것은 다르게 규범의 대상을 실질적으로 평등하게 규율할 것을 요구하기 때문에, 헌법재판소로서는 규범에 대한 심사를 함에 있어 그것이 가장 합리적인 타당한 수단인가를 원칙적으로 엄격하게 심사하여야 한다.

③ 평등원칙의 위반 여부에 대하여 독일은 자의금지를, 영미는 합리성심사를 가지고 심사한다.

④ 헌법에서 특별히 평등을 요구하고 있는 경우나 차별적 취급으로 인하여 관련 기본권에 중대한 제한을 초래하게 되는 경우에는 완화된 심사척도인 자의금지원칙이 적용된다.

02 **평등원칙 위반 여부에 관한 심사기준에 대한 설명으로 옳은 것은?**

① 비례심사의 경우에는 차별을 정당화하는 합리적인 이유가 있는지만을 심사하기 때문에 그에 해당하는 비교대상 간의 사실상의 차이나 입법목적(차별목적)의 발견, 확인에 그친다.

② 평등권의 침해 여부에 대한 심사는 그 심사기준에 따라 자의금지원칙에 의한 심사와 비례의 원칙에 의한 심사로 크게 나누어 볼 수 있다. 자의심사의 경우에는 단순히 합리적인 이유의 존부 문제가 아니라 차별을 정당화하는 이유와 차별 간의 상관관계에 대한 심사, 즉 비교대상 간의 사실상의 차이의 성질과 비중 또는 입법목적(차별목적)의 비중과 차별의 정도에 적정한 균형관계가 이루어져 있는가를 심사한다.

③ 헌법에서 특별히 평등을 요구하고 있는 경우나 차별적 취급으로 인하여 관련 기본권에 중대한 제한을 초래하는 경우 이외에는 완화된 심사척도인 비례원칙에 의하여 심사하면 족하다.

④ 평등권 위반 여부의 심사기준으로서 자의금지원칙은 입법형성의 자유가 넓은 영역에서 인정되는 심사기준이라면, 비례심사는 입법형성의 자유가 좁은 경우 차별의 평등 위반 여부를 심사하는 기준이다.

03 평등원칙 위반 여부에 관한 심사기준에 대한 설명으로 옳은 것은?

① 비례의 원칙에 의한 평등심사는 문제의 차별적 취급으로 인하여 관련 기본권에 대한 중대한 제한이 초래되는 경우에 하는 심사방식으로서, 광범위한 입법형성권을 인정하는 심사방식이다.

② 평등 위반 여부를 심사함에 있어 엄격한 심사척도에 의할 것인지, 완화된 심사척도에 의할 것인지는 입법자에게 인정되는 입법형성권의 정도에 따라 좌우된다.

③ 시혜적인 법률에 있어서 차별로 인한 이득기회의 상실은 부담적인 법률에 있어서의 차별로 인한 불이익과 마찬가지로 차별을 당하는 개인에게는 법적 지위를 훼손하는 것이므로 평등권 침해 여부에 대한 심사기준을 달리할 필요가 없다.

④ 헌법에서 스스로 차별의 근거로 삼아서는 아니 되는 기준을 제시하거나 차별을 특히 금지하고 있는 영역을 제시하는 경우에는 완화된 심사척도가 적용되어야 하나, 차별적 취급으로 인하여 관련 기본권에 대한 중대한 제한을 초래하게 되는 경우에는 엄격한 심사척도를 적용할 수 있다.

04 혼인가족생활과 평등원칙 위반의 심사기준에 대한 설명으로 헌법재판소 판례와 일치하지 않은 것은?

① 특정한 조세 법률조항이 혼인이나 가족생활을 근거로 부부 등 가족이 있는 자를 혼인하지 아니한 자 등에 비하여 차별취급하는 것은 엄격한 심사척도를 적용하여 비례성원칙에 따른 심사를 행하여야 할 것이다.

② 자기 또는 배우자의 직계존속을 고소하지 못하도록 규정한 「형사소송법」 조항은 친고죄의 경우든 비친고죄의 경우든 헌법상 보장된 재판절차진술권의 행사에 중대한 제한을 보기는 어려우므로 자의심사에 따라 차별에 합리적인 이유가 있는지를 따져보는 것으로 족하다.

③ 헌법 제36조 제1항에 의하여 보장되는 가족생활에서의 기본권의 내용으로서 미성년인 가족구성원이 성년인 가족으로부터 부양과 양육, 보호 등을 받는 것은 법제도 형성 이전의 인간의 자연적인 생활 모습과 관련되고, 따라서 이러한 기본권은 사회적 기본권인 헌법 제34조 제1항의 인간다운 생활권과는 달리 자유권적 성격을 가지므로, 이를 제한하는 입법은 헌법 제37조 제2항의 과잉금지원칙을 준수하여야 할 것이다.

④ 독신자는 친양자를 입양할 수 없도록 한 「민법」 조항은 독신자의 친양자 입양을 원천적으로 봉쇄하여 독신자의 기본권에 중대한 제한을 초래하므로 평등권 침해 여부 심사시 비례의 원칙이 적용되나, 독신자도 일반입양은 할 수 있고 일반 입양의 사실도 친양자 입양과 마찬가지로 가족관계증명서에 드러나지 않는다는 점 등을 고려하면, 비례의 원칙에 위배되어 독신자의 평등권을 침해한다고 볼 수 없다.

05 평등원칙 위반의 심사기준에 대한 설명으로 헌법재판소판례와 일치하는 것은?

① 중등교사 임용시험에서 복수전공 및 부전공 교원 자격증 소지자에게 가산점을 부여하고 있는 「교육공무원법」 조항에 의해 복수·부전공 가산점을 받지 못하는 자가 불이익을 입는다고 하더라도 이를 공직에 진입하는 것 자체에 대한 제약이라 할 수 없어, 그러한 가산점제도에 대하여는 자의금지원칙에 따른 심사척도를 적용하여야 한다.

② 지방교육위원선거에서 다수득표자 중 교육경력자가 선출인원의 2분의 1 미만인 경우에는 득표율에 관계없이 경력자 중 다수득표자 순으로 선출인원의 2분의 1까지 우선당선시키는 것에 대해서는 비례심사를 한다.

③ 공중보건의사에 편입되어 군사교육에 소집된 사람을 「군인보수법」의 적용대상에서 제외하여 군사교육 소집기간 동안의 보수를 지급하지 않도록 한 「군인보수법」이 평등원칙에 위반되는지 여부에 대한 심사기준은 비례원칙이다.

④ 자율형 사립고등학교를 후기학교로 정하여 신입생을 일반고와 동시에 선발하도록 한 「초·중등교육법 시행령」의 위헌 여부는 완화된 심사척도인 자의금지원칙이 적용된다.

06 평등원칙 위반의 심사기준에 대한 설명으로 헌법재판소판례와 일치하는 것은?

① 혼인한 등록의무자 모두 배우자가 아닌 본인의 직계존·비속의 재산을 등록하도록 2009.2.3. 법률 제9402호로 「공직자윤리법」 제4조 제1항 제3호가 개정되었음에도 불구하고, 개정 전 「공직자윤리법」 조항에 따라 이미 배우자의 직계존·비속의 재산을 등록한 혼인한 여성 등록의무자는 종전과 동일하게 계속해서 배우자의 직계존·비속의 재산을 등록하도록 규정한 「공직자윤리법」 부칙 제2조가 평등원칙에 위배되는지 여부를 판단함에 있어서는 완화된 심사척도를 적용하여 자의심사원칙에 따른 심사를 하여야 한다.

② 탈법방법에 의한 문서·도화의 배부 등을 금지한 「공직선거법」 제93조 제1항 본문이 언어장애를 가진 후보자의 평등권을 침해하는지에 관해서는 참정권의 중요성과 장애인 보호의 헌법취지를 고려할 때 언어장애를 가지고 있어 선거운동에 결정적으로 불리한 위치에 있는 장애인을 일반인과 동일한 조건하에 선거운동을 하도록 강제함으로써 이러한 장애인의 참정권 행사에 중대한 제약을 가하는 점에 대해서는 비례심사가 적용되어야 한다.

③ 선거방송대담·토론회의 초청 후보대상자의 기준을 언론기관의 여론조사 평균지지율 100분의 5를 기준으로 제한한 「공직선거법」 제82조의2 제4항 제1호는 엄격한 심사원칙인 비례심사원칙에 따라 심사함이 타당하다.

④ 국가유공자의 대상 선정에 대한 입법자의 재량이 인정되므로 개별 이동 중인 자를 국가유공자의 대상에서 제외한 「병역법」의 평등 위반인지 여부를 심사함에 있어서는 완화된 심사기준인 자의금지원칙을 적용함이 상당하다.

07 평등원칙 위반의 심사기준에 대한 설명으로 헌법재판소판례와 일치하는 것은?

① 다른 전문직과 달리 약사에게만 업무수행을 위한 법인 설립을 제한하는 「약사법」 규정의 법률조항이 평등권을 침해하는지 여부는 엄격한 심사기준에 따라 판단한다.

② 제1종 운전면허를 받은 사람이 정기적성검사기간 내에 적성검사를 받지 아니한 경우에 행정형벌을 과하도록 규정한 것은 행정법규 위반자에 대한 행정제재의 종류와 범위를 선택하는 문제로서, 자의금지원칙에 위배되는지 여부를 판단하면 될 것이다.

③ 헌법재판소는 전과자도 헌법 제11조 제1항의 차별금지사유인 '사회적 신분'에 해당된다고 보면서, 누범을 가중처벌하는 것은 헌법이 제시한 차별금지사유이므로 엄격한 심사기준인 비례성심사를 적용하였다.

④ 종합부동산세의 과세방법을 '세대별 합산'으로 규정한 「종합부동산세법」 조항이 혼인이나 가족생활을 근거로 부부 등 가족이 있는 자를 혼인하지 아니한 자 등에 비하여 차별취급하더라도, 과세단위를 정하는 것은 입법자의 입법형성의 재량에 속하는 정책적 문제이므로, 그 차별이 헌법 제36조 제1항에 위반되는지 여부는 자의금지원칙에 의한 심사를 통하여 판단하면 족하다.

08 평등원칙 위반의 심사기준에 대한 설명으로 헌법재판소판례와 일치하는 것은 모두 몇 개인가?

ㄱ. 대통령 선거 경선후보자가 당내경선과정에서 탈퇴함으로써 후원회를 둘 수 있는 자격을 상실한 때에는 후원받은 후원금 전액을 국고에 귀속하도록 하고, 당내경선에 참여하고 낙선하여 후원회를 둘 수 있는 자격을 상실한 때에는 사용 후 잔액을 소속 정당에 인계하도록 하는 규정에 의한 차별은 엄격한 비례성심사기준에 의하여 심사되어야 한다.
ㄴ. 근로자의 날을 관공서의 공휴일에 포함시키지 않은 「관공서의 공휴일에 관한 규정」이 청구인들의 평등권을 침해하는지 여부를 판단함에 있어서는 해당 조항에 의한 차별에 합리적인 이유가 있는지 여부를 심사하는 것으로 충분하다.
ㄷ. 대한민국 국민인 남자에 한하여 병역의무를 부과한 법률조항은 헌법이 특별히 양성평등을 요구하는 경우나 관련 기본권에 중대한 제한을 초래하는 경우의 차별취급을 그 내용으로 하고 있으므로 위 법률조항이 평등권을 침해하는지 여부는 엄격한 심사기준에 따라 판단한다.
ㄹ. 임대의무기간이 10년인 공공건설임대주택의 분양전환가격을 임대의무기간이 5년인 공공건설임대주택의 분양전환가격과 다른 기준에 따라 산정하도록 하는 구 「임대주택법 시행규칙」의 평등원칙 위반 여부에 대한 심사기준은 자의금지원칙이다.
ㅁ. 수사처의 수사 등의 대상이 되는 고위공직자와 비고위공직자를 달리 취급하는 「고위공직자범죄수사처 설치 및 운영에 관한 법률」 제2조는 헌법에서 특별히 평등을 요구하는 영역에 관한 것이거나 관련 기본권에 중대한 제한을 초래하게 되는 경우에 해당하므로 엄격한 비례심사를 하여야 한다.

① 1개　　② 2개
③ 3개　　④ 4개

09 혼인과 가족생활에 대하여 규정하고 있는 헌법 제36조 제1항에 대한 설명으로 옳지 않은 것은? (다툼이 있는 경우 판례에 의함)

① 우리 헌법은 '근로', '혼인과 가족생활' 등 인간의 활동의 주요 부분을 차지하는 영역으로서 성별에 의한 불합리한 차별적 취급을 엄격하게 통제할 필요가 있는 영역에 대하여는 양성평등 보호규정을 별도로 두고 있다.

② 현행헌법에서 혼인과 가족생활에 있어서 개인의 존엄과 양성평등을 처음으로 규정하였다.

③ 헌법재판소 판례는 헌법 제36조 제1항에서 혼인과 가족에 대한 제도 보장, 혼인과 가족에 관련되는 공법 및 사법의 모든 영역에 영향을 미치는 헌법원리 내지 원칙규범으로서의 성격뿐만 아니라, 혼인과 가족생활에 관한 기본권도 도출하고 있다.

④ 혼인과 가족생활의 보장에 관한 헌법 제36조 제1항은 인간의 존엄과 양성의 평등이 가족생활에서도 보장되어야 한다는 요청에서 인간다운 생활을 보장하는 기본권의 성격을 갖는 동시에 그 제도적 보장의 성격도 가진다.

10 혼인과 가족생활에 대하여 규정하고 있는 헌법 제36조 제1항에 대한 설명으로 옳은 것은? (다툼이 있는 경우 판례에 의함)

① 현대사회에서 개인이 국가가 운영하는 제도를 이용하려면 주민등록과 같은 사회적 신분을 갖추어야 하고, 사회적 신분의 취득은 개인에 대한 출생신고에서부터 시작한다. 대한민국 국민으로 태어난 아동은 태어난 즉시 '출생등록될 권리'를 가진다. 이러한 권리는 '법 앞에 인간으로 인정받을 권리'로서 모든 기본권 보장의 전제가 되는 기본권이므로 법률로써도 이를 제한하거나 침해할 수 없다.

② 부성(父姓)의 사용으로 인해 재혼이나 입양 등의 경우에 있어서 개인이 받는 불이익은 재혼이나 입양에 대한 사회적 편견이 원인이지 부성주의가 원인은 아니다. 추상적인 자유와 평등의 잣대만으로 우리 사회에서 여전히 유효하게 존속하면서 가치를 인정받고 있는 생활양식이자 문화 현상인 부성주의의 합헌성을 부정하는 것은 부적절하다.

③ 헌법 제36조 제1항에서 규정하는 '혼인'이란 양성이 평등하고 존엄한 개인으로서 자유로운 의사의 합치에 의하여 생활공동체를 이루는 것을 말하므로, 법적으로 승인되지 아니한 사실혼도 헌법 제36조 제1항의 보호범위에 포함된다.

④ 양육권은 공권력으로부터 자녀의 양육을 방해받지 않을 권리라는 자유권적 기본권으로서의 성격과 함께 자녀의 양육에 관하여 국가의 지원을 요구할 수 있는 권리라는 사회적 기본권으로서의 성격을 아울러 가진다. 육아휴직제도는 이러한 양육권의 사회적 기본권으로서의 측면을 법률로 구체화한 것으로, 육아휴직신청권은 우리 헌법하에서 사회의 전 분야에서 수용되고 있는 헌법상 보장된 기본권으로서의 지위를 획득하였다.

11 혼인과 가족생활에 대하여 규정하고 있는 헌법 제36조 제1항에 대한 설명으로 옳지 않은 것은? (다툼이 있는 경우 판례에 의함)

① 1세대 3주택 이상에 해당하는 양도소득세 중과세를 규정한 구 「소득세법」은 혼인으로 1세대를 이루는 자를 위하여 상당한 기간 내에 보유 주택 수를 줄일 수 있는 경과규정을 두고 있지 아니하므로 헌법 제36조 제1항이 정하고 있는 혼인에 따른 차별금지원칙에 위배되고, 혼인의 자유를 침해한다.

② 친양자 입양을 청구하기 위해서는 친생부모의 친권상실, 사망, 기타 동의할 수 없는 사유가 없는 한 친생부모의 동의를 반드시 요하도록 한 구 「민법」은 비례원칙에 위반된다고 할 수 없다.

③ 원칙적으로 3년 이상 혼인 중인 부부만이 친양자 입양을 할 수 있도록 규정하여 독신자는 친양자 입양을 할 수 없도록 한 구 「민법」 제908조는 독신자의 가족생활의 자유를 침해한다고 볼 수 없다.

④ 혼인한 부부가 혼인하지 않은 자산소득자보다 더 많은 조세 부담을 하도록 한 것은 소득의 재분배에 그 목적이 있고, 부부자산소득합산과세를 통해서 혼인한 부부에게 가하는 조세 부담의 증가라는 불이익보다 자산소득합산과세를 통하여 달성하는 사회적 공익이 크다고 할 것이므로, 자산소득합산과세의 대상이 되는 혼인한 부부를 혼인하지 않은 부부나 독신자에 비하여 차별취급하는 것은 합리적인 이유가 있어서 헌법 제36조 제1항에 위반되지 않는다는 것이 헌법재판소의 판례이다.

12 혼인과 가족생활에 대하여 규정하고 있는 헌법 제36조 제1항에 대한 설명으로 옳은 것은? (다툼이 있는 경우 판례에 의함)

① 혼인한 등록의무자 모두 배우자가 아닌 본인의 직계존·비속의 재산을 등록하도록 2009.2.3. 법률 제9402호로 「공직자윤리법」 제4조 제1항 제3호가 개정되었음에도 불구하고, 개정 전 「공직자윤리법」 조항에 따라 이미 배우자의 직계존·비속의 재산을 등록한 혼인한 여성 등록의무자는 종전과 동일하게 계속해서 배우자의 직계존·비속의 재산을 등록하도록 규정한 「공직자윤리법」 부칙 제2조가 평등원칙에 위배된다.

② 배우자로부터 증여를 받은 때에 '300만 원에 결혼년수를 곱하여 계산한 금액에 3천만 원을 합한 금액'을 증여세과세가액에서 공제하도록 규정한 구 「상속세법」은 헌법상 혼인과 가족생활 보장 및 양성의 평등원칙에 위반한다.

③ 동성동본인 혈족 간의 혼인을 금지한다고 하더라도 우리나라의 인구와 성씨의 분포 및 그 구성원의 수에 비추어 볼 때 혼인 상대방을 자유롭게 선택할 기본권을 본질적으로 침해하는 정도에까지 이른다고 할 수는 없다.

④ 호주제는 당사자의 의사나 복리와 무관하게 남계혈통 중심의 가의 유지와 계승이라는 관념에 뿌리박은 특정한 가족관계의 형태를 일방적으로 규정·강요함으로써 개인을 가족 내에서 존엄한 인격체로 존중하는 것이 아니라 가의 유지와 계승을 위한 도구적 존재로 취급하고 있는데, 이는 혼인·가족생활을 어떻게 꾸려나갈 것인지에 관한 개인과 가족의 자율적 결정권을 존중하라는 헌법 제36조 제1항에 부합한다.

13 혼인과 가족생활에 대하여 규정하고 있는 헌법 제36조 제1항에 대한 설명으로 옳지 않은 것은? (다툼이 있는 경우 판례에 의함)

① 종합부동산세의 세대별 합산과세제도는 세대별 부동산 보유를 하나의 과세단위로 파악하는 조세정책적 결정이고, 세대원들의 소유명의 분산을 통한 조세회피행위를 방지하여 종합부동산세 부담의 실질적 공평을 도모하려는 것이므로, 조세부담능력을 잘못 파악하였다거나 응능부담의 원칙에 어긋난다거나 헌법 제36조 제1항 또는 제11조 제1항에 위반된다고 보기 어렵다.

② 혼인 종료 후 300일 이내에 출생한 자를 전남편의 친생자로 추정하는 「민법」의 규정은 모가 가정생활과 신분관계에서 누려야 할 인격권을 침해하였다.

③ 자(子)의 성을 정함에 있어 부성주의를 원칙으로 하는 것은 헌법 제10조, 제36조 제1항에 위반된다고 할 수 없다.

④ 출생 직후의 자(子)에게 성을 부여할 당시 부(父)가 이미 사망하였거나 부모가 이혼하여 모가 단독으로 친권을 행사하고 양육할 것이 예상되는 경우에도 부의 성을 사용할 것이 강제되도록 한 법률조항은 헌법에 합치하지 아니한다.

⑤ 한정승인제도와 상속포기제도는 그 방식 및 법률효과 등 여러 가지 측면에서 본질적으로 상이한 제도이기 때문에, 한정승인신고를 한 집단과 상속포기신고를 한 집단은 본질적으로 동일한 두 개의 비교집단이라고 볼 수 없고, 따라서 특별한정승인제도만을 규정하고 특별상속포기제도를 규정하지 아니한 「민법」 조항으로 인하여 한정승인신고가 아닌 상속포기신고를 한 청구인들의 평등권이 침해되었다고 볼 수 없다.

14 혼인과 가족생활에 대하여 규정하고 있는 헌법 제36조 제1항에 대한 설명으로 옳은 것은? (다툼이 있는 경우 판례에 의함)

① 계모자 사이의 법정혈족관계를 폐지한 1990년 개정 「민법」 조항은 헌법 제36조 제1항에 위반되지 아니하나, 개정 「민법」 시행일 이전에 성립된 계모자 사이의 법정혈족관계도 소멸하도록 정한 「민법」 부칙조항은 이미 형성된 모자관계를 당사자의 의사와 무관하게 법률개정만으로 소멸하도록 한 것으로 헌법상 신뢰보호원칙에 위배된다.

② 중혼을 혼인 취소의 사유로 정하면서 그 취소청구권의 제척기간 또는 소멸사유를 규정하지 않은 「민법」 제816조 제1호 중 '제810조의 규정에 위반한 때' 부분은 중혼의 당사자를 언제든지 혼인의 취소를 당할 수 있는 불안정한 지위로 만들고, 그로 인해 후혼배우자의 인격권과 행복추구권을 침해하며, 다른 혼인 취소사유와 달리 취급하여 평등원칙에 반한다.

③ 재산, 소득, 보유기간 등을 고려하지 않고 1주택 소유자에 대해 주택분 종합부동산세를 부과하는 것은 과잉금지원칙에 위반된다.

④ 국제결혼 안내프로그램의 이수대상자로 특정 7개국 국적의 배우자와 혼인한 한국인을 규정하고 있는 「출입국관리법 시행규칙」이 특정 7개국 국적의 외국인과 혼인한 한국인에게 이 사건 프로그램 이수를 의무화하는 것은 청구인의 평등권과 혼인의 자유, 가족결합권을 침해하는 것이다.

15 가산점제도와 평등원칙 위반의 심사기준에 대한 설명으로 옳지 않은 것은 모두 몇 개인가?

ㄱ. 국가유공자 가산점 적용에 따른 공무원 선발은 선발 예정 인원의 30%를 초과할 수 없도록 한 「국가유공자 등 예우 및 지원에 관한 법률」의 위헌 여부는 엄격한 비례심사를 한다.
ㄴ. 국가유공자의 가족에 대한 가산점제도에 대한 평등권 침해 여부에 관하여 보다 완화된 기준을 적용할 필요는 없고 엄격한 비례심사를 한다.
ㄷ. 국가유공자, 상이군경, 전몰군경의 유가족에 대한 가산점에 대해서는 비례원칙을 적용하나 완화된 심사를 한다.
ㄹ. 국가유공자 본인이 국가기관이 실시하는 채용시험에 응시하는 경우에 10%의 가점을 주도록 한 「국가유공자 등 예우 및 지원에 관한 법률」 조항은 헌법 제32조 제6항에서 특별히 평등을 요구하고 있는 경우에 해당하므로, 이에 대해서는 엄격한 비례성심사에 따라 평등권 침해 여부를 심사하여야 한다.
ㅁ. 중등교사 임용시험에서 복수전공 및 부전공 교원 자격증 소지자에게 가산점을 부여하고 있는 「교육공무원법」 조항에 대하여는 비례원칙에 따른 엄격한 심사척도를 적용하여야 한다.

① 1개 ② 2개
③ 3개 ④ 4개

16 제대군인 공무원시험 가산점제도에 대한 헌법재판소 판례와 일치하는 것을 모두 조합한 것은?

ㄱ. 가산점제도는 제대군인과 제대군인이 아닌 사람을 차별하고, 현역복무나 상근예비역 소집근무를 할 수 있는 신체건장한 남자와 질병이나 심신장애로 병역을 감당할 수 없는 남자인 병역면제자를 차별하며, 보충역으로 편입되어 군복무를 마친 자를 차별하는 제도이므로, 그 입법목적의 정당성이 인정되지 않는다.
ㄴ. 가산점제도는 공직수행능력과는 아무런 합리적 관련성을 인정할 수 없는 성별 등을 기준으로 여성과 장애인 등의 사회진출기회를 박탈하는 것이므로 정책수단으로서의 적합성과 합리성을 상실한 것이다.
ㄷ. 여성공무원채용목표제는 종래부터 차별을 받아 왔고 그 결과 현재 불리한 처지에 있는 여성을 유리한 처지에 있는 남성과 동등한 처지에까지 끌어올리는 것을 목적으로 하는 제도이지만, 그 효과가 매우 제한적이어서, 이를 이유로 제대군인 가산점제도의 위헌성이 제거된다고 볼 수는 없다.
ㄹ. 잠정적 우대조치는 종래 차별받아온 집단의 일원이라는 것을 근거로 하여 결과의 평등보다 기회의 평등을 추구한다.

① ㄱ, ㄴ ② ㄴ, ㄷ
③ ㄷ, ㄹ ④ ㄱ, ㄹ

17 **제대군인 공무원시험 가산점제도에 대한 헌법재판소 판례와 일치하는 것은?**

① 제대군인 가산점제도는 헌법 제32조 제4항이 특별히 남녀평등을 요구하고 있는 '근로' 내지 '고용'의 영역에서 남성과 여성을 달리 취급하는 제도이고, 또한 공무담임권이라는 기본권의 행사에 중대한 제약을 초래하는 것이기 때문에 엄격한 심사척도가 적용된다.

② 공무원 임용시험의 군필자 가산점제도의 위헌 여부 사건에서 제대군인에 대한 차별의 비교집단은 군복무를 지원하지 아니한 여성이지 징병검사 결과 질병 또는 심신장애로 병역면제처분을 받은 남성, 보충역으로 군복무를 마쳤거나 제2국민역(현 전시근로역)에 편입된 남성은 아니다.

③ 헌법 제39조 제1항에서 국방의 의무를 국민에게 부과하고 있는 이상 「병역법」에 따라 군복무를 하는 것은 국민이 마땅히 하여야 할 이른바 신성한 의무를 다 하는 것일 뿐, 그러한 의무를 이행하였다고 하여 이를 특별한 희생으로 보아 보상하여야 한다.

④ 제대군인 가산점제도는 헌법에 근거를 둔 제도이므로 제대군인 가산점제도가 입법정책적으로 도입된 것에 불과하다고 할 수 없다.

18 **회원제로 운영하는 골프장 시설의 입장료에 대한 부가금에 대한 설명으로 옳지 않은 것은?**

① '정책실현목적 부담금'은 공적 과제가 부담금 수입의 지출 단계에서 비로소 실현되나, '재정조달목적 부담금'은 공적 과제의 전부 혹은 일부가 부담금의 부과단계에서 이미 실현된다.

② 회원제 골프장 부가금은 국민체육진흥계정의 집행단계에서 비로소 실현된다고 할 수 있으므로, 골프장 부가금은 재정조달목적 부담금에 해당한다.

③ 평등원칙의 적용에 있어서 부담금의 문제는 합리성의 문제로서 자의금지원칙에 의한 심사대상이다.

④ 회원제로 운영하는 골프장 시설의 입장료에 대한 부가금제도는 일반 국민에 비해 특별히 객관적으로 밀접한 관련성을 가진다고 볼 수 없는 골프장 부가금 징수대상 시설 이용자들을 대상으로 하는 것으로서 합리적 이유가 없어 평등원칙에 위배된다.

19 **재건축 초과이익 환수를 위한 부담금에 대해 헌법소원이 청구되었다. 이에 대한 설명으로 옳은 것은?**

① 어떤 공과금이 조세인지 아니면 부담금인지는 「부담금관리 기본법」 제3조에 따른 부담금인지를 기준으로 한다.

② 재건축부담금은 특정 부류의 법인 또는 사람들에게 특정한 반대급부 없이 일정한 금전을 강제적·일률적으로 부과하고 국민주택의 건설, 임대주택의 건설·관리 등 제한된 용도로만 지출된다는 점에서 조세가 아니라 부담금에 해당한다.

③ 이 사건 재건축부담금제도는 이는 정책실현목적의 유도적·조정적 성격이 아예 없다고는 할 수 없지만, 대체로 재원조달을 목적으로 하는 '재정조달목적 부담금'이라고 할 것이다.

④ 주택재개발사업을 제외하면서 주택재건축사업만을 재건축부담금의 부과대상으로 삼고 있어 평등원칙에 위반된다.

20 **비상장법인의 과점주주에게 개발부담금에 대한 제2차 납부의무를 부과하는 구 '개발이익 환수에 관한 법률'에 대한 헌법재판소법 제68조 제2항의 헌법소원심판이 청구되었다. 이에 대한 설명으로 옳은 것은?**

① 「부담금관리 기본법」에서도 개발부담금을 부담금의 하나로 규정하고 있어 개발부담금은 유도적·조정적 성격을 가지는 '부담금'으로 보아야 한다.

② 과점주주에 해당하기만 하면 회사로부터 배당 등으로 실제 이익을 얻었는지 여부나 보유주식의 실제 가치가 어떠한지를 불문하고 무조건 제2차 납부의무를 부담하게 하는 것은 실질적 조세법률주의에 위반한다.

③ 그 명칭이 '부담금'이고 「국세기본법」이나 「지방세기본법」에서 나열하고 있는 국세나 지방세의 목록에 빠져 있다고 하더라도 부담금이 일반 국민을 그 부과대상으로 한다면 조세이다.

④ 상장법인을 제외하고 비상장법인의 경우에만 과점주주의 제2차 납부의무를 인정하고 있는데, 이것이 상장법인과 비상장법인 과점주주 간 합리적 이유가 없는 차별이므로 평등원칙에 반한다.

진도별 모의고사

평등권 ~ 신체의 자유

정답 및 해설 p.163

제한시간 : 14분 | 시작시각 ___시 ___분 ~ 종료시각 ___시 ___분   나의 점수 ______

01 법관의 명예퇴직수당 정년잔여기간 산정에 있어 정년퇴직일 전에 임기만료일이 먼저 도래하는 경우 임기만료일을 정년퇴직일로 보도록 정한 구 '법관 및 법원공무원 명예퇴직수당 등 지급규칙'에 대한 헌법소원이 청구된 사건에 대한 설명으로 옳은 것은?

① 심판대상에 의해 다른 경력직공무원과 명예퇴직하는 법관 간에 차별이 발생한다고 할 수 없다.

② 심판대상조항은 차별적 취급으로 인하여 관련 기본권에 관한 중대한 제한을 초래하므로, 비례원칙에 의하여 심사한다.

③ 심판대상조항이 정년잔여기간 산정에 있어 임기만료일을 정년퇴직일과 같이 취급하는 것은 그 합리성을 인정하기 어렵다. 따라서 심판대상조항은 청구인의 평등권을 침해한다.

④ 대법원은 구 「법관 및 법원공무원 명예퇴직수당 등 지급규칙」 제3조 제5항 본문에서 법관의 명예퇴직수당액에 대하여 정년잔여기간만을 기준으로 하지 아니하고 임기잔여기간을 함께 반영하여 산정하도록 한 것이 평등원칙에 위배되지 않는다고 보았다.

02 자율형 사립고등학교를 후기학교로 정하여 신입생을 일반고와 동시에 선발하도록 한 초·중등교육법 시행령에 관한 헌법소원청구에 대한 설명으로 옳지 않은 것은 모두 몇 개인가?

ㄱ. 자율형 사립고등학교를 후기학교로 정하여 신입생을 일반고와 동시에 선발하도록 한 「초·중등교육법 시행령」은 법률유보원칙 위반 여부가 문제될 뿐이므로 포괄위임금지원칙 위반 여부는 문제되지 아니한다.

ㄴ. 자율형 사립고등학교를 후기학교로 정하여 신입생을 일반고와 동시에 선발하도록 한 「초·중등교육법 시행령」은 학교법인의 신뢰보호원칙 위반 문제가 생기나, 학생들의 신뢰보호원칙 위반 문제가 생기지 않는다.

ㄷ. 과학고를 지원하는 학생은 전기학교와 후기학교 모두 지원할 수 있으나 자사고를 지원하는 학생은 자사고를 제외한 후기학교에 지원이 불가능하므로 자율형 사립고등학교를 후기학교로 정하여 신입생을 일반고와 동시에 선발하도록 한 「초·중등교육법 시행령」이 자사고를 지원하는 학생을 과학고를 지원하는 학생과 달리 취급하여 평등권을 침해했는지 여부를 판단해야 한다.

ㄹ. 자율형 사립고등학교를 후기학교로 정하여 신입생을 일반고와 동시에 선발하도록 한 「초·중등교육법 시행령」과 자사고를 지원한 학생에게 평준화지역 후기학교에 중복지원하는 것을 금지한 시행령 제81조 제5항은 교육제도 법정주의에 위반하여 청구인들의 기본권을 침해한다고 할 수 없다.

ㅁ. 자율형 사립고등학교를 후기학교로 정하여 신입생을 일반고와 동시에 선발하도록 한 「초·중등교육법 시행령」은 학교법인의 사학운영의 자유를 침해한다.

ㅂ. '대통령령'으로 '전기학교 선발'을 보장함으로써 형성된 학교법인의 이러한 신뢰는 헌법상 특별히 보호가치가 있는 신뢰이므로 자사고를 후기선발로 전환하면서 일반고와 동시선발하도록 한 시행령은 신뢰보호원칙에 위배하여 청구인 학교법인의 사학운영의 자유를 침해한다고 할 수 없다.

ㅅ. 이 사건 동시선발조항이 자사고를 후기학교로 규정함으로써 과학고와 달리 취급하고, 일반고와 같이 취급하는 데에는 합리적인 이유가 있으므로 청구인 학교법인의 평등권을 침해하지 아니한다.

ㅇ. 자율형 사립고등학교를 후기학교로 정하여 신입생을 일반고와 동시에 선발하도록 하여 일반고와 자사고 중복지원을 금지한 「초·중등교육법 시행령」의 평등원칙 위반 여부는 자의금지원칙에 따라 심사하여야 한다.

ㅈ. 자율형 사립고등학교를 후기학교로 정하여 신입생을 일반고와 동시에 선발하도록 하여 일반고와 자사고 중복지원을 금지한 「초·중등교육법 시행령」은 학생과 학부모의 평등권을 침해한다.

① 1개　② 2개

③ 3개　④ 4개

03 평등권에 대한 설명으로 옳지 않은 것은? (다툼이 있는 경우 판례에 의함)

① 특정한 범죄에 대한 형벌이 그 자체로서의 책임과 형벌의 비례원칙에 위반되지 않더라도 보호법익과 죄질이 유사한 범죄에 대한 형벌과 비교할 때 현저히 불합리하거나 자의적이어서 형벌체계상의 균형을 상실한 것이 명백한 경우에는 평등원칙에 반하여 위헌이라 할 수 있다.

② 형벌체계에 있어서 법정형의 균형은 한치의 오차도 없이 반드시 실현되어야 하는 헌법상의 절대원칙은 아니다.

③ 어떤 유형의 범죄에 대하여 특별히 형을 가중할 필요가 있기 때문에 그 가중의 정도가 통상의 형사처벌과 비교하여 현저히 형벌체계상의 정당성과 균형을 상실한 것이 명백한 경우에도, 그 법률조항은 평등원칙에 반하지 않는다.

④ 주거침입강제추행죄의 법정형을 주거침입강간죄와 동일하게 규정한 구 「성폭력범죄의 처벌 등에 관한 특례법」 제3조 제1항 중 "「형법」 제319조 제1항(주거침입)의 죄를 범한 사람이 같은 법 제298조(강제추행)의 죄를 범한 경우에는 무기징역 또는 5년 이상의 징역에 처한다."라는 부분은 비례원칙에 반한다고 할 수 없다.

04 평등권에 대한 설명으로 옳지 않은 것을 모두 조합한 것은? (다툼이 있는 경우 판례에 의함)

ㄱ. 「형법」 조항과 똑같은 구성요건을 규정하면서 법정형만 상향 조정하여 어느 조항으로 기소하는지에 따라 벌금형의 선고 여부가 결정되고, 선고형에 있어서도 심각한 형의 불균형을 초래하는 경우, 이는 형사특별법으로서 갖추어야 할 형벌체계상의 정당성과 균형을 잃어 인간의 존엄성과 가치를 보장하는 헌법의 기본원리에 위배될 뿐만 아니라 그 내용에 있어서도 평등원칙에 위반된다.

ㄴ. 야간에 흉기 기타 위험한 물건을 휴대하여 협박의 죄를 범한 자를 5년 이상의 유기징역에 처하도록 규정한 「폭력행위 등 처벌에 관한 법률」 제3조 제2항 부분은, 협박의 죄를 범한 자와 행위 내용 및 결과불법이 전혀 다른 상해를 가한 자 또는 체포·감금, 갈취한 자를 동일하게 평가하고 있으므로, 형벌 체계상의 균형성을 현저히 상실하여 평등의 원칙에 위배된다.

ㄷ. 흉기 기타 위험한 물건을 휴대하여 「형법」상 폭행죄를 범한 사람에 대하여 징역형의 하한을 기준으로 최대 6배에 이르는 엄한 형을 규정한 구 「폭력행위 등 처벌에 관한 법률」 제3조 제1항은 평등원칙에 합치한다.

ㄹ. 성매매를 직접 알선·권유·유인·강요하는 행위와 성매매에 제공되는 사실을 알면서 건물을 제공하는 행위 양자를 모두 성매매알선 등 행위로 보아 동일한 법정형을 부과하는 것은, 성매매에 사용될 건물을 제공하여 막대한 임대수입을 거두는 등의 경우에는 일회적인 성매매알선보다 불법성이 클 수 있다는 점 등을 고려할 때, 형벌체계의 균형성을 상실하여 평등원칙에 위반된다고 볼 수 없다.

ㅁ. 「형법」 제312조 제1항은 「형법」 제311조의 모욕죄와 제308조의 사자명예훼손죄를 친고죄로 정하고 있음에 반하여, 「정보통신망 이용촉진 및 정보보호 등에 관한 법률」 제70조 제2항의 명예훼손죄를 반의사불벌죄로 정하고 있는 것은 평등원칙에 위반된다.

① ㄱ, ㄷ, ㅁ
② ㄴ, ㄷ, ㅁ
③ ㄷ, ㅁ
④ ㄱ, ㄴ, ㄹ

05 평등권에 대한 설명으로 옳지 않은 것은 몇 개인가? (다툼이 있는 경우 판례에 의함)

> ㄱ. 기초연금수급액을 「국민기초생활 보장법」상 이전소득에 포함시키도록 하는 구 「국민기초생활 보장법 시행령」 제5조 제1항 제4호 다목 중 「기초연금법」에 관한 부분이 청구인들과 같이 기초연금을 함께 수급하고 있거나 장차 수급하려는 「국민기초생활 보장법」상 수급자인 노인들의 평등권을 침해하지 않는다.
> ㄴ. 선거일 이전에 행하여진 선거범죄 가운데 '선거일 이전에 후보 자격을 상실한 자'와 '선거일 이전에 후보자격을 상실하지 아니한 자'는 본질적으로 동일한 집단이라 할 것이므로 선거일 이전에 행하여진 선거범죄의 공소시효 기산점을 '당해 선거일 후'로 규정한 「공직선거법」으로 차별이 발생한다고 보기 어렵다.
> ㄷ. 업무상 재해에 통상의 출퇴근 재해를 포함시키는 개정 법률조항을 개정법 시행 후 최초로 발생하는 재해부터 적용하도록 하는 「산업재해보상보험법」 부칙은 헌법상 평등원칙에 위반된다.
> ㄹ. 의료인은 어떠한 명목으로도 둘 이상의 의료기관을 운영할 수 없다고 규정한 「의료법」은 평등권을 침해한다.
> ㅁ. 의료인은 하나의 의료기관만을 개설할 수 있도록 한 「의료법」은 청구인들과 같은 복수면허 의료인들의 직업의 자유, 평등권을 침해한다.

① 1개　　② 2개
③ 3개　　④ 4개

06 평등권에 대한 설명으로 옳지 않은 것을 모두 조합한 것은? (다툼이 있는 경우 판례에 의함)

> ㄱ. 의료급여수급자와 건강보험가입자는 사회보장의 한 형태로서 의료 보장의 대상인 점에서 공통점이 있고, 그 선정방법, 법적 지위, 재원조달방식, 자기 기여 여부 등에서는 차이가 있기는 하지만 본질적으로는 동일한 비교집단으로 볼 수 있으므로 의료급여수급자를 대상으로 선택병의원제도 및 비급여항목 등을 건강보험의 경우와 달리 규정하고 있는 것은 평등권을 침해하는 것이다.
> ㄴ. 공무상 질병 또는 부상으로 인하여 퇴직 후 장애상태가 확정된 군인에게 상이연금을 지급하도록 한 개정된 「군인연금법」 제23조 제1항을 개정법 시행일 이후부터 적용하도록 한 「군인연금법」 조항은 평등원칙에 위반된다.
> ㄷ. '수사가 진행 중이거나 형사재판이 계속 중이었다가 그 사유가 소멸한 경우'에는 잔여퇴직급여 등에 대해 이자를 가산하는 규정을 두면서, '형이 확정되었다가 그 사유가 소멸한 경우'에는 이자 가산규정을 두지 않은 「군인연금법」(2013.3.22. 법률 제11632호로 개정된 것) 제33조 제2항은 평등원칙을 위반한다.
> ㄹ. 「부마민주항쟁 관련자의 명예회복 및 보상 등에 관한 법률」은 부마민주항쟁이 단기간 사이에 집중적으로 발생한 민주화운동이라는 상황적 특수성을 감안하여 민주화운동에 관한 일반법과 별도로 제정된 것인데, 부마민주항쟁을 이유로 30일 미만 구금된 자를 보상금 또는 생활지원금의 지급대상에서 제외하여 부마민주항쟁 관련자 중 8.1%만 보상금 및 생활지원금을 지급받는 결과에 이르게 한 것은 이 법을 별도로 제정한 목적과 취지에 반하여 평등권을 침해한다.
> ㅁ. 애국지사는 일제 국권침탈에 반대하거나 항거한 당사자로서 조국의 자주독립을 위해 직접 공헌하고 희생한 사람이고, 순국선열의 유족은 일제 국권침탈에 반대하거나 항거하다가 사망한 당사자의 유가족으로서, 두 집단은 본질적으로 다른 집단이므로 같은 서훈 등급임에도 애국지사 본인에게 높은 보상금 지급액 기준을 두고 있는 것은 평등권을 침해하지 않는다.

① ㄱ, ㄷ, ㄹ　　② ㄱ, ㄹ
③ ㄴ, ㄷ, ㅁ　　④ ㄷ, ㅁ

07 평등권에 대한 설명으로 옳지 않은 것은 모두 몇 개인가? (다툼이 있는 경우 판례에 의함)

> ㄱ. 보훈보상대상자의 부모에 대한 유족보상금 지급시, 수급권자를 부모 1인에 한정하고 나이가 많은 자를 우선하도록 규정한 구 「보훈보상대상자 지원에 관한 법률」 조항은 부모 중 나이가 많은 자와 그렇지 않은 자를 합리적 이유 없이 차별하여 나이가 적은 부모의 평등권을 침해한다.
> ㄴ. 6·25 전몰군경자녀에게 6·25 전몰군경자녀수당을 지급하면서 그 수급권자를 6·25 전몰군경자녀 중 1명에 한정하고, 나이가 많은 자를 우선하도록 정한 구 「국가유공자 등 예우 및 지원에 관한 법률」 제16조의3 제1항 본문 중 '자녀 중 1명'에 한정하여 6·25 전몰군경자녀수당을 지급하도록 한 부분이 나이가 적은 6·25 전몰군경자녀의 평등권을 침해한다.
> ㄷ. 독립유공자의 유족 중 자녀의 범위에서 사후양자를 제외하는 「독립유공자예우에 관한 법률」 제5조 제3항 본문은 사후양자와 일반양자 모두가 봉제사와 묘소 관리를 통해 독립유공자의 공헌과 희생을 기리고 고인을 추모한다는 점에서는 차이가 없음에도 일반양자와 달리 사후양자를 유족의 범위에서 제외하여 보훈대상에서 전면적으로 배제하는 것은 헌법상 평등원칙에 위반된다.
> ㄹ. 1945년 8월 15일 이후에 독립유공자에게 입양된 양자의 경우 독립유공자, 그의 배우자 또는 직계존비속을 부양한 사실이 있는 자만 유족 중 자녀에 포함시키고 있는 「독립유공자예우에 관한 법률」 제5조 제3항 단서가 평등원칙에 위반된다.

① 1개 ② 2개
③ 3개 ④ 4개

08 평등권에 대한 설명으로 옳지 않은 것은 모두 몇 개인가? (다툼이 있는 경우 판례에 의함)

> ㄱ. 「주민등록법」상 재외국민으로 등록·관리되고 있는 영유아를 보육료·양육수당의 지원대상에서 제외한 규정은 국가의 재정능력에 비추어 보았을 때 국내에 거주하면서 재외국민인 영유아를 양육하는 부모를 차별하고 있더라도 평등권을 침해하지는 않는다.
> ㄴ. 전상군경 등의 보상수급권 발생시기를 보상대상자로 결정·등록된 때로 정하였기 때문에 보상대상인 피해가 발생한 때로 소급하여 보상을 받을 수 없다고 하더라도 평등원칙에 반하지 않는다는 것이 헌법재판소의 결정례이다.
> ㄷ. 가구별 인원 수만을 기준으로 최저생계비를 결정한 2002년도 최저생계비고시는 장애인가구를 비장애인가구에 비하여 차별취급하여 평등권을 침해한다.
> ㄹ. 행정관서요원으로 근무한 공익근무요원과는 달리, 국제협력요원으로 근무한 공익근무요원을 「국가유공자 등 예우 및 지원에 관한 법률」에 의한 보상에서 제외한 것은 병역의무의 이행이라는 동일한 취지로 소집된 요원임에도 불구하고 합리적인 이유 없이 양자를 차별하고 있어 평등권을 침해한다.
> ㅁ. A형 혈우병 환자들의 출생시기에 따라 이들에 대한 유전자재조합제제의 요양급여 허용 여부를 달리 취급하는 것은 합리적 근거 없는 차별이다.
> ㅂ. 애국지사 본인과 순국선열의 유족은 본질적으로 다른 집단이므로, 구 「독립유공자예우에 관한 법률 시행령」 조항이 같은 서훈 등급임에도 순국선열의 유족보다 애국지사 본인에게 높은 보상금 지급액 기준을 두고 있다 하여 곧 순국선열의 유족의 평등권이 침해되었다고 볼 수 없다.

① 1개 ② 2개
③ 3개 ④ 4개

09 평등권에 대한 설명으로 옳지 않은 것은? (다툼이 있는 경우 판례에 의함)

① 태평양전쟁 전후 강제동원된 자 중 국외 강제동원자에 대해서만 위로금을 지급하게 하는 법률규정은 재정부담능력 등을 고려한 입법형성의 영역에 속하는 것이고, 자의적인 차별이 아니다.

② 선거로 취임하는 공무원인 지방자치단체장을 「공무원연금법」의 적용대상에서 제외하는 법률조항은, 지방자치단체장도 국민 전체에 대한 봉사자로서 공무원법 상 각종 의무를 부담하고 영리업무 및 겸직금지 등 기본권 제한이 수반된다는 점에서 경력직공무원 또는 다른 특수경력직공무원 등과 차이가 없는데도 「공무원연금법」의 적용에 있어 지방자치단체장을 다른 공무원에 비하여 합리적 이유 없이 차별하는 것으로, 지방자치단체장들의 평등권을 침해한다.

③ 65세 미만의 경우 치매·뇌혈관성질환 등 대통령령으로 정하는 노인성 질병을 가진 자에 한해 장애인활동지원급여신청 자격을 인정하고 있는 「장애인활동 지원에 관한 법률」은 단지 노인성 질병이 있다는 이유만으로 일률적으로 활동지원급여신청 자격을 제한하는 것에 어떤 합리적 이유가 있다고 보기 어렵다.

④ 퇴역연금수급자인 퇴직군인이나 장해연금수급자인 퇴직공무원과 달리 상이연금수급자에 대한 공무원 재직기간 합산방법을 규정하지 않은 구 「공무원연금법」은 평등원칙에 위배되지 않는다.

10 평등권에 대한 설명으로 옳지 않은 것은 모두 몇 개인가? (다툼이 있는 경우 판례에 의함)

ㄱ. 식품을 질병의 예방 및 치료에 효능·효과가 있거나 의약품 또는 건강기능식품으로 오인·혼동할 우려가 있는 내용의 표시·광고를 금지한 구 「식품위생법」은 평등원칙에 위반되지 않는다.
ㄴ. 배출시설 허가 또는 신고를 마치지 못한 가축 사육시설에 대하여 적법화 이행기간의 특례를 규정하면서, '개 사육시설'을 적용대상에서 제외하고 있는 「가축분뇨의 관리 및 이용에 관한 법률」 부칙은 평등원칙에 위배되지 아니한다.
ㄷ. 가족 중 순직자가 있는 경우의 병역감경대상에서 재해사망군인의 가족을 제외하고 있는 「병역법 시행령」이 청구인의 평등권을 침해한다.
ㄹ. 병역의무를 이행한다는 점에서 현역병과 사회복무요원은 동일하다고 볼 수 있으므로, 현역병과 달리 사회복무요원에게 보수 외에 중식비, 교통비, 제복 등을 제외한 다른 의식주 비용을 지급하지 않는 것은 사회복무요원을 현역병에 비하여 합리적 이유 없이 자의적으로 차별한 것으로 사회복무요원의 평등권을 침해한다.
ㅁ. 현역병과 달리 사회복무요원에게 보수 외에 중식비, 교통비, 제복 등을 제외한 다른 의식주 비용을 지급하지 않는 「병역법 시행령」 제62조 제2항은 행복추구권을 제한한다.
ㅂ. 현역병과 달리 사회복무요원에게 보수 외에 중식비, 교통비, 제복 등을 제외한 다른 의식주 비용을 지급하지 않는 「병역법 시행령」 제62조 제2항의 평등권 침해 여부는 자의금지원칙에 따라 심사한다.

① 1개 ② 2개
③ 3개 ④ 4개

11 평등권에 대한 설명으로 옳지 않은 것은 모두 몇 개인가? (다툼이 있는 경우 판례에 의함)

ㄱ. 의사 또는 치과의사의 지도하에서만 의료기사가 업무를 할 수 있도록 규정하고, 한의사의 지도하에서는 의료기사인 물리치료사가 물리치료는 물론 한방물리치료를 할 수 없도록 하는 「의료기사 등에 관한 법률」의 조항은 평등권을 침해한다.
ㄴ. 25세 미만의 자녀에 한해서만 유족연금을 받을 수 있도록 한 「국민연금법」이 25세 이상인 자녀를 유족연금을 받을 수 있는 자녀의 범위에 포함시키지 않았다고 하더라도, 그 차별이 현저하게 불합리하거나 자의적인 차별이라고 볼 수 없다.
ㄷ. 무신고 수출입행위에 대한 필요적 몰수·추징을 규정한 구 「관세법」 제282조 제2항 본문 및 제3항 본문이 책임과 형벌 간의 비례원칙 및 평등원칙에 위반되지 않는다.
ㄹ. 미결수용자의 배우자의 인터넷화상접견이나 스마트접견을 수형자의 배우자의 후순위로 허용해 주는 등의 방법을 통해 수형자와 미결수용자의 접견교통권을 조화롭게 보장할 수 있는 수단을 마련할 수 있다. 미결수용자의 배우자와 수형자의 배우자 사이의 차별에는 합리적인 이유를 인정하기 어려우므로, 수형자의 배우자에 대해 인터넷화상접견과 스마트접견을 할 수 있도록 하고 미결수용자의 배우자에 대해서는 이를 허용하지 않는 구 '수용관리 및 계호업무 등에 관한 지침'은 청구인의 평등권을 침해한다.
ㅁ. 환각물질을 섭취·흡입한 자에 대한 벌금형을 「마약류 관리에 관한 법률」상 제2조 제3호 가목 향정신성의약품 원료식물 흡연·섭취에 따른 벌금형과 같게 규정한 환각물질 섭취·흡입행위를 금지하고 이를 처벌하는 「화학물질관리법」은 형벌체계상 균형을 상실하여 평등원칙에 위반된다고 할 수 없다.

① 1개 ② 2개
③ 3개 ④ 4개

12 평등권에 대한 설명으로 옳지 않은 것은 모두 몇 개인가? (다툼이 있는 경우 판례에 의함)

ㄱ. 다이옥신이 들어 있는 제초제만을 고엽제로 규정하는 「고엽제후유의증 등 환자지원 및 단체설립에 관한 법률」이 평등권을 침해한다고 할 수 없다.
ㄴ. 법무사관후보생 병적 편입의 제한연령을 '그 연령이 되는 해의 1월 1일부터 12월 31일까지'에 의하도록 정하고 있는 「병역법」은 평등권을 침해하지 아니한다.
ㄷ. 외국인산업기술연수생이 사실상 노무를 제공하고 수당 명목의 금품을 수령하는 등 실질적인 근로관계에 있는 경우에도 「근로기준법」의 근로기준 중 주요사항이 적용되지 않도록 하는 것은, 외국인산업기술연수생의 체류목적이 '연수'로서 일반 외국인 근로자와 구별되고 사회적 기본권의 영역에서는 차별이 폭넓게 인정될 수 있다는 점에서 자의적인 차별이 아니다.
ㄹ. '65세 이후 고용된 자'에게 실업급여에 관한 「고용보험법」의 적용을 배제하는 것은 근로의 의사와 능력의 존부에 대한 합리적인 판단을 결여한 것이다.
ㅁ. 도주차량 운전자의 법정형 하한을 10년 이상으로 하여 가중처벌하는 「특정범죄 가중처벌 등에 관한 법률」 제5조의3은 평등권 침해이다.
ㅂ. 대학·산업대학·전문대학에서 의무기록사 관련 학문을 전공한 사람과 달리 사이버대학에서 같은 학문을 전공한 사람은 의무기록사 국가시험에 응시할 수 없도록 하는 것은 사이버대학에서 같은 학문을 전공한 사람의 평등권을 침해하지 않는다.
ㅅ. 법관의 정년을 직위에 따라 순차적으로 낮게 차등하게 설정하고 있는 것은 법관 업무의 성격과 특수성, 평균수명, 조직체 내의 질서 등을 고려할 경우 그 차별에 합리적인 이유가 없다고 할 것이므로, 법관의 평등권을 침해한다.

① 1개 ② 2개
③ 3개 ④ 4개

13 평등권에 대한 설명으로 옳지 않은 것은 모두 몇 개인가? (다툼이 있는 경우 판례에 의함)

ㄱ. 경찰공무원이 교육훈련 또는 직무수행 중 사망한 경우 순직군경으로 예우받을 수 있는 것과는 달리, 소방공무원은 화재진압, 구조·구급 업무수행 또는 이와 관련된 교육훈련 중 사망한 경우에 한하여 순직군경으로서 예우를 받을 수 있도록 하는 것은, 업무수행 중에 노출되는 위험상황의 성격과 정도에 있어 양자 간에 크게 차이가 있다고 보기 어려움에도 불구하고 합리적 근거 없이 차별하는 것으로서 평등권을 침해한다.
ㄴ. 전기자전거의 도주행위를 「도로교통법」상 사고후미조치죄로 처벌되는 일반자전거의 도주행위보다 무겁게 처벌하는 「특정범죄 가중처벌 등에 관한 법률」 제5조의3 제1항 제2호 중 관련 부분은 평등원칙에 위배된다.
ㄷ. 공인중개사가 「공인중개사의 업무 및 부동산 거래신고에 관한 법률」 위반으로 벌금형을 선고받으면 등록관청으로 하여금 중개사무소 개설등록을 필요적으로 취소하도록 하는 것은 다른 직종에 비해 과도한 제한이라 볼 수 없으므로 평등권을 침해하지 아니한다.
ㄹ. 국·공립학교와는 달리 사립학교를 설치·경영하는 학교법인 등이 당해 학교에 운영위원회를 둘 것인지의 여부를 스스로 결정할 수 있도록 한 것은 사립학교의 특수성과 자주성을 존중하기 위한 것이므로 합리적이고 정당한 사유가 있는 차별에 해당한다.
ㅁ. 동일한 월급근로자임에도 불구하고 해고예고제를 적용할 때, 근무기간 6개월 미만 월급근로자를 그 이상 근무한 월급근로자와 달리 취급하는 규정은 헌법에 위배된다.
ㅂ. 사업주가 제공하거나 그에 준하는 교통수단을 이용하여 출퇴근하는 산업재해보상보험 가입 근로자의 출퇴근 중 발생한 재해는 업무상 재해로 인정하면서, 도보나 자기 소유 교통수단 또는 대중교통수단 등을 이용하여 출퇴근하는 산업재해보상보험 가입 근로자의 출퇴근 중 발생한 재해는 업무상 재해로 인정받지 못하도록 차별하는 구 「산업재해보상보험법」 제37조 제1항 제1호 다목은 평등원칙에 위반된다.

① 1개 ② 2개
③ 3개 ④ 4개

14 평등권에 대한 설명으로 옳은 것은 모두 몇 개인가? (다툼이 있는 경우 판례에 의함)

ㄱ. 입법자가 세무관청과 관련된 실무적 업무에 필요한 세무회계 및 세법 지식이 검증된 공인회계사에게 세무대리업무등록부에 등록을 하면 세무조정업무를 할 수 있도록 허용하면서도, 세무사 자격 보유 변호사의 세무조정업무 수행을 일절 제한하는 것은 평등권을 침해하지 아니한다.
ㄴ. 변호사가 법률사건이나 법률사무에 관한 변호인선임서 또는 위임장 등을 공공기관에 제출할 때에는 사전에 소속 지방변호사회를 경유하도록 하는 법률규정은 법무사·변리사·공인노무사·공인회계사와 변호사는 모두 전문직 종사자임에도 불구하고, 변호사에게만 선임서 등의 소속 지방변호사회 경유의무를 부과하는 것으로서 합리적인 이유 없이 변호사를 차별하고 있어 변호사의 평등권을 침해한다.
ㄷ. 1차 의료기관의 전문과목 표시와 관련하여 의사전문의·한의사전문의와 달리 치과전문의의 경우에만 진료과목의 표시를 이유로 진료범위를 제한하는 것은 평등권을 침해하지 않는다.
ㄹ. 개인회생절차에 따른 면책결정이 있는 경우 '채무불이행으로 인한 손해배상채무'와 달리 '채무자가 고의로 가한 불법행위로 인한 손해배상채무'는 면책되지 아니하는 것은 평등의 원칙에 위배된다.
ㅁ. 「민법」상 손해배상청구권 등 금전채권은 10년의 소멸시효기간이 적용되는 데 반해, 사인이 국가에 대하여 가지는 손해배상청구권 등 금전채권은 「국가재정법」상 5년의 소멸시효기간이 적용되는 것은 차별취급에 합리적인 사유가 존재한다.
ㅂ. 공인회계사시험의 응시자격을 대학 등에서 일정과목에 대하여 일정 학점 이상을 이수하거나 학점인정을 받은 자로 제한하는 것은, 법무사, 세무사, 변리사시험 등에서는 이러한 응시자격의 제한규정을 두고 있지 않는 것에 비추어, 법무사시험 등에 응시하려는 사람과 공인회계사시험에 응시하려는 사람을 합리적 이유 없이 차별하는 것으로 독학으로 공인회계사시험을 준비하는 사람의 평등권을 침해한다.
ㅅ. 산업기능요원으로 편입되어 1년 이상 종사하다가 편입이 취소되어 입영한 사람의 경우 복무기간을 단축할 수 있다고 규정한 「병역법」은 산업기능요원으로 편입되어 1년 미만 종사하다가 편입이 취소된 사람을 합리적 이유 없이 차별취급하는 것은 아니다.

① 1개 ② 2개
③ 3개 ④ 4개

15 **평등권에 대한 설명으로 옳은 것은 모두 몇 개인가? (다툼이 있는 경우 판례에 의함)**

> ㄱ. 국가공무원 임용 결격사유에 해당하여 공중보건의사 편입이 취소된 사람을 현역병으로 입영하게 하거나 공익근무요원으로 소집함에 있어 의무복무기간에 기왕의 복무기간을 전혀 반영하지 아니한 구 「병역법」은 평등권을 침해한다.
> ㄴ. 징계에 의해 해임처분을 받은 자 중 '경찰공무원으로 임용되려 하는 자'는 영구히 임용이 불가능하지만, '검사 또는 군인으로 임용되려 하는 자'는 3년 내지 5년의 임용 결격기간이 지나면 임용이 가능한바, 징계에 의하여 해임처분을 받은 공무원에 대해 경찰공무원으로의 임용을 금지하고 있는 「경찰공무원법」은 양자를 합리적 이유 없이 차별하는 것이어서 평등원칙에 위배된다.
> ㄷ. 우체국보험금 및 환급금 청구채권 전액에 대하여 무조건 압류를 금지하는 것은, 우체국보험 가입자의 채권자를 일반 인보험(人保險) 가입자의 채권자에 비하여 불합리하게 차별취급하는 것이므로 평등원칙에 위반된다.
> ㄹ. 학교폭력에 있어서 가해학생은 자신에 대한 모든 조치에 대해 당사자로서 소송을 제기할 수 있으므로, 가해학생에 대한 모든 조치에 대해 피해학생 측에는 재심을 허용하면서 가해학생 측에는 퇴학과 전학의 경우에만 재심을 허용하는 것은 불합리한 차별이 아니다.
> ㅁ. 음주운전자와 도주차량운전자에 대해서는 임의적으로 면허를 취소하도록 하면서도 음주측정 거부자에 대해서는 필요적으로 면허를 취소하도록 한 것은 구체적 사안의 개별성과 특수성을 고려할 수 있는 가능성 일체를 배제하는 방식이므로 형평성에 어긋나 평등권을 침해한다.

① 1개　　② 2개
③ 3개　　④ 4개

16 **평등권에 대한 설명으로 옳은 것은 모두 몇 개인가? (다툼이 있는 경우 판례에 의함)**

> ㄱ. 이륜자동차 운전자의 고속도로 등의 통행을 금지하는 법률규정은 일부 이륜자동차 운전자들의 변칙적인 운전행태를 이유로 전체 이륜자동차 운전자들의 고속도로 등 통행을 전면적으로 금지하고 있으므로 제한의 범위나 정도 면에서 지나친 점, 세계 경제협력개발기구(OECD) 국가들과 비교해 보아도 우리나라만이 유일하게 이륜자동차의 고속도로 통행을 전면적으로 금지하고 있는 점, 고속도로 등에서 안전거리와 제한속도를 지켜서 운행할 경우 별다른 위험요소 없이 운행할 수 있는 점에서 일반 자동차 운전자와 비교할 때 이륜자동차 운전자의 평등권을 침해한다.
> ㄴ. 일정한 교육을 거쳐 시·도지사로부터 자격인정을 받은 자만이 안마시술소 등을 개설할 수 있도록 한 법률규정은 비시각장애인이 직접 안마사 자격인정을 받아 안마를 하는 것을 금지하는 것은 수인하더라도 안마시술소를 개설조차 할 수 없도록 한 것으로서, 안마시술소 등을 개설하고자 자는 비시각장애인을 시각장애인과 달리 취급함으로써 비시각장애인의 평등권을 침해한다.
> ㄷ. 상속의 경우에는 예외적으로 비상장주식의 물납을 허용하는 것과 달리 증여의 경우는 비상장주식의 물납을 전면적으로 금지하는 구 「상속세 및 증여세법」 제73조 제1항 부분은 합리적 이유 없이 비상장주식을 상속받은 자와 증여받은 자를 차별하는 것이어서 평등원칙에 위배된다.
> ㄹ. 재임용에서 탈락한 사립대학 교원의 권리구제절차를 형성하면서 분쟁의 당사자이자 재심절차의 피청구인인 학교법인에게는 교원소청심사특별위원회의 재심결정에 대하여 소송으로 다투지 못하게 한 것은 평등원칙에 위배된다.
> ㅁ. 디엔에이감식시료 채취대상범죄로 징역이나 금고 이상의 실형을 선고받아 그 형이 확정된 자 중에서 「디엔에이신원확인정보의 이용 및 보호에 관한 법률」 시행 당시에 수용 중인 자에 대하여만 위 법률을 소급적용하도록 하는 부칙조항은 위 법률 시행 당시 수용 중인 자의 평등권을 침해한다.
> ㅂ. 「공익신고자 보호법」상 보상금의 지급을 신청할 수 있는 자의 범위를 '내부 공익신고자'로 한정함으로써 '외부 공익신고자'를 보상금 지급대상에서 배제하도록 정한, 「공익신고자 보호법」 제26조 제1항 중 '내부 공익신고자' 부분이 평등원칙에 위배된다.

① 1개　　② 2개
③ 3개　　④ 4개

17 **평등권에 대한 설명으로 옳은 것은 모두 몇 개인가? (다툼이 있는 경우 판례에 의함)**

ㄱ. 1993.12.31. 이전에 출생한 사람들에 대한 예외를 두지 않고 재외국민 2세의 지위를 상실할 수 있도록 규정한 「병역법 시행령」 제128조 제7항 제2호가 청구인들의 평등권을 침해한다고 할 수 없다.

ㄴ. 사립학교 관계자와 언론인 못지않게 공공성이 큰 민간 분야 종사자에 대하여 「부정청탁 및 금품등 수수의 금지에 관한 법률」이 적용되지 않는 것은 언론인과 사립학교 관계자의 평등권을 침해한다.

ㄷ. 명예퇴직공무원이 재직 중의 사유로 금고 이상의 형을 받은 때에는 명예퇴직수당을 필요적 환수토록 한 「국가공무원법」 제74조의2 제3항 제1호는 평등원칙에 위반된다.

ㄹ. 국민임대주택 입주자 선정에 관하여 무주택 단독세대주에게는 40제곱미터 규모 이하의 주택에 한하여 입주자로 선정될 수 있도록 하고 무주택 비단독세대주에게는 그러한 제한 없이 입주자로 선정될 수 있게 한 규정은 무주택 단독세대주의 평등권을 침해한다.

ㅁ. 입양기관을 운영하고 있지 않은 사회복지법인과 달리 입양기관을 운영하는 사회복지법인으로 하여금 '기본생활지원을 위한 미혼모자가족복지시설'을 설치·운영할 수 없게 하는 것은, 입양기관을 운영하는 사회복지법인과 그렇지 않은 사회복지법인이 본질적으로 다르므로 입양기관을 운영하는 사회복지법인의 평등권을 제한하는 것이 아니다.

① 1개 ② 2개
③ 3개 ④ 4개

18 **평등권에 대한 설명으로 옳은 것은?**

① 공중보건의사가 군사교육에 소집된 기간을 복무기간에 산입하지 않도록 규정한 「병역법」은 전문연구요원과 달리 공중보건의사의 군사교육소집기간을 복무기간에 산입하지 않은 데에는 합리적 이유가 없으므로, 청구인들의 평등권을 침해한다.

② 도로교통공단 이사장이 2015.7.경 서울 서부운전면허시험장에서 관련 법령에서 운전면허 취득이 허용된 신체장애를 가진 청구인이 제2종 소형 운전면허를 취득하고자 기능시험에 응시함에 있어서 청구인에게 관련 법령에서 운전면허 취득이 허용된 신체장애 정도에 적합하게 제작·승인된 기능시험용 이륜자동차를 제공하지 않은 부작위는 평등권을 침해하는 공권력의 불행사에 해당한다.

③ 도로교통공단 이사장이 2015.7.경 서울 서부운전면허시험장에서 관련 법령에서 운전면허 취득이 허용된 신체장애를 가진 청구인이 제2종 소형 운전면허를 취득하고자 기능시험에 응시함에 있어서 청구인에게 관련 법령에서 운전면허 취득이 허용된 신체장애 정도에 적합하게 제작·승인된 기능시험용 이륜자동차를 제공하지 않은 부작위는 구체적 작위의무가 인정되지 않는 공권력의 불행사를 대상으로 한 것이어서 부적법하다.

④ 입양기관을 운영하고 있지 않은 사회복지법인과 달리 입양기관을 운영하는 사회복지법인으로 하여금 '기본생활지원을 위한 미혼모자가족복지시설'을 설치·운영할 수 없게 하는 것은 입양기관을 운영하는 사회복지법인의 평등권을 제한한다.

19 헌법규정에 대한 설명으로 옳은 것은 모두 몇 개인가?

ㄱ. 누구든지 법률에 의하지 아니하고는 체포·구속·압수·수색 또는 심문을 받지 아니하며, 법률 또는 적법한 절차에 의하지 아니하고는 처벌·보안처분 또는 강제노역을 받지 아니한다.
ㄴ. 누구든지 법률 또는 적법한 절차에 의하지 아니하고는 체포·구속·압수·수색을 받지 아니하며, 법률에 의하지 아니하고는 심문·처벌·보안처분 또는 강제노역을 받지 아니한다.
ㄷ. 체포·구속·압수 또는 수색을 할 때에는 적법한 절차에 따라 검사의 신청에 의하여 법관이 발부한 영장을 제시하여야 한다. 다만, 현행범인인 경우와 장기 1년 이상의 형에 해당하는 죄를 범하고 도피 또는 증거인멸의 염려가 있을 때에는 사후에 영장을 청구할 수 있다.
ㄹ. 누구든지 체포 또는 구속을 당한 때에는 48시간 이내에 변호인의 조력을 받을 권리를 가진다. 다만, 형사피고인이 스스로 변호인을 구할 수 없을 때에는 법률이 정하는 바에 의하여 국가가 변호인을 붙인다.
ㅁ. 누구든지 체포 또는 구속을 당한 때에는 적부의 심사를 법원이나 검찰에 청구할 권리를 가진다.
ㅂ. 모든 국민은 신체의 자유를 가진다. 누구든지 법률이나 대통령령에 의하지 아니하고는 체포·구속·압수·수색 또는 심문을 받지 아니하며, 법률과 적법한 절차에 의하지 아니하고는 처벌·보안처분 또는 강제노역을 받지 아니한다.
ㅅ. 모든 국민은 법률에 의하지 아니하고는 고문을 받지 아니하며, 법률에 의하지 아니하고는 형사상 자기에게 불리한 진술을 강요당하지 아니한다.
ㅇ. 누구든지 체포 또는 구속·압수·수색을 당할 때에는 즉시 변호인의 조력을 받을 권리를 가진다. 다만, 형사피의자가 변호인을 구할 수 없을 때에는 국가가 변호인을 붙인다.
ㅈ. 피고인의 자백이 고문·폭행·협박·구속의 부당한 장기화 또는 기망 기타의 방법에 의하여 자의로 진술된 것이 아니라고 인정될 때 또는 모든 재판에 있어서 피고인의 자백이 그에게 불리한 유일한 증거일 때에는 이를 유죄의 증거로 삼거나 이를 이유로 처벌할 수 없다.

① 없음. ② 1개
③ 2개 ④ 3개

20 신체의 자유에 대한 설명으로 옳지 않은 것은 모두 몇 개인가?

ㄱ. 구강점막 또는 모근을 포함한 모발을 채취하거나 이러한 방법들에 의한 채취가 불가능하거나 현저히 곤란한 경우에는 분비물, 체액을 채취하는 방법으로 디엔에이감식시료를 채취할 수 있도록 한 것은 신체의 안정성을 해한다고 볼 수 있으므로 과잉금지원칙에 위배되어 신체의 자유를 침해한다.
ㄴ. 교도소 내 엄중격리대상자에 대한 동행계호행위는 신체의 자유 등을 침해하는 것이 아니다.
ㄷ. 보호의무자 2인의 동의와 정신건강의학과 전문의 1인의 진단으로 정신질환자에 대한 보호입원이 가능하도록 한 구 「정신보건법」 조항은 보호입원이 정신질환자 본인에 대한 치료와 사회의 안전 도모라는 측면에서 긍정적인 효과가 있으므로 정신질환자의 신체의 자유를 침해하지 아니한다.
ㄹ. 강제퇴거명령을 받은 사람을 즉시 대한민국 밖으로 송환할 수 없으면 송환할 수 있을 때까지 보호시설에 보호할 수 있도록 규정한 「출입국관리법」 제63조 제1항은 과잉금지원칙에 반하여 신체의 자유를 침해한다.
ㅁ. 형사법률에 저촉되는 행위 또는 규율 위반행위를 한 피보호감호자에 대하여 징벌처분을 내릴 수 있도록 한 구 「사회보호법」 조항은 과잉금지원칙에 위배되지 않아 청구인의 신체의 자유를 침해하지 않는다.
ㅂ. 징역형 수형자에게 정역의무를 부과하는 「형법」 제67조는 신체의 자유 침해가 아니다.
ㅅ. 구 「사회보호법」에서 치료감호기간의 상한을 정하지 아니한 것, 법관 아닌 사회보호위원회가 치료감호의 종료 여부를 결정하도록 한 것은 위헌이다.
ㅇ. 관광진흥개발기금 관리·운용업무에 종사토록 하기 위하여 문화체육관광부장관에 의해 채용된 민간 전문가에 대해 「형법」상 뇌물죄의 적용에 있어서 공무원으로 의제하는 「관광진흥개발기금법」의 규정은 신체의 자유를 과도하게 제한하는 것은 아니다.
ㅈ. 일정한 성폭력범죄를 범한 사람에게 유죄판결을 선고하는 경우 성폭력 치료프로그램 이수명령을 병과하도록 한 조항은 신체의 자유를 제한한다고 볼 수 없다.
ㅊ. 육로를 불통하게 하거나 기타의 방법으로 교통을 방해한 자를 처벌하는 일반교통방해죄조항은 차량에 의한 신체 이동을 도보에 의한 신체 이동보다 우위에 두어 도보에 의한 신체 이동의 자유를 침해한 것으로 볼 수 없다.

① 1개 ② 2개
③ 3개 ④ 4개

23회 진도별 모의고사

신체의 자유

정답 및 해설 p.174

제한시간 : 14분 | 시작시각 ___시 ___분 ~ 종료시각 ___시 ___분　　나의 점수 ______

01 성폭력범죄를 저지른 성도착증 환자에 대한 검사의 치료명령청구를 규정한 성폭력범죄자의 성충동 약물치료에 관한 법률 제4조와 법원의 치료명령 선고를 규정한 동법 제8조에 대한 헌법재판소 판례와 일치하지 않는 것은?

① 성충동 약물치료의 효과는 불확실하나 피치료자가 받게 되는 불이익은 심대하므로, 심판대상조항들은 인간의 존엄과 가치에 반하여 법익균형성이 인정되지 않는다. 따라서 심판대상조항들은 모두 과잉금지원칙에 위배되어 치료명령 피청구인의 신체의 자유 등 기본권을 침해하는 것으로서 헌법에 위반된다.

② 성폭력범죄를 저지른 성도착증 환자로서 재범의 위험성이 인정되는 19세 이상의 사람에 대해 법원이 15년의 범위에서 법관이 치료명령선고를 하도록 한 「성폭력범죄자의 성충동 약물치료에 관한 법률」 제8조는 장기형이 선고되는 경우 치료명령의 선고시점과 집행시점 사이에 상당한 시간적 간극이 있어서, 집행시점에서 발생할 수 있는 불필요한 치료와 관련한 부분에 대하여는 침해의 최소성과 법익균형성을 인정하기 어려우므로 피치료자의 신체의 자유를 침해한다.

③ 심판대상법률 제4조의 검사의 치료명령청구는 과잉금지원칙에 위배된다고 할 수 없다.

④ 심판대상조항들은 피치료자의 정신적 욕구와 신체기능에 대한 통제를 그 내용으로 하는 것으로서, 신체의 완전성이 훼손당하지 아니할 자유를 포함하는 헌법 제12조의 신체의 자유를 제한하나, 사회공동체의 일반적인 생활규범의 범위 내에서 사생활을 자유롭게 형성해 나가고 그 설계 및 내용에 대해서 외부로부터의 간섭을 받지 아니할 권리인 헌법 제17조의 사생활의 자유를 제한한다.

02 계구 사용에 대한 설명으로 옳지 않은 것?

① 흉기를 휴대하여 피해자에게 강간상해를 가하였다는 범죄사실 등으로 징역 13년을 선고받아 형집행 중인 수형자를 교도소장이 다른 교도소로 이송함에 있어 4시간 정도에 걸쳐 상체승의 포승과 앞으로 수갑 2개를 채운 보호장비의 사용행위는 필요한 정도를 넘어 과도하게 행해진 것으로서 수형자의 신체의 자유를 침해한다.

② 호송과정에서 청구인에게 포승과 수갑을 채운 후, 별도의 포승으로 다른 수용자와 연승하여 호송한 행위는 신체의 자유를 침해한다고 할 수 없다.

③ 검사실에서의 계구 사용을 원칙으로 하면서 심지어는 검사의 계구해제요청이 있더라도 이를 거절하도록 규정한 계호근무준칙의 이 사건 준칙조항은 원칙과 예외를 전도한 것으로서 신체의 자유를 침해하므로 헌법에 위반된다.

④ 교도소장이 민사법정 내에서 수용자로 하여금 양손수갑 2개를 앞으로 사용하고 상체승을 한 상태에서 변론을 하도록 한 행위는 인격권과 신체의 자유를 침해한다고 할 수 없다.

03 **구금 관련 헌법재판소 판례에 대한 설명으로 옳은 것은 모두 몇개인가?**

> ㄱ. 상소제기 후 상소를 취하한 때까지의 구금일수를 법정통산의 대상에서 제외하고 있는 「형사소송법」은 신체의 자유를 침해한다.
> ㄴ. 피고인이 범행 후 미국으로 도주하였다가 한국과 미국정부 간의 범죄인 인도조약에 따라 체포되어 인도될 때까지 구금된 기간은 본형에 산입될 미결구금일수에 해당한다.
> ㄷ. 1심 결정에 의한 소년원 수용기간을 항고심 결정에 의한 보호기간에 산입하지 아니하는 「소년법」 규정은 형사사건에서 미결구금일수가 본형에 산입되는 것과 비교하면 평등원칙에 위반된다.
> ㄹ. 검사가 상소제기하기 전 미결구금일수를 본형에 산입하지 않도록 한 「형사소송법」 조항은 신체의 자유와 평등권을 침해한다고 볼 수 없다.
> ㅁ. 판결선고 전 구금일수 산입범위를 법관의 재량에 맡긴 「형법」 조항은 평등권을 침해한다고 할 수 없다.
> ㅂ. 미결구금일수의 본형산입의 문제는 기본적으로 입법자의 광범위한 입법형성의 자유가 인정되는 영역인바, 그 재량 행사에 따른 입법이 명백히 불합리하지 않은 한 이를 위헌이라고 할 수 없으므로 반드시 전부 본형에 산입하여야만 인권이 보호된다는 논리는 성립할 수 없다.
> ㅅ. 자유형 형기의 '연월'을 역수에 따라 계산하도록 하면서 윤달이 있는 해에 형집행대상이 되는 경우에 관하여 형기를 감하여 주는 보완규정을 두지 않은 「형법」 제83조가 과잉금지원칙에 위반하여 신체의 자유를 침해한다.

① 없음. ② 1개
③ 2개 ④ 3개

04 **죄형법정주의의 법률주의에 대한 설명으로 옳은 것은?**

① 헌법 제12조 제1항이 정하고 있는 법률주의에서 말하는 '법률'이라 함은 국회에서 제정하는 형식적 의미의 법률과 이와 동등한 효력을 가지는 긴급명령, 긴급재정·경제명령 등을 의미한다.

② 「관세법」이나 「특정범죄 가중처벌 등에 관한 법률」의 개정 없이 조약에 의하여 관세범에 대한 처벌을 가중하는 것은 법률에 의하지 아니한 형사처벌이라거나 행위시의 법률에 의하지 아니한 형사처벌이라고 할 수 있다.

③ 형식적 의미의 법률뿐만 아니라 명령·규칙에 의하여도 범죄와 형벌을 규정할 수 있다.

④ 「지방자치법」이 노동운동을 하더라도 형사처벌에서 제외되는 공무원의 범위를 당해 지방자치단체의 조례로 정하도록 한 것은 헌법에 위반된다.

05 범죄와 형벌의 위임에 대한 설명으로 옳지 않은 것은 모두 몇 개인가?

ㄱ. 농업협동조합의 임원 선거에 있어 정관이 정하는 행위 외의 선거운동을 한 경우 이를 형사처벌하도록 한 법률조항은 조합의 임원 선거에 있어 정관이 정하는 것 이외의 일체의 선거운동을 금지한다는 의미로 명확하게 해석된다고 할 것이므로 선거운동의 예외적 허용 사항을 정관에 위임하였더라도 죄형법정주의원칙에 위배된다고 볼 수 없다.
ㄴ. 범죄와 형벌이 입법부가 제정한 형식적 의미의 '법률'로 정하여져야 함을 의미하나 구성요건의 내용 중 일부를 법률에서 고시 등으로 수권하는 것을 허용하지 않을 수 없다.
ㄷ. 죄형법정주의에서 말하는 '법률'이란 입법부에서 제정한 형식적 의미의 법률을 의미하므로 법률이 처벌법규를 하위법령에 위임하는 것은 허용되지 않는다.
ㄹ. 범죄구성요건이 전문적 기술적 사항이라도 법규명령이 아닌 행정규칙인 고시에 위임하는 것은 범죄와 형벌은 입법부가 제정한 형식적 의미의 법률로 정하여야 한다는 죄형법정주의를 위반한다.
ㅁ. 국민의 권리·의무에 관한 사항이라 하여 모두 입법부에서 제정한 법률만으로 정할 수는 없어 불가피하게 예외적으로 하위법령에 위임하는 것이 허용되는바, 위임입법의 형식은 원칙적으로 헌법 제75조, 제95조에서 예정하고 있는 대통령령, 총리령 또는 부령 등의 법규명령의 형식을 벗어나서는 아니된다.
ㅂ. 임원의 선거운동기간 및 선거운동에 필요한 사항을 정관에서 정할 수 있도록 규정한 「신용협동조합법」은 죄형법정주의에 위반된다고 할 수 없다.
ㅅ. 형벌구성요건의 실질적 내용을 법률이 아닌 새마을금고의 정관에 위임한 것은 죄형법정주의의 원칙에 위반된다.
ㅇ. 형벌구성요건의 실질적 내용을 노동조합과 사용자 간의 근로조건에 관한 계약에 지나지 않는 단체협약에 위임하는 것은 죄형법정주의의 기본적 요청인 법률주의에 위배된다.

① 1개
② 2개
③ 3개
④ 4개

06 죄형법정주의에 대한 설명으로 옳은 것은?

① 「민사집행법」상 재산명시의무를 위반한 채무자에 대하여 법원이 결정으로 한 감치는 신체의 자유를 제한하므로 죄형법정주의에 포섭될 수 있다.

② 과태료는 행정상 의무위반자에게 부과하는 행정질서벌로서 엄밀한 의미의 형벌은 아니나 그 기능과 역할이 형벌에 준하는 것이므로 죄형법정주의의 규율대상에 해당한다.

③ 보호감호는 죄형법정주의에서 인정되는 형벌불소급원칙이 적용되나, 이중처벌금지원칙은 적용되지 않는다.

④ 헌법 제12조 제1항 후단이 "법률과 적법한 절차에 의하지 아니하고는 처벌을 받지 아니한다."라고 규정하여 죄형법정주의를 천명하고 있고, 여기에서 '법률'이란 입법부에서 제정한 형식적 의미의 법률을 의미하는 것이긴 하나, 현대국가의 사회적 기능증대와 사회현상의 복잡화에 따라 국민의 권리·의무에 관한 사항이라 하여 모두 입법부에서 제정한 법률만으로 다 정할 수는 없어 예외적으로 하위법령에 위임하는 것을 허용하지 않을 수 없고, 구 「노동조합법」 제46조의3이 '단체협약에 위반한 자'를 1,000만 원 이하의 벌금에 처하도록 규정한 것이 죄형법정주의에 위배된다고 보기 어렵다.

07 보안처분에 대한 설명으로 옳지 않은 것은 모두 몇 개인가?

> ㄱ. 치료감호의 종료시점을 일정한 기간의 도과시점으로 정하지 않고 치유의 완성시점으로 정하는 것은 보안처분의 본질에 부합하지 않는다는 것이 헌법재판소의 입장이다.
> ㄴ. 전자장치 부착명령은 범죄행위를 한 사람에 대한 응보를 주된 목적으로 그 책임을 추궁하는 사후적 처분인 형벌과 구별되는 비형벌적 보안처분으로서 소급효금지원칙이 적용되지 아니한다.
> ㄷ. 형벌과 보안처분은 다 같이 형사제재에 해당하지만, 형벌은 책임의 한계 안에서 과거 불법에 대한 응보를 주된 목적으로 하는 제재이고, 보안처분은 장래 재범위험성을 전제로 범죄를 예방하기 위한 제재이다.
> ㄹ. 보안처분이라 하더라도 형벌적 성격이 강하여 신체의 자유를 박탈하거나 박탈에 준하는 정도로 신체의 자유를 제한하는 경우에는 소급효금지원칙을 적용하는 것이 법치주의 및 죄형법정주의에 부합한다.
> ㅁ. 치료감호기간의 상한을 정하지 아니한 「사회보호법」은 그로 인하여 침해되는 피치료감호자의 기본권과 보호되는 사회적 법익 사이에 균형이 유지되고 있다.
> ㅂ. 보안처분에도 적법절차의 원칙이 적용되어야함은 당연한 것이지만 보안처분에는 다양한 형태와 내용이 존재하므로 각 보안처분에 적용되어야 할 적법절차의 범위 내지 한계에도 차이가 있어야 할 것이다.
> ㅅ. 보호감호처분은 신체의 자유를 박탈하는 수용처분이라는 점에서 형벌과 뚜렷이 구별되므로 형벌과 보호감호를 병과하더라도 이중처벌금지원칙에 위반되는 것은 아니다.
> ㅇ. 법관은 보안처분의 효력이 만료되는 시점까지 보안처분의 취소를 구하는 항고소송의 판결을 해야 할 의무는 없다.

① 1개 ② 2개
③ 3개 ④ 4개

08 형벌불소급원칙에 대한 헌법재판소 또는 대법원 판례와 일치하는 것은?

① 형벌불소급의 원칙은 좁은 의미에서는 소급적인 범죄의 설정과 형벌의 가중을 금지하는 것이지만, 넓은 의미에서는 형사소추가 가능한 기간을 연장하여 상대방의 법적 지위를 현저히 불리하게 하는 것도 포함하므로 공소시효기간을 연장하는 것은 형벌불소급의 원칙에 반한다.

② 행위 당시의 판례에 의하면 처벌대상이 되지 아니하는 것으로 해석되었던 행위를 판례의 변경에 따라 확인된 내용의 「형법」 조항에 근거하여 처벌한다고 하여 형벌불소급원칙에 위반된다고 할 수 없다.

③ 형벌불소급의 원칙은 '행위의 가벌성'에 관한 것이기 때문에 소추가능성뿐 아니라 가벌성에는 영향을 미치지 않는 공소시효에 관한 규정은 원칙적으로 그 효력범위에 포함된다.

④ 공소시효의 정지규정을 과거에 이미 행한 범죄에 대하여 적용하도록 하는 법률은 헌법 제12조 제1항 및 제13조 제1항에 규정한 죄형법정주의의 파생원칙인 형벌불소급의 원칙에 위배된다.

09 형벌불소급원칙에 대한 헌법재판소 또는 대법원 판례와 일치하는 것은?

① 미성년자에 대한 성폭력범죄의 공소시효는 「형사소송법」 제252조 제1항에도 불구하고 해당 성폭력범죄로 피해를 당한 미성년자가 성년에 달한 날부터 진행하도록 한 「성폭력범죄의 처벌 등에 관한 특례법」 부칙을 「성폭력범죄의 처벌 등에 관한 특례법」 시행 전 행하여진 성폭력범죄에 적용하도록 한다면 형벌불소급의 원칙에 위배된다.

② 형사처벌을 규정하고 있던 행위시법이 사후에 폐지되었음에도, 신법이 아니라 행위시법에 의하여 형사처벌하도록 규정한 것은 헌법 제13조 제1항의 형벌불소급 원칙의 보호영역에 포섭되지 아니한다.

③ 「관세법」 위반행위에 대한 벌칙규정을 완화시킨 개정 법률을 소급적용하지 않도록 한 구 「관세법」 부칙 제4조는 형벌불소급원칙에 위반된다.

④ 「디엔에이신원확인정보의 이용 및 보호에 관한 법률」 시행 당시 디엔에이감식시료 채취대상범죄로 이미 징역이나 금고 이상의 실형을 선고받아 그 형이 확정되어 수용 중인 사람에 대하여 디엔에이신원확인정보를 수집 이용하는 것은 보안처분의 성격을 지니므로 소급입법금지원칙이 적용된다.

10 형벌불소급원칙에 대한 헌법재판소 또는 대법원 판례와 일치하지 않는 것은?

① 위치추적장치 부착은 형벌에 해당하지 않으므로 위치추적장치 부착명령기간을 소급적으로 연장하도록 한 법률에는 형벌에 관한 소급입법금지의 원칙이 그대로 적용되지 않는다.

② 아동·청소년 성범죄로 형이 확정된 자에게 의료기관의 개설을 금지하는 취업조항을 법 시행 후 형이 확정된 자부터 적용하도록 한 「아동·청소년의 성보호에 관한 법률」은 형벌불소급원칙에 반하지 않는다.

③ 보안처분에는 원칙적으로 재판 당시 현행법을 소급적용할 수 없다고 보는 것이 타당하므로 행위시가 아닌 재판시의 재범위험성 여부에 대한 판단에 따라 보안처분 선고는 허용될 수 없다.

④ 성범죄자들에 대한 신상정보 등록·보관은 형벌이 아니므로 헌법 제13조 제1항의 형벌불소급원칙이 적용되지 않는다.

11 다음 심판대상에 대한 헌법재판소 결정과 일치하는 것은 모두 몇 개인가?

> 「형법」 제70조(노역장유치) ② 선고하는 벌금이 1억 원 이상 5억 원 미만인 경우에는 300일 이상, 5억 원 이상 50억 원 미만인 경우에는 500일 이상, 50억 원 이상인 경우에는 1,000일 이상의 유치기간을 정하여야 한다.
>
> 부칙 제2조(적용례 및 경과조치) ① 제70조 제2항의 개정 규정은 이 법 시행 후 최초로 공소가 제기되는 경우부터 적용한다.

> ㄱ. 노역장유치조항은 경제적 능력 유무에 따른 차별이라고 볼 수 있다.
> ㄴ. 선고하는 벌금이 1억 원 이상 5억 원 미만인 경우에는 300일 이상, 5억 원 이상 50억 원 미만인 경우에는 500일 이상, 50억 원 이상인 경우에는 1,000일 이상의 유치기간의 하한을 정한 「형법」은 신체의 자유를 침해한다.
> ㄷ. 형벌불소급원칙이 적용되는 '처벌'의 범위는 「형법」이 정한 형벌의 종류에 한정된다.
> ㄹ. 노역장유치조항을 소급적용함으로써 달성할 수 있는 공익은 그리 크다고 볼 수 없다. 강화된 제재의 경고기능이 작동되지 않은 상태에서 행한 행위에 대해 사후입법으로 무겁게 책임을 묻는 것은, 기존 법질서에 대한 신뢰보호와 법적 안정성을 위해 소급입법을 금지하는 정신에 부합하지 않는다. 따라서 부칙조항은 헌법상 제13조 제2항의 소급입법금지원칙에 위반된다.
> ㅁ. 노역장유치란 벌금납입의 대체수단이자 납입강제기능을 갖는 벌금형의 집행방법이며, 벌금형에 대한 환형처분이라는 점에서 형벌과는 구별된다. 따라서 노역장유치기간의 하한을 정한 것은 벌금형을 대체하는 집행방법을 강화한 것에 불과하며, 이를 소급적용한다고 하여 형벌불소급의 문제가 발생한다고 보기는 어렵고 소급입법금지원칙의 문제일 뿐이다.
> ㅂ. 甲에 대해 1억 원 이상의 벌금을 선고하는 경우 노역장유치기간의 하한을 법률에 정해두게 되면 벌금의 납입을 심리적으로 강제할 수 있고 1일 환형유치금액 사이의 지나친 차이를 좁혀 형평성을 도모할 수 있으므로, 노역장유치조항은 입법목적 달성에 적절한 수단이다.
> ㅅ. 노역장유치는 벌금을 납입하지 않는 경우를 대비한 것으로 벌금을 납입한 때에는 집행될 여지가 없고, 노역장유치로 벌금형이 대체되는 점 등을 고려하면, 甲이 입게 되는 불이익이 노역장유치조항으로 달성하고자 하는 공익에 비하여 크다고 할 수 없다.
> ㅇ. 甲에 대해 위 「형법」 부칙 조항에 의하여 노역장유치조항을 적용할 수 있으며, 이는 형벌불소급원칙에 위반되지 않는다.

① 없음.　　② 1개

③ 2개　　④ 3개

12 **죄형법정주의 명확성원칙에 대한 설명으로 옳지 않은 것은 모두 몇 개인가?**

> ㄱ. 죄형법정주의가 요구하는 명확성의 원칙은 적극적으로 범죄성립을 정하는 구성요건규정에는 적용되지만, 위법성조각사유와 같이 범죄의 성립을 부정하는 규정에 대하여는 적용되지 않는다.
> ㄴ. 법률조항이 규율하고자 하는 내용 중 일부를 괄호 안에 규정하는 경우 일반 국민은 법률조항을 해석함에 있어서 괄호 안에 기재된 내용은 중요한 의미를 갖지 않는 것으로 받아들일 수밖에 없다.
> ㄷ. 죄형에 관한 법률조항이 그 내용을 해당 시행령에 포괄적으로 위임하고 있는지 여부는 죄형법정주의의 명확성원칙의 위반 여부의 문제인 동시에 포괄위임입법금지 여부의 문제가 된다.
> ㄹ. 죄형법정주의가 지배되는 형사 관련 법률에서는 명확성의 정도가 강화되어 더 엄격한 기준이 적용되나, 일반적인 법률에서는 명확성의 정도가 그리 강하게 요구되지 않기 때문에 상대적으로 완화된 기준이 적용된다.
> ㅁ. 처벌법규의 구성요건이 다소 광범위하여 어떤 범위에서 법관의 보충적인 해석이 있어야 하는 개념을 사용하였다면 헌법이 요구하는 처벌법규의 명확성원칙에 배치된다고 보아야 한다.
> ㅂ. 어떠한 규정이 부담적 성격을 가지는 경우에는 수익적 성격을 가지는 경우에 비하여 명확성의 원칙이 더욱 엄격하게 요구되므로, 형사법이나 국민의 이해관계가 첨예하게 대립되는 법률에 있어서는 불명확한 내용의 법률용어가 허용될 수 없으며, 그 사용이 불가피한 경우라면 용어의 개념정의, 한정적 수식어의 사용, 적용한계조항의 설정 등 제반 방법을 강구하여 자의적으로 해석될 소지를 봉쇄하여야 한다.
> ㅅ. 처벌법규나 조세법규와 같이 국민의 기본권을 직접적으로 제한하거나 침해할 소지가 있는 법규에 대해서는 명확성의 원칙이 적용되지만, 국민에게 수익적인 급부행정 영역이나 규율대상이 지극히 다양하거나 수시로 변화하는 성질의 것일 때에는 명확성원칙이 적용되지 않는다.

① 1개　　② 2개
③ 3개　　④ 4개

13 **식품의약품안전처장이 식품의 사용기준을 정하여 고시하고, 고시된 사용기준에 맞지 아니하는 식품을 판매하는 행위를 금지·처벌하는 구 식품위생법에 대해 헌법재판소법 제68조 제2항의 헌법소원이 청구되었다. 이에 대한 설명으로 옳지 않은 것은?**

① 고시에 규정될 내용을 정하고 있는 부분의 불명확성을 다투는 것으로 포괄위임금지원칙 위반의 문제로 포섭되는바 명확성원칙 위배 여부에 대해서는 별도로 판단하지 않는다.

② 죄형법정주의는 무엇이 범죄이며 그에 대한 형벌이 어떠한 것인가는 반드시 국민의 대표로 구성된 입법부가 제정한 법률로써 정하여야 한다는 원칙을 의미하나 합리적인 이유가 있으면 예외적으로 이를 행정부에 위임하는 것이 허용된다.

③ 국회가 입법으로 행정기관에게 구체적인 범위를 정하여 위임한 사항에 관하여는 당해 행정기관이 법 정립의 권한을 갖게 되고, 이때 입법자는 그 규율의 형식도 선택할 수 있으므로, 헌법이 인정하고 있는 위임입법의 형식은 예시적인 것으로 보아야 한다.

④ 행정규칙은 법규명령과 같은 엄격한 제정 및 개정절차를 필요로 하지 아니하므로, 기본권을 제한하는 내용의 입법을 위임할 때에는 법규명령에 위임해야 하므로 고시에 위임하는 것은 허용되지 않는다.

14 명확성원칙에 대한 설명으로 옳은 것은 모두 몇 개인가?

ㄱ. 정당한 명령 또는 규칙을 준수할 의무가 있는 자가 이를 위반하거나 준수하지 아니한 때에 형사처벌을 하도록 규정한 구 「군형법」 제47조는 그 내용이 모호하고 추상적이어서 수범자인 군인·군무원이 무엇이 금지된 행위인지 알 수 없게 하므로 명확성원칙에 위배된다.

ㄴ. 변호사는 계쟁권리를 양수할 수 없다고 규정한 「변호사법」 제32조는 명확성원칙에 위배되지 않는다.

ㄷ. '가정의례의 참뜻에 비추어 합리적인 범위 내'라는 소극적 범죄구성요건은 죄형법정주의의 명확성원칙을 위배하지 아니하였다.

ㄹ. 공익을 해할 목적으로 전기통신설비에 의하여 공연히 허위의 통신을 한 자를 형사처벌하는 법률조항은 죄형법정주의의 명확성원칙에 위반된다.

ㅁ. 구 「특정범죄 가중처벌 등에 관한 법률」 제5조의4 제6항 중 "제1항 또는 제2항의 죄로 두 번 이상 실형을 선고받고 그 집행이 끝나거나 면제된 후 3년 이내에 다시 제1항 중 「형법」 제329조에 관한 부분의 죄를 범한 경우에는 그 죄에 대하여 정한 형의 단기의 2배까지 가중한다." 부분은 죄형법정주의의 명확성원칙에 위반되지 아니한다.

ㅂ. 구 「아동·청소년의 성보호에 관한 법률」 중 '아동·청소년으로 인식될 수 있는 표현물' 부분은 실제 아동·청소년이 등장하는 것으로 오인하기에 충분할 정도로 묘사된 표현물만을 의미하는 것인지, 아니면 아동·청소년을 성적 대상으로 연상시키는 표현물이면 단순히 그림, 만화로 표현된 아동·청소년의 이미지도 모두 이에 해당할 수 있는 것인지 판단하기 어려우므로 죄형법정주의의 명확성원칙에 위반된다.

ㅅ. 정당한 사유 없이 정보통신시스템, 데이터 또는 프로그램 등의 운용을 방해할 수 있는 프로그램의 유포를 금지한 「정보통신망 이용촉진 및 정보보호 등에 관한 법률」 제48조 제2항 중 '운용을 방해할 수 있는' 부분이 죄형법정주의의 명확성원칙에 위반된다.

① 1개　　② 2개
③ 3개　　④ 4개

15 명확성원칙에 대한 설명으로 옳은 것은 모두 몇 개인가?

ㄱ. 취소소송 등의 제기시 「행정소송법」 조항의 집행정지의 요건으로 규정한 '회복하기 어려운 손해'는 건전한 상식과 통상적인 법감정을 가진 사람이 심판대상조항의 의미 내용을 파악하기 어려우므로 명확성원칙에 위배된다.

ㄴ. 「공인회계사법」 제11조 중 공인회계사와 유사한 명칭의 사용을 금지한 부분은 죄형법정주의의 명확성원칙에 위반된다고 할 수 없다.

ㄷ. 건설업자가 부정한 방법으로 건설업의 등록을 한 경우, 건설업등록을 필요적으로 말소하도록 규정한 「건설산업기본법」 조항 중 '부정한 방법' 개념은 모호하여 법률해석을 통하여 구체화될 수 없으므로 명확성원칙에 위배된다.

ㄹ. '여러 사람의 눈에 뜨이는 곳에서 공공연하게 알몸을 지나치게 내놓거나 가려야 할 곳을 내놓아 다른 사람에게 부끄러운 느낌이나 불쾌감을 준 사람'을 처벌하는 「경범죄 처벌법」 조항은 그 의미를 알기 어렵고 그 의미를 확정하기도 곤란하므로 명확성원칙에 위배된다.

ㅁ. 품목허가를 받지 아니한 의료기기를 수리·판매·임대·수여 또는 사용의 목적으로 수입하는 것을 금지하는 구 「의료기기법」 조항은 수리·판매·임대·수여 또는 사용의 목적이 있는 경우에만 품목 허가를 받지 않은 의료기기의 수입을 금지하는 것으로 일의적으로 해석되므로 명확성원칙에 위배되지 않는다.

ㅂ. 야간에 사람의 주거, 간수하는 저택, 건조물이나 선박 또는 점유하는 방실에 침입하여 타인의 재물을 절취한 자는 10년 이하의 징역에 처하도록 한 「형법」 제330조 중 건조물은 명확성원칙에 위배되지 않는다.

ㅅ. 전문과목을 표시한 치과의원에게 그 표시한 전문과목에 해당하는 환자만을 진료하도록 한 「의료법」 조항은 명확성원칙에 위배된다.

① 1개　　② 2개
③ 3개　　④ 4개

16 **명확성원칙에 대한 설명으로 옳지 않은 것은 모두 몇 개인가?**

ㄱ. '다량의 토사'를 유출하거나 버려서 상수원 또는 하천, 호소를 '현저히 오염'되게 하는 행위는 평소 하천이나 호소의 부유 물질량의 증가 또는 변화를 보고 판단할 수 있어, '다량'이나 '현저히' 같은 표현 그 자체로만으로 불명확하다고 볼 수는 없다.
ㄴ. 광고가 금지되는 내용으로서 '대부조건 등'은 대부업자가 자신의 용역에 관한 대부계약을 소비자와 맺기에 앞서 내놓는 중요한 요구와 거래의 상대방 보호를 위해 대부업자에게 요구되는 중요한 사항으로서, 대부업자의 모든 광고가 아니라 대부계약에 대한 청약의 유인으로서의 광고를 금지하는 것이므로, 명확성원칙에 위배되지 않는다.
ㄷ. 학교설립인가를 받지 아니하고 학교의 명칭을 사용하거나 학생을 모집하여 시설을 사실상 학교의 형태로 운영하는 행위를 처벌하는 「초·중등교육법」 제67조 제2항 제1호가 죄형법정주의의 명확성원칙을 위배하거나, 사학의 자유 등 기본권을 침해한다고 할 수 없다.
ㄹ. 부정한 방법으로 대가를 지급하지 아니하고 유료자동설비를 이용하여 재물 또는 재산상의 이익을 취득한 자를 처벌하는 「형법」 제348조의2가 죄형법정주의의 명확성원칙에 위반되지 않는다.
ㅁ. 약국개설자로 하여금 약국 이외의 장소에서 의약품을 판매할 수 없도록 하고 있는 「약사법」 제50조 제1항은 죄형법정주의의 명확성원칙에 위반된다.
ㅂ. 구 「미성년자보호법」의 해당 조항 중 '잔인성'과 '범죄의 충동을 일으킬 수 있게'라는 부분은 그 적용범위를 법집행기관의 자의적인 판단에 맡기고 있으므로 죄형법정주의에서 파생된 명확성의 원칙에 위배된다.

① 1개 ② 2개
③ 3개 ④ 4개

17 **명확성원칙에 대한 설명으로 옳지 않은 것은 모두 몇 개인가?**

ㄱ. 게임물 관련 사업자에 대하여 '경품 등의 제공을 통한 사행성 조장'을 원칙적으로 금지시키고, 예외적으로 청소년게임 제공업의 전체이용가 게임물에 대하여 대통령령이 정하는 경품의 종류·지급기준·제공방법 등에 의한 경품 제공을 허용한 「게임산업진흥에 관한 법률」은 죄형법정주의의 명확성원칙에 위배되지 않는다.
ㄴ. 법률사건의 수임에 관하여 알선의 대가로 금품을 제공하거나 이를 약속한 변호사를 형사처벌하는 구 「변호사법」 조항 중 '법률사건'과 '알선'은 처벌법규의 구성요건으로 그 의미가 불분명하기에 명확성원칙에 위배된다.
ㄷ. 방송통신심의위원회의 직무의 하나로 '건전한 통신윤리의 함양을 위하여 필요한 사항으로서 대통령령이 정하는 정보의 심의 및 시정요구'를 규정하고 있는 「방송통신위원회의 설치 및 운영에 관한 법률」 조항 중 '건전한 통신윤리'라는 부분은 각 개인의 가치관에 따라 달리 해석될 수 있기에 명확성원칙에 위배된다.
ㄹ. 게임물 관련 사업자에 대하여 '경품 등의 제공을 통한 사행성 조장'을 원칙적으로 금지시키고, 예외적으로 경품 제공이 허용되는 경우를 대통령령이 정하도록 위임한 것이 죄형법정주의 내지 포괄위임금지원칙에 위배된다고 할 수 없다.
ㅁ. 개인정보를 처리하거나 처리하였던 자에 대해 업무상 알게 된 개인정보를 누설하거나 권한 없이 다른 사람이 이용하도록 제공하는 행위를 금지하고 이를 위반 시 처벌하는 「개인정보 보호법」이 죄형법정주의의 명확성원칙에 위반된다고 할 수 없다.
ㅂ. 구 「산업안전보건법」상 '이 법 또는 이 법에 의한 명령의 시행을 위하여 필요한 사항으로서 노동부령이 정하는 사항을 노동부장관(현 고용노동부장관)에게 보고를 하지 아니하거나 허위의 보고를 한 자'를 처벌하는 조항은, 그 수범자가 일반인이 아니라 사업주이고 사업주는 법의 주요한 보고의무대상이 무엇인지 잘 알고 있을 것이므로 명확성원칙에 위반되지 않는다.
ㅅ. '다중의 위력으로써' 주거침입의 범죄를 범한 자를 처벌하는 「폭력행위 등 처벌에 관한 법률」 규정에서 '다중'의 개념은 '단체나 집단'과 명확하게 구별되지 않을 뿐만 아니라, '2인 이상이 공동하여'라는 같은 법 규정의 개념과 일치하는 부분마저 있어 죄형법정주의에서 요구하는 명확성의 원칙에 위배된다.

① 1개 ② 2개
③ 3개 ④ 4개

18 **명확성원칙에 대한 설명으로 옳지 않은 것은 모두 몇 개인가?**

ㄱ. 의료인이 '치료효과를 보장하는 등 소비자를 현혹할 우려가 있는 내용의 광고'를 한 경우 형사처벌하도록 규정한 「의료법」 규정은 오로지 의료서비스의 긍정적인 측면만을 강조하여 의료소비자를 혼란스럽게 하고 합리적인 선택을 방해할 것으로 걱정되는 광고를 의미하는 것으로 충분히 해석이 가능하기에 명확성원칙에 위배되지 않는다.

ㄴ. 공무원의 '공무 외의 일을 위한 집단행위'를 금지하는 「국가공무원법」 규정은 어떤 행위가 허용되고 금지되는지를 예측할 수 없으므로 명확성원칙에 위배된다.

ㄷ. 뇌물죄의 적용에 있어 공무원으로 의제되는 정부출연연구기관의 직원을 직접 법률에 열거하여 규정하지 않은 것은 포괄위임에 해당하여 죄형법정주의에 반한다.

ㄹ. 건전한 상식과 통상적인 법감정을 가진 사람은 군복 및 군용장구의 단속에 관한 법률상 판매목적 소지가 금지되는 '유사군복'에 어떠한 물품이 해당하는지 예측할 수 있고, 유사군복을 정의한 조항에서 법 집행자에게 판단을 위한 합리적 기준이 제시되고 있으므로 '유사군복' 부분은 명확성원칙에 위반되지 아니한다.

ㅁ. 허가받은 지역 밖에서의 이송업의 영업을 금지하고 처벌하는 「응급의료에 관한 법률」 조항은 영업의 일반적 의미와 위 법률의 관련 규정을 유기적·체계적으로 종합하여 보더라도 허가받은 지역 밖에서 할 수 없는 이송업에 환자 이송과정에서 부득이 다른 지역을 지나가는 경우 또는 허가받지 아니한 지역에서 실시되는 운동경기·행사를 위하여 부근에서 대기하는 경우 등도 포함되는지 여부가 불명확하여 명확성원칙에 위배된다.

ㅂ. 선거운동을 위한 호별 방문금지규정에도 불구하고 '관혼상제의 의식이 거행되는 장소와 도로·시장·점포·다방·대합실 기타 다수인이 왕래하는 공개된 장소'에서의 지지 호소를 허용하는 「공직선거법」 조항 중 '기타 다수인이 왕래하는 공개된 장소' 부분은, 해당 장소의 구조와 용도, 외부로부터의 접근성 및 개방성의 정도 등을 종합적으로 고려할 때 '관혼상제의 의식이 거행되는 장소와 도로·시장·점포·다방·대합실'과 유사하거나 이에 준하여 일반인의 자유로운 출입이 가능한 개방된 곳을 의미한다고 충분히 해석할 수 있으므로 명확성원칙에 위반된다고 할 수 없다.

ㅅ. 식품을 질병의 예방 및 치료에 효능·효과가 있거나 의약품 또는 건강기능식품으로 오인·혼동할 우려가 있는 내용의 표시·광고를 금지한 구 「식품위생법」은 죄형법정주의의 명확성원칙에 위반되지 않는다.

ㅇ. 「농업협동조합법」에 따른 중앙회장선거의 경우, 후보자가 아닌 사람의 선거운동을 전면 금지하고 이를 위반하면 형사처벌하는 구 「공공단체등 위탁선거에 관한 법률」과 법에 정해진 선거운동방법만을 허용하면서 이를 위반하면 형사처벌하는 구 「공공단체등 위탁선거에 관한 법률」은 죄형법정주의의 명확성원칙에 위반된다.

① 1개　　② 2개

③ 3개　　④ 4개

19 명확성원칙에 대한 설명으로 옳지 않은 것은 모두 몇 개인가?

ㄱ. 공중도덕상 유해한 업무에 취업시킬 목적으로 근로자를 파견한 사람을 형사처벌하도록 규정한 구 「파견근로자보호 등에 관한 법률」 조항은 그 조항의 입법목적, 위 법률의 체계, 관련 조항 등을 모두 종합하여 보더라도 '공중도덕상 유해한 업무'의 내용을 명확히 알 수 없고, 위 조항에 관한 이해관계기관의 확립된 해석기준이 마련되어 있다거나, 법관의 보충적 가치판단을 통한 법문 해석으로 그 의미 내용을 확인하기도 어려우므로 명확성원칙에 위배된다.
ㄴ. 현역입영통지서를 받은 사람이 정당한 사유 없이 입영일부터 3일이 지나도 입영하지 아니한 경우를 처벌하는 구 「병역법」 제88조는 죄형법정주의의 명확성원칙에 위배되지 아니한다.
ㄷ. 환경부장관이 하수의 수질을 현저히 악화시키는 것으로 판단되는 특정 공산품의 제조·수입·판매나 사용의 금지 또는 제한을 명할 수 있도록 한 구 「하수도법」이 죄형법정주의의 명확성원칙에 위배되지 않는다.
ㄹ. 육로, 수로 또는 교량을 손괴 또는 불통하게 하거나 기타 방법으로 교통을 방해한 자를 처벌하는 「형법」 제185조(일반교통방해)의 '기타 방법으로' 부분은 교통을 방해하는 행위의 태양에 대하여 어떠한 제한도 두지 아니하여 법률 문언 자체로 구성요건이 명확하다고 볼 수 없고, 건전한 상식과 통상적 법감정을 가진 사람이 통상의 해석방법에 의하여 보더라도 그 내용이 일의적으로 파악되지 않으므로 명확성원칙에 위배된다.
ㅁ. 카메라등이용촬영죄조항은 '성적 욕망 또는 수치심을 유발할 수 있는'과 같은 막연한 개념을 사용하고 있으므로 죄형법정주의의 명확성원칙을 위반하여 표현의 자유, 예술의 자유, 행복추구권 또는 일반적 행동자유권을 침해한다.
ㅂ. 의무보험에 가입되어 있지 아니한 자동차는 도로에서 운행할 수 없도록 하고 이를 위반하여 자동차를 운행한 자동차보유자를 형사처벌하도록 정한 「자동차손해배상 보장법」은 죄형법정주의의 명확성원칙에 위반된다.

① 1개 ② 2개
③ 3개 ④ 4개

20 명확성원칙에 대한 설명으로 옳지 않은 것은 모두 몇 개인가?

ㄱ. 직접 진찰한 의료인이 아니면 진단서 등을 교부 또는 발송하지 못하도록 규정한 구 「의료법」 조항에서 '직접 진찰한'은 의료인이 '대면하여 진료를 한'으로 해석되는 외에는 달리 해석의 여지가 없으므로 명확성의 원칙에 위배되지 않는다.
ㄴ. 청소년유해매체물의 범위를 법률에서 직접 확정하지 아니하고 행정기관인 청소년보호위원회로 하여금 결정하도록 한 「청소년 보호법」 규정은, 청소년에게 유해한 매체물은 각 매체물의 내용을 실제로 확인하여 유해성 여부를 판단할 수밖에 없는 점에 비추어 보면, 행정기관으로 하여금 청소년유해매체물을 확정하도록 한 것은 부득이하다고 할 것이므로 죄형법정주의에 반한다고 볼 수 없다.
ㄷ. 헌법재판소는 「미성년자보호법」상의 '음란성' 개념에 대해서는 법관의 보충적인 해석을 통해 그 규범 내용이 확정될 수 있는 개념이라고 하였으나, 같은 법상 '잔인성' 개념에 대해서는 법집행자의 자의적 판단을 허용할 여지가 높다고 판시한 바 있다.
ㄹ. 상습 강도·절도죄 또는 그 미수죄로 세 번 이상 징역형을 받은 사람이 다시 「형법」 절도죄를 범하여 누범으로 처벌하는 「특정범죄 가중처벌 등에 관한 법률」은 죄형법정주의의 명확성원칙에 위반되지 아니한다.
ㅁ. 의료인은 어떠한 명목으로도 둘 이상의 의료기관을 운영할 수 없다고 규정한 「의료법」은 죄형법정주의의 명확성원칙에 위반되지 아니한다.

① 없음. ② 1개
③ 2개 ④ 3개

진도별 모의고사

신체의 자유

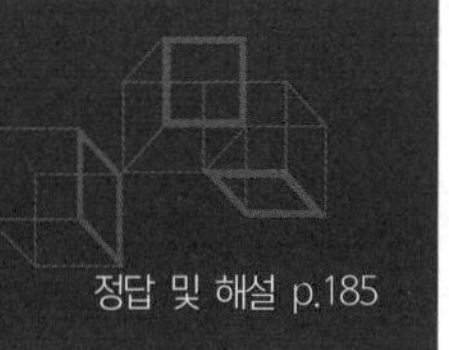

정답 및 해설 p.185

제한시간 : 14분 | 시작시각 ___시 ___분 ~ 종료시각 ___시 ___분 나의 점수 ______

01 금치의 징벌을 받은 수용자에 대한 설명으로 옳지 않은 것은 모두 몇개인가? (다툼이 있는 경우 판례에 의함)

ㄱ. 구 「행형법 시행령」 제145조 제2항 중 '금치의 처분을 받은 자는 접견, 서신수발, 운동을 금지한다'는 부분은 헌법에 위반되지 않는다.
ㄴ. 구 「행형법」상 징벌의 일종인 금치처분을 받은 자에 대하여 금치기간 중 집필을 전면 금지한 「행형법 시행령」 규정은 수형자의 표현의 자유를 침해한 것이다.
ㄷ. 금치처분을 받은 사람에 대하여 실외운동을 원칙적으로 금지하고, 다만 소장의 재량에 의하여 이를 예외적으로 허용하는 것은 수용자의 정신적·신체적 건강에 필요 이상의 불이익을 가하고 있어 수용자의 신체의 자유를 침해한다.
ㄹ. 금치처분을 받은 사람에 대하여 금치기간 동안 공동행사 참가를 제한하더라도, 서신수수, 접견을 통해 외부와 통신할 수 있고, 종교상담을 통해 종교활동을 할 수 있으면 종교의 자유를 침해하지 않는다.
ㅁ. 금치처분을 받은 사람은 금치기간 동안 전화통화, 서신수수, 접견, 라디오, 방송청취, 신문열람 등을 제한받는데, 여기에 더하여 텔레비전 시청까지 제한되면 정보를 취득할 수 없게 되므로 알 권리를 침해한다.
ㅂ. 금치처분을 받은 자에 대한 집필 제한은 표현의 자유를 제한하는 것이며, 서신수수 제한은 통신의 자유에 대한 제한에 속한다.

① 1개 ② 2개
③ 3개 ④ 4개

02 형벌에 대한 설명으로 옳지 않은 것은?

① 보호법익과 죄질이 서로 다르다고 하더라도, 법정형의 과중 여부는 둘 또는 그 이상의 범죄를 동일 선상에 놓고 그중 어느 한 범죄의 법정형을 기준으로 하여 다른 범죄의 법정형의 과중 여부를 판정할 수밖에 없다.

② 마약의 단순매수를 영리매수와 동일한 법정형으로 처벌하는 것은 위헌이다.

③ 구체적 행위태양이나 적법한 보유권한의 유무 등에 관계없이 은닉, 보유·보관된 당해 문화재의 필요적 몰수를 규정한 것은 책임과 형벌 간의 비례원칙에 위배된다.

④ 관광진흥개발기금 관리·운용업무에 종사토록 하기 위해 문화체육관광부장관에 의해 채용된 민간 전문가에 대해 「형법」상 뇌물죄의 적용에 있어서 공무원으로 의제하는 법률규정은, 민간 전문가를 모든 영역에서 공무원으로 의제하는 것이 아니라 직무의 불가매수성을 담보한다는 요청에 의해 금품수수행위 등 직무 관련 비리행위를 엄격히 처벌하기 위해 뇌물죄의 적용에 대하여만 공무원으로 의제하고 있으므로 과잉금지원칙에 위배되어 신체의 자유를 침해한다고 볼 수 없다.

03 형벌에 대한 설명으로 옳지 않은 것은?

① 절도범이 체포를 면탈할 목적으로 폭행·협박한 것을 준강도로 처벌하는 것은 국민의 신체자유권을 제한함에 있어서 범죄와 형벌 간의 균형성과 최소성을 상실하여 과잉금지의 원칙에 위배된다.

② 「형법」 제129조 제1항의 수뢰죄를 범한 사람에게 수뢰액의 2배 이상 5배 이하의 벌금을 병과하도록 규정한 「특정범죄 가중처벌 등에 관한 법률」 조항은 책임과 형벌의 비례원칙에 위배되지 아니한다.

③ 단체나 다중의 위력으로써 「형법」상 상해죄를 범한 사람을 가중 처벌하는 구 「폭력행위 등 처벌에 관한 법률」 조항은 책임과 형벌의 비례원칙에 위반되지 아니한다.

④ 야간에 사람의 주거, 간수하는 저택, 건조물이나 선박 또는 점유하는 방실에 침입하여 타인의 재물을 절취한 자는 10년 이하의 징역에 처하도록 한 「형법」 제330조는 책임과 형벌 간의 비례원칙에 위배된다고 할 수 없다.

04 형벌에 대한 설명으로 옳지 않은 것은?

① 식품의 제조방법에 관한 기준을 위반하여 소매가격으로 연간 5천만 원 이상의 식품을 제조·판매한 경우 무기 또는 3년 이상의 징역과 그 소매가격의 2배 이상 5배 이하에 해당하는 벌금을 필요적으로 병과하도록 한 구 「보건범죄 단속에 관한 특별조치법」에 따라 최소한 1억 원 이상의 벌금형의 필요적 병과라는 가중처벌을 받아야 하고 벌금병과조항에 의하여 선고되는 배수벌금을 감당할 재력이 없어 환형처분을 받게 되는 경우 「형법」 제70조 제2항에 따라 300일 이상의 기간 동안 노역장에 유치되는데, 이로 인하여 형사처벌조항 위반자에게 최소한 300일 이상의 징역형을 추가로 선고하는 효과가 나타나므로 배수벌금을 필요적으로 병과하는 벌금병과조항은 책임과 형벌 간 비례원칙에 반한다.

② 강도상해죄 또는 강도치상죄의 법정형의 하한을 '징역 7년'으로 정하고 있는 「형법」 제337조가 책임과 형벌 간의 비례원칙에 위반된다고 볼 수 없다.

③ 신체, 주거, 관리하는 건조물, 자동차, 선박이나 항공기 또는 점유하는 방실의 수색행위에 대해 3년 이하의 징역에 처하도록 한 「형법」 제321조는 책임과 형벌 간의 비례원칙에 위배되지 아니한다.

④ 상습 강도·절도죄 또는 그 미수죄로 세 번 이상 징역형을 받은 사람이 다시 「형법」 절도죄를 범하여 누범으로 처벌하는 「특정범죄 가중처벌 등에 관한 법률」은 과잉형벌에 해당하지 않는다.

05 형벌에 대한 설명으로 옳은 것은?

① 구 「특정경제범죄 가중처벌 등에 관한 법률」상 금융기관 임·직원이 직무와 관련하여 5천만 원 이상을 수수한 경우 죄질과 관계없이 무기 또는 10년 이상의 징역에 처하도록 규정하고, 별도의 법률상 감경사유가 없는 한 집행유예를 선고할 수 없도록 규정하였더라도 이는 책임과 형벌 간에 균형을 이루고 있으므로 과잉형벌이 아니다.

② 금융회사 임직원이 그 직무에 관하여 약속한 금품 기타 이익의 가액이 5천만 원 이상 1억 원 미만일 때 7년 이상의 유기징역으로 처벌하도록 정하고 있는 「특정경제범죄 가중처벌 등에 관한 법률」은 책임과 형벌 사이의 비례원칙에 위배된다.

③ 금융회사 등의 임직원이 그 직무에 관하여 수수, 요구 또는 약속한 금품 기타 이익의 가액이 1억 원 이상인 경우 가중처벌하도록 정하고 있는 구 「특정경제범죄 가중처벌 등에 관한 법률」 가중처벌조항은 수수한 금액만을 기준으로 법정형의 하한을 징역 10년 이상으로 높임으로써, 법관이 작량감경을 하더라도 집행유예를 선고할 수 없도록 양형재량의 범위를 극도로 제한하고 있으므로, 책임과 형벌 사이의 비례원칙에 위배된다.

④ 흉기나 그 밖의 위험한 물건을 지닌 채 「형법」 제298조(강제추행)의 죄를 범한 사람이 다른 사람을 상해한 때' 가중처벌하도록 한 「성폭력범죄의 처벌 등에 관한 특례법」은 책임과 형벌 간의 비례의 원칙에 위배되지 아니한다.

06 형벌에 대한 설명으로 옳은 것은?

① 응급의료종사자의 응급환자에 대한 진료를 폭행, 협박, 위계, 위력에 의한 방해죄에 대해 법정형은 5년 이하의 징역 또는 5천만 원 이하의 벌금을 부과하도록 한 「응급의료에 관한 법률」은 비례원칙에 위배된다고 볼 수 없다.

② 2회 이상 음주운전한 자를 2년 이상 5년 이하의 징역이나 1천만 원 이상 2천만 원 이하의 벌금에 처하도록 한 「도로교통법」은 책임과 형벌 간의 비례원칙에 위반된다고 할 수 없다.

③ 「마약류 관리에 관한 법률」 제2조 제3호 나목에 해당하는 향정신성의약품의 매매 등 행위를 한 자를 10년 이하의 징역 또는 1억 원 이하의 벌금에 처하도록 규정한 「마약류 관리에 관한 법률」은 책임과 형벌 사이의 비례원칙에 위배된다.

④ 환각물질을 섭취·흡입한 자를 '3년 이하의 징역 또는 5천만 원 이하의 벌금'으로 처벌하는 환각물질섭취·흡입행위를 금지하고 이를 처벌하는 「화학물질관리법」이 책임과 형벌 간의 비례원칙에 위반된다.

07 이중처벌금지원칙에 대한 설명으로 옳지 않은 것은? (다툼이 있는 경우 판례에 의함)

① 헌법은 동일한 범죄에 대하여 거듭 처벌받지 않는다고 하고 있는데, 여기서 말하는 처벌은 국가가 행하는 일체의 제재나 불이익처분을 모두 포함하는 것이다.

② 이중처벌금지는 징계절차나 민사상 손해배상절차 또는 「형법」에 근거하지 않는 다른 절차가 개시되는 것을 금지하지 않는다.

③ 이중처벌금지의 원칙은 처벌 또는 제재가 '동일한 행위'를 대상으로 행해질 때에 적용될 수 있는 것이므로, 행위가 서로 다를 경우에는 이 원칙이 적용되지 않는다.

④ 이중처벌금지의 원칙이란 실체판결이 확정되어 판결의 기판력이 발생하면 그 후 같은 사건에 대하여는 거듭 심판하여 처벌하는 것이 허용되지 않는다는 것을 의미하나, 외국에서 같은 사건에 대하여 형의 확정판결이 내려진 경우에는 이 원칙이 적용되지 않는다.

08 이중처벌금지원칙에 대한 설명으로 옳지 않은 것은? (다툼이 있는 경우 판례에 의함)

① 무허가 건축행위에 대한 형사처벌 외에 위법건축물에 대한 시정명령의 이행을 강제하기 위하여 과태료나 이행강제금을 부과하는 것은 이중처벌에 해당하지 않는다.

② 주취 중 운전금지규정을 2회 이상 위반한 사람이 다시 이를 위반한 때에는 운전면허를 필요적으로 취소하도록 규정한 것은 이중처벌금지원칙에 위배되지 않는다.

③ 이중처벌금지의 원칙은 약식재판뿐만 아니라, 즉결심판에 의한 즉결처분의 경우에도 적용된다.

④ 폭력범죄로 2회 이상의 징역형을 받아 그 집행을 종료하거나 면제를 받은 후 3년 내에 다시 집단적·흉기휴대적 폭력범죄를 범한 경우에 누범가중을 하는 것은 일사부재리의 원칙에 위배된다.

09 외국에서 형의 전부 또는 일부의 집행을 받은 자에 대하여 형을 감경 또는 면제할 수 있도록 규정한 형법에 대한 헌법재판소 판례와 일치하지 않는 것은?

① 외국에서 실제로 형의 집행을 받았음에도 불구하고 우리 「형법」에 의한 처벌시 이를 전혀 고려하지 않는다면 신체의 자유에 대한 과도한 제한이 될 수 있으므로 그와 같은 사정은 어느 범위에서든 반드시 반영되어야 한다.

② 헌법상 일사부재리원칙은 외국의 형사판결에 대하여는 적용된다고 할 것이므로 외국에서 형의 전부 또는 일부의 집행을 받은 자에 대하여 형을 감경 또는 면제할 수 있도록 규정한 「형법」은 헌법 제13조 제1항의 이중처벌금지원칙에 위반된다.

③ 동일한 범죄로 외국에서 형의 집행을 받고 다시 국내에서 처벌을 받은 자와 국내에서만 형의 집행을 받은 자는 '본질적으로 동일한 비교집단'이라고 할 수 없어 차별취급 여부를 논할 수 없으므로 평등원칙 위반이라는 주장은 이유 없다.

④ 외국에서 형의 전부 또는 일부의 집행을 받은 자에 대하여 형을 감경 또는 면제할 수 있도록 규정한 「형법」은 형의 종류에 따라 청구인의 신체의 자유 내지 재산권 등을 제한한다. 국가형벌권의 행사 및 그 한계는 신체의 자유와 가장 밀접한 관계에 있다고 할 것이므로 이 사건 법률조항이 신체의 자유를 제한함에 있어 그 헌법적 한계를 지키고 있는지 여부를 판단하기로 한다.

10 **적법절차원칙에 대한 설명으로 옳은 것은? (다툼이 있는 경우 판례에 의함)**

① 적법절차원칙은 1949년 독일 헌법에 규정되었고, 우리나라 제3차 개정헌법에서 규정되었다.

② 적법절차원칙은 미국 연방대법원의 판례를 통하여 확립된 원칙으로서 미국 연방헌법에는 그 규정이 없다.

③ 적법절차의 원칙은 기본권 제한이 있음을 전제로 하여 적용된다.

④ 적법절차원칙이 적용되는 대상은 신체상 불이익뿐 아니라, 정신적, 재산적 불이익에도 적용된다. 따라서 헌법 제12조 제1항과 제3항은 예시적 조항이다.

11 **적법절차원칙에 대한 설명으로 옳지 않은 것은? (다툼이 있는 경우 판례에 의함)**

① 헌법 제12조 제1항의 적법절차원칙은 형사소송절차에 국한되지 않고 모든 국가작용 전반에 대하여 적용되므로 행정상 즉시강제, 과징금 부과, 과태료 부과, 전경에 대한 징계절차에도 적용된다.

② 당사자에게 적절한 고지를 행할 것 및 당사자에게 의견 및 자료 제출의 기회 부여는 적법절차원칙에서 도출할 수 있는 중요한 절차적 권리이다.

③ 적법절차의 원칙에서 도출되는 가장 중요한 절차적 요청은 당사자에게 적절한 고지를 행할 것, 당사자에게 의견 및 자료 제출의 기회를 부여할 것이므로, 국민의 기본권을 제한하는 불이익처분의 근거법률에 이러한 요소가 누락되어 있더라도 그 법률은 적법절차의 원칙을 위반한 것은 아니다.

④ 현행헌법이 명문화하고 있는 적법절차의 원칙은 모든 국가작용을 지배하는 독자적인 헌법의 기본원리로서 해석되어야 할 원칙이라는 점에서, 입법권의 유보적 한계를 선언하는 과잉입법금지의 원칙과 중첩되므로 양자는 구별되지 않는다.

12 **적법절차원칙에 대한 설명으로 옳은 것은? (다툼이 있는 경우 판례에 의함)**

① 「보안관찰법」상의 보안관찰처분은 헌법 제12조 제1항의 보안처분의 일종으로서 적법절차의 원리가 적용되어야 하므로 보안관찰처분을 개시하기 위해서는 법관의 판단을 필요로 한다.

② 압수물에 대하여 소유권 포기가 있다는 이유로 이를 사건 종결 전에 압수물을 폐기하였어도, 이것이 적법절차원칙을 위반한 것은 아니다.

③ 국회가 법률을 제정하는 과정에서 헌법과 법률이 정하는 절차와 방법을 준수하였다면, 별도의 청문절차를 거치지 않았다고 해서 그것만으로 곧 헌법 제12조의 적법절차를 위반하였다고 볼 수 없다.

④ 압수·수색의 사전통지나 집행 당시의 참여권의 보장은, 압수·수색에 있어 국민의 기본권을 보장하고 헌법상의 적법절차원칙의 실현을 위한 구체적인 방법으로서 헌법상 명문으로 규정된 권리이다.

13 **적법절차원칙에 대한 설명으로 옳은 것을 모두 조합한 것은? (다툼이 있는 경우 판례에 의함)**

ㄱ. 적법절차의 원칙은 국가기관이 국민과의 관계에서 공권력을 행사함에 있어서 준수해야 할 법원칙이므로, 국가기관에 대하여 헌법을 수호하고자 하는 탄핵소추절차에는 직접 적용할 수 없다.

ㄴ. 법원에 의한 범죄인 인도결정은 신체의 자유에 밀접하게 관련된 문제이므로 인도심사에 있어서 적법절차가 준수되어야 할 것인바, 법원의 범죄인 인도심사를 서울고등법원의 전속관할로 하고 그 심사결정에 대한 불복절차를 인정하지 않은 것은 적법절차원칙에 위배된다.

ㄷ. 소위 미란다(Miranda)원칙은 피의자나 피고인의 구금을 위한 영장주의의 원칙에서 파생된 것으로 적법절차원칙과는 관계가 없다.

ㄹ. 대통령에 대한 국회의 탄핵소추의결은 대통령의 권한 행사를 정지시킴으로써 국민의 선출에 의하여 대통령직을 수행하는 개인으로서의 대통령의 공무담임권을 제한하게 되는 불이익을 주는 것이므로, 국가기관이 국민과의 관계에서 공권력을 행사함에 있어서 준수해야 할 적법절차의 원칙은 탄핵소추절차에서도 준수되어야 한다.

ㅁ. 공판단계에서 피고인에 대하여 법관이 영장을 발부하는 경우에도 형식상 검사의 신청이 필요하며, 그렇지 아니한 경우에는 적법절차의 원칙에 위배된다.

① ㄱ
② ㄱ, ㄴ
③ ㄴ, ㄷ, ㄹ, ㅁ
④ ㄴ, ㄷ, ㅁ

14 적법절차원칙에 대한 설명으로 옳은 것은? (다툼이 있는 경우 판례에 의함)

① 보안처분에도 적법절차의 원칙이 적용되어야 함은 당연한 것이지만 보안처분에는 다양한 형태와 내용이 존재하므로 각 보안처분에 적용되어야 할 적법절차의 범위 내지 한계에도 차이가 있어야 할 것이다.

② 적법절차는 신체의 자유에 적용되는 원칙이기 때문에 직업의 자유와 관련하여 불이익처분을 하는 경우에 자신의 의견을 진술할 권리는 법률상의 권리이지 헌법상의 권리는 아니다.

③ 수뢰죄를 범하여 금고 이상의 형의 선고유예를 받은 국가공무원은 별도의 징계절차를 거치지 아니하고 당연퇴직하도록 한 「국가공무원법」 규정은 적법절차원리를 위반한 것이다.

④ 적법절차의 원칙은 원래 형사절차상의 적정에 관한 문제에서 출발하여 절차 일반의 적정 문제로 전개되어 국민의 자유와 재산에 관련된 모든 공권력 행사의 내용·방식·목적 등의 적정성과 합리성의 원리로 발전해 왔으나, 공권력 행사의 근거가 되는 실체법상 적정 문제의 법리로까지 확대된 것은 아니다.

15 적법절차원칙에 대한 설명으로 옳은 것을 모두 조합한 것은? (다툼이 있는 경우 판례에 의함)

ㄱ. 현행범을 체포할 때에도 반드시 범죄사실의 요지, 체포의 이유와 변호인을 선임할 수 있음을 말하고 변명할 기회를 준 후가 아니면 체포할 수 없다는 것이 대법원의 입장이다.
ㄴ. 선거관리위원회의 의결을 거쳐 행하는 사항에 대해서는 행정절차에 관한 규정이 준용되지 않으므로 행정절차법의 의견진술 기회를 주지 않고 중앙선거관리위원회가 대통령에 대해 선거 중립의무 준수요청조치를 했다하더라도 적법절차원칙에 위배되지 않는다.
ㄷ. 성립절차상의 중대한 하자로 효력을 인정할 수 없는 처벌규정을 근거로 한 범죄경력을 보안관찰처분의 기초로 삼는다면, 이는 헌법 제12조 제1항 후단에서 말하는 '법률과 적법한 절차'에 의하여 이루어지는 보안처분이라고 할 수 없다.
ㄹ. 배우자의 중대 선거범죄를 이유로 후보자의 당선을 무효로 하도록 한 것은 적법절차원칙에 어긋난다.

① ㄱ, ㄴ　　② ㄴ, ㄷ
③ ㄷ, ㄹ　　④ ㄱ, ㄹ

16 적법절차원칙에 대한 설명으로 옳지 않은 것은 모두 몇개인가? (다툼이 있는 경우 판례에 의함)

ㄱ. 택지개발예정지구를 지정함에 있어 당사자들에게 사전에 적절한 고지를 하고 의견제출의 기회를 부여하고 있으며 사후 불복의 기회도 주는 등 일정한 절차를 보장하고 있으므로, 택지개발예정지구 지정에 있어 토지소유자들 중 일정 비율 이상의 동의 내지 찬성을 요건으로 하고 있지 않고 또 주민들의 의견청취 결과에 반드시 구속되지 않더라도 이를 두고 적법절차원칙에 위배되었다고 할 수는 없다.
ㄴ. 징벌혐의의 조사를 위하여 14일간 청구인을 조사실에 분리수용하고 공동행사참가 등 처우를 제한한 교도소장의 행위에 대하여 법원에 의한 개별적인 통제절차를 두고 있지 않은 것만으로는 적법절차원칙에 위배되지 않는다.
ㄷ. 공정거래위원회로 하여금 부당내부거래를 한 사업자에 대하여 그 매출액의 2% 범위 내에서 과징금을 부과할 수 있도록 한 것은 적법절차원칙에 위배되지 않는다.
ㄹ. 징계시효 연장을 규정하면서 징계절차를 진행하지 아니함을 통보하지 아니한 경우에는 징계시효가 연장되지 않는다는 예외규정을 두지 않았다고 하더라도 적법절차원칙에 위배되지 않는다.
ㅁ. 「범죄인 인도법」 제3조가 법원의 범죄인 인도심사를 서울고등법원의 전속관할로 하고 그 심사결정에 대한 불복절차를 인정하지 않은 것은 재판절차로서의 형사소송절차에서 상급심에의 불복절차를 자의적으로 배제하는 것으로 적법절차원칙에 위배된다.

① 1개　　② 2개
③ 3개　　④ 4개

17 적법절차원칙에 대한 설명으로 옳지 않은 것은? (다툼이 있는 경우 판례에 의함)

① 범죄의 피의자로 입건된 자가 경찰공무원이나 검사의 신문을 받는 과정에서 자신의 신원을 밝히지 않고 지문채취에 불응하는 경우 벌금, 과료, 구류의 형사처벌에 처하도록 하는 적법절차원칙에 반한다고 할 수 없다.

② 치료감호는 형사사법처분의 하나로서 신체의 자유 박탈을 그 내용으로 하는 보안처분이므로 적법절차원칙이 엄격히 적용되어야 하고, 형사제재의 영역에서 법관에 의한 재판을 받을 권리의 보장은 적법절차원칙에서 도출되는 가장 핵심적인 절차적 요청이기 때문에 행정부 소속기관인 사회보호위원회로 하여금 치료감호의 종료 여부에 관한 결정을 하도록 한 것은 법관에 의한 재판을 받을 권리를 침해할 뿐만 아니라 적법절차원칙에 위반된다.

③ 법무부장관이 형사사건으로 공소가 제기된 변호사에 대하여 판결이 확정될 때까지 업무정지를 명하도록 한 「변호사법」 규정은 적법절차원칙에 위반된다.

④ 일정 기간 수사관서에 출석하지 않았다는 사유로 관세법 위반 압수물품을 별도의 재판이나 처분 없이 국고에 귀속시키도록 한 법률규정은 적법절차의 원칙에 위배된다.

18 적법절차원칙에 대한 설명으로 옳은 것은 모두 몇 개인가? (다툼이 있는 경우 판례에 의함)

ㄱ. 적법절차에서 파생되는 일반 국민의 청문권은 국회 입법절차에서는 인정되지 아니한다.

ㄴ. 「출입국관리법」은 출국금지 후 즉시 서면으로 통지하도록 하고 있고 이의신청이나 행정소송을 통하여 출국금지결정에 대해 사후적으로 다툴 수 있는 기회를 제공하여 절차적 참여를 보장해 주고 있으므로, 형사재판에 계속 중인 사람에 대하여 출국을 금지할 수 있다고 규정한 「출입국관리법」은 적법절차원칙에 위배되지 않는다.

ㄷ. 범칙금 통고처분을 받고도 납부기간 이내에 범칙금을 납부하지 아니한 사람에 대하여 행정청에 대한 이의제기나 의견진술 등의 기회를 주지 않고 경찰서장이 곧바로 즉결심판을 청구하도록 한 구 「도로교통법」 조항은 적법절차원칙에 위배된다.

ㄹ. 「독점규제 및 공정거래에 관한 법률」에서 행정기관인 공정거래위원회로 하여금 과징금을 부과하여 제재할 수 있도록 하고 있는바, 공정거래위원회는 합의제 행정기관으로서 그 구성에 있어 일정한 정도의 독립성이 보장되어 있고, 과징금 부과절차에서는 통지, 의견진술의 기회 여부 등을 통하여 당사자의 절차적 참여권을 인정하고 있으며, 행정소송을 통한 사법적 사후심사가 보장되어 있으므로, 과징금 부과절차에 있어 적법절차원칙에 위반된다고 볼 수 없다.

ㅁ. 관계 행정청이 등급분류를 받지 아니하거나 등급분류를 받은 게임물과 다른 내용의 게임물을 발견한 경우 관계 공무원으로 하여금 이를 수거·폐기하게 할 수 있도록 하는 경우, 적법절차의 원칙에 위반된다.

① 1개　② 2개
③ 3개　④ 4개

19 특정 공무원범죄의 범인에 대한 추징판결을 범인 외의 자가 그 정황을 알면서 취득한 불법재산 및 그로부터 유래한 재산에 대하여 그 범인 외의 자를 상대로 집행할 수 있도록 규정한 '공무원범죄에 관한 몰수 특례법'에 대한 헌법재판소 결정과 일치하는 것은 모두 몇 개인가?

ㄱ. 헌법 제12조 제1항은 형사절차뿐 아니라 행정절차에도 적법절차원칙이 적용된다고 규정하고 있는 바, 적법절차원칙은 형사소송절차에 국한되지 않고 모든 국가작용 전반에 대하여 적용된다.
ㄴ. 적법절차원칙에서 도출할 수 있는 중요한 절차적 요청 중의 하나로 당사자에게 적절한 고지를 행할 것, 당사자에게 의견 및 자료 제출의 기회를 부여할 것을 들 수 있으므로 불이익한 처분을 함에 있어서는 반드시 사전통지와 의견진술의 기회를 부여해야 한다.
ㄷ. 특정 공무원범죄의 범인에 대한 추징판결을 범인 외의 자가 그 정황을 알면서 취득한 불법재산 및 그로부터 유래한 재산에 대하여 그 범인 외의 자를 상대로 집행할 수 있도록 규정한 「공무원범죄에 관한 몰수 특례법」은 제3자에게 범죄가 인정됨을 전제로 제3자에 대하여 형사적 제재를 가하는 것이다.
ㄹ. 심판대상조항에 따라 추징판결을 집행함에 있어서 형사소송절차와 같은 엄격한 절차가 요구된다고 할 수 없다.
ㅁ. 제3자는 범인에 대한 형사재판에 관하여 고지받거나 그 재판절차에 참가할 기회를 가지지 못함은 물론, 제3자의 재산에 추징이 집행되는 단계에 이르러서도 사전에 이를 고지 받거나 청문절차에서 의견을 진술할 수 있는 기회조차 부여받지 못하므로 특정 공무원범죄의 범인에 대한 추징판결을 범인 외의 자가 그 정황을 알면서 취득한 불법재산 및 그로부터 유래한 재산에 대하여 그 범인 외의 자를 상대로 집행할 수 있도록 규정한 「공무원범죄에 관한 몰수 특례법」은 적법절차원칙에 위배된다.
ㅂ. 특정 공무원범죄의 범인에 대한 추징판결을 범인 외의 자가 그 정황을 알면서 취득한 불법재산 및 그로부터 유래한 재산에 대하여 그 범인 외의 자를 상대로 집행할 수 있도록 규정한 「공무원범죄에 관한 몰수 특례법」은 재산권을 침해한다고 할 수 없다.

① 1개 ② 2개
③ 3개 ④ 4개

20 과태료제도에 대한 설명으로 가장 옳지 않은 것은? (다툼이 있는 경우 대법원 및 헌법재판소 판례에 의함)

① 헌법 제13조 제1항이 정한 '이중처벌금지의 원칙'은 동일한 범죄행위에 대하여 국가가 형벌권을 거듭 행사할 수 없도록 함으로써 국민의 기본권 특히 신체의 자유를 보장하기 위한 것이므로, 그 '처벌'은 원칙으로 범죄에 대한 국가의 형벌권 실행으로서의 과벌을 의미하는 것이고, 국가가 행하는 일체의 제재나 불이익처분을 모두 그에 포함된다고 할 수는 없으며, 구 「건축법」상 무허가 건축행위에 대한 형사처벌과 시정명령 위반에 대한 과태료 부과가 동일한 행위를 대상으로 한다고 볼 수도 없으므로, 이중처벌에 해당하지 아니한다.

② 과태료는 원칙적으로 고의나 과실을 요한다.

③ 어떤 행정법규 위반의 행위에 대하여 이를 단지 간접적으로 행정상의 질서에 장해를 줄 위험성이 있음에 불과한 경우로 보아 행정질서벌인 과태료를 과할 것인지 아니면 직접적으로 행정목적과 공익을 침해한 행위로 보아 행정형벌을 과할 것인지는 기본적으로 입법권자가 제반 사정을 고려하여 결정할 입법재량에 속하는 문제이다.

④ 과태료는 형벌이 아니므로 과태료 부과절차에는 적법절차원칙이 적용될 여지가 없다.

25회 진도별 모의고사

신체의 자유

정답 및 해설 p.193

제한시간 : 14분 | 시작시각 ___시 ___분 ~ 종료시각 ___시 ___분 나의 점수 ______

01 영장주의에 대한 설명으로 옳지 않은 것은? (다툼이 있는 경우 판례에 의함)

① 헌법 제12조 제3항의 영장주의는 헌법 제12조 제1항의 적법절차원칙에 대한 특별규정에 해당하므로, 헌법재판소가 만약 어떤 법률규정에 대해 헌법 제12조 제3항의 영장주의의 원칙에 위반된다고 결정한다면 당연히 그 규정은 헌법 제12조 제1항의 적법절차의 원칙에도 위반되는 것으로 보아야 한다.

② 영장주의란 적법절차원칙에서 도출되는 원리로서, 형사절차와 관련하여 체포·구속·압수·수색의 강제처분을 함에 있어서는 사법권 독립에 의하여 신분이 보장되는 법관이 발부한 영장에 의하지 않으면 아니 된다는 원칙이다.

③ 헌법 제16조에서는 제12조 제3항과는 달리 영장주의에 대한 예외를 마련하지 아니하였으나, 그렇다고 하여 주거에 대한 압수나 수색에 있어 영장주의가 예외 없이 반드시 관철되어야 하는 것은 아니므로 헌법 제16조의 영장주의에 대해서도 예외가 제한적으로 허용될 수 있다.

④ 마약류 관련 수형자에 대하여 마약류반응검사를 위하여 소변을 받아 제출하게 한 것은 강제처분이라고 볼 수 있으므로 영장주의가 적용된다.

02 영장주의에 대한 설명으로 옳지 않은 것은 모두 몇 개인가? (다툼이 있는 경우 판례에 의함)

ㄱ. 행정상 즉시강제는 상대방의 임의이행을 기다릴 시간적 여유가 없을 때 하명 없이 바로 실력을 행사하는 것으로서 강제처분의 성격을 띠고 있으므로, 원칙적으로 영장주의가 적용된다.
ㄴ. 마약류 관련 수형자에 대하여 마약류반응검사를 위하여 소변을 받아 제출하게 한 것은 강제처분이라고 볼 수 있으므로 영장주의가 적용된다.
ㄷ. 「도로교통법」상 음주측정은 호흡측정기에 의한 측정의 성질상 강제될 수 있는 것이 아니며, 실무상 당사자의 자발적 협조하에 숨을 호흡측정기에 한두 번 불어 넣는 방식으로 행하여지는 것이므로 헌법 제12조 제3항에 의하여 영장을 필요로 하는 강제처분에는 해당하지 않는다.
ㄹ. 「형의 집행 및 수용자의 처우에 관한 법률」 제41조 제2항 제1호, 제3호 중 '미결수용자의 접견 내용의 녹음·녹화'에 관한 부분에 따라 접견 내용을 녹음·녹화하는 것은 직접적으로 물리적 강제력을 수반하는 강제처분이 아니므로 영장주의가 적용되지 않아 영장주의에 위배된다고 할 수 없다.
ㅁ. 수사상 필요에 의하여 수사기관이 직접강제에 의하여 지문을 채취하려 하는 경우에는 반드시 법관이 발부한 영장에 의하여야 한다.

① 1개
② 2개
③ 3개
④ 4개

03 영장주의에 대한 설명으로 옳지 않은 것은?

① 수사기관이 공사단체 등에 범죄수사에 관련된 사실을 조회하는 행위는 강제력이 개입되지 아니한 임의수사에 해당하므로, 이에 응하여 이루어진 국민건강보험공단의 개인정보 제공행위에는 영장주의가 적용되지 않는다.

② 법에서 일정한 의무를 지우는 경우 그 의무 이행은 법적으로 강제되나 그것만으로는 영장주의가 적용된다.

③ 「출입국관리법」에 의한 법무부장관의 출국금지결정은 형사재판에 계속 중인 국민의 출국의 자유를 제한하는 행정처분일 뿐이고, 영장주의가 적용되는 신체에 대하여 직접적으로 물리적 강제력을 수반하는 강제처분은 아니다.

④ 통신사실 확인자료 제공요청은 수사 또는 내사의 대상이 된 가입자 등의 동의나 승낙을 얻지 않고도 공공기관이 아닌 전기통신사업자를 상대로 이루어지는 것으로 「통신비밀보호법」이 정한 수사기관의 강제처분이므로 통신사실 확인자료 제공요청에는 헌법상 영장주의가 적용된다.

04 동행명령장에 대한 설명으로 옳지 않은 것은?

① 지방의회에서의 사무감사·조사를 위한 증인의 동행명령장제도는 증인의 신체의 자유를 억압하여 일정 장소로 인치하는 것으로서 헌법 제12 제3항의 '체포 또는 구속'에 준하는 사태로 보아야 하므로, 이의 실행을 위하여는 법관이 발부한 영장의 제시가 있어야 한다.

② 특별검사가 참고인에게 지정된 장소까지 동행할 것을 명령할 수 있게 하고 참고인이 정당한 이유 없이 위 동행명령을 거부한 경우 1천만 원 이하의 벌금형에 처하도록 규정한 동행명령조항은 영장주의 또는 과잉금지원칙에 위배하여 참고인의 신체의 자유를 침해하는 것이다.

③ 「국회에서의 증언·감정 등에 관한 법률」에서 동행명령을 할 때에는 법관이 동행명령장을 발부한다.

④ 동행명령장을 법관이 아닌 지방의회 의장이 발부하고 이에 기하여 증인의 신체의 자유를 침해하여 증인을 일정 장소에 인치하도록 규정된 조례안은 영장주의원칙을 규정한 헌법 제12조 제3항에 위반된 것이다.

05 영장주의에 대한 설명으로 옳은 것은 모두 몇 개인가? (다툼이 있는 경우 판례에 의함)

ㄱ. 경비계엄이 선포된 때에는 영장제도에 관하여 특별한 조치를 할 수 있다.

ㄴ. 「국가보안법」 위반죄 등 일부 범죄혐의자를 법관의 영장 없이 구속, 압수, 수색할 수 있도록 규정하고 있던 구 「인신구속 등에 관한 임시특례법」 조항은 영장주의에 위배된다.

ㄷ. 헌법 제12조 제3항과는 달리 헌법 제16조 후문은 "주거에 대한 압수나 수색을 할 때에는 검사의 신청에 의하여 법관이 발부한 영장을 제시하여야 한다."라고 규정하고 있을 뿐 영장주의에 대한 예외를 명문화하고 있지 않으므로 영장주의가 예외 없이 반드시 관철되어야 함을 의미하는 것이다.

ㄹ. 음주운전 중 교통사고를 야기한 후 운전자가 의식불명 상태에 빠져 있는 등으로 호흡조사에 의한 음주측정이 불가능하고 채혈에 대한 동의를 받을 수도 없으며 법원으로부터 감정처분허가장이나 사전압수영장을 발부받을 시간적 여유도 없는 긴급한 상황이 발생한 경우에는, 수사기관은 예외적인 요건하에 음주운전범죄의 증거 수집을 위하여 운전자의 동의나 사전영장 없이 혈액을 채취하여 압수할 수 있으며, 비록 운전자의 동의를 받지 않았다고 하더라도 그 채혈 결과를 근거로 한 운전면허 정지·취소처분은 적법하다.

ㅁ. 행정기관이 체포·구속의 방법으로 신체의 자유를 제한하는 경우에도 원칙적으로 헌법 제12조 제3항의 영장주의가 적용된다고 보아야 하므로, 전투경찰순경에 대한 영창처분은 행정기관에 의한 구속에 해당하고 그 본질상 급박성을 요건으로 하지 않음에도 불구하고 법관의 판단을 거쳐 발부된 영장에 의하지 않고 이루어지는 점에서, 헌법 제12조 제3항의 영장주의에 위반된다.

ㅂ. 구 「형사소송법」(2015.7.31. 법률 제13454호로 개정되기 전의 것) 제101조 제3항은 법원의 구속집행정지결정에 대해 검사가 즉시항고를 할 수 있다고 규정하였고, 그 경우 제410조에 의하여 그 결정의 집행이 정지되었는데, 이는 검사의 불복을 그 피고인에 대한 구속집행을 정지할 필요가 있다는 법원의 판단보다 우선시킬 뿐만 아니라, 사실상 법원의 구속집행정지결정을 무의미하게 할 수 있는 권한을 검사에게 부여한 것이라는 점에서 헌법 제12조 제3항의 영장주의원칙에 위배된다.

① 1개 ② 2개
③ 3개 ④ 4개

06 영장주의에 대한 설명으로 옳은 것을 모두 조합한 것은? (다툼이 있는 경우 판례에 의함)

ㄱ. 법원에 의하여 구속영장청구가 기각된 피의자에 대하여 구속영장을 재청구하기 위한 요건으로서 절차적 가중요건만 규정할 뿐 실질적 가중요건을 규정하지 아니한 「형사소송법」 조항은 영장주의에 반한다.
ㄴ. 헌법은 주거에 대한 압수나 수색 또는 통신제한조치를 할 때에는 검사의 신청에 의하여 법관이 발부한 영장을 제시하도록 명시하고 있다.
ㄷ. 형사재판에 계속 중인 사람에 대하여 법무부장관이 6개월 이내의 기간을 정하여 출국을 금지할 수 있다고 규정한 「출입국관리법」 조항은 영장주의에 위반되지 아니한다.
ㄹ. 디엔에이감식시료채취영장 발부과정에서 채취대상자에게 자신의 의견을 밝히거나 영장 발부 후 불복할 수 있는 절차 등에 관하여 규정하지 아니한 「디엔에이신원확인정보의 이용 및 보호에 관한 법률」은 재판청구권을 침해한다.

① ㄱ, ㄴ　② ㄴ, ㄷ
③ ㄷ, ㄹ　④ ㄱ, ㄹ

07 각급 선거관리위원회 위원·직원의 선거범죄조사에 있어서 피조사자에게 자료제출의무를 부과한 공직선거법 및 허위자료를 제출하는 경우 형사처벌하는 구 공직선거법에 대한 헌법소원청구에 대한 설명으로 옳은 것은?

① 심판대상조항과 가장 밀접한 관련이 있는 일반적 행동자유권의 침해 여부를 판단하는 이상 인간으로서의 존엄과 가치, 인격권 침해에 대해서는 별도로 살피지 아니한다.

② 자료제출요구는 범인을 발견·확보하고 증거를 수집·보전하기 위한 것으로 수사기관의 활동인 수사와 근본적으로 그 성격을 같이한다.

③ 심판대상조항에 의한 자료제출요구는 체포·구속·압수·수색 등 기본권을 제한하는 강제처분이다.

④ 각급 선거관리위원회 위원·직원의 선거범죄 조사에 있어서 피조사자에게 자료제출의무를 부과하면서 공직선거법에서 허위자료를 제출하는 경우 형사처벌도록 규정하고 있다면 자료제출요구는 영장주의의 적용대상이 된다.

08 전투경찰 순경 甲은 허가 없이 휴대전화를 부대로 반입했다는 이유로 영창 5일의 징계처분을 받았다. 甲은 법관에 의한 심사절차 없이 영창을 부과하도록 한 전투경찰설치법 제5조 등이 영장주의, 적법절차원칙에 위배된다는 이유로 헌법재판소법 제68조 제2항의 헌법소원을 청구하였다. 이에 대한 설명으로 옳은 것은?

① 이 사건 영창조항에 의한 영창처분은 경찰기관의 장이 전투경찰순경을 구금장에 구금하는 것이므로, 행정기관에 의한 구속에 해당하여 헌법 제12조 제3항의 영장주의가 적용된다.

② 전투경찰순경에 대한 영창처분은 신체에 대한 구금에 해당함에도 불구하고, 그 사유가 지나치게 포괄적으로 규정되어 있어 경미한 행위에도 제한이 적용될 수 있고, 영창처분의 보충적 적용도 규정되어 있지 아니하며, 그 구제절차 역시 실효성이 거의 없다. 따라서 이 사건 영창조항은 전투경찰순경의 신체의 자유를 필요 이상으로 과도하게 제한하고 있으므로, 침해의 최소성 원칙에 어긋난다.

③ 공권력의 행사로 인하여 신체를 구속당하는 국민의 입장에서는, 그러한 구속이 형사절차에 의한 것이든, 행정절차에 의한 것이든 신체의 자유를 제한당하고 있다는 점에서는 본질적인 차이가 있다고 볼 수 없으므로, 행정기관이 체포·구속의 방법으로 신체의 자유를 제한하는 경우에도 원칙적으로 헌법 제12조 제3항의 영장주의가 적용된다고 보아야 한다.

④ 전투경찰순경의 인신구금을 그 내용으로 하는 영창처분은 형사절차가 아닌 징계절차이나 적법절차원칙은 적용된다.

09 **병(兵)에 대한 징계처분으로 일정 기간 부대나 함정(艦艇) 내의 영창, 그 밖의 구금장소에 감금하는 영창처분이 가능하도록 규정한 구 군인사법 제57조 제2항 중 '영창'에 관한 부분에 대해 헌법재판소법 제68조 제2항의 헌법소원이 청구되었다. 이에 대한 설명으로 옳지 않은 것은?**

① 현행 「군인사법」에 따르면 병과 하사관은 군인이라는 공통점을 제외하고는 그 복무의 내용과 보직, 진급, 전역체계, 보수와 연금 등의 지급에서 상당한 차이가 있으며, 그 징계의 종류도 달리 규율하고 있으므로 병과 하사관은 영창처분의 차별취급을 논할 만한 비교집단이 된다고 보기 어려우므로, 평등원칙 위배 여부는 판단할 필요가 없다.

② 심판대상조항은 병의 복무규율 준수를 강화하고, 복무기강을 엄정히 하기 위하여 제정된 것으로 군의 지휘명령체계의 확립과 전투력 제고를 목적으로 하는바, 그 입법목적은 정당하고, 심판대상조항은 병에 대하여 강력한 위하력을 발휘하므로 수단의 적합성도 인정된다.

③ 심판대상조항으로 달성하고자 하는 목적은 인신구금과 같이 징계를 중하게 하는 것으로 달성되는 데 한계가 있고, 병의 비위행위를 개선하고 행동을 교정할 수 있도록 적절한 교육과 훈련을 제공하는 것 등으로 가능한 점, 이와 같은 점은 일본, 독일, 미국 등 외국의 입법례를 살펴보더라도 그러한 점 등에 비추어 심판대상조항은 침해의 최소성원칙에 어긋난다.

④ 헌법 제12조 제3항의 문언이나 성격상 영장주의는 징계절차에 그대로 적용된다고 볼 수 없으므로 심판대상은 영장주의에 위반되지 않는다.

10 **고위공직자범죄수사처 소속 검사가 영장을 신청할 수 있도록 한 「고위공직자범죄수사처 설치 및 운영에 관한 법률」 제8조 제4항에 대한 헌법재판소 결정에 대한 설명으로 옳은 것은?**

① 수사처검사가 영장신청권을 행사한다고 하여 이를 영장주의원칙에 위반된다.

② 우리 헌법은 영장주의를 실현하는 과정에서 수사단계에서의 영장신청권자를 검사로 한정하고 있다.

③ 영장신청권자로서의 '검사'는 「검찰청법」상 검사만을 지칭하는 것으로 볼 수 있다.

④ 헌법에서 검사를 영장신청권자로 한정한 취지는 검사가 공소제기 및 유지행위를 수행하기 때문에 검사를 영장신청권자로 한정한 것으로 볼 수 있다.

11 **사형·무기 또는 장기 3년 이상의 징역이나 금고에 해당하는 죄를 범하였다고 의심할 만한 상당한 이유가 있는 경우에 피의자를 긴급체포할 수 있도록 한 형사소송법 제200조의3 제1항에 대해 헌법재판소법 제68조 제2항의 헌법소원이 청구되었다. 이에 대한 설명으로 옳지 않은 것은?**

① 사형·무기 또는 장기 3년 이상의 징역이나 금고에 해당하는 죄를 범하였다고 의심할 만한 상당한 이유가 있는 경우에 피의자를 긴급체포할 수 있도록 한 「형사소송법」 제200조의3 제1항 전문 중 '죄를 범하였다고 의심할 만한 상당한 이유' 부분이 명확성원칙에 위반되지 않는다.

② 헌법 제12조 제3항 단서는 현행범인을 체포하는 경우에는 예외적으로 법관이 사전에 발부한 영장을 제시하지 않아도 체포할 수 있도록 허용하고 있으나, 일정한 요건을 갖춘 긴급한 경우에는 사전영장주의 예외를 인정하고 있지 않다.

③ 「형사소송법」은 긴급체포된 피의자도 체포적부심사를 청구할 수 있어 긴급체포제도의 남용을 예방하고 있다.

④ 이 사건 영장청구조항은 사후구속영장의 청구시한을 체포한 때부터 48시간으로 정하고 있다. 이는 긴급체포의 특수성, 긴급체포에 따른 구금의 성격, 형사절차에 불가피하게 소요되는 시간 및 수사현실 등에 비추어 볼 때 입법재량을 현저하게 일탈한 것으로 보기 어렵다.

12 무죄추정에 대한 설명으로 옳지 않은 것은? (다툼이 있는 경우 판례에 의함)

① 무죄추정의 원칙은 프랑스 인권선언과 세계인권선언에서 명문화되었다.

② 무죄추정의 원칙은 우리나라에서는 제5차 개정헌법에서 신설된 후, 현행헌법에서는 공소제기된 형사피고인에 적용되는 것으로 규정되어 있지만, 형사피의자에 대한 무죄추정 역시 인정된다는 것이 판례의 입장이다.

③ 헌법 제27조 제4항의 무죄추정의 원칙이라 함은, 아직 공소제기가 없는 피의자는 물론 공소가 제기된 피고인이라도 유죄의 확정판결이 있기까지는 원칙적으로 죄가 없는 자에 준하여 취급하여야 하고 불이익을 입혀서는 안 되며 가사 그 불이익을 입힌다 하여도 필요한 최소한도에 그쳐야 한다는 원칙을 말한다.

④ 무죄추정의 원칙상 금지되는 '불이익'이란 '범죄사실의 인정 또는 유죄를 전제로 그에 대하여 법률적·사실적 측면에서 유형·무형의 차별취급을 가하는 유죄 인정의 효과로서의 불이익'을 뜻한다.

13 무죄추정에 대한 설명으로 옳은 것은? (다툼이 있는 경우 판례에 의함)

① 헌법 제27조 제4항에서 "형사피고인은 유죄의 판결이 확정될 때까지는 무죄로 추정된다."라고 규정하고 있으므로, 형사피의자단계에서는 이 원칙이 적용되지 않는다.

② 무죄추정의 원칙은 형사절차 내에서 원칙으로 형사절차 이외의 기타 일반 법생활 영역에서의 기본권 제한과 같은 경우에는 적용되지 않는다.

③ 무죄추정의 원칙은 증거법에 국한되지 않고 수사절차에서 공판절차에 이르기까지 형사절차의 전 과정에 적용된다.

④ 징계부가금을 행정처분의 형식으로 부과하는 것은 허용되나, 이에 대한 행정소송이 제기되어 판결이 확정되기 전에 징계부가금의 집행을 실시하는 것은 무죄추정원칙에 위배되므로 허용되지 아니한다.

14 무죄추정에 대한 설명으로 옳은 것은? (다툼이 있는 경우 판례에 의함)

① 수사와 재판은 불구속수사와 불구속재판을 원칙으로 하고 예외적으로 도피 또는 증거인멸의 우려가 있을 때에 한하여 구속수사 또는 구속재판을 해야 한다는 해석은 영장주의원칙에 그 근거를 두고 있다.

② 법무부장관이 형사사건으로 공소가 제기된 변호사에 대하여 판결이 확정될 때까지 업무정지를 명하도록 한 구 「변호사법」 제15조는 무죄추정의 원칙에 위배되지 않는다.

③ 유죄확정판결을 받은 수형자는 무죄추정이 배제되므로 형사재판의 피고인으로 출석하는 수형자에 대하여 무죄추정원칙이 적용된다고 볼 수 없다.

④ 형이 확정된 수형자의 민사재판 출정시 무죄추정원칙이 적용된다고 할 수 없다.

15 무죄추정에 대한 설명으로 옳지 않은 것은? (다툼이 있는 경우 판례에 의함)

① 「독점규제 및 공정거래에 관한 법률」상 불공정 거래행위에 해당하는 부당 내부거래를 했다고 하더라도 아직은 법원의 유·무죄 판단이 가려지지 않은 상태라면 과징금을 부과할 수 없다.

② 미결수용자에 대하여 국민건강보험료 납입을 정지하는 처분은 무죄추정의 원칙에 반하지 않는다.

③ 미결구금은 실질적으로 자유형의 집행과 다를 바 없으므로 인권보호 및 공평의 원칙상 형기에 전부 산입되어야 한다.

④ 상소제기 후 상소 취하시까지의 미결구금일수를 형기에 산입하지 아니하는 것은 헌법상 무죄추정의 원칙 및 적법절차의 원칙 등을 위배하여 합리성과 정당성 없이 신체의 자유를 지나치게 제한하는 것이므로 헌법에 합치되지 아니한다.

16 무죄추정에 대한 설명으로 옳지 않은 것은 모두 몇 개인가? (다툼이 있는 경우 판례에 의함)

ㄱ. 미결수용자에 대하여 국민건강보험급여를 정지하는 「국민건강보험법」 규정은 무죄추정의 원칙에 반한다.
ㄴ. 수사담당 경찰공무원이 형사소송에서 증인이 될 수 있도록 한 「형사소송법」은 무죄추정의 원칙에 반한다고 할 수 없다.
ㄷ. 미결구금수가 구독하는 신문기사의 삭제행위는 헌법상의 무죄추정조항을 위배한 것이라고 할 수 없다.
ㄹ. 구속된 피의자 또는 피고인이 갖는 변호인 아닌 자와의 접견교통권은 행복추구권과 무죄추정의 원칙에서 도출되는 헌법상 기본권이다.
ㅁ. 형사재판의 피고인으로 출석하는 수형자에 대하여 사복착용규정을 준용하지 아니하는 「형의 집행 및 수용자의 처우에 관한 법률」은 무죄추정의 원칙에 위배될 소지가 크다.
ㅂ. 「관세법」 위반으로 몰수할 것으로 인정되는 물품을 압수한 경우에 있어서 범인이 당해 관서에 출두하지 아니하거나 또는 범인이 도주하여 그 물품을 압수한 날로부터 4월을 경과한 때에는 당해 물품은 국고에 귀속하도록 한 「관세법」은 무죄추정의 원칙에 위반된다.
ㅅ. 헌법상 무죄추정의 원칙은 형사절차와 관련하여 공소가 제기되지 아니한 피의자는 물론 공소가 제기된 피고인이라 할지라도 유죄판결 확정 때까지는 죄가 없는 자로 다루어져야 한다는 원칙을 말하는바, 법위반사실 공표명령은 행정처분의 하나로서 형사절차 내에서 행하여진 처분은 아니므로 관련 행위자를 유죄로 추정하는 불이익한 처분이라고 할 수는 없다.

① 1개　② 2개
③ 3개　④ 4개

17 변호인 조력을 받을 권리에 대한 설명으로 옳지 않은 것은? (다툼이 있는 경우 판례에 의함)

① 헌법재판소 판례에 따르면 형사절차가 종료되어 교정시설에 수용 중인 수형자는 원칙적으로 변호인의 도움을 받을 권리의 주체가 아니다.

② 헌법상 명문의 규정은 없지만, 불구속 피의자의 경우에도 변호인의 조력을 받을 권리는 우리 헌법에 나타난 법치국가원리, 적법절차원칙에서 인정되는 당연한 내용이다.

③ 변호인의 조력을 받을 권리는 체포·구속을 당하지 아니한 불구속 피의자·피고인에게도 인정되지만, 임의동행의 형식으로 연행된 피내사자의 경우나 형사절차가 종료되어 교정시설에 수용 중인 수형자에게는 인정되지 아니한다.

④ 헌법 제12조 제4항에서 "누구든지 체포 또는 구속을 당한 때에는 즉시 변호인의 조력을 받을 권리를 가진다."라고 규정하고 있지만, 대법원은 임의동행한 피내사자의 경우에 대해서도 변호인과의 접견교통권이 보장된다고 본다.

18 변호인 조력을 받을 권리에 대한 설명으로 옳지 않은 것은? (다툼이 있는 경우 판례에 의함)

① 헌법 제12조 제4항 본문은 체포 또는 구속을 당한 때에 '즉시' 변호인의 조력을 받을 권리를 가진다고 규정함으로써 변호인이 선임되기 이전에도 피의자 등에게 변호인의 조력을 받을 권리가 있음을 분명히 하고 있다.

② 수형자는 형사재심절차에서는 변호인의 조력을 받을 권리의 주체가 될 수 있다.

③ 가사소송에서는 헌법 제12조 제4항의 변호인의 조력을 받을 권리가 보장되지 않는다.

④ 변호인의 조력을 받을 권리는 피구속자가 가족 등 타인과 교류하는 인간으로서의 기본적인 생활관계가 인신의 구속으로 인하여 완전히 단절되어 파멸에 이르는 것을 방지하고자 하는 것도 그 목적으로 하고 있으므로 변호인 외에 가족 등과의 접견교통권도 포함된다.

19 **변호인의 조력을 받을 권리의 보호영역에 대한 설명으로 옳지 않은 것은? (다툼이 있는 경우 판례에 의함)**

① 피의자·피고인의 구속 여부를 불문하고 변호인과 상담하고 조언을 구할 권리는 변호인의 조력을 받을 권리의 내용 중 구체적인 입법형성이 필요한 다른 절차적 권리의 필수적인 전제요건으로서 변호인의 조력을 받을 권리 그 자체에서 막바로 도출되는 것이다.

② 우리 헌법은 변호인의 조력을 받을 권리가 불구속 피의자·피고인 모두에게 포괄적으로 인정되는지 여부에 관하여 명시적으로 규율하고 있지는 않지만, 불구속 피의자의 경우에도 변호인의 조력을 받을 권리는 우리 헌법에 나타난 법치국가원리, 적법절차원칙에서 인정되는 당연한 내용이고, 헌법 제12조 제4항도 이를 전제로 특히 신체구속을 당한 사람에 대하여 변호인의 조력을 받을 권리의 중요성을 강조하기 위하여 별도로 명시하고 있다.

③ 피고인의 방어권을 보장하기 위하여 구속피고인의 변호인 면접·교섭권은 최대한 보장되어야 하고, 계호의 필요성 등의 이유로 어떠한 경우에도 제한되어서는 안 되며, 구속된 피고인의 인권 보장을 위하여 국가의 형벌권은 후퇴될 수밖에 없다.

④ 불구속 피의자나 피고인의 경우에 「형사소송법」상 특별한 명문의 규정이 없더라도 스스로 선임한 변호인의 조력을 받기 위하여 변호인을 옆에 두고 조언과 상담을 구하는 것은, 위법한 조력의 우려가 있어 이를 제한하는 다른 규정이 있고 그가 이에 해당한다고 하지 않는 한, 수사절차의 개시에서부터 재판절차의 종료에 이르기까지 언제나 가능하다.

20 **변호인의 조력을 받을 권리의 보호영역에 대한 설명으로 옳지 않은 것은? (다툼이 있는 경우 판례에 의함)**

① 형사절차가 종료되어 교정시설에 수용 중인 수형자나 미결수용자가 형사사건의 변호인이 아닌 민사재판, 행정재판, 헌법재판 등에서 변호사와 접견할 경우에는 원칙적으로 헌법상 변호인의 조력을 받을 권리의 주체가 될 수 없다.

② 교정시설 내 수용자와 변호사 사이의 접견교통권의 보장은 헌법상 보장되는 재판청구권의 한 내용 또는 그로부터 파생되는 권리로 볼 수 있다.

③ 모든 피고인 또는 변호인은 검사에게 공소제기된 사건에 관한 서류 또는 물건의 목록과 공소사실의 인정 또는 양형에 영향을 미칠 수 있는 서류로 검사가 증거로 신청할 서류의 열람·등사 또는 서면의 교부를 신청할 수 있다.

④ 구속피고인의 변호인 면접·교섭권은 최대한 보장되어야 하지만, 국가형벌권의 적정한 행사와 피고인의 인권보호라는 형사소송절차의 목적을 구현하기 위하여 제한될 수 있다. 다만 이 경우에도 그 제한은 엄격한 비례의 원칙에 따라야 하고, 시간·장소·방법 등 일반적 기준에 따라 중립적이어야 한다.

26회 진도별 모의고사

신체의 자유

정답 및 해설 p.200

제한시간 : 14분 | 시작시각 ___시 ___분 ~ 종료시각 ___시 ___분　　　나의 점수 ______

01 변호인의 조력을 받을 권리의 제한에 대한 설명으로 옳지 않은 것은? (다툼이 있는 경우 판례에 의함)

① 변호인접견교통권은 신체의 구속을 당한 피의자나 피고인의 인권 보장과 방어 준비를 위하여 필요불가결한 권리로서 수사기관의 처분에 의해서는 제한할 수 없지만, 법률의 규정이나 법원의 결정이 있으면 제한할 수 있다.

② 미결수용자 또는 변호인이 원하는 특정한 시점에 접견이 이루어지지 못하였더라도 곧바로 변호인의 조력을 받을 권리가 침해되는 것은 아니다.

③ 변호인의 조력을 받을 권리의 출발점은 변호인 선임권에 있고, 이는 변호인의 조력을 받을 권리의 가장 기초적인 구성 부분으로서 법률로써도 제한할 수 없다.

④ 변호인과의 자유로운 접견은 신체구속을 당한 사람에게 보장된 변호인의 조력을 받을 권리의 가장 중요한 내용이어서 국가안전보장, 질서유지, 공공복리 등 어떠한 명분으로도 제한될 수 없다.

02 변호인의 조력을 받을 권리에 대한 설명으로 옳은 것은? (다툼이 있는 경우 판례에 의함)

① 피고인의 방어권을 보장하기 위하여 구속피고인의 변호인 면접·교섭권은 최대한 보장되어야 하고, 계호의 필요성 등의 이유로 어떠한 경우에도 제한되어서는 안되며, 구속된 피고인의 인권 보장을 위하여 국가의 형벌권은 후퇴될 수밖에 없다.

② 변호인의 조력을 받을 권리는 불구속 피의자와 피고인 모두에게 포괄적으로 인정된다.

③ 변호인의 조력을 받을 권리의 내용 중 하나인 미결수용자의 변호인접견권은 어떠한 경우에도 제한될 수 없다.

④ 헌법 제12조 제4항 본문 “누구든지 체포 또는 구속을 당한 때에는 즉시 변호인의 조력을 받을 권리를 가진다.”라는 규정은 피의자에 대하여 일반적으로 국선변호인의 조력을 받을 권리가 있음을 천명한 것으로 볼 수 있다.

03 국선변호인의 조력을 받을 권리에 대한 설명으로 옳은 것은? (다툼이 있는 경우 판례에 의함)

① 법원은 피고인이 빈곤이나 그 밖의 사유로 변호인을 선임할 수 없는 경우에 피고인이 청구하면 변호인을 선정하여야 한다.

② 헌법은 변호인의 구체적 변호활동에 관한 결과의 실현까지 국가 또는 법원이 책임지도록 하고 있지는 않으므로, 피고인을 위하여 선정된 국선변호인이 법정기간 내에 항소이유서를 제출하지 아니하여 항소법원이 「형사소송법」 제361조의4 제1항 본문에 따라 피고인의 항소를 기각하였다고 하더라도, 피고인에게 국선변호인으로부터 충분한 조력을 받을 권리를 보장하고 이를 위한 국가의 의무를 규정하고 있는 헌법의 취지에 반하는 조치라고 할 수 없다.

③ 피의자신문을 받는 단계에 있는 피의자가 제출한 국선변호인 선정신청서를 법원에 제출하지 아니한 사법경찰관의 부작위는 위 피의자의 헌법상 '변호인의 조력을 받을 권리'를 침해하여 위헌이다.

④ 헌법 제12조 제4항은 누구든지 체포 또는 구속을 당한 때에는 즉시 변호인의 조력을 받을 권리를 가지고 있다고 규정하고 있고, 형사피고인이 스스로 변호인을 구할 수 없을 때에는 법률이 정하는 바에 의하여 국가가 변호인을 붙인다고 규정하고 있다. 위 규정은 피의자에 대하여 일반적으로 국선변호인의 조력을 받을 권리가 있음을 천명한 것이라고 볼 수 있으므로, 사법경찰관은 피의자신문을 받는 단계에 있는 피의자가 제출하는 국선변호인 선정신청서를 법원에 제출하여야 할 의무가 있다.

04 서신검열에 대한 설명으로 옳지 않은 것은? (다툼이 있는 경우 판례에 의함)

① 미결구금자가 수발하는 서신이 변호인 또는 변호인이 되려는 자와의 서신임이 확인되고 미결구금자의 범죄혐의 내용이나 신분에 비추어 소지금지품의 포함 또는 불법 내용의 기재 등이 있다고 의심할 만한 합리적인 이유가 없음에도 그 서신을 검열하는 행위는 위헌이다.

② 구치소장이 변호인접견실에 CCTV를 설치하여 미결수용자와 변호인 간의 접견을 관찰한 행위는 미결수용자의 변호인의 조력을 받을 권리를 침해하지 않는다.

③ 교도소장이 금지물품 동봉 여부를 확인하기 위하여 미결수용자와 같은 지위에 있는 수형자의 변호인이 위 수형자에게 보낸 서신을 개봉한 후 교부한 행위가 위 수형자가 변호인의 조력을 받을 권리를 침해한다.

④ 교도소 측에서 상대방이 변호인이라는 사실을 확인할 수 있어야 미결수용자와 변호인 사이의 서신은 원칙적으로 그 비밀을 보장받을 수 있다.

05 변호인 조력을 받을 권리에 대한 설명으로 옳은 것은 모두 몇 개인가?

ㄱ. 변호인의 조력을 받을 권리는 '형사사건'에서의 변호인의 조력을 받을 권리에 국한되는 것은 아니므로, 수형자가 형사사건의 변호인이 아닌 민사사건, 행정사건, 헌법소원사건 등에서 변호사와 접견할 경우에도 헌법상 변호인의 조력을 받을 권리의 주체가 될 수 있다.
ㄴ. 「형사소송법」은 차폐시설을 설치하고 증인신문절차를 진행할 경우 피고인으로부터 의견을 듣도록 하는 등 피고인이 받을 수 있는 불이익을 최소화하기 위한 장치를 마련하고 있으므로, '피고인 등'에 대하여 차폐시설을 설치하고 신문할 수 있도록 한 것이 변호인의 조력을 받을 권리를 침해한다고 할 수는 없다.
ㄷ. 법원의 수사서류 열람·등사 허용결정에도 불구하고 해당 수사서류의 열람은 허용하고 등사만을 거부한 검사의 행위는 피고인의 변호인의 조력을 받을 권리를 침해하지 않는다.
ㄹ. 변호인의 조력을 받을 권리는 피구속자가 가족 등 타인과 교류하는 인간으로서의 기본적인 생활관계가 인신의 구속으로 인하여 완전히 단절되어 파멸에 이르는 것을 방지하고자 하는 것도 그 목적으로 하고 있으므로 변호인 외에 가족 등과의 접견교통권도 포함된다.
ㅁ. 모든 피고인 또는 변호인은 검사에게 공소제기된 사건에 관한 서류 또는 물건의 목록과 공소사실의 인정 또는 양형에 영향을 미칠 수 있는 서류로 검사가 증거로 신청할 서류의 열람·등사 또는 서면의 교부를 신청할 수 있다.
ㅂ. 「형사소송법」 제34조는 "변호인 또는 변호인이 되려는 자는 신체구속을 당한 피고인 또는 피의자와 접견하고 서류 또는 물건을 수수할 수 있으며 의사로 하여금 진료하게 할 수 있다."라고 규정하고 있으므로, 변호인이 되려는 의사를 표시한 자가 객관적으로 변호인이 될 가능성이 있다는 사정만으로는 당연히 접견교통권이 보장되는 것은 아니어서 원칙적으로는 그 제한이 가능하다.

① 1개 ② 2개
③ 3개 ④ 4개

06 변호인 조력을 받을 권리에 대한 설명으로 옳지 않은 것은 모두 몇 개인가?

ㄱ. 법정 옆 피고인 대기실에서 대기 중인 14인 중 11인이 강력범들이고 교도관이 2인인 상황에서, 재판대기 중인 피고인이 재판 시작 20분 전에 교도관에게 변호인 접견을 신청하였으나 변호인접견신청이 거부된 것은 변호인의 조력을 받을 권리를 침해한 것은 아니다.
ㄴ. 국선변호인이 6.5. 접견신청을 하였으나, 접견을 희망한 6.6.이 현충일(공휴일)이라는 이유로 거부되고 6.8. 피고인을 접견한 것은 피고인의 변호인의 조력을 받을 권리를 침해한 것이다.
ㄷ. 변호사와 접견하는 경우에도 수용자의 접견은 원칙적으로 접촉차단시설이 설치된 장소에서 하도록 규정하고 있는 「형의 집행 및 수용자의 처우에 관한 법률 시행령」으로 수형자가 받는 불이익보다 교정시설의 질서와 안전 유지 등 달성되는 공익은 훨씬 크므로, 이 사건 접견조항은 재판청구권을 과도하게 제한하지 아니하여 헌법에 위반되지 아니한다.
ㄹ. 「형의 집행 및 수용자의 처우에 관한 법률」이 제41조 제4항에서 "접견의 횟수·시간·장소·방법 및 접견 내용의 청취·기록·녹음·녹화 등에 관하여 필요한 사항은 대통령령으로 정한다."라고 하여 수용자의 접견시간 등에 관하여 필요한 사항을 대통령령에 위임했다고 하더라도 수용자의 접견은 매일(공휴일 및 법무부장관이 정한 날은 제외한다) 「국가공무원 복무규정」 제9조에 따른 근무시간 내에서 한정하는 「형의 집행 및 수용자의 처우에 관한 법률 시행령」은 법률유보원칙에 위배된다.
ㅁ. 변호인이 적극적으로 피고인 또는 피의자로 하여금 허위진술을 하도록 하는 것뿐 만 아니라 헌법상 권리인 진술거부권이 있음을 알려 주고 그 행사를 권고하는 것은 변호사로서의 진실의무에 위배되는 것이다.
ㅂ. 변호인 또는 변호인이 되려는 자가 구체적인 시간적·장소적 상황에 비추어 현실적으로 보장할 수 있는 한계를 벗어나 피고인 또는 피의자를 접견하려고 하는 것은 정당한 접견교통권의 행사에 해당하지 아니하여 허용될 수 없다.

① 1개 ② 2개
③ 3개 ④ 4개

07 **변호인 조력을 받을 권리에 대한 설명으로 옳지 않은 것은?**

① 교도관이 미결수용자와 변호인 간 주고받은 서류를 확인하여 서류 제목을 등재한 행위는 변호인의 조력을 받을 권리를 침해했다고 할 수 없다.

② 관계 공무원은 구속된 자와 변호인의 대담 내용을 들을 수 있거나 녹음이 가능한 거리에 있어서는 아니 되며 계호나 그 밖의 구실 아래 대화장면의 사진을 찍는 등 불안한 분위기를 조성하여 자유로운 접견에 지장을 주어서도 아니 될 것이다.

③ 변호인과 미결수용자 사이의 서신비밀은 변호인의 조력을 받을 권리뿐 아니라 통신비밀에서 보호된다.

④ 구치소장이 변호인접견실에 CCTV를 설치하여 미결수용자와 변호인 간의 접견을 관찰한 행위는 청구인의 변호인의 조력을 받을 권리를 침해한다.

08 **변호인과 변호사 조력을 받을 권리에 대한 설명으로 옳지 않은 것은?**

① 헌법은 명문으로 체포 또는 구속된 피의자뿐 아니라 불구속 피의자에 대해서도 변호인의 조력을 받을 권리를 인정하고 있다.

② 구치소장이 수용된 청구인과 배우자의 접견을 녹음한 행위는 청구인의 사생활 비밀의 자유를 침해하지 않는다.

③ 변호사와 접견하는 경우에도 수용자의 접견은 원칙적으로 접촉차단시설이 설치된 장소에서 하도록 규정하고 있는 「형의 집행 및 수용자의 처우에 관한 법률 시행령」 규정은 청구인의 재판청구권을 지나치게 제한하고 있으므로 헌법에 위반된다.

④ 수형자와 그 수형자의 헌법소원사건의 국선대리인인 변호사의 접견 내용을 녹음, 기록한 행위는 청구인의 재판을 받을 권리를 침해한다.

09 **변호인과 변호사 조력을 받을 권리에 대한 설명으로 옳지 않은 것은?**

① 법률전문가인 변호사와의 소송상담의 특수성을 고려하지 않고 소송대리인인 변호사와의 접견을 그 성격이 전혀 다른 일반 접견에 포함시켜 접견시간 및 횟수를 제한하는 것은 수용자의 재판청구권을 침해하는 것이다.

② 징벌혐의의 조사를 받고 있는 수형자가 변호인 아닌 자와 접견할 당시 교도관이 참여하여 대화 내용을 기록하게 한 것은 수형자의 사생활의 비밀과 자유를 침해하지 않는다.

③ 구속된 피의자 또는 피고인이 갖는 변호인 아닌 자와의 접견교통권은 헌법상의 기본권은 아니다.

④ 법집행공무원은 가시거리 내에서 입회할 수 있으나, 가청거리 내에서 피의자와 변호인 간의 접견시 입회해서는 아니 된다.

10 피의자 甲이 체포영장에 의하여 체포되었다. 피의자신문 중 변호사인 乙은 피의자 가족들의 의뢰를 받아 피의자와의 접견을 신청하였으나, 교도관은 '형의 집행 및 수용자의 처우에 관한 법률 시행령' 제58조 제1항에 근거하여 접견을 거부하였고 피청구인 검사는 접견조치를 취하지 아니하였다. 변호사인 乙의 헌법소원심판청구에 대한 설명으로 옳지 않은 것은?

> 「형의 집행 및 수용자의 처우에 관한 법률 시행령」 제58조(접견) ① 수용자의 접견은 매일(공휴일 및 법무부장관이 정한 날은 제외한다) 「국가공무원 복무규정」 제9조에 따른 근무시간 내에서 한다.
>
> 「형사소송법」 제243조의2(변호인의 참여 등) ① 검사 또는 사법경찰관은 피의자 또는 그 변호인·법정대리인·배우자·직계친족·형제자매의 신청에 따라 변호인을 피의자와 접견하게 하거나 정당한 사유가 없는 한 피의자에 대한 신문에 참여하게 하여야 한다.

① '변호인이 되려는 자'가 가지는 접견교통권은 그 주된 목적이 피의자 등의 조력보다는 자신의 수임활동에 있는 점, '변호인이 되려는 자'가 피의자 등을 접견하지 못함으로써 받는 불이익, 즉 형사사건 수임 실패로 따른 불이익은 간접적, 사실적, 경제적인 이해관계에 불과한 점, '변호인이 되려는 자'의 접견교통권은 피의자 등을 조력하기 이전 단계에서 피의자 등의 의사와는 관계없이 '변호인이 되려는 자'에게 인정되는 권리인 점 등을 고려할 때, 「형사소송법」 등 개별법률을 통하여 형성된 법률상의 권리에 불과하고, '헌법상 보장된 독자적인 기본권'으로 볼 수는 없다.

② 교도관의 접견불허행위는 「헌법재판소법」 제68조 제1항에서 헌법소원의 대상으로 삼고 있는 '공권력의 행사'에 해당하지 않는다.

③ 수용자에 대한 접견신청이 있는 경우 그 장소가 교도관의 수용자 계호 및 통제가 요구되는 공간이라면 교도소장·구치소장 또는 그 위임을 받은 교도관이 그 허가 여부를 결정하는 것이 원칙이나 피의자신문 중 변호인접견신청이 있는 경우에는 검사 또는 사법경찰관이 그 허가 여부를 결정할 주체이다.

④ 「형의 집행 및 수용자의 처우에 관한 법률 시행령」 제58조는 피의자신문 중 변호인 등의 접견신청의 경우에는 적용되지 않으므로 위 조항을 근거로 한 변호인 등의 접견신청을 불허는 법률유보원칙에 위배된다.

11 甲은 절도죄를 범하여 유죄의 확정판결을 받고 현재 교도소에 수용 중인 자이다. 甲은 교도소 내의 처우와 관련하여 헌법소원심판을 청구하고자 변호사 乙과의 접견을 신청하였으나, 교도소장 丙은 접견을 불허하였다. 이에 甲은 변호사 乙에게 편지를 발송하고자 하였는데, 교도소장 丙은 수용자가 밖으로 내보내는 모든 서신을 봉함하지 않은 상태로 제출하게 하고 제출된 甲의 서신 내용을 검열한 다음 서신 발송을 거부하였다. 이에 대한 설명으로 옳지 않은 것은? (다툼이 있는 경우 판례에 의함)

① 서신검열행위는 이른바 권력적 사실행위로서 행정심판이나 행정소송의 대상이 되는 행정처분으로 볼 수 있으나, 위 검열행위가 이미 완료되어 행정심판이나 행정소송을 제기하더라도 소의 이익이 부정될 수밖에 없으므로 헌법소원심판을 청구하는 외에 다른 효과적인 구제방법이 있다고 보기 어렵기 때문에 보충성원칙의 예외에 해당한다.

② 자유형은 수형자를 일정한 장소에 구금하여 사회로부터 격리시켜 그 자유를 박탈함과 동시에 그의 교화·갱생을 도모하고자 함에 그 본질이 있으므로, 수형자의 기본권은 특별권력관계 내에서 인정되는 포괄적 명령권과 징계권에 의하여 개별적 법률의 근거 없이도 제한이 가능하다. 그러나 이러한 경우에도 기본권의 본질적 내용은 침해할 수 없다.

③ 사관생도의 모든 사적 생활에서까지 예외 없이 금주의무를 이행할 것을 요구하는 것은 사관생도의 일반적 행동자유권은 물론 사생활의 비밀과 자유를 지나치게 제한하는 것이다.

④ 교도소장 丙은 구 「형의 집행 및 수용자의 처우에 관한 법률 시행령」 제65조 제1항(수용자는 보내려는 서신을 봉함하지 않은 상태로 교정시설에 제출하여야 한다)에 따라 甲의 서신을 봉함하지 않은 상태로 제출하게 하였는바, 위 시행령조항은 수용자의 도주를 예방하고 교도소 내의 규율과 질서를 유지하기 위한 불가피한 것으로서 비례의 원칙에 위반하여 수용자의 통신비밀의 자유를 침해한다.

⑤ 헌법재판소의 판례에 따르면, 교도소장 丙의 서신발송거부행위는 행정심판 및 행정소송의 대상이 되므로, 이러한 사전구제절차를 거치지 아니하고 서신발송거부행위에 대하여 헌법소원심판을 청구하는 것은 보충성원칙에 위배되어 부적법하다.

12 **청구인은 수단국적의 외국인이다. 청구인은 인천국제공항에 도착하여 난민인정신청을 하였고, 난민인정심사 회부 여부 결정시까지 인천국제공항 송환대기실에 수용되었다. 청구인은 피청구인 인천공항 출입국·외국인청장의 난민인정심사 불회부결정 취소의 소를 제기하였고, 청구인의 변호인은 소송이 계속 중이던 피청구인에게 청구인의 접견을 신청하였으나, 피청구인은 이를 거부하였다. 청구인은 위와 같은 피청구인의 변호인접견신청 거부행위가 헌법 제12조 제4항 본문에 규정된 변호인의 조력을 받을 권리 및 재판청구권을 침해한다고 주장하면서, 헌법소원심판을 청구하였다. 이에 대한 설명으로 옳지 않은 것은?**

① 출입국항에서 입국불허결정을 받아 송환대기실에 있는 사람과 변호사 사이의 접견교통권의 보장은 헌법상 보장되는 재판청구권의 한 내용으로 볼 수 있으므로, 이 사건 변호사접견신청 거부는 재판청구권의 한 내용으로서 청구인의 변호사의 도움을 받을 권리를 제한한다. 이 사건 변호사접견신청 거부는 아무런 법률상의 근거 없이 이루어졌고, 국가안전보장, 질서유지, 공공복리를 달성하기 위해 필요한 기본권 제한조치로 볼 수도 없으므로, 청구인의 재판청구권을 침해한다.

② 헌법 제12조 제4항 본문에 규정된 변호인의 조력을 받을 권리는 형사절차에서 피의자 또는 피고인의 방어권을 보장하기 위한 것이므로 「출입국관리법」상 보호 또는 강제퇴거의 절차에도 적용된다.

③ 인천공항출입국·외국인청장이 인천국제공항 송환대기실에 수용된 난민에 대한 변호인접견신청을 거부한 행위는 변호인의 조력을 받을 권리를 침해한다.

④ 헌법 제12조 제4항 본문의 문언 및 헌법 제12조의 조문체계, 변호인 조력권의 속성, 헌법이 신체의 자유를 보장하는 취지를 종합하여 보면 헌법 제12조 제4항 본문에 규정된 '구속'은 구속뿐 아니라, 행정절차에서 이루어진 구속까지 포함하는 개념이다. 따라서 헌법 제12조 제4항 본문에 규정된 변호인의 조력을 받을 권리는 행정절차에서 구속을 당한 사람에게도 즉시 보장된다.

13 **헌법 제12조 제7항의 자백의 증거능력과 증명력 제한에 대한 설명으로 옳지 않은 것은?**

① 정식재판에 있어서 자백이 피고인에게 불리한 유일한 증거일 때 이를 이유로 처벌할 수 없으나, 즉결심판에서는 피고인의 자백이 그에게 불리한 유죄의 유일한 증거일지라도 처벌할 수 있다.

② 정식재판의 자백이 그에게 불리한 유일한 증거일 때는 임의성이 있으나 신빙성이 없어 처벌할 수 없다.

③ 피고인의 자백이 고문·폭행·협박·구속의 부당한 장기화 또는 기망 기타의 방법에 의하여 자의로 진술된 것이 아니라고 인정될 때 또는 즉결심판에 있어서 피고인의 자백이 그에게 불리한 유일한 증거일 때에는 이를 유죄의 증거로 삼거나 이를 이유로 처벌할 수 없다.

④ 피고인의 자백이 고문·폭행·협박·구속의 부당한 장기화 또는 기망 기타의 방법에 의하여 자의로 진술된 것이 아니라고 인정되면 임의성이 없는 자백이므로 증거능력이 인정되지 아니한다.

14 **체포 또는 구속의 적부심사에 대한 설명으로 옳지 않은 것은? (다툼이 있는 경우 판례에 의함)**

① 체포·구속 자체에 대한 적부 여부를 법원에 심사청구할 수 있는 절차는 헌법적 차원이 아니라 법률적 차원에서 보장하고 있다.

② 체포·구속 자체에 대한 적부 여부에 대한 법원에 심사는 수사기관에 의한 체포·구속에 적용되고 일반 행정기관에 의한 '체포' 또는 '구속'에도 적용된다.

③ 체포되거나 구속된 피의자 또는 그 변호인, 법정대리인, 배우자, 직계친족, 형제자매나 가족, 동거인 또는 고용주는 관할 법원에 체포 또는 구속의 적부심사를 청구할 수 있다.

④ 구속된 피의자가 적부심사청구권을 행사한 다음 검사가 전격기소를 한 경우, 법원은 적부심사를 통하여 석방 또는 기각결정을 할 수 있다.

15 **체포 또는 구속의 적부심사에 대한 설명으로 옳지 않은 것은? (다툼이 있는 경우 판례에 의함)**

① 긴급체포된 피의자에게도 체포적부심사청구권이 있다.

② 1948.7.17. 제정된 헌법 제9조 제3항은 "누구든지 체포, 구금을 받은 때에는 즉시 변호인의 조력을 받을 권리와 그 당부의 심사를 법원에 청구할 권리가 보장된다."라고 규정하여 체포·구금에 관한 적부심사제도를 '헌법적 차원'의 제도로 격상시킨 이래로 줄곧 헌법에 규정되어 왔다.

③ 현행범인으로 체포된 자가 적부심사를 거치지 아니하고 헌법소원심판을 청구할 수 없다.

④ 출입국관리행정 중 체류자격의 심사 및 퇴거집행 등의 구체적 절차에 관한 사항은 광범위한 정책재량의 영역에 있기 때문에, 「출입국관리법」에 따라 보호된 자들에게 전반적인 법체계를 통하여 보호 자체에 대한 적법 여부를 법원에 심사청구할 수 있는 기회를 반드시 부여하여야 한다.

16 **진술거부권에 대한 설명으로 옳지 않은 것은? (다툼이 있는 경우 판례에 의함)**

① 진술거부권은 영미법상의 자기부죄거부의 특권에서 유래하였다.

② 「형사소송법」은 피의자에 대한 진술거부권 고지를 규정하고 있다.

③ 진술거부권은 현재 피의자나 피고인으로서 수사 또는 공판절차에 계속 중인 자뿐만 아니라 장차 피의자나 피고인이 될 자에게도 보장되며, 형사절차뿐 아니라 행정절차나 국회에서의 조사절차 등에서도 보장되어야 하는 것이지만, 법률로써 진술을 강제하는 것은 진술거부권의 침해에 해당되지 아니한다.

④ 변호사인 변호인에게는 「변호사법」이 정하는 바에 따라서 이른바 진실의무가 인정되는 것이지만, 변호인이 신체구속을 당한 사람에게 법률적 조언을 하는 것은 그 권리이자 의무이므로 변호인이 적극적으로 피고인 또는 피의자로 하여금 허위진술을 하도록 하는 것이 아니라 단순히 헌법상 권리인 진술거부권이 있음을 알려 주고 그 행사를 권고하는 것을 가리켜 변호사로서의 진실의무에 위배되는 것이라고는 할 수 없다.

17 **진술거부권에 대한 설명으로 옳지 않은 것은 모두 몇 개인가? (다툼이 있는 경우 판례에 의함)**

ㄱ. 진술거부권은 피의자나 피고인으로서 수사 또는 공판절차에 계속 중인 자뿐 아니라 행정절차나 국회에서의 조사절차 등에서도 보장된다.
ㄴ. 형사소송절차에서 피고인이 범죄사실에 대하여 진술을 거부하거나 거짓진술을 하는 경우, 그 정도가 피고인의 방어권 행사의 범위를 넘어 진실을 적극적으로 숨기거나 법원을 오도하려는 시도에 기인할 때에도 피고인의 그러한 태도나 행위를 가중적 양형의 조건으로 참작할 수 없다.
ㄷ. 헌법상 진술거부권의 보호대상이 되는 '진술'이라 함은 언어적 표출, 즉 개인의 생각이나 지식, 경험사실을 정신작용의 일환인 언어를 통하여 표출하는 것을 의미한다.
ㄹ. 음주측정은 진술에 해당하므로 음주측정의무 부과는 진술거부권을 제한한다.
ㅁ. 헌법상 진술거부권의 보호대상이 되는 '진술'이란 개인의 생각이나 지식, 경험사실을 정신작용의 일환인 언어를 통하여 표출하는 것을 의미하고, 정당의 회계책임자가 불법정치자금의 수수 내역을 회계장부에 기재하는 행위는 당사자가 자신의 경험을 말로 표출한 것의 등가물로 평가될 수 있으므로 진술거부권의 보호대상이 되는 '진술'의 범위에 포함된다.
ㅂ. 채무자가 재산목록의 작성·제출이라는 형태의 진술을 거부하였을 때 그에게 가해지는 감치로 구금하는 것은 채무자의 재산명시기일에서의 재산목록 작성·제출행위는 형사상 불이익한 진술의 강제에 해당한다.
ㅅ. 채무자의 경험사실을 문자로 기재하도록 한 것은 '진술'의 범위에 포함된다.

① 1개　　② 2개
③ 3개　　④ 4개

18 **진술거부권에 대한 설명으로 옳지 않은 것은 모두 몇 개인가? (다툼이 있는 경우 판례에 의함)**

ㄱ. 수사기관이 피의자를 신문함에 있어서 미리 진술거부권을 고지하지 않은 경우 그 진술은 강요에 의한 것이 아니어서 임의성이 인정된다 하더라도 진술의 증거능력은 부정된다.
ㄴ. 진술거부권은 행정절차에 적용될 수 있으나, 행정상 불이익에는 적용될 수 없다.
ㄷ. 공정거래위원회가 형사 확정재판 전에 법 위반사실의 공표를 명령한 것은 진술거부권 침해에 해당한다.
ㄹ. 증인은 진술거부권을 누릴 수 없는 것이 일반적이나, 자신의 형사책임과 관련된 사항이 나오면 진술거부권을 행사할 수 있다.
ㅁ. 성범죄자로서 등록대상자에게 신상정보 및 변경정보의 제출의무를 부과하는 것은 '형사상' 자기에게 불리한 진술을 강요하는 것에 해당하지 않아 신상정보 제출조항으로 인하여 진술거부권이 제한된다고 볼 수 없다.

① 없음.
② 1개
③ 2개
④ 3개

19 **형사소송법과 달리 증인에 대한 진술거부권 고지규정을 두고 있지 않으며, 국회에서 위증죄를 가중처벌하는 국회에서의 증언·감정 등에 관한 법률(이하 '국회증언감정법'이라 한다) 제14호 제1항에 대한 헌법재판소 판례 설명으로 일치하는 것은?**

① 진술거부권은 소극적으로 진술을 거부할 권리를 의미하고, 적극적으로 허위의 진술할 권리를 보장하므로 허위진술을 이유로 처벌하는 국회증언감정법 조항은 진술거부권을 제한한다.

② 국정감사, 국정조사에서 증인에 대한 증언거부권이 있다는 것을 고지하도록 하는 규정을 두어야 하고 그렇지 않은 경우 평등원칙에 위배된다.

③ 국회의 위증에 대하여 징역형만을 규정하여 「형법」상 위증죄보다 무거운 법정형을 규정한 국회증언감정법은 평등원칙에 위반된다.

④ 국회에서 증인도 증언거부이유를 소명하여(국회증언감정법 제3조 제3항) 적극적으로 진술거부권을 행사할 수 있으나, 국회증언감정법상 증인의 경우 진술거부권을 고지받을 권리는 인정된다고 할 수 없다.

20 **유추해석금지원칙에 대한 설명으로 옳지 않은 것은?**

① 헌법소원심판에서 「형사소송법」상의 재정신청에 관한 규정을 유추적용하여 공소시효가 정지된다고 보는 것은 유추해석금지의 원칙에 반하지 않는다는 것이 헌법재판소의 입장이다.

② 공무원의 업무질서를 유지하기 위하여 공금의 횡령이라는 공무원의 의무 위반행위에 대해 지방자치단체가 사용자의 지위에서 행정절차를 통해 부과하는 징계부가금은 헌법 제13조 제1항에 규정된 '처벌'에 해당한다고 할 수 없다.

③ 헌법소원심판에서 「형사소송법」상의 재정신청에 관한 규정을 유추적용하여 공소시효가 정지된다고 보는 것은 유추해석금지의 원칙에 반한다는 것이 헌법재판소의 입장이다.

④ 형벌법규는 헌법상 규정된 죄형법정주의원칙상 입법목적이나 입법자의 의도를 감안한 유추해석 일체가 금지되고, 법률조항의 문언의 의미를 엄격하게 해석하여야 하는바, 유추해석을 통하여 형벌법규의 적용범위를 확대하는 것은 '법관에 의한 범죄구성요건의 창설'에 해당하여 죄형법정주의원칙에 위배된다.

27회 진도별 모의고사

주거의 자유 ~ 사생활의 비밀과 자유

정답 및 해설 p.208

제한시간 : 14분 | 시작시각 ___시 ___분 ~ 종료시각 ___시 ___분　　나의 점수 ______

01 주거의 자유에 대한 설명으로 옳지 않은 것은?

① 주거의 자유는 제헌헌법부터 거주이전의 자유와 함께 규정되었는데, 1962년 제5차 개정헌법에서 분리 규정되면서 주거의 자유조항에 주거에 대한 수색이나 압수에 대한 영장주의가 추가되었다.

② 헌법 제16조는 주거에 대한 수색이나 압수에는 법관의 영장을 제시하도록 하면서 현행범인인 경우와 장기 3년 이상의 형에 해당하는 죄를 범하고 도피 또는 증거인멸의 염려가 있을 때에는 사후에 영장을 청구할 수 있다고 규정하고 있다.

② 압수·수색장소를 명시하지 않고 포괄적으로 기재한 일반영장은 허용되지 않는다.

④ 외국인은 주체가 될 수 있으나, 법인은 주거의 자유 주체가 될 수 없다.

02 주거의 자유에 대한 설명으로 옳지 않은 것은?

① 헌법은 신체의 자유와 주거의 자유에 영장주의를 규정하고 있으나, 이는 예시적으로 볼 수 있다.

② 헌법 제16조는 주거에 대한 압수·수색에 영장주의를 규정하고 있지 않으므로 주거에 대한 압수·수색에는 헌법 제12조 제3항이 우선 적용된다.

③ 재건축참가자에게 재건축참가자의 구분소유권에 대한 매도청구권을 인정하는 것은 재건축불참자의 주거의 자유의 본질적 내용을 침해하는 것은 아니다.

④ 주거는 사람이 거주하는 모든 장소이므로 노동이나 직업의 장소도 주거에 해당한다.

⑤ 임대차기간이 경과했거나 임차인이 명도판결을 받았다고 하더라도 임차인은 주거의 자유를 가진다.

03 주거의 자유에 대한 설명으로 옳지 않은 것은 모두 몇 개인가?

> ㄱ. 점유할 권리가 없는 자가 점유한 경우, 권리자가 자력구제의 수단으로 건조물에 침입한 경우에는 주거침입죄가 성립하지 않는다.
> ㄴ. 호텔 객실의 경우 주거의 자유의 주체는 그 소유자가 아니라 투숙객이다.
> ㄷ. 대학 건물의 관리권은 그 대학 당국에 귀속되므로, 학생회의 동의를 얻어 학생회관에 들어갔다 하여도 주거침입죄를 구성한다.
> ㄹ. 주거의 자유와 관련한 영장주의는 1962년 제5차 헌법개정에서 처음으로 헌법에 명시되었다.
> ㅁ. 「출입국관리법」에 의한 보호에 있어서 용의자에 대한 긴급보호를 위해 그의 주거에 들어간 것이라면 그 긴급보호가 적법한 이상 주거의 자유를 침해한 것으로 볼 수 없다.
> ㅂ. 헌법 제16조가 영장주의에 대한 예외를 마련하고 있지 않으므로 주거에 대한 압수나 수색에 있어서 영장주의의 예외를 인정할 수 없다.
> ㅅ. 사생활의 비밀과 자유는 주거의 자유보다 더 폭넓은 권리이다.
> ㅇ. 주거용 건축물의 사용·수익관계를 정하고 있는 「도시 및 주거환경정비법」 조항은 헌법 제16조에 의해 보호되는 주거의 자유를 제한하지 않는다.
> ㅈ. 점유할 권리 없는 자의 점유라고 하더라도 그 주거의 평온은 보호되어야 할 것이므로, 권리자가 그 권리를 실행함에 있어 법에 정하여진 절차에 의하지 아니하고 그 건조물 등에 침입한 경우에 주거침입죄가 성립한다.

① 1개　　② 2개
③ 3개　　④ 4개

04 장기간 불법체류를 해 온 외국인 甲에 대해 서울출입국관리사무소장 乙은 출입국관리법에 따라 긴급보호 및 강제퇴거집행을 하여 출국시켰다. 이에 대해 甲은 자신의 기본권이 침해되었다고 주장하면서 헌법소원심판을 청구하였다. 이에 대한 설명으로 옳지 않은 것을 모두 조합한 것은? (다툼이 있는 경우 헌법재판소 판례에 의함)

ㄱ. 甲이 침해받았다고 주장하는 주거의 자유·재판청구권 등의 기본권이 그 성질상 인간의 권리에 해당한다고 하더라도, 甲이 대한민국에 불법체류하고 있는 이상 위 기본권들에 관하여 기본권 주체성이 인정될 수 없다.
ㄴ. 甲에 대한 긴급보호 및 강제퇴거는 이미 종료된 권력적 사실행위로서 행정소송을 통해 구제될 가능성이 거의 없고 헌법소원심판 이외에 달리 효과적인 구제방법을 찾기 어려우므로, 甲의 헌법소원심판청구가 보충성원칙에 위반된다고 할 수 없다.
ㄷ. 불법체류 외국인에 대한 긴급보호의 경우에도 「출입국관리법」이 정한 요건에 해당하지 않거나 법률이 정한 절차를 위반하는 때에는 적법절차원칙에 반하여 신체의 자유 등 기본권을 침해하게 된다.
ㄹ. 긴급보호의 과정에서 서울출입국관리사무소 소속 직원들이 甲의 주거에 들어갔다고 하더라도, 甲에 대한 긴급보호를 위해 필요한 행위로서 그 긴급보호가 적법한 이상 甲의 주거의 자유를 침해하였다고 볼 수 없다.
ㅁ. 만약 甲의 진정에 의한 국가인권위원회의 조사가 완료되기도 전에 甲을 강제퇴거시켰다면, 이는 헌법 제10조와 제37조 제1항에서 도출되는 '국가인권위원회의 공정한 조사를 받을 권리'를 침해하는 것이다.

① ㄱ, ㄴ　② ㄱ, ㄹ
③ ㄱ, ㅁ　④ ㄴ, ㄷ

05 체포영장을 집행하는 경우 필요한 때에는 타인의 주거 등에서 피의자 수사를 할 수 있도록 한 형사소송법에 대한 헌법재판소 판례에 대한 설명으로 옳지 않은 것은 모두 몇 개인가?

ㄱ. 체포영장을 집행하는 경우 필요한 때에는 타인의 주거 등에서 피의자 수사를 할 수 있도록 한 「형사소송법」 제216조 제1항 제1호는 명확성원칙에 위배된다.
ㄴ. 헌법 제12조 제3항과는 달리 헌법 제16조 후문은 "주거에 대한 압수나 수색을 할 때에는 검사의 신청에 의하여 법관이 발부한 영장을 제시하여야 한다."라고 규정하고 있을 뿐 영장주의에 대한 예외를 명문화하고 있지 않다.
ㄷ. 헌법 제16조에서 영장주의에 대한 예외를 마련하고 있지 않으므로 주거에 대한 압수나 수색에 있어 영장주의가 예외 없이 반드시 관철되어야 함을 의미하는 것이다.
ㄹ. 체포영장을 집행하는 경우 필요한 때에는 타인의 주거 등에서 피의자 수사를 할 수 있도록 한 「형사소송법」은 영장주의에 위반된다.
ㅁ. 피의자가 사형·무기 또는 장기 3년 이상의 징역이나 금고에 해당하는 죄를 범하였다고 의심할 만한 상당한 이유가 있고, 피의자가 증거를 인멸할 염려가 있거나 피의자가 도망하거나 도망할 우려가 있는 경우에는 수색영장 없이 주거에 대한 수색이 가능하다.
ㅂ. 심판대상조항의 위헌성은 근본적으로 헌법 제16조에서 영장주의를 규정하면서 그 예외를 명시적으로 규정하지 아니한 잘못에서 비롯된 것이다. 늦어도 2020. 3.31.까지는 현행범인 체포, 긴급체포, 일정 요건하에서의 체포영장에 의한 체포의 경우에 영장주의의 예외를 명시하는 것으로 위 헌법조항이 개정되고, 그에 따라 심판대상조항이 개정되는 것이 바람직하며, 위 헌법조항이 개정되지 않는 경우에는 심판대상조항만이라도 이 결정의 취지에 맞게 개정되어야 한다.
ㅅ. 헌법재판소는 헌법 제16조에 대해 영장주의 위반을 이유로 헌법불합치결정을 하였다.

① 1개　② 2개
③ 3개　④ 4개

06 사생활의 비밀과 자유에 대한 설명으로 옳은 것은? (다툼이 있는 경우 판례에 의함)

① 사생활의 비밀과 자유는 인격권적인 성격과 자유권적 성격 및 참정권적 성격을 동시에 갖는 권리이다.

② 헌법 제17조는 "모든 국민은 사생활의 비밀과 자유를 침해받지 아니한다."라고 규정하여 사생활의 비밀과 자유를 국민의 기본권의 하나로 보장하고 있다. 여기서 사생활의 비밀은 국가가 사생활의 자유로운 형성을 방해하거나 금지하는 것에 대한 보호를 의미하고, 사생활의 자유란 국가가 사생활영역을 들여다보는 것에 대한 보호를 제공하는 기본권이다.

③ 대법원은 헌법 제17조는 개인의 사생활활동이 타인으로부터 침해되거나 사생활이 함부로 공개되지 아니할 소극적인 권리를 보장하는 것에 국한되지 자신에 대한 정보를 자율적으로 통제할 수 있는 적극적인 권리까지 보장하는 것은 아니라고 판시한 바 있다.

④ 사생활의 비밀과 자유는 1980년 제8차 개정헌법에서 처음으로 헌법에 규정되었다.

07 사생활의 비밀과 자유 보호영역과 제한에 대한 설명으로 옳지 않은 것은? (다툼이 있는 경우 판례에 의함)

① 사생활의 자유란 사회공동체의 일반적인 생활규범의 범위 내에서 사생활을 자유롭게 형성해 나가고 그 설계 및 내용에 대해서 외부로부터의 간섭을 받지 아니할 권리를 말하는바, 흡연을 하는 행위는 이와 같은 사생활의 영역에 포함된다고 할 것이다.

② 탈법방법에 의한 문서·도화의 배부·게시 등을 금지하고 있는 「공직선거법」 제93조 제1항은 사생활의 자유나 양심의 자유를 제한한다.

③ 공직자의 자질·도덕성·청렴성에 관한 사실은 그 내용이 개인적인 사생활에 관한 것이라 할지라도 순수한 사생활의 영역에 있다고 보기 어렵다.

④ 자동차를 도로에서 운전하는 중에 좌석안전띠를 착용할 것인지 여부의 생활관계는 개인의 전체적 인격과 생존에 관계되는 '사생활의 기본조건'이라거나 자기결정의 핵심적 영역 또는 인격적 핵심과 관련된다고 보기 어렵기 때문에, 운전할 때 운전자가 좌석안전띠를 착용하는 문제는 사생활의 비밀과 자유에 의하여 보호되는 범주를 벗어난 것이다.

08 사생활의 비밀과 자유 보호영역과 제한에 대한 설명으로 옳지 않은 것은 모두 몇 개인가? (다툼이 있는 경우 판례에 의함)

ㄱ. 수사기관이 전자우편에 대한 압수·수색 집행을 함에 있어 급속을 요하는 때에는 피의자 등에게 그 집행에 관한 사전통지를 생략할 수 있도록 한 「형사소송법」 조항은 압수·수색 집행을 통해 전자우편이 제3자에게 공개되게 함으로써 해당 피의자 등의 사생활의 비밀과 자유와 통신의 자유 제한에 해당한다.

ㄴ. 성기구의 판매행위를 제한할 경우 성기구를 사용하려는 소비자는 성기구를 이용하여 성적 만족을 얻으려는 사람의 은밀한 내적 영역에 대한 기본권인 사생활의 비밀과 자유가 제한된다고 볼 수 있다.

ㄷ. '전자발찌'로 불리는 '위치추적 전자장치'의 부착명령을 규정한 구 「특정 범죄자에 대한 위치추적 전자장치 부착 등에 관한 법률」 조항은 피부착자의 개인정보자기결정권을 제한할 뿐만 아니라, 피부착자의 위치와 이동경로를 실시간으로 파악하여 24시간 감시할 수 있도록 하고 있으므로 피부착자의 사생활의 비밀과 자유를 제한한다.

ㄹ. 존속상해치사죄와 같은 범죄행위가 헌법상 보호되는 사생활의 영역에 속한다고 볼 수 없다.

ㅁ. 혼인 종료 후 300일 이내에 출생한 자를 전남편의 친생자로 추정하는 「민법」은 인격권과 행복추구권, 개인의 존엄과 양성의 평등에 기초한 혼인과 가족생활에 관한 기본권을 제한하나 사생활의 비밀과 자유가 제한된다고 보기는 어렵다.

ㅂ. 공판정에서 진술인이 자신의 말을 녹음할 것인지 여부는 사생활의 자유에서 보호된다.

ㅅ. 교도소 내 거실이나 작업장은 수용자의 사생활영역이거나 사생활에 연결될 수 있는 영역이므로, 수용자가 없는 상태에서 교도소장이 비밀리에 거실 및 작업장에서 개인물품 등을 검사하는 행위는 수용자의 사생활의 비밀과 자유를 제한한다.

ㅇ. 선거운동과정에서 자신의 인격권이나 명예권을 보호하기 위하여 대외적으로 해명을 하는 행위는 사생활의 자유에 의하여 보호되는 범주를 벗어난 행위라고 볼 것이다.

ㅈ. 인터넷게임 이용자 본인인증제는 인터넷게임 이용자가 자기의 개인정보에 대한 제공, 이용 및 보관에 관하여 스스로 결정할 권리인 개인정보자기결정권을 제한한다.

① 1개 ② 2개
③ 3개 ④ 4개

09 사생활의 비밀과 자유에 대한 설명으로 옳은 것은?

① 교정시설의 장이 수용자가 범죄의 증거를 인멸하거나 형사 법령에 저촉되는 행위를 할 우려가 있는 때에 교도관으로 하여금 수용자의 접견 내용을 청취·기록·녹음 또는 녹화하게 하는 것은 미결수용자의 사생활을 침해한다.

② 징벌혐의로 조사를 받고 있는 수용자가 변호인 아닌 자와 접견할 당시 교도관이 참여하여 대화 내용을 기록하게 한 행위는 과잉금지원칙을 위반하여 수용자의 사생활의 비밀과 자유를 침해하는 것이다.

③ 미결수용자와 배우자 간의 접견기록물을 제공할 필요성이 인정된다 하더라도, 검사가 범죄혐의사실을 구체적으로 적시하지 않고 어느 범위의 접견녹음파일의 제공이 필요한지 알 수 없을 정도로 광범한 범위의 녹음파일을 요청하면, 범죄수사에 필요한 범위를 넘어서 범죄수사와 무관한 미결수용자의 사사로운 대화 내용까지 누설될 수 있어 개인정보자기결정권을 침해한다.

④ 교도관의 점검사항 중 교도수첩과 비상준비금의 휴대의무와 점검에 응할 의무를 부과한 교도관점검규칙이 개인의 사생활의 자유를 보장한 헌법이나 법률에 위반된다고 할 수는 없다.

10 보안관찰대상자에 대해 출소 후 거주지 보고와 거주지 변동시 보고의무를 부과하는 보안관찰법에 대한 설명으로 옳은 것은?

① 경찰서에 대상자 신규발생이 그리 많지 않고 시행령에 동태보고도 규정되어 있어 이미 확보한 자료를 토대로 대상자의 실거주 여부 확인이 어렵지 않아 보다 완화된 방법으로도 입법목적을 충분히 달성할 수 있으므로 보안관찰처분대상자가 교도소 등에서 출소한 후 7일 이내에 출소사실을 신고하도록 정한 구 「보안관찰법」 제6조 제1항은 과잉금지원칙을 위반하여 청구인의 사생활의 비밀과 자유 및 개인정보자기결정권을 침해한다.

② 출소 후 신고조항 및 위반시 처벌조항은 대상자라는 이유만으로 재범의 위험성이 인정되지 않은 사람들에게 신고의무를 부과하고 그 위반시 형사처벌하도록 정하여, 보안처분에 대한 죄형법정주의적 요청에 위배된다.

③ 보안관찰처분대상자가 교도소 등에서 출소한 후 기존에 「보안관찰법」 제6조 제1항에 따라 신고한 거주예정지 등 대통령령이 정하는 사항에 대해 정보에 변동이 생길 때마다 7일 이내에 이를 신고하도록 정한 「보안관찰법」 제6조 제2항 전문이 포괄위임금지원칙에 위배되지 않는다.

④ 신고한 거주예정지 등이 변동될 경우 변동신고하도록 하고 이를 위반할 경우 처벌하도록 정한 「보안관찰법」 제27조가 무기한의 신고의무를 부담시키더라도 신고의무기간에 일률적인 상한을 두어서는 입법목적 달성이 어려운 바, 과잉금지원칙을 위반하여 청구인의 사생활의 비밀과 자유 및 개인정보자기결정권을 침해하지 아니한다.

11 다음 사례를 읽고 이 사안에 대한 본안 판단을 할 때 옳은 것을 모두 조합한 것은? (다툼이 있는 경우에는 헌법재판소 판례에 의함)

[사례]
甲은 징병검사에서 한쪽 눈 실명으로 병역면제처분을 받았던 자로서 공무원시험에 합격하여 그 후 4급 공무원이 되었다. 그런데 A법률은 병역비리를 근절한다는 차원에서 4급 이상 공무원의 병역사항을 인터넷과 관보에 반드시 공개하도록 하고 있다. 그 병역사항에서는 병역면제처분을 할 때의 질병명이 포함된다. 甲은 A법률이 자신의 기본권을 침해한다고 주장하면서 헌법소원심판을 청구하였다.

ㄱ. A법률에 의하여 그 공개가 강제되는 질병명은 내밀한 사적 영역에 근접하는 민감한 개인정보이지만, 공무원이 국민 전체에 대한 봉사자로서 국민에 대하여 책임을 지는 지위에 있음을 고려할 때, 甲의 이러한 개인정보를 공개함으로써 사생활의 비밀과 자유를 제한하는 국가적 조치에 대한 위헌 여부 심사는 완화된 심사방법에 따라 행해져야 한다.
ㄴ. A법률의 입법목적은 병역의무의 공평하고 충실한 이행을 담보하고 병역의무의 기피를 차단하기 위한 것으로 정당한 헌법적 가치를 추구하는 것이다.
ㄷ. A법률의 입법목적을 달성할 수 있는 본질적이거나 근원적인 수단이 존재한다면 입법자가 A법률의 병역공개제도와 같은 부가적, 보충적 수단을 동원하는 것은 입법목적을 달성하기 위한 적절한 수단이라고 볼 수 없다.
ㄹ. A법률이 일반인에게 공적 관심의 정도가 약한 4급 이상의 공무원들까지 대상으로 삼아 모든 질병명을 아무런 예외 없이 공개하도록 한 것은 甲의 사생활의 비밀과 자유를 침해한다.
ㅁ. 질병명에 대한 신고와 적정한 방법에 의한 공개가 반드시 불필요하다고 단정할 수 없고, A법률이 지닌 위헌성이 결국 공개대상 공무원 또는 질병명의 범위가 지나치게 포괄적이라는 데에 있다면, 사안의 경우 단순위헌보다 헌법불합치결정이 더 타당하다.
ㅂ. 질병이 병역면제처분에 있어 고려되는 핵심적 요소일 뿐만 아니라 그 공개대상자가 공무원이라 하더라도, 내밀한 사적 영역에 근접하는 민감한 개인정보인 병역사항에 관한 정보를 일반 국민들에게 제공하도록 하는 A법률은 사생활의 비밀과 자유의 본질적 내용을 침해하므로 비례의 원칙 위반 여부를 따질 필요 없이 그 자체로 위헌이다.

① ㄱ, ㄴ, ㅁ ② ㄱ, ㄹ, ㅂ
③ ㄴ, ㄷ, ㅁ ④ ㄴ, ㄹ, ㅁ

12 개인정보자기결정권에 대한 설명으로 옳지 않은 것은?

① 개인정보자기결정권은 헌법에 명시된 기본권으로서 헌법적 근거를 굳이 어느 한두 개에 국한시키는 것은 바람직하지 않은 독자적 기본권이다.

② 개인정보자기결정권은 인간의 존엄과 가치, 행복추구권을 규정한 헌법 제10조 제1문의 일반적 인격권 및 헌법 제17조의 사생활의 비밀과 자유에 의하여 도출되고 보장된다.

③ 개인정보자기결정권이란 자신에 관한 정보의 공개와 유통을 스스로 결정하고 통제할 수 있는 권리를 말하며, 이때 '자신에 관한 정보'는 그 자체가 꼭 비밀성이 있는 정보일 필요는 없다.

④ 개인정보자기결정권의 보호대상이 되는 개인정보는 반드시 개인의 내밀한 영역이나 사사의 영역에 속하는 정보뿐만 아니라 공적 생활에서 형성되었거나 이미 공개된 개인정보도 포함한다.

13 개인정보자기결정권에 대한 설명으로 옳은 것은?

① 개인정보자기결정권은 자신에 관한 정보가 언제 누구에게 어느 범위까지 알려지고 또 이용되도록 할 것인지를 그 정보주체가 스스로 결정할 수 있는 권리이다.

② 야당 소속 후보자 지지 혹은 정부 비판은 정치적 견해로서 개인의 인격주체성을 특징짓는 개인정보에 해당하나, 그것이 지지 선언 등의 형식으로 공개적으로 이루어진 것이라면 개인정보자기결정권에서 보호되지 않는다.

③ 이미 공개된 개인정보를 정보주체의 동의가 있었다고 객관적으로 인정되는 범위 내에서 수집·이용·제공 등 처리를 할 때 이를 영리목적으로 이용한다면 원칙적으로 정보주체의 별도의 동의를 받아야 한다.

④ 이미 공개된 개인정보라도 정보처리자에게 영리목적이 있었다면 정보처리행위는 위법하다고 할 수 있다.

14 개인정보자기결정권에 대한 설명으로 옳지 않은 것은?

① 통신매체이용음란죄로 유죄판결이 확정된 사람을 일률적으로 신상정보등록대상자가 되도록 하는 것은 침해의 최소성에 위배되어 개인정보자기결정권을 침해한다.

②「성폭력범죄의 처벌 등에 관한 특례법」 위반(카메라 등 이용 촬영, 카메라 등 이용 촬영 미수)죄로 유죄판결이 확정된 자를 신상정보 등록대상자가 되도록 규정한 심판대상조항은 개인정보자기결정권을 침해한다.

③ 성적 목적 공공장소침입죄로 유죄판결이 확정된 자는 신상정보 등록대상자가 된다고 규정한「성폭력범죄의 처벌 등에 관한 특례법」 조항이 과잉금지원칙에 위배되어 개인정보자기결정권을 침해하지 않는다.

④ 신상정보 등록대상자에게 출입국시 신고의무를 부과하는「성폭력범죄의 처벌 등에 관한 특례법」 제43조의2 제1항, 제2항이 개인정보자기결정권을 침해한다고 할 수 없다.

15 개인정보자기결정권에 대한 설명으로 옳은 것은 모두 몇 개인가?

ㄱ. 아동·청소년대상 성폭력범죄를 저지른 자에 대한 신상정보 고지제도는 성범죄자가 거주하는 읍·면·동에 사는 지역주민 중 아동·청소년 자녀를 둔 가구 및 교육기관의 장 등을 상대로 이루어져, 고지대상자와 그 가족을 경계하고 외면하도록 하므로 고지대상자와 그 가족의 개인정보자기결정권을 침해한다.
ㄴ. 피의자가 검사로부터 '혐의 없음'의 불기소처분을 받은 경우 혐의범죄의 법정형에 따라 일정 기간 피의자의 지문정보와 함께 인적 사항·죄명·입건관서·입건일자·처분 결과 등을 보존하도록 한「형의 실효 등에 관한 법률」 조항은 피의자의 개인정보자기결정권을 침해한다.
ㄷ. 성범죄의 재범을 억제하고 수사의 효율성을 제고하기 위하여, 법무부장관이 등록대상자의 재범위험성이 상존하는 20년 동안 신상정보를 등록하게 하고 위 기간 동안 각종 의무를 부과하는「성폭력범죄의 처벌 등에 관한 특례법」 관련 조항은 비교적 경미한 등록대상 성범죄를 저지르고 재범의 위험성도 인정되지 않는 자들에 대해서는 달성되는 공익과 침해되는 사익 사이의 법익의 균형성이 인정되지 않으므로 등록대상자의 개인정보자기결정권을 침해한다.
ㄹ.「형의 실효 등에 관한 법률」에서 수사경력 자료의 보존 및 보존기간을 정하면서 범죄경력 자료의 삭제에 대해 규정하지 않은 것은 개인정보자기결정권을 침해한다.
ㅁ. 카메라나 그 밖에 이와 유사한 기능을 갖춘 기계장치를 이용하여 성적 욕망 또는 수치심을 유발할 수 있는 다른 사람의 신체를 그 의사에 반하여 촬영한 범죄로 3년 이하의 징역형을 선고받은 사람의 등록정보를 최초등록일부터 15년 동안 보존·관리하도록 규정한 것은 청구인의 개인정보자기결정권을 침해한다.
ㅂ. 전과기록은 내밀한 사적 영역에 근접하는 민감한 개인정보에 해당하여 그에 관한 사생활의 비밀과 자유는 중대한 공적 이익을 달성하기 위한 불가피한 수단이라고 인정될 때에 한하여 제한이 허용되어야 하므로, 공직선거에 후보자로 등록하려는 자가 제출하여야 하는 '금고 이상의 형의 범죄경력'에 이미 실효된 형까지 포함시키는 법률조항은 공직선거후보자의 사생활의 비밀과 자유를 과도하게 제한하는 것이어서 과잉금지원칙에 반한다.

① 1개　② 2개
③ 3개　④ 4개

16 아동·청소년에 대한 강제추행죄로 유죄판결이 확정된 자를 신상정보 등록에 대한 설명으로 옳지 않은 것은?

① 아동·청소년에 대한 강제추행죄로 유죄판결이 확정된 자를 신상정보 등록대상자로 규정하는 「성폭력범죄의 처벌 등에 관한 특례법」 제42조는 유죄판결을 받은 모든 자를 일률적으로 등록대상자로 정하여 재범의 위험성이 인정되지 않는 자를 등록대상자로 하고 있어 청구인의 개인정보자기결정권을 침해한다.

② 법무부장관이 신상정보 등록대상자의 정보를 검사 또는 각급 경찰관서의 장에게 배포할 수 있도록 규정한 「성폭력범죄의 처벌 등에 관한 특례법」 제46조 제1항은 개인정보자기결정권을 침해한다고 할 수 없다.

③ 법무부장관이 성범죄로 벌금형을 선고받은 사람의 등록정보를 10년간 보존·관리하도록 규정한 「성폭력범죄의 처벌 등에 관한 특례법」 제45조는 개인정보자기결정권을 침해한다고 할 수 없다.

④ 관할 경찰관서의 장으로 하여금 등록대상자와 연 1회 직접 대면 등의 방법으로 등록정보의 진위와 변경 여부를 확인하도록 규정한 「성폭력범죄의 처벌 등에 관한 특례법」는 개인정보자기결정권을 침해한다고 할 수 없다.

17 변호사시험에 대한 설명으로 옳은 것을 모두 조합한 것은?

ㄱ. 변호사시험 성적이 정보주체의 요구에 따라 수정되거나 삭제되는 등 정보주체의 통제권이 인정되는 성질을 가진 개인정보가 아니므로 변호사시험 성적을 합격자에게 공개하지 않도록 규정한 「변호사시험법」은 개인정보자기결정권을 제한하고 있다고 보기 어렵다.

ㄴ. 특정시험에 대한 응시 및 합격 여부, 합격연도 등도 개인정보에 포함되지 않으므로 그러한 사실이 알려지는 시기, 범위 등을 응시자 스스로 결정할 권리는 개인정보자기결정권의 보장범위에 속한다고 할 수 없다.

ㄷ. 법무부장관은 변호사시험 합격자가 결정되면 즉시 명단을 공고하여야 한다고 규정한 「변호사시험법」으로 응시자들의 개인정보자기결정권에 대한 제한이 발생한다.

ㄹ. 법무부장관은 변호사시험 합격자가 결정되면 즉시 명단을 공고하여야 한다고 규정한 「변호사시험법」의 개인정보자기결정권에 대한 과잉금지원칙 위배 여부를 심사하는 이상 사생활의 비밀과 자유가 침해 여부는 따로 살펴보지 않는다.

ㅁ. 시험 관리업무의 공정성과 투명성은 전체 합격자의 응시번호만을 공고하는 등의 방법으로도 충분히 확보될 수 있고, 법률서비스 수요자는 대한변호사협회 홈페이지 등을 통해 변호사에 대한 더 상세하고 정확한 정보를 얻을 수 있으므로, 합격자명단을 공개하는 것보다 청구인들의 개인정보자기결정권을 덜 침해하면서 입법목적을 달성할 수 있는 다른 수단이 존재한다.

ㅂ. 변호사시험 합격자명단이 공고되면, 특정인의 재학 사실을 아는 사람은 그의 성명과 합격자명단을 대조하는 방법으로 그의 불합격 사실을 확인할 수 있는바, 변호사시험 응시 및 합격 여부에 관한 사실이 널리 공개되는 것은 청구인들의 개인정보자기결정권에 대한 중대한 제한이라 할 수 있다.

① ㄱ, ㄷ, ㄹ ② ㄴ, ㄹ
③ ㄷ, ㄹ ④ ㄷ, ㅁ, ㅂ

18 서울 용산경찰서장이 2013.12.18. 및 2013.12.20. 피청구인 국민건강보험공단에게 청구인들의 요양급여내역의 제공을 요청하였고 국민건강보험공단은 건강보험 요양급여내역 제공하였다. 이에 대한 설명으로 옳은 것은?

① 서울 용산경찰서장이 2013.12.18. 및 2013.12.20. 피청구인 국민건강보험공단에게 청구인들의 요양급여내역의 제공을 요청한 행위는 과잉금지원칙에 위배되어 청구인들의 개인정보자기결정권을 침해한다.

② 국민건강보험공단이 2013.12.20. 서울 용산경찰서장에게 청구인들의 요양급여내역을 제공한 행위가 영장주의에 위배되어 청구인들의 개인정보자기결정권을 침해한다고 할 수 없다.

③ 이 사건 정보 제공행위와 가장 밀접한 관계에 있는 개인정보자기결정권 침해 여부를 판단하더라도 인간의 존엄과 가치, 행복추구권, 사생활의 비밀과 자유 침해 여부를 판단도 부가적으로 할 필요가 있다.

④ 서울 용산경찰서장이 체포영장이 발부된 피의자인 청구인들의 소재를 신속하게 파악하여 적시에 청구인들을 검거할 수 있도록 하고 이를 통하여 국가형벌권의 적정한 수행에 기여하고자 하는 공익은 매우 중대하므로 이 사건 정보 제공행위는 이 사건 정보 제공조항 등이 정한 요건에 부합하는 것으로서 과잉금지원칙에 위배되어 청구인들의 개인정보자기결정권을 침해하였다고 볼 수 없다.

19 개인정보자기결정권에 대한 설명으로 옳지 않은 것은? (다툼이 있는 경우 판례에 의함)

① 송·수신이 완료된 전기통신에 대한 압수·수색 사실을 수사대상이 된 가입자에게만 통지하도록 하고, 그 상대방에 대하여는 통지하지 않도록 한 「통신비밀보호법」은 적법절차원칙에 위배되어 개인정보자기결정권을 침해한다고 볼 수 없다.

② 법률정보 제공 사이트를 운영하는 회사가 대학교 법과대학 법학과 교수의 사진, 성명 등의 개인정보를 법학과 홈페이지 등을 통해 수집하여 위 사이트 내 '법조인' 항목에서 유료로 제공한 것은 「개인정보 보호법」을 위반하였다고 볼 수 없다.

③ 통신매체이용음란죄는 비록 물리적인 접촉은 없지만 현실공간에서의 성폭력과 마찬가지로 피해자의 성적 자유를 침해하고 왜곡된 성문화를 강화할 가능성이 크다는 점에서 그 심각성과 폐해는 현실공간에서의 성폭력범죄에 비해 뒤지지 않으므로 통신매체이용음란죄로 유죄판결이 확정된 자는 신상정보 등록대상자가 된다고 규정한 「성폭력범죄의 처벌 등에 관한 특례법」 제42조 제1항 중 "제13조의 범죄로 유죄판결이 확정된 자는 신상정보 등록대상자가 된다."라는 부분이 청구인의 개인정보자기결정권을 침해한다고 볼 수 없다.

④ 엄중격리대상자의 수용거실에 CCTV를 설치하여 24시간 감시하는 행위가 법률유보의 원칙에 위배되어 사생활의 자유·비밀을 침해한다고 할 수 없다.

20 불처분결정된 소년부송치사건에 대하여 보존기간을 규정하지 않은 '형의 실효 등에 관한 법률'에 대해 법원이 위헌 제청하였다. 이에 대한 설명으로 옳지 않은 것은?

① 개인정보의 공개와 이용에 관하여 정보주체 스스로가 결정할 권리인 개인정보자기결정권의 보호대상이 되는 개인정보는 개인의 신체, 신념, 사회적 지위, 신분 등과 같이 개인의 인격주체성을 특징짓는 사항으로서 그 개인의 동일성을 식별할 수 있게 하는 일체의 정보라고 할 수 있다.

② 이 사건 조항으로 인하여 소년부송치 후 불처분결정을 받은 소년이 다른 처분이나 판결을 받은 소년에 비해 불리한 차별을 받게 되어 평등원칙에 위배 여부에 대해서는 개인정보자기결정권에 대한 침해 여부의 논의에 포함되므로 이에 대하여 따로 판단하지 아니한다.

③ 불처분결정된 소년부송치사건에 대하여 보존기간을 규정하지 않은 「형의 실효 등에 관한 법률」은 목적의 정당성과 수단의 적합성이 인정된다.

④ 불처분결정된 소년부송치사건의 수사경력자료가 조회 및 회보되는 경우에도 이를 통해 추구하는 실체적 진실발견과 형사사법의 정의 구현이라는 공익이 당사자가 입을 수 있는 실질적 또는 심리적 불이익과 그로 인한 재사회화 및 사회복귀의 어려움이 더 크므로 심판대상조항은 과잉금지원칙을 위반하여 소년부송치 후 불처분결정을 받은 자의 개인정보자기결정권을 침해한다고 할 수 없다.

진도별 모의고사

개인정보자기결정권 ~ 통신의 자유

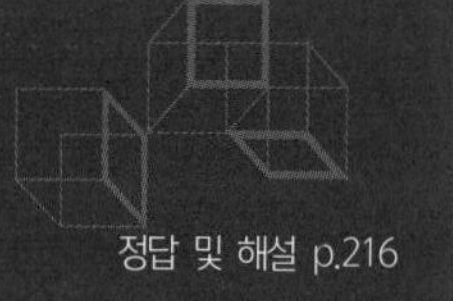

정답 및 해설 p.216

제한시간 : 14분 | 시작시각 ___시 ___분 ~ 종료시각 ___시 ___분 나의 점수 _______

01 개인별로 주민등록번호를 부여하면서 주민등록번호 변경에 관한 규정을 두고 있지 않은 주민등록법(2007.5.11. 법률 제8422호로 전부개정된 것) 제7조에 대한 설명으로 옳지 않은 것은 모두 몇 개인가?

ㄱ. 주민등록번호 부여제도에 대하여 입법을 하였으나 주민등록번호의 변경에 대하여는 아무런 규정을 두지 아니한 진정입법부작위의 위헌 여부가 문제된다.
ㄴ. 모든 주민에게 고유한 주민등록번호를 부여하면서 이를 변경할 수 없도록 한 것은 주민 생활의 편익을 증진시키고 행정사무를 신속하고 효율적으로 처리하기 위한 것으로 입법목적의 정당성과 수단의 적합성을 인정할 수 있다.
ㄷ. 국가가 「개인정보 보호법」 등의 입법을 통하여 주민등록번호 처리 등을 제한하고, 유출이나 오·남용을 예방하는 조치를 취하였다면, 이러한 조치는 국민의 개인정보자기결정권에 대한 충분한 보호가 될 수 있다.
ㄹ. 주민등록번호 변경을 인정하는 경우 주민등록번호의 개인식별기능이 약화되어 주민등록번호제도의 입법목적 달성이 어렵게 되고, 범죄은폐, 탈세, 채무면탈 또는 신분세탁 등의 불순한 용도로 이를 악용하는 경우까지 발생할 우려가 있으므로 개인별로 주민등록번호를 부여하면서 주민등록번호 변경에 관한 규정을 두고 있지 않은 「주민등록법」은 과잉금지원칙에 위배되어 개인정보자기결정권을 침해한다고 볼 수 없다.
ㅁ. 여러 입법을 통하여 주민등록번호의 유출이나 오·남용에 대한 사전적 예방과 사후적 제재 및 피해 구제 등의 조치가 마련되어 있기 때문에, 주민등록번호 변경에 관한 규정을 두지 않은 것만으로는 개인정보자기결정권을 침해한다고 볼 수 없다.
ㅂ. 국가가 주민등록번호를 부여·관리·이용하면서 「주민등록법」에 그 변경에 관한 규정을 두지 않은 것은 주민등록번호 불법유출 등을 원인으로 자신의 주민등록번호를 변경하고자 하는 자의 개인정보자기결정권을 제한하고 있다.
ㅅ. 주민등록번호 변경에 관한 규정을 두지 않는 「주민등록법」 관련 조항은 주민등록번호 불법유출 등을 원인으로 자신의 주민등록번호를 변경하고자 하는 사람들의 개인정보자기결정권을 침해하고 있다.
ㅇ. 위헌성은 주민등록번호 변경에 관하여 규정하지 아니한 부작위에 있으므로, 「주민등록법」에 대하여 단순위헌결정을 할 경우 주민등록번호제도 자체에 관한 근거규정이 사라지게 되어 법적 공백이 생기게 된다는 점 등을 고려하면, 헌법불합치결정을 선고하면서 입법자가 개선입법을 할 때까지 계속 적용을 명할 수 있다.

① 1개 ② 2개
③ 3개 ④ 4개

02 주민등록증발급신청서에 지문을 날인하여 신청하여야 하도록 한 주민등록법 시행령(2005.3.31. 대통령령 제18772호로 개정되기 전의 것) 제33조 와 경찰청장의 지문보관행위에 대한 설명으로 옳지 않은 것은 모두 몇 개인가?

ㄱ. 신체의 자유는 신체의 안정성이 외부로부터의 물리적인 힘이나 정신적인 위험으로부터 침해당하지 아니할 자유와 신체활동을 임의적이고 자율적으로 할 수 있는 자유를 의미하는데, 열 손가락의 지문을 날인할 의무를 부과하는 것은 乙의 신체활동의 자유를 제한하는 것으로 볼 수 있다.
ㄴ. 사람의 지문은 개인의 고유성, 동일성을 나타내고, 정보주체를 타인으로부터 식별가능하게 하는 개인정보이다.
ㄷ. 주민등록시 지문을 날인하도록 하여 개인의 지문정보를 수집하고 경찰청장이 이를 보관·전산화하여 범죄수사목적에 이용하는 지문날인제도는 자신에 관한 정보가 언제 누구에게 어느 범위까지 알려지고 또 이용되도록 할 것인지를 정보주체가 스스로 결정할 수 있는 헌법상 개인정보자기결정권을 침해하지 않는다.
ㄹ. 지문은 그 정보주체를 타인으로부터 식별가능하게 하는 개인정보이므로, 시장·군수 또는 구청장이 개인의 지문정보를 수집하고, 경찰청장이 이를 보관·전산화하여 범죄수사목적에 이용하는 것은 모두 개인정보자기결정권을 제한한다.
ㅁ. 지문정보는 그 자체로 개인의 존엄과 인격권에 큰 영향을 미칠 수 있는 민감한 정보라고 보기 어려워, 유전자정보 등과 같은 다른 생체정보와는 달리 그 보호정도가 높다고 할 수 없다.

① 1개 ② 2개
③ 3개 ④ 4개

03 개인정보자기결정권에 대한 설명으로 옳지 않은 것은 모두 몇 개인가?

ㄱ. 교원의 교원단체 및 노동조합 가입에 관한 정보는 「개인정보 보호법」상의 민감정보로서 특별히 보호되어야 할 성질의 것이므로 교원의 교원단체 및 노동조합 가입현황(인원 수)만을 규정할 뿐 개별 교원의 명단은 규정하고 있지 아니한 구 「교육관련기관의 정보공개에 관한 특례법 시행령」은 알 권리를 침해하지 않는다.
ㄴ. 국회의원인 甲이 '각급 학교 교원의 교원단체 및 교원노조 가입현황 실명자료'를 인터넷을 통하여 공개하였다면, 이는 개인정보자기결정권의 보호대상이 되는 개인정보를 일반 대중에게 공개함으로써 해당 교원들의 개인정보자기결정권을 침해하는 것이다.
ㄷ. 법률정보 제공 사이트를 운영하는 회사가 대학교 법과대학 법학과 교수의 사진, 성명 등의 개인정보를 법학과 홈페이지 등을 통해 수집하여 위 사이트 내 '법조인' 항목에서 유료로 제공한 것은 「개인정보 보호법」을 위반하였다.
ㄹ. 통계청장이 인구주택총조사의 방문 면접조사를 실시하면서, 담당 조사원을 통해 조사대상자에게 통계청장이 작성한 인구주택총조사 조사표의 조사항목들에 응답할 것을 요구한 행위는 조사대상자의 개인정보자기결정권을 침해하지 않는다.
ㅁ. 공직선거의 후보자등록신청을 함에 있어 형의 실효 여부와 관계없이 일률적으로 금고 이상의 형의 범죄경력을 제출·공개하도록 한 규정은 청구인들의 개인정보자기결정권을 침해하므로 헌법에 위반된다.
ㅂ. 채무불이행자명부나 그 부본을 누구든지 보거나 복사할 것을 신청할 수 있도록 하는 것은 채무불이행자명부에 등재된 사람들의 개인정보자기결정권을 침해하는 것이다.
ㅅ. 구 「국민기초생활 보장법」 및 동법 시행규칙에서 급여신청자가 금융거래정보를 제출하지 않는 경우 급여신청이 각하될 수 있도록 한 것은 급여신청자의 개인정보자기결정권을 침해한다.

① 1개 ② 2개
③ 3개 ④ 4개

04 개인정보자기결정권에 대한 설명으로 옳지 않은 것은 모두 몇 개인가?

> ㄱ. 경찰이 미신고 옥외집회·시위 또는 신고범위를 벗어난 집회·시위에 대해 조망촬영이 아닌 근접촬영의 방식으로 촬영함으로써 적법한 경찰의 해산명령에 불응하는 집회·시위의 경위나 전후 사정에 관한 자료를 수집하는 것은 해당 집회·시위참가자의 개인정보자기결정권을 침해한다.
> ㄴ. 가축전염병의 발생 예방 및 확산 방지를 위해 축산관계시설 출입차량에 차량무선인식장치를 설치하여 이동경로를 파악할 수 있도록 한 구 「가축전염병예방법」 조항은 축산관계시설에 출입하는 청구인들의 개인정보자기결정권을 침해하지 않는다.
> ㄷ. 의료기관에게 환자들의 의료비 내역에 관한 정보를 국세청에 제출하는 의무를 부과하고 있는 「소득세법」 규정이 개인정보자기결정권을 침해하는 것은 아니다.
> ㄹ. 피청구인 대통령의 지시로 피청구인 대통령 비서실장, 정무수석비서관, 교육문화수석비서관, 문화체육관광부장관이 야당 소속 후보를 지지하였거나 정부에 비판적 활동을 한 문화예술인이나 단체를 정부의 문화예술 지원사업에서 배제할 목적으로 개인의 정치적 견해에 관한 정보를 수집·보유·이용한 행위는 법률유보원칙을 위반하여 청구인들의 개인정보자기결정권을 침해한다.
> ㅁ. 김포시장이 김포경찰서장에게 청구인들의 이름, 생년월일, 전화번호, 주소를 제공한 행위는 청구인들의 개인정보자기결정권을 침해한다고 할 수 없다.
> ㅂ. 청소년유해매체물 및 불법음란정보에 접속하는 것을 차단하기 위하여 해당 청소년의 이동통신단말장치에 청소년유해매체물 등을 차단하는 소프트웨어 등의 차단수단이 삭제되거나 차단수단이 15일 이상 작동하지 아니할 경우 매월 법정대리인에 대한 그 사실의 통지하도록 한 구 「전기통신사업법 시행령」 조항이 청소년인 청구인들의 사생활의 비밀과 자유 및 개인정보자기결정권을 침해한다고 할 수 없다.

① 1개　　② 2개

③ 3개　　④ 4개

05 개인정보자기결정권에 대한 설명으로 옳지 않은 것은?

① 변호사로서의 직업활동으로서 수임건수와 액수는 변호사의 내밀한 개인적 영역에 속하므로 사생활의 비밀에 해당한다.

② 변호사의 신상정보를 기반으로 한 변호사들의 인맥지수 공개서비스가 변호사들의 개인정보에 관한 인격권을 침해했다고 볼 수 있다.

③ 변호사 정보 제공 웹사이트 운영자가 대법원 홈페이지에서 제공하는 '나의 사건검색' 서비스를 통해 수집한 사건정보를 이용하여 변호사들의 '승소율이나 전문성 지수 등'을 제공하는 서비스를 한 것은 인격권을 침해한 것으로 볼 수 없다.

④ 변호사에게 전년도에 처리한 수임사건의 건수 및 수임액을 소속 지방변호사회에 보고하도록 규정하고 있는 법률조항은 사생활의 비밀과 자유를 침해하는 것이 아니다.

06 개인정보 보호법에 대한 설명으로 옳은 것은 모두 몇 개인가?

> ㄱ. 「개인정보 보호법」상 개인정보란 살아 있는 개인 또는 사자(死者)에 관한 정보로서 성명, 주민등록번호 및 영상 등을 통하여 개인을 알아볼 수 있는 정보를 말한다.
> ㄴ. 해당 정보만으로는 특정 개인을 알아볼 수 없더라도 다른 정보와 쉽게 결합하여 알아볼 수 있는 개인정보도 「개인정보 보호법」상 보호대상이다.
> ㄷ. 개인정보처리자란 업무를 목적으로 개인정보파일을 운용하기 위하여 스스로 또는 다른 사람을 통하여 개인정보를 처리하는 공공기관, 법인, 단체를 의미하며, 개인은 개인정보처리자가 될 수 없다.
> ㄹ. 정보주체는 개인정보처리자가 「개인정보 보호법」을 위반한 행위로 손해를 입으면 개인정보처리자에게 손해배상을 청구할 수 있다. 이 경우 정보주체는 고의 또는 과실이 있음을 입증하여야 한다.
> ㅁ. 개인정보는 본인이 개인정보에 대한 열람청구 등을 직접 할 수 있으나 대리인을 통해서 할 수 없다.
> ㅂ. 개인정보처리자는 최소한의 개인정보만을 수집해야 하고 최소한의 개인정보라는 것은 정보주체가 입증해야 한다.
> ㅅ. 개인정보처리자는 정보주체가 필요한 최소한의 정보 외의 개인정보 수집에 동의하지 아니한다는 이유로 정보주체에게 재화 또는 서비스의 제공을 거부할 수 없다.
> ㅇ. '개인정보처리자'뿐만 아니라, '업무상 알게 된 개인정보를 처리하거나 처리하였던 자'도 개인정보를 처리하거나 처리하였던 자에 포함시킨 것은 평등원칙에 위반되지 않는다.

① 1개　② 2개
③ 3개　④ 4개

07 개인정보 보호법에 대한 설명으로 옳은 것은 모두 몇 개인가?

> ㄱ. 개인정보처리자는 개인정보의 처리목적을 명확하게 하여야 하고 최대한의 개인정보를 수집하여야 한다.
> ㄴ. 개인정보 보호에 관한 사항을 심의·의결하기 위하여 대통령 소속으로 개인정보보호위원회를 둔다.
> ㄷ. 개인정보 보호에 관하여는 다른 법률에 특별한 규정이 있는 경우에는 이 법률에서 정하는 바에 따른다.
> ㄹ. 단체소송의 소는 피고의 주된 사무소 또는 영업소가 있는 곳, 주된 사무소나 영업소가 없는 경우에는 주된 업무담당자의 주소가 있는 곳의 행정법원의 관할에 전속한다.
> ㅁ. 개인정보처리자는 개인정보 처리방침 등 개인정보의 처리에 관한 사항을 공개하여야 한다.
> ㅂ. 개인정보처리자는 개인정보를 익명 또는 가명으로 처리하여도 개인정보 수집목적을 달성할 수 있는 경우 익명처리가 가능한 경우에는 익명에 의하여, 익명처리로 목적을 달성할 수 없는 경우에는 가명에 의하여 처리될 수 있도록 하여야 한다.
> ㅅ. 개인정보 보호위원회는 상임위원 2명(위원장 1명, 부위원장 1명)을 포함한 9명의 위원으로 구성하며 위원장과 부위원장은 국무총리의 제청으로 대통령이 임명한다.
> ㅇ. 공공기관의 장이 개인정보파일을 운용하는 경우에는 개인정보 보호위원회에 등록하여야 한다.

① 1개　② 2개
③ 3개　④ 4개

08 거주·이전의 자유에 대한 설명으로 옳지 않은 것은?

① 거주·이전의 자유에는 국내에서의 거주·이전의 자유와 귀국의 자유가 포함되나, 국외이주의 자유와 해외여행의 자유는 포함되지 않는다.

② 헌법 제14조의 거주·이전의 자유는 국가의 간섭 없이 자유롭게 거주와 체류지를 정할 수 있는 자유로서 해외여행 및 해외이주의 자유가 포함되고, 이는 필연적으로 출국의 자유와 입국의 자유를 포함한다.

③ 거주·이전의 자유는 국민에게 그가 선택할 직업 내지 그가 취임할 공직을 그가 선택하는 임의의 장소에서 자유롭게 행사할 수 있는 권리까지 포함한다고 할 수 없다.

④ 미성년자의 가출의 자유나 무국적자가 될 자유는 보호되지 않는다.

09 거주·이전의 자유에 대한 설명으로 옳지 않은 것은?

① 외국 국적을 자진 취득한 경우 국적을 상실하도록 한 「국적법」은 거주·이전의 자유를 제한한다.

② 국적을 가지고 이를 변경할 수 있는 권리는 그 본질상 인간의 존엄과 가치 및 행복추구권을 규정하고 있는 헌법 제10조에서 도출되는 것으로 보아야 하고, 따라서 복수국적자가 대한민국 국적을 버릴 수 있는 자유는 마찬가지로 헌법 제10조에서 나오는 것이지 거주·이전의 자유에 포함되어 있는 것이 아니다.

③ 국외이주의 자유는 거주·이전의 자유에서 보호되므로 국외이주허가제는 거주·이전의 자유를 침해한다.

④ B는 대한민국과 미국의 이중국적을 가지고 있는데, 구체적인 병역의무가 발생하는 때로부터 3개월 이내에 미국 국적을 선택하지 않으면 병역의무를 해소한 후에야 미국 국적을 선택할 수 있도록 하는 경우, B는 국적이탈의 자유를 제한받은 것이다.

10 거주·이전의 자유에 대한 설명으로 옳은 것은?

① 거주·이전의 자유는 해외여행 및 해외이주의 자유를 포함하고 있지만, 국적변경의 자유는 그 내용에 포섭되지 않는다.

② 국적을 가지고 이를 변경할 수 있는 권리는 그 본질상 인간의 존엄과 가치 및 행복추구권을 규정하고 있는 헌법 제10조에서 도출되는 것으로 보아야 하고, 따라서 복수국적자가 대한민국 국적을 버릴 수 있는 자유도 마찬가지로 헌법 제10조에서 나오는 것이지 거주·이전의 자유에 포함되어 있는 것이 아니다.

③ 한의사인 A가 아프가니스탄 북동부에 의료봉사활동을 하기 위해 여권을 신청했으나 테러위험을 이유로 여권발급을 거부당한 경우, A는 거주·이전의 자유를 제한받은 것이다.

④ 선거일 현재 계속하여 일정 기간 이상 당해 지방자치단체의 관할 구역에 주민등록이 되어 있을 것을 입후보요건으로 하는 공직취임의 자격에 관한 제한규정은 거주·이전의 자유를 제한한다.

11 거주·이전의 자유에 대한 설명으로 옳은 것은?

① 영내에 기거하는 군인은 그가 속한 세대의 거주지에서 등록하여야 한다고 규정하는 「주민등록법」 조항은 거주·이전의 자유의 제한에 해당하지 아니한다.

② 거주·이전의 자유는 국가의 간섭 없이 자유롭게 거주지와 체류지를 정할 수 있는 자유인바, 경찰청장이 경찰버스들로 서울특별시 서울광장을 둘러싸 통행을 제지한 행위는 서울특별시민인 청구인들의 거주·이전의 자유를 제한하는 것이다.

③ 거주·이전의 자유는 성질상 법인이 누릴 수 있는 기본권이 아니므로, 법인의 대도시 내 부동산 취득에 대하여 통상보다 높은 세율인 5배의 등록세를 부과함으로써 법인의 대도시 내 활동을 간접적으로 억제하는 것은 법인의 직업수행의 자유를 제한할 뿐이다.

④ 법인이 과밀억제권역 내에 본점의 사업용 부동산으로 건축물을 신축하여 이를 취득하는 경우, 취득세를 중과세하는 구 「지방세법」 조항은 법인의 영업의 자유를 제한하는 것으로서 법인의 거주·이전의 자유를 제한하는 것은 아니다.

12 거주·이전의 자유에 대한 설명으로 옳은 것은 모두 몇 개인가?

ㄱ. 주거로 사용하던 건물이 수용될 경우 그 효과로 거주지도 이전하여야 하는 것은 사실이나 이는 토지 및 건물 등의 수용에 따른 부수적 효과로서 간접적·사실적 제약에 해당하므로, 정비사업조합에 수용권한을 부여하여 주택재개발사업에 반대하는 청구인의 토지 등을 강제로 취득할 수 있도록 한 「도시 및 주거환경정비법」 조항이 청구인의 재산권을 침해하였는지 여부를 판단하는 이상 거주·이전의 자유 침해 여부는 별도로 판단하지 않는다.

ㄴ. 민간투자사업에 유료도로를 포함시키고 유료도로의 사용료징수를 할 수 있도록 한 「사회간접자본시설에 대한 민간투자법」 제3조, 제25조는 거주·이전의 자유를 제한한다.

ㄷ. 자경농지의 양도소득세 면제의 요건으로 농지소재지 거주요건을 둔 「조세특례제한법」은 거주를 이전하는 것을 직접적으로 제한하는 내용의 규정이라고 볼 수 있다.

ㄹ. 고속도로 또는 자동차전용도로에서 이륜자동차와 원동기장치자전거에 대해서 통행을 제한하는 것은 거주·이전의 자유를 제한한다.

ㅁ. 성범죄자 신상정보등록으로 거주·이전의 자유 및 직업선택의 자유가 제한된다.

① 1개　② 2개
③ 3개　④ 4개

13 통신비밀보호법에 대한 설명으로 옳은 것은?

① 국가안전보장에 대한 위해를 방지하기 위하여 정보수집이 특히 필요한 때에는, 대통령령이 정하는 정보수사기관의 장은 지방법원 수석판사의 허가 또는 대통령의 승인을 얻어 감청할 수 있다.

② 검사, 사법경찰관 또는 정보수사기관의 장은 중대한 범죄의 계획이나 실행 등 긴박한 상황에 있는 경우 반드시 법원의 허가를 받아 통신제한조치를 하여야 한다.

③ 검사, 사법경찰관 또는 정보수사기관의 장은 국가안보를 위협하는 음모행위, 직접적인 사망이나 심각한 상해의 위험을 야기할 수 있는 범죄 또는 조직범죄 등 중대한 범죄의 계획이나 실행 등 긴박한 상황에 있고 미리 법원의 허가절차를 거칠 수 없는 긴급한 사유가 있는 때에는 법원의 허가 없이 통신제한조치를 할 수 있으나, 이 경우 긴급통신제한조치의 집행착수 후 36시간 이내에 법원에 허가청구를 하여야 한다.

④ 긴급통신제한조치가 단시간 내에 종료되어 법원의 허가를 받을 필요가 없는 경우에는 그 종료 후 7일 이내에 관할 지방검찰청검사장은 이에 대응하는 법원장에게 긴급통신제한조치를 한 검사, 사법경찰관 또는 정보수사기관의 장이 작성한 긴급통신제한조치통보서를 송부하여야 한다.

14 통신의 자유와 통신의 비밀에 대한 설명으로 옳지 않은 것은 모두 몇 개인가?

ㄱ. 헌법 제18조의 '통신'의 일반적인 속성으로는 '당사자간의 동의', '비공개성', '당사자의 특정성'을 들 수 있다.
ㄴ. 통신의 자유란 통신수단을 자유로이 이용하여 의사소통할 권리이고, 이러한 '통신수단의 자유로운 이용'에는 자신의 인적 사항을 누구에게도 밝히지 않는 상태로 통신수단을 이용할 자유, 즉 통신수단의 익명성 보장도 포함된다.
ㄷ. 통신의 자유는 국가기관으로부터의 침해를 방어하기 위한 기본권이기 때문에 사인이 침해하는 경우에는 적용되지 않는다고 보는 것이 다수설이다.
ㄹ. 성질상 비밀이 보장되지 않는 엽서나 전보는 통신의 자유의 보호대상에서 제외된다.
ㅁ. 우편의 비밀의 보호범위는 발송물의 내용에 국한된다.
ㅂ. 허가 없이 행해지는 무선통신은 보호받을 수 없다.
ㅅ. 자유로운 의사소통은 통신 내용의 비밀을 보장하는 것으로 충분하고, 구체적인 통신관계의 발생으로 야기된 모든 사실관계, 특히 통신관여자의 인적 동일성·통신장소·통신횟수·통신시간 등 통신의 외형을 구성하는 통신이용의 전반적 상황의 비밀까지 보장하는 것은 아니다.

① 1개 ② 2개
③ 3개 ④ 4개

15 수용자와 미결수용자에 대한 설명으로 옳은 것은?

① 피청구인 구치소장이 당시 구치소에 수용 중인 甲 앞으로 온 서신 속에 허가받지 않은 물품인 녹취서가 동봉되어 있음을 이유로 甲에게 해당 서신수수를 금지하고 해당 서신을 발신자로서 당시 교도소에 수용 중인 청구인에게 반송한 행위가 과잉금지원칙에 위반하여 청구인의 통신의 자유를 침해한다.

② 수용자가 밖으로 내보내는 모든 서신을 봉함하지 않은 상태로 교정시설에 제출하도록 한 규정은, 수용자에 대한 자유형의 본질상 외부와의 자유로운 통신에 대한 제한은 불가피하고 수용자의 발송서신에 대하여 우리 법이 취하고 있는 '상대적 검열주의'를 이행하기 위한 효과적 교도행정의 방식일 뿐이어서 수용자의 통신비밀의 자유를 침해한다고 볼 수 없다.

③ 수용자가 국가기관에 서신을 발송할 경우에 교도소장의 허가를 받도록 하는 것은 통신비밀의 자유를 침해하지 않는다.

④ 미결수용자가 교정시설 내에서 규율 위반행위를 이유로 금치처분을 받은 경우 금치기간 중 서신수수·접견·전화통화를 제한하는 것은 통신의 자유를 침해한다.

16 수용자와 미결수용자에 대한 설명으로 옳지 않은 것은?

① 피청구인 교도소장이 수용자에게 온 서신을 개봉한 행위가 청구인의 통신의 자유를 침해한다.

② 피청구인 교도소장이 법원, 검찰청 등이 청구인에게 보낸 문서를 열람한 행위는 청구인의 통신의 자유를 침해한다고 할 수 없다.

③ 미결수용자와 변호인이 아닌 자 사이의 서신을 검열한 행위는 헌법에 위반되지 아니한다.

④ 소송사건의 대리인인 변호사가 수형자를 접견하고자 하는 경우 소송 계속 사실을 소명할 수 있는 자료를 제출하도록 규정하고 있는 「형의 집행 및 수용자의 처우에 관한 법률 시행규칙」 제29조의2 제1항 제2호 중 '수형자 접견'에 관한 부분이 과잉금지원칙에 위배되어 변호사인 청구인의 직업수행의 자유를 침해한다.

17 통신의 자유와 통신의 비밀에 대한 설명으로 옳지 않은 것은?

① 감청영장에 의하지 않고 타인 간의 대화나 전화통화 내용을 녹음한 녹음테이프는 증거능력이 없다는 것이 대법원 판례이다.

② 불법감청·녹음 등에 의하여 취득한 타인 간의 대화 내용을 어떠한 경로로 알게 되었는지 그 지득경위를 묻지 않고 그 대화 내용을 공개한 자를 처벌하는 것은 과잉금지원칙에 위반된다.

③ 국가기관의 감청설비 보유·사용에 대한 관리와 통제를 위한 법적 제도적 장치가 마련되어 있다면 국가기관이 인가 없이 감청설비를 보유·사용할 수 있다는 사실만 가지고 바로 국가기관에 의해 통신의 자유가 침해된다고 볼 수 없다.

④ 신병교육기간 동안 신병들의 전화 사용을 통제하는 것은 헌법 제18조가 보장하는 통신의 자유를 제한한다.

18 **통신비밀보호법에 대한 설명으로 옳지 않은 것은?**

① 3인 간의 대화에 있어서 그중 한 사람이 그 대화를 녹음하는 경우에 다른 두 사람의 발언은 그 녹음자에 대한 관계에서 '타인 간의 대화'라고 할 수 없으므로 이를 녹음한 행위는 "공개되지 아니한 타인 간의 대화를 녹음 또는 청취하지 못한다."라고 규정한 「통신비밀보호법」 제3조 제1항에 위배된다고 할 수 없다.

② 불법취득한 대화 내용 공개가 진실이고 오로지 공익을 위한 공개일 때에는 처벌하지 아니한다는 위법성 조각사유를 두고 있지 않은 「통신비밀보호법」 제16조는 불법감청·녹음 등으로 생성된 정보를 합법적으로 취득한 자가 이를 공개 또는 누설하는 경우에도 그것이 진실한 사실로서 오로지 공공의 이익을 위한 경우에는 이를 처벌하지 아니한다는 특별한 위법성조각사유를 두고 있지 아니하여 상호 충돌하는 기본권 중 통신비밀 등의 보호만을 일방적으로 과도하게 보호하고 표현의 자유 보장을 소홀히 하거나 포기하여 표현의 자유를 지나치게 제한한 것이다.

③ 제3자의 경우는 설령 전화통화 당사자 일방의 동의를 받고 그 통화 내용을 녹음하였다 하더라도 그 상대방의 동의가 없었던 이상, 사생활 및 통신의 불가침을 국민의 기본권의 하나로 선언하고 있는 헌법규정과 통신비밀의 보호와 통신의 자유 신장을 목적으로 제정된 「통신비밀보호법」의 취지에 비추어 이는 구 「통신비밀보호법」 제3조 제1항 위반이 된다.

④ 송·수신이 완료된 전기통신에 대한 압수·수색사실을 수사대상이 된 가입자에게만 통지하도록 하고, 그 상대방에 대하여는 통지하지 않도록 한 「통신비밀보호법」은 적법절차원칙에 위배되어 개인정보자기결정권을 침해한다고 볼 수 없다.

19 **통신비밀보호법에 대한 설명으로 옳은 것은?**

① 「통신비밀보호법」상 통신이란 우편물, 전기통신 및 대화를 말한다.

② 「통신비밀보호법」에 위반하여 불법검열로 취득한 우편물이나 그 내용은 재판절차에서는 증거로 사용될 수 없지만, 징계절차에서는 증거로 사용될 수 있다.

③ 검사는 법원에 대하여 각 피의자별 또는 각 피내사자별로 통신제한조치를 허가하여 줄 것을 청구할 수 있다.

④ 사법경찰관은 법원에 대하여 그 허가를 청구하여 법원의 허가를 받아 범죄수사를 위한 통신제한조치를 할 수 있다.

20 **전기통신역무 제공에 관한 계약을 체결하는 경우 전기통신사업자로 하여금 가입자에게 본인임을 확인할 수 있는 증서 등을 제시하도록 요구하고 부정가입방지시스템 등을 이용하여 본인인지 여부를 확인하도록 한 전기통신사업법에 대한 헌법소원청구에 대한 설명으로 옳은 것은?**

① '통신수단의 자유로운 이용'에는 자신의 인적 사항을 누구에게도 밝히지 않는 상태로 통신수단을 이용할 자유, 즉 통신수단의 익명성 보장은 보장되지 않는다. 따라서 심판대상조항은 익명으로 통신하고자 하는 청구인들의 통신의 자유를 제한한다고 할 수 없다.

② 전기통신역무 제공에 관한 계약을 체결하는 경우 전기통신사업자로 하여금 가입자에게 본인임을 확인할 수 있는 증서 등을 제시하도록 요구하고 부정가입방지시스템 등을 이용하여 본인인지 여부를 확인하도록 한 「전기통신사업법」으로 통신의 비밀을 제한한다.

③ 전기통신역무 제공에 관한 계약을 체결하는 경우 전기통신사업자로 하여금 가입자에게 본인임을 확인할 수 있는 증서 등을 제시하도록 요구하고 부정가입방지시스템 등을 이용하여 본인인지 여부를 확인하도록 한 「전기통신사업법」이 통신의 자유, 개인정보자기결정권을 침해하는지 여부를 판단하는 이상 사생활의 비밀과 자유 침해 여부에 관하여는 별도로 판단하지 아니한다.

④ 인터넷 게시판에 글을 작성하기 위해 실명확인절차를 거치는 제도(인터넷실명제)가 익명에 의한 표현 자체를 제한하는 효과가 중대하다고 하여 헌법재판소는 표현의 자유를 침해한다고 하였듯이 휴대전화 가입 본인확인제로 인하여 통신의 자유에 끼치는 위축효과는 인터넷실명제와 같은 정도로 심각하다.

⑤ 전기통신역무 제공에 관한 계약을 체결하는 경우 전기통신사업자로 하여금 가입자에게 본인임을 확인할 수 있는 증서 등을 제시하도록 요구하고 부정가입방지시스템 등을 이용하여 본인인지 여부를 확인하도록 한 「전기통신사업법」이 익명으로 이동통신서비스에 가입하여 자신들의 인적 사항을 밝히지 않은 채 통신하고자 하는 자들의 개인정보자기결정권 및 통신의 자유를 침해한다.

29회 진도별 모의고사

개인정보자기결정권 ~ 종교의 자유

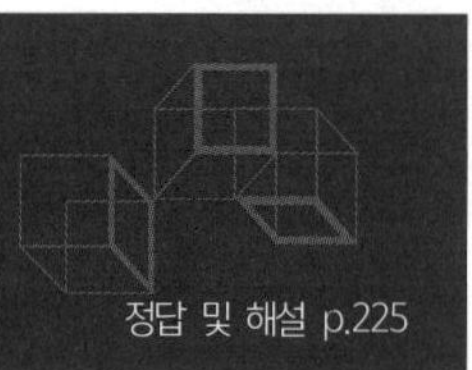

정답 및 해설 p.225

제한시간 : 14분 | 시작시각 ___시 ___분 ~ 종료시각 ___시 ___분 나의 점수 ______

01 헌법재판소 결정과 일치하지 않는 것은?

① 기소중지결정된 경우, 통신사실 확인자료를 제공받았다는 사실을 통지하도록 하지 않은 「통신비밀보호법」은 통신의 자유를 침해한다.

② 검사 또는 사법경찰관은 수사 또는 형의 집행을 위하여 필요한 경우 「전기통신사업법」에 의한 전기통신사업자에게 통신사실 확인자료의 열람이나 제출을 요청할 수 있다고 규정한 「통신비밀보호법」은 명확성원칙에 위배되지 않으나 과잉금지원칙에 위배되어 청구인의 개인정보자기결정권과 통신의 자유를 침해한다.

③ 통신사실 확인자료 제공을 요청하는 경우에는 요청사유, 해당 가입자와의 연관성 및 필요한 자료의 범위를 기록한 서면으로 관할 지방법원 또는 지원의 허가를 받도록 한 「통신비밀보호법」은 영장주의에 위배되지 아니한다.

④ 「통신비밀보호법」이 정한 기지국수사는 강제처분에 해당되므로 헌법상 영장주의가 적용되지 않는다.

⑤ 자유로운 의사소통은 통신 내용의 비밀을 보장하는 것만으로는 충분하지 아니하고 구체적인 통신관계의 발생으로 야기된 모든 사실관계, 특히 통신관여자의 인적 동일성·통신장소·통신횟수·통신시간 등 통신의 외형을 구성하는 통신이용의 전반적 상황의 비밀까지도 보장한다.

02 국가정보원장은 법원으로부터 인터넷회선에 대한 통신제한조치를 허가받아 집행하자 헌법소원이 청구되었다. 이에 대한 설명으로 옳은 것은?

> 「통신비밀보호법」 제5조(범죄수사를 위한 통신제한조치의 허가요건) ② 통신제한조치는 제1항의 요건에 해당하는 자가 발송·수취하거나 송·수신하는 특정한 우편물이나 전기통신 또는 그 해당자가 일정한 기간에 걸쳐 발송·수취하거나 송·수신하는 우편물이나 전기통신을 대상으로 허가될 수 있다.
>
> **[참고조항]**
> 「통신비밀보호법」 제5조(범죄수사를 위한 통신제한조치의 허가요건) ① 통신제한조치는 다음 각 호의 범죄를 계획 또는 실행하고 있거나 실행하였다고 의심할만한 충분한 이유가 있고 다른 방법으로는 그 범죄의 실행을 저지하거나 범인의 체포 또는 증거의 수집이 어려운 경우에 한하여 허가할 수 있다.

① 인터넷회선 감청은 인터넷상에서 발신되어 수신되기까지의 과정 중에 수집되는 정보, 즉 전송 중인 정보의 수집을 위한 수사이므로 압수·수색에 해당하지 않는다.

② 인터넷회선 감청은 일차적으로 헌법 제17조의 사생활의 비밀과 자유를 제한한다.

③ 헌법 제12조 제3항이 정한 영장주의가 수사기관이 강제처분을 함에 있어 중립적 기관인 법원의 허가를 얻어야 함을 의미하는 것 외에 법원에 의한 사후통제까지 마련되어야 함을 의미하므로 이 사건 법률조항이 영장주의 위반 여부에 대해서 판단할 필요가 있다.

④ 이른바 패킷감청의 방식으로 이루어지는 인터넷회선 감청은 그 집행단계나 집행 이후에 수사기관의 권한 남용을 통제하고 관련 기본권의 침해를 최소화하기 위한 제도적 조치가 마련되어있는지 여부에 상관없이 침해의 최소성 요건을 충족한다.

⑤ 수사기관의 인터넷회선 감청은 통신의 비밀을 침해하므로 허용될 수 없다.

03 양심의 자유에 대한 설명으로 옳지 않은 것은?

① 양심의 자유는 1948년 제헌헌법에 규정되었으나 제5차 개정헌법에서 종교의 자유와 별개조항으로 규정되었다.

② 양심형성의 자유와 양심적 결정의 자유는 내심에 머무르는 한 절대적으로 보호되는 기본권이다.

③ 양심적 결정을 외부에 표현하고 실현할 수 있는 권리인 양심실현의 자유는 법률에 의하여 제한될 수 없는 절대적 기본권이다.

④ 부작위에 의한 양심실현은 내심의 의사를 외부에 표현하거나 실현하는 행위가 되는 것이고 이는 순수한 내심의 영역을 벗어난 것이어서 이에 대해서는 필요한 경우 법률에 의한 제한이 가능하다.

04 양심의 자유에 대한 설명으로 옳은 것은?

① 양심의 자유는 자신의 윤리적 판단을 외부에 표명하도록 강제받지 아니할 자유까지 포함하는 것은 아니다.

② 양심실현의 자유는 타인의 기본권이나 다른 헌법적 질서와 저촉되는 경우 헌법 제37조 제2항에 의하여 제한될 수 있는 상대적 자유이지만 부작위에 의한 양심실현의 자유는 제한될 수 없다.

③ 헌법이 보장하는 양심의 자유는 정신적인 자유로서, 어떠한 사상·감정을 가지고 있다고 하더라도 그것이 내심에 머무르는 한 절대적인 자유이므로 제한할 수 없다.

④ 양심적 결정을 외부로 표현하고 실현할 수 있는 양심실현의 자유는 표현의 자유에 속하는 행위일 뿐 헌법 제19조가 보호하고 있는 양심의 자유에 포함되지 않는다.

05 양심의 자유에 대한 설명으로 옳지 않은 것은 모두 몇 개인가?

ㄱ. 자신의 태도나 입장을 외부에 설명하거나 해명하는 행위는 진지한 윤리적 결정에 관계된 행위라기보다는 단순한 생각이나 의견, 사상이나 확신 등의 표현행위라고 볼 수 있어, 그 행위가 선거에 영향을 미치게 하기 위한 것이라는 이유로 이를 하지 못하게 된다 하더라도 내면적으로 구축된 인간의 양심이 왜곡 굴절된다고는 할 수 없다는 점에서 양심의 자유의 보호영역에 포괄되지 않는다.

ㄴ. 사상의 자유에 대해서는 헌법에 직접 규정되어 있지는 않지만, 양심의 자유에 포함될 수 있다는 견해가 다수설이다.

ㄷ. 단순한 사실관계의 확인과 같이 가치적·윤리적 판단이 개입될 여지가 없는 경우는 물론, 법률해석에 관하여 여러 견해가 갈리는 경우처럼 다소의 가치관련성을 가진다고 하더라도 개인의 인격형성과는 관계가 없는 사사로운 사유나 의견 등은 양심의 자유의 보호대상이 아니다.

ㄹ. 양심의 자유에서 현실적으로 문제가 되는 것은 법질서와 도덕에 부합하는 사고를 가진 사회적 다수의 양심을 의미한다.

ㅁ. 양심상 결정이 어떠한 종교관·세계관 또는 그 밖의 가치체계에 기초하고 있는지와 관계없이 모든 내용의 양심상 결정이 양심의 자유에 의하여 보장되어야 한다.

ㅂ. 양심상의 결정이 양심의 자유에 의하여 보장되기 위해서는 어떠한 종교관·세계관 또는 그 외의 가치체계에 기초하고 있어야 한다.

ㅅ. 소수의 국민이 양심의 자유를 주장하여 다수에 의하여 결정된 법질서에 대하여 복종을 거부한다면 국가의 법질서와 개인의 양심 사이의 충돌은 항상 발생할 수 있다.

① 1개　　② 2개

③ 3개　　④ 4개

06 양심의 자유에 대한 설명으로 옳지 않은 것은 모두 몇 개인가?

> ㄱ. 양심의 자유가 보장하려는 양심은 반드시 민주적 다수의 사고나 가치관과 일치할 필요가 없고 지극히 주관적인 것이다.
> ㄴ. 양심의 자유가 보장하고자 하는 '양심'은 민주적 다수의 사고나 가치관과 일치하여야 하며 양심상의 결정이 이성적·합리적인지, 타당한지 또는 법질서나 사회규범, 도덕률과 일치하는지 여부는 양심의 존재를 판단하는 기준이 될 수 있다.
> ㄷ. 세무사가 행하는 성실신고확인은 확인대상사업자의 소득금액에 대하여 심판대상조항 및 관련 법령에 따라 확인하는 것으로 단순한 사실관계의 확인에 불과한 것이어서 헌법 제19조에 의하여 보장되는 양심의 영역에 포함되지 않는다.
> ㄹ. 의료비에 관한 소득공제증빙서류 제출의무는 헌법 제19조가 보장하는 양심의 자유의 보호범위에 포함된다고 할 수 없다.
> ㅁ. 형사상 자기에게 불리한 진술거부권, 취재원 비닉권, 증인의 증언 거부는 형성할 양심을 표출하지 아니할 침묵의 자유에서 보호된다.
> ㅂ. 헌법이 보호하고자 하는 양심은 어떤 일의 옳고 그름을 판단함에 있어서 그렇게 행동하지 않고는 자신의 인격적 존재가치가 파멸되고 말 것이라는 강력하고 진지한 마음의 소리로서 구체적 양심이지 추상적인 개념으로서의 양심은 아니다.
> ㅅ. 유언자의 의사표시는 재산적 처분행위로서 재산권과 밀접한 관련을 갖는 것일 뿐이고, 인간의 윤리적 내심영역에서의 가치적·윤리적 판단과는 직접적인 관계가 없다 할 것이므로 헌법 제19조에서 규정하는 양심의 자유의 보호대상은 아니라고 할 것이다.

① 1개 ② 2개
③ 3개 ④ 4개

07 양심의 자유에 대한 설명으로 옳지 않은 것은 모두 몇 개인가?

> ㄱ. 채무자에게 재산을 명시하여 제출하도록 하는 것은 개인의 인격형성에 관계되는 윤리적 판단이 개입될 수 없는 영역이므로 헌법 제19조의 양심의 자유에서 보호되지 않는다.
> ㄴ. 법률해석에 관하여 여러 견해가 갈리는 경우처럼 다소의 가치관련성을 가진다고 하더라도 개인의 인격형성과는 관계가 없는 사사로운 사유나 의견 등은 그 보호대상이 아니라 할 것이다.
> ㄷ. 민·형사재판에서 단순한 사실에 관한 증인의 증언거부와 같은 단순한 사실에 관한 지식이나 기술지식까지도 양심자유에 포함되지 아니한다.
> ㄹ. 공직후보자에 대한 의견의 표현행위에 관한 것이면 양심의 자유의 보호영역에 포함된다고 볼 수 있으므로 공직선거에서 투표용지에 후보자들에 대한 '전부거부' 표시방법을 마련하지 않은 「공직선거법」은 양심의 자유를 제한한다.
> ㅁ. 개인의 인격형성과 관계없는 「독점규제 및 공정거래에 관한 법률」에 위반했는지 여부는 양심의 자유에서 보호된다고 할 수 없다.

① 1개 ② 2개
③ 3개 ④ 4개

08 양심의 자유에 대한 설명으로 옳은 것은?

① 준법서약서사건에서 헌법재판소는 양심의 자유에 의해 보호되는 양심에는 개인의 세계관이나 주의·신조 등도 포함되고, 준법서약서를 쓰지 않을 경우 자신의 신조 또는 사상을 그대로 유지한다는 것을 소극적으로 표명하게 되므로, 양심의 영역을 건드린다고 볼 수 있다고 하였다.

② 「국가보안법」 위반 및 「집회 및 시위에 관한 법률」 위반 수형자의 가석방결정시 "출소 후 대한민국의 국법질서를 준수하겠다."라는 준법서약서를 제출하도록 한 「가석방심사 등에 관한 규칙」(1998.10.10. 법무부령 제467호로 개정된 것) 제14조는 준법서약의 내용상 서약자의 양심의 영역을 침범하는 것이다.

③ 헌법재판소는 「국가보안법」상 불고지죄에 대한 헌법소원에서 양심의 자유의 보호범위인 양심을 사회적 양심으로 넓게 해석하였지만, 준법서약제도에 대한 헌법소원에서는 윤리적 양심으로 좁게 해석하여 기각결정을 한 바 있다.

④ 사업자단체의 「독점규제 및 공정거래에 관한 법률」 위반행위가 있을 때 공정거래위원회가 당해 사업자단체에 대하여 '법 위반사실의 공표'를 명할 수 있도록 하는 법률조항은 양심의 자유를 제한한다.

09 양심적 병역 거부에 대한 설명으로 옳지 않은 것은?

① 양심적 병역 거부를 이유로 유죄판결을 받은 청구인들의 개인통보에 대하여 자유권규약위원회(Human Rights Committee)가 채택한 견해에 따른, 전과기록 말소 및 충분한 보상을 포함한 청구인들에 대한 효과적인 구제조치를 이행하는 법률을 제정할 의무가 인정되지 아니한다.

② 독일 헌법은 양심적 병역 거부를 규정하면서 대체복무를 부과할 수 있다고 명문으로 규정하면서 그 대체복무의 연한은 병역의 연한을 초과할 수 없다고 규정하고 있다.

③ 미국에서는 특수한 전쟁을 반대하는 병역 거부는 허용되지 않고, 독일에서는 상황조건부 병역 거부가 허용되지 아니한다.

④ 양심의 자유는 단지 국가에 대하여 가능하면 개인의 양심을 고려하고 보호할 것을 요구하는 권리일 뿐, 양심상의 이유로 법적 의무의 이행을 거부하거나 법적 의무를 대신하는 대체의무의 제공을 요구할 수 있는 권리가 아니므로 양심의 자유로부터 대체복무를 요구할 권리는 도출되지 않고, 양심상의 이유로 병역의무의 이행을 거부할 권리는 단지 헌법 스스로 이에 관하여 명문으로 규정하는 경우에 한하여 인정될 수 있다.

10 양심적 병역 거부에 대한 설명으로 옳은 것은?

① 양심상의 결정을 내세워 입영을 거부하는 것을 처벌하는 것은 형사처벌을 통하여 양심적 병역 거부자에게 양심에 반하는 행동을 강요하는 것이므로, 즉 '적극적 작위에 의한 양심실현의 자유'를 제한한다.

② 국방의무와 양심의 자유가 충돌한 경우 수단의 적합성, 최소침해성의 여부 등의 심사를 통하여 어느 정도까지 양심실현의 자유가 공익상의 이유로 양보해야 하는가를 밝히는 비례원칙의 일반적 심사과정은 적용되지 않는다.

③ 입법자가 병역의 종류에 관하여 입법은 하였으나 그 내용이 양심적 병역 거부자를 위한 비군사적 내용의 대체복무제를 포함하지 아니한 것은 진정입법부작위로서 헌법에 위반된다.

④ 병역종류조항에 대해 단순위헌결정을 할 경우 병역의 종류와 각 병역의 구체적인 범위에 관한 근거규정이 사라지게 되어 일체의 병역의무를 부과할 수 없게 되므로, 용인하기 어려운 법적 공백이 생기게 된다.

11 양심적 병역 거부에 대한 설명으로 옳은 것은?

① 양심적 병역 거부자에 대한 관용은 결코 병역의무의 면제와 특혜의 부여에 대한 관용이 아니며, 대체복무제는 병역의무의 일환으로 도입되는 것이므로 현역복무와의 형평을 고려하여 최대한 등가성을 가지도록 설계되어야 한다.

② 대체복무제를 도입함으로써 병역자원을 확보하고 병역부담의 형평을 기할 수 있음에도 불구하고, 양심적 병역 거부자에 대한 처벌의 예외를 인정하지 않고 일률적으로 형벌을 부과하는 처벌조항은 양심적 병역 거부자의 양심의 자유를 침해한다.

③ 시민적·정치적 권리에 관한 국제규약에 따라 양심적 병역 거부권은 인정되거나 법적 구속력이 인정되는 권리이다.

④ 「병역법」 제88조 제1항의 '정당한 사유'란 입영통지에 기해 지정된 기일과 장소에 집결할 의무를 부과받았음에도 즉시 이에 응하지 못한 것을 정당화할 만한 사유로서, 「병역법」에서 입영을 일시적으로 연기하거나 지연시키기 위한 요건으로 인정된 사유, 즉 질병, 재난 등과 같은 개인의 책임으로 돌리기 어려운 사유로 한정된다고 보아야 한다.

12 양심적 병역 거부에 대한 설명으로 옳은 것은?

① 각종 병역의 종류를 규정하고 있는 「병역법」상 병역종류조항은 병역부담의 형평을 기하고 병역자원을 효과적으로 확보하여 효율적으로 배분함으로써 국가안보를 실현하고자 하는 것이기는 하나, 대체복무제를 규정하고 있지 않은 이상 정당한 입법목적을 달성하기 위한 적합한 수단에 해당한다고 보기는 어렵다.

② 대체복무제가 마련되지 아니한 상황에서 양심상의 결정에 따라 입영을 거부하거나 소집에 불응하는 사람들에게 형사처벌을 부과하는 「병역법」 조항은 '양심에 반하는 행동을 강요당하지 아니할 자유'를 제한하는 것이다. 그러나 다른 한편 헌법 제39조 제1항의 국방의 의무를 형성하는 입법이기도 하므로, 위 「병역법」 조항이 양심의 자유를 침해하는지 여부에 대한 심사는 헌법상 자의금지원칙에 따라 입법형성의 재량을 일탈하였는지 여부를 기준으로 판단하여야 한다.

③ '양심적' 병역 거부는 실상 당사자의 '양심에 따른' 혹은 '양심을 이유로 한' 병역 거부를 가리키는 것일 뿐만 아니라 병역 거부가 '도덕적이고 정당하다'는 의미를 내포한다.

④ 양심적 병역 거부를 주장하는 사람은 자신의 '양심'을 외부로 표명하여 증명할 최소한의 의무를 진다.

13 양심적 병역 거부에 대한 설명으로 옳은 것은?

① 양심의 자유에서 파생하는 입법자의 의무는 단지 입법 과정에서 양심의 자유를 고려할 것을 요구하는 '일반적 의무'이지 구체적 내용의 대안을 제시해야 할 헌법적 입법의무가 아니므로, 양심의 자유는 입법자가 구체적으로 형성한 병역의무의 이행을 양심상의 이유로 거부하거나 법적 의무를 대신하는 대체의무의 제공을 요구할 수 있는 권리가 아니다.

② 양심에 따른 병역 거부, 이른바 양심적 병역 거부는 종교적·윤리적·도덕적·철학적 또는 이와 유사한 동기에서 형성된 양심상 결정을 이유로 집총이나 군사훈련을 수반하는 병역의무의 이행을 거부하는 행위를 말한다.

③ 대체복무를 규정하지 않은 병역종류조항에 대하여 헌법불합치 결정을 하는 이상, 처벌조항 중 양심적 병역 거부자를 처벌하는 부분에 대하여도 위헌결정을 해야 한다.

④ 검사는 양심적 병역 거부에 정당한 사유가 있다는 점을 증명해야 한다.

14 양심의 자유에 대한 설명으로 옳은 것은?

① 선거기사심의위원회가 불공정한 선거기사를 보도하였다고 인정한 언론사에 대하여 언론중재위원회를 통하여 사과문을 게재할 것을 명하도록 하는 「공직선거법」은 언론사의 양심의 자유를 침해한다.

② 타인의 명예를 훼손한 자에 대하여 법원은 피해자의 청구에 의하여 손해배상에 갈음하거나 손해배상과 함께 명예회복의 적당한 처분을 명할 수 있다는 「민법」 제764조에서 명예회복의 적당한 처분에 사죄광고를 포함시키는 것은 법인이라면 법인 대표자의 양심의 자유를 침해하고 자연인이든 법인이든 인격권을 침해한다.

③ 자발적 사죄광고를 싣는 것이나 판결문을 보도하도록 하는 것은 사죄광고 강제에 해당하지 아니하나 양심의 자유를 침해한다.

④ 헌법재판소는 「민법」 제764조의 '명예회복의 적당한 처분'에 사죄광고를 포함시켜 법원의 판결로 사죄광고를 명하는 것은 양심의 자유에 비추어 허용되는 것이라고 한다.

15 양심의 자유에 대한 설명으로 옳지 않은 것은 모두 몇 개인가?

ㄱ. 법원이 피고인에게 유죄로 인정된 범죄행위를 뉘우치거나 그 범죄행위를 공개하는 취지의 말이나 글을 발표하도록 하는 내용의 사회봉사를 명하고 이를 위반할 경우 「형법」 제64조 제2항에 의하여 집행유예의 선고를 취소할 수 있도록 함으로써 그 이행을 강제하는 것은 피고인의 양심의 자유를 침해하지 않는다.
ㄴ. 연말정산 간소화를 위하여 의료기관에게 환자들의 의료비 내역에 관한 정보를 국세청에 제출하는 의무를 부과하고 있는 「소득세법」 제165조 제1항에 대한 헌법소원심판에서 헌법재판소는 법적 강제수단의 존부와 관계없이 양심의 자유를 제한한다고 하였다.
ㄷ. 연말정산 간소화를 위하여 의료기관에게 환자들의 의료비 내역에 관한 정보를 국세청에 제출하는 의무를 부과하고 있는 「소득세법」 제165조 제1항은 양심의 자유를 침해한다고 할 수 없다.
ㄹ. 이적단체를 찬양·고무·동조하는 내용이 일기에 포함되어 있는 경우 이것이 실정법상의 처벌사유에 해당한다는 이유로 처벌할 수 없다는 것이 대법원의 판례이다.
ㅁ. 「보안관찰법」상의 보안관찰처분은 보안관찰처분대상자의 내심의 작용을 문제 삼는 것이 아니라, 보안관찰처분대상자가 보안관찰 해당 범죄를 다시 저지를 위험성이 내심의 영역을 벗어나 외부에 표출되는 경우에 재범의 방지를 위하여 내려지는 특별예방적 목적의 처분이므로, 보안관찰처분 근거규정에 의한 보안관찰처분이 양심의 자유를 침해한다고 할 수 없다.
ㅂ. 대법원은 군인이 군수사기관의 민간인 사찰사실을 폭로하기 위하여 군부대를 이탈한 행위를 군무이탈죄로 보았다.

① 1개 ② 2개
③ 3개 ④ 4개

16 종교의 자유에 대한 설명으로 옳지 않은 것은 모두 몇 개인가?

ㄱ. 종교적 행위의 자유 및 종교적 집회·결사의 자유는 그 자체가 내심의 자유의 핵심이기 때문에 법률로써도 이를 제한할 수 없다.
ㄴ. 1948년 우리 헌법제정 당시에는 신앙의 자유와 양심의 자유가 함께 규정되었으며 국교부인과 정교분리의 원칙도 명시되었는데 반해, 1787년 제정 당시의 미국 연방헌법에는 종교의 자유뿐만 아니라 국교부인의 원칙도 명문으로 규정되지 않았다.
ㄷ. 종교전파의 자유는 자신의 종교 또는 종교적 확신을 누구에게나 알리고 선전하는 자유를 말하며 포교행위 또는 선교행위가 이에 해당하고, 국민이 선택한 임의의 장소에서 이를 자유롭게 행사할 수 있는 권리까지 보장한다.
ㄹ. 선교의 자유에는 다른 종교를 비판할 자유, 선교의 자유에는 다른 종교를 비판하거나 다른 종교의 신자에 대하여 개종을 권고하는 자유도 포함된다고 할 수 있다.
ㅁ. 종교적 목적을 위한 언론·출판의 자유를 행사하는 과정에서 타 종교의 신앙의 대상을 우스꽝스럽게 묘사하거나 다소 모욕적이고 불쾌하게 느껴지는 표현을 사용하였더라도 그것이 그 종교를 신봉하는 신도들에 대한 증오의 감정을 드러내는 것이거나 그 자체로 폭행·협박 등을 유발할 우려가 있는 정도가 아닌 이상 허용된다고 보아야 한다.

① 1개 ② 2개
③ 3개 ④ 4개

17 종교의 자유에 대한 설명으로 옳지 않은 것은 모두 몇 개인가?

ㄱ. 헌법이 종교의 자유를 보장하고 종교와 국가기능을 엄격히 분리하고 있는 점에 비추어 종교단체의 조직과 운영은 그 자율성이 최대한 보장되어야 할 것이나 한편으로 종교가 가지는 도덕적 순수성, 국민들의 종교에 대한 신뢰 등을 고려할 때, 교회 안에서 개인이 누리는 지위에 영향을 미칠 각종 결의나 처분이 당연 무효라고 판단하는 데는, 종교단체 아닌 일반단체의 결의나 처분을 무효로 돌릴 정도의 하자가 있으면 된다.
ㄴ. 종교에 관한 집회에는 옥외집회 및 시위의 신고제에 관한 규정이 적용된다.
ㄷ. 종교의 자유에 관한 헌법 제20조 제1항은 표현의 자유에 관한 헌법 제21조 제1항에 대하여 특별규정의 성격을 갖는다 할 것이므로 종교적 목적을 위한 언론·출판의 경우에는 그 밖의 일반적인 언론·출판에 비하여 고도의 보장을 받게 된다.
ㄹ. 성직자가 개인의 종교적 신념으로 범인을 은닉하는 경우 형사상의 책임을 진다는 것이 판례의 입장이다.
ㅁ. 종교적 신앙에 따른 병역 거부자를 처벌하는 「병역법」 조항에 대해서는, 헌법이 양심의 자유와 별개로 종교의 자유를 보장하고 있으며 종교적 신앙은 윤리적 양심과는 구별되는 내면적 세계의 핵심적 가치이므로 양심의 자유의 침해와는 별도로 종교의 자유의 침해 여부를 심사해야 한다.
ㅂ. 종교인이 사회취약 계층이나 빈곤층을 위해 양호시설과 같은 사회복지시설을 마련하는 행위는 종교의 자유에서 보호된다.
ㅅ. 위난지역에서 여권사용금지는 거주·이전의 자유 제한이지 종교의 자유 제한은 아니다.

① 1개 ② 2개
③ 3개 ④ 4개

18 종교의 자유에 대한 설명으로 옳지 않은 것은 모두 몇 개인가?

ㄱ. 종교적 행위의 자유는 종교상의 의식·예배 등 종교적 행위를 각 개인이 임의로 할 수 있는 등 종교적인 확신에 따라 행동하고 교리에 따라 생활할 수 있는 자유와 소극적으로는 자신의 종교적인 확신에 반하는 행위를 강요당하지 않을 자유 그리고 선교의 자유, 종교교육의 자유 등이 포함된다.
ㄴ. 종교 의식 내지 종교적 행위와 밀접한 관련이 있는 시설의 설치와 운영은 종교의 자유를 보장하기 위한 전제에 해당되므로 종교적 행위의 자유에 포함된다. 따라서 종교단체가 종교적 행사를 위하여 종교집회장 내에 납골시설을 설치하여 운영하는 것은 종교행사의 자유와 관련된 것이고, 그러한 납골시설의 설치를 금지하는 것은 종교행사의 자유를 제한하는 것이다.
ㄷ. 종교적 행위의 자유에는 종교적 확신에 따라 행동할 자유와 자신의 종교적 확신에 반하는 행위를 강요당하지 않을 자유가 포함된다.
ㄹ. 사법시험일자가 토요일이나 토요일이 포함된 기간으로 지정됨으로써 제칠일안식일예수재림교인들이 사법시험에 응시하려면 안식일에 관한 교리를 위반할 수밖에 없게 되어 종교적 행위의 자유가 제한되지만, 이러한 자유는 절대적 자유가 아니므로 헌법 제37조 제2항에 의한 제한이 가능하다.
ㅁ. 2015 인구주택총조사 조사표의 조사항목에 '종교가 있는지 여부'와 '있다면 구체적인 종교명이 무엇인지'를 묻는 조사항목들에 응답할 것을 요구하고 있는바, 종교의 자유 침해 여부를 판단할 필요가 없다.
ㅂ. 전통사찰에 대하여 채무명의를 가진 일반 채권자가 전통사찰 소유의 전법(傳法)용 경내지의 건조물 등에 대하여 압류하는 것을 금지하고 있는 구 「전통사찰의 보존 및 지원에 관한 법률」 조항은 '전통사찰의 일반 채권자'의 종교의 자유를 제한한다.

① 1개 ② 2개
③ 3개 ④ 4개

19 종교의 자유에 대한 설명으로 옳은 것은?

① 피청구인인 부산구치소장이 청구인이 미결수용자 신분으로 구치소에 수용되었던 기간 중 교정시설 안에서 매주 실시하는 종교집회 참석을 제한한 행위는 청구인의 종교의 자유 중 종교적 집회·결사의 자유를 제한하지 않는다.

② 종교의 자유에서 종교에 대한 적극적인 우대조치를 요구할 권리가 직접 도출되거나 우대할 국가의 의무가 발생한다.

③ 종교인에 대한 면제제도가 선교활동의 촉진을 통한 국민의 정신생활의 성숙이라는 정책적 목적을 실현함에 있어서 필요하더라도 그 면제혜택을 받는 자의 요건을 엄격히 하여 예외적으로 인정해야 한다.

④ 국교가 인정되는 국가에서는 종교의 자유가 인정될 수 없다.

20 종교의 자유에 대한 설명으로 옳지 않은 것은?

① 특정 종교의 의식, 행사, 유형물이 우리 사회공동체 구성원들 사이에서 관습화된 문화요소로 인식되고 받아들여질 정도에 이르렀다면, 그에 대한 국가의 지원은 정교분리의 원칙에 위배되지 않는다.

② 종교단체가 운영하는 학교형태의 교육기관에 대하여 행정청에 의한 학교설립인가를 받도록 요구하는 것은 정교분리의 원칙에 반한다.

③ 종교단체에 한정한 특혜는 무신자들의 평등권을 침해할 우려가 있다.

④ 종교법인 등이 고유목적 사업에 사용하는 토지의 양도소득에 대한 특별부가세 면제신청을 특별부가세의 면제요건으로 요구하고 있는 구 「조세감면규제법」은 평등권을 침해한다고 할 수 없다.

진도별 모의고사

종교의 자유 ~ 대학의 자유

정답 및 해설 p.233

제한시간 : 14분 | 시작시각 ___시 ___분 ~ 종료시각 ___시 ___분 나의 점수 ______

01 **헌법 제20조 제2항의 정교분리원칙에 대한 설명으로 옳은 것은?**

① 우리 헌법은 정교분리의 원칙을 선언하면서 국가가 특정 종교를 국교로 지정하는 것을 금지하고 있지는 않다.

② 종교시설의 건축행위에만 기반시설부담금을 면제한다면 국가가 종교를 지원하여 종교를 승인하거나 우대하는 것으로 비칠 소지가 있어 헌법 제20조 제2항의 국교금지·정교분리에 위배될 수도 있다고 할 것이므로, 종교시설의 건축행위에 대하여 기반시설부담금 부과를 제외하거나 감경하지 아니하였더라도 종교의 자유를 침해하는 것이 아니다.

③ 군대 내에서 군종장교는 성직자로서의 신분과 국가공무원인 참모장교로서의 신분을 함께 가지고 있으므로, 군종장교가 주재하는 종교활동을 수행함에 있어 다른 종교를 비판하였다면, 「국가공무원법」에서 정한 종교적 중립을 준수할 의무를 위반한 직무상의 위법이 있다.

④ 종교시설의 건축행위에만 기반시설부담금을 면제하더라도 헌법 제20조 제2항의 국교금지·정교분리에 위배되지 않는다.

02 **종교의 자유에 대한 설명으로 옳지 않은 것은 모두 몇 개인가?**

ㄱ. 헌법상 보호되는 종교의 자유에는 특정 종교단체가 그 종교의 지도자와 교리자를 자체적으로 교육시킬 수 있는 종교교육의 자유가 포함된다.
ㄴ. 국·공립학교와는 달리 사립학교는 종교교육을 할 자유를 제한받지 않는다.
ㄷ. 종교단체는 자신이 설립한 종합대학교에서 자신의 종교를 교육하도록 할 수 있으나, 그 종교를 믿지 않는 재학생도 소극적 종교의 자유를 가진다.
ㄹ. 종교단체가 운영하는 학교 형태 혹은 학원 형태의 교육기관도 예외 없이 학교설립인가 혹은 학원설립등록을 받도록 규정하고 있는 「교육법」 제85조 제1항 및 「학원의 설립·운영에 관한 법률 제6조는 헌법 제20조 제2항이 정한 국교금지 내지 정교분리의 원칙을 위반한 것이다.
ㅁ. 종립학교가 고등학교 평준화정책에 따라 강제배정으로 입학한 학생들을 상대로 특정 종교의 종교행사를 사전동의 없이 계속 실시하면서, 불참시 불이익을 주어 사실상 참가 거부가 불가능한 분위기를 조성하는 등 신앙이 없는 학생들이 그러한 행사에 대한 참가 여부를 자유로운 상태에서 결정할 수 없도록 하는 것은, 학생의 종교에 관한 인격적 법익을 침해하는 위법한 행위이다.
ㅂ. 기독교 재단이 설립한 사립대학이 학칙으로 대학예배의 6학기 참석을 졸업요건으로 정한 경우, 위 대학교의 예배는 복음 전도나 종교인 양성에 직접적인 목표가 있는 것이 아니고 신앙을 가지지 않을 자유를 침해하지 않는 범위 내에서 학생들에게 종교교육을 함으로써 진리·사랑에 기초한 보편적 교양인을 양성하는 데 목표를 두고 있다고 할 것이므로, 대학예배에의 6학기 참석을 졸업요건으로 정한 대학교의 학칙은 헌법상 종교의 자유에 반하는 위헌무효의 학칙이 아니다.
ㅅ. 종교단체가 학교의 형태로 종교교육기관을 운영하는 경우에도 교육의 목적이 성직자 양성에 있는 경우에는 학교의 설립인가제도가 적용되어서는 안 된다는 것이 헌법재판소의 결정례이다.
ㅇ. 종립학교의 학교법인이 국·공립학교의 경우와는 달리 종교교육을 할 자유와 운영의 자유를 가진다고 하더라도, 그 종립학교가 공교육체계에 편입되어 있는 이상 원칙적으로 학생의 종교의 자유, 교육을 받을 권리를 고려한 대책을 마련하는 등의 조치를 취하는 속에서 그러한 자유를 누린다.
ㅈ. 사학 설립자나 학교법인이 가지는 사학 운영의 자유에는 설립자나 학교법인의 종교적·세계관적 교육이념에 따라 교과과정을 자유롭게 형성할 자유가 당연히 포함되므로 종교단체가 설립한 사립학교, 즉 '종립학교'에서 종교행사 및 종교과목 수업을 할 자유는 종교의 자유뿐만 아니라 사학의 자유라는 관점에서도 일반적으로 보장되어야 한다.

① 1개　② 2개
③ 3개　④ 4개

03 종교의 자유에 대한 설명으로 옳지 않은 것은 모두 몇 개인가?

ㄱ. 교도소장이 징벌혐의조사를 위하여 수형자를 조사실에 분리수용하고 공동행사참가 등 처우를 제한한 행위는 종교의 자유 등을 침해하였다고 볼 수 없다.
ㄴ. 피청구인인 부산구치소장이 청구인이 미결수용자 신분으로 구치소에 수용되었던 기간 중 교정시설 안에서 매주 실시하는 종교집회 참석을 제한한 행위는 청구인의 종교의 자유 중 종교적 집회·결사의 자유를 제한하지 않는다.
ㄷ. 무죄추정의 원칙이 적용되는 미결수용자들에 대한 기본권 제한은 징역형 등의 선고를 받아 그 형이 확정된 수형자의 경우보다는 더 완화되어야 한다.
ㄹ. 구치소장이 수용자 중 미결수용자에 대하여 일률적으로 종교행사 등에의 참석을 불허한 것은 미결수용자의 종교의 자유를 나머지 수용자의 종교의 자유보다 엄격하게 제한한 것이나, 교정시설의 여건 및 수용관리의 적정성을 기하기 위한 것으로서 목적과 수단이 정당하고 일부 수용자에 대한 최소한의 제한에 해당하므로 종교의 자유를 침해한 것으로 볼 수 없다.
ㅁ. 공범과 범죄혐의에 관련하여 모의할 수 있다는 이유로 구치소장이 3개월 동안 구치소 내에서 실시하는 종교의식 및 행사에 미결수용자인 청구인의 참석을 금지한 것을 종교의 자유의 침해로 볼 수 있다.
ㅂ. 피청구인 ○○구치소장이 2012.12.21.부터 2013.4.5.까지 ○○구치소 내 미결수용자를 대상으로 한 개신교 종교행사를 4주에 1회, 일요일이 아닌 요일에 실시한 행위는 청구인의 종교의 자유를 침해하지 않는다.
ㅅ. 종교단체의 징계결의의 효력 유무와 관련하여 종교 교리의 해석을 포함하여 법원으로서는 징계의 당부를 판단하여야 한다.

① 1개 ② 2개
③ 3개 ④ 4개

04 종교의 자유에 대한 설명으로 옳은 것은?

① 양로시설의 설치에 신고를 요구하는 것은 국가의 노인복지증진의무를 실현하기 위한 것으로 입법목적의 정당성은 인정되나, 신고의무 위반을 일률적으로 형사처벌로 제재하는 것은 과도한 형벌권 행사에 해당한다.

② 헌금하지 않는 신도는 영생할 수 없다는 설교로 고액의 금원을 헌금으로 교부받는 행위는 사기죄에 해당한다고 할 수 없다.

③ 종교단체의 징계결의의 효력 유무와 관련하여 구체적인 권리 또는 법률관계를 둘러싼 분쟁이 존재하고, 또한 그 무효확인청구의 당부를 판단하기에 앞서 징계의 당부를 판단할 필요가 있는 경우에는, 그 판단의 내용이 종교 교리의 해석에 미치지 아니하는 한 법원으로서는 징계의 당부를 판단하여야 한다.

④ 종교 의식 내지 종교적 행위와 밀접한 관련이 있는 시설의 설치·운영은 종교의 자유를 보장하기 위한 전제에 해당되므로 종교적 행위의 자유에 포함된다고 할 것이다. 따라서 종교단체가 종교적 행사를 위하여 종교집회장 내에 납골시설을 설치하여 운영하는 것은 종교행사의 자유와 관련된 것이고, 학교환경위생정화구역 내에서 이러한 납골시설을 일반적·절대적으로 금지하는 것은 종교행사의 자유를 과도하게 침해한다.

05 학문의 자유에 대한 설명으로 옳지 않은 것은?

① 자연인뿐 아니라 법인과 단체도 학문의 자유의 주체가 될 수 있다.

② 학교법인은 사립학교만을 설치·경영함을 목적으로 하는 법인인 만큼 사립학교의 교원이나 교수들과 달리 법인 자체가 학문활동이나 예술활동을 하는 것으로 볼 수는 없다.

③ 초·중·고의 교사는 교수의 자유의 주체가 되는 것이 아니라 교육의 자유 또는 수업의 자유의 주체가 된다.

④ 학문의 자유는 진리탐구의 자유를 포함하나, 탐구한 결과에 대한 발표의 자유 내지 가르치는 자유를 포함한다고 할 수 없다.

06 교과서 검·인정제도에 대한 설명으로 옳은 것은 모두 몇 개인가?

ㄱ. 결과 발표 내지 수업의 자유는 진리탐구의 자유·신앙의 자유·양심의 자유처럼 절대적인 자유라고 할 수 있으므로 헌법 제21조 제4항은 물론 제37조 제2항에 따른 제한할 수 없다.
ㄴ. 출판의 자유는 스스로 저술한 책자가 교과서가 될 수 있도록 주장할 수 있는 권리를 포함된다.
ㄷ. 교과서 검·인정제도는 인간의 자연적 자유의 제한에 대한 해제인 허가에 해당하므로 국가가 그에 대하여 재량권을 가진다.
ㄹ. 초·중·고등학교의 교과서에 관하여 교사의 저작 및 선택권을 완전히 배제하고 중앙정부가 이를 독점하도록 한 「교육법」 제157조의 규정은, 교육의 자주성·전문성·정치적 중립성을 선언한 헌법 제31조 제4항에 반하고 교육자유권의 본질적 내용을 침해하는 것이다.
ㅁ. 수업의 자유는 대학에서의 교수의 자유와 동일하게 보장되어야 하는 것은 아니고 제약이 있을 수 있다.
ㅂ. 교사의 수업권과 학생의 수학권이 충돌한 경우 학생의 수학권과 교사의 수업권을 규범조화적으로 해석해야 한다.
ㅅ. 초·중·고등학교의 교사는 자신이 연구한 결과에 대하여 스스로 확신을 갖고 있다 하더라도 수업의 자유를 내세워 이를 학생들에게 여과 없이 전파할 수는 없다는 것이 헌법재판소의 판례이다.
ㅇ. 초·중·고교 교사는 수업의 자유를 내세워 헌법과 법률이 지향하는 자유민주적 기본질서를 침해할 수 없다.

① 1개 ② 2개
③ 3개 ④ 4개

07 학문의 자유에 대한 설명으로 옳은 것을 모두 조합한 것은?

ㄱ. 사립학교 교원이 파산선고를 받으면 당연퇴직되도록 정하고 있는 「사립학교법」은 대학의 자율의 본질적인 부분을 침해하였다고 볼 수 없다.
ㄴ. 학문을 위한 집회·결사의 자유는 헌법 제22조에서 보호되나 「집회 및 시위에 관한 법률」이 적용되므로 옥외집회 전 720시간에서 48시간 사이에 관할 경찰관서의 장에게 신고하여야 한다.
ㄷ. 교원들의 교육·연구·봉사 업적을 평가하고 그 결과에 따라 성과연봉을 차등지급하는 성과급적 연봉제가 과잉금지원칙에 반하여 학문의 자유를 침해하지 않는다.
ㄹ. 사립학교 교원이 선거범죄로 100만 원 이상의 벌금형을 선고받아 그 형이 확정되면 당연퇴직되도록 한 규정은 교수의 자유를 침해하지 아니한다.

① ㄱ, ㄷ, ㄹ ② ㄴ, ㄹ
③ ㄴ, ㄷ ④ ㄷ, ㄹ

08 학문의 자유에 대한 설명으로 옳지 않은 것은?

① 대학교수가 반국가단체로서의 북한의 활동을 찬양·고무·선전 또는 이에 동조할 목적 아래 '한국전쟁과 민족통일'이란 논문을 제작·반포하거나 발표한 것은 헌법이 보장하는 학문의 자유의 범위 안에 있지 않다.

② 학교정화구역 내에서의 극장시설 및 영업을 일반적으로 금지하는 구 「학교보건법」 제6조 제1항은 표현·예술의 자유의 중요성을 간과하고 학교교육의 보호만을 과도하게 강조하였다.

③ 보건복지부장관이 「의료법」과 대통령령의 위임에 따라 치과전문의 자격시험제도를 실시할 수 있도록 시행규칙을 개정하거나 필요한 조항을 신설하는 등 제도적 조치를 마련하지 아니하는 부작위는 치과의사로서 전문의가 되고자 하는 자의 학문의 자유를 침해한다.

④ 진리탐구의 과정과는 무관하게 단순히 기존의 지식을 전달하거나 인격을 형성하는 것을 목적으로 하는 '교육'은 학문의 자유의 보호영역이 아니라 교육에 관한 기본권의 보호영역에 속한다.

09 대학의 자유에 대한 설명으로 옳지 않은 것은?

① 대학의 자치의 주체를 기본적으로 대학으로 본다고 하더라도 교수나 교수회의 주체성이 부정된다고 볼 수는 없고, 가령 학문의 자유를 침해하는 대학의 장에 대한 관계에서는 교수나 교수회가 주체가 될 수 있고, 또한 국가에 의한 침해에 있어서는 대학 자체 외에도 대학 전 구성원이 자율성을 갖는 경우도 있을 것이므로 문제되는 경우에 따라서 대학, 교수, 교수회 모두가 단독 혹은 중첩적으로 주체가 될 수 있다.

② 대학자치의 주체는 원칙적으로 교수 기타 연구자 조직이나, 학생과 학생회도 학습활동과 직접 관련된 학생회활동 기타 자치활동의 범위 내에서는 그 주체가 될 수 있다고 보아야 한다.

③ 국립대학교는 다른 국가기관 내지 행정기관과는 마찬가지로 공권력의 행사자의 지위를 가지므로 기본권의 수범자이지 기본권의 주체로서 소지자는 아니라는 것이 헌법재판소의 판례이다.

④ 교수협의회와 총학생회도 학교운영참여권은 법률상 이익으로 볼 수 있다.

10 대학의 자유에 대한 설명으로 옳지 않은 것은?

① 대학의 자율이란 대학에 대한 공권력 등 외부세력의 간섭을 배제하고 대학구성원 자신이 대학을 자주적으로 운영할 수 있도록 함으로써 대학인으로 하여금 연구와 교육을 자유롭게 하여 진리탐구와 지도적 인격의 도야라는 대학의 기능을 충분히 발휘할 수 있도록 하기 위한 것이며, 헌법 제22조 제1항이 보장하고 있는 학문의 자유의 확실한 보장수단으로 꼭 필요한 것으로서 대학에게 부여된 헌법상의 기본권이다.

② 대학의 자율권도 헌법상의 기본권이므로 기본권 제한의 일반적 법률유보의 원칙을 규정한 헌법 제37조 제2항에 따라 국가안전보장·질서유지·공공복리 등을 이유로 제한될 수 있다.

③ 국립대학인 세무대학은 공법인으로서 사립대학과 마찬가지로 대학의 자율권이라는 기본권의 보호를 받는다.

④ 대학의 자율은 연구와 교육의 내용, 그 방법과 대상, 교과과정의 편성, 학생의 선발과 전형 및 교원의 임면에 관한 사항을 포함하는 것으로 대학시설의 관리·운영은 대학의 자율에 포함되지 않는다.

11 대학의 자유에 대한 설명으로 옳은 것은 모두 몇 개인가?

ㄱ. 대학의 자율은 대학시설의 관리·운영만이 아니라 전반적인 것이라야 하므로, 연구와 교육의 내용, 그 방법과 대상, 교과과정의 편성, 학생의 선발과 전형뿐만 아니라 교원의 임면에 관한 사항도 자율의 범위에 속한다.
ㄴ. 국립대학도 국가의 간섭 없이 인사·학사·시설·재정 등 대학과 관련된 사항들을 자주적으로 결정하고 운영할 자유를 가지며, 이러한 대학의 자율성은 원칙적으로 대학 자체의 계속적 존립에까지 미친다.
ㄷ. 일본어를 선택과목에서 제외한 서울대학교 입시요강은 행정주체로서 공권력을 행사한 것이지 기본권 행사라고 할 수 없다.
ㄹ. 대학입학지원자가 모집정원에 미달한 경우라도 수학능력이 없는 자에 대해 불합격처분을 할 수 있다.
ㅁ. 대학의 자율을 제한하는 법률의 위헌 여부는 입법자가 기본권을 제한함에 있어 엄격한 비례심사에 따라 판단되어야 할 것이다.

① 1개 ② 2개
③ 3개 ④ 4개

12 대학교에 대한 설명으로 옳지 않은 것은 모두 몇 개인가?

> ㄱ. 연기군수의 국토이용계획변경신청 거부처분에 대해 충북대학교 총장은 항고소송을 제기할 당사자능력이 있다.
> ㄴ. 학교법인 조선대학교는 항고소송에서 전남대에 대학 법학전문대학원 예비인가의 취소를 구할 원고적격을 가진다.
> ㄷ. 교육과학기술부장관이 2008.2.4. 학교법인 국민학원과 학교법인 명지학원에 대하여 한 법학전문대학원 설치 예비인가 거부결정에 대해 항고소송을 제기할 수 있는바, 명지학원의 예비인가 거부결정에 관한 헌법소원심판청구는 행정소송에 의한 권리구제절차를 모두 거치지 아니한 것으로 보충성원칙에 반하여 부적법하다.
> ㄹ. 사립대학인 학교법인 이화학당의 법학전문대학원 모집요강은 헌법소원심판의 대상인 공권력의 행사에 해당한다.
> ㅁ. 폐쇄된 서남대의 의과대학생 177명을 전북대 의과대학에 특별편입학 모집하는 것을 내용으로 하는 전북대 총장의 2018.1.2.자 '2018학년도 서남대학교 특별편입학 모집요강' 중 '의예과·의학과'에 관한 부분은 기본권 침해가능성이 인정되지 않는다.
> ㅂ. 서울대학교가 발표한 '94학년도 대학입학고사 주요요강'은 「헌법재판소법」 제68조 제1항 소정의 공권력의 행사에 해당한다.

① 1개 ② 2개
③ 3개 ④ 4개

13 교육부장관이 강원대학교 법학전문대학원의 2015학년도 및 2016학년도 신입생 각 1명의 모집을 정지하자 강원대학교가 헌법소원을 청구하였다. 헌법재판소 판례와 일치하지 않는 것은?

① 법인화되지 않는 국립대학 및 국립대 총장은 행정소송의 당사자능력이 인정되지 않으므로 행정소송을 거치지 아니한 헌법소원심판청구는 보충성의 예외에 해당된다.

② 법인으로 설립되지 않은 국립대학교는 사립대학교와 마찬가지로 대학의 자율권의 주체가 되므로 헌법소원 청구능력이 인정된다.

③ 교육부장관이 강원대학교 법학전문대학원의 2015학년도 및 2016학년도 신입생 각 1명의 모집을 정지한 행위는 법률유보원칙에 반하여 대학의 자율권을 침해한다고 할 수 없다.

④ 이 사건 모집정지는 과잉금지원칙에 반하여 대학의 자율권을 침해한다고 할 수 없다.

14 대학의 자유에 대한 설명으로 옳지 않은 것은?

① 「집회 및 시위에 관한 법률」에 따르면 교내 시위가 있다면 학교 측의 요청이 없어도 경찰이 대학교 구내에 출동할 수 있다.

② 공립 또는 사립대학의 설립·경영자가 법학전문대학원을 두고자 하는 경우에는 인가를 받도록 한 교육과학기술부장관의 「법학전문대학원 설치·운영에 관한 법률」 제5조는 대학의 자율성과 국민의 직업선택의 자유를 침해하지 아니한다.

③ 법학전문대학원의 설치에 있어서 인가주의와 총입학정원주의를 취하고 있는 「법학전문대학원 설치운영에 관한 법률」은 대학의 자율성을 침해한다고 볼 수 없다.

④ 이화여자대학교가 여자대학교로서의 정체성을 유지할 것인지, 남녀공학으로 전환할 것인지는 사립대학인 이화여자대학교의 자율성의 본질성에서 보호되지 않는다.

15 교원지위법정주의에 대한 설명으로 옳지 않은 것은?

① 교원지위법정주의(헌법 제31조 제6항)에 의하여 입법자가 법률로 정하여야 할 교원지위의 기본적 사항에는 대학 교원의 신분이 부당하게 박탈되지 않도록 하는 최소한의 절차적 보장에 관한 사항이 포함되어야 한다.

② 교원의 지위에 관한 기본적인 사항은 법률로 정한다고 규정한 헌법 제31조 제6항은 국·공립대학의 교원의 신분 보장뿐 아니라 사립대학의 교원의 신분 보장에 관한 기본적인 사항을 법률로 정하라는 의미이다.

③ 교원의 지위에 관한 기본적인 사항은 법률로 정한다고 규정한 헌법 제31조 제6항은 교원의 지위에 관련된 사항에 관한 한 근로기본권에 관한 헌법 제33조 제1항에 우선하여 적용된다.

④ 헌법 제31조 제6항이 규정한 교원지위법정주의를 근거로 교원의 기본권을 제한하는 사항까지도 규정할 수 있게 되는 것은 아니다.

16 교원지위법정주의에 대한 설명으로 옳지 않은 것을 모두 조합한 것은?

> ㄱ. 「교육공무원법」 제47조 제1항이 초·중등 교육공무원의 정년을 62세로 3년 단축한 경우에 있어서 수업권의 문제가 아니라 공무담임권의 문제로 귀착될 뿐이라 하겠다.
> ㄴ. 기간임용제와 정년보장제는 국가가 문화국가의 실현을 위한 학문진흥의 의무를 이행함에 있어서나 국민의 교육권의 실현·방법 면에서 각각 장단점이 있어 어느 쪽이 좋은 제도인지에 대한 판단에는 어려움이 있으나, 이러한 점에 대한 판단·선택은 입법정책에 맡겨 두는 것보다는 헌법재판소에서 이를 가늠하는 것이 옳다.
> ㄷ. 헌법 제31조 제6항은 국가에 학교제도를 통한 교육을 시행하도록 위임하고 있다는 점에서 학교제도에 관한 포괄적인 국가의 규율권한을 부여한 것이기도 하다.
> ㄹ. 교원소청심사특별위원회의 위원장을 교원소청심사위원회의 위원장이 겸임하도록 하고, 그 위원을 교육인적자원부장관의 제청으로 임명하도록 한 것은 교원지위법정주의에 위배된다.

① ㄱ, ㄷ　　② ㄴ, ㄹ
③ ㄷ, ㄹ　　④ ㄱ, ㄴ

17 교원지위법정주의에 대한 설명으로 옳지 않은 것은 모두 몇 개인가?

> ㄱ. 헌법재판소는 교수의 재임용을 절차적 보장 없이 임용권자의 의사에 맡긴 것은 위헌이라고 한다.
> ㄴ. 교수 기간임용제는 교원지위법정주의에 위반된다.
> ㄷ. 기간제로 임용되어 임용기간이 만료된 국·공립대학의 조교수는 교원으로서의 능력과 자질에 관하여 합리적인 기준에 의한 공정한 심사를 받아 위 기준에 부합되면 특별한 사정이 없는 한 재임용되리라는 기대를 가지고 재임용 여부에 관하여 합리적인 기준에 의한 공정한 심사를 요구할 법규상 또는 조리상 신청권을 가진다고 할 수 있다.
> ㄹ. 임용기간이 만료한 교수에 대한 재임용 거부를 재심청구대상으로 법률에 명시하지 않은 것은 교원지위법정주의에 위반된다.
> ㅁ. 임용기간 만료시에 재임용대상으로부터 배제하는 기준 및 그 사유의 사전통지절차 내지는 부당한 재임용거부시의 구제절차에 관한 아무런 규정을 두지 않은 구 「사립학교법」 제53조의2 제3항은 교원지위법정주의에 위반되지 않는다는 것이 헌법재판소의 판례이다.
> ㅂ. 교원 재임용의 심사요소로 학생교육·학문연구·학생지도를 언급하되 이를 모두 필수요소로 강제하지 않는 「사립학교법」은 교원지위법정주의에 위반된다.

① 1개　　② 2개
③ 3개　　④ 4개

18 대학 총장 선출에 대한 설명으로 옳은 것은 모두 몇 개인가?

ㄱ. 단과대학장의 선출에 다시 한번 대학교수들이 참여할 권리가 대학의 자율에서 당연히 도출된다고 할 수 없는 바, 대학의 장이 단과대학장을 보할 때 그 대상자의 추천을 받거나 선출의 절차를 거치지 아니하고, 해당 단과대학 소속 교수 또는 부교수 중에서 직접 지명하도록 하고 있는 「교육공무원 임용령」은 대학의 자율성을 침해할 가능성이 인정되지 않는다.
ㄴ. 대학총장후보자 선정과 관련하여 대학에게 반드시 직접선출방식을 보장하여야 하는 것은 아니며, 다만 대학 교원들의 합의된 방식으로 그 선출방식을 정할 수 있는 기회를 제공하면 족하다.
ㄷ. 대학의 장 후보자 선정을 직접선거의 방법으로 실시하기로 해당 대학 교원의 합의가 있는 경우 그 선거관리를 선거관리위원회에 의무적으로 위탁시키는 「교육공무원법」 제24조의3 제1항은 대학의 자율을 침해한다.
ㄹ. 국립대학교 교수나 교수회는 대학총장 후보자 선출에 참여할 권리가 있고 이 권리는 대학의 자치의 본질적인 내용에 포함된다고 할 것이므로 결국 헌법상의 기본권으로 인정할 수 있다.
ㅁ. 학문의 자유나 대학의 자율성 내지 대학의 자치를 근거로 사립대학 교수들은 총장선임에 실질적으로 관여할 수 있는 지위는 있다거나 학교법인의 총장선임 행위를 다툴 확인의 이익을 가진다고 볼 수 없다.
ㅂ. 대학의 장 임기만료 후 3월 이내에 후보자를 추천하지 아니하는 경우 대통령이 교육인적자원부장관(현 교육부장관)의 제청을 받아 대학의 장을 임용하도록 한 것은 대학의 자율의 본질적인 부분을 침해하였다.
ㅅ. 대학의 장 후보자를 추천할 때 해당 대학 교원, 직원 및 학생의 합의된 방식과 절차에 따라 직접선거로 선정하는 경우 해당 대학은 선거관리에 관하여 중앙선거관리위원회에 선거관리를 위탁할 수 있다.

① 1개 ② 2개
③ 3개 ④ 4개

19 예술의 자유에 대한 설명으로 옳지 않은 것은?

① 예술품보급의 자유와 관련해서 예술품보급을 목적으로 하는 예술출판자 등도 이러한 의미에서의 예술의 자유의 보호를 받는다.
② 예술품의 재산적 활용과 예술비평 그리고 상업광고물은 예술의 자유에서 보호된다.
③ 극장의 자유로운 운영에 대한 제한은 공연물·영상물이 지니는 표현물, 예술작품으로서의 성격에 기하여 직업의 자유에 대한 제한으로서의 측면 이외에 표현의 자유 및 예술의 자유의 제한과도 관련성을 가지고 있다.
④ 대한민국이 도라산역 벽화를 소각함에 있어서 벽화에 대한 관광객들의 부정적인 여론을 근거로 설문조사 및 전문가와의 간담회를 개최하는 등 일응의 내부적 절차를 거쳤더라도 실정법상 저작자인 원고에게 저작물의 철거에 대한 사전협의나 동의를 구해야 하는 의무를 부담하고 있지 아니한 이상 그 불이행을 두고 원고의 예술의 자유 내지는 인격권이 침해되었다.

20 표현의 자유에 대한 설명으로 옳지 않은 것은?

① 통신의 자유는 의사표현의 상대방이 특정인이라면 언론·출판의 자유의 상대방은 불특정 다수인이다.
② 헌법상의 언론의 자유는 언론·출판의 자유의 내재적 본질적 표현의 방법과 내용을 보장뿐 아니라 그를 객관화하는 수단으로 필요한 객체적인 시설이나 언론기업의 주체인 기업인으로서의 활동까지 보호한다.
③ 사회적 평가를 훼손할 만한 모욕적 언사에 해당하더라도 언론자유의 보호범위 내에 있다.
④ 언론·출판의 자유에는 사상 내지 의견의 자유로운 표명과 전파의 자유가 포함되고 전파의 자유에는 보급의 자유가 포함된다.

31회

진도별 모의고사

표현의 자유 ~ 알 권리

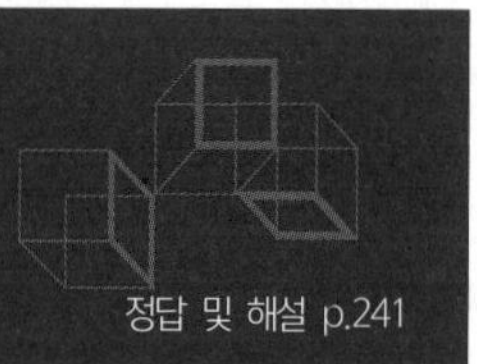

정답 및 해설 p.241

제한시간 : 14분 | 시작시각 ___시 ___분 ~ 종료시각 ___시 ___분 나의 점수 _______

01 표현의 자유에 대한 설명으로 옳지 않은 것은?

① 영리를 목적으로 하는 광고성 정보인 스팸메일은 영업의 자유뿐 아니라 표현의 자유에 의한 보호의 대상이 될 수 있다.

② 노동조합이 정치적 의사를 표명하거나 정치적으로 활동하는 경우에는 단결권에 의하여 보호받는 고유한 활동영역을 떠나서 개인이나 다른 사회단체와 마찬가지로 정치적 의사를 표명하거나 정치적으로 활동하는 경우에는 모든 개인과 단체를 똑같이 보호하는 일반적인 기본권인 의사표현의 자유 등의 보호를 받을 뿐이다.

③ 의사표현의 한 수단인 TV 방송 역시 다른 의사표현수단과 마찬가지로 헌법에 의한 보장을 받는다.

④ 표현의 자유의 보호범위에 '국가가 공직후보자들에 대한 유권자의 전부 거부 의사표시를 할 방법을 보장해 줄 것'까지 포함되므로 '전부 거부'를 표시할 수 있는 투표방법을 규정하지 않은 것은 표현의 자유를 제한한다.

02 표현의 자유에 대한 설명으로 옳지 않은 것은?

① 헌법 제21조 제1항은 모든 국민은 언론·출판의 자유를 가진다고 규정하여 표현의 자유를 보장하고 있는바, 의사표현·전파의 자유에 있어서 의사표현 또는 전파의 매개체는 어떠한 형태이건 가능하며, 그 제한이 없다.

② '청소년이용음란물' 역시 의사형성적 작용을 하는 의사의 표현·전파의 형식 중 하나임이 분명하므로 언론·출판의 자유에 의하여 보호되는 의사표현의 매개체라는 점에는 의문의 여지가 없고, '청소년이용음란물'이 헌법상 표현의 자유에 의한 보호대상이 된다.

③ 집필은 문자를 통한 모든 의사표현의 전제가 되나 전파의 상대방이 없는 집필의 단계는 표현의 자유에서 보호된다고 할 수 없다.

④ 의사표현·전파의 자유에는 담화·연설·토론·연극·방송·음악·영화·가요 등과 문서·소설·시가·도화·사진·조각·서화와 같은 모든 형상의 의사표현 또는 의사전파의 매개체를 포함한다.

03 표현의 자유에 대한 설명으로 옳은 것은?

① 인터넷홈페이지의 게시판 등에 정당·후보자에 대한 지지·반대의 글을 게시함에 있어서 실명을 확인받도록 조치함을 규정한 「공직선거법」 제82조의6 제1항, 제6항, 제7항에서의 '인터넷언론사' 범위, '지지·반대의 글' 개념은 명확성의 원칙에 위배된다.

② 인터넷언론사의 선거와 관련한 게시판, 대화방 등도 의사의 표현·전파의 형식의 하나로 인정되고 따라서 언론·출판의 자유에 의하여 보호된다.

③ '자유로운' 표명과 전파의 자유에는 자신의 신원을 누구에게도 밝히지 아니한 채 익명 또는 가명으로 자신의 사상이나 견해를 표명하고 전파할 익명표현의 자유까지도 그 보호영역에 포함된다고 할 수는 없다.

④ 16세 미만 청소년에게 오전 0시부터 오전 6시까지 인터넷게임의 제공을 금지하는 이른바 '강제적 셧다운제'를 규정한 「청소년 보호법」 조항은 16세 미만 청소년이 자신의 신원을 누구에게도 밝히지 않은 채 익명 또는 가명으로 사상이나 견해를 표명할 익명표현의 자유를 제한한다.

04 광고와 표현의 자유에 대한 설명으로 옳은 것은?

① 영리목적의 광고 등 상업적 언론도 표현의 자유의 보호대상이므로 세무사 명칭의 사용금지는 세무사로서의 광고행위를 규제함으로써 청구인의 표현의 자유를 제한한다.

② 상업광고행위는 인격발현과 개성신장에 미치는 효과가 중대하여 표현의 자유의 보호영역에 속하므로, 비례의 원칙 심사에 있어서 사상이나 지식에 관한 정치적·시민적 표현행위와 차이가 없다.

③ 상업광고는 표현의 자유의 보호영역에 속하지만 사상이나 지식에 관한 정치적·시민적 표현행위와는 차이가 있고, 직업수행의 자유의 보호영역에 속하지만 인격발현과 개성신장에 미치는 효과가 중대한 것은 아니므로 상업광고 규제에 대한 심사는 비례의 원칙이 적용되는 것이 아니라 자의금지원칙이 적용되는 것이다.

④ 상업광고에 대한 규제에 의한 표현의 자유 내지 직업수행의 자유의 제한은 비례의 원칙 심사에 있어서 '피해의 최소성' 원칙은 같은 목적을 달성하기 위하여 달리 덜 제약적인 수단이 없을 것인지, 혹은 입법목적을 달성하기 위하여 필요한 최소한의 제한인지를 심사한다.

05 광고와 표현의 자유에 대한 설명으로 옳지 않은 것은 모두 몇 개인가?

ㄱ. 광고물도 사상·지식·정보 등을 불특정 다수인에게 전파하는 것으로서 상업적인 목적을 가지더라도 언론·출판의 자유에서 보호된다.
ㄴ. 의료인 등으로 하여금 거짓이나 과장된 내용의 의료광고를 하지 못하도록 하고 이를 위반한 자를 1년 이하의 징역이나 500만 원 이하의 벌금에 처하도록 규정한 「의료법」 제56조 제3항, 「의료법」 제89조 중 제56조 제3항은 표현의 자유를 침해한다고 할 수 없다.
ㄷ. 비의료인의 의료에 관한 광고를 금지하고 처벌하는 것은 국민의 생명권 등을 보호하는 것으로 볼 수 없어 표현의 자유를 침해한다.
ㄹ. 특정 의료기관이나 의료인의 기능, 진료방법 등의 광고를 금지한 「의료법」 제46조 제3항과 제69조는 표현의 자유를 침해한다.
ㅁ. 의료법인·의료기관 또는 의료인이 '치료효과를 보장하는 등 소비자를 현혹할 우려가 있는 내용의 광고'를 한 경우 형사처벌하도록 규정한 「의료법」 제89조 중 제56조 제2항은 명확성원칙에 위반되거나 표현의 자유를 침해한다고 할 수 없다.
ㅂ. 방송사업자가 대통령령이 정하는 범위 안에서 협찬고지를 할 수 있도록 한 「방송법」은 방송의 자유를 제한하는 것이 아니라 형성하는 규정이다.
ㅅ. 방송사업자가 대통령령이 정하는 범위 안에서 협찬고지를 할 수 있도록 한 「방송법」에 대한 위헌성 판단은 기본권 제한의 한계규정인 헌법 제37조 제2항에 따른 과잉금지 내지 비례의 원칙의 적용을 받지 않는다.
ㅇ. 식품의 음주 전후 숙취해소 표시를 금지한 식품의약안전청고시 제7조는 영업의 자유 및 광고 표현의 자유, 재산권을 침해한다.
ㅈ. 식품 첨가물의 표시에 있어 의약품과 혼동할 우려 표시를 금지한 「식품위생법 시행규칙」 제6조를 식품의 약리적 효능에 관한 표시·광고 전부를 금지하는 것으로 풀이한다면 표현의 자유를 침해한다.

① 1개　② 2개
③ 3개　④ 4개

06 음란표현에 대한 설명으로 옳지 않은 것은?

① 청소년을 이용한 음란한 필름, 비디오물, 게임물과 같은 청소년 음란물을 제작·수입·수출을 금지한 「청소년의 성보호에 관한 법률」은 언론의 자유를 침해하지 아니한다.

② 웹하드사업자에게 불법음란정보의 유통방지를 위하여 대통령령으로 정하는 기술적 조치를 할 의무를 부과하는 구 「전기통신사업법」 및 보관할 의무를 부과하는 「전기통신사업법」은 직업수행의 자유를 침해한다고 할 수 없다.

③ 음란한 간행물을 출간한 출판사의 등록 취소는 헌법에 위반되나 저속한 간행물을 출판한 출판사의 등록 취소는 헌법에 위반되지 않는다.

④ 인터넷상의 청소년유해매체물 정보의 경우 18세 이용금지 표시 외에 추가로 '전자적 표시'를 하도록 하여 차단소프트웨어 설치시 동 정보를 볼 수 없게 한 「정보통신망 이용촉진 및 정보보호 등에 관한 법률 시행령」 제21조 제2항 및 '청소년유해매체물의 표시방법'에 관한 정보통신부고시는 표현의 자유를 침해하지 아니한다.

07 음란표현에 대한 설명으로 옳지 않은 것은?

① 헌법재판소는 음란한 표현이 언론·출판의 자유의 보호영역에 해당하지 아니한다고 해석할 경우 음란표현에 대하여는 언론·출판의 자유의 제한에 대한 헌법상의 기본원칙, 예컨대 명확성의 원칙, 검열금지의 원칙 등에 입각한 합헌성심사를 하지 못하게 될 뿐만 아니라, 기본권 제한에 대한 헌법상의 기본원칙, 예컨대 법률에 의한 제한, 본질적 내용의 침해금지원칙 등도 적용하기 어렵게 되는 문제가 발생한다고 한다.

② 언론·출판의 영역에서 국가는 단순히 어떤 표현이 가치 없거나 유해하다는 주장만으로 그 표현에 대한 규제를 정당화시킬 수는 없으며 그 표현의 해악을 시정하는 1차적 기능은 국가가 아니라 시민사회 내부에 존재하는 사상의 경쟁메커니즘에 맡겨져 있다.

③ 헌법재판소는 현재 음란표현도 언론·출판의 자유에 의하여 보호되는 대상이지만 헌법 제37조 제2항에 따라 국가안전보장, 질서유지 또는 공공복리를 위하여 위 자유가 제한될 수 있다는 입장이다.

④ 헌법 제21조 제4항은 "언론·출판은 타인의 명예나 권리 또는 공중도덕이나 사회윤리를 침해하여서는 아니된다."라고 규정하고 있는바, 이는 언론·출판의 자유에 따르는 책임과 의무를 강조하는 동시에 언론·출판의 자유에 대한 제한의 요건을 명시한 규정으로 볼 것이고, 헌법상 표현의 자유의 보호영역 한계를 설정한 것이라고는 볼 수 있다.

08 알 권리에 대한 설명으로 옳지 않은 것은?

① 우리 헌법에는 알 권리가 명문으로 규정되어 있지 않으나, 헌법상 국회와 법원에 관한 정보공개는 규정되어 있다.

② 알 권리는 자유권과 청구권으로서의 성격을 가지고 있고 생활권의 성격은 가지고 있다.

③ '알 권리'는 국민이 정부에 대하여 일반적 정보공개를 구하는 청구권적 기본권으로서, 자유권적 기본권에 해당하는 표현의 자유와는 별개의 독자적인 기본권이다.

④ 알 권리가 일반 국민 누구나 국가에 대하여 보유·관리하고 있는 정보의 공개를 청구할 수 있는 권리를 의미하는 것이다.

09 알 권리에 대한 설명으로 옳지 않은 것은?

① 알 권리의 실현은 법률의 제정이 뒤따라야 비로소 구체화된다고 할 수 없으므로 법률이 제정되어 있지 않은 상태에서 헌법 제21조에 의해 직접 보장될 수 있다.

② 알 권리도 헌법유보(제21조 제4항)와 일반적 법률유보(제37조 제2항)에 의하여 제한될 수 있다.

③ 공공기관이 보유관리하고 있는 정보공개를 청구를 할 권리와 새로운 정보의 생성을 청구할 권리는 헌법이 보장하는 알 권리의 보호대상에 포함된다.

④ 국민은 헌법상 보장된 '알 권리'의 한 내용으로서 국회에 대하여 입법과정의 공개를 요구할 권리를 가지며, 국회의 의사에 대하여는 직접적인 이해관계 유무와 상관없이 일반적 정보공개청구권을 가진다.

10 알 권리에 대한 설명으로 옳은 것은?

① 자유권적 성질은 일반적으로 정보에 접근하고 수집·처리함에 있어서 국가권력의 방해를 받지 아니한다는 것을 말하며, 청구권적 성질은 의사형성이나 여론형성에 필요한 정보를 적극적으로 수집할 권리 등을 의미한다.

② 국민의 알 권리의 내용에는 자신의 권익 보호와 직접 관련이 있는 정보의 공개를 청구할 수 있는 개별적 정보공개청구권이 포함되나 일반 국민 누구나 국가에 대하여 보유·관리하고 있는 정보의 공개를 청구할 수 있는 일반적 정보공개청구권도 포함된다고 할 수 없다.

③ 정보공개청구권의 주체는 해당 정보와 법률상 이익을 가지는 이해관계인이다.

④ 음란한 간행물의 출판을 전면 금지시키고 출판사의 등록을 취소시킬 수 있도록 한 것은 성인의 알 권리의 수준을 청소년의 수준으로 맞출 것을 국가가 강요하는 것이어서 성인의 알 권리까지 침해하게 된다.

11 알 권리에 대한 설명으로 옳지 않은 것은?

① 「공공기관의 정보공개에 관한 법률」에 따른 법원행정처의 정보비공개결정에 대한 불복재판을 담당할 법원행정처로부터 사법행정에 관한 감독이 배제되는 하급심 '특별재판부' 설치를 위한 입법할 의무는 인정되지 않는다.

② 금치기간 중 30일의 기간 내에서만 신문 열람을 금지하는 조치는 미결수용자의 알 권리를 침해하지 않는다.

③ 청소년이용음란물의 제작행위를 형사처벌하는 것은 청소년 보호라는 명목으로 일반 음란물에 대한 성인의 접근까지 전면 차단시켜 성인의 알 권리의 수준을 청소년의 수준으로 맞출 것을 국가가 강요함으로써 성인의 알 권리를 침해하는 경우와는 달리, '청소년이용음란물'이라는 행위객체의 특성에 따른 규제라는 측면에서 그 입법목적의 정당성이 인정된다.

④ 온라인서비스 제공자가 자신이 관리하는 정보통신망에서 아동·청소년이용음란물을 발견하기 위하여 대통령령으로 정하는 조치를 취하지 아니하거나 발견된 아동·청소년이용음란물을 즉시 삭제하고, 전송을 방지 또는 중단하는 기술적인 조치를 취하지 아니한 경우 처벌하는 「아동·청소년의 성보호에 관한 법률」 규정은 언론의 자유(표현의 자유)를 침해한다.

12 변호사시험 성적을 합격자에게 공개하지 않도록 규정한 변호사시험법 제18조 제1항에 대한 헌법소원청구에 대한 설명으로 옳지 않은 것은?

① 사법시험, 의사국가시험 응시자 등 다른 자격시험 응시자와 변호사시험 응시자를 본질적으로 동일한 비교집단으로 볼 수 있다.

② 변호사시험의 성적 공개를 금지하고 있는 심판대상조항은 청구인의 개인정보자기결정권과 직업의 자유를 직접 제한한다고 할 수 없다.

③ 변호사시험 성적 비공개는 목적은 정당하나 방법의 적정성은 인정되지 않아 알 권리를 침해한다.

④ 변호사시험에 응시한 자가 시험성적의 공개를 요구할 수 있는 권리는 알 권리로서 헌법 제21조에 의해 직접 보장된다.

13 다음 사례에 대한 설명으로 옳은 것은?

> 2017.12.12. 법률 제15154호로 개정된 「변호사시험법」은 시험에 응시한 사람이 본인의 성적 공개를 청구할 수 있도록 허용하면서, 시험에 응시한 사람은 해당 시험의 합격자 발표일부터 1년 내에 법무부장관에게 본인의 성적 공개를 청구할 수 있다고 규정하고(제18조 제1항), 개정법 시행 전에 시험에 합격한 사람은 법 시행일부터 6개월 내에 법무부장관에게 본인의 성적 공개를 청구할 수 있다고 규정하였다(부칙 제2조). 2015년 실시된 제4회 변호사시험에 합격한 자가 개정된 「변호사시험법」에 대해 헌법소원심판을 청구하였다.

① 시험에 응시한 사람은 해당 시험의 합격자 발표일부터 1년 내에 법무부장관에게 본인의 성적 공개를 청구할 수 있다고 규정한 「변호사시험법」은 알 권리를 침해한다.

② 헌법재판소는 변호사시험 성적을 공개하라는 것일 뿐, 성적 공개기간에 관해 어떠한 제한도 할 수 없다는 입장이 아니므로 개정법 시행 전에 시험에 합격한 사람은 법 시행일부터 6개월 내에 법무부장관에게 본인의 성적 공개를 청구할 수 있다고 규정한 「변호사시험법」은 신뢰보호원칙에 위반된다고 할 수 없다.

③ 개정법 시행 전에 시험에 합격한 사람은 법 시행일부터 6개월 내에 법무부장관에게 본인의 성적 공개를 청구할 수 있다고 규정한 「변호사시험법」이 표현의 자유를 침해하는지 여부를 중심으로 판단하여야 한다.

④ 성적공개조항을 「변호사시험법」이 개정된 2017.12.12. 이후에 실시하는 변호사시험에 응시한 사람에게 적용하도록 하면서 기존 합격자는 법시행일로부터 6개월 내에 법무부장관에게 본인의 성적 공개를 청구할 수 있도록 한 「변호사시험법」 부칙은 정보에 대한 접근을 본질적으로 침해하는 정도로 짧다고 보기 어려워 과잉금지원칙을 위반하여 청구인의 정보공개청구권을 침해한다고 할 수 없다.

14 알 권리에 대한 설명으로 옳지 않은 것은 모두 몇 개인가?

> ㄱ. 토지조사부 열람 등사는 법률의 제정이 없더라도 불가능한 것이 아니라고 할 것이다.
> ㄴ. 형사확정소송기록은 직접의 이해관계가 있는 자에 대하여서는 의무적으로 공개하여야 한다는 점에 대하여는 이론의 여지가 없다.
> ㄷ. 변호인에게 고소장과 피의자신문조서에 대한 열람 및 등사를 거부한 경찰서장의 정보비공개결정은 변호인의 피구속자를 조력할 권리 및 알 권리를 침해한다.
> ㄹ. 정치자금의 수입·지출내역 및 첨부서류 등의 열람기간을 공고일로부터 3월간으로 제한하고 있는 구 「정치자금법」 조항은 정치자금의 수입과 지출명세서 등의 사본교부 또는 인터넷 열람을 통해 정치자금의 지출 내역을 상세히 파악할 수 있고, 허위의 영수증, 예금통장이 제출되지 않도록 하는 제도적 장치가 마련되어 있다는 점을 고려하면, 과잉금지원칙에 위배되지 않으므로 청구인의 알 권리를 침해하지 않는다.
> ㅁ. 인터넷 등 전자적 방법에 의한 판결서 열람·복사의 범위를 개정법 시행 이후 확정된 사건의 판결서로 한정하고 있는 「군사법원법」 부칙 제2조가 청구인의 정보공개청구권을 침해한다고 할 수 없다.
> ㅂ. 수용소에서 교화상 또는 구금목적에 특히 부적당하다고 인정되는 기사를 삭제했다면 알 권리를 과잉제한한 것이라고 할 수 없다.

① 1개 ② 2개
③ 3개 ④ 4개

15 알 권리에 대한 설명으로 옳은 것은 모두 조합한 것은?

ㄱ. 공지된 것이라면 반국가단체에 유리한 경우라도 국가기밀이 될 수 없다.
ㄴ. 군사기밀은 국가이익에 따라 판단되어야 하므로 그 결정권은 정부가 형식적인 표지에 의해 기밀로 지정한 것에 따른다.
ㄷ. 「군사기밀보호법」 제6조 등은 '군사상의 기밀'이 비공지의 사실로서 적법절차에 따라 군사기밀로서의 표지를 갖추고 그 누설이 국가의 안전보장에 명백한 위험을 초래한다고 볼 만큼의 실질가치를 지닌 것으로 인정되는 경우에 한하여 적용된다 할 것이므로 이러한 해석하에 헌법에 위반되지 아니한다.
ㄹ. 군사기밀과 알 권리는 충돌하는 면이 크므로 군사기밀을 최대한도로 인정해야 한다.
ㅁ. 비밀로서의 실질가치를 가지는지의 여부는 비밀주체 내지 비밀관리자의 비밀유지 의사만를 기준으로 판단하여야 한다.

① ㄱ, ㄴ, ㅁ ② ㄱ, ㄷ
③ ㄴ, ㄹ ④ ㄷ, ㄹ, ㅁ

16 알 권리에 대한 설명으로 옳지 않은 것은 모두 몇 개인가?

ㄱ. 부모의 교육정보에 대한 알 권리에는 자신의 자녀를 가르치는 교원이 어떠한 자격과 경력을 가진 사람인지는 물론 어떠한 정치성향과 가치관을 가지고 있는 사람인지에 대한 정보가 포함된다고 할 수 없으므로, 개별 교원이 어떤 교원단체나 노동조합에 가입해 있는지에 대한 정보공개를 제한하는 것은 학부모인 청구인들의 알 권리를 제한하는 것은 아니다.
ㄴ. '국가항공보안계획' 제8장 '승객·휴대물품·위탁수하물 등 보안대책' 중 8.1.19 가운데 체약국의 요구가 있는 경우 항공운송사업자의 추가 보안검색 실시에 관한 국가항공보안계획에 의해 알 권리가 제한된다고 할 수 없다.
ㄷ. 군소 언론사로 하여금 선거여론조사 실시 전에 여론조사의 주요 사항을 사전에 신고하도록 한 「공직선거법」 조항이 국민들의 알 권리를 제한하지 않는다.
ㄹ. 정보통신망을 통해 청소년유해매체물을 제공하는 자에게 이용자의 본인확인의무를 부과한 「청소년 보호법」 조항들이 성인 이용자의 알 권리를 제한한다고 할 수 없다.
ㅁ. 낙태가 사실상 불가능하게 되는 임신 후반기에 이르러서도 태아에 대한 성별정보를 태아의 부모에게 알려 주지 못하게 하는 것은 태아 부모의 태아 성별정보에 대한 접근을 방해받지 않을 권리를 침해하므로 헌법에 위반된다.
ㅂ. 군내 불온서적 소지를 금지하는 군인복무규율은 별도의 입법을 필요로 하지 않고 보장되는 자유권적 성격의 알 권리를 제한한다.
ㅅ. 금치기간 중 텔레비전 시청을 금지하는 것은 알 권리를 제한한다.

① 1개 ② 2개
③ 3개 ④ 4개

17 알 권리에 대한 설명으로 옳지 않은 것은 모두 몇 개인가?

ㄱ. 교도소에 복역 중인 甲이 정보에 접근하는 것을 목적으로 정보공개를 청구한 것이 아니라, 청구가 거부되면 거부처분의 취소를 구하는 소송에서 승소한 뒤 소송비용 확정절차를 통해 자신이 그 소송에서 실제 지출한 소송비용보다 다액을 소송비용으로 지급받아 금전적 이득을 취하거나, 수감 중 변론기일에 출정하여 강제노역을 회피하는 것 등을 목적으로 정보공개를 청구하였다고 볼 여지가 큰 점 등에 비추어 甲의 정보공개청구는 권리남용이라고 할 수 없다.
ㄴ. 국립대학교 도서관장이 도서 대출과 열람실 이용을 승인하지 아니한 것으로 알 권리가 침해된다고 볼 수는 없다.
ㄷ. 법원이 형을 선고받은 피고인에게 재판서를 송달하지 않았다면 국민의 알 권리를 침해한다.
ㄹ. 군인의 불온도서 소지·전파 등을 금지하는 군인복무규율 조항은 핵심적 정신적 자유인 '책 읽을 자유'를 제한하면서 금지대상이 되는 도서의 범위를 엄격하게 한정하거나 지정권자 및 객관적 사전심사절차를 규정하는 등 공익의 달성을 추구하면서도 기본권을 덜 제한하는 수단을 채택하지 아니한 채 자의적인 제한이 가능하도록 규정한 것으로서, 헌법상 비례의 원칙을 위반한 것이다.
ㅁ. 공공기관이 보유·관리하는 인사관리에 관한 정보 중, 공개될 경우 업무의 공정한 수행에 현저한 지장을 초래한다고 인정할 만한 상당한 이유가 있는 정보를 비공개 대상 정보로 규정한, 구 「공공기관의 정보공개에 관한 법률」 제9조 제1항 단서 제5호는 명확성원칙에 위배되지 않는다.
ㅂ. 공공기관이 보유·관리하는 인사관리에 관한 정보 중, 공개될 경우 업무의 공정한 수행에 현저한 지장을 초래한다고 인정할 만한 상당한 이유가 있는 정보를 비공개대상정보로 규정한, 구 「공공기관의 정보공개에 관한 법률」 제9조 제1항 단서 제5호는 과잉금지원칙에 위배되어 청구인의 정보공개청구권을 침해한다고 할 수 없다.

① 1개 ② 2개
③ 3개 ④ 4개

18 알 권리에 대한 설명으로 옳지 않은 것은?

① 일반적으로 국민의 권리·의무에 영향을 미친 정책결정 등에 관하여 적극적으로 그 내용을 알 수 있도록 공개할 국가의 의무는 기본권인 알 권리에 의하여 바로 인정될 수 있다.
② 청구인들의 정보공개청구가 없었던 한중마늘합의서를 마늘재배농가들에게 공개할 정부의 의무는 인정되지 아니한다.
③ 사립학교와 국가나 지방자치단체로부터 보조금을 받고 있는 사회복지법인은 정보공개대상인 공공기관에 해당한다.
④ 한국방송공사는 정보공개대상기관인 공공기관에 해당한다.

19 공공기관의 정보공개에 관한 법률에 대한 설명으로 옳지 않은 것은 모두 몇 개인가?

ㄱ. 구 「공공기관의 정보공개에 관한 법률 시행령」 제2조 제1호가 정보공개의무를 지는 공공기관의 하나로 사립대학교를 들고 있는 것이 모법의 위임범위를 벗어났다고 할 수 없다.
ㄴ. 지방자치단체는 그 소관 사무에 관하여 법령의 범위 안에서 정보공개에 관한 조례를 정할 수 있다.
ㄷ. 보안업무를 관장하는 기관에서 국가안전보장과 관련된 정보 분석을 목적으로 수집되거나 작성된 정보에 대하여는 「공공기관의 정보공개에 관한 법률」이 적용되지 아니한다.
ㄹ. 공개청구자는 그가 공개를 구하는 정보를 공공기관이 보유·관리하고 있을 상당한 개연성이 있다는 점에 대하여 입증할 책임이 있고, 공개를 구하는 정보를 공공기관이 한때 보유·관리하였으나 후에 그 정보가 담긴 문서들이 폐기되어 존재하지 않게 된 것이라면 그 정보를 더 이상 보유·관리하고 있지 아니하다는 점에 대한 증명책임은 공공기관에게 있다.
ㅁ. 정보공개청구는 문서뿐 아니라 구술로도 할 수 있다.
ㅂ. 정보공개 및 우송에 드는 비용은 실비의 범위에서 공공기관이 부담한다.

① 1개 ② 2개
③ 3개 ④ 4개

20 공공기관의 정보공개에 관한 법률에 대한 설명으로 옳지 않은 것은 모두 몇 개인가?

ㄱ. 공개청구의 대상이 되는 정보가 이미 다른 사람에게 공개되어 널리 알려져 있다거나 인터넷 등을 통하여 공개되어 인터넷검색 등을 통하여 쉽게 알 수 있다 하더라도 비공개결정이 정당화될 수 없다.

ㄴ. 답안지 및 시험문항에 대한 채점위원별 채점 결과는 비공개정보이나 사법시험 2차 답안지는 공개해야 할 정보이다.

ㄷ. 재판에 관련된 일체의 정보는 진행 중인 재판의 심리 또는 재판 결과에 구체적으로 영향을 미칠 위험이 있으므로 공개 거부의 대상이 된다.

ㄹ. 불기소처분 기록 중 피의자신문조서 등에 기재된 피의자 등의 인적 사항 이외의 진술 내용 역시 개인의 사생활의 비밀 또는 자유를 침해할 우려가 인정되는 경우 「공공기관의 정보공개에 관한 법률」 제9조 제1항 제6호 본문 소정의 비공개대상에 해당한다.

ㅁ. 한국방송공사(KBS)가 황우석 교수의 논문조작사건에 관한 사실관계의 진실 여부를 밝히기 위하여 제작한 '추적 60분' 가제 '새튼은 특허를 노렸나'인 방송용 60분 분량의 편집원본 테이프는 「공공기관의 정보공개에 관한 법률」 제9조 제1항 제7호에서 비공개대상정보로 규정하고 있는 '법인 등의 경영·영업상 비밀에 관한 사항으로서 공개될 경우 법인 등의 정당한 이익을 현저히 해할 우려가 있다고 인정되는 정보'에 해당한다.

ㅂ. 국가안전보장·국방·통일·외교관계 등에 관한 사항으로서 공개될 경우 국가의 중대한 이익을 현저히 해할 우려가 있다고 인정되는 정보는 상대적 비공개정보이다.

ㅅ. 「공공기관의 정보공개에 관한 법률」 제9조 제1항 제4호에서 정한 '진행 중인 재판에 관련된 정보'는 진행 중인 재판의 소송기록 자체에 포함된 내용이어야 하고 재판에 관련된 일체의 정보이다.

① 1개 ② 2개
③ 3개 ④ 4개

32회

진도별 모의고사

정보공개 ~ 언론의 자유

정답 및 해설 p.249

제한시간 : 14분 | 시작시각 ___시 ___분 ~ 종료시각 ___시 ___분 나의 점수 ______

01 제3자에 대한 정보공개에 대한 설명으로 옳은 것은?

① 제3자에 대한 정보공개는 「공공기관의 정보공개에 관한 법률」이 아니라 「개인정보 보호법」에 규정되어 있다.

② 제3자에 대한 정보공개청구에 대해서 제3자가 정보공개를 하지 아니할 것을 요청하면 공공기관은 정보를 공개할 수 없다.

③ 공공기관은 공개청구된 공개대상정보의 전부 또는 일부가 제3자와 관련이 있다고 인정할 때에는 그 사실을 제3자에게 지체 없이 통지하여야 하며, 그의 의견을 들을 수 있다.

④ 공공기관은 제3자의 정보공개청구에 대한 공개결정일과 공개 실시일 사이에 최소한 10일의 간격을 두어야 한다.

02 공공기관의 정보공개에 관한 법률(이하 '정보공개법'이라 한다)에 대한 설명으로 옳은 것은?

① 공공기관은 전자적 형태로 보유·관리하지 아니하는 정보에 대하여 청구인이 전자적 형태로 공개하여 줄 것을 요청한 경우에는 정상적인 업무수행에 현저한 지장을 초래하거나 그 정보의 성질이 훼손될 우려가 없는 한 그 정보를 전자적 형태로 변환하여 공개하여야 한다.

② 공개정보와 비공개정보가 혼합되어 있는 경우로서 공개취지에 어긋나지 아니하는 범위 내에서 두 부분을 분리할 수 있을 때에는 공개가능한 정보를 공개할 수 있다.

③ 공공기관은 공개를 구하는 정보의 공개 여부를 결정함에 있어 정보공개청구권자의 공개를 청구하는 정보와의 관련성, 정보공개청구권자의 권리구제가능성 등을 고려하여 결정하여야 한다.

④ 정보공개법에서 말하는 공개대상정보는 정보 그 자체가 아닌 정보공개법 제2조 제1호에서 예시하고 있는 매체 등에 기록된 사항을 의미하고, 공개대상정보는 원칙적으로 공개를 청구하는 자가 정보공개법 제10조 제1항 제2호에 따라 작성한 정보공개청구서의 기재 내용에 의하여 특정되며, 만일 공개청구자가 특정한 바와 같은 정보를 공공기관이 보유·관리하고 있지 않은 경우라면 특별한 사정이 없는 한 해당 정보에 대한 공개거부처분에 대하여는 취소를 구할 법률상 이익이 없다.

03 알 권리에 대한 설명으로 옳지 않은 것은 모두 몇 개인가?

ㄱ. 정보위원회 회의를 비공개하도록 규정한 「국회법」은 국회의사공개원칙을 규정한 헌법 제50조 제1항에 위배되는 것으로 청구인들의 알 권리를 침해한다.
ㄴ. 국회 소위원회 회의의 비공개 요건을 출석의원 과반수의 찬성이 있거나 의장이 국가의 안전보장을 위하여 필요하다고 인정할 때에는 국회 회의를 공개하지 아니할 수 있다고 규정한 「국회법」 제57조 제5항 단서는 국회 회의에 대한 국민의 알 권리를 침해한다고 볼 수 없다.
ㄷ. 국회 예산결산특별위원회 계수조정소위원회가 국회의 확립된 관행 등을 이유로 시민단체의 방청을 불허한 것은 알 권리를 침해한다.
ㄹ. '위원회에서는 의원이 아닌 자는 위원장의 허가를 받아 방청할 수 있다'고 규정하고 있는 「국회법」 제55조 제1항은 위원회의 비공개원칙을 전제로 하는 것이므로, 위원장은 아무런 제한 없이 임의로 방청불허결정을 할 수 있는 것으로 이해된다.

① 1개 ② 2개
③ 3개 ④ 4개

04 언론기관의 자유에 대한 설명으로 옳지 않은 것은 모두 몇 개인가?

ㄱ. 신문 또는 인터넷신문의 편집 또는 발행인 등의 결격사유를 정하고 있는 「신문 등의 진흥에 관한 법률」 제13조 제1항 제7호 중 발행인 또는 편집인의 결격사유로 '미성년자를 규정한 부분'은 언론·출판의 자유를 침해한다고 할 수 없다.
ㄴ. 정기간행물등록제는 언론의 자유를 침해한다고 할 수 없으나 정기간행물을 등록하려는 자는 인쇄시설 등을 자기소유로 해야 한다고 해석한다면 언론기관 설립의 자유를 침해한다.
ㄷ. 인터넷신문의 등록요건으로 5인 이상의 취재 및 편집인력을 고용하도록 하는 것은 사전허가금지원칙에 위배되어 표현의 자유를 침해한다.
ㄹ. 「신문 등의 진흥에 관한 법률」의 등록조항은 인터넷신문의 명칭, 발행인과 편집인의 인적 사항 등 인터넷신문의 외형적이고 객관적 사항을 제한적으로 등록하도록 하고 있는 바, 이는 인터넷신문에 대한 인적요건의 규제 및 확인에 관한 것으로 인터넷신문의 내용을 심사·선별하여 사전에 통제하기 위한 규정으로 사전허가금지원칙에 위배된다.
ㅁ. 언론의 자유에 의하여 보호되는 것은 정보의 획득에서부터 뉴스와 의견의 전파에 이르기까지 언론의 기능과 본질적으로 연관되는 활동에 국한되므로, 인터넷언론사가 취재 인력 3명 이상을 포함하여 취재 및 편집 인력 5명 이상을 상시적으로 고용하도록 하는 것은 언론의 자유를 제한하는 것이 아니라 인터넷언론사의 직업의 자유를 제한하는 것이다.
ㅂ. 「정기간행물의 등록 등에 관한 법률」에 의한 해당 시설을 자기 소유이어야 하는 것으로 해석하여 필요 이상의 등록사항을 요구하는 것은 헌법 제21조 제3항에서 규정한 내용을 잘못 해석한 것으로서 헌법상 과잉금지의 원칙이나 비례의 원칙에 반한다.

① 1개 ② 2개
③ 3개 ④ 4개

05 인터넷게시판 본인확인조치의무에 대한 설명으로 옳지 않은 것은?

① 인터넷게시판 본인확인제는 인터넷이라는 매체에 글을 쓰고자 하는 자와 다른 매체에 글을 쓰는 자를 차별취급하고 있으나, 이러한 차별취급에 관한 판단은 익명표현의 자유의 침해 여부에 관한 판단과 동일하다고 할 수 있으므로 평등권 침해 여부는 별도로 판단하지 아니한다.

② 인터넷게시판을 설치·운영하는 정보통신서비스 제공자에게 본인확인조치의무를 부과하여 게시판 이용자로 하여금 본인확인절차를 거쳐야만 게시판을 이용할 수 있도록 하는 본인확인제를 규정한 법률규정은 인터넷게시판 이용자의 표현의 자유를 침해한다.

③ 인터넷게시판을 설치·운영하는 정보통신서비스 제공자에게 본인확인조치의무를 부과하여 게시판 이용자로 하여금 본인확인절차를 거쳐야만 게시판을 이용할 수 있도록 하는 본인확인제는 자신의 신원을 누구에게도 밝히지 아니한 채 익명으로 자신의 사상이나 견해를 표명하고 전파할 익명표현의 자유를 제한한다.

④ 인터넷언론사가 선거운동기간 중에 인터넷게시판과 대화방에 정당·후보자에 대해 지지·반대의 글을 게시할 수 있도록 운영하는 경우 게시자의 실명을 기입하도록 하는 기술적 조치를 취해야 한다는 의무를 부과하고 있는 법규정은 결국 인터넷 사용자가 실명을 거치지 않고는 정치적 의견을 표출할 수 없도록 사전에 막는 것이므로 사전검열금지의 원칙에 반하여 인터넷 사용자의 표현의 자유를 침해하는 것이다.

06 표현의 자유에 대한 설명으로 옳지 않은 것은?

① 시·군·구를 보급지역으로 하는 신문사업자 및 일일 평균 이용자 수 10만 명 미만인 인터넷언론사가 선거일 전 180일부터 선거일의 투표마감시각까지 선거여론조사를 실시하려면 여론조사의 주요 사항을 사전에 관할 선거관리위원회에 신고하도록 한 「공직선거법」은 청구인들의 언론·출판의 자유를 침해한다고 할 수 없다.

② 공연히 사실을 적시하여 사람의 명예를 훼손한 자를 형사처벌하도록 규정한 「형법」 제307조 제1항 중 '진실한 것으로서 사생활의 비밀에 해당하지 아니한' 사실 적시에 관한 부분은 헌법에 위반된다.

③ 후보자가 당선될 목적으로 자신의 행위에 관하여 허위의 사실을 공표한 경우 처벌하는 「공직선거법」 제250조 제1항이 죄형법정주의의 명확성원칙 또는 과잉금지원칙에 위배되어 선거운동의 자유 내지 정치적 표현의 자유를 침해한다고 할 수 없다.

④ 사람을 비방할 목적으로 정보통신망을 통하여 공공연하게 거짓의 사실을 드러내어 다른 사람의 명예를 훼손한 자를 형사처벌하도록 규정한 「정보통신망 이용촉진 및 정보보호 등에 관한 법률」이 과잉금지원칙에 반하여 표현의 자유를 침해한다고 할 수 없다.

07 인터넷언론사에 대하여 선거일 전 90일부터 선거일까지 후보자 명의의 칼럼이나 저술을 게재하는 보도를 제한하는 구 '인터넷선거보도 심의기준 등에 관한 규정'(이 사건 시기제한조항)에 대해 헌법소원이 청구되었다. 이에 대한 설명으로 옳지 않은 것은?

① 국민의 기본권은 헌법 제37조 제2항의 기본권 제한에 관한 법률유보원칙은 '법률에 근거한 규율'을 요청하는 것이므로, 그 형식이 반드시 법률일 필요는 없다 하더라도 법률상의 근거는 있어야 한다.

② 이 사건 시기제한조항의 효과와 인터넷 선거보도 심의제도의 취지, 이 사건 심의위원회의 성격 등에 비추어 보면, 모법에서 이 사건 시기제한조항을 포함한 이 사건 심의기준 규정에 포함될 내용에 대해 어느 정도 포괄적으로 위임할 필요성이 인정된다.

③ 이 사건 시기제한조항은 「공직선거법」의 위임범위를 벗어났다고 볼 수 있으므로 법률유보원칙에 반하여 청구인의 표현의 자유를 침해한다.

④ 이 사건 시기제한조항은 후보자 명의로 칼럼을 게재하는 자의 표현의 자유를 침해한다.

08 검열금지원칙에 대한 설명으로 옳지 않은 것은?

① 검열은 법률이나 긴급명령으로 도입할 수 없으나, 계엄시에는 특정한 사안에 대한 검열이 허용될 수 있다.

② 검열은 행정권이 주체가 되어야 하고 표현하기 이전에 표현물의 제출의무와 이에 대한 사전적 통제 그리고 표현의 내용을 심사·선별하여 표현을 금지하고 심사절차를 관철할 수 있는 강제수단이 있어야 한다. 이 모든 요건이 충족되어야 검열에 해당하여 헌법에 위반되게 된다.

③ 언론·출판에 대한 사전검열은 법률로써도 불가능한 것으로서 절대적으로 금지되는 것이며, 그러한 사전검열은 비례의 원칙이나 명확성의 원칙에 반하는지 여부를 살펴볼 필요도 없이 헌법에 위반된다.

④ 헌법 제21조 제1항과 제2항은 모든 국민은 언론·출판의 자유를 가지며, 언론·출판에 대한 허가나 검열은 인정되지 아니한다고 규정하고 있으므로, 검열을 수단으로 한 제한은 국가안전보장·질서유지 또는 공공복리를 위하여 필요한 경우에 한하여 법률로써 하는 경우에만 허용될 수 있다.

09 검열금지원칙에 대한 설명으로 옳지 않은 것은?

① 표현의 특성이나 규제의 필요성에 따라 언론·출판의 자유의 보호를 받는 표현 중에서 사전검열금지원칙의 적용이 배제되는 영역을 따로 설정할 경우 그 기준에 대한 객관성을 담보할 수 없다는 점 등을 고려하면, 헌법상 사전검열은 예외 없이 금지되는 것으로 보아야 한다.

② 헌법상 사전검열은 표현의 자유 보호대상이면 예외 없이 금지되고, 의료기기에 대한 광고는 표현의 자유의 보호대상이 됨과 동시에 사전검열금지원칙의 적용대상이 된다.

③ 의료는 국민 건강에 직결되므로 의료광고에 대해서는 합리적인 규제가 필요하고, 의료광고는 상업광고로서 정치적·시민적 표현행위 등과 관련이 적으므로, 의료광고에 대해서는 사전검열금지원칙이 적용되지 않는다.

④ 행정기관이 음란한 표현을 사전에 심의를 통해 발표를 금지한다면 헌법 제21조 제2항의 검열에 해당한다.

10 검열금지원칙에 대한 설명으로 옳지 않은 것은?

① 입법자가 법률로써 일반적으로 집회를 제한하는 것은 헌법상 사전허가금지에 해당하지 않는다.

② 헌법상 검열금지원칙은 검열의 주체와 무관하게 모든 형태의 사전적인 규제를 금지하는 것이다.

③ 의료광고의 심의기관이 행정기관인가 여부는 기관의 형식에 의하기보다는 그 실질에 따라 판단되어야 하며, 민간심의기구가 심의를 담당하는 경우에도 행정권의 개입 때문에 자율성이 보장되지 않는다면 헌법이 금지하는 행정기관에 의한 사전검열에 해당하게 될 것이다.

④ 한국광고자율심의기구가 행하는 텔레비전 방송광고에 대한 사전심의는 행정기관에 의한 사전검열로서 헌법이 금지하는 사전검열에 해당한다.

11 검열금지원칙에 대한 설명으로 옳은 것은?

① 검열을 행정기관이 아닌 독립적인 위원회에서 행한 경우 행정권이 주체가 되어 검열절차를 형성하고 검열기관의 구성에 지속적인 영향을 미칠 수 있는 경우라면 검열기관은 행정기관이라고 보아야 한다.

② 영상물등급위원회는 과거의 공연윤리위원회와 한국공연예술진흥협의회와는 달리 행정권으로부터 형식적·실질적으로 독립된 민간 자율기관이라고 보아야 하는바, 행정권과 독립된 민간 자율기관에 의한 영화의 사전심의는 헌법이 금지하지 않을 뿐 아니라 오히려 필요하다.

③ 의사·치과의사·한의사로 구성된 민간단체인 각 의사협회가 사전심의업무를 처리하고 있는 점, 심의위원회의 심의위원 위촉에 보건복지부장관의 관여가 배제되어 있는 점, 심의위원회는 수수료를 재원으로 하여 독립적으로 운영된다는 점, 보건복지부장관은 심의 내용에 관해 구체적인 업무지시를 하지 않고 있는 점 등을 고려하면, 각 의사협회는 행정권으로부터 독립된 민간자율기구로서 행정주체성을 인정하기 어렵다.

④ 사법절차에 의한 영화상영의 금지조치나 그 효과에 있어서는 실질적으로 동일한 형벌규정의 위반으로 인한 압수도 결과적으로 표현의 자유에 대한 중대한 침해를 야기시킬 수 있으므로 헌법상의 검열금지원칙에 위반된다고 보아야 한다.

12 검열금지원칙에 대한 설명으로 옳지 않은 것은?

① 방영금지가처분은 비록 제작 또는 방영되기 이전, 즉 사전에 그 내용을 심사하여 금지하는 것이기는 하나, 이는 행정권에 의한 사전심사나 금지처분이 아니라 개별 당사자 간의 분쟁에 관하여 사법부가 사법절차에 의하여 심리·결정하는 것이므로, 헌법에서 금지하는 사전검열에 해당하지 아니한다.

② 명예를 훼손하는 도서를 출판하기 전에 법원이 출판금지를 명하는 것은 검열에 해당하지 않는다.

③ 검열금지의 원칙은 모든 형태의 사전적인 규제를 금지하는 것이 아니고, 의사표현의 발표 여부가 오로지 행정권의 허가에 달려있는 사전심사만을 금지하는 것을 뜻한다.

④ 인터넷 포털사이트에 게시된 불법 내용의 정보에 대하여 방송통신위원회가 당해 포털사이트 운영자에게 삭제명령을 내리는 것은 헌법이 금지하는 검열에 해당한다.

⑤ 정기간행물의 납본제도와 검·인정 교과서제도는 사전검열금지원칙에 위배되지 않는다.

13 검열금지원칙에 대한 설명으로 옳은 것은?

① 방송사업허가제는 방송의 공적 기능을 보장하기 위한 제도로서 표현 내용에 대한 가치판단에 입각한 사전봉쇄 내지 그와 같은 실질을 가진다고 볼 수 있으므로, 헌법상 금지되는 언론·출판에 대한 허가에 해당한다.

② 여론조사 실시행위에 대한 신고의무를 부과하고 있는 「공직선거법」 조항은 여론조사 결과의 보도나 공표행위를 규제하는 것이 아니라 여론조사의 실시행위에 대한 신고의무를 부과하는 것으로, 허가받지 아니한 것의 발표를 금지하는 헌법 제21조 제2항의 사전검열과 관련이 있다고 볼 수 없으므로 검열금지원칙에 위반되지 아니한다.

③ 일정한 지역·장소 및 물건에 광고물 또는 게시시설을 표시하거나 설치하는 경우에 그 광고물 등의 종류·모양·크기·색깔, 표시 또는 설치의 방법 및 기간 등을 규제하는 것은 사전검열에 해당된다.

④ 사전허가금지의 대상은 언론·출판의 자유의 내재적 본질인 표현의 내용을 보장하는 것은 물론, 언론·출판을 위해 필요한 물적 시설이나 언론기업의 주체인 기업인으로서의 활동까지 포함하는 것이다.

14 검열금지원칙에 대한 설명으로 옳은 것은 모두 몇 개인가?

ㄱ. 사전검열로 인정되려면 허가를 받지 않은 의사표현의 금지도 필요하다.
ㄴ. 건강기능식품의 기능성 표시·광고와 같이 규제의 필요성이 큰 경우에 언론·출판의 자유를 최대한도로 보장할 의무를 지는 외에 헌법 제36조 제3항에 따라 국민의 보건에 관한 보호의무도 지는 입법자가 국민의 표현의 자유와 보건·건강권 모두를 최대한 보장하고, 기본권들 간의 균형을 기하는 차원에서 건강기능식품의 표시·광고에 관한 사전심의절차를 법률로 규정하였다 하여 이를 우리 헌법이 절대적으로 금지하는 사전검열에 해당한다고 보기는 어렵다.
ㄷ. 건강기능식품 기능성 광고 사전심의가 헌법이 금지하는 사전검열에 해당하려면 심사절차를 관철할 수 있는 강제수단이 존재할 것을 필요로 하는데, 영업허가 취소와 같은 행정제재나 벌금형과 같은 형벌의 부과는 사전심의절차를 관철하기 위한 강제수단에 해당한다.
ㄹ. 외국음반을 국내에서 제작하고자 하는 경우 영상물등급위원회의 추천을 받도록 하는 것은 언론·출판에 대한 사전검열에 해당하여 헌법에 위반된다고 할 수 없다.
ㅁ. 청소년 등에게 부적절한 내용의 음반에 대하여 청소년에게 판매할 수 없도록 미리 등급을 심사하는 등급심사제도는 사전검열에 해당한다.
ㅂ. 의회는 행정기관으로 하여금 영화의 상영 전에 내용을 심사하여 등급분류를 보류할 수 있도록 하고 등급분류를 받지 않은 영화의 상영을 금지하는 법률을 제정할 수 있다.

① 1개　② 2개
③ 3개　④ 4개

15 언론·출판의 자유 제한과 심사기준에 대한 설명으로 옳은 것은 모두 몇 개인가?

> ㄱ. 국가가 개인의 표현행위를 규제하는 경우, 표현 내용에 대한 규제는 합리적인 공익상의 이유로 폭넓은 제한이 가능하나 표현 내용과 무관하게 표현의 방법을 규제하는 것은 중대한 공익의 실현을 위하여 불가피한 경우에 한하여 엄격한 요건하에서 허용된다.
> ㄴ. 표현의 자유의 우월적 지위는 표현의 자유를 침해하는 법률의 합헌성 추정을 부인하고, 표현의 자유를 규제하는 법률에 대한 합헌성 판단기준이 엄격함을 의미한다.
> ㄷ. 헌법상 군무원은 국민의 구성원으로서 정치적 표현의 자유를 보장받지만, 그 특수한 지위로 인하여 국가공무원으로서 헌법 제7조에 따라 그 정치적 중립성을 준수하여야 할 뿐만 아니라, 나아가 국군의 구성원으로서 헌법 제5조 제2항에 따라 그 정치적 중립성을 준수할 필요성이 더욱 강조되므로, 정치적 표현의 자유에 대해 일반 국민보다 엄격한 제한을 받을 수밖에 없다.
> ㄹ. 표현의 자유를 규제하는 법률은 그 규제로 인해 보호되는 다른 표현에 대하여 위축효과가 미치지 않도록 규제되는 표현의 개념을 세밀하고 명확하게 규정할 것이 헌법적으로 요구되는데, 이는 명확성의 원칙과 관련된다.
> ㅁ. 언론·출판의 자유를 제한하는 입법의 위헌 여부를 심사하는 기준으로 자의금지의 원칙이 적용된다.
> ㅂ. 언론·출판의 자유를 제한하는 입법의 위헌 여부를 심사하는 기준으로 명백하고도 현존하는 위험의 원칙이 적용된다.
> ㅅ. 상업광고도 표현의 자유의 보호영역에 속하는 것이나 상업광고 규제에 관한 비례의 원칙이 적용되지 않는다.
> ㅇ. 상업광고도 표현의 자유의 보호영역에 속하는 것이므로 상업광고 규제에 관한 비례의 원칙 심사에 있어서 피해의 최소성원칙에서는 같은 목적을 달성하기 위하여 달리 덜 제약적인 수단이 없을 것인지 혹은 입법목적을 달성하기 위하여 필요한 최소한의 제한인지를 심사한다.
> ㅈ. 상업광고 규제에 관하여 비례의 원칙에 의한 심사를 하더라도 그중 '피해의 최소성'원칙은 같은 목적을 달성하기 위하여 달리 덜 제약적인 수단이 없을 것인지 혹은 입법목적을 달성하기 위하여 필요한 최소한의 제한인지를 심사하기보다는 '입법목적을 달성하기 위하여 필요한 범위 내의 것인지'를 심사하는 정도로 엄격한 심사를 요한다.

① 1개　② 2개
③ 3개　④ 4개

16 언론의 자유에 대한 설명으로 옳지 않은 것은 모두 몇 개인가?

> ㄱ. 의료인의 기능과 진료방법에 대한 광고를 금지하고 이에 대하여 벌금형에 처하도록 한 구 「의료법」 규정은 입법목적을 달성하기 위하여 필요한 범위를 넘어선 것이므로 표현의 자유를 침해한다.
> ㄴ. 공익을 해할 목적으로 전기통신설비에 의하여 공연히 허위의 통신을 한 자를 형사 처벌하는 구 「전기통신기본법」 제47조 제1항은 명확성원칙에 위반된다.
> ㄷ. 대한민국을 모욕할 목적으로 국기를 손상, 제거 또는 오욕한 자를 처벌하는 「형법」 제105조의 국기모독죄는 표현의 자유를 침해한다.
> ㄹ. 명령복종관계에서 명령권을 가진 상관을 모욕한 자를 처벌하는 「군형법」은 명확성원칙에 위배되지 않고 표현의 자유를 침해한다고 할 수도 없다.
> ㅁ. 대한민국 또는 헌법상 국가기관을 모욕, 비방하거나 그에 관한 사실 왜곡, 허위사실 유포 또는 기타 방법으로 대한민국의 안전, 이익 또는 위신을 해하거나 해할 우려가 있는 표현이나 행위를 한 자에 대하여 형사처벌하도록 규정한 구 「형법」의 국가모독죄는 표현의 자유를 침해한다고 할 수 없다.
> ㅂ. 언론기관이 진실한 것으로 오인하고 보도한 경우에 그 오인에 정당한 이유가 있는 때에는 그 표현의 진실성에 대한 입증이 없어도 명예훼손죄는 성립되지 않는다.
> ㅅ. 인터넷 종합정보 제공 사업자가 보도매체의 기사를 보관하면서 스스로 그 기사의 일부를 선별하여 자신이 직접 관리하는 뉴스 게시공간에 게재하였고 그 게재된 기사가 타인의 명예를 훼손하는 내용을 담고 있는 경우, 달리 특별한 사정이 없는 이상 그 사업자는 그로 인하여 명예가 훼손된 피해자에 대하여 불법행위로 인한 손해배상책임을 진다.
> ㅇ. 공연히 사실을 적시하여 사람의 명예를 훼손한 경우 형사처벌하는 것은 공적 인물과 공적 사안에 대한 감시·비판을 봉쇄할 목적으로 악용될 소지가 크므로 표현의 자유를 침해한다.
> ㅈ. 「정보통신망 이용촉진 및 정보보호 등에 관한 법률」 조항 중 '공포심이나 불안감을 유발하는 문언을 반복적으로 상대방에게 도달하게 한 자' 부분은, 정보 수신자가 불안감이나 공포심을 실제로 느꼈는지 여부와 상관없이 정보를 보낸 사람을 처벌가능한 것으로 해석할 수 있어, 그 처벌대상이 무한히 확장될 가능성이 있으므로 명확성원칙에 위배되어 표현의 자유를 침해한다.

① 1개　② 2개
③ 3개　④ 4개

17 표현의 자유에 대한 설명으로 옳지 않은 것은 모두 몇 개인가?

ㄱ. 통신매체를 이용한 음란행위를 처벌하는 「성폭력범죄의 처벌 등에 관한 특례법」 제13조는 발신인의 표현의 자유를 제한한다.
ㄴ. 주민소환투표청구를 위한 서명요청활동을 '소환청구인서명부를 제시'하거나 '구두로 주민소환투표의 취지나 이유를 설명하는' 두 가지 경우로만 엄격히 제한하고 이를 위반할 경우 형사처벌하는 「주민소환법」은 '표현의 방법'을 제한한다.
ㄷ. 시·도지사 후보자로 등록하려는 사람에게 5천만 원의 기탁금을 납부하도록 한 「공직선거법」은 선거운동의 자유나 표현의 자유를 직접적으로 제한한다.
ㄹ. 선거기간 중 선거에 관한 여론조사의 결과공표금지는 과잉금지의 원칙에 위배하여 언론·출판의 자유와 알 권리 및 선거권을 침해하였다고 할 수 없다.
ㅁ. 정당을 제외한 모든 단체의 선거운동을 금지한 「공직선거법」 규정은 표현의 자유를 침해하는 것이 아니다.
ㅂ. 새마을금고의 임원선거와 관련하여 법률에서 정하고 있는 방법 외의 방법으로 선거운동을 할 수 없도록 하고 이를 위반한 경우 형사처벌하도록 정하고 있는 「새마을금고법」 규정은 표현의 자유를 침해하지 않는다.
ㅅ. 지역농협 이사 선거의 경우 전화·컴퓨터통신을 이용한지지 호소의 선거운동방법을 금지하고, 이를 위반한 자를 처벌하는 구 「농협협동조합법」 조항은 해당 선거 후보자의 표현의 자유를 침해하지 않는다.

① 1개 ② 2개
③ 3개 ④ 4개

18 표현의 자유에 대한 설명으로 옳지 않은 것은 몇 개인가?

ㄱ. 구 「신문 등의 자유와 기능보장에 관한 법률」 제15조가 비록 신문기업활동의 외적 조건을 규제하여 신문의 자유를 제한하는 효과를 가진다고 하더라도 그 위헌 여부를 심사함에 있어 신문의 내용을 직접적으로 규제하는 경우와 동일하게 취급할 수는 없다. 신문기업활동의 외적 조건을 규제하는 구 「신문 등의 자유와 기능보장에 관한 법률」 조항에 대한 위헌심사는 신문의 내용을 규제하여 언론의 자유를 제한하는 경우에 비하여 그 기준이 완화된다.
ㄴ. 명백·현존·위험의 원칙은 사전에 표현의 자유를 규제하기 위한 행정청의 판단기준이다.
ㄷ. 명백·현존·위험의 원칙은 국제정세와 무관하게 일관되게 인정되어 왔다.
ㄹ. 정치적 표현 및 선거운동에 대하여는 '금지를 원칙으로, 허용을 예외로' 하여야 하고, '자유를 원칙으로, 금지를 예외로' 해서는 안 된다는 점은 자명하다. 따라서 입법자는 선거의 공정성을 보장하고 탈법·금권적 혼탁선거를 방지하기 위하여 정치적 표현의 자유와 선거운동의 자유를 제한하는 경우, 비례의 원칙 심사에 있어서 '피해의 최소성'원칙은 '입법목적을 달성하기 위하여 필요한 범위 내의 것인지'를 심사하는 정도로 완화된다.
ㅁ. 주민소환투표청구를 위한 서명요청활동방법을 일정한 경우로 제한하고 이를 위반할 경우 형사처벌하는 「주민소환법」 제32조 제1호 중 제10조 제4항에 관한 부분에 대한 과잉금지원칙 위반 여부를 심사함에 있어서는, 일반적인 표현의 자유에 대한 제한에 적용되는 엄격한 의미의 과잉금지원칙 위반 여부의 심사가 아닌 실질적으로 완화된 심사를 함이 상당하다.
ㅂ. 헌법이 규정하고 있는 기본권 제한목적과 유사한 개념을 법률에서 그대로 사용했다면 정당화될 수 있다.

① 1개 ② 2개
③ 3개 ④ 4개

19 중학교 자녀를 둔 부모가 아래 서울특별시 학생인권조례에 대해 헌법소원청구하였다. 이에 대한 설명으로 옳지 않은 것은?

> 서울특별시 학생인권조례 제5조 제3항 학교 운영자나 학교의 장, 교사, 학생 등으로 하여금 성별, 종교, 나이, 사회적 신분, 출신지역, 출신국가, 출신민족, 언어, 장애, 용모 등 신체조건, 임신 또는 출산, 가족형태 또는 가족상황, 인종, 경제적 지위, 피부색, 사상 또는 정치적 의견, 성적 지향, 성별 정체성, 병력, 징계, 성적 등의 사유를 이유로 한 차별적 언사나 행동, 혐오적 표현 등을 통해 다른 사람의 인권을 침해하지 못하도록 한 규정

① 성별, 종교, 나이, 사회적 신분, 출신지역, 출신국가, 출신민족을 차별하는 언사나 행동, 혐오적 표현은 헌법 제21조가 규정하는 표현의 자유의 보호영역에 해당한다고 할 수 없다.

② 헌법 제21조의 표현의 자유는 종교의 자유, 양심의 자유 등 정신적 자유를 외부적으로 표현하는 자유인 것이고 종교의 자유, 양심의 자유 침해 주장취지 역시 표현의 자유 침해 주장과 내용상 동일하다 할 것이므로, 종교의 자유, 양심의 자유 침해 주장에 대하여는 별도로 판단하지 아니한다.

③ 차별적 언사나 행동, 혐오적 표현이 육체적·정신적으로 미성숙한 학생들이 구성원으로 있는 공간에서의 문제라면 표현의 자유로 얻어지는 가치와 인격권의 보호에 의하여 달성되는 가치를 비교형량할 때에도 사상의 자유시장에서 통용되는 기준을 그대로 적용하기는 어렵다고 할 것이다.

④ 법령에서 서울특별시 학생인권조례 제5조 제3항에 대한 위임은 포괄적 위임으로 족하다.

20 피청구인 대통령의 지시로 피청구인 대통령 비서실장, 정무수석비서관, 교육문화수석비서관, 문화체육관광부장관이 야당 소속 후보를 지지하였거나 정부에 비판적 활동을 한 문화예술인이나 단체를 정부의 문화예술 지원사업에서 배제할 목적으로, 한국문화예술위원회, 영화진흥위원회, 한국출판문화산업진흥원 소속 직원들로 하여금 특정 개인이나 단체를 문화예술인 지원사업에서 배제하도록 한 일련의 지시 행위에 대해 헌법소원이 청구되었다. 이에 대한 설명으로 옳지 않은 것은?

① 대통령의 지원배제지시는 우월한 지위에서 개입한 권력적 사실행위이므로 헌법소원의 대상이 되는 공권력의 행사에 해당한다.

② 대통령의 지원배제지시는 헌법상 문화국가원리와 법률유보원칙에 반하는 자의적인 것으로 정당화될 수 없다.

③ 표현행위자의 특정 견해, 이념, 관점에 근거한 제한은 표현의 내용에 대한 제한 중에서도 가장 심각하고 해로운 제한이다. 헌법상 표현의 자유가 보호하고자 하는 가장 핵심적인 것이 바로 '표현행위가 어떠한 내용을 대상으로 한 것이든 보호를 받아야 한다'는 것이며 정치적 표현의 내용, 그중에서도 표현된 관점을 근거로 한 제한은 과잉금지원칙을 준수하여야 하며, 그 심사 강도는 더욱 엄격하다고 할 것이다.

④ 대통령의 지원배제지시는 목적은 정당하나, 방법의 적정성이 인정되지 않는다.

33회 진도별 모의고사

언론의 자유 ~ 집회의 자유

정답 및 해설 p.257

제한시간 : 14분 | 시작시각 ___시 ___분 ~ 종료시각 ___시 ___분 나의 점수 ______

01 보도의 피해자 구제에 대한 설명으로 옳은 것은?

① 정정보도청구소송과 반론보도청구소송은 「민사집행법」의 가처분절차에 따라 재판한다.

② 언론보도의 피해자가 아닌 자의 시정권고신청권을 규정하지 아니한 「언론중재 및 피해구제 등에 관한 법률」 제32조 제1항은 표현의 자유를 침해한다고 할 수 없다.

③ 평가된 주장·논평에 관한 언론보도로 인하여 피해를 입은 자는 정정보도·반론보도를 청구할 수 있다.

④ 반론보도청구권은 원보도를 진실에 부합되게 시정보도해 줄 것을 요구하는 권리이므로 원보도의 내용이 허위일 것을 조건으로 한다.

02 보도의 피해자 구제에 대한 설명으로 옳은 것은?

① 반론보도의 청구에는 언론사 등의 고의·과실이나 위법성을 필요로 하지 아니하며, 보도 내용의 진실 여부와 상관이 있으나, 정정보도의 청구에는 언론사 등의 고의·과실이나 위법성을 필요로 하며, 보도 내용의 진실 여부와 상관없이 그 청구를 할 수 있다.

② 사실적 주장에 관한 언론보도 등이 진실하지 아니함으로 인하여 피해를 입은 자는 해당 언론보도 등이 있음을 안 날부터 6개월 이내에 언론사, 인터넷뉴스서비스사업자 및 인터넷 멀티미디어 방송사업자에게 그 언론보도 등의 내용에 관한 정정보도를 청구할 수 있으나, 해당 언론보도 등이 있은 후 1년이 지났을 때에는 그러하지 아니하다.

③ 다른 법률에 특별한 규정이 없으면 사망 후 30년이 지났을 때에는 「언론중재 및 피해구제 등에 관한 법률」에 따른 사망한 사람의 인격권 침해 구제절차를 수행할 수 없다.

④ 현행법은 사실적 주장에 한하여 반론권을 인정하고 상업적인 광고만을 목적으로 하는 경우 반론권을 거부하도록 하고 있고, 반론보도문은 언론사의 명의로 게재된다는 점에서 언론의 자유 침해라고 볼 수 없다.

03 **정정보도청구권과 반론보도청구권, 알 권리에 대한 설명으로 옳은 것은?**

① 정정보도청구권과 반론보도청구권, 정보공개청구권은 모두 「언론중재 및 피해구제 등에 관한 법률」에 의해 구체화되어 있다.

② 정정보도청구권은 고의·과실과 위법성을 그 요건으로 하나 반론보도청구권은 고의·과실과 위법성을 그 요건으로 하지 않는다는 점에서 차이가 있다.

③ 정정보도청구권과 반론보도청구권의 상대방은 언론사이나, 정보공개청구권의 상대방은 공공기관에 한정된다.

④ 정정보도청구권과 반론보도청구권은 기본권의 대국가적 효력의 문제라면, 알 권리는 대사인적 효력의 문제이다.

04 **다음 사례에 대한 설명으로 옳은 것은?**

> 사례 1: 황당일보는 대통령의 실정으로 경제가 파탄지경이 되었다는 보도를 하였다. 청와대 비서관들은 보도에 대한 대처를 논의하고 있다.
> 사례 2: 황당일보는 대통령이 10억 원의 불법정치자금을 수령했다고 보도하였는데, 허위보도로 드러났다. 청와대 비서관들은 보도에 대한 대처를 논의하고 있다.
> 사례 3: 황당일보는 대통령의 업무수행능력이 부족하여 코로나 19가 확산되었다는 보도를 하였다.

① 사례1의 보도가 진실하지 아니한 보도라면 언론사에 정정보도를 청구할 수 있으나, 진실한 보도라면 반론보도만 청구할 수 있다.

② 사례2의 보도에 대해서 언론사에 정정보도와 반론보도를 청구할 수 있다.

③ 사례3의 보도가 만약 진실한 보도였다면 반론보도만 청구할 수 있다.

④ 사례2에서 언론사가 정정보도청구를 받아들이지 않는 경우, 대통령은 정정보도청구소송을 제기할 수 있고 이는 「민사집행법」의 가처분절차로 진행된다.

05 **구 신문 등의 자유와 기능보장에 관한 법률(이하 '신문법'이라 한다)과 언론중재 및 피해구제 등에 관한 법률(이하 '언론중재법'이라 한다)에 대한 설명으로 옳은 것은?**

① 일간신문의 전체 발행부수 등 신문사의 경영자료를 신고·공개하도록 규정한 신문법은 신문의 자유를 지나치게 침해하고 일반 사기업에 비하여 평등원칙에 반하는 차별을 가하는 위헌규정이라 할 수 있다.

② 신문기업 자료의 신고·공개제도는 신문의 투명성 확보라는 그 입법목적이 모호할 뿐만 아니라, 신문기업의 주식 소유자에 대한 정보공개는 개인의 프라이버시를 노출시키게 되고, 그 결과 특정 신문에 대한 개인의 투자를 저해할 수도 있으므로, 과잉금지원칙에 위배되어 신문의 자유를 침해하는 것이다.

③ 일간신문을 경영하는 법인의 주식 또는 지분의 2분의 1 이상을 소유하는 자가 다른 일간신문법인의 주식 또는 지분의 2분의 1 이상을 취득 또는 소유하지 못하도록 한 것은 신문시장의 독과점과 집중을 방지하기 위한 것이지만, 신문의 복수소유가 언론의 다양성을 저해하지 않거나 오히려 이에 기여하는 경우도 있을 수 있으므로, 신문의 복수소유를 일률적으로 금지하는 것은 정당하다고 보기 어렵다.

④ 신문사가 언론피해의 예방이나 구제를 위하여 고충처리인을 둘 것인지 여부는 신문사가 자율적으로 정할 문제이므로 국가가 나서서 이들 조항과 같이 고충처리인을 두고 그 활동사항을 매년 공표하라고 요구하는 언론중재법은 신문사업자의 신문의 자유를 침해하는 것이다.

06 구 신문 등의 자유와 기능보장에 관한 법률(이하 '신문법'이라 한다)과 언론중재 및 피해구제 등에 관한 법률에 대한 설명으로 옳지 않은 것은?

① 일간신문사는 뉴스통신방송사업의 겸영을 할 수 없다는 신문법 조항은 헌법에 위반되지 아니한다.

② 시장지배적 사업자의 추정기준을 1개 일간신문사의 시장점유율 30%, 3개 일간신문사의 시장점유율 60%로 규정한 신문법 조항은 평등권과 신문의 자유를 침해한다.

③ 시장점유율이 높다는 이유만으로, 즉 독자의 선호도가 높아서 발행부수가 많다는 점을 이유로 신문사업자를 차별하는 것, 그것도 시장점유율 등을 고려하여 신문발전기금 지원의 범위와 정도에 있어 합리적 차등을 두는 것이 아니라 기금 지원의 대상에서 아예 배제하는 것은 합리적인 것이 아니다.

④ 신문보도의 명예훼손적 표현의 피해자가 공적 인물이냐 아니면 사인이냐, 그 표현이 공적 관심 사안에 관한 것이냐 순수한 사적인 영역에 속하는 사안이냐 여부에 따라 명예훼손과 관련된 헌법적 심사기준에 차이가 없다.

07 표현의 자유와 한계에 대한 설명으로 옳은 것은?

① 언론기관이 진실한 것으로 오인하고 보도한 경우에 그 오인에 정당한 이유가 있는 때에도 명예훼손죄는 성립한다.

② 허위라는 것을 알거나 진실이라고 믿을 수 있는 정당한 이유가 없는데도 진위를 알아보지 않고 게재한 허위보도에 대하여는 면책을 주장할 수 없다.

③ 언론으로부터 피해를 입은 사람은 「언론중재 및 피해구제 등에 관한 법률」에 따라 인터넷신문을 상대로 정정보도청구, 반론보도청구, 추후보도청구를 할 수 있고, 형사상 명예훼손죄로 고소할 수도 있으나, 민사상 손해배상청구를 할 수는 없다.

④ 공직자의 공무집행에 관하여는 허위의 사실보도라 하더라도 그것이 언론사의 현실적 악의에 의한 것임을 원고가 입증하지 못하면 언론사에 대하여 징벌적 손해배상책임을 물을 수 없다는 것이 대법원의 판례이다.

08 집회의 자유에 대한 설명으로 옳은 것은?

① 집회의 자유는 공공시설의 이용을 적극적으로 요구할 수 있는 권리를 포함하지 않으므로 공물이용권의 성격을 가지는 것은 아니다.

② 여러 사람이 번갈아 참여하는 1인 릴레이 시위는 「집회 및 시위에 관한 법률」상의 시위에 해당하지 않는다.

③ 집회란 다수인이 일정한 장소에서 공동목적을 가지고 회합하는 일시적인 결합체를 의미하기 때문에 2인이 모인 집회는 「집회 및 시위에 관한 법률」의 규제대상이 되지 않는다.

④ 집회는 일정한 장소를 전제로 하여 특정 목적을 가진 다수인이 일시적으로 회합하는 것을 말하는 것으로, 여기서의 다수인이 가지는 공동의 목적은 '내적인 유대관계'로 족하지 않고 공통의 의사형성과 의사표현이라는 공동의 목적이 포함되어야 한다.

09 집회의 자유에 대한 설명으로 옳은 것은?

① 집회의 자유에는 집회를 통하여 형성된 의사를 집단적으로 표현하고 이를 통하여 불특정 다수인의 의사에 영향을 줄 자유를 포함한다.

② 집회의 자유는 집회를 통하여 형성된 의사를 집단적으로 표현하고 이를 통하여 불특정 다수인의 의사에 영향을 줄 자유를 포함하므로 이를 내용으로 하는 시위의 자유 또한 집회의 자유를 규정한 헌법 제21조 제1항에 의하여 보호되는 기본권에 속한다. 그러나 집회의 자유 내지 시위의 자유가 국민에게 그가 선택한 임의의 장소에서 자유롭게 행사할 수 있는 권리까지 보장한다고 볼 수 없으며, 이른바 장소선택의 자유는 집회·시위의 자유의 영역에 속하지 아니한다.

③ 집회장소로부터 귀가를 방해하거나 참가자에 대한 검문방법으로 시간을 지연하여 집회장소에 접근을 방해하는 등 집회와 관련하여 제3자나 참가자의 행동의 자유를 제한하는 조치는 허용된다.

④ 우발적 집회는 군중이 어떤 사건을 계기로 현장에서 공동의 의사를 형성하여 표현하기에 이른 집회로서 사전신고가 불가능하므로 헌법의 보호범위에 포함되지 않는다.

⑤ 긴급집회에도 「집회 및 시위에 관한 법률」상 신고제가 적용되므로 옥외집회나 시위를 시작하기 전 720시간부터 48시간 사이에 긴급집회도 신고해야 한다. 그러하지 아니한 경우 「집회 및 시위에 관한 법률」 위반으로 처벌하여야 한다.

10 집회의 자유에 대한 설명으로 옳은 것은?

① 공중이 자유롭게 통행할 수 없는 대학 구내에서의 시위라고 하더라도 다수인이 공동목적을 가지고 위력 또는 기세를 보여 불특정 다수인의 의견에 영향을 주거나 제압을 가하는 행위는 「집회 및 시위에 관한 법률」상의 규제대상이 된다.

② 집회의 자유에는 집회를 방해할 의도로 집회에 참가할 자유도 포함된다.

③ 「집회 및 시위에 관한 법률」상의 시위는 반드시 일반인이 자유로이 통행할 수 있는 장소에서 이루어져야 하며, 행진 등 장소 이동을 동반해야만 성립하는 것이다.

④ 대학교 구내에서 옥외집회는 「집회 및 시위에 관한 법률」 제10조의 야간옥외집회금지조항의 적용을 받지 않는다.

11 집회의 자유에 대한 설명으로 옳지 않은 것은 모두 몇 개인가?

ㄱ. 일반 공중에게 개방된 장소인 광장에서 불법·폭력 집회나 시위를 개최하는 것을 막기 위하여 경찰버스들로 광장을 둘러싸 소위 차벽을 만드는 방법으로 출입을 제지하는 것은, 단순히 통행하고자 하는 일반시민의 경우 일반적 행동자유권의 침해 문제이지 집회의 자유와는 관련이 없다.

ㄴ. 교통방해행위를 처벌하는 「형법」 제185조(일반교통방해)는 집회의 자유 침해 문제를 야기한다.

ㄷ. 집회금지와 해산은 집회의 자유를 보다 적게 제한하는 다른 수단, 즉 조건(예컨대 시위참가자 수의 제한, 시위대상과의 거리 제한, 시위방법, 시기, 소요시간의 제한 등)을 붙여 집회를 허용하는 가능성을 모두 소진한 후에 비로소 고려될 수 있는 최종적인 수단이다.

ㄹ. 집회의 자유는 집회의 시간, 장소, 방법과 목적을 스스로 결정할 권리를 포함하므로 옥외집회를 야간에 주최하는 것 역시 집회의 자유로 보호됨이 원칙이다.

ㅁ. 집회에 대한 허가를 금지한 헌법 제21조 제2항은 기본권 제한에 관한 일반적 법률유보조항인 헌법 제37조 제2항에 우선하는 1차적 심사기준이 되어야 한다.

ㅂ. 집회의 자유는 개인의 사회생활과 여론형성 및 민주정치의 토대를 이루고 소수자의 집단적 의사표현을 가능하게 하는 중요한 기본권이므로 위법행위의 개연성이 있다는 예상만으로 집회의 자유를 제한할 수 없다.

ㅅ. 집회의 금지와 해산은 원칙적으로 공공의 안녕질서에 대한 직접적인 위협이 명백하게 존재하는 경우에 한하여 허용될 수 있다.

① 1개 ② 2개
③ 3개 ④ 4개

12 집회의 자유에 대한 설명으로 옳지 않은 것은?

① 집회의 자유는 법률에 의하여만 제한될 수 있으므로 법률에 정해지지 않은 방법으로 이를 제한할 경우에는 그것이 과잉금지원칙에 위배되었는지 여부를 판단할 필요 없이 헌법에 위반된다.

② 동시에 접수된 두 개의 옥외집회신고서에 대하여 관할 경찰관서장이 적법한 절차에 따라 접수 순위를 확정하려는 노력을 하지 않고, 폭력사태 발생이 우려되고 상호 충돌을 피한다는 이유로 모두 반려하는 것은 집회의 자유를 침해하는 것이다.

③ 「집회 및 시위에 관한 법률」 제10조 본문이 해가 뜨기 전이나 해가 진 후에는 옥외집회를 못하도록 규정한 것은 시간적 제한을 둔 것으로서 그 예외를 허용하는 단서 조항의 존재 여부와 관계없이 헌법 제21조 제2항의 사전허가금지에 위반된다고 하여 헌법재판소는 위헌결정을 하였다.

④ 헌법 제21조 제2항은 집회에 대한 허가제는 집회에 대한 검열제와 마찬가지이므로 이를 절대적으로 금지하겠다는 헌법개정권력자인 국민들의 헌법가치적 합의이며 헌법적 결단이다.

13 집회의 자유에 대한 설명으로 옳은 것은?

① 헌법 제21조 제2항은 집회의 자유에 있어서는 '집회의 일반적 금지, 입법권이 주체가 되는 예외적 허가'의 방식에 의한 제한을 허용하지 아니하겠다는 헌법적 결단을 분명히 밝힌 것이다.

② 집회에 대한 허가제를 금지한 헌법 제21조 제2항은 헌법 자체에서 직접 집회의 자유에 대한 제한의 한계를 명시하고 있으므로, 기본권 제한에 관한 일반적 법률유보조항인 헌법 제37조 제2항에 앞서서 우선적이고 제1차적인 위헌심사기준이 되어야 한다.

③ 미신고 옥외집회는 불법집회이므로 관할 경찰관서장은 언제나 해산명령을 내릴 수 있으며, 이에 불응하는 경우에는 처벌할 수 있다고 보아야 한다.

④ 헌법규정에서 금지하고 있는 '허가'는 사법권이 주체가 되어 집회 개최의 정당성을 판단하는 제도를 의미한다.

14 집회의 자유에 대한 설명으로 옳은 것은 모두 몇 개인가?

ㄱ. 입법자가 법률로써 일반적으로 집회를 제한하는 것도 원칙적으로 헌법 제21조 제2항에서 금지하는 '사전허가'에 해당한다.

ㄴ. 헌법에서 금지하고 있는 집회에 대한 허가는 입법권이 주체가 되어 집회의 내용·시간·장소 등을 사전심사하여 일반적인 집회금지를 특정한 경우에 해제함으로써 집회를 할 수 있게 하는 제도를 의미한다.

ㄷ. 집회의 자유에 대한 신고제는 집회의 자유에 대한 일반적 금지가 원칙이고 예외적으로 행정권의 허가가 있을 때에만 이를 허용한다는 점에서 헌법이 금지하는 허가제와는 집회의 자유에 대한 이해와 접근방법의 출발점을 달리하고 있다.

ㄹ. 헌법이 금지하고 있는 집회에 대한 '허가'는 행정권이 주체가 되어 집회 이전에 예방적 조처로서 집회의 내용·시간·장소 등을 사전에 심사하여 일반적인 집회금지를 특정한 경우에 해제함으로써 집회를 할 수 있게 하는 제도를 의미한다.

ㅁ. 옥외집회에 대한 신고의무는 단순한 행정절차적 협조의무에 불과하고 그러한 협조의무의 이행은 과태료 등의 행정상 제재로도 충분히 확보가능함에도 불구하고, 「집회 및 시위에 관한 법률」에서 징역형이 있는 형벌의 제재로 신고의무의 이행을 강제하는 것은 헌법 제21조 제2항에서 금지하고 있는 허가제에 해당한다.

ㅂ. 「집회 및 시위에 관한 법률」의 옥외집회 시위의 사전신고제도는 협력의무로서의 신고이기 때문에 헌법 제21조 제2항의 사전허가금지에 위배되지 않는다.

① 1개 ② 2개

③ 3개 ④ 4개

15 집회 신고제에 대한 설명으로 옳지 않은 것은 모두 몇 개인가?

ㄱ. 옥외집회를 늦어도 집회가 개최되기 48시간 전까지 사전신고를 하도록 법률로 규정한 것이 과잉금지원칙에 위반하여 집회의 자유를 침해하였다고 볼 수 없다.
ㄴ. 「집회 및 시위에 관한 법률」이 미신고 옥외집회 또는 시위를 해산명령의 대상으로 하면서 별도의 해산요건을 정하고 있지 않더라도, 그 옥외집회 또는 시위로 인하여 타인의 법익이나 공공의 안녕질서에 대한 직접적인 위험이 명백하게 초래된 경우에 한하여 위 조항에 기하여 해산을 명할 수 있다. 또 이러한 요건을 갖춘 해산명령에 불응하는 경우에만 「집회 및 시위에 관한 법률」에 의하여 처벌할 수 있다고 보아야 한다.
ㄷ. 옥외집회에 대한 사전신고는 행정관청에 집회에 관한 구체적인 정보를 제공함으로써 공공질서의 유지에 협력하도록 하는 데에 그 의의가 있는 것이지 집회의 허가를 구하는 신청으로 변질되어서는 아니 되므로, 신고를 하지 아니하였다는 이유만으로 그 옥외집회 또는 시위를 헌법의 보호범위를 벗어나 개최가 허용되지 않는 집회 내지 시위라고 단정할 수 없다.
ㄹ. 옥외집회 또는 시위가 그 신고의 범위를 일탈한 경우에는 그 신고 내용과 동일성이 유지되고 있더라도 관할 경찰관서장은 신고를 하지 아니한 옥외집회 또는 시위로 보아 이를 해산하거나 저지할 수 있다.
ㅁ. 집회나 시위 해산을 위한 살수차 사용은 집회의 자유 및 신체의 자유에 중대한 제한을 초래하므로 그 사용요건이나 기준은 법률에 근거를 두어야 한다.

① 1개 ② 2개
③ 3개 ④ 4개

16 집회 및 시위에 관한 법률(이하 '집시법'이라 한다)에 대한 설명으로 옳은 것은 모두 몇 개인가?

ㄱ. 집회신고를 받은 관할 경찰관서장은 신고서의 기재사항에 미비한 점을 발견하면 집회신고를 반려한다.
ㄴ. 종교에 관한 집회의 경우에는 집시법상 옥외집회신고 관련 규정이나 시간적 장소적 제한규정의 적용을 받지 않는다.
ㄷ. 옥외집회의 신고를 경찰서장이 이미 접수된 옥외집회 신고서를 반려하는 행위는 헌법소원심판의 대상이 되는 공권력의 행사에 해당한다.
ㄹ. 집시법상 옥외집회의 48시간 전 사전신고의무 부과는 사회질서를 해칠 개연성이 확실한지 여부도 묻지 않고 집회신고의무를 부과하여 집회의 자유를 제한하는 것은 헌법 제37조 제2항에 위반된다.
ㅁ. 관할 경찰관서장은 옥외집회신고서의 기재사항에 미비한 점이 있을 경우 접수증을 교부한 때부터 12시간 이내에 주최자에게 24시간을 기한으로 그 기재사항을 보완할 것을 통고할 수 있다.
ㅂ. 학문, 예술, 체육, 종교, 의식, 국경행사에 관한 집회는 시간·장소의 제한을 받지는 않지만, 일반집회와 마찬가지로 사전신고를 해야 한다.

① 1개 ② 2개
③ 3개 ④ 4개

17 집회 및 시위에 관한 법률(이하 '집시법'이라 한다)에 대한 설명으로 옳은 것은 모두 몇 개인가?

> ㄱ. 정복을 입은 경찰관은 집회의 주최자에게 알리기만 하면, 옥내집회장소에 자유롭게 출입할 수 있다.
> ㄴ. 경찰관은 집회, 시위의 질서유지를 위하여 집회 또는 시위의 장소에 정복을 입고 자유롭게 출입할 수 있으며, 집회 또는 시위의 주최자에게 알릴 필요는 없다.
> ㄷ. 집회질서를 유지할 수 없는 집회시위참가자에 대해 해산명령하고 불응시 처벌하는 집시법은 집회의 자유를 침해하지 않는다.
> ㄹ. 경찰서장은 집회 또는 시위의 질서유지에 관하여 자신을 보좌하기 위하여 「민법」상 성년 이상의 자를 질서유지인으로 임명할 수 있다.
> ㅁ. 집회 또는 시위의 주최자 및 질서유지인은 특정한 사람이나 단체가 집회나 시위에 참가하는 것을 막을 수 있다.
> ㅂ. 관할 경찰관서장은 대통령령으로 정하는 주요 도시의 주요 도로에서의 집회 또는 시위로 인하여 해당 도로와 주변 도로의 교통 소통에 장애를 발생시켜 심각한 교통 불편을 줄 우려가 있으면 집회 또는 시위의 주최자가 질서유지인을 두고 도로를 행진하는 경우에도 집회 또는 시위를 금지할 수 있다.
> ㅅ. 집회 또는 시위의 주최자는 집회 또는 시위에 있어서의 질서를 유지하여야 하며, 질서를 유지할 수 없으면 그 집회 또는 시위의 종결을 선언하여야 한다.

① 1개 ② 2개
③ 3개 ④ 4개

18 집회 및 시위에 관한 법률(이하 '집시법'이라 한다)에 대한 설명으로 옳은 것은?

① 관할 경찰관서장은 일정 수준 이상의 소음을 발생시키는 확성기, 북, 징, 꽹과리 등의 사용 중지를 명할 수 있다.

② 집회 또는 시위의 주최자는 집시법 제8조에 따른 금지 통고를 받았을 경우, 통고를 받은 날부터 7일 이내에 해당 경찰관서의 바로 위의 상급경찰관서의 장에게 이의를 신청할 수 있다.

③ 집회금지통고에 대한 이의신청을 받은 때부터 재결기관이 24시간 이내 재결서를 발송하지 않으면 금지통고는 그때부터 효력을 상실한다.

④ 집회 및 시위의 자유와 공공의 안녕질서가 조화를 이루도록 하기 위하여 각급 경찰관서에 각급 경찰관서장의 자문 등에 응하는 집회·시위자문위원회를 두어야 한다.

19 집회의 자유 침해 여부에 대한 설명으로 옳은 것은?

① 국회의 헌법적 기능을 무력화시키거나 저해할 우려가 있는 집회를 금지하는 것은 집회의 자유를 침해하므로 허용될 수 없다.

② 주요 헌법기관이나 외교기관의 보호와 관련하여 특정 장소를 보호하는 특별규정을 두기로 한 입법자의 결정 자체가 국민의 기본권을 과도하게 침해하는 것이다.

③ 독도를 일본의 영토라고 주장하고 있는 주한 일본대사관을 대상으로 항의집회를 하려고 하였으나 「집회 및 시위에 관한 법률」에 의하여 금지된 것이 청구인의 영토권을 침해할 수 있다.

④ 집단적인 폭행·협박·손괴·방화 등으로 공공의 안녕 질서에 직접적인 위협을 가할 것이 명백한 집회 또는 시위 주최를 금지하는 것은 명확성의 원칙에 위반된다고 할 수 없다.

20 집회의 자유 침해 여부에 대한 설명으로 옳은 것은?

① 신고한 목적·일시·장소 등을 뚜렷이 벗어난 행위를 금지하는 「집회 및 시위에 관한 법률」은 명확성원칙에 위배된다.

② 사전 신고하지 않은 옥외집회시위에 대하여 과태료가 아닌 형벌을 부과한 것은 입법재량의 한계를 벗어난 것으로 볼 수 있다.

③ 구 「집회 및 시위에 관한 법률」의 '현저히 사회적 불안을 야기시킬 우려가 있는 집회 또는 시위'는 집회·시위 가운데서 공공의 안녕과 질서유지에 직접적인 위협을 가할 것이 명백한 경우에 적용된다고 해석하는 한 헌법에 위반되지 아니한다.

④ 시간과 장소가 중복되는 두 가지 옥외집회의 주최자가 서로 먼저 신고하기 위하여 대립하다가 동시에 신고서를 접수시켰다면 "시간과 장소가 경합되어 상호 방해 및 충돌의 우려가 있기에 정상적인 처리가 어렵다."라는 이유로 모두에 대해 반려행위를 한 것은 「집회 및 시위에 관한 법률」 제8조 제2항을 적용한 집회금지통고에 해당된다고 볼 수 있는 바, 이 사건 반려행위는 헌법에 위반된다거나 청구인들의 기본권을 침해한다고 할 수 없다.

진도별 모의고사

집회 및 결사의 자유 ~ 재산권

정답 및 해설 p.265

제한시간 : 14분 | 시작시각 ___시 ___분 ~ 종료시각 ___시 ___분 나의 점수 ______

01 집회의 자유 침해 여부에 대한 설명으로 옳은 것은?

① 집회의 시간과 장소가 중복되는 2개 이상의 신고가 있는 경우 그 목적으로 보아 서로 상반되거나 방해가 된다고 인정되면 뒤에 접수된 신고를 반려한다.

② 집회의 시간과 장소가 중복되는 2개 이상의 신고가 있을 경우 관할 경찰관서장은 먼저 신고된 집회가 다른 집회의 개최를 봉쇄하기 위한 가장집회신고에 해당하는지 여부에 관하여 판단할 권한이 없으므로 뒤에 신고된 집회에 대하여 집회 자체를 금지하는 통고를 하여야 한다.

③ 국회의사당 경계 지점으로부터 100미터 이내의 장소에서의 옥외집회를 전면적으로 금지하는 것은 국회의 기능을 보호하는 데 기여할 수 있으나 수단의 적합성은 인정되지 않는다.

④ 관할 경찰서장이 이미 접수된 옥외집회신고서를 법률상 근거 없이 반려한 행위는 집회의 자유를 침해한 것이다.

02 집회의 자유에 대한 설명으로 옳은 것은?

① 국회의사당, 각급 법원 경계 지점으로부터 100미터 이내의 장소에서는 옥외집회 또는 시위를 금지하는 「집회 및 시위에 관한 법률」은 예외를 허용 여부와 상관없이 집회의 자유를 침해한다.

② 중앙선거관리위원회 또는 감사원 경계 지점으로부터 100미터 이내 장소에서 옥외집회는 금지된다.

③ 주요 헌법기관이나 외교기관의 보호와 관련하여 특정 장소를 보호하는 특별규정을 두기로 한 입법자의 결정 자체가 국민의 기본권을 과도하게 침해하는 것이다.

④ 국무총리 공관 100미터 이내 옥외집회를 금지한 「집회 및 시위에 관한 법률」은 규제가 불필요하거나 또는 예외적으로 허용하는 것이 가능한 집회까지도 이를 일률적·전면적으로 금지하고 있다고 할 것이므로 침해의 최소성원칙에 위배된다.

03 집회의 자유 침해 여부에 대한 설명으로 옳은 것은?

① 국무총리 공관의 출입이나 안전에 위협을 가할 위험성이 낮은 소규모 옥외집회·시위라고 하더라도 일반 대중의 합세로 인하여 대규모 집회·시위로 확대될 우려나 폭력집회·시위로 변질될 위험이 있으므로, 국무총리 공관 경계 지점으로부터 100미터 이내의 장소에서 옥외집회·시위를 전면적으로 금지하는 것은 집회의 자유를 침해하지 않는다.

② 누구든지 국회의사당 경계 지점으로부터 100미터 이내의 장소에서 옥외집회 또는 시위를 금지한 「집회 및 시위에 관한 법률」은 헌법 제21조 제2항의 '사전허가제금지'에는 위반되지 않는다.

③ 국회의 헌법적 기능에 대한 보호의 필요성을 고려한다면 국회의사당의 경계 지점으로부터 100미터 이내의 장소에서 예외 없이 옥외집회를 금지하는 것은 지나친 규제라고 할 수 없다.

④ 사법행정과 관련된 의사표시 전달을 목적으로 한 집회는 법관의 독립을 침해할 우려가 있으므로 금지되어야 한다.

04 집회의 자유 침해 여부에 대한 설명으로 옳은 것은?

① 헌법재판소는 야간시위를 금지하는 조항에 대하여, 이미 보편화된 야간의 일상적인 생활의 범주에 속하는 시간대까지 이를 적용하는 것은 과잉금지의 원칙에 반하여 위헌을 면할 수 없으나, 헌법재판소가 그러한 시간대를 직접 특정하는 것은 입법부와의 권력분립 측면에서 적절하지 않다는 점을 들어 헌법불합치의 주문을 선고하였다.

② 해가 뜨기 전이나 해가 진 후의 시위를 금지하는 것은 내용 중 일부만이 위헌이라고 하더라도, 위헌적인 부분을 명확하게 구분해 낼 수 없는 경우에는 원칙적으로 그 법률조항 전체가 헌법에 위반된다고 보아야 한다.

③ 옥외집회의 자유를 제한함에 있어서 야간옥외집회를 시간적으로 또는 공간적·장소적으로 더 세분화하여 규제하는 것이 사실상 어렵고 특히 필요한 야간옥외집회의 경우에는 일정한 조건하에서 허용되므로, 야간옥외집회를 일반적으로 금지하고 예외적으로 허용하는 것은 침해의 최소성 및 법익균형성원칙에 위배되지 않는다.

④ '일몰시간 전, 일몰시간 후'라는 광범위하고 가변적인 시간대의 옥외집회 또는 시위를 금지하는 것은 오늘날 직장인이나 학생들의 근무·학업시간, 도시화·산업화가 진행된 현대사회의 생활형태를 고려하지 아니하고 목적 달성을 위해 필요한 정도를 넘는 지나친 제한을 가하는 것이다.

05 종로경찰서 소속 채증요원들은 집회 참가자들이 신고장소를 벗어난 다음 경찰의 경고 등의 조치가 있을 무렵부터 채증카메라 등을 이용하여 집회참가자들의 행위, 경고장면과 해산절차장면 등을 촬영하였다. 이에 대해 제기된 헌법소원심판에 대한 설명으로 옳지 않은 것은?

① 집회·시위 현장에서 불법행위의 증거자료를 확보하기 위해 행정조직의 내부에서 상급행정기관이 하급행정기관에 대하여 발령한 채증규칙(경찰청 예규)에 대한 헌법소원청구는 직접성요건을 결여로 부적법한 청구이다.

② 이 사건 촬영행위는 이미 종료되었으나 기본권 침해행위가 장차 반복될 위험이 있거나 당해 분쟁의 해결이 헌법질서의 유지·수호를 위하여 긴요한 사항이어서 헌법적으로 그 해명이 중대한 의미를 지니고 있는 때에는 예외적으로 심판의 이익을 인정할 수 있다.

③ 옥외집회·시위 현장에서 참가자들을 촬영·녹화하는 경찰의 촬영행위는 일반적 인격권과 개인정보자기결정권, 집회의 자유를 제한할 수 있다.

④ 단순히 신고 장소를 벗어난 미신고집회로 되었다는 이유로 위법한 해산명령을 발령한 이후 그 해산명령에 불응한다는 이유로 집회참가자들을 상대로 채증목적의 촬영을 했다는 점에서도 이 사건 촬영행위는 정당화되기 어렵고 원거리에서 집회참가자 개개인의 신원이 식별되지 않는 수준에서 촬영이 이루어지면 충분하였음에도 근접 촬영한 것은 지나치게 기본권을 제한하였다고 할 수 있다.

06 결사의 자유에 대한 설명으로 옳지 않은 것은?

① 헌법 제21조의 결사의 자유는 헌법 제8조의 정당의 자유와 일반법과 특별법의 관계에 놓여 있다.

② 결사의 자유에는 '단체활동의 자유'도 포함되는데, 단체활동의 자유는 단체 외부에 대한 활동을 의미할 뿐 단체의 조직, 의사형성의 절차 등의 단체의 내부적 생활을 스스로 결정하고 형성할 권리인 '단체 내부 활동의 자유'는 의미하지 않는다.

③ 지역축협은 사법인적 성격을 지니고 있으므로, 지역축협인 청구인은 지역축협의 활동과 관련하여 결사의 자유 보장의 대상이 된다.

④ 결사의 목적은 반드시 비영리적인 것에 한하지 않으며 영리단체도 헌법상 결사의 자유의 보호를 받는다.

07 결사의 자유에 대한 설명으로 옳지 않은 것은?

① 결사의 자유는 적극적으로는 단체결성의 자유, 단체존속의 자유, 단체활동의 자유, 결사에의 가입·잔류의 자유를 내용으로 하나, 기존의 단체로부터 탈퇴할 자유와 결사에 가입하지 아니할 자유를 내용으로 하지는 않는다.

② 공적인 역할을 수행하는 결사 또는 그 구성원들이 기본권 침해를 주장하는 경우, 순수한 사적인 임의결사의 기본권이 제한되는 경우의 심사에 비해서는 완화된 기준을 적용할 수 있다.

③ 기존의 축산업협동조합과 구역을 같이하는 경우 신설조합의 설립을 제한하는 것은 결사의 자유를 제한하고 있다고 할 수 있다.

④ 축협중앙회의 해산 및 통합은 정치적 측면이 아닌 국가의 경제정책적인 측면, 사회경제적인 측면에서 접근하여야 할 문제인바, 경제정책적인 문제, 사회경제적인 문제에 대한 입법자의 입법행위는 사회경제의 실태에 대한 정확한 기초자료의 파악과 그러한 입법행위가 가져올 영향 및 다른 사회경제정책 전체와의 조화를 고려하여야 하므로, 이러한 여러 가지 조건에 대한 적정한 평가와 판단은 사법적 판단보다는 입법자의 정책기술적인 재량에 맡기는 것이 바람직하고, 헌법재판소는 일단 입법자의 입법형성권을 존중하되, 다만 입법자가 그 재량범위를 일탈하여 현저히 불합리한 입법을 하는 경우에만 이에 개입하여 그 효력을 부인하는 것이 상당하다고 할 것이다.

08 결사의 자유에 대한 설명으로 옳지 않은 것은?

① 축협중앙회는 본질적으로 영리추구를 목적으로 하는 단체가 아니나 사영기업에 대한 불간섭의 원칙을 천명한 헌법 제126조(국방상 또는 국민경제상 긴절한 필요로 인하여 법률이 정하는 경우를 제외하고는, 사영기업을 국유 또는 공유로 이전하거나 그 경영을 통제 또는 관리할 수 없다)가 적용되어야 한다.

② 상공회의소가 결사의 자유의 주체가 되는 사법인으로 기본적으로는 임의단체라고 하더라도 일반결사에 비하여 여러 규제와 혜택을 법령으로 규정하고 있으므로, 결사의 자유의 제한과 관련하여 순수한 사적인 임의결사의 기본권이 제한되는 경우에 비해서는 완화된 심사기준을 적용할 수 있다.

③ 상공회의소가 기본적으로는 임의단체라고 하더라도 일반 결사에 비하여 여러 규제와 혜택을 법령으로 규정하고 있으므로, 이러한 특성을 상공회의소 및 그 회원이 가지는 결사의 자유의 제한이 과잉금지원칙에 반하는지 여부를 판단하는 데 고려하여야 한다.

④ 「상공회의소법」이 하나의 지방자치단체의 행정구역 안에 둘 이상의 상공회의소가 병존하지 못하게 하는 목적은 상공회의소가 담당하는 공적 임무를 처리하거나 상공회의소에게 보조금을 지급하거나 사업을 위탁하는 지방자치단체와의 관계에서 혼선이 발생하는 것을 방지하기 위한 것으로, 그 입법목적의 정당성과 방법의 적절성이 인정된다.

09 결사의 자유에 대한 설명으로 옳지 않은 것은 모두 몇 개인가?

ㄱ. 결사란 자연인 또는 법인의 다수가 상당한 기간 동안 공동목적을 위하여 자유의사에 기하여 결합하고 조직화된 의사형성이 가능한 단체를 말하는 것으로 공법상의 결사는 이에 포함되지 않는다.
ㄴ. 농지개량조합은 공법인에 해당하므로 헌법상 결사의 자유가 뜻하는 헌법상 보호법익의 대상이 되는 단체로 볼 수 없다.
ㄷ. 헌법 제21조에서 보장하는 결사에는 공법상의 결사나 법이 특별한 공공목적에 의하여 구성원의 자격을 정하고 있는 특수단체는 포함되지 아니한다.
ㄹ. 구 「주택건설촉진법」상의 주택조합은 주택이 없는 국민의 주거생활의 안정을 도모하고 모든 국민의 주거수준 향상을 기한다는 공공목적을 위하여 법이 구성원의 자격을 제한적으로 정해 놓은 특수조합이어서, 이는 헌법상 결사의 자유가 뜻하는 헌법상 보호법익의 대상이 되는 단체가 아니다.
ㅁ. 헌법재판소는 복수의 축산업협동조합 간의 경쟁에 따른 폐단을 방지하여 양축인의 자주적 협동조합을 육성하고 축산업의 진흥과 구성원의 경제적·사회적 지위 향상을 도모한다는 이유로 복수의 조합설립과 가입을 금지하는 것은 과잉금지의 원칙에 위반되지 아니한다고 판시하였다.
ㅂ. 지역농협 이사 선거의 경우 문자메시지를 포함한 전화 및 전자우편을 포함한 컴퓨터통신을 이용한 지지 호소의 선거운동방법을 금지하고 이를 위반한 자를 처벌하는 법률조항은, 선거가 과열되는 과정에서 후보자들의 경제력 차이에 따른 불균형한 선거운동 및 흑색선전을 통한 부당한 경쟁이 이루어짐으로써 선거의 공정이 해쳐지는 것을 방지하기 위한 것으로 결사의 자유를 침해하지 아니한다.

① 1개 ② 2개
③ 3개 ④ 4개

10 표현의 자유에 대한 설명으로 옳은 것은?

① 공무원이 선거에서 특정정당 또는 특정인을 지지하기 위하여 타인에게 정당에 가입하도록 권유 운동을 한 경우 형사처벌하는 「국가공무원법」 제65조는 일체의 정당가입권유를 금지하고 있으므로, 과잉금지원칙에 반하여 공무원의 정치적 표현의 자유를 침해한다.

② 방송편성에 관하여 간섭을 금지하고 그 위반행위자를 처벌하는 「방송법」 제105조 제1호 중 제4조 제2항의 '간섭'에 관한 부분이 과잉금지원칙에 위반되어 표현의 자유를 침해한다.

③ 사회복무요원의 정당가입을 금지한 「병역법」은 정당가입의 자유를 침해하지 않는다.

④ 사회복무요원의 '그 밖의 정치단체에 가입하는 등 정치적 목적을 지닌 행위'를 금지한 「병역법」은 명확성원칙에 위배된다고 할 수 없다.

11 재산권에 대한 설명으로 옳지 않은 것은?

① 헌법 제23조 제2항은 재산권 행사의 사회적 의무성의 한계를 넘는 재산권의 수용·사용·제한과 그에 대한 보상의 원칙을 규정한 것이다.

② 재산권 보장은 개인이 현재 누리고 있는 재산권을 개인의 기본권으로 보장한다는 의미와 개인이 재산권을 향유할 수 있는 법제도로서의 사유재산제도를 보장한다는 이중적 의미를 가지고 있다.

③ 헌법이 보장하고 있는 재산권은 '경제적 가치가 있는 모든 공법상·사법상의 권리'이고, 이때 재산권 보장에 의하여 보호되는 재산권은 '사적 유용성 및 그에 대한 원칙적 처분권을 내포하는 재산가치가 있는 구체적 권리'를 의미한다.

④ 헌법 제23조가 보장하고 있는 재산권에는 사법상의 권리도 포함되므로 상가임차인이 권리금에 대해 가지는 권리는 채권적 권리로서 재산권에서 보호된다.

12 재산권에 대한 설명으로 옳지 않은 것은?

① 환매대상을 토지에 한정하고 건물을 환매대상에서 제외한 것은 재산권을 침해한다고 할 수 없다.

② 「공익사업을 위한 토지 등의 취득 및 보상에 관한 법률」에서 사업인정고시가 있은 후 토지소유자가 토지수용위원회에 행사할 수 있는 권리로서 규정한 수용청구권은 사적 처분성 내지 사적 유용성을 지닌 구체적 권리이므로, 재산의 사용, 수익, 처분에 관계되는 법적 권리에 해당하여, 헌법상 재산권에 포함된다.

③ 수용된 토지가 당해 공익사업에 필요 없게 되거나 이용되지 아니하였을 경우에 피수용자가 그 토지소유권을 회복할 수 있는 권리, 즉 환매권은 피수용자가 수용 당시 정당한 손실보상을 받은 이상 헌법이 보장하는 재산권의 내용에 포함되는 권리라고 볼 수 없다.

④ 국가가 토지를 불법적인 사용하는 경우 토지소유자가 주장하는 수용청구권은 재산권에서 보호되지 않는다.

13 재산권에 대한 설명으로 옳은 것은 모두 몇 개인가?

ㄱ. 주주권은 주주의 자격과 분리하여 양도·질권설정·압류할 수 없고 시효에 걸리지 않아 보통의 채권과 상이한 성질을 가지므로 헌법상 재산권 보장의 대상이 되지 않는다.
ㄴ. 지목에 관한 등록이나 등록변경 또는 등록의 정정은 단순히 토지행정의 편의나 사실증명의 자료로 삼기 위한 것에 그치는 것이 아니라, 해당 토지소유자의 재산권에 크건 작건 영향을 미친다고 볼 것이며, 정당한 지목을 등록함으로써 토지소유자가 누리게 될 이익은 재산권의 한 내포로 봄이 상당하다.
ㄷ. 헌법재판소는 대법원 판례에 의하여 인정되는 관행어업권은 헌법상 재산권 보장의 대상이 되는 재산권에 해당한다고 보고 있다.
ㄹ. 적정 공급 규모를 초과하여 택시운송사업면허를 발급한 사업구역의 일반택시운송사업자에 대하여 그 운송사업의 양도를 금지하는 「택시운송사업의 발전에 관한 법률」은 과잉금지원칙에 반한다.
ㅁ. 재산권 보장은 사유재산의 처분과 그 상속을 포함하는 것이므로 유언자가 생전에 최종적으로 자신의 재산권에 대하여 처분할 수 있는 법적 가능성을 의미하는 유언의 자유는 헌법상 재산권의 보호를 받는다.
ㅂ. 「우편법」에 의한 우편물의 지연배달에 따른 손해배상청구권은 헌법상 보호되는 재산권이 아니다.
ㅅ. 국가에 대한 구상권은 헌법 제23조 제1항에 의하여 보장되는 재산권이라 할 수 없다.

① 1개 ② 2개
③ 3개 ④ 4개

14 재산권에 대한 설명으로 옳지 않은 것은?

① 헌법 제23조의 재산권은 「민법」상의 소유권뿐만 아니라, 재산적 가치 있는 사법상의 물권·채권 등 모든 권리를 포함하며, 국가로부터의 일방적인 급부가 아닌 자기 노력의 대가나 자본의 투자 등 특별한 희생을 통하여 얻은 공법상의 권리도 포함한다.

② 재산적 가치가 있는 공법상의 지위가 헌법상 재산권의 보호를 받기 위해서 그 수급요건, 수급범위, 수급액 등에 관한 구체적인 사항이 법률에 규정되는 것이 필요한 것은 아니다.

③ 퇴역연금을 받은 자가 국가·지방자치단체가 자본금 2분의 1 이상을 출자한 기관 등에 취업한 경우 퇴직연금의 전부의 지급을 정지할 수 있도록 한 「군인연금법」은 재산권을 침해한다.

④ 임용결격공무원의 경우 공무원 퇴직연금수급권의 법정요건의 하나인 적법한 공무원이라 할 수 없으므로 「국가공무원법」 제33조 '소정의 임용결격사유가 존재함에도 불구하고 공무원으로 임용되어 근무하거나 하였던 자'를 공무원 퇴직연금수급권자에 포함시키지 않는 「공무원연금법」은 청구인의 재산권을 침해할 여지가 없다.

15 재산권에 대한 설명으로 옳은 것은?

① 퇴직연금수급자가 지방의회의원에 취임한 경우 그 재직기간 중 퇴직연금 전부의 지급을 정지하도록 규정한 「공무원연금법」 제47조 제1항 제2호는 재산권을 침해한다.

② 「군인연금법」상 퇴직급여 중 국가가 부담하는 부담금에 의하여 형성된 급여는 재직 중 성실한 복무에 대한 공로 보상 혹은 사회보장적 급여의 성격이 강하기 때문에 연금수급권자에게 연금 외에 법률에 정한 다른 소득이 있을 때 부담금에 의해서 형성된 급여 부분을 지급정지하는 것은 헌법에 위반된다는 것이 헌법재판소의 결정례이다.

③ 직무와 관련이 없는 과실로 인한 경우 및 소속 상관의 정당한 직무상의 명령에 따르다가 과실로 인한 경우를 제외하고는 직무와 관련성 유무와 상관없이 범죄의 종류와 그 형의 경중을 가리지 않고 일률적으로 재직 중의 사유로 금고 이상의 형이 있으면 퇴직급여 및 퇴직수당의 일부를 감액하도록 규정하고 있는 「공무원연금법」은 금고 이상의 형이 확정되었다는 사정만으로 공무원의 지위를 박탈하는 것에서 나아가 일률적으로 퇴직급여와 퇴직수당을 감액하도록 규정하고 있는바, 과잉금지원칙에 위배되어 재산권을 침해한다.

④ 「군인연금법」상 퇴역연금수급권자가 「군인연금법」·「공무원연금법」 및 「사립학교교직원 연금법」의 적용을 받는 군인·공무원 또는 사립학교교직원으로 임용된 경우 그 재직기간 중 해당 연금 전부의 지급을 정지하도록 하고 있는 구 「군인연금법」 제21조의2 제1항은 퇴역연금수급권자의 재산권을 침해한다.

16 공무원의 퇴직금과 재산권에 대한 설명으로 옳지 않은 것을 모두 조합한 것은?

ㄱ. 공무원의 신분이나 직무와 관련이 없는 범죄의 경우에도 퇴직급여 등을 제한하는 것은 공무원범죄를 예방하고 공무원이 재직 중 성실히 근무하도록 유도하는 입법목적을 달성하는 데 적합한 수단이다.
ㄴ. 공무원이 재직 중 범죄로 금고 이상의 형의 선고를 받은 경우 퇴직급여를 제한하는 구 「공무원연금법」 제64조 제1항 제1호에 대해, 특히 과실범의 경우에는 공무원이기 때문에 더 강한 주의의무 내지 결과발생에 대한 가중된 비난가능성이 있다고 보기 어려우므로, 퇴직급여 등의 제한이 공무원으로서의 직무상 의무를 위반하지 않도록 유도 또는 강제하는 수단으로서 작용한다고 보기 어렵다는 이유로 헌법불합치결정된 바 있다.
ㄷ. 직무와 관련이 없는 과실로 인한 경우 및 소속 상관의 정당한 직무상 명령에 따르다가 과실로 인한 경우를 제외하고 재직 중의 사유로 금고 이상의 형을 선고받은 경우 퇴직급여 일부를 감액하는 「공무원연금법」은 재산권을 침해한다고 할 수 없다.
ㄹ. 공무원이 '직무와 관련 없는 과실로 인한 경우' 및 '소속 상관의 정당한 직무상의 명령에 따르다가 과실로 인한 경우'를 제외하고 재직 중의 사유로 금고 이상의 형을 받은 경우, 퇴직급여 등을 감액하도록 규정한 「공무원연금법」을 2009.12.31. 개정된 이 사건 감액조항을 2009.1.1.까지 소급하여 적용하도록 규정한 「공무원연금법」 부칙조항은 공무원연금재정의 보전이라는 공익 또한 중대하다고 하지 않을 수 없으므로 신뢰보호의 요청에 우선하는 심히 중대한 공익상의 사유가 소급입법을 정당화하는 경우에도 해당한다. 그렇다면 이 사건 부칙조항은 예외적으로 소급입법이 허용되는 경우에 해당하므로 헌법에 위반되지 아니한다.

① ㄱ, ㄴ
② ㄴ, ㄷ
③ ㄷ, ㄹ
④ ㄱ, ㄹ

17 재산권에 대한 설명으로 옳지 않은 것은?

① 다른 법령에 의하여 같은 종류의 급여를 받는 경우 「공무원연금법」상 급여에서 그 상당 금액을 공제하여 지급하도록 규정한 구 「공무원연금법」 제33조 제1항 중 '장해급여'에 관한 부분은 재산권을 침해한다고 할 수 없다.

② 재직 중인 공무원만이 재직기간 합산신청을 할 수 있도록 한 「공무원연금법」은 연금수급자의 재산권으로서의 공무원연금수급권을 침해하지 않는다.

③ 퇴직연금수급에 대한 구체적인 기대권은 공무원으로 임용될 수 있는 자격을 취득한 시점 또는 공무원으로 임용될 수 있는 가능성을 가지게 된 시점에 발생한다 할 것이다.

④ 연금납부자의 이미 납부된 연금에 대한 기대권은 헌법상 보호되는 재산권이다.

18 재산권에 대한 설명으로 옳은 것은?

① 공무원의 직연금수급요건을 재직기간 20년에서 10년으로 완화한 개정 「공무원연금법」 제46조 제1항의 적용대상을 법 시행일 당시 재직 중인 공무원으로 한정한 「공무원연금법」 부칙이 개정 법률이 시행되기 전 퇴직한 공무원이었던 자의 재산권 및 인간다운 생활을 할 권리를 제한한다.

② 국가보훈 내지 국가보상적 수급권 발생에 필요한 절차 등 수급권 발생요건이 법정되어 있는 경우에는 이 법정요건을 갖추기 전에는 헌법이 보장하는 재산권이라고 할 수 없다.

③ 「군인연금법」상의 연금수급권, 「공무원연금법」상의 연금수급권, 국가유공자의 보상수급권, 「국민연금법」상 사망일시금은 헌법상의 재산권에 포함된다.

④ 「국민연금법」, 「공무원연금법」, 「군인연금법」상의 연금수급권은 재산권으로 보장되지만, 「공무원연금법」상의 퇴직급여를 받는 급여수급권은 재산권 보장의 대상이 아니다.

19 재산권에 대한 설명으로 옳지 않은 것은?

① 건설업등록을 하지 않은 건설공사 하수급인이 근로자에게 임금을 지급하지 못한 경우에 그 직상 수급인에게 하수급인과 연대하여 임금을 지급할 의무를 지우는 「근로기준법」 조항은 과잉금지원칙에 위배된다고 할 수 없다.

② 「국민연금법」상의 급여를 받을 권리는 수급자의 연금보험료라는 자기 기여가 있으며, 수급자의 생존의 확보에 기여하므로, 공법상의 법적 지위가 사법상의 재산권과 비교될 정도로 강력하여 수급권의 박탈이 법치국가원리에 반한다고 할 것이어서 재산권의 보호대상에 포함된다.

③ 건강보험수급권은 가입자가 납부한 보험료에 대한 반대급부의 성격을 가지며, 보험사고로 초래되는 재산상 부담을 전보하여 주는 경제적 유용성을 가지므로, 헌법상 재산권의 보호범위에 속한다고 볼 수 있으므로 의료보험급여 정지요건을 규정한 「국민건강보험법」은 재산권을 제한한다.

④ 「군인연금법」상의 연금수급권, 「공무원연금법」상의 연금수급권, 국가유공자의 보상수급권, 「국민연금법」상 사망일시금은 헌법상의 재산권에 포함된다.

20 재산권에 대한 설명으로 옳지 않은 것은 모두 몇 개인가?

ㄱ. 임금 내지 퇴직금채권은 근로의 대가로서의 금품에 대한 청구권으로서 사용자에 비해 경제적 약자인 근로자의 보호를 위하여 이에 대한 특별한 보호의 필요성이 인정된다 하더라도 기본적으로는 그 재산권적 성질이 바뀌는 것은 아니므로 헌법 제23조의 재산권 보장에 관한 규정이 적용된다.

ㄴ. 「사립학교교직원 연금법」상 퇴직급여 및 퇴직수당을 받을 권리는 사회적 기본권의 하나인 사회보장수급권에는 해당하지만, 헌법 제23조에 의하여 보장되는 재산권에는 해당하지 아니한다.

ㄷ. 특수임무와 관련하여 국가를 위하여 특별한 희생을 한 특수임무수행자의 경우, '특수임무수행자 보상심의위원회'의 심의·의결을 거쳐 특수임무수행자로 인정되기 전에는 당사자의 보상금수급권은 헌법이 보장하는 재산권이라고 할 수 없다.

ㄹ. 군법무관보수청구권은 법률의 규정에 의하여 인정된 재산권의 한 내용으로 봄이 상당하므로 대통령이 정당한 이유 없이 해당 시행령을 만들지 않아 그러한 보수청구권이 보장되지 않고 있다면 이는 재산권의 침해에 해당된다고 볼 것이다.

ㅁ. 공무원의 보수청구권은 법령에 의해 그 구체적 내용이 형성되면 재산적 가치가 있는 공법상의 권리가 되어 재산권의 내용에 포함되지만, 법령에 의하여 구체적 내용이 형성되기 전의 권리, 즉 공무원이 국가 등에 대하여 어느 수준의 보수를 청구할 수 있는 권리는 단순한 기대이익에 불과하여 재산권의 내용에 포함되지 않는다.

ㅂ. 「고엽제후유의증 환자지원 등에 관한 법률」에 의한 고엽제후유증환자 및 그 유족의 보상수급권은 법률에 의하여 비로소 인정되는 권리로서 재산권적 성질을 갖는 것이긴 하지만 그 발생에 필요한 요건이 법정되어 있는 이상 이러한 요건을 갖추기 전에는 헌법이 보장하는 재산권이라고 할 수 없다.

ㅅ. 시혜적 입법의 시혜대상이 될 경우 얻을 수 있는 재산상 이익의 기대가 성취되지 않았다고 하여도 그러한 단순한 재산상 이익의 기대는 헌법이 보호하는 재산권의 영역에 포함되지 않는다.

ㅇ. 단순한 이익이나 재화의 획득에 관한 기회, 기업활동의 사실적·법적 여건은 헌법 제23조 제1항이 정한 재산권 보장의 대상이 되지 않는다.

① 1개　　② 2개

③ 3개　　④ 4개

진도별 모의고사

재산권

정답 및 해설 p.273

제한시간 : 14분 | 시작시각 ___시 ___분 ~ 종료시각 ___시 ___분 나의 점수 _______

01 재산권에 대한 설명으로 옳은 것은 모두 몇 개인가?

ㄱ. 헌법상 보장되는 재산권은 사적 유용성 및 그에 대한 원칙적인 처분권을 내포하는 구체적인 권리이므로 영리획득의 단순한 기회나 기업활동의 사실적·법적 여건은 재산권에 속하는 것으로 볼 수 없지만, 그것이 개인이나 기업에게 중요한 의미를 갖는 경우에는 재산권 보장의 대상이 된다.
ㄴ. 교원의 정년단축으로 기존 교원이 입는 경제적 불이익은 계속 재직하면서 재화를 획득할 수 있는 기회를 박탈당한다는 것인데 이러한 경제적 기회는 재산권 보장의 대상이 된다.
ㄷ. 약사의 한약조제권은 헌법상 재산권으로 인정된다.
ㄹ. 헌법상의 재산권 보장은 토지소유자가 이용가능한 모든 용도로 토지를 자유로이 최대한 사용할 권리와 가장 경제적 또는 효율적으로 사용할 수 있는 권리를 보장하는 것을 의미한다.
ㅁ. PC방이 금연구역조항의 시행에 따라 흡연고객이 이탈함으로서 발생할 수 있는 영업이익 감소는 헌법에서 보호되는 재산권 침해라고 할 수 없다.
ㅂ. 증여세 면제혜택에 대한 기대는 이는 당시의 법제도에 대한 기대이익에 불과할 뿐, 이를 공익사업 영위자의 기득권으로서 헌법 제23조 제1항 제1문이 보장하는 재산권에 해당하지 않는다.
ㅅ. 저작인접권이 소멸한 음원을 무상으로 사용하는 것은 재산권에서 보호되지 않는다.

① 1개 ② 2개
③ 3개 ④ 4개

02 재산권에 대한 설명으로 옳은 것은 모두 몇 개인가?

ㄱ. 지정된 문화재를 양수한 자가 선의취득할 기회는 재산권에서 보호되므로 지정된 문화재에 대한 도난 유실이 공고된 경우 선의취득을 배제하는 「문화재보호법」은 재산권을 제한한다.
ㄴ. 잠수기어업허가를 받아 키조개 등을 채취하던 자가 잠수기어업허가를 받지 못하여 상실된 이익은 헌법 제23조의 재산권의 보호범위에 포함되지 않는다.
ㄷ. 국가의 간섭을 받지 아니하고 자유로이 기부행위를 할 수 있는 기회의 보장은 헌법상 보장된 재산권의 보호범위에 포함된다.
ㄹ. 국가 경제정책의 변화로 그동안 영위하던 영업을 폐업하게 된 경우, 그로 인한 재산적 손실은 헌법 제23조 제1항의 재산권의 보호범위에 속한다.
ㅁ. 「폐기물관리법 시행규칙」이 부여한 영업허가의 기회를 활용하고 있던 상태에서 그 허가된 업무범위의 축소변경으로 말미암아 그 영업의 기회 내지 이윤획득의 기대가 다소 줄어들었다고 하더라도, 이를 가리켜 재산권의 제한이라고 보기는 어렵다.
ㅂ. 방송사가 협찬계약을 통하여 얻을 수 있는 이익은 헌법상 재산권 보장의 대상이 아니다.
ㅅ. 장기미집행 도시계획시설결정의 실효제도는 도시계획시설부지로 하여금 도시계획시설결정으로 인한 사회적 제약으로부터 벗어나게 하는 것으로서 결과적으로 개인의 재산권이 보다 보호되는 측면이 있는 것은 사실이며, 이와 같은 보호는 헌법상 재산권으로부터 당연히 도출되는 권리이다.

① 1개 ② 2개
③ 3개 ④ 4개

03 재산권에 대한 설명으로 옳지 않은 것은 모두 몇 개인가?

ㄱ. 사회부조와 같이 수급자의 자기 기여 없이 국가가 일방적으로 주는 급부를 내용으로 하는 공법상의 권리도 헌법상의 재산권 보장대상이다.
ㄴ. 의료급여수급권은 저소득 국민에 대한 공공부조의 일종으로서 순수하게 사회정책적 목적에서 주어지는 권리이므로 재산권 보호대상에 포함되지 않는다.
ㄷ. 의료보험수급권은 「의료보험법」상 재산권의 보장을 받는 공법상의 권리이다.
ㄹ. 구 「태평양전쟁 전후 국외 강제동원희생자 등 지원에 관한 법률」에 규정된 위로금 등의 각종 지원은 태평양전쟁이라는 특수한 상황에서 일제에 의한 강제동원희생자와 그 유족이 입은 고통을 치유하기 위한 시혜적 조치이며, 이러한 시혜적 급부를 받을 권리는 헌법 제23조에 의하여 보장되는 재산권이라고 할 수 없다.
ㅁ. 「지뢰피해자 지원에 관한 법률」상 위로금과 같이 수급권의 발생요건이 법정되어 있는 경우 법정요건을 갖춘 후 발생하는 위로금수급권은 구체적인 법적 권리로 보장되는 경제적·재산적 가치가 있는 공법상의 권리라 할 것이지만, 그러한 법정요건을 갖추기 전에는 헌법이 보장하는 재산권이라고 할 수 없다.
ㅂ. 지뢰피해자 및 그 유족에 대한 위로금 산정시 사망 또는 상이를 입을 당시의 월평균임금을 기준으로 하고, 그 기준으로 산정한 위로금이 2천만 원에 이르지 아니할 경우 2천만 원을 초과하지 아니하는 범위에서 조정·지급할 수 있도록 한 「지뢰피해자 지원에 관한 특별법」에 의해 재산권이 제한된다고 볼 수 없다.
ㅅ. 대한민국헌정회원 지원금은 재산권에서 보호된다고 할 수 없다.

① 1개 ② 2개
③ 3개 ④ 4개

04 재산권에 대한 설명으로 옳은 것은?

① 재산권 행사의 사회적 의무성을 헌법에서 명문화하고 있지는 않으나 당연히 재산권 행사는 공공복리에 적합해야 한다.

② 재산권 행사의 사회적 의무성을 헌법에서 명문화하고 있는 것은 사유재산제도의 보장이 타인과 더불어 살아가야 하는 공동체 생활과의 조화와 균형을 흐트러뜨리지 않는 범위 내에서의 보장임을 천명한 것이므로, 재산권 행사의 공공복리 적합의무는 윤리적 의무로 보아야 한다.

③ 재산권의 제한에 대하여는 재산권 행사의 대상이 되는 객체가 지닌 사회적인 연관성과 사회적 기능이 크면 클수록 입법자에 의한 보다 광범위한 제한이 허용된다.

④ 헌법 제23조 제1항(모든 국민의 재산권은 보장된다. 그 내용과 한계는 법률로 정한다)의 법률유보는 제한적 법률유보이다.

05 재산권에 대한 설명으로 옳지 않은 것은?

① 토지 및 시설의 사용과 수용에 대한 보상을 「징발법」에 준하도록 규정하고 있으면서 사용보상기준을 정하고 있는 「징발법」으로 준용하도록 한 「국가보위에 관한 특별조치법」(제5조 제4항)은 재산권을 수용하는 경우 정당한 보상을 지급하도록 규정한 헌법 제23조 제3항에 위배된다.

② 임대차 목적물인 상가건물이 「유통산업발전법」 제2조에 따른 대규모점포의 일부인 경우 임차인의 권리금 회수기회 보호 등에 관한 「상가건물 임대차보호법」 제10조의4를 적용하지 않도록 하는 구 「상가건물 임대차보호법」 제10조의5 제1호 중 대규모점포에 관한 부분은 상가임차인의 경제적 자유를 제한하거나 중소기업의 보호와 관련이 있다고 보기 어렵다.

③ 헌법 제23조 제1항은 재산권의 내용과 한계를 법률로 규정하도록 하여 광범위한 입법형성권을 인정하고 있으므로 재산 관련 입법에 대하여는 과잉금지의 원칙이 적용되지 않는다.

④ 재산권을 형성하는 내용의 새로운 제도를 창설하면서 그 행사기간을 정하는 경우 기본적으로 입법재량이 인정되고, 이에 기초한 정책적 판단이 이루어져야 할 특별한 영역에 해당되므로, 그 입법이 합리적인 재량의 범위를 일탈한 것인지 여부만을 기준으로 심사하여야 한다.

06 재산권에 대한 설명으로 옳은 것은?

① 사회적 기속성의 범위를 벗어난 재산권 제약이 발생하였음에도 토지소유자에게 보상하지 않는 경우 위헌성이 발생하고 보상의 구체적 방법과 기준은 법원이 결정할 사항이다.

② 입법자는 재산권의 내용을 형성함에 있어 광범한 입법재량을 가지고 있으므로 재산권의 내용을 형성하는 사회적 제약이 비례원칙에 부합하는지 여부를 판단함에 있어서는, 이미 형성된 기본권을 제한하는 입법의 경우에 비하여 보다 완화된 기준에 의하여 심사한다.

③ 헌법적으로 가혹한 부담의 조정이란 '목적'을 달성하기 위하여 이를 완화·조정할 수 있는 '방법'의 선택에 있어서는 반드시 직접적인 금전적 보상의 방법에 한정되므로, 입법자에게 광범위한 형성의 자유가 부여된다고 할 수 없다.

④ 재산권의 내용이 입법자에 의하여 형성되는 경우, 그에 대한 제한이나 침해가 헌법 제23조 제3항의 수용·사용·제한에 해당하는 것이 아닌 한 재산권에 대한 제한이나 침해가 있다하여 보상을 요하는 것이 아니다.

07 재산권에 대한 설명으로 옳은 것은?

① 재산권의 내용을 새로이 형성하는 법률이 합헌적이기 위해서는 장래에 적용될 법률이 헌법에 합치하여야 하고, 나아가 과거의 법적 상태에 의하여 부여된 구체적 권리에 대한 침해를 정당화하는 이유가 존재하여야 한다.

② 재산권 형성입법에 의하여 특별한 재산적 부담이 발생하더라도 사회적 기속성의 요청상 보상할 필요가 없다는 것이 헌법재판소의 확립된 판례이다.

③ 물건에 대한 재산권 행사에 비하여 동물에 대한 재산권 행사는 사회적 연관성과 사회적 기능이 적다 할 것이므로 이를 제한하는 경우 입법재량의 범위를 좁게 인정함이 타당하다.

④ 토지재산권에 대한 제한에 대해서는 다른 재산권 제한보다 엄격한 심사가 이루어져야 한다.

08 재산권에 대한 설명으로 옳지 않은 것은?

① 토지의 강한 사회성 내지 공공성으로 말미암아 토지재산권에는 다른 재산권에 비하여 보다 강한 제한과 의무가 부과되고 이에 대한 제한입법에는 입법자의 광범위한 입법형성권이 인정되므로, 과잉금지원칙에 의한 심사는 부적절하다.

② 농지의 경우 국민의 생산 및 생활의 기반이 되는 토지이므로, 농지 재산권을 제한하는 입법에 대한 위헌심사의 강도는 다른 토지 재산권을 제한하는 입법에 대한 것보다 낮다.

③ "분묘기지권의 존속기간에 관하여 당사자 사이에 약정이 있는 등 특별한 사정이 없는 경우에는 권리자가 분묘의 수호와 봉사를 계속하는 한 그 분묘가 존속하고 있는 동안은 분묘기지권은 존속한다."라는 관습법이 토지소유자의 재산권을 침해하는지를 심사함에 있어서는 헌법 제9조에 따른 전통문화의 보호 등을 고려하여 완화된 심사기준을 적용한다.

④ 헌법적으로 가혹한 부담의 조정이란 '목적'을 달성하기 위하여 이를 완화·조정할 수 있는 '방법'의 선택에 있어서는 반드시 직접적인 금전적 보상의 방법에 한정되지 아니하고, 입법자에게 광범위한 형성의 자유가 부여된다.

09 **청중이나 관중으로부터 당해 공연에 대한 반대급부를 받지 아니하는 경우에는 상업용 목적으로 공표된 음반 또는 상업용 목적으로 공표된 영상저작물을 재생하여 공중에게 공연할 수 있다고 규정한 저작권법에 대해 헌법소원이 청구되었다. 이에 대한 설명으로 옳지 않은 것은?**

① 인접저작권이 소멸한 경우 무상으로 이용할 권리는 재산권에서 보호되지 않으나, 저작권은 재산권에서 보호된다.

② 청중이나 관중으로부터 당해 공연에 대한 반대급부를 받지 아니하는 경우에는 상업용 목적으로 공표된 음반 또는 상업용 목적으로 공표된 영상저작물을 재생하여 공중에게 공연할 수 있다고 규정한 「저작권법」은 헌법 제23조 제1항·제2항에 따라 장래에 있어서 일반·추상적인 형식으로 재산권의 내용을 형성하고 확정하는 규정이자 재산권의 사회적 제약을 구체화하는 규정으로 볼 수 있다.

③ 재산권에 대한 제약이 비례의 원칙에 합치하는 것이라면 그 제약은 재산권자가 수인하여야 하는 사회적 제약의 범위 내에 있는 것이고, 반대로 비례의 원칙에 위배되는 과잉제한이라면 그 제약은 재산권자가 수인하여야 하는 사회적 제약의 한계를 넘는 것이다. 후자의 경우 입법자는 재산권에 대한 제한의 비례성을 회복할 수 있도록 수인의 한계를 넘어 가혹한 부담이 발생하는 예외적인 경우 이를 완화하거나 조정하는 등의 보상규정을 두어야 한다.

④ 저작재산권자 등은 통상 상업용 음반 등의 판매수익은 물론 이를 영리의 목적으로 공연하여 발생하는 2차적 수익까지도 자신의 정당한 이익에 포함한다고 기대하므로 심판대상조항으로 인해 침해되는 사익은 중대한 반면, 심판대상조항이 달성하고자 하는 공중의 문화적 혜택 향수라는 공익은 존재하지 아니하거나 있다 해도 미미하므로 법익의 균형성도 충족하지 못한다. 따라서 심판대상조항은 비례의 원칙에 반하여 저작재산권자 등의 재산권을 침해한다.

10 **헌법 제23조 제3항의 재산권 제한에 대한 설명으로 옳은 것은?**

① 헌법 제23조 제3항에 따른 재산권 제한인 공용수용사용 제한에는 보상이 필요하나, 헌법 제23조 제3항에 따라 재산권을 제한함에 있어서도 과잉금지원칙은 적용되지 않는다.

② 기존에 설치된 전원설비의 토지 사용권원을 확보하는 사업에 관하여 전원개발사업자가 해당 토지를 공용사용 할 수 있도록 정한 「전원개발촉진법」이 헌법 제23조 제3항의 공공필요성을 충족하지 못한다.

③ 지속가능한 주거생활의 질적 향상과 도시환경의 개선을 위하여 추진되는 주택재개발사업을 위한 수용은 그 공공필요성이 인정되므로 주택재개발사업을 시행하는 경우에 사업시행자에게 수용권을 부여하는 구 「도시 및 주거환경정비법」이 헌법 제23조 제3항에 위배되지 않는다.

④ 헌법상 수용의 요건인 '공공필요'를 충족하는 관광단지 개발사업을 수행하는 민간개발자에게 그 단지 내의 3분의 2 이상의 토지를 확보하기만 하면 나머지 토지에 대해서도 수용권을 인정하는 것은, 사인에게 너무 쉽게 다른 사인에 대한 공권력 행사를 인정하는 것이므로 헌법 제23조 제3항에 위반된다.

11 재산권 제한에 대한 설명으로 옳은 것은?

① 국가 등의 공적 기관이 직접 수용의 주체가 되는 것이든 그러한 공적 기관의 최종적인 허부판단과 승인결정하에 민간기업이 수용의 주체가 되는 것이든, 양자 사이에 공공필요에 대한 판단과 수용의 범위에 있어서 본질적인 차이를 가져올 것으로 보이지 않는다.

② 공용수용은 국가기관의 고권적 작용 중 하나라는 점에서 사인이 수용의 주체가 될 수 있다고 해석하기는 어려우므로, 민간기업이 산업단지를 조성하기 위하여 다른 사인의 토지를 수용할 수 있도록 한 것은 헌법 제23조 제3항에 위반되어 피수용자의 재산권을 침해한다.

③ 고급골프장, 고급리조트 건설을 위한 토지수용은 국토균형발전, 지역경제활성화 등의 공공이익이 인정되는 것으로서 법익의 형량에 있어서 사인의 재산권 보호의 이익보다 월등하게 우월한 공익으로 판단되므로 공공필요에 의한 수용에 해당한다.

④ 공용수용에서 공공성의 확보는 입법자가 입법을 할 때 공공성을 갖는가를 판단하면 족하고, 사업인정권자가 개별적·구체적으로 당해 사업에 대한 사업인정을 행할 때 별도로 판단할 필요가 없다.

12 재산권 제한에 대한 설명으로 옳은 것은?

① 헌법 제23조 제3항은 "공공필요에 의한 재산권의 수용·사용 또는 제한 및 그에 대한 보상은 법률로써 하되, 완전한 보상을 지급하여야 한다."라고 규정하여 피수용재산의 객관적인 재산가치를 완전하게 보상하여야 함을 선언하고 있다.

② 공익사업의 시행으로 인한 개발이익은 완전보상의 범위에 포함되는 피수용토지의 객관적 가치 내지 피수용자의 손실이라고 볼 수 없으므로 개발이익을 배제하고 손실보상액을 산정한다 하여 헌법이 규정한 정당보상의 원리에 어긋나는 것은 아니다.

③ 개발제한구역으로 지정되어 종래의 지목과 토지현황에 의한 이용방법에 따른 토지의 사용을 할 수 없거나 실질적으로 사용·수익을 전혀 할 수 없는 경우에는 헌법상 반드시 금전보상이 요청된다.

④ 「헌법재판소법」 제68조 제1항 단서에서 말하는 다른 법률에 의한 구제절차는 손실보상청구를 의미한다.

13 헌법 제23조 제3항의 재산권 제한에 대한 설명으로 옳은 것은?

① 「가축전염예방법」에 따라 전염병에 걸려 이루어지는 살처분은 헌법 제23조 제3항의 재산권에 대한 수용·사용·제한에 해당한다고 할 수 없다.

② 오늘날 주거는 최저생활의 보장에 절대적으로 필요한 요소에 해당하므로 이주대책은 헌법 제23조 제3항에 규정된 정당한 보상에 포함되는 것으로 보아 이주자들에게 종전의 생활상태를 회복시키기 위한 정당한 보상을 하여야 한다.

③ 공용수용으로 생업의 근거를 상실한 자에 대하여 상업용지 또는 상가분양권 등을 공급하는 생활대책은 헌법 제23조 제3항에 규정된 정당한 보상에 포함되므로 생활대책 수립 여부는 입법자의 입법정책적 재량의 영역에 속하지 아니한다.

④ 문화재를 사용·수익·처분함에 있어 고의로 문화재의 효용을 해하는 은닉을 해서는 안 된다는 것은 보상을 요하는 헌법 제23조 제3항의 수용에 해당한다.

14 헌법 제23조 제3항의 재산권 제한에 대한 설명으로 옳은 것은?

① 문화재의 사용, 수익, 처분에 있어 고의로 문화재의 효용을 해하는 은닉을 금지하는 것은 문화재에 관한 재산권 행사의 사회적 제약을 구체화한 것에 불과하다.

② 정비사업의 시행으로 인하여 용도가 폐지되는 국가 또는 지방자치단체 소유의 정비기반시설을 사업시행자가 새로이 설치한 정비기반시설의 설치비용에 상당하는 범위 안에서 사업시행자에게 무상으로 양도되도록 한 「도시 및 주거환경정비법」은 헌법 제23조 제3항의 수용에 해당하므로 정당한 보상의 원칙이 적용되어야 한다.

③ 비엔나 협약에 따라 외국대사관저에 대해서 강제집행을 하지 아니함으로써 헌법 제23조 제3항의 공용제한이 발생한다.

④ 학교위생정화구역 내에 여관시설금지로 여관 용도로 건물을 사용할 수 없게 되었다고 해도 헌법 제23조 제3항 소정의 수용·사용·제한에 해당한다.

15 **개발제한구역지정과 개발제한구역 내 건축금지에 대한 설명으로 옳은 것을 모두 조합한 것은?**

ㄱ. 개발제한구역지정으로 인해 나대지 소유자에 대한 재산권 제한은 헌법 헌법 제23조 제3항의 공용침해에 해당한다.
ㄴ. 토지가 종래 농지 등으로 사용되었으나 개발제한구역의 지정이 있은 후에 주변지역의 도시과밀화로 인하여 농지가 오염되거나 수로가 차단되는 등의 사유로 토지를 더 이상 종래의 목적으로 사용하는 것이 불가능하거나 현저히 곤란하게 되어버린 경우 그 손실은 개발제한구역지정으로 인한 것으로 볼 수 없으므로 개발제한구역지정에 따른 보상이 필요하다고 할 수 없다.
ㄷ. 개발제한구역지정 당시의 상태대로 토지를 사용·수익·처분할 수 있는 경우, 구역지정에 따른 단순한 토지이용의 제한은 원칙적으로 재산권에 내재하는 사회적 제약의 범주를 넘지 않으므로 보상을 요하지 않는다.
ㄹ. 개발제한구역의 지정으로 말미암아 예외적으로 토지를 종래의 목적으로도 사용할 수 없는 나대지 소유자에 대한 재산권 제한은 비례원칙에 위반되므로 보상을 통해 특별한 희생을 완화시켜줄 필요가 있다.

① ㄱ, ㄴ ② ㄴ, ㄷ
③ ㄷ, ㄹ ④ ㄱ, ㄹ

16 **개발제한구역지정과 개발제한구역 내 건축금지에 대한 설명으로 옳은 것은?**

① 개발제한구역제도는 합헌이나, 개발제한구역의 지정으로 말미암아 일부 토지소유자에게 사회적 제약의 범위를 넘는 가혹한 부담이 생긴 경우 보상하여야 한다.

② 개발제한구역지정으로 인하여 토지를 종래의 목적으로도 사용할 수 없거나 더 이상 법적으로 허용된 토지이용의 방법이 없기 때문에, 실질적으로 토지의 사용·수익의 길이 없는 경우 토지소유자에게 헌법 제23조 제3항에 의한 정당한 보상이 지급되어야 한다.

③ 자신의 토지를 장래에 건축이나 개발목적으로 사용할 수 있으리라는 기대가능성이나 신뢰 및 이에 따른 지가상승의 기회는 원칙적으로 재산권의 보호범위에 속한다.

④ 헌법불합치결정으로 인하여 「도시계획법」상 그린벨트 관련 규정 위반행위의 정당성을 주장할 수 있는 길이 트이게 되었다.

17 **A 지역은 도시계획시설결정으로 도로를 만들기로 결정되었고 A 지역은 기존대로 경작은 허용되나 건축은 원칙적으로 금지되었다. 그러나 10년 이상 A 지역에서 도시계획시설결정은 집행되지 않고 있다. 이에 대한 설명으로 옳지 않은 것은?**

① 도시계획시설결정으로 인한 지목이 전인 소유자에 대한 재산권 제한은 헌법 제23조 제2항의 사회적 제약 내 재산권 제한에 해당한다.

② 도시계획시설의 지정으로 말미암아 당해 토지의 이용가능성이 배제되거나 또는 토지소유자가 토지를 종래 허용된 용도대로도 사용할 수 없기 때문에 이로 말미암아 현저한 재산적 손실이 발생하는 경우에는, 원칙적으로 사회적 제약의 범위를 넘는 수용적 효과를 인정하여 국가나 지방자치단체는 이에 대한 보상을 해야 한다.

③ 도시계획이 시행되는 구역 내의 토지소유자들에게 허가를 받지 아니하고는 원칙적으로 토지의 형질변경이나 건축 등을 금지하면서 이러한 재산권 행사의 제한에 대하여 아무런 보상규정도 두고 있지 아니한 구 「도시계획법」 관련 규정은 헌법에 위반된다.

④ 도시계획시설결정의 미집행으로 인한 도시계획시설결정의 실효기간을 20년으로 하면서 기산일을 도시시설결정일인 1970.1.1. 아니라 2000.7.1.로 정한 경과규정인 「도시계획법」 부칙은 이미 경과된 기간을 고려하지 아니하고 일률적으로 2000.7.1.을 실효기산일로 하고 있어 과잉금지원칙에 위배된다.

18 재산권에 대한 설명으로 옳은 것은?

① 사용자의 파산시 최종 3개월분의 임금과 최종 3년간 퇴직금에 대하여 최우선변제권을 인정하는 근로기준법은 사용자에 대한 담보물권자의 재산권 등 기본권을 침해한다고 할 수 없다.

② 도로부지 소유자의 토지인도청구 등 사권의 행사를 제한한 「도로법」은 국가 또는 지방자치단체가 토지의 소유권 등 사법상 권원을 취득하지 않고 개설한 도로의 경우에도 도로부지 소유자의 토지인도청구 등을 제한되는 사권 행사라 하여 불허하는 것은 재산권을 보장한 헌법 제23조 제1항을 위반한 것이다.

③ 도로의 지표 지하 50미터 이내의 장소에서는 관할 관청의 허가나 소유자 또는 이해관계인의 승낙이 없으면 광물을 채굴할 수 없도록 규정한 구 「광업법」 조항에 대하여, 다른 권리와의 충돌가능성이 내재되어 있는 광업권의 특성을 감안하더라도 위와 같은 제한은 광업권자가 수인하여야 하는 사회적 제약의 범주를 벗어나 광업권자의 재산권을 침해한다.

④ 「공무원연금법」상의 유족급여는 재산권적 보호를 받으므로 공무원이 사망한 경우 그 상속인 중 일부에 대하여 유족급여를 지급하지 않는 것은 헌법에 위반된다.

19 재산권에 대한 설명으로 옳은 것은?

① 신고하지 아니한 소득금액이 50억 원을 초과하는 경우에는 그 산출세액의 100분의 30에 상당하는 금액을 가산하도록 한 「법인세법」은 재산권을 침해한다.

② 신고를 하지 않은 상속·증여에 대해 재산의 가액을 상속 당시 또는 증여 당시가 아닌 조세 부과 당시를 기준으로 하여 과세를 한 구 「상속세법」은 재산권을 침해한다.

③ 오늘의 현실과 비교해 볼 때 경제의 비약적 성장, 골프 인구와 시설의 대폭 증가, 아시안게임과 전국체육대회에의 정식종목 채택으로 엄청난 질적인 대변화가 있었다. 골프장은 국가가 중과세 등의 방법으로 억제하여야 할 사치성 재산이 아니므로 골프장에 대하여 취득세를 7.5배 중과세하는 구 「지방세법」은 청구인의 재산권을 침해한다.

④ 회원제 골프장용 부동산의 재산세에 대하여 1천분의 40의 중과세율을 규정한 구 「지방세법」은 다수의 일반인이 즐길 수 있는 건전한 체육활동의 장으로 사회적 인식이 변화하였다고 볼 수 있으므로 낭비 풍조의 억제라는 재산세 중과의 입법목적은 현재에 이르러 그 정당성을 상실하였다.

20 재산권에 대한 설명으로 옳은 것은 모두 몇 개인가?

ㄱ. 종합부동산세는 전국의 모든 과세대상 부동산을 과세물건으로 하여, 소유자별 내지 세대별로 합산한 '부동산가액'을 과세표준으로 삼는 보유세의 일종이므로 양도소득세와의 사이에 이중과세의 문제는 발생하지 아니한다.
ㄴ. 소득세할 주민세를 신고 납부하지 아니한 경우 세액의 100분의 20을 가산한 금액을 세액으로 징수하는 「소득세법」 제177조의2 제4항은 평등권과 재산권을 침해한다.
ㄷ. 취득세 납세의무자가 신고납부를 하지 아니한 경우 세액의 100분의 20을 가산한 금액을 세액으로 징수하는 「지방세법」 제121조는 재산권 침해라고 볼 수 있다.
ㄹ. 정유회사의 농업용 면세유에 관한 신고 내용에 오류 또는 탈루가 있는 때 과세관청이 경정결정할 수 있도록 한 구 「교통·에너지·환경세법」 제9조 제1항은 정유회사의 재산권 침해라고 할 수 없다.
ㅁ. 법인이 과밀억제권역 내에 본점의 사업용 부동산으로 건축물을 신축하여 이를 취득하는 경우 취득세를 중과세하는 구 「지방세법」 조항은, 인구유입이나 경제력집중의 유발효과가 없는 신축 또는 증축으로 인한 부동산의 취득의 경우에도 모두 취득세 중과세대상에 포함시키는 것이므로 재산권을 침해한다.
ㅂ. 과세표준확정신고를 하지 아니하거나 신고해야 할 소득금액에 미달하게 신고한 때에는 100분의 20에 상당하는 금액을 가산하도록 한 「소득세법」 제81조는 재산권을 침해한다.
ㅅ. 종합소득세의 납부의무 위반에 대하여 미납기간을 고려하지 않고 일률적으로 미납세액의 100분의 10에 해당하는 가산세를 부과하도록 한 구 「소득세법」 제81조 제3항이 비례원칙에 반하여 납세의무자의 재산권을 침해한다.
ㅇ. 소방시설로 인하여 이익을 받는 자의 건축물을 과세대상으로 소방지역자원시설세를 부과하면서, 대형 화재위험 건축물에 대하여는 일반세액의 3배를 중과세하는 「지방세법」 청구인의 재산권을 침해한다.
ㅈ. 과세대상인 자본이득의 범위에 실현된 소득뿐만 아니라 미실현이득까지 포함시키는 것은 과세목적, 과세소득의 특성, 과세기술상의 문제 등을 고려할 때 헌법상의 조세개념에 저촉되거나 그와 양립할 수 없는 모순이 발생하여 위헌이다.

① 1개
② 2개
③ 3개
④ 4개

36회 진도별 모의고사

재산권

정답 및 해설 p.281

제한시간 : 14분 | 시작시각 ___시 ___분 ~ 종료시각 ___시 ___분 나의 점수 ______

01 재산권에 대한 설명으로 옳지 않은 것을 모두 몇 개인가?

> ㄱ. 국세를 전세권, 질권 또는 저당권에 의하여 담보된 채권보다 1년 우선시키는 「국세기본법」 제35조 제1항은 재산권을 침해한다.
> ㄴ. 신고일 기준으로, 납세의무성립일 기준으로, 납세고지서의 발송일 기준으로 조세채권을 담보물권보다 우선하는 것은 재산권을 침해한다고 볼 수 없다.
> ㄷ. 납부고지일을 기준으로 개발부담금을 국세와 지방세를 제외한 그 밖의 채권에 우선하여 징수한다고 규정한 「개발이익 환수에 관한 법률」은 재산권을 침해한다고 할 수 없다.
> ㄹ. 근로자 퇴직금 채권 전액을 저당권에 의하여 담보된 채권보다 우선변제하도록 한 「근로기준법」은 재산권을 침해한다.
> ㅁ. 상호신용금고의 예금채권자에게 예탁금의 한도 안에서 상호신용금고의 총재산에 대하여 다른 채권자에 우선하여 변제받을 권리를 부여하고 있는 구 「상호신용금고법」은 예금자우선변제제도는 상호신용금고의 예금채권자를 일반채권자에 우선하여 상대적으로 보호하기 위한 것이므로 헌법에 위반된다.
> ㅂ. 「주택임대차보호법」 제8조 및 같은 법 시행령의 규정에 따라 우선변제를 받을 수 있는 금액의 반환채권에 대한 압류를 금지하는 「민사집행법」은 채권자인 청구인들의 재산권을 침해한다.
> ㅅ. 소액임차인이 보증금 중 일부를 우선하여 변제받으려면 주택에 대한 경매신청의 등기 전에 대항력을 갖추어야 한다고 규정한 「주택임대차보호법」 제8조 제1항 후문이 청구인의 재산권을 침해한다고 할 수 없다.

① 1개 ② 2개
③ 3개 ④ 4개

02 재산권에 대한 설명으로 옳지 않은 것은?

① 종합부동산세는 전국의 모든 과세대상 부동산을 과세물건으로 하여, 소유자별 내지 세대별로 합산한 '부동산가액'을 과세표준으로 삼는 보유세의 일종이므로 양도소득세와의 사이에 이중과세의 문제는 발생하지 아니한다.

② 소유자가 거주하지 아니하거나 경작하지 아니하는 농지를 비사업용 토지로 보아 60%의 중과세율을 적용하도록 한 것은 재산권을 침해하지 아니한다.

③ 보유기간이 1년 이상 2년 미만인 자산이 공용수용으로 양도된 경우에도 중과세하는 구 「소득세법」 조항은 재산권을 침해하지 않는다.

④ 편의치적(flag of convenience)의 방법에 의한 선박수입의 경우 그 선박이 우리나라의 선적을 취득하지 않았을 뿐만 아니라 우리나라와 선적국과의 이중과세의 문제가 발생할 수 있고, 편의치적 선박이 우리나라를 중심으로 거래를 함으로써 영업상 이익에 대한 과세를 할 수 있음에도 불구하고 「관세법」상 '사위 기타 부정한 방법으로 관세를 포탈한 경우'에 해당한다 하여 편의치적 방법에 의한 선박수입에 대해 관세포탈죄를 적용하고 과세를 하는 것은 헌법상 재산권을 침해한 것이다.

03 재산권에 대한 설명으로 옳지 않은 것은?

① 한강을 취수원으로 한 수돗물의 최종수요자에게 물이용부담금을 부과하는 「한강수계 상수원수질개선 및 주민지원 등에 관한 법률」은 물이용부담금 납부의무자의 재산권을 침해하거나 평등원칙에 위배된다.

② 물이용부담금은 부과원인이나 내용의 측면에서는 수익자 부담금의 성격을 갖는다.

③ 물이용부담금을 통해 추구하는 공적 과제는 한강수계 관리기금의 집행단계에서 비로소 실현된다고 할 수 있으므로, 물이용부담금은 재정조달목적 부담금에 해당한다.

④ 국민에게 조세 외의 재산상의 부담을 부과하는 경우에도 헌법적 근거가 필요하고 기본권 제한에 관한 일반적 유보조항인 헌법 제37조 제2항은 부담금 부과에 의한 재산권 제한의 헌법적 근거로 인정된다.

⑤ 구 「부동산 실권리자명의 등기에 관한 법률」상 장기미등기자에 대하여 부동산가액의 100분의 30에 해당하는 과징금을 부과하도록 한 것은 법익의 균형성을 갖추었다고 보기 어려워 과잉금지원칙에 반한다.

04 재산권에 대한 설명으로 옳지 않은 것은?

① 책임 지울 수 없는 사유나 그 의무 이행을 기대할 수 없는 경우를 제외하고 토지거래계약허가를 받은 자에게 토지이용의무를 부과하고 이를 불이행하는 경우, 토지취득가액의 100분의 10의 범위에서 이행강제금을 부과하는 「국토의 계획 및 이용에 관한 법률」 조항은 재산권을 침해한다고 볼 수 없다.

② 「건축법」을 위반한 건축주 등이 건축 허가권자로부터 위반건축물의 철거 등 시정명령을 받고도 그 이행을 하지 않는 경우 「건축법」 위반자에 대하여 시정명령 이행 시까지 반복적으로 이행강제금을 부과할 수 있도록 규정한 「건축법」 조항은 과잉금지의 원칙에 위배되어 「건축법」 위반자의 재산권을 침해한다.

③ 특별관리지역 지정 이전부터 「공공주택 특별법」 또는 「개발제한구역의 지정 및 관리에 관한 특별조치법」에 따른 적법한 허가 등을 거치지 아니하고 설치하거나 용도변경한 건축물 등에 대한 시정명령을 이행하지 아니한 경우 이행강제금을 부과함에 있어 그 부과기준에 대하여 「개발제한구역의 지정 및 관리에 관한 특별조치법」 제30조의2 제1항 및 제4항을 준용하는 「공공주택 특별법」 제6조의5 제2항이 재산권을 침해한다고 할 수 없다.

④ 국립공원의 입장료는 수익자 부담의 원칙에 따라 국립공원을 입장하는 자에게 부담시키는 것으로 국립공원의 입장료 수입을 국가, 지방자치단체, 국립공원관리공단의 수입으로만 귀속시키고 그 수입은 공원의 관리와 공원 안에 있는 문화재의 관리·보수를 위한 비용에만 사용하도록 하더라도 이는 국립공원 내에 위치한 토지의 소유자의 과실수취권과는 관련이 없으므로 이들의 재산권을 침해하는 것이 아니다.

05 상속과 재산권에 대한 설명으로 옳은 것은?

① 재산권 보장은 상속을 포함하는 것이므로 생전증여에 의한 처분도 재산권의 보호를 받는다.

② 공무원과 이혼한 배우자에 대한 분할연금액은 공무원의 퇴직연금액 또는 조기퇴직연금액 중 혼인기간에 해당하는 연금액을 균등하게 나눈 금액으로 한다는 「공무원연금법」 제46조의3 제2항에도 불구하고, 「민법」상 재산분할청구에 따라 연금분할이 별도로 결정된 경우에는 그에 따르도록 한 「공무원연금법」은 분할연금수급권자의 사회보장수급권 및 재산권을 침해한다.

③ 배우자의 상속공제를 인정받기 위한 요건으로 배우자 상속재산분할기한까지 배우자의 상속재산을 분할하여 신고할 것을 요구하면서 위 기한이 경과하면 일률적으로 배우자의 상속공제를 부인하고 있는 구 「상속세 및 증여세법」 제19조 제2항은 배우자인 상속인의 재산권을 침해한다고 볼 수 없다.

④ 「국민연금법」상 분할연금제도는 이혼한 배우자가 혼인기간 중 재산 형성에 기여한 부분을 청산·분배하는 재산권적인 성격을 가진 것으로, 이혼배우자의 노후를 보장하는 사회보장적 성격을 가지는 것이 아니다.

06 상속과 재산권에 대한 설명으로 옳은 것은 모두 몇 개인가?

ㄱ. 자필증서에 의한 유언에 있어서 유언자의 '주소'를 유효요건으로 규정하고 있는 「민법」 제1066조 제1항이 주소를 반드시 기재하도록 요구하는 것은 유언자의 인적 동일성을 확인하기 위한 적절한 방법이라고 보기는 어렵고, 유언이 그의 진의에 의한 것임을 충분히 밝힐 수 있는 등 누가 한 유언인지를 밝혀내는 것은 그리 어려운 문제가 아니므로 주소를 반드시 기재하도록 요구하는 것은 불필요하게 중복적인 요건을 과하는 것으로 침해의 최소성원칙에 위반된다.

ㄴ. 상속재산에 관한 포괄·당연승계주의는 헌법상 보장된 재산권을 과도하게 제한하는 규정으로 헌법에 위반된다.

ㄷ. 피상속인의 4촌 이내의 방계혈족을 4순위 법정상속인으로 규정하고 있는 「민법」은 오늘날 국민들이 4촌 이내의 방계혈족 모두와 왕래하며 교류하는 비율이 낮고, 6·25 전쟁으로 인한 이산가족 등 당사자가 모르고 있는 친족들이 존재하는 경우도 있는 점을 고려하면, 심판대상조항이 피상속인의 4촌 이내의 방계혈족을 일률적으로 상속인에 포함시켜 상속채무를 승계하도록 강제하는 것은 재산권을 침해한다.

ㄹ. 사실혼 배우자에게 상속권을 인정하지 않는 「민법」 조항은 사실혼 배우자의 상속권을 침해한다.

ㅁ. 헌법 제23조는 상속권과 상속제도를 명문으로 규정하고 있지 않으나, 상속권이나 상속제도는 헌법에 의해서 보장된다.

ㅂ. 공동상속인 중 피상속인으로부터 재산의 증여 또는 유증을 받은 자가 있는 경우에 그 수증재산이 자기의 상속분에 달하지 못한 때에는 그 부족한 부분의 한도에서 상속분이 있다고 규정하면서 특별수익자가 배우자인 경우 특별수익 산정에 관한 예외를 두지 아니한 「민법」은 배우자인 상속인의 재산권을 침해한다고 할 수 없다.

ㅅ. 이혼시 재산분할을 청구하여 상속세 인적공제액을 초과하는 재산을 취득한 경우 그 초과 부분에 대하여 증여세를 부과하는 것은, 증여세제의 본질에 반하여 증여라는 과세원인이 없음에도 불구하고 증여세를 부과하는 것이어서 현저히 불합리하고 자의적이며 재산권 보장의 헌법이념에 부합하지 않으므로 실질적 조세법률주의에 위배된다.

ㅇ. 상속인이 귀책사유 없이 상속채무가 적극재산을 초과하는 사실을 알지 못하여 상속개시 있음을 안 날로부터 3월 내에 한정승인 또는 포기를 하지 못한 경우에도 단순승인을 한 것으로 보는 「민법」 제1026조 제2호는 재산권을 보장한 헌법 제23조 제1항 등에 위반된다.

ㅈ. 「민법」이 유언이나 기여분제도를 통하여 피상속인의 의사나 피상속인에 대한 부양의무 이행 여부 등을 구체적인 상속분 산정에서 고려할 수 있는 장치를 이미 마련하고 있는 점들을 고려하면, 「민법」상 상속결격사유조항이 피상속인에 대한 부양의무를 이행하지 않은 직계존속의 경우를 상속결격사유로 규정하지 않았다고 하더라도 이것이 입법형성권의 한계를 일탈하여 다른 상속인의 재산권을 침해한다고 보기 어렵다.

① 4개 ② 5개
③ 6개 ④ 7개

07 시효와 재산권에 대한 설명으로 옳은 것은 모두 몇 개인가?

ㄱ. 20년간 소유의 의사로 평온, 공연하게 부동산을 점유하는 자는 등기함으로써 그 소유권을 취득하는 내용의 「민법」 제245조 제1항은 재산권을 침해한다고 할 수 없다.
ㄴ. 국가를 부동산 점유취득시효의 주체에서 제외하지 않은 「민법」은 부동산 소유자의 재산권을 침해한다고 할 수 없다.
ㄷ. 국유재산에 대한 시효취득은 허용될 수 없다.
ㄹ. 국채의 원금 및 이자의 소멸시효를 5년으로 규정한 것은 헌법상 재산권 보장규정에 위반된다고 볼 수 없다.
ㅁ. 사법상 채권에 기하여 행하여진 국가의 납입 고지에 일반 사법(「민법」)상의 최고와는 달리 종국적인 시효중단의 효력을 부여하는 것은 시효중단의 효력을 종국적으로 받지 않고 계속하여 소멸시효를 누릴 수 있는 사법상 권리로서의 재산권을 침해한다고 할 수 없다.
ㅂ. 국가배상청구권의 소멸시효 규정시, 손해가 발생했음을 안 날로부터 3년으로 규정한 「민법」을 준용하는 것은 국가배상청구권을 침해하는 것은 아니다.
ㅅ. 국채에 대하여 일반 회사채의 경우와 달리 5년의 단기소멸시효를 규정한 것은 사경제활동주체로서의 국가에 대하여 일반 민사채권자 또는 회사채 발행자보다 우월한 법적 지위를 부여한 것으로서 합리적 이유 없는 차별에 해당하므로 헌법상 평등원칙에 위배되고, 국채 채권자의 권리 행사를 합리적 이유 없이 지나치게 제한하므로 헌법상 재산권 보장규정에도 위반된다.
ㅇ. 장기급여에 대한 권리를 5년간 행사하지 아니하면 시효로 소멸한다고 규정한 「사립학교교직원 연금법」 제54조 제1항 중 '장기급여에 관한 부분'은 청구인의 재산권, 사회보장수급권을 침해한다고 볼 수 없다.

① 4개 ② 5개
③ 6개 ④ 7개

08 국가배상청구권의 소멸시효에 대한 설명으로 옳지 않은 것은?

「민법」 제766조(손해배상청구권의 소멸시효) ① 불법행위로 인한 손해배상의 청구권은 피해자나 그 법정대리인이 그 손해 및 가해자를 안 날로부터 3년간 이를 행사하지 아니하면 시효로 인하여 소멸한다.
② 불법행위를 한 날로부터 10년을 경과한 때에도 전항과 같다.

① 헌법 제28조와 제29조 제1항에서 규정하고 있는 형사보상청구권 및 국가배상청구권은 청구권이자 재산권을 보장하는 권리이다.

② 헌법 제28조, 제29조 제1항은 형사보상청구권 및 국가배상청구권의 내용을 법률에 의해 구체화하도록 규정하고 있으므로, 그 구체적인 내용은 입법자가 형성할 수 있으며 권리구제의 실효성이 상당한 정도로 보장되도록 하여야 한다.

③ 「진실·화해를 위한 과거사정리 기본법」 제2조 제1항 제3호·제4호의 민간인 집단희생사건, 중대한 인권침해·조작의혹사건에 「민법」 제766조 제1항의 '주관적 기산점'이 적용되도록 하는 것은 합리적 이유가 인정된다.

④ 「민법」 제166조 제1항, 제766조 제2항의 '객관적 기산점'을 「진실·화해를 위한 과거사정리 기본법」 제2조 제1항 제3호·제4호의 민간인 집단희생사건, 중대한 인권 침해·조작의혹사건에 적용하도록 규정하는 것은 소멸시효제도를 통한 법적 안정성을 위한 것으로 입법형성의 한계를 일탈하여 청구인들의 국가배상청구권을 침해한다고 할 수 없다.

09 제척기간과 관련된 헌법재판소 판례가 위헌으로 본 것은 몇 개인가?

ㄱ. 출생을 안 날로부터 1년 이내에 친생부인의 소를 제기할 수 있도록 한 「민법」
ㄴ. 상속권이 침해된 때로부터 10년 이내에만 상속권회복청구를 할 수 있도록 한 「민법」
ㄷ. 법원의 무죄판결이 나온 때로부터 1년 이내에 법원에 구금에 대한 보상을 청구할 수 있도록 한 「형사보상 및 명예회복에 관한 법률」
ㄹ. 친생부인의 소에서 사유가 있음을 안 날로부터 2년 이내에 친생부인의 소를 제기할 수 있도록 한 「민법」
ㅁ. 부 또는 모가 사망한 날로부터 1년 이내에 검사를 상대로 인지청구의 소를 제기할 수 있도록 한 「민법」
ㅂ. 상속권이 개시된 날로부터 10년 이내에만 상속권 회복을 청구할 수 있도록 한 「민법」
ㅅ. 무죄판결이 난 때로부터 6개월 이내에 형사소송비용에 대해서 보상을 청구할 수 있도록 한 「형사소송법」
ㅇ. 중혼 취소청구권의 제척기간을 두지 않은 것
ㅈ. 상속회복청구권의 행사기간을 상속 침해를 안 날로부터 3년으로 제한한 구 「민법」
ㅊ. 환매권의 행사기간을 수용일로부터 10년 이내로 제한한 구 「토지수용법」

① 4개 ② 5개
③ 6개 ④ 7개

10 소멸시효에 대한 설명으로 옳지 않은 것은?

① '국가의 납입의 고지로 인하여 시효중단의 효력을 종국적으로 받지 않고 계속하여 소멸시효를 누릴 기대이익'은 헌법적으로 보호될 만한 재산권적 성질의 것은 아니며, 단순한 기대이익에 불과하다고 볼 것이므로 국가의 납입 고지에 시효중단의 효력을 인정하는 것이 재산권을 제한한다고 할 수 없다.

② 유류분반환청구는 피상속인이 생전에 한 유효한 증여도 그 효력을 잃게 하는 것이므로 「민법」 제1117조의 '반환하여야 할 증여를 한 사실을 안 때로부터 1년'의 단기소멸시효는 유류분권리자의 재산권을 침해하지 않는다.

③ 사법상 채권에 기하여 행하여진 국가의 납입 고지에 일반 사법(「민법」)상의 최고와는 달리 종국적인 시효중단의 효력을 부여하는 것은 시효중단의 효력을 종국적으로 받지 않고 계속하여 소멸시효를 누릴 수 있는 사법상 권리로서의 재산권을 침해한다.

④ 부당이득반환청구권 등 채권은 이를 행사할 수 있는 때로부터 10년간 행사하지 않으면 소멸시효가 완성된다고 규정한 「민법」 제162조 제1항은 재산권을 침해한다고 할 수 없다.

⑤ 유족연금수급권은 그 급여의 사유가 발생한 날로부터 5년간 이를 행사하지 아니하면 시효로 인하여 소멸하도록 규정한 구 「군인연금법」 제8조 제1항이 유족연금수급권자의 인간다운 생활을 할 권리 및 재산권을 침해한다고 할 수 없다.

11 재산권에 대한 설명으로 옳은 것은?

① 건설공사를 위하여 문화재발굴허가를 받아 매장문화재를 발굴하는 경우 그 발굴비용을 사업시행자로 하여금 부담하게 하는 것은 문화재 보존을 위해 사업시행자에게 일방적인 희생을 강요하는 것이므로 재산권을 침해한다.

② 국토해양부장관, 시·도지사가 도시관리계획으로 '역사문화미관지구'를 지정하고 그 경우 해당지구 내 토지소유자들에게 지정목적에 맞는 건축 제한 등 재산권 제한을 부과하면서도 아무런 보상조치를 규정하지 않는 것은 비례의 원칙에 반하여 재산권을 침해한다.

③ 종전의 관행어업권자들에게 구 「수산업법」 시행일부터 2년 이내에 어업권원부에 등록을 하도록 하고 그 기간 내에 등록하지 아니한 경우 관행어업권을 소멸하게 하는 것은 재산권을 소급적으로 박탈하는 것이다.

④ 점유자는 소유의 의사로 점유한 것으로 추정하는 「민법」은 소유자인 청구인의 재산권을 침해하지 않는다.

12 재산권에 대한 설명으로 옳지 않은 것은?

① 주채무자에 대한 시효의 중단은 보증인에 대하여 그 효력이 있다고 규정한 「민법」은 보증인의 재산권을 침해한다고 볼 수 없다.

② 임대차 목적물인 상가건물이 「유통산업발전법」 제2조에 따른 대규모점포의 일부인 경우 임차인의 권리금 회수기회 보호 등에 관한 「상가건물 임대차보호법」 제10조의4를 적용하지 않도록 하는 구 「상가건물 임대차보호법」 제10조의5 제1호 중 대규모점포에 관한 부분은 입법형성권의 한계를 일탈하여 청구인들의 재산권을 침해한다고 보기 어렵다.

③ 선하지 소유자로 하여금 사실상 영구지상권을 감내하도록 하여 전력공급의 안정성을 담보하기 위한 비용을 선하지 소유자에게 오롯이 부담시키고 있는 구분지상권의 존속기간을 '송전선로가 존속하는 때까지'로 정한 「전기사업법」은 과잉금지원칙에 반하여 재산권을 침해한다.

④ 부동산을 사실상 양수한 사람 또는 그 대리인이 등기원인을 증명하는 서면 없이 보증서를 바탕으로 발급받은 확인서로써 단독으로 소유권이전등기를 신청할 수 있도록 한 구 「부동산소유권 이전등기 등에 관한 특별조치법」이 재산권을 침해한다고 할 수 없다.

13 재산권에 대한 설명으로 옳지 않은 것은?

① 의무보험에 가입되어 있지 아니한 자동차는 도로에서 운행할 수 없도록 하고 이를 위반하여 자동차를 운행한 자동차보유자를 형사처벌하도록 정한 「자동차손해배상 보장법」은 자동차보유자인 청구인의 일반적 행동자유권, 계약의 자유, 재산권을 침해하지 않는다.

② 지속가능한 주거생활의 질적 향상과 도시환경의 개선을 위하여 추진되는 주택재개발사업을 위한 수용은 그 공공필요성이 인정되므로 주택재개발사업을 시행하는 경우에 사업시행자에게 수용권을 부여하는 구 「도시 및 주거환경정비법」이 헌법 제23조 제3항에 위배되지 않는다.

③ 세금계산서를 발급받지 않은 경우 부가가치세 산정에 있어 매입세액을 공제하지 않도록 한 구 「부가가치세법」은 과잉금지원칙에 위배되지 아니한다.

④ 신고하지 아니한 물품을 필요적으로 몰수하도록 규정한 「관세법」은 재산권을 침해한다.

⑤ 19세 이상인 자녀들를 「공무원연금법」상 유족에서 제외하는 「공무원연금법」은 합리적인 입법재량의 범위를 벗어났다고 볼 수도 없다.

14 재산권에 대한 설명으로 옳지 않은 것을 모두 조합한 것은?

> ㄱ. 해양배출이 가능한 폐기물에 분뇨를 제외하므로 청구인들이 소유하고 있는 장비를 충분히 가동하지 못한다면 재산권 제한이다.
> ㄴ. 전국 고속국도를 하나의 도로로 간주하여 통행료를 부과하도록 한 구 「유료도로법」 조항은 경인고속국도를 통행하는 청구인들의 재산권을 침해한다고 할 수 없다.
> ㄷ. 관리처분계획인가의 고시가 있으면 별도의 영업손실 보상 없이 재건축사업구역 내 임차권자의 사용·수익을 중지시키는 「도시 및 주거환경정비법」이 임차권자의 재산권을 침해하여 헌법에 위배된다고 할 수 없다.
> ㄹ. 공무원이거나 공무원이었던 사람이 재직 중의 사유로 금고 이상의 형을 받거나 형이 확정된 경우 퇴직급여 및 퇴직수당의 일부를 감액하여 지급함에 있어 그 이후 형의 선고의 효력을 상실하게 하는 특별사면 및 복권을 받은 경우를 달리 취급하는 규정을 두지 아니한 구 「공무원연금법」이 재산권을 침해한다고 할 수 없다.
> ㅁ. 피상속인의 4촌 이내의 방계혈족을 4순위 법정상속인으로 규정하고 있는 「민법」은 오늘날 국민들이 4촌 이내의 방계혈족 모두와 왕래하며 교류하는 비율이 낮고, 6·25 전쟁으로 인한 이산가족 등 당사자가 모르고 있는 친족들이 존재하는 경우도 있는 점을 고려하면, 심판대상조항이 피상속인의 4촌 이내의 방계혈족을 일률적으로 상속인에 포함시켜 상속채무를 승계하도록 강제하는 것은 재산권을 침해한다.

① ㄱ, ㄴ, ㄷ ② ㄷ, ㅁ
③ ㄴ, ㄷ, ㄹ ④ ㄱ, ㅁ

15 보조금 지원을 받아 배출가스저감장치를 부착한 자동차소유자가 자동차 등록을 말소하려면 배출가스저감장치 등을 서울특별시장 등에게 반납하여야 한다고 규정한 '구 수도권 대기환경개선에 관한 특별법'에 대한 헌법소원청구에 대한 설명으로 옳은 것은?

① 보조금 지원을 받아 배출가스저감장치를 부착한 자동차소유자가 자동차 등록을 말소하려면 배출가스저감장치 등을 서울특별시장 등에게 반납하여야 한다고 규정한 구 「수도권 대기환경개선에 관한 특별법」은 재산권을 제한한다.

② 보조금 지원을 받아 배출가스저감장치를 부착한 자동차소유자가 자동차 등록을 말소하려면 배출가스저감장치 등을 서울특별시장 등에게 반납하여야 한다고 규정한 구 「수도권 대기환경개선에 관한 특별법」은 헌법 제23조 제3항에 따른 정당한 보상이 없는 수용에 해당한다.

③ 심판대상조항은 재산권을 새로이 형성하는 법률이므로, 과잉금지원칙이 심사기준이 아니라 입법형성의 자유를 현저히 벗어났는지가 그 심사기준이 된다.

④ 어떤 법률이 소급입법금지원칙에 위배되지 않는다면 신뢰보호원칙에 위배되지 않는다.

⑤ 보조금 지원을 받아 배출가스저감장치를 부착한 자동차소유자가 자동차 등록을 말소하려면 배출가스저감장치 등을 서울특별시장 등에게 반납하여야 한다고 규정한 구 「수도권 대기환경개선에 관한 특별법」이 신설되기 전에 이미 배출가스저감장치를 부착하였던 소유자들에 대한 관계에서 진정소급입법에 해당한다.

16 헌법 제23조 제3항의 보상에 대한 설명으로 옳은 것은?

① 대법원은 보상규정이 없는 재산권 제한에 대해서 관련 법조항에 보상규정이 있다면 유추적용할 수 있다고 한다.

② 대법원 판례는 독일 최고재판소의 수용유사적 침해이론을 수용하고 있다.

③ 헌법재판소는 개발제한구역사건에서 개발제한구역지정 후 토지를 종래의 용도로 사용할 수 없는 경우 수용유사적 침해로 보아 보상을 해야 한다고 한 바 있다.

④ 재산권의 내용이 입법자에 의하여 형성되는 경우, 그에 대한 제한이나 침해가 헌법 제23조 제3항의 수용·사용·제한에 해당하는 것이 아닌 한 재산권에 대한 제한이나 침해가 있다 하여도 보상을 요하는 것은 아니다.

17 **분리이론과 경계이론에 대한 설명으로 옳지 않은 것은?**

① 개발제한구역으로 지정된 나대지 소유자에 대한 보상이 없는 경우, 경계이론에 따르면 나대지 소유자에 대한 재산권 제한은 헌법 제23조 제3항의 공용침해에 해당하고 사업시행자나 법원은 유추적용설이나 직접효력설에 따라 보상하든지 위헌무효설에 따라 배상을 하여야 한다.

② 개발제한구역으로 지정된 나대지 소유자에 대한 보상이 없는 경우, 분리이론에 따르면 나대지 소유자에 대한 재산권 제한은 헌법 제23조 제3항의 공용침해에 해당하지 않고 개발제한구역의 근거 법률에 대해 헌법재판소는 헌법불합치결정을 하여야 하고 입법자는 나대지 소유자가 받은 가혹한 부담을 완화하는 입법조치를 해야 한다.

③ 경계이론은 헌법 제23조 제1항의 내용규정과 제23조 제3항의 공용침해규정이 본질적인 차이는 없고, 비례원칙에 위반되는 형성입법에 의한 재산권 제한이 헌법 제23조 제3항의 공용침해로 전환된다고 한다.

④ 분리이론은 헌법 제23조 제1항의 내용규정과 제23조 제3항의 공용침해 침해규정은 본질적 차이가 있고 형식적으로 보상을 규정한 법률의 유무에 따라 보상규정을 두고 있다면 재산권 제한은 헌법 제23조 제3항의 공용침해에 해당하고 재산권을 제한하는 법률에 보상규정이 없는 경우 헌법 제23조 제3항으로 전환되지 않는다.

⑤ 경계이론에 따르면 개발제한구역으로 지정된 나대지 소유자에 대해 입법자는 개발제한구역지정의 해제 또는 현금 보상을 선택할 수 있어 지정의 해제를 통해 나대지 소유자의 재산권 침해를 배제할 수 있다는 점에서 의의가 있다.

18 **甲은 18년 6개월간 공무원으로 재직하다 2015.8.31. 정년퇴직하였다. 甲이 아래의 법률개정과 관련하여 기본권 침해를 주장하며 헌법소원심판을 청구할 경우 다음 설명 중 옳지 않은 것은? (다툼이 있는 경우 판례에 의함)**

> 「공무원연금법」(2014.11.19. 법률 제12844호로 개정되고, 2015.6.22. 법률 제13387호로 개정되기 전의 것)
> 제46조(퇴직연금 또는 퇴직연금일시금) ① 공무원이 20년 이상 재직하고 퇴직한 경우에는 다음 각 호의 어느 하나에 해당하는 때부터 사망할 때까지 퇴직연금을 지급한다.
> 1. ~ 5. (생략)
> [시행 2014.11.19.]
>
> 「공무원연금법」(2015.6.22. 법률 제13387호로 개정된 것)
> 제46조(퇴직연금 또는 퇴직연금일시금) ① 공무원이 10년 이상 재직하고 퇴직한 경우에는 다음 각 호의 어느 하나에 해당하는 때부터 사망할 때까지 퇴직연금을 지급한다.
> 1. ~ 5. (생략)
> [시행 2016.1.1.]
>
> 「공무원연금법」 부칙(2015.6.22. 법률 제13387호) 제6조(연금수급요건 완화에 관한 특례) 제46조 제1항부터 제3항까지, 제48조 제1항, 제56조 제1항부터 제3항까지 및 제60조 제1항의 개정규정은 이 법 시행 당시 재직 중인 공무원부터 적용한다.

① 심판대상조항에 의한 차별이 헌법에서 특별히 평등을 요구하고 있는 영역에 관한 것이거나 관련 기본권에 대한 중대한 제한을 초래하는 것이므로, 엄격한 심사기준에 따라 비례심사를 하기로 한다.

② 위와 같은 법률개정으로 공무원의 재직기간이 10년 이상 20년 미만으로 동일하더라도 정년퇴직일이 2016.1.1. 이전인지 이후인지에 따라 퇴직연금의 지급을 달리하므로, 甲의 평등권이 제한된다.

③ 개정 법률이 시행되기 전 퇴직한 甲은 퇴직연금을 수급할 수 있는 기초를 상실하였으므로, 甲의 재산권 및 인간다운 생활을 할 권리가 제한된다고 볼 수 없다.

④ 퇴직연금의 수급요건을 완화하면서 유리한 신법을 신법 시행일 이전으로 소급적용하는 경과규정을 두지 않았다고 하더라도 이를 두고 입법재량의 범위를 벗어난 현저히 불합리한 차별이라고 보기 어려우므로, 심판대상조항이 청구인의 평등권을 침해한다고 볼 수 없다.

19 재산권에 대한 설명으로 옳지 않은 것은?

① 청구인이 재단법인의 설립 없이 유골 수를 추가 설치·관리하여 수익을 창출하려 하였던 사정은 재산권의 보호영역에 포함된다.

② 면세유류 구입카드 또는 출고지시서를 잘못 교부·발급한 경우 해당 석유류에 대한 부가가치세 등 감면세액의 100분의 20에 해당하는 금액을 가산세로 징수하도록 규정한 구 「조세특례제한법」이 과잉금지원칙에 반하여 면세유류 관리기관인 수협의 재산권을 침해한다고 할 수 없다.

③ 유한회사가 납부하여야 할 국세·가산금과 체납처분비에 대한 제2차 납세의무를 '유한책임사원 1명과 그의 특수관계인 중 대통령령으로 정하는 자로서 그들의 출자액 합계가 해당 법인의 출자총액의 100분의 50을 초과하면서 그에 관한 권리를 실질적으로 행사하는 자들'에게 부과하도록 하고 있는 구 「국세기본법」이 과잉금지원칙에 위배되어 재산권을 침해한다고 할 수 없다.

④ 임차인의 계약갱신요구권 행사기간을 10년으로 규정한 「상가건물 임대차보호법」 제10조 제2항을 개정법 시행 후 갱신되는 임대차에 대하여도 적용하도록 규정한 「상가건물 임대차보호법」 부칙 제2조 중 '갱신되는 임대차'에 관한 부분이 소급입법금지원칙에 위배되어 임대인의 재산권을 침해한다고 할 수 없다.

20 재산권에 대한 설명으로 옳지 않은 것은?

① 종전의 관행어업권자들에게 구 「수산업법」 시행일부터 2년 이내에 어업권원부에 등록을 하도록 하고 그 기간 내에 등록하지 아니한 경우 관행어업권을 소멸하게 하는 것은 지나친 재산권의 제한에 해당하지 아니한다.

② 도로 등 영조물 주변 일정 범위에서 관할 관청 또는 소유자등의 허가나 승낙하에서만 광업권자의 채굴행위를 허용하는 것은 광업권자의 재산권을 침해하지 아니한다.

③ 헌법재판소는 도로의 지표 지하 50미터 이내의 장소에서는 관할 관청의 허가나 소유자 또는 이해관계인의 승낙이 없으면 광물을 채굴할 수 없도록 규정한 구 「광업법」 조항에 대하여, 다른 권리와의 충돌가능성이 내재되어 있는 광업권의 특성을 감안하더라도 위와 같은 제한은 광업권자가 수인하여야 하는 사회적 제약의 범주를 벗어나 광업권자의 재산권을 침해한다고 판시하였다.

④ 임대차 목적물인 상가건물이 「유통산업발전법」 제2조에 따른 대규모점포의 일부인 경우 임차인의 권리금 회수기회 보호 등에 관한 「상가건물 임대차보호법」 제10조의4를 적용하지 않도록 하는 구 「상가건물 임대차보호법」 제10조의5 제1호 중 대규모점포에 관한 부분은 입법형성권의 한계를 일탈하여 청구인들의 재산권을 침해한다고 보기 어렵다.

37회 진도별 모의고사

직업의 자유

정답 및 해설 p.289

제한시간 : 14분 | 시작시각 ___시 ___분 ~ 종료시각 ___시 ___분 나의 점수 _______

01 직업의 자유에 대한 설명으로 옳지 않은 것은?

① 1919년 바이마르헌법이 최초로 직업의 자유를 명문화하였다. 우리 헌법은 건국헌법부터 직업의 자유를 명문화하였다.

② 직업이란 생활의 기본적 수요를 충족시키기 위한 계속적인 소득활동을 의미하며 그러한 내용의 활동인 한 그 종류나 성질을 묻지 않는다.

③ 직업의 자유는 독립적 형태의 직업활동뿐만 아니라 고용된 형태의 종속적인 직업활동도 보장한다.

④ 헌법상 직업은 개방적인 개념으로서 생활의 기본적 수요를 충족하기 위한 계속적인 활동인 한, 그 종류나 성질을 불문한다. 예컨대 예술가의 작품활동은 취미가 아닌 한, 그것이 생활수단을 얻는 데 기여하면 헌법상 보호되는 직업으로 본다.

02 직업의 자유에 대한 설명으로 옳지 않은 것은?

① 헌법상 보호되는 '직업'이란 생활의 기본적 수요를 충족시키기 위해서 행하는 계속적인 소득활동을 의미하므로 무보수 봉사직인 공립학교 운영위원회 운영위원의 활동은 헌법상 보호되는 직업에 포함되지 않는다.

② 도로에서의 시설물 영업행위도 계속적인 소득활동으로서 헌법상 보장된 직업의 개념에 포섭된다.

③ 직업의 자유에 의한 보호의 대상이 되는 직업은 생활의 기본적 수요를 충족시키기 위한 계속적 소득활동을 의미하며, 그 개념표지가 되는 '계속성'의 해석상 휴가기간 중에 하는 일, 수습직으로서의 활동 등은 이에 포함되지 않는다.

④ 비어업인이 스쿠버장비를 사용하여 수산자원을 포획 채취하는 것은 직업의 자유에서 보호되지 않는다.

03 직업의 자유에 대한 설명으로 옳은 것은?

① 입양기관을 운영하는 사회복지법인이 '기본생활지원을 위한 미혼모자 가족복지시설'을 설치·운영하는 것은 계속적인 소득활동이라고 볼 수 있다.

② 직업이란 생활의 기본적 수요를 충족시키기 위한 계속적인 소득활동을 의미하며 그 종류나 성질을 묻지 아니하나, 대학생이 방학 또는 휴학 중 학원강사로서 일하는 행위는 직업의 자유의 보호영역에 속한다고 볼 수 없다.

③ 직업의 개념표지 가운데 '계속성'과 관련하여서는 주관적으로 활동의 주체가 어느 정도 계속적으로 해당 소득활동을 영위할 의사가 있고, 객관적으로도 그러한 활동이 계속성을 띨 수 있으면 족한 것으로 휴가기간 중에 하는 일, 수습직으로서의 활동 따위도 포함된다.

④ 직업의 선택 혹은 수행의 자유는 주관적 공권의 성격이 두드러진 것이므로 사회적 시장경제질서라고 하는 객관적 법질서의 구성요소가 될 수는 없다.

04 직업의 자유에 대한 설명으로 옳은 것은 모두 몇 개인가?

ㄱ. 직장선택의 자유는 인간의 존엄과 가치 및 행복추구권과도 밀접한 관련을 가지는 만큼 단순히 국민의 권리가 아닌 인간의 권리이기 때문에, 외국인도 국내에서 제한 없이 직장선택의 자유를 향유할 수 있다고 보아야 한다.
ㄴ. 직업선택의 자유에는 자신이 원하는 직업 내지 직종에 종사하는 데 필요한 전문지식을 습득하기 위한 직업교육장을 임의로 선택할 수 있는 '직업교육장 선택의 자유'도 포함된다.
ㄷ. 개인이 다수의 직업을 선택하여 동시에 행사하는 겸직의 자유는 직업의 자유에 포함된다.
ㄹ. 성매매는 사회에 유해한 소득활동이어서 공공무해성 요건을 충족하지 못하므로 직업의 자유에서 보호된다고 할 수 없다.
ㅁ. 게임 결과물의 환전업은 게임이용자로부터 게임 결과물을 매수하여 다른 게임이용자에게 이윤을 붙여 되파는 것이지만, 이러한 행위가 생활의 기본적 수요를 충족시키는 계속적인 소득활동이 될 수는 없기 때문에 헌법상 보장되는 직업에 해당되지 않는다.
ㅂ. 판매를 목적으로 모의총포를 소지하는 행위는 일률적으로 영업활동으로 볼 수는 없지만, 소지의 목적이나 정황에 따라 이를 영업을 위한 준비행위로 보아 영업활동의 일환으로 평가할 수 있으므로 직업의 자유의 보호범위에 포함될 수 있다.
ㅅ. 국가행정사무인 지적측량의 대행(초벌측량)을 사인에게 허용하는 것은 직업선택의 자유의 보호영역에 속한다.
ㅇ. 직업의 자유는 사적 영역에서의 직업선택·수행의 자유뿐아니라 국·공립학교 사서교사를 선발하는 경우에도 문제되므로, 국가유공자 가산점 적용대상자를 선발예정인원의 30%를 초과할 수 없도록 한 「국가유공자 등 예우 및 지원에 관한 법률」은 직업의 자유가 문제된다.
ㅈ. 공립학교 운영위원회 운영위원의 활동은 헌법상 보호되는 직업에 포함된다.
ㅊ. 의료인이 아닌 자의 의료행위는 직업의 자유에서 보호될 수 없다.
ㅋ. 농지개량조합의 조합원과 이장의 지위는 직업의 자유에서 보호되는 직업에 해당한다.

① 1개 ② 2개
③ 3개 ④ 4개

05 직업의 자유에 대한 설명으로 옳지 않은 것은 모두 몇 개인가?

ㄱ. 노동조합의 노조전임이 하나의 직업유형으로 볼 수는 없다.
ㄴ. 의무복무로서의 현역병은 헌법 제15조가 선택의 자유로서 보장하는 직업이라고 할 수 없다.
ㄷ. '특정 시점부터 해당 직업을 선택하고 직업수행을 개시할 자유'가 직업선택의 자유, 직업수행의 자유의 내용으로 보호된다고 보기는 어렵다.
ㄹ. 공중보건의사가 군사교육에 소집된 기간을 복무기간에 산입하지 않도록 규정한 「병역법」 제34조 제3항으로 수련과정이 늦어져 채용경쟁상 불리하게 작용할 수 있어서 직업의 자유가 제한을 받는다.
ㅁ. 헌법이 보장하는 직업의 자유는 자신이 원하는 직업 내지 직종을 자유롭게 선택하고 선택한 직업을 자유롭게 수행할 수 있음을 그 내용으로 하는 것이므로, 특정인에게 배타적·우월적인 직업선택권이나 독점적인 직업활동의 자유까지도 보장하는 것이다.
ㅂ. 공중보건의사에 편입되어 공중보건의사로 복무하는 것은 직업선택의 자유의 보호대상이 되는 '직업' 개념에 포함된다.
ㅅ. 단순히 대학생으로서 수학하는 것은 학문의 개념을 충족시키지 못하므로 학문의 자유에 의하여 보호되지 않으므로 공중보건의사가 군사교육에 소집된 기간을 복무기간에 산입하지 않도록 규정한 「병역법」 제34조 제3항 인해 1학기 수업을 수강할 수 없게 되더라도 학문의 자유가 침해될 여지가 없다.
ㅇ. 헌법 제15조의 직업의 자유 또는 헌법 제32조의 근로의 권리, 사회국가원리 등에 근거하여 근로자에게 국가에 대한 직접적인 직장존속보장청구권이 인정된다.
ㅈ. 직장선택의 자유는 원하는 직장을 제공하여 주거나 선택한 직장의 존속보호를 청구할 권리를 보장하지 않으나, 국가는 직업선택의 자유로부터 나오는 객관적 보호의무, 즉 사용자에 의한 해고로부터 근로자를 보호할 의무를 진다.
ㅊ. 직업의 자유에는 해당 직업에 합당한 보수를 받을 권리까지 포함되어 있다고 보기 어려우므로 자신이 원하는 수준보다 적은 보수를 법령에서 규정하고 있다고 하여 직업선택이나 직업수행의 자유가 침해된다고 할 수 없다.

① 1개 ② 2개
③ 3개 ④ 4개

06 직업의 자유에 대한 설명으로 옳지 않은 것은 모두 몇 개인가?

ㄱ. 현 농협조합장의 임기를 연장하고, 차기 농협조합장 선거의 시기를 늦추는 내용의 「농업협동조합법」 부칙조항은 직업선택의 자유를 제한한다.
ㄴ. 자동차운전의 자유는 직업의 자유에 속하는 것이 아니라, 헌법 제10조와 제37조 제1항에 의하여 모든 사람에게 보장되는 일반적 행동의 자유의 하나라고 봄이 상당하다.
ㄷ. 음주측정 거부자에 대하여 필요적으로 운전면허를 취소하도록 규정한 「도로교통법」 제78조 제1항 단서 중 제8호 부분은 직업의 자유와 일반적 행동의 자유를 제한하는 조항이라고 할 것이다.
ㄹ. 지방의회 의원이 지방공사직을 겸할 수 없도록 한 「지방자치법」은 공무담임권이 아니라 직업을 선택하거나 유지할 수 있는 자유를 제한한다.
ㅁ. 외국인근로자의 직장변경의 횟수를 제한하고 있는 법률조항이 직장선택의 자유를 제한하는 것이다.
ㅂ. 의료인이 '치료효과를 보장하는 등 소비자를 현혹할 우려가 있는 내용의 광고'를 한 경우 형사처벌하도록 규정한 「의료법」 조항은 의료인의 표현의 자유뿐만 아니라 직업수행의 자유도 동시에 제한한다.
ㅅ. 칸막이를 설치하여 금연구역과 흡연구역으로 나누어 운영하고 있는 PC방 전체에 대하여 2년의 유예기간이 지난 뒤 전면금연구역으로 운영해야 할 의무를 부과하는 것은 직업수행의 자유를 제한한다.
ㅇ. 본인확인제는 정보통신서비스 제공자가 인터넷게시판을 운영하려면 본인확인조치를 이행할 의무를 부과하므로 정보통신서비스 제공자의 직업수행의 자유를 제한한다.
ㅈ. CCTV 설치조항으로 인해 보호자 전원이 반대하지 않는 한 어린이집 설치·운영자는 어린이집에 CCTV를 설치할 의무를 지게 되고 CCTV 설치시 녹음기능 사용을 할 수 없으므로, 위 조항은 어린이집 설치·운영자들의 직업수행의 자유를 제한한다.
ㅊ. 외국인근로자의 사업장 이동을 3회로 제한한 구 「외국인근로자의 고용 등에 관한 법률」은 직장선택의 자유를 제한하는 것이 아니라 근로의 권리를 제한하는 것이다.
ㅋ. 변호사시험의 성적 공개를 금지하고 있는 「변호사시험법」 관련 조항은 변호사시험 합격자에 대하여 그 성적을 공개하지 않도록 규정하고 있을 뿐이고, 이러한 시험성적의 비공개가 청구인들의 법조인으로서의 직역선택이나 직업수행에 있어서 어떠한 제한을 두고 있는 것은 아니므로 청구인들의 직업선택의 자유를 제한하고 있다고 볼 수 없다.
ㅌ. 이륜자동차를 운전하여 고속도로 또는 자동차전용도로를 통행한 자를 처벌하는 것은 퀵서비스 배달업자들의 직업수행의 자유를 제한하는 것이지만, 사고의 위험성과 사고결과의 중대성에 비추어 이를 기본권 침해라고 볼 수는 없다.
ㅍ. 형의 집행을 유예하는 경우에 사회봉사를 명할 수 있도록 하는 법규정에 의하여 사회봉사명령을 선고받은 이의 일반적 행동의 자유는 제한되지만, 이로 인하여 직업의 자유까지 제한된다고 볼 수 없다.

① 1개 ② 2개
③ 3개 ④ 4개

07 단계이론에 대한 설명으로 옳은 것은 모두 몇 개인가?

ㄱ. 단계이론에 의하면 직업선택의 자유에 대한 제한이 불가피한 경우 먼저 제1단계로 직업행사의 자유를 제한하고, 그에 의하여 그 목적을 달성할 수 없는 경우 제2단계로 객관적 사유에 의하여 직업결정의 자유를 제한하고, 그에 의해서도 그 목적을 달성할 수 없는 경우 제3단계로 주관적 사유에 의하여 직업결정의 자유를 제한하여야 한다고 한다.
ㄴ. 헌법재판소는, 직업선택의 자유와 직업행사의 자유는 기본권 주체에 대한 그 제한의 효과가 다르기 때문에 제한에 대한 위헌심사기준도 다르며, 특히 직업행사의 자유에 대한 제한의 경우 인격발현에 대한 침해의 효과가 일반적으로 직업선택 그 자체에 대한 제한에 비하여 작기 때문에 그 제한이 보다 폭넓게 허용된다고 하여, 독일의 단계이론과 유사한 논리를 전개한다.
ㄷ. 직업의 자유를 제한함에 있어서도 다른 기본권과 마찬가지로 헌법 제37조 제2항에서 정한 과잉금지의 원칙은 준수되어야 하므로, 직업수행의 자유를 제한하는 법령에 대한 위헌 여부를 심사하는 데 있어서 좁은 의미의 직업선택의 자유에 비하여 다소 완화된 심사기준을 적용할 수 있다.
ㄹ. 직업결정의 자유는 직업행사(수행)의 자유에 비하여 상대적으로 그 침해의 정도가 작다고 할 것이므로, 이에 대하여는 공공복리 등 공익상의 이유로 비교적 넓은 법률상의 규제가 가능하다.
ㅁ. 직업결정의 자유나 전직의 자유는 그 성격상 직업종사(직업수행)의 자유에 비하여 상대적으로 더욱 넓은 법률상의 규제가 가능하며, 따라서 다른 기본권의 경우와 마찬가지로 국가안전보장, 질서유지 또는 공공복리를 위하여 필요한 경우에는 제한이 가하여질 수 있다.
ㅂ. 직업수행의 자유에 대하여는 직업선택의 자유와는 달리 공익목적을 위하여 상대적으로 폭넓은 입법적 규제가 가능한 것이므로 과잉금지의 원칙이 적용되는 것이 아니라 자의금지의 원칙이 적용되는 것이다.

① 1개 ② 2개
③ 3개 ④ 4개

08 단계이론에 대한 설명으로 옳지 않은 것은 모두 몇 개인가?

ㄱ. 학교교과교습학원의 교습시간을 05:00부터 22:00까지 규정하고 있는 조례는 직업수행의 자유를 제한한다.
ㄴ. 특별자치시장·시장·군수·구청장으로 하여금 대형마트 등에 대하여 영업시간 제한을 명하거나 의무휴업을 명할 수 있도록 한 「유통산업발전법」은 직업수행의 자유를 제한한다.
ㄷ. 강제지정제에 의하여 의료인의 직업활동이 포괄적으로 제한을 받는다 하더라도 강제지정제에 의하여 제한되는 기본권은 '직업선택의 자유'가 아닌 '직업행사의 자유'이므로, '국가가 강제지정제를 택한 것은 최소침해의 원칙에 반하는가'에 대한 판단은 '입법자의 판단이 현저하게 잘못되었는가'하는 명백성의 통제에 그치는 것이 타당하다고 본다.
ㄹ. 비급여대상인 의료기기와 관련하여 리베이트를 수수한 의료인을 처벌하도록 한 「의료법」 조항이 직업행사의 자유 제한이 아니라 직업선택의 자유를 제한한다.
ㅁ. 군법무관 임용시험을 거쳐 임명된 군법무관에 대하여 10년간 복무할 것을 조건으로 전역한 후에도 변호사 자격을 유지시켜 주도록 한 구 「군법무관 임용 등에 관한 법률」 조항은 주관적 사유에 의한 직업선택의 자유의 제한에 해당한다.
ㅂ. 비영업용 차량을 광고매체로 이용하는 광고대행행위의 금지는 직업수행의 자유를 제한한다.
ㅅ. 피보험자인 전 국민의 의료보험수급권을 보장할 목적으로 의료기관을 요양기관으로 강제로 지정하는 '강제지정제'의 경우는 직업선택의 자유의 제한이론인 단계이론에 의할 때, 가장 엄격한 심사기준을 적용하여야 한다.
ㅇ. 석유제품에 다른 석유제품 또는 석유화학제품을 혼합하는 등의 방법으로 대통령령이 정하는 유사석유제품을 생산·판매하는 것을 제한하는 경우는 직업선택의 자유의 제한이론인 단계이론에 의할 때, 가장 엄격한 심사기준을 적용하여야 한다.
ㅈ. 부동산중개업자로 하여금 법령이 정하는 한도를 초과하는 수수료를 받지 못하게 하는 경우는 직업선택의 자유의 제한이론인 단계이론에 의할 때, 가장 엄격한 심사기준을 적용하여야 한다.
ㅊ. 의약품 도매상 허가를 받기 위해 필요한 창고면적의 최소기준을 규정하고, 기존의 허가를 받은 도매상의 경우 법 시행일부터 2년 이내에 해당시설을 갖추도록 규정하고 있는 「약사법」 조항은, 의약품 도매업의 개설·영업행위 자체를 전면적으로 금지하여 직업선택 자체를 제한하는 것은 아니고, 이미 선택한 직업을 영위하는 방식과 조건에 대한 규제로서 직업수행의 자유를 제한하는 성격을 지닌다.
ㅋ. 학원강사 자격제는 주관적 사유에 의한 직업선택의 자유를 제한한다.
ㅌ. 학원설립·운영자가 구 「학원의 설립·운영 및 과외교습에 관한 법률」을 위반하여 벌금형을 선고받은 경우 등록의 효력을 잃도록 규정하고 있는 것은 주관적 사유에 의한 직업선택의 자유에 대한 제한이다.

① 1개 ② 2개 ③ 3개 ④ 4개

09 단계이론에 대한 설명으로 옳은 것은 모두 몇 개인가?

ㄱ. 일반학원의 강사라는 직업의 개시를 위한 주관적 전제조건으로서 '대학 졸업 이상의 학력 소지'라는 자격기준을 갖추도록 요구함으로써 직업선택의 자유를 제한하고 있으나 일률적으로 자격기준을 설정하여 통제하는 방식만큼의 효과를 거둘 만한 다른 제도나 절차를 쉽게 찾아보기 어려우므로 최소침해의 원칙은 문제되지 않는다.
ㄴ. 방송문화진흥회가 최다 출자자인 방송사업자의 경우 한국방송광고진흥공사가 위탁하는 방송광고에 한하여 방송광고를 할 수 있도록 한 「방송광고판매 대행 등에 관한 법률」은 제3단계인 객관적 사유에 의한 직업선택의 자유 제한이다.
ㄷ. 학원설립·운영자가 구 「학원의 설립·운영 및 과외교습에 관한 법률」을 위반하여 벌금형을 선고받은 경우 등록의 효력을 잃도록 규정하고 있는 것은 당사자의 능력이나 자격과는 하등 관련이 없는 객관적 사유에 의한 직업선택의 자유에 대한 제한이다.
ㄹ. 운전학원으로 등록되지 않은 자가 대가를 받고 운전교육을 실시하는 행위의 금지는 직업행사의 자유 제한이다.
ㅁ. 건축사가 업무범위를 위반하여 업무를 행한 때 이를 필요적 등록 취소사유로 규정한 경우는 직업선택의 자유의 제한이론인 단계이론에 의할 때, 가장 엄격한 심사기준을 적용하여야 한다.
ㅂ. 법령에서 사법시험 시행 전에 선발예정인원을 정하는 정원제를 규정하는 것은 사법시험을 통하여 변호사에게 필요한 자질과 능력을 검증하는 것이 아니라 변호사의 사회적 수급상황 등을 고려한 것이기에 객관적 사유에 의한 직업의 자유의 제한에 해당한다.
ㅅ. 일정한 등록기준을 충족시켜야 등록을 허용하는 건설업의 등록제는 직업선택의 자유를 객관적 사유에 의하여 제한하는 것이다.
ㅇ. 경비업을 전문으로 하는 별개의 법인을 설립하지 않는 한 경비업과 그 밖의 업종을 겸영하지 못하도록 하는 것은 직업의 자유에 대한 단계이론의 관점에서 볼 때 제한의 강도가 가장 약하다.
ㅈ. 시각장애인에 대하여만 안마사 자격인정을 받을 수 있도록 하는 것은 당사자의 능력이나 자격과 상관없으므로 객관적 허가요건에 의한 직업선택의 자유에 대한 제한에 해당한다.

① 1개 ② 2개 ③ 3개 ④ 4개

10 자격제도에 대한 설명으로 옳은 것은?

① 어떠한 직업 분야에 관한 자격제도를 만들면서 그 자격요건을 어떻게 설정할 것인가에 관하여는 그 입법재량의 폭이 좁다 할 것이므로, 과잉금지원칙을 적용함에 있어서 다른 방법으로 직업선택의 자유를 제한하는 경우에 비하여 보다 엄격한 심사가 필요하다.

② 대학 졸업 이상의 학력 소지자에게만 학원강사가 될 수 있도록 하는 것은 직업의 자유에 대한 단계이론의 관점에서 볼 때 제한의 강도가 가장 약하다.

③ 입법자는 일정한 전문 분야에 관한 자격제도를 마련함에 있어서 그 제도를 마련한 목적을 고려하여 정책적인 판단에 따라 제도의 내용을 구성할 수 있으므로 자격요건에 관한 법률조항은 합리적인 근거 없이 현저히 자의적인 경우에만 헌법에 위반된다.

④ 입법자가 설정한 자격요건을 구비하여 자격을 부여받은 자에게 사후적으로 결격사유가 발생하면 입법자가 당연히 그 자격을 박탈할 수 있다.

11 다음 사례에 대한 헌법재판소 결정으로 옳지 않은 것은?

> 甲은 21세 여성에 대해 2011.12.15. 준강제추행죄를 범하여 300만 원의 벌금형이 2012.12.23. 확정된 후 공중보건의사로 임용되어 근무를 하고 있었다. 이후 甲의 근무지관할 경찰서장은 甲과 관할 지방자치단체장에게 甲이 2012.2.1. 시행된 「아동·청소년의 성보호에 관한 법률」에 따라 형의 집행을 종료한 때로부터 10년간 의료기관 취업 제한대상자에 해당된다는 통보를 하였다. 이에 관할 지방자치단체장은 甲의 근무지를 비의료기관인 ○○소방안전본부로 변경하는 근무시설 변경조치를 하였다. 이에 甲은 위 법률이 '아동·청소년대상 성범죄'뿐만 아니라 '성인대상 성범죄'를 범한 경우도 취업 제한의 대상으로 규율하고 있는 것이 자신의 기본권을 침해한다고 주장하면서 헌법소원심판을 청구하였다.

① '성인대상 성범죄'의 내용도 '아동·청소년대상 성범죄'와 유사하게 규율될 것임을 어느 정도 예상할 있으므로 명확성원칙에 위배된다고 할 수 없다.

② 성범죄를 범한 전과자에게만 취업 제한의 제재를 부과함으로써 이들을 다른 범죄를 저지른 전과자와 차별하고 있으나 양자는 비교집단으로 볼 수 없으므로 평등권을 침해한다고 할 수 없다.

③ 성범죄자가 의료기관에 취업할 수 없게 된 것은 일정한 직업을 선택함에 있어 기본권 주체의 능력과 자질에 따른 제한이므로 이른바 '객관적 요건에 의한 좁은 의미의 직업선택의 자유'에 대한 제한에 해당한다.

④ 재범의 위험성 여부를 불문하고 10년간 일률적으로 취업 제한을 부과하는 것은 침해의 최소성과 법익의 균형성 원칙에 위반되어 甲의 직업선택의 자유를 침해한다.

12 직업의 자유에 대한 설명으로 옳지 않은 것은?

① 법무법인에 대하여 「변호사법」 제38조 제2항(변호사 겸직허가)을 준용하지 않고 있어 변호사업무 외의 업무를 수행할 수 없도록 한 「변호사법」이 법무법인의 영업의 자유를 침해한다고 할 수 없다.

② 특허, 실용신안, 디자인 또는 상표의 침해로 인한 손해배상, 침해금지 등의 민사소송에서 변리사에게 소송대리를 허용하지 않는 것은 변리사들의 직업의 자유를 침해한다.

③ 변호사들로 하여금 소속 지방변호사회에 수임사건의 건수 및 수임액을 보고하도록 하는 것은 변호사의 직업수행의 자유를 제한하는 것이다.

④ 업무상 재해로 휴업하여 당해 연도에 출근의무가 없는 근로자에게도 유급휴가를 주도록 되어 있는 구 「근로기준법」은 과잉금지원칙에 위배되어 청구인의 직업수행의 자유를 침해한다고 보기 어렵다.

13 직업의 자유에 대한 설명으로 옳은 것은?

① 로스쿨에 입학하는 자들에 대하여 학사 전공별, 출신대학별로 로스쿨 입학정원의 비율을 각각 규정한 「법학전문대학원 설치·운영에 관한 법률」 조항은 변호사가 되기 위한 과정에 있어 필요한 전문지식을 습득할 수 있는 로스쿨에 입학하는 것을 제한할 뿐이므로 직업선택의 자유를 제한하는 것으로 보기 어렵다.

② 「법학전문대학원 설치·운영에 관한 법률」이 인가주의와 총입학정원주의를 정하고 있는 것은 대학의 자율성과 국민의 직업선택의 자유를 침해하는 것이다.

③ 교육부장관의 사립대학인 학교법인 이화학당의 법학전문대학원 모집요강 인가처분은 직업의 자유를 침해한다고 할 수 없다.

④ 소송사건의 대리인인 변호사가 수형자를 접견하고자 하는 경우 소송 계속 사실을 소명할 수 있는 자료를 제출하도록 규정하고 있는 「형의 집행 및 수용자의 처우에 관한 법률 시행규칙」 제29조의2 제1항은 과잉금지원칙에 위배되어 변호사인 청구인의 직업수행의 자유를 침해한다고 볼 수 없다.

14 직업의 자유에 대한 설명으로 옳지 않은 것은?

① 변호사시험에 응시하여 합격하여야만 변호사의 자격을 취득할 수 있으므로, 금고 이상의 형의 집행유예를 선고받고 그 유예기간이 지난 후 2년이 지나지 아니한 자의 변호사시험 응시자격을 제한하고 있는 응시결격 조항은 변호사 자격을 취득하고자 하는 청구인의 직업선택의 자유를 제한하는 것이다.

② 변호사시험의 응시기회를 법학전문대학원의 석사학위를 취득한 달의 말일부터 5년 내에 5회로 제한한 「변호사시험법」 조항은 직업선택의 자유를 침해하지 아니한다.

③ 대한변호사협회가 등록사무의 수행과 관련하여 정립한 '변호사 등록 등에 관한 규칙'은 대외적 구속력을 갖지 않는 단순한 내부적 기준에 불과하므로 헌법소원의 대상이 될수 없다.

④ 변호사 등록을 신청하는 자에게 등록료 1,000,000원을 납부하도록 정한 대한변호사협회의 '변호사 등록 등에 관한 규칙' 제12조 제1항 및 구 '변호사 등록 등에 관한 규정'은 직업의 자유를 침해하지 않는다.

15 직업의 자유에 대한 설명으로 옳지 않은 것은 모두 몇 개인가?

ㄱ. 변호사의 자격이 있는 자에게 더 이상 세무사 자격을 부여하지 않는 구 「세무사법」은 선택한 직업을 자기가 원하는 방식으로 자유롭게 수행할 수 있는 '직업수행의 자유'를 제한한다.
ㄴ. 변호사의 자격이 있는 자에게 더 이상 세무사 자격을 부여하지 않는 구 「세무사법」은 신뢰보호원칙에 반하여 직업선택의 자유를 침해한다.
ㄷ. 「변리사법」에서 변호사의 자격을 가진 자로서 변리사등록을 한 자에게 변리사 자격을 주는 것은, 변호사는 법률사무 전반을 다루는 대표적인 직역으로서 권리·의무에 관한 법률사항의 대리는 변호사의 주요 업무인 점에서 합리적인 이유가 있고, 일반응시자도 변리사시험에 합격하여 변리사가 될 수 있는 길이 열려 있으며, 달리 변리사시험제도를 유명무실하게 하는 요소를 찾아볼 수 없으므로 일반응시자의 직업선택의 자유를 침해하지 않는다.
ㄹ. 변호사가 변리사업무를 수행하는 경우 변리사 연수교육을 받을 의무를 부과하는 조항은 변호사의 직업수행의 자유를 침해하지 않는다.
ㅁ. 세무사 자격 보유 변호사가 세무사로서 세무조정업무 일체를 수행할 수 없도록 한 규정은 이들에게 세무사 자격을 부여한 의미를 상실시키는 것일 뿐만 아니라 세무사 자격에 기한 직업선택의 자유를 지나치게 제한하는 것으로 헌법에 위반된다.
ㅂ. 세무사 자격 보유 변호사로 하여금 세무사로서 세무사의 업무를 할 수 없도록 규정한 「세무사법」 조항은 세무사 자격 보유 변호사의 직업선택의 자유를 침해하지 않는다.

① 1개 ② 2개
③ 3개 ④ 4개

16 직업의 자유에 대한 설명으로 옳지 않은 것은 모두 몇 개인가?

ㄱ. 의료인, 의료법인 등 일정한 자만 의료기관을 개설할 수 있도록 규정은 의료기관 개설을 통하여 생활의 기본적 수요를 충족하고 계속적인 소득활동을 하고자 하는 의료인 아닌 자 또는 영리법인의 직업선택의 자유를 실질적·전면적으로 제한하고 의료소비자의 의료기관 선택권을 침해한다.
ㄴ. 「의료법」 또는 「형법」 제347조를 위반하여 금고 이상의 형을 선고받은 경우 의료인의 면허를 필요적으로 취소하도록 규정한 「의료법」은 과잉금지원칙에 반하여 직업선택의 자유를 침해하지 않는다.
ㄷ. 의료인은 어떠한 명목으로도 둘 이상의 의료기관을 운영할 수 없다고 규정한 「의료법」은 과잉금지원칙에 반한다.
ㄹ. 「의료법」이 의사 및 한의사의 복수의 면허를 가진 의료인인 경우에도 '하나의' 의료기관만을 개설하고 다른 의료기관의 개설을 금지하도록 규정한 것은 직업의 자유를 침해했다고 보기 어렵다.
ㅁ. 치과전문의 자격인정요건으로 '외국의 의료기관에서 치과의사 전문의 과정을 이수한 사람'을 포함하지 아니한 「치과의사전문의의 수련 및 자격인정 등에 관한 규정」 제18조 제1항이 청구인들의 직업수행의 자유를 침해한다.

① 1개 ② 2개
③ 3개 ④ 4개

17 보건복지부장관이 의료법 및 위 규정의 위임에 따라 치과 전문의 자격시험을 실시하기 위하여 필요한 시행규칙의 개정 등 절차를 마련하지 아니하는 입법부작위에 대해 치과의사들이 헌법소원심판을 청구하였다. 이에 대한 설명으로 옳지 않은 것은?

① 보건복지부장관의 입법부작위는 진정입법부작위에 해당하고, 진정입법부작위에 대한 헌법소원심판은 청구기간의 제한을 받지 않는다.

② 보건복지부장관의 입법부작위는 행정소송의 대상이 될 수 없어 항고소송을 거치지 아니하고 바로 헌법소원심판을 청구할 수 있다.

③ 보건복지부장관의 행정입법의무는 헌법의 명문규정에 의하여 부여된 것은 아니고 「의료법」에서 위임된 것이나 삼권분립의 원칙, 법치행정의 원칙에서 인정되는 헌법적 의무이다.

④ 보건복지부장관의 입법부작위는 직업의 자유, 행복추구권 및 평등권뿐 아니라 학문의 자유를 침해한다.

⑤ 치과전문의제도의 불시행으로 인하여 치과의사의 재산권은 침해되었다고 할 수 없다.

18 전문과목을 표시한 치과의원은 그 표시한 전문과목에 해당하는 환자만을 진료하여야 한다고 규정한 의료법에 대해 헌법소원심판이 청구되었다. 이에 대한 설명으로 옳지 않은 것은?

① 전문과목을 표시한 치과의원은 그 표시한 전문과목에 해당하는 환자만을 진료하여야 한다고 규정한 「의료법」이 치과전문의의 직업수행의 자유 및 의료소비자의 선택권을 침해하는지 여부가 주된 쟁점이다.

② 청구인이 가졌던 신뢰는 전문과목을 표시한 치과의원이 모든 전문과목의 진료를 할 수 있을 것으로 예측 내지 기대한 것에 불과하므로 심판대상 「의료법」이 신뢰보호원칙에 위배되어 청구인들의 직업수행의 자유를 침해한다고 볼 수 없다.

③ 심판대상조항은 명확성원칙에 위배되어 청구인들의 직업수행의 자유를 침해한다고 할 수 없다.

④ 심판대상조항은 과잉금지원칙에 위배되어 청구인들의 직업수행의 자유를 침해한다.

⑤ 1차 의료기관의 전문과목 표시에 대해 불이익을 주어 치과 전문의들이 2차 의료기관에 근무하도록 유도하는 것은 적정한 치과 의료 전달체계의 정립을 위해 적절한 방안이 될 수 없다.

19 직업의 자유에 대한 설명으로 옳은 것은 모두 몇 개인가?

ㄱ. 교육부장관의 '2019학년도 대학 보건·의료계열 학생 정원 조정계획' 중 2019학년도 여자대학 약학대학의 정원을 동결한 부분이 약학대 편입을 준비하고 있는 남성의 직업선택의 자유를 침해한다고 할 수 없다.
ㄴ. 입원환자에 대하여 의약분업의 예외를 인정하면서도 의사로 하여금 조제를 직접 담당하도록 한 것은 직업수행의 자유를 침해한다.
ㄷ. 약사 또는 한약사가 아닌 자연인의 약국 개설을 금지하고 위반시 형사처벌하는 「약사법」 제20조 제1항이 과잉금지원칙에 반하여 직업의 자유를 침해한다.
ㄹ. 약사들로 구성된 법인에 의한 약국의 설립과 운영을 금지한 법률규정은 약사들을 여타 전문직종의 종사자와 차별한 것이다.
ㅁ. 안경사 면허를 가진 자연인에게만 안경업소의 개설 등을 할 수 있도록 하여 안경사들로만 구성된 법인 형태의 안경업소 개설까지 허용하지 않는 구 「의료기사 등에 관한 법률」은 직업의 자유에 대한 필요 이상의 제한으로 그 침해의 정도도 상당하므로, 심판대상조항은 과잉금지원칙에 반하여 직업수행의 자유를 침해한다.
ㅂ. 시각장애인만이 안마사가 될 수 있도록 한 안마사규칙에 대해 헌법재판소는 위헌이라고 한 바 있었으나, 안마사법에 대해서는 위헌이 아니라고 하였다.
ㅅ. 헌법재판소는 의사·치과의사 또는 한의사가 되고자 하는 자는 학사의 자격을 가진 자로서 국가시험에 합격하여야 한다는 규정에 따라, 외국에서 치과대학·의과대학을 졸업한 우리국민이 국내면허시험을 치기 위해서는 기존의 응시요건에 추가하여 새로운 예비시험을 실시하도록 하는 것은 평등권 및 직업선택의 자유를 침해하여 위헌이라고 결정하였다.

① 1개 ② 2개
③ 3개 ④ 4개

20 직업의 자유에 대한 설명으로 옳지 않은 것은 모두 몇 개인가?

ㄱ. 「의료법」에 따라 개설된 의료기관이 당연히 국민건강보험 요양기관이 되도록 규정한 「국민건강보험법」 조항은 침해최소성에 위배된다.
ㄴ. 의료인이 아닌 자의 무면허의료행위를 일률적·전면적으로 금지하고 이를 위반한 경우에 그 치료 결과에 관계없이 형사처벌을 하는 법률조항은, 대안이 없는 유일한 선택이라고 하기 어려우므로 비례의 원칙에 위배되어 직업의 자유를 침해한다.
ㄷ. 입법자가 한의사제도를 형성하면서 '면허된 것 이외의 의료행위'를 모두 금지하여 초음파진단기기 등의 의료기기 사용까지도 금지한 것은 과잉금지원칙에 위배하여 직업의 자유를 침해한다고 볼 수 없다.
ㄹ. 건전한 한약조제질서를 확립하여 국민의 건강을 보호·증진하고, 국민건강상의 위험을 미리 방지하고자 비교적 안전성과 유효성이 확보된 일정한 처방에 한하여 한의사의 처방전 없이도 조제할 수 있도록 허용하는 것은 정당한 목적 달성을 위한 적절한 수단이다.
ㅁ. 의료기기 수입업자가 의료기관 개설자에게 리베이트를 제공하는 경우를 처벌하는 조항은 의료기기 수입업자의 직업의 자유를 침해한다.
ㅂ. 품목허가를 받지 아니한 의료기기를 수리·판매·임대·수여 또는 사용의 목적으로 수입한 자를 처벌하는 조항은 의료기기 수입업자의 직업수행의 자유를 침해하지 않는다.

① 1개 ② 2개
③ 3개 ④ 4개

진도별 모의고사

직업의 자유 ~ 정당의 자유

정답 및 해설 p.299

제한시간 : 14분 | 시작시각 ___시 ___분 ~ 종료시각 ___시 ___분 나의 점수 _______

01 행정사, 법무사, 회계사와 직업의 자유에 대한 설명으로 옳지 않은 것은?

① 시·도지사가 행정사의 수급상황을 조사하여 행정사 자격시험의 실시가 필요하다고 인정하는 때 행정사시험실시계획을 수립하도록 한 구 「행정사법 시행령」 제4조 제3항 부분은 직업선택의 자유를 침해한다고 할 수 없다.

② 법원행정처장은 법무사를 보충할 필요가 있다고 인정되는 경우에는 대법원장의 승인을 얻어 법무사시험을 실시할 수 있다고 규정한 구 「법무사법 시행규칙」 제3조는 직업선택의 자유를 침해한다.

③ 법무사의 보수를 대한법무사협회 회칙에 정하도록 하고 법무사가 회칙 소정의 보수를 초과하여 보수를 받거나 보수 외에는 명목의 여하를 불문하고 금품을 받는 것을 금지하는 「법무사법」 규정은 헌법에 위배되지 아니한다.

④ 소송 진행을 법률적·사무적으로 충분히 오랫동안 보조하여 전문적인 법률지식과 실무경험을 갖추게 된 경력 공무원에게 법무사시험을 치르지 않고 법무사 자격을 부여하는 것은 합리적 이유가 있다.

⑤ 공인회계사와 유사한 명칭의 사용을 금지한 「공인회계사법」은 외국의 공인회계사시험에 합격하였으나 「공인회계사법」에 따른 등록을 하지 않은 사람의 직업수행의 자유와 표현의 자유 등을 침해한다고 할 수 없다.

02 면허, 자격 취소와 직업의 자유에 대한 설명으로 옳은 것은 모두 몇 개인가?

ㄱ. 법인의 임원이 「학원의 설립·운영 및 과외교습에 관한 법률」을 위반하여 벌금형을 선고받은 경우, 법인의 학원설립·운영 등록이 효력을 잃도록 규정하고 있는 「학원의 설립·운영 및 과외교습에 관한 법률」 제9조에 에 의한 제재의 내용은 등록의 효력 상실이고 그 효과는 1년으로 제한되는 데 불과하며, 벌금형이 확정된 경우에 이보다 더 긴 제재기간을 규정한 법률들도 다수 있다는 점에 비추어 보면, 직업의 자유 제한이라는 사익보다는 양질의 교육서비스를 확보하고 평생교육을 실현하고자 하는 공익이 더욱 중대하므로 과잉금지원칙에 위배되지 않는다.

ㄴ. 「학원의 설립·운영 및 과외교습에 관한 법률」을 위반하여 벌금형을 선고받은 후 1년이 지나지 아니한 자는 학원설립·운영의 등록을 할 수 없도록 규정한 「학원의 설립·운영 및 과외교습에 관한 법률」 제9조는 직업선택의 자유를 침해한다.

ㄷ. 공인중개사가 「공인중개사의 업무 및 부동산 거래신고에 관한 법률」을 위반하여 벌금형을 선고받아 그 형이 확정된 경우 공인중개사 등록을 필요적으로 취소하도록 한 것은, 위반행위의 내용·사안의 경중 등을 고려하지 않은 과도한 조치이므로 직업의 자유를 침해하는 것이다.

ㄹ. 금고 이상의 실형을 선고받고 그 집행이 종료된 날부터 3년이 경과되지 않은 경우 중개사무소 개설등록을 취소하도록 한 「공인중개사법」 조항은 직업선택의 자유를 침해한 것이다.

ㅁ. 「건설산업기본법」에서 건설업자가 명의대여를 한 경우 건설업의 등록을 필요적으로 말소하도록 규정하는 것은 합헌이지만, 임원이 금고 이상의 형을 선고받은 경우 법인의 건설업 등록을 필요적으로 말소하도록 규정한 것은 위헌이다.

① 1개 ② 2개
③ 3개 ④ 4개

03 직업의 자유에 대한 설명으로 옳지 않은 것을 모두 조합한 것은?

ㄱ. 여객자동차운송사업 중 대통령령으로 정하는 여객자동차운송사업의 운전자격을 취득한 자가 「특정범죄 가중처벌 등에 관한 법률」 제5조의3 제1항 제2호에 따른 죄를 범하여 금고 이상의 형의 집행유예를 선고받고 그 집행유예기간 중에 있는 경우 그 운전자격을 취소하도록 규정한 「여객자동차 운수사업법」은 직업 선택의 자유를 침해하지 않는다.
ㄴ. 운전면허를 받은 사람이 자동차 등을 이용하여 살인 또는 강간 등 행정안전부령이 정하는 범죄행위를 한 때 운전면허를 취소하도록 하는 구 「도로교통법」 제93조 제1항 제11호는 직업의 자유 및 일반행동의 자유를 침해한다.
ㄷ. 운전면허를 받은 사람이 자동차 등을 이용하여 살인 또는 강간 등 행정안전부령이 정하는 범죄행위를 한 때 운전면허를 취소하도록 하는 구 「도로교통법」 제93조 제1항 제11호는 법률유보원칙에 위배된다.
ㄹ. 운전면허를 받은 사람이 다른 사람의 자동차를 훔친 경우 운전면허를 필요적으로 취소하게 하는 것은, 자동차 운행과정에서 야기될 수 있는 교통상 위험과 장해를 방지함으로써 안전하고 원활한 교통을 확보하기 위한 것으로서, 자동차 절도라는 불법의 정도에 상응하는 제재수단에 해당하여 직업의 자유를 침해하지 않는다.
ㅁ. 거짓이나 그 밖의 부정한 수단으로 운전면허를 받은 경우 국민의 생명·신체를 보호할 필요성이 매우 크므로 모든 범위의 운전면허를 필요적으로 취소하도록 규정한 「도로교통법」 조항은 직업의 자유를 침해하지 않는다.

① ㄱ, ㄴ ② ㄴ, ㄷ, ㄹ
③ ㄷ, ㄹ, ㅁ ④ ㄱ, ㄴ, ㄷ

04 직업의 자유에 대한 설명으로 옳은 것을 모두 조합한 것은?

ㄱ. 음주운전을 금지하고 있는 규정을 2회 이상 위반한 사람이 다시 음주운전을 하여 운전면허 정지사유에 해당하는 경우 운전면허를 필요적으로 취소하도록 하는 것은 음주운전이 개인과 사회, 국가에 미치는 엄청난 피해를 감안할 때 과잉금지원칙에 위반되어 직업의 자유를 침해한다고 볼 수 없다.
ㄴ. '음주운전으로 벌금 이상의 형을 선고받은 날부터 5년 이내에 다시 음주운전으로 벌금 이상의 형을 선고받고 그 집행이 종료(집행이 종료된 것으로 보는 경우를 포함한다)되거나 면제된 날부터 5년이 지나지 아니한 사람'에 대해 총포소지허가의 결격사유를 정한 「총포·도검·화약류 등의 안전관리에 관한 법률」은 과잉금지원칙에 반하여 직업의 자유 및 일반적 행동의 자유를 침해한다고 볼 수 없다.
ㄷ. 개인택시운송사업자의 운전면허가 취소된 경우 개인택시운송사업면허를 취소할 수 있도록 규정한 것은 직업의 자유와 재산권을 침해하는 것이 아니다.
ㄹ. 음주운전을 하여 자동차로 사람을 사상한 후 피해자를 구호하지 않고 도주하면 자동차운전면허를 취소함은 물론, 5년간 면허시험도 응시하지 못하도록 하는 것은 자동차 등의 운전을 필수불가결한 요건으로 하고 있는 일정한 직업군의 사람들에 대하여 종래에 유지하던 직업을 계속 유지하는 것을 불가능하게 하거나, 장래에 그와 같은 직업을 선택하는 것을 불가능하게 하는 효과를 발생시키므로 과잉금지원칙을 위반하여 직업의 자유를 침해한다.
ㅁ. 운전전문학원의 귀책사유를 불문하고 수료생이 일으킨 교통사고를 자동적으로 등록 취소 등 운전전문학원의 법적 책임으로 연관시키는 것은, 자기책임의 범위를 벗어난 측면은 있으나, 교통사고율이 높아 운전교육이 좀 더 충실히 행해져야 하며 오늘날 사회적 위험의 관리를 위한 위험책임제도가 필요하다는 점에서 운전전문학원의 영업 내지 직업의 자유를 지나치게 제약하는 것이라고 할 수 없다.

① ㄱ, ㄴ ② ㄷ, ㄹ
③ ㄷ, ㄹ, ㅁ ④ ㄱ, ㄴ, ㄷ

05 직업의 자유에 대한 설명으로 옳은 것을 모두 몇 개인가?

ㄱ. 전문문화재수리업자에 대하여 하도급을 금지하고 이를 위반하는 경우 형벌을 부과하도록 한 「문화재수리 등에 관한 법률」이 직업수행의 자유를 침해한다.
ㄴ. 사회복지사업 또는 그 직무와 관련하여 횡령죄 등을 저질러 집행유예의 형이 확정된 후 7년이 경과하지 아니한 사람은 사회복지시설의 종사자가 될 수 없도록 규정한 「사회복지사업법」 제35조의2 제2항 제1호 중 제7조 제3항 제7호 나목 부분이 과잉금지원칙 및 신뢰보호원칙에 위배되어 직업선택의 자유를 침해한다.
ㄷ. 선거범죄와 다른 죄의 경합범을 분리선고하는 규정을 두지 않고 선거범죄로 벌금 100만 원 이상의 선고를 받은 자는 새마을 금고임원이 될 수 없도록 한 「새마을금고법」은 직업선택의 자유를 침해한다고 할 수 없다.
ㄹ. 한국방송광고공사와 이로부터 출자를 받은 회사에 대해서만 지상파 방송광고 판매대행을 할 수 있도록 한 것은 지상파 방송광고 판매대행시장에 제한적 경쟁체제를 도입함과 동시에 방송의 공정성과 공익성, 다양성을 확보하기 위한 것이므로 일반 민영 방송광고 판매대행사의 직업의 자유를 침해하지 않는다.
ㅁ. 「수상레저안전법」상 조종면허를 받은 사람이 동력수상레저기구를 이용하여 범죄행위를 하는 경우에 조종면허를 필요적으로 취소하도록 규정한 구 「수상레저안전법」은 직업의 자유 내지 일반적 행동의 자유를 침해한다.
ㅂ. 건축사의 업무범위 위반시 반드시 등록을 취소하도록 한 「건축사법」 제28조 제1항 단서는 직업선택의 자유를 침해한다.
ㅅ. 식품이나 식품의 용기·포장에 '음주 전후' 또는 '숙취해소'라는 표시를 금지하는 것은 음주를 조장하는 내용에 대한 정당한 금지로 영업의 자유를 침해하지 아니한다.
ㅇ. 지적측량업무를 비영리법인에게만 대행할 수 있도록 하는 것은 직업의 자유를 침해하지 아니한다.
ㅈ. 국민의 생명과 건강에 직결됨에도 불구하고, 허가받은 지역 밖에서의 이송업의 영업을 금지하고 처벌하는 「응급의료에 관한 법률」 조항은 직업수행의 자유를 침해한다.
ㅊ. 유사군복이 모방하고 있는 대상인 전투복은 군인의 전투 용도로 세심하게 고안되어 제작된 특수한 물품으로 이를 판매목적으로 소지하지 못하게 하는 것은 과잉금지원칙을 위반하여 유사군복을 판매목적으로 소지하여 직업을 영위하는 자의 직업의 자유를 침해한다.
ㅋ. 이미 적합성평가를 받아 적합인증을 받은 기기와 동일한 기기인지 여부의 구분 없이 일률적으로 적합성평가를 받도록 하고, 적합성 평가를 받지 아니하고 방송통신기자재 등을 제조·수입·판매한 자를 처벌하는 「전파법」 조항은 수입업자가 다르다는 이유로 각 수입업자별로 적합성평가절차를 각각 받도록 하는 무의미한 절차의 반복을 강요하는 것에 불과하므로 직업수행의 자유를 침해한다.

① 1개 ② 2개
③ 3개 ④ 4개

06 직업의 자유에 대한 설명으로 옳지 않은 것은?

① 「청소년 보호법」 제28조 제1항 본문 중 제2조 제4호 나목 1)에 의하여 청소년유해물건으로 고시된 '요철식 특수콘돔(GAT-101) 등' 및 '약물주입 콘돔(AMOR LONG LOVE) 등'의 판매에 관한 부분, '청소년유해물건(성기구) 및 청소년 출입·고용금지업소 결정 고시'가 과잉금지원칙에 반하여 성기구 판매자의 직업수행의 자유와 청소년의 사생활의 비밀과 자유를 침해한다고 할 수 없다.

② 「학원의 설립·운영 및 과외교습에 관한 법률」에 따라 체육시설을 운영하는 자로서 어린이통학버스에 보호자를 동승하도록 강제하는 「도로교통법」으로 새로이 동승보호자를 고용함으로 인하여 추가적인 비용 지출이 발생하므로 이 사건 보호자동승조항 시행으로 청구인들의 재산권이 제한된다.

③ 「학원의 설립·운영 및 과외교습에 관한 법률」에 따라 체육시설을 운영하는 자로서 어린이통학버스에 보호자를 동승하도록 강제하는 「도로교통법」은 과잉금지원칙에 반하여 청구인들의 직업수행의 자유를 침해한다고 볼 수 없다.

④ 측량업의 등록을 한 측량업자가 등록기준에 미달하게 된 경우 측량업의 등록을 필요적으로 취소하도록 규정한 구 「측량·수로조사 및 지적에 관한 법률」 제52조 제1항 단서 제4호 본문이 과잉금지원칙에 위배되지 않는다.

07 직업의 자유에 대한 설명으로 옳지 않은 것은?

① 적정 공급 규모를 초과하여 택시운송사업면허를 발급한 사업구역의 일반택시운송사업자에 대하여 그 운송사업의 양도를 금지하는 「택시운송사업의 발전에 관한 법률」은 과잉금지원칙에 반한다.

② 청소년게임제공업의 전체이용가 게임물에 대하여 경품금액의 한도를 '소비자판매가격 5천 원 이내'로 정한 구 「게임산업진흥에 관한 법률 시행령」 제16조의2 제2호가 청구인의 직업의 자유를 침해한다고 할 수 없다.

③ 일반지주회사의 손자회사가 국내계열회사 주식을 소유하는 것을 금지하는 「독점규제 및 공정거래에 관한 법률」 제8조의2 제4항이 과잉금지원칙에 위배되어 기업의 자유를 침해한다고 할 수 없다.

④ 장기요양급여비용 중 일정 비율을 인건비로 지출하도록하는 '장기요양급여 제공기준 및 급여비용 산정방법 등에 관한 고시가 과잉금지원칙에 위배되어 청구인의 직업수행의 자유를 침해한다고 할 수 없다.

08 직업의 자유에 대한 설명으로 옳지 않은 것은?

① 중개보조원이 중개의뢰인과 직접 거래하는 것을 금지하고 있는 「공인중개사법」은 부동산중개법인의 직업수행의 자유를 침해하지 않는다.

② 연락운송 운임수입의 배분에 관한 협의가 성립하지 아니한 때에는 당사자의 신청을 받아 국토교통부장관이 결정하도록 한 「도시철도법」 제34조이 도시철도운영자 등의 직업수행의 자유를 침해한다고 볼 수 없다.

③ 업종별로 수입금액이 일정 규모 이상인 사업자에게 성실신고확인서를 제출하도록 하고 있는 「소득세법」가 세무사 등의 직업수행의 자유를 침해한다고 할 수 없다.

④ 악취와 관련된 민원이 1년 이상 지속되고, 악취가 배출허용기준을 초과하는 지역을 악취관리지역 지정요건으로 정한 구 「악취방지법」이 과잉금지원칙에 위반되어 악취관리지역 내 악취배출시설 운영자의 직업수행의 자유를 침해한다.

09 직업의 자유에 대한 설명으로 옳지 않은 것은?

① 수용 개시일까지 토지 등의 인도의무를 부과하면서 그 위반시 형사처벌을 정하는 「공익사업을 위한 토지 등의 취득 및 보상에 관한 법률」은 달성하고자 하는 공익사업의 효율성, 즉 경제적 이익은 형사처벌로 제한될 인도의무자의 기본권보다 중한 것이라고 단정할 수 없으므로 법익균형성도 충족하지 못한다.

② 다른 교육훈련기관의 학습과정 등록을 유도하거나 교육훈련기관 간에 연계하여 공동으로 학습자를 모집하지 말도록 한 「평가인정 학습과정 운영에 관한 규정」은 직업행사의 자유를 제한하고 있으며 비례원칙이 위헌여부 심사기준이 된다.

③ 다른 교육훈련기관의 학습과정 등록을 유도하거나 교육훈련기관 간에 연계하여 공동으로 학습자를 모집할 수 없도록 한 「평가인정 학습과정 운영에 관한 규정」이 교육훈련기관 운영자들의 직업수행의 자유를 침해한다고 볼 수 없다.

④ 「조세범 처벌법」 제4조 제3항에 따른 외국항행선박 또는 원양어업선박 외의 용도로 반출한 석유류를 판매한 자에게 판매가액의 3배 이하의 과태료를 부과하도록 정한 구 「조세범 처벌법」 제4조 제4항이 과잉금지원칙에 위배되어 청구인의 직업수행의 자유를 침해한다고 할 수 없다.

10 만성신부전증환자에 대한 외래 혈액투석 의료급여수가의 기준을 정액수가로 규정한 '의료급여수가의 기준 및 일반기준'(2016. 12. 30. 보건복지부고시 제2016-272호)에 대한 의사와 환자의 헌법소원청구에 대한 설명으로 옳지 않은 것을 모두 조합한 것은?

ㄱ. 이 사건 수가기준이 법률에 근거가 없다는 청구인의 주장으로 고려하면 포괄위임금지원칙 위배 여부에 대해서는 판단하지 아니하고, 법률유보원칙을 위배한 것인지에 대하여만 판단하면 된다.
ㄴ. 이 사건 수가기준이 원가에도 미치지 못할 정도로 낮다면 의사들의 재산권이 제한된다.
ㄷ. 의료급여환자가 건강보험환자와 합리적 이유 없이 차별취급을 받고 있다는 평등권 침해 주장은 보건권 및 의료행위선택권이 침해되는지 여부에 대한 판단과 같은 내용이므로 별도로 검토하지 않는다.
ㄹ. 의료급여수가기준은 전문적이고 정책적인 영역이어서 구체적인 수가기준을 반드시 법률로 정하여야 할 사항은 아니다.
ㅁ. 심판대상조항은 재정의 안정성을 도모하면서도 의사의 진료재량에 대한 제한을 최소화할 수 있는 대안에 관한 고려 없이 일률적·획일적으로 정액수가를 적용함으로써 침해의 최소성과 법익의 균형성을 갖추지 못하였다. 따라서 심판대상조항은 과잉금지원칙에 반하여 의사인 청구인들의 직업수행의 자유를 침해한다.
ㅂ. 현행 정액수가제는 재정의 한계를 이유로 외래 혈액투석진료를 받는 수급권자에 대하여 정액수가를 벗어나는 의료서비스를 선택할 수 있는 가능성을 완전히 차단하고 있어 수급권자인 청구인의 의료행위선택권을 침해한다.

① ㄱ, ㄷ, ㄹ　　② ㄴ, ㄹ, ㅂ
③ ㄱ, ㄴ, ㅁ　　④ ㄴ, ㅁ, ㅂ

11 변호사 등록료를 규정한 대한변호사협회의 변호사 등록 규칙에 대한 헌법소원이 청구되었다. 이에 대한 설명으로 옳지 않은 것은?

① 변호사 등록이 단순히 대한변호사협회와 그 소속 변호사 사이의 내부 법률문제라거나, 대한변호사협회의 고유사무라고 할 수 없다. 이와 같은 점을 고려할 때, 대한변호사협회는 변호사 등록에 관한 한 공법인으로서 공권력 행사의 주체라고 할 것이다.

② 변호사 등록을 신청하는 자에게 등록료 1,000,000원을 납부하도록 정한 대한변호사협회의 '변호사 등록 등에 관한 규칙'은 헌법소원심판의 대상이 되는 '공권력의 행사'에 해당한다.

③ 심판청구 후 이 사건 규정이 개정되어 변호사 등록료가 변경되었지만, 헌법적 해명의 필요성이 있으므로, 예외적으로 변호사 등록을 신청하는 자에게 등록료 1,000,000원을 납부하도록 정한 대한변호사협회의 '변호사 등록 등에 관한 규칙'에 대한 심판의 이익이 인정된다.

④ 대한변호사협회는 변호사로서 개업하기 위해서 강제로 가입해야 하는 단체임에도 불구하고, 1,000,000원이라는 지나치게 과도한 등록료를 책정하고 있다. 신규 변호사에 대한 처우가 매우 열악한 현 상황에서 이 사건 규정은 등록료를 낼 경제적 여력이 없는 자에 대해서도 예외조항을 두지 않고 있다. 따라서 이 사건 규정은 청구인의 직업수행의 자유를 침해한다.

⑤ 변호사 등록은 그 목적이 변호사들 간의 결속력 강화나 친목도모라기 보다는 변호사의 자격을 가진 자들로 하여금 법률사무를 취급하도록 하여 법률사무에 대한 전문성, 공정성 및 신뢰성을 확보하여 일반 국민의 기본권을 보호하고 사회정의를 실현하고자 하는 공공의 목적을 달성하기 위해 시행되는 것으로, 본질적으로 국가의 공행정사무에 해당한다.

12 **종별로 수입금액이 일정 규모 이상인 사업자에게 성실신고 확인서를 제출하도록 하고 있는 소득세법에 대해 세무사가 헌법소원을 청구하였다. 이에 대한 설명으로 옳은 것은?**

① 심판대상조항으로 인하여 확인대상사업자가 세무사 등으로부터 그 확인서를 받기 위해 비용을 지출해야 하므로 납세자의 재산권은 제한을 받는다.

② 성실신고확인서를 제출하도록 하여 세무사가 납세자와 사이에 세무대리계약 체결을 거절하여 입는 재산상의 손해는 재산권의 내용에 포함된다고 보기 어렵다.

③ 심판대상조항으로 인하여 세무사는 과세관청의 당시 과세 경향 또는 과세관청이 암묵적으로 요구하는 성실신고 양식에 맞추어 신고할 수밖에 없게 되므로, 심판대상조항은 세무사의 양심실현의 자유를 제한한다.

④ 변호사에 대해서는 일정 법률업무에 대해 국선변호인 선정시 대가를 지급하고 있으나 세무사에 대해서는 사실상 성실신고확인서 작성의무를 부담시키면서 아무런 대가를 지급하지 않고 있고, 그 의무대상자에 개인사업자와 달리 법인사업자를 제외하고 있어 평등원칙 위반의 문제가 발생한다.

⑤ 과세관청의 공무원을 증원하거나 세무사에게 성실신고확인서를 작성하는 공적 지위를 부여하거나 소득세 신고 이후 과세관청의 조사 결과 불성실신고가 확인된 사업자 등으로 성실신고확인서 제출의무대상자를 한정하는 등 기본권을 덜 제한하는 방법이 있으므로, 심판대상조항은 과잉금지원칙에 위배되어 세무사의 직업행사의 자유를 침해한다.

13 **한국산업인력공단의 '2019년도 제56회 변리사 국가자격시험 시행계획 공고' 가운데 '2019년 제2차 시험과목 중 특허법과 상표법 과목에 실무형 문제를 각 1개씩 출제' 부분에 관한 헌법소원청구에 대한 설명으로 옳지 않은 것은?**

① '2019년도 제56회 변리사 국가자격시험 시행계획 공고' 가운데 '2019년 제2차 시험과목 중 「특허법」과 「상표법」 과목에 실무형 문제를 각 1개씩 출제' 부분은 헌법소원의 대상이 되는 공권력의 행사에 해당한다.

② 이 사건 공고는 일정 수준 이상의 기술적 전문지식과 실무능력을 평가받도록 함으로써 심화되는 국내외 산업재산권 분쟁에 대응할 수 있는 능력을 갖춘 변리사를 선발·양성하기 위한 것으로서 과잉금지원칙을 위반하여 직업선택의 자유를 침해한다고 할 수 없다.

③ 변리사시험의 과목과 그 밖에 시험에 관한 사항은 대통령령으로 정하도록 한 「변리사법」 제4조의2 제5항은 포괄위임금지원칙에 위배된다.

④ 이 사건 공고 중 「특허법」과 「상표법」 과목에 실무형 문제를 각 1개씩 출제 제1차 시험은 객관식 필기시험으로 하고, 제2차 시험은 주관식 논술시험으로 하도록 한 「변리사법 시행령」 제3조 제2항에 위배된다고 할 수 없다.

14 **직업의 자유에 대한 설명으로 옳지 않은 것은?**

① 나무의사만이 수목진료를 할 수 있도록 규정한 「산림보호법」은 직업선택의 자유를 침해하지 않는다.

② 기존에 수목진료를 해오던 식물보호기사·산업기사에게 일정 기간 나무의사 자격을 인정하는 「산림보호법」 부칙 제3조 중 수목피해의 진단·처방·치유를 업으로 하는 산림사업법인으로 등록한 법인에서 1년 이상 대표자 또는 근로자로 종사한 자는 이 법 시행일부터 5년이 되는 날까지 기존 업을 계속하도록 하면서 그 기간이 경과하면 나무의사 자격이 없다면 수목진료를 할 수 없게 한 부칙규정은 신뢰보호원칙에 위배되어 청구인들의 직업선택의 자유를 침해한다고 할 수 없다.

③ 약국개설자로 하여금 약국 이외의 장소에서 의약품을 판매할 수 없도록 하고 있는 「약사법」이 과잉금지원칙을 위반하여 약국개설자의 직업수행의 자유를 침해한다.

④ 유골 500구 이상을 안치할 수 있는 사설봉안시설을 설치·관리하려는 자는 「민법」에 따라 봉안시설의 설치·관리를 목적으로 하는 재단법인을 설립하도록 하는 구 「장사 등에 관한 법률」이 과잉금지원칙에 위반되어 직업의 자유를 침해한다고 할 수 없다.

15 직업의 자유에 대한 설명으로 옳은 것은?

① '학과'라는 용어는 대학이나 전문대학뿐만 아니라 특성화고등학교에서도 사용되고 있는 용어로서, 대학이나 전문대학에서만 사용가능한 고유의 명칭이 아니므로 평가인정 학습과정의 교육기관이 학과 명칭사용을 금지하고 있는 「평가인정 학습과정 운영에 관한 규정」은 운영자들의 직업수행의 자유를 침해한다.

② '국내에 널리 인식된 타인의 성명, 상호, 표장, 그 밖에 타인의 영업임을 표시하는 표지와 동일하거나 유사한 것을 사용하여 타인의 영업상의 시설 또는 활동과 혼동하게 하는 행위'를 부정경쟁행위로 정의하고 있는 「부정경쟁방지 및 영업비밀보호에 관한 법률」은 직업의 자유를 침해한다.

③ 변호사는 계쟁권리를 양수할 수 없다고 규정한 「변호사법」 제32조는 변호사의 직업수행의 자유를 침해하지 않는다.

④ 「세무사법」 위반으로 벌금형을 받은 세무사의 등록을 필요적으로 취소하도록 한 「세무사법」은 직업선택의 자유를 침해한다.

16 甲은 학교정문으로부터 19미터 떨어진 곳에 극장을 운영하고 있다. 학교보건법 제6조를 위반했다고 하여 기소되어 재판 진행 중에 법원이 위헌제청신청을 기각하자 헌법재판소법 제68조 제2항의 헌법소원심판을 청구하였다. 이에 대한 설명으로 옳은 것은?

> [심판대상]
> 「학교보건법」 제6조(정화구역 안에서의 금지행위 등) ① 누구든지 학교환경위생정화구역 안에서는 다음 각 호의 하나에 해당하는 행위 및 시설을 하여서는 아니 된다. 다만, 대통령령이 정하는 구역 안에서는 제2호, 제4호, 제8호 및 제10호 내지 제14호에 규정한 행위 및 시설 중 교육감 또는 교육감이 위임한 자가 학교환경위생정화위원회의 심의를 거쳐 학습과 학교보건위생에 나쁜 영향을 주지 않는다고 인정하는 행위 및 시설은 제외한다.
> 2. 극장, 총포화약류의 제조장 및 저장소, 고압가스·천연가스·액화석유가스 제조소 및 저장소

① 초·중·고 정화구역 내 극장금지는 초·중·등학생의 자유로운 문화향유에 관한 권리 등 행복추구권을 침해하고 있는바, 그 정당화사유를 찾기 어렵다. 따라서 심판대상 법률조항은 이 점에서도 위헌적인 법률이라고 할 것이다.

② 이 사건 법률조항 대학교에 관한 부분에 대하여는 단순위헌의 판단을 하기보다는 헌법불합치결정을 하여 입법자에게 위헌적인 상태를 제거할 수 있는 여러 가지의 입법수단 선택의 가능성을 인정할 필요성이 있는 경우라고 할 것이다. 따라서 대학교 정화구역 부분에 관하여는 헌법불합치결정을 함이 타당하다고 판단된다.

③ 법률이 평등원칙에 위반된 경우가 헌법재판소의 불합치결정을 정당화하는 대표적인 사유라고 할 수 있다. 자유권을 침해하는 법률이 위헌이라고 생각되면 무효선언을 통하여 자유권에 대한 침해를 제거함으로써 합헌성이 회복될 수 있고, 이 경우에는 평등원칙 위반의 경우와는 달리 헌법재판소가 결정을 내리는 과정에서 고려해야 할 입법자의 형성권은 존재하지 않음이 원칙이다.

④ 자유권을 침해하는 법률이 위헌인 경우에는 평등원칙 위반의 경우와는 달리 헌법재판소가 결정을 내리는 과정에서 고려해야 할 입법자의 형성권은 존재하지 않으므로 법률이 자유권의 침해인 경우 헌법불합치결정은 허용되지 않는다.

17 학교정화구역과 직업의 자유에 대한 설명으로 옳지 않은 것을 모두 조합한 것은?

ㄱ. 유치원 주변 학교환경위생 정화구역에서 성 관련 청소년유해물건을 제작·생산·유통하는 청소년 유해업소를 예외 없이 금지하는 구 「학교보건법」 관련 조항은 직업의 자유를 침해한 것이다.
ㄴ. 유치원, 초·중·고등학교, 대학교 학교환경위생정화구역 내에 당구장 설치를 금지한 것은 헌법에 위배되지 않는다.
ㄷ. 초·중·고등학교, 대학교 학교환경위생정화구역 안에서 여관시설 및 영업행위를 금지하는 「학교보건법」 제6조 제1항 제11호는 헌법에 위반되지 않는다.
ㄹ. 학교환경위생정화구역 안에서 노래방의 설치를 제한하는 것은 직업의 자유에 대한 과도한 침해가 아니다.
ㅁ. 학교환경위생정화구역 내의 납골시설의 설치·운영을 절대적으로 금지하고 있는 구 「학교보건법」 제6조 제1항 본문 제3호는 직업의 자유에 대한 과도한 침해가 아니다.

① ㄱ, ㄴ　② ㄱ, ㄴ, ㄷ, ㅁ
③ ㄴ, ㄷ, ㄹ　④ ㄱ, ㄴ, ㄷ

18 소비자의 권리에 대한 설명으로 옳지 않은 것을 모두 조합한 것은?

ㄱ. 현행헌법은 소비자의 권리를 소비자 보호운동의 보장 차원에서 규정하고 있을 뿐 기본권으로 명시하고 있지는 않다.
ㄴ. 소비자의 권리는 내·외국인을 불문하고 그 주체가 될 수 있으나, 법인은 성질상 이를 향유할 수 없다.
ㄷ. 소비자는 물품 및 용역을 선택함에 있어 필요한 지식과 정보를 제공받을 권리, 신속·공정한 절차에 따라 적절한 피해보상을 받을 권리 등을 가진다.
ㄹ. 국가는 등록된 소비자단체의 건전한 육성·발전을 위하여 필요할 경우 금전적 지원을 제외한 적절한 지원을 할 수 있다.
ㅁ. 사업자가 소비자의 생명·신체 또는 재산에 대한 권익을 직접적으로 침해하고 그 침해가 계속되는 경우 법원에 손해배상을 구하는 소송을 일정한 소비자단체가 제기할 수 있다.

① ㄱ, ㄴ　② ㄱ, ㄴ, ㄷ, ㅁ
③ ㄴ, ㄹ, ㅁ　④ ㄱ, ㄴ, ㄷ

19 현행헌법의 정당에 대한 규정과 일치하는 것은?

① 국가는 법률이 정하는 바에 따라 정당운영에 필요한 자금을 보조하여야 한다.
② 정당은 그 목적·조직과 활동이 민주적이어야 하며, 국민의 정치적 의사형성에 참여하는 데 필요한 조직을 가져야 한다.
③ 정당은 5개 이상의 시·도당을 가져야 하고 공직선거의 후보자를 추천해야 한다.
④ 정당의 목적이나 조직이 민주적 기본질서에 위배될 때에는 국회는 헌법재판소에 그 해산을 제소할 수 있다.

20 정당해산시 의원직 상실에 대한 설명으로 옳은 것은 모두 몇 개인가?

> ㄱ. 헌법재판소의 정당해산결정으로 해산되는 정당 소속 국회의원은 그 국회의원이 지역구에서 당선되었는지 비례대표로 당선되었는지 상관없이 의원직을 상실한다.
> ㄴ. 헌법재판소의 위헌정당해산결정에 따라 정당이 해산된 경우에 해산정당 소속 의원의 의원직 상실 여부에 대하여 견해가 나뉘는데, 정당해산에 초점을 맞추고 국민대표의 자유위임원칙에 따른다면 의원직을 상실하는 것이 마땅하다.
> ㄷ. 헌법재판소의 결정으로 정당이 해산될 경우에 정당의 기속성이 강한 비례대표국회의원은 의원직을 상실하나, 국민이 직접 선출한 지역구 국회의원은 의원직을 상실하지 않는다.
> ㄹ. 위헌정당해산이 결정되면 위헌정당에 소속하고 있는 의원 중 비례대표국회의원은 당연히 그 직을 상실하지만, 지역구국회의원은 별도의 심사를 거쳐서 그 의원직을 상실한다.
> ㅁ. 위헌정당의 해산을 명하는 비상상황에서는 국회의원의 국민 대표성은 부득이 희생될 수밖에 없으므로 해산결정된 정당 소속 국회의원의 의원직 상실은 위헌정당해산심판제도의 본질로부터 인정되는 효력이다.
> ㅂ. 대의제 민주주의하에서 국회의원은 국민 전체를 대표하므로 위헌정당해산을 결정함에 있어서 헌법을 수호한다는 방어적 민주주의 관점에서 국회의원의 국민대표성을 희생시켜서는 안 된다.
> ㅅ. 헌법재판소의 위헌정당해산결정이 있는 경우 국회의원은 국민의 대표이므로 그 정당 소속 국회의원은 정치활동을 보호받아야 한다.
> ㅇ. 대한민국 헌정사에서 정당해산시 국회의원직 상실을 규정한 헌법규정은 있었다.
> ㅈ. 헌법재판소의 결정으로 정당이 해산되는 경우에 정당해산결정의 실효성을 위해서 해산된 정당 소속의 국회의원과 지방의회의원은 당연히 그 자격을 상실한다.
> ㅊ. 헌법재판소의 결정에 따라 해산된 정당의 목적을 달성하기 위한 집회 또는 시위는 금지된다.

① 1개 ② 2개
③ 3개 ④ 4개

39회 진도별 모의고사

정당의 자유

정답 및 해설 p.309

제한시간 : 14분 | 시작시각 ___시 ___분 ~ 종료시각 ___시 ___분 나의 점수 ______

01 정당에 대한 설명으로 옳은 것은 모두 몇 개인가?

ㄱ. 정당은 직접 헌법규정에 따라 결성된 조직체이며, 집권정당의 의사는 곧 국가의사를 의미하므로 정당은 헌법기관이다.
ㄴ. 헌법은 정당은 공직선거의 후보자를 추천하여야 한다고 규정하도록 하고 있다.
ㄷ. 1962년 헌법은 정당의 추천 없이 국회의원 선거에 출마하는 것을 금지하였을 뿐 아니라 국회의원 임기 중 제명 등으로 당적을 이탈한 경우에 의원자격을 상실하도록 하여 역대 헌법 중 가장 강력한 정당국가적 경향을 보였다고 평가되고 있다.
ㄹ. 1972년 헌법에 국회의원이 당적을 이탈하거나 변경할 때에는 국회의원직이 상실되도록 하였다.
ㅁ. 1987년 헌법에 정당에 대한 국고보조조항이 신설되었다.
ㅂ. 제2차 개정헌법에서 정당에 관한 규정이 신설되었다.
ㅅ. 우리 헌법사에서 정당해산심판제도는 1960년 6월 헌법에서 처음 채택되어 현재까지 유지되고 있으나, 이른바 진보당사건(대법원 4291형상559, 진보당 당수 조봉암이 간첩죄 등으로 사형선고를 받은 사건)에서는 위 제도가 없었기 때문에 정당해산심판으로 해산된 것은 아니다.
ㅇ. 정당해산심판제도는 정부의 일방적인 행정처분에 의해 진보적 야당이 등록 취소되어 사라지고 말았던 우리 현대사에 대한 반성의 산물로서, 제5차 헌법개정을 통해 헌법에 도입된 것이다.

① 1개 ② 2개
③ 3개 ④ 4개

02 정당의 기능과 법적 형태에 대한 설명으로 옳은 것은?

① 정당의 등록이 취소된 이후에는 비록 '권리능력 없는 사단'으로서의 실질을 유지하고 있다고 하더라도, 등록 취소된 정당의 구성원인 개인이 헌법소원심판을 청구하는 것은 별론으로 하고, 등록이 취소된 정당이 정당설립의 자유 침해를 주장하면서 헌법소원심판을 청구할 수는 없다.

② 정당의 법적 지위는 법인격 없는 사단으로 보아야 하지만, 정당의 지구당은 단순한 중앙당의 하부조직에 불과하므로 법인격 없는 사단에 해당하지 않는다.

③ 정당의 법적 성격은 일반적으로 사적·정치적 결사 내지는 법인격 없는 사단으로 파악되고 있고, 이러한 정당의 법률관계에 대하여는 「정당법」의 관계 조문 이외에 일반 사법 규정이 적용되므로, 정당은 공권력 행사의 주체가 될 수 없다.

④ 정당공천에서 탈락한 자가 그 공천과정의 비민주성을 이유로 정당공천의 효력을 다투고자 할 때에는 헌법소원심판을 청구할 수 있다.

03 정당의 자유에 대한 설명으로 옳지 않은 것은 모두 몇 개인가?

> ㄱ. 오늘날 민주주의에서 차지하는 정당의 의의와 기능을 고려하여 우리 헌법은 정당을 일반적인 결사의 자유로부터 분리하여 제8조에 독자적으로 규율함으로써, 정당의 특별한 지위를 강조하고 있다.
> ㄴ. 정당의 자유를 규정하는 헌법 제8조 제1항이 기본권의 규정형식을 취하고 있지 아니하고 '국민의 기본권에 관한 장'인 제2장에 위치하고 있지 아니하므로 객관적 제도 보장에 해당하고, 그 침해를 이유로 헌법소원심판을 청구하는 것은 부적법하다.
> ㄷ. 헌법 제8조의 정당의 설립과 활동의 자유가 정치의 독점이나 무소속후보자의 진출을 봉쇄하는 정당의 특권을 설정할 수 있는 것을 의미하는 것이 아니다.
> ㄹ. 헌법 제21조는 결사의 자유를 보장하고 있으나, 정당을 만들고 정당이 정치활동을 할 수 있는 자유는 일반적으로 결사의 자유와 성격을 달리하는 것이므로 정당은 헌법 제21조에 의해 보장되는 결사로서 보장되는 것이 아니라 헌법이 대표민주제를 채용하고 있다는 헌법 전체의 원리나 정신에서 그 근거를 찾을 수 있다.
> ㅁ. 정당의 자유는 개개인의 자유로운 정당설립 및 정당가입의 자유를 포함하지만, 조직형식 내지 법형식 선택의 자유를 포함하지는 않는다.
> ㅂ. 헌법 제8조 제1항은 단지 정당설립의 자유만을 명시적으로 규정하고 있으므로, 정당가입과 탈퇴의 자유는 법률적 보호의 대상이며, 이 헌법조항이 정당의 존속의 자유를 보장하는 것은 아니다.
> ㅅ. 정당의 명칭은 그 정당의 정책과 정치적 신념을 나타내는 대표적인 표지에 해당하므로, 정당설립의 자유는 자신들이 원하는 명칭을 사용하여 정당을 설립하거나 정당활동을 할 자유도 포함한다.
> ㅇ. 정당이 당원 내지 후원자들로부터 정당의 목적에 따른 활동에 필요한 정치자금을 모금하는 것은 정당의 조직과 기능을 원활하게 수행하는 필수적인 요소이자 정당활동의 자유를 보장하기 위한 필수불가결한 전제로서, 정당활동의 자유의 내용에 당연히 포함된다고 할 수 있다.

① 1개 ② 2개
③ 3개 ④ 4개

04 정당의 자유에 대한 설명으로 옳은 것은?

① 헌법 제8조 제2항에서 "정당은 그 목적 조직과 활동이 민주적이어야 하며, 국민의 정치적 의사형성에 참여하는데 필요한 조직을 가져야 한다."라는 것은 정당조직의 자유를 직접적으로 규정한 것으로서, 정당의 자유의 헌법적 근거를 제공하는 근거규범으로서 기능한다.

② 정당으로 하여금 후원회를 지정하여 둘 수 없도록 하는 것은 정당의 정당활동의 자유와 국민의 정치적 표현의 자유를 침해하는 것이다.

③ 국회의원 선거권이 있는 자만 정당의 발기인 및 당원이 될 수 있도록 한 「정당법」은 미성년인 사람의 정당의 자유를 침해한다.

④ 지구당을 폐지하거나 당원협의회 사무소 설치를 금지하여 정당조직을 경량화함으로써 대중정당적인 성격이 줄어드는 결과가 발생한다면 그 구체적인 선택의 당부를 엄격하게 판단하여 위헌 여부를 가려야 한다.

05 정당가입에 대한 설명으로 옳지 않은 것은 모두 몇 개인가?

ㄱ. 16세 이상의 국민은 원칙적으로 정당의 발기인 및 당원이 될 수 있다.
ㄴ. 「출입국관리법」에 따라 영주의 체류자격 취득 후 3년이 경과한 16세 이상의 외국인에게는 지방자치단체 선거의 선거권과 정당가입이 인정된다.
ㄷ. 국회의원이 국회의장 또는 부의장으로 당선된 때에는 당선된 다음 날부터 국회의장 또는 부의장으로 재직하는 동안은 당적을 가질 수 없다.
ㄹ. 당적을 이탈한 의장의 임기가 만료된 때에는 당적을 이탈할 당시의 소속 정당으로 복귀할 수 없다.
ㅁ. 공무원의 정당가입이 허용된다면, 공무원의 정치적 행위가 직무 내의 것인지 직무 외의 것인지 구분하기 어려운 경우가 많고, 설사 공무원이 근무시간 외에 혹은 직무와 관련 없이 정당과 관련한 정치적 표현행위를 한다 하더라도 공무원의 정치적 중립성에 대한 국민의 기대와 신뢰는 유지되기 어렵다.
ㅂ. 사립대학교 교수뿐 아니라 국·공립대학교 교수는 정당가입이 허용되나, 대학교 강사는 정당가입이 금지된다.
ㅅ. 국무위원은 정당의 당원이 될 수 있다.
ㅇ. 국무총리는 정당의 당원이 될 수 있다.
ㅈ. 법무부장관은 정당에 가입할 수 있으나, 인사혁신처장은 정당가입이 금지된다.
ㅊ. 주 미국 대한민국 대사는 정당의 당원이 될 수 있다.
ㅋ. 외국인인 국립대학교 교수는 정당의 당원이 될 수 있다.

① 4개 ② 5개
③ 6개 ④ 7개

06 정당가입에 대한 설명으로 옳지 않은 것은 모두 몇 개인가?

ㄱ. 정당설립의 자유를 최대한으로 보호하려는 헌법 제8조의 정신에 비추어 볼 때, 정당의 설립 및 가입을 금지하는 법률조항은 이를 정당화하는 사유의 중대성에 있어서 적어도 민주적 기본질서에 대한 위반에 버금가는 것이어야 하므로, 지방공무원의 정당가입을 금지하는 입법은 헌법에 위반된다.
ㄴ. 초·중등학교 교원의 정치활동은 교육수혜자인 학생의 입장에서는 수업권의 침해로 받아들여질 수 있다는 점에서 현시점에서는 국민의 교육기본권을 더욱 보장함으로써 얻을 수 있는 공익을 우선시해야 하므로 초·중등학교 교원의 정당가입금지는 정당화된다.
ㄷ. 퇴직한 검찰총장은 정당의 당원이 될 수 있다.
ㄹ. 경찰청장 퇴직 후 2년 이내 정당활동금지하는 경찰법의 위헌 여부는 입법자의 판단이 명백하게 잘못되었다는 소극적 심사에 그치지 않는다.
ㅁ. "경찰청장은 퇴직일로부터 2년 이내에는 정당의 발기인이 되거나 당원이 될 수 없다."라고 규정하고 있는 법률조항은 정당설립 및 가입의 자유를 침해하는 위헌적인 조항이다.
ㅂ. "경찰청장은 퇴직일로부터 2년 이내에는 정당의 발기인이 되거나 당원이 될 수 없다."라는 법률규정은 정당가입이나 조직의 자유를 제한하는 것이나, 경찰청장은 정치적 중립성이 특히 강조되는 지위이므로 다른 공무원과 비교할 때 평등원칙에 위반되는 것은 아니다.
ㅅ. 경찰청장으로 하여금 퇴직 후 2년간 정당의 설립과 가입을 금지하는 것은 경찰청장의 정당설립의 자유와 피선거권 및 직업의 자유를 침해하는 것이다.
ㅇ. 현직 경찰청장과 검찰총장뿐 아니라 퇴직한 경우 정당에 가입할 수 없다.

① 1개 ② 2개
③ 3개 ④ 4개

07 정당에 대한 설명으로 옳은 것은?

① 정당이 그 소속 국회의원을 제명하기 위해서는 당헌이 정하는 절차를 거치는 외에 그 소속 국회의원 중 출석의원의 2분의 1 이상의 찬성이 있어야 한다.

② 비례대표국회의원 또는 비례대표지방의회의원이 소속정당의 합당·해산 또는 제명 외의 사유로 당적을 이탈·변경하거나 2 이상의 당적을 가지고 있는 때에는 퇴직된다. 다만, 비례대표국회의원이 국회의장으로 당선되어 「국회법」 규정에 의하여 당적을 이탈한 경우에는 그러하지 아니하다.

③ 정당에 있어서 대의기관의 결의와 소속 국회의원의 제명에 관한 결의는 서면으로 하여야 하며, 대리인에 의해서는 의결할 수 없다.

④ 입당의 효력은 입당신청인이 입당신청서를 제출한 때에 발생한다.

⑤ 탈당의 효력은 탈당신고서가 소속 시·도당 또는 중앙당에 접수되어 당원명부에서 삭제된 때 발생한다.

08 정당제도에 대한 설명으로 옳은 것은?

① 정당설립의 허가제는 금지되어 있으므로 현행 정당법은 허가제가 아니라 정당설립의 신고제를 도입하고 있다.

② 선거관리위원회에 등록을 해야만 정당은 성립할 수 있으므로 정당의 등록은 창설적·형성적 의미를 가진다.

③ 정당의 등록신청을 받은 관할 선거관리위원회는 해당 정당이 형식적 요건을 구비하지 못한 때에는 그 신청을 각하한다.

④ 선거관리위원회는 정당등록을 신청한 단체가 민주적 기본질서에 위반되는 목적을 가지고 있을 때에도 정당등록을 거부할 수 없다.

⑤ 우리나라 「정당법」상 정당의 개념적 징표로서는 규정되어 있지 않은 '상당한 기간 또는 계속해서', '상당한 지역에서' 국민의 정치적 의사형성에 참여해야 한다는 정당의 개념표지를 추가하는 것은 허용되지 않으므로 이와 같은 개념표지를 법률에 구체화하는 것은 입법자의 재량영역에 속한다고 할 수 없다.

09 정당제도에 대한 설명으로 옳지 않은 것을 모두 조합한 것은?

> ㄱ. 정당설립에 대한 국가의 간섭은 원칙적으로 허용되지 아니하며, 입법자가 정당설립에 대해 형식적 요건을 설정하는 것은 금지된다.
> ㄴ. 헌법이 정당설립의 자유를 규정하고 있지만, 정당의 등록 및 등록 취소의 요건은 형식적 요건에 한정되는 것은 아니며, 실질적 내용을 요건으로 하는 것도 허용된다.
> ㄷ. 정당등록제도는 정당임을 자처하는 정치적 결사가 일정한 법률상의 요건을 갖추어 관할 행정기관에 등록을 신청하고, 이 요건이 충족된 경우 정당등록부에 등록하여 비로소 그 결사가 정당임을 법적으로 확인시켜 주는 제도로서, 법적 안정성과 확실성에 기여한다.
> ㄹ. 등록신청을 받은 관할 선거관리위원회는 형식적 요건을 구비하는 한 이를 거부하지 못한다.
> ㅁ. 등록신청을 받은 관할 선거관리위원회는 형식적 요건뿐 아니라 실질적 요건을 심리하여 등록 여부를 결정할 재량을 가진다.

① ㄱ, ㄴ
② ㄴ, ㄷ, ㅁ
③ ㄷ, ㄹ
④ ㄱ, ㄴ, ㅁ

10 정당에 대한 설명으로 옳은 것은 모두 몇 개인가?

ㄱ. 정당은 5 이상의 시·도당을 가져야 하고 시·도당은 1천인 이상의 당원을 가져야 한다. 이 요건을 구비하지 못하였을 때 국회는 정당의 등록을 취소한다.
ㄴ. 정당이 법정시·도당 수와 시·도당의 법정당원 수의 요건을 구비하지 못하게 된 때 당해 선거관리위원회는 즉시 정당의 등록을 취소한다.
ㄷ. 공직선거 참여 여부는 정당의 등록 취소와는 상관없으나, 공직선거에 참여하지 않은 정당은 국고보조금을 배분받지 못한다.
ㄹ. 선거관리위원회에 의하여 정당의 등록이 취소된 경우 그 정당의 잔여재산은 당헌이 정하는 바에 따라 처분되고 나머지 재산은 국고에 귀속된다.
ㅁ. 선거관리위원회가 「정당법」에 따라 등록 취소한 정당의 명칭과 같은 명칭은 다시 사용할 수 없다.
ㅂ. 국회의원 총선거에 참여하여 의석을 얻지 못하거나 유효투표 총수의 100분의 2 이상을 득표하지 못하면 정당의 등록은 취소되며, 그 잔여재산은 당헌이 정하는 바에 따르고 당헌에 규정이 없으면 국고에 귀속된다.
ㅅ. 국회의원 선거에서 의석을 얻지 못하고 유효투표 총수의 100분의 2 이상도 득표하지 못하여 등록 취소된 정당 및 헌법재판소의 결정에 의하여 해산된 정당의 명칭과 같은 명칭은 정당의 명칭으로 사용하지 못한다.
ㅇ. 정당이 선거관리위원회의 등록 취소나 헌법재판소의 위헌결정에 의하여 해산된 경우 잔여재산은 원칙적으로 국고에 귀속된다.
ㅈ. 위헌정당으로 강제해산된 경우와 달리 등록이 취소된 경우에는 정당의 명칭을 곧바로 다시 사용할 수 있다.

① 1개 ② 2개
③ 3개 ④ 4개

11 위헌정당해산에 대한 설명으로 옳지 않은 것은?

① 정당해산심판절차에 관하여 민사소송에 관한 법령을 준용하도록 한 「헌법재판소법」 제40조 제1항은 헌법상 재판을 받을 권리를 침해하지 아니한다.
② 헌법재판소의 위헌정당해산결정에 대해서 해산된 정당은 법원에 제소할 수 없다.
③ 국무회의가 위헌정당제소를 의결하면 법제처장이 정부를 대표하여 정당해산의 심판청구서를 헌법재판소에 제출하여야 한다.
④ 정당해산심판을 청구할 수 있는 권한은 정부가 독점적으로 가진다.

12 위헌정당해산에 대한 설명으로 옳지 않은 것은?

① 정부는 차관회의와 국무회의 심의는 반드시 거쳐서 헌법재판소에 정당해산심판을 청구할 수 있다.
② 일사부재리의 원칙은 형벌 간에 적용되나 정부는 동일한 정당에 대하여 동일한 사유로 다시 위헌정당의 해산을 제소할 수 없다.
③ 정부의 정당해산심판청구권 행사가 기속행위이냐 재량행위이냐에 대해서 견해의 대립이 있으나 독일 연방헌법재판소의 판례와 다수의 견해에 의하면 정부의 정당해산심판청구권 행사는 정치적 재량에 속하는 것으로 정부의 기속적 의무는 아니라고 한다.
④ 대통령은 국무회의의 의장으로서 회의를 소집하고 이를 주재하지만 대통령이 사고로 직무를 수행할 수 없을 경우에는 국무총리가 그 직무를 대행할 수 있고, 대통령이 해외 순방 중인 경우는 '사고'에 해당되므로, 대통령의 직무상 해외 순방 중 국무총리가 주재한 국무회의에서 이루어진 정당해산심판청구서 제출안에 대한 의결은 위법하지 아니한다.

13 위헌정당해산에 대한 설명으로 옳지 않은 것을 모두 조합한 것은?

ㄱ. '의심스러울 때에는 자유를 우선시하는(in dubio pro libertate)' 근대입헌주의의 원칙은 정당해산심판제도에서는 적용되지 않는다.
ㄴ. 헌법 제8조 제4항의 민주적 기본질서 개념은 그 외연이 확장될수록 정당해산결정의 가능성은 확대되고 이와 동시에 정당활동의 자유는 축소되므로, 민주 사회에서 정당의 자유가 지니는 중대한 함의나 정당해산심판제도의 남용가능성 등을 감안한다면 민주적 기본질서는 최대한 엄격하고 협소한 의미로 이해해야 한다.
ㄷ. 헌법 제8조 제4항에서 말하는 민주적 기본질서의 위배란, 정당의 목적이나 활동이 우리 사회의 민주적 기본질서에 대하여 실질적인 해악을 끼칠 수 있는 구체적 위험성을 초래하는 경우뿐만 아니라 민주적 기본질서에 대한 단순한 위반이나 저촉까지도 포함하는 넓은 개념이다.
ㄹ. 헌법 제8조 제4항의 민주적 기본질서 개념은 정당해산결정의 가능성과 긴밀히 결부되어 있다. 이 민주적 기본질서의 외연이 확장될수록 정당해산결정의 가능성은 축소되고, 이와 동시에 정당활동의 자유는 확대될 것이다. 따라서 민주적 기본질서를 현행헌법이 채택한 민주주의의 구체적 모습과 동일하게 보아서는 안 된다.
ㅁ. 헌법 제8조 제4항의 민주적 기본질서는 현행헌법이 채택한 민주주의의 구체적 모습과 동일하게 보아야 하는 것으로, 정당은 민주적 의사결정을 위해서 필요한 불가결한 요소들과 이를 운영하고 보호하는 데 필요한 모든 요소들을 갖추어야 한다.

① ㄱ, ㄴ
② ㄱ, ㄷ, ㄹ, ㅁ
③ ㄷ, ㄹ, ㅁ
④ ㄱ, ㄴ, ㄷ

14 위헌정당해산에 대한 설명으로 옳지 않은 것은?

① 정당의 활동이란 정당 기관의 행위나 주요 정당관계자, 당원 등의 행위로서 그 정당에게 귀속시킬 수 있는 활동 일반을 의미한다. 여기에서는 정당에게 귀속시킬 수 있는 활동의 범위, 즉 정당과 관련한 활동 중 어느 범위까지를 그 정당의 활동으로 볼 수 있는지가 문제된다.

② 현대 정당민주주의 발전과 함께 국회의원은 국민 전체 대표자로서의 지위와 정당의 이념을 대변하는 지위도 함께 가지게 되었다.

③ 정당 소속 국회의원의 활동 중에서도 국민의 대표자의 지위가 아니라 그 정당에 속한 유력한 정치인의 지위에서 행한 활동으로서 정당과 밀접하게 관련되어 있는 행위들은 정당의 활동이 될 수 있다.

④ 정당의 활동은 정당 기관의 행위나 주요 정당관계자의 행위로서 그 정당에게 귀속시킬 수 있는 활동 일반을 의미하며 일반 당원의 활동은 제외된다.

15 위헌정당해산에 대한 설명으로 옳지 않은 것은?

① 정당의 목적이나 활동 모두가 민주적 기본질서에 위반되어야 정당해산사유가 될 수 있다.

② '의심스러울 때에는 자유를 우선시하는(in dubio pro libertate)' 근대입헌주의의 원칙은 정당해산심판제도에서도 여전히 적용되어야 한다.

③ 정당의 목적이나 활동이 직업공무원제도, 선거법이나 「정치자금법」 위반인 경우 그 정당은 해산할 수 없다.

④ 정당의 목적이나 활동이 국가안전보장, 질서유지, 공공복리를 위반한 경우 그 정당은 해산할 수 없다.

16 위헌정당해산심판에 대한 설명으로 옳지 않은 것을 모두 조합한 것은?

> ㄱ. 정당해산심판에서 소수의견을 피력한 재판관도 결정서에 의견을 표시하여야 한다.
> ㄴ. 위헌정당해산이 제소되면 지정재판부의 사전심사를 거쳐 전원재판부에 회부되어 7인 이상의 출석으로 사건을 심리한다.
> ㄷ. 정당해산심판의 심리는 구두변론에 의한다.
> ㄹ. 정당해산결정의 파급효과를 고려할 때, 재심을 허용하지 아니함으로써 얻을 수 있는 법적 안정성의 이익보다 재심을 허용함으로써 얻을 수 있는 구체적 타당성의 이익이 더 큰 경우에 한하여 제한적으로 인정된다.
> ㅁ. 정당해산결정에 관한 재심대상결정의 심판대상은 재심청구인의 목적이나 활동이 민주적 기본질서에 위배되는지, 재심청구인에 대한 해산결정을 선고할 것인지, 해산결정을 할 경우 그 소속 국회의원에 대하여 의원직 상실을 선고할 것인지 여부이고, 이때 원칙적으로 「민사소송법」이 준용된다.

① ㄱ, ㄴ　　② ㄱ, ㄴ, ㄷ, ㅁ
③ ㄴ, ㄹ　　④ ㄴ, ㄹ, ㅁ

17 위헌정당해산심판에 대한 설명으로 옳은 것은 모두 몇 개인가?

> ㄱ. 헌법재판소는 정당해산결정을 한 경우 지체 없이 그 뜻을 직접 공고하여야 하며, 그 정당은 당헌이 정하는 바에 따라 잔여재산을 처분하여야 한다.
> ㄴ. 위헌정당으로 제소된 정당이 헌법재판소의 종국결정 전에 자진해산하였다 하더라도 그 잔여재산은 「정당법」에 따라 국고에 귀속된다.
> ㄷ. 정당해산심판은 원칙적으로 해당 정당에게만 그 효력이 미치며, 정당해산결정은 대체정당이나 유사정당의 설립까지 금지하는 효력을 가진다.
> ㄹ. 헌법재판소가 정당해산결정을 한 때에는 그 해산결정의 통지를 받은 중앙선거관리위원회가 그 정당의 등록을 말소하고 이를 관보에 공고함으로써 정당해산의 효력이 발생한다.
> ㅁ. 정당이 헌법재판소의 결정으로 해산된 때에는 해산된 정당의 강령과 동일하거나 유사한 것으로 정당을 창당하지 못하며, 해산된 정당의 명칭과 같거나 유사한 명칭 역시 다시 사용하지 못한다.
> ㅂ. 헌법재판소의 결정에 의하여 해산된 정당의 명칭과 동일한 명칭은 해산된 날부터 최초로 실시하는 임기만료에 의한 국회의원선거의 선거일까지만 정당의 명칭으로 사용할 수 없다.

① 1개　　② 2개
③ 3개　　④ 4개

18 정치자금에 대한 설명으로 옳지 않은 것을 모두 조합한 것은?

ㄱ. 정당의 당원은 같은 정당의 타인의 당비를 부담할 수 없으며, 타인의 당비를 부담한 자와 타인으로 하여금 자신의 당비를 부담하게 한 자는 당비를 낸 것이 확인된 날부터 1년간 당해 정당의 당원자격이 정지된다.
ㄴ. 「정치자금법」에 의하면 정당에 대한 정치자금은 반드시 선거관리위원회를 통해서만 기부할 수 있다.
ㄷ. 정당은 법인격 없는 사적 결사체에 불과하기 때문에 국가가 정당의 운영에 필요한 자금을 보조하는 것은 헌법상 허용되기 어렵고, 다만 선거공영제에 따라 선거경비를 보조한다.
ㄹ. 입법자는 정당에 대한 국고보조금의 배분기준을 정함에 있어 입법정책적인 재량권을 가지므로, 그 내용이 현재의 각 정당들 사이의 경쟁상태를 현저하게 변경시킬 정도가 아니라면 합리성을 인정할 수 있다.
ㅁ. 「정치자금법」상 국고보조금 배분에 있어서 교섭단체 구성 여부에 따라 차등을 두는 것은 다수의석을 가지고 있는 원내정당을 우대하고자 하는 것으로 합리적 이유가 있다.

① ㄱ, ㄹ ② ㄱ, ㄴ, ㄷ, ㅁ
③ ㄴ, ㄷ ④ ㄴ, ㄷ, ㅁ

19 정당에 대한 국고보조금에 대한 설명으로 옳지 않은 것은 모두 몇 개인가?

ㄱ. 「정치자금법」은 교섭단체의 구성 여부만을 보조금 배분의 유일한 기준으로 삼은 것은 아니다.
ㄴ. 보조금 계상의 기준이 되는 선거는 최근 실시한 임기만료에 의한 대통령 선거이다.
ㄷ. 경상보조금과 선거보조금은 동일 정당의 소속 의원으로 교섭단체를 구성하지 못하는 정당으로서 5석 이상의 의석을 가진 정당에 대하여는 100분의 5씩을 배분·지급한다.
ㄹ. 국회의석이 없는 정당도 국고보조금을 배분받을 수 있다.
ㅁ. 선거시 지급되는 보조금은 당해 선거에 참여하지 아니한 정당에게 배분, 지급하지 않는다.
ㅂ. 경상보조금을 지급받은 정당은 경상보조금 총액의 100분의 10 이상을 시·도당에 배분·지급하여야 한다.
ㅅ. 중앙선거관리위원회는 보조금을 지급받은 정당이 보조금에 관한 회계보고를 허위로 한 경우 허위에 해당하는 금액의 2배에 상당하는 금액을 이후 감액하여 지급할 수 있다.
ㅇ. 보조금을 지급받은 정당이 해산된 경우 정당은 보조금 가운데 잔액이 있는 때에는 이를 중앙선거관리위원회에 반환하여야 한다.
ㅈ. 헌법은 법률이 정하는 바에 의하여 정당에 대하여 국고보조금을 지급할 수 있다는 규정을 두고 있고, 보조금은 정당의 운영에 소요되는 경비로서 인건비, 사무용비품 및 소모품비, 사무소 설치·운영비, 공공요금, 정책개발비, 선전비, 당원교육훈련비, 선거관계비용, 조직활동비에 해당하는 경비 외에 사용할 수 없다.

① 1개 ② 2개
③ 3개 ④ 4개

20 **정치자금에 대한 설명으로 옳지 않은 것은?**

① 정치자금의 수입·지출내역 및 첨부서류 등의 열람기간을 공고일로부터 3월간으로 제한하고 있는 법률조항은 정당의 정치자금에 관한 정보의 공개라는 공익적 측면보다는 행정적인 업무부담의 경감을 우선시키는 것으로서 국민의 알 권리를 침해하는 것이다.

② 정당운영에 필요한 자금에 대한 국가보조는 정당의 공적 기능의 중요성을 감안하여 정당의 정치자금 조달을 보완하는 데에 의의가 있으므로, 본래 국민의 자발적 정치조직인 정당에 대한 과도한 국가보조는 국민의 지지를 얻고자 하는 노력이 실패한 정당이 스스로 책임져야 할 위험부담을 국가가 상쇄하는 것으로서 정당 간 자유로운 경쟁을 저해할 수 있다.

③ 누구든지 정당이 특정인을 후보자로 추천하는 일과 관련하여 어떠한 명목으로건 금품이나 그 밖의 재산상 이익을 제공하거나 제공받을 수 없도록 금지하는 것은 헌법상 보장된 정당활동의 자유를 침해한다고 할 수 없다.

④ 낙선한 후보자와 달리 당선된 후보자가 반환·보전비용을 정치자금으로 사용할 수 있도록 하더라도 이를 불합리한 차별이라고 할 수 있다.

진도별 모의고사

국민투표권 ~ 선거제도

정답 및 해설 p.317

제한시간 : 14분 | 시작시각 ___시 ___분 ~ 종료시각 ___시 ___분

나의 점수 ______

01 정치자금에 대한 설명으로 옳지 않은 것은 모두 몇 개인가?

> ㄱ. 당내경선에 관한 선거운동을 위하여 후보자에게 제공된 금품은 정치자금에 해당한다.
> ㄴ. 국외의 법인 또는 단체뿐 아니라 국내의 법인 또는 단체도 정당에 정치자금을 기부할 수 없다.
> ㄷ. 현행 「정치자금법」에 따르면 외국인, 법인 또는 단체는 정치자금을 기부할 수 없으므로, 기업과 노동조합 모두 정치자금 기부가 금지된다.
> ㄹ. 노동단체의 정치자금 기부를 금지한 법률조항은 노동단체가 단지 단체교섭 및 단체협약 등의 방법으로 '근로조건의 향상'이라는 본연의 과제만을 수행해야 하고 그 외의 모든 정치적 활동을 해서는 안 된다는 사고에 바탕을 둔 것으로, 헌법상 보장된 정치적 자유의 의미 및 그 행사가능성을 공동화시키는 것이다.
> ㅁ. 누구든지 단체와 관련된 자금으로 정치자금을 기부할 수 없도록 하는 것은 과잉금지원칙에 반하여 단체의 정치적 활동의 자유나 결사의 자유를 과도하게 제한하므로 헌법에 위반된다.
> ㅂ. 누구든지 단체와 관련된 자금으로 정치자금을 기부할 수 없다는 법률조항에서 '단체와 관련된 자금'은 단체가 자신의 이름을 사용하여 주도적으로 모집·조성한 자금도 포함되는지의 여부가 불분명하므로 명확성원칙에 반한다.
> ㅅ. 노동조합이 정치자금을 제공하는 것은 단결권에서 보호되므로, 사용자단체의 정치자금 제공은 허용하면서 노동조합의 정치자금 제공을 금지하는 것은 단결권 침해이다.
> ㅇ. 노동단체와 정치자금의 기부를 할 수 있는 다른 단체 사이에는 노동단체에게는 정치자금 제공을 금지하면서 다른 단체에게는 이를 허용하는 정치활동의 제한에 있어서 차별을 정당화할 만한 본질적인 차이가 존재한다.

① 1개　　② 2개
③ 3개　　④ 4개

02 국민투표권에 대한 설명으로 옳은 것은?

① 국민투표의 가능성은 헌법에 명문으로 규정되어 있지 않다고 하더라도 국민주권주의나 민주주의원칙과 같은 일반적인 헌법원칙에 근거하여 인정될 수 있다.

② 선거는 '인물에 대한 결정' 즉, 대의제를 가능하게 하기 위한 전제조건으로서 국민의 대표자에 관한 결정이며, 이에 대하여 국민투표는 직접민주주의를 실현하기 위한 수단으로서 '사안에 대한 결정' 즉, 특정한 국가정책을 그 대상으로 한다.

③ 우리나라에서 국민투표제도가 처음 도입된 것은 1962년 헌법이며, 당시 5·16 군사쿠데타로 국회가 해산된 상태에서 헌법을 개정하기 위하여 불가피하게 도입된 것이다.

④ 대의제를 보완하기 위한 직접민주제적 요소로서 국민발안, 국민소환, 국민투표 등의 제도가 있는데, 역대 우리 헌법은 그중 국민소환과 국민투표은 채택한 바 있으나 국민발안제만은 채택한 바 없다.

⑤ 국민소환제는 제2차 개정헌법부터 제6차 개정헌법까지 규정되었다.

03 국민투표권에 대한 설명으로 옳지 않은 것을 모두 조합한 것은?

ㄱ. 대통령이 어떤 사항을 국민투표에 회부하기 위해서는 국무회의의 심의를 거쳐야 한다. ㄴ. 국민투표에 관한 사무는 선거와 마찬가지로 선거관리위원회가 관할한다. ㄷ. 대통령은 필요하다고 인정할 때에는 외교·국방·통일 기타 국가안위에 관한 중요정책을 국민투표에 부쳐야 한다. ㄹ. 대통령은 필요하다고 인정할 때에는 외교·국방·통일 기타 국가안위에 관한 중요정책·신임을 국민투표에 붙일 수 있다. ㅁ. 대통령은 헌법 제72조상의 국민투표부의권을 행사하여 헌법을 개정할 수 있다.

① ㄱ, ㄴ ② ㄱ, ㄴ, ㄷ, ㅁ
③ ㄴ, ㄷ, ㄹ ④ ㄷ, ㄹ, ㅁ

04 국민투표권에 대한 설명으로 옳지 않은 것은?

① 헌법 제72조에 의한 중요정책에 관한 국민투표는 국가안위에 관계되는 사항에 관하여 대통령이 제시한 구체적인 정책에 대한 주권자인 국민의 승인절차이다.

② 대통령은 외교·국방·통일 기타 국가안위에 관한 중요정책이라 하더라도 국민투표에 부치지 않고 독자적으로 결정할 수도 있다.

③ 헌법 제72조의 '대통령은 필요하다고 인정할 때에는 외교·국방·통일 기타 국가안위에 관한 중요정책을 국민투표에 붙일 수 있다'는 규정은 대통령에게 국민투표의 실시 여부, 시기, 구체적 부의사항, 설문 내용 등을 결정할 수 있는 임의적인 국민투표발의권을 독점적으로 부여하고 있다.

④ 특정의 국가정책에 대하여 다수의 국민들이 국민투표를 원할 경우 대통령이 국민투표에 회부하지 아니하였다면 헌법에 위반된다.

05 국민투표권에 대한 설명으로 옳은 것은?

① 헌법 제72조의 국민투표권은 대통령이 어떠한 정책을 국민투표에 부의한 경우에 비로소 행사가 가능한 기본권이다.

② 대통령이 정책과 결부하지 않고 단순히 신임 여부만을 묻는 국민투표를 부의하겠다는 국회 시정연설에서 의사를 표시하자 이에 대한 헌법소원심판에서 헌법재판소는 헌법 제72조의 국민투표제를 헌법이 허용하지 않는 방법으로 위헌적으로 사용하는 것이며, 이로 말미암아 국민투표권이 침해된다고 보았다.

③ 헌법 제72조는 대통령에게 국민투표의 실시 여부, 시기, 구체적 부의사항, 설문 내용 등을 결정할 수 있는 임의적인 국민투표발의권을 독점적으로 부여한 것이다. 따라서 대통령이 헌법 제72조에 따라 특정 정책과 결합하여 자신에 대한 신임 여부를 국민투표에 부치는 것도 허용된다.

④ 대통령이 국민투표부의권을 행사한 경우 그 정책에 대한 결정은 국회의원 선거권자 과반수 투표와 투표자 과반수 찬성을 얻어야 한다는 것을 헌법에 명시적으로 밝히고 있다.

06 국민투표권에 대한 설명으로 옳지 않은 것은?

① 대의기관의 선출주체가 곧 대의기관의 의사결정에 대한 승인주체가 되는 것이 원칙이나, 국민투표권자의 범위가 대통령 선거권자, 국회의원 선거권자와 반드시 일치할 필요는 없다.

② 국민투표는 선거와 달리 국민이 직접 국가의 정치에 참여하는 절차이므로, 국민투표권은 대한민국 국민의 자격이 있는 사람에게 반드시 인정되어야 하는 권리이다.

③ 19세 이상의 국민에게 국민투표권이 있고, 대한민국 국적을 가지고 있는 재외국민의 경우 국내거소신고가 되어 있는 경우에는 투표권을 행사할 수 있다.

④ 주민등록을 할 수 없는 재외국민의 국민투표권 행사를 전면적으로 배제하고 있는 구 「국민투표법」 제14조 제1항은 국민투표권을 침해한다.

07 국민투표권에 대한 설명으로 옳지 않은 것은?

① 헌법의 개정은 반드시 국민투표를 거쳐야 하므로 국민은 헌법개정에 관하여 찬반투표로 그 의견을 표명할 권리를 가지는데, 헌법개정사항인 수도의 이전을 헌법개정의 절차를 밟지 아니하고 단지 단순 법률의 형태로 실현시킨 것은 헌법 제130조에 따라 헌법개정에 있어서 국민이 가지는 참정권적 기본권인 국민투표권을 침해한다.

② 대통령이 한미무역협정을 체결하기 이전에 그에 관한 국민투표를 실시하지 아니하였다고 하더라도 국민투표권이 행사될 수 있는 계기인 대통령의 중요정책 국민투표 부의가 행해지지 않은 이상 청구인의 국민투표권이 행사될 수 있을 정도로 구체화되었다고 할 수 없다.

③ 「신행정수도 후속대책을 위한 연기·공주지역 행정중심복합도시 건설을 위한 특별법」이 수도를 분할하는 국가정책을 집행하는 내용을 가지고 있고 대통령이 이를 추진하고 집행하기 이전에 그에 관한 국민투표를 실시하지 아니하였다면 국민투표권이 행사될 수 있는 계기인 대통령의 중요정책 국민투표 부의가 행해지지 않았다고 하더라도 청구인들의 국민투표권이 행사될 수 있을 정도로 구체화되었다고 할 수 있으므로 그 침해의 가능성이 인정된다.

④ 대의기관의 선출주체가 곧 대의기관의 의사결정에 대한 승인주체가 되는 것은 당연한 논리적 귀결이므로, 국민투표권자의 범위는 대통령 선거권자·국회의원 선거권자와 일치되어야 한다.

08 국민투표법에 대한 설명으로 옳지 않은 것은 모두 몇 개인가?

ㄱ. 국민투표에 관한 운동은 국민투표일공고일로부터 투표일 전일까지에 한하여 할 수 있다.
ㄴ. 국민투표에 관한 운동은 「국민투표법」에 규정된 이외의 방법으로는 할 수 없다.
ㄷ. 「정당법」상의 당원의 자격이 없는 자는 국민투표에 관한 운동을 할 수 없다.
ㄹ. 사립초등학교 교사는 국민투표에 관한 운동을 할 수 없으나, 국립대학교 교수는 국민투표에 관한 운동을 할 수 있다.
ㅁ. 국민투표의 효력에 관하여 이의가 있는 경우 투표인 10만 인 이상의 찬성을 얻어 대통령을 피고로 하여 투표일로부터 30일 이내에 대법원에 제소할 수 있다.
ㅂ. 대법원은 국민투표에 관하여 「국민투표법」 또는 「국민투표법」에 의하여 발하는 명령에 위반하는 사실이 있는 경우라도 국민투표의 결과에 영향을 미쳤다고 인정하는 때에 한하여 국민투표 무효의 판결을 하여야 하며, 국민투표의 일부의 무효를 판결할 수는 없다.
ㅅ. 투표소는 투표구마다 설치하되, 투표구 선거관리위원회가 투표일전 20일까지 그 명칭과 소재지를 공고하여야 한다.
ㅇ. 대법원은 국민투표무효의 소송에서 국민투표에 관하여 「국민투표법」에 위반하는 사실이 있는 경우 국민투표의 결과에 영향을 미치지 않았더라도 국민투표의 전부 또는 일부의 무효를 판결할 수 있다.

① 1개 ② 2개
③ 3개 ④ 4개

09 참정권에 대한 설명으로 옳은 것은?

① 선거는 국민이 대표자에게 특정의 공무수행기능을 위임하는 행위이다.

② 국민투표권과 선거권은 모두 국민이 국가의 의사형성에 직접 참여하는 헌법에 의해 보장되는 직접적인 참정권이다.

③ 헌법상 선거권으로는 대통령 선거권, 국회의원 선거권, 지방의원 선거권, 지방자치단체장 선거권이 명문으로 인정되고 있다.

④ 헌법상의 국민투표권과 「지방자치법」상의 주민투표권은 다른 성질을 갖는 권리이다.

10 선거제도에 대한 설명으로 옳은 것은 모두 몇 개인가?

ㄱ. 국회의원 정수는 「국회법」에 규정되어 있고, 헌법은 국회의원 정수의 하한선을 규정하고 있다.
ㄴ. 최근 에마뉘엘 마크롱 프랑스 대통령은 자국의 국회의원 정원의 3분의 1을 감축하겠다는 정견을 발표하였다. 우리나라에서 이러한 조치를 실행하려면 헌법개정이 필요하지 않다.
ㄷ. 대통령후보자가 1인일 때는 그 득표수가 유효투표 총수의 3분의 1 이상이 아니면 대통령으로 당선될 수 없다.
ㄹ. 현행헌법규정에 따르면 대통령으로 선거될 수 있는 자는 국회의원의 피선거권이 있고, 선거일 현재 계속하여 5년 이상 국내에 거주하고 40세에 달하여야 한다. 이 경우에 공무로 외국에 파견된 기간은 국내거주기간으로 본다.
ㅁ. 대통령 임기가 만료될 때에는 임기만료 70일 내지 40일 전에 후임자를 선거한다.
ㅂ. 대통령이 궐위된 때 또는 대통령 당선자가 사망하거나 판결 기타의 사유로 그 자격을 상실한 때에는 70일 내에 후임자를 선거한다.
ㅅ. 대통령 선거에서 최고득표자가 2인 이상인 때는 국회 재적의원 과반수가 출석한 공개회의에서 출석 과반수의 표를 얻은 자를 당선자로 한다.

① 1개 ② 2개

③ 3개 ④ 4개

11 선거의 기본원칙에 대한 설명으로 옳은 것은?

① 현행헌법은 대통령 선거에 관하여 국민의 보통·평등·직접·비밀선거의 원칙을 규정하고 있고, 국회의원 선거에 관하여는 위 원칙들에 관한 규정이 없으나, 헌법해석상 당연히 적용되는 것으로 보아야 한다.

② 헌법은 국회는 국민의 보통, 평등, 직접, 비밀, 자유선거에 의하여 구성된 국회의원으로 구성된다고 규정하고 있다.

③ 평등선거원칙은 차등선거의 반대개념으로 재산이나 학력, 사회적 신분과 관계없이 일정한 연령에 달한 모든 국민에게 선거권이 인정되어야 한다는 원칙이다.

④ 보통선거원칙에 반하는 선거권 제한은 기본권 제한에 관한 헌법 제37조 제2항에 의해서도 정당화될 수 있다.

12 선거의 기본원칙에 대한 설명으로 옳지 않은 것은?

① 미성년자에게는 헌법상 선거권을 부여할 수 없으므로 보통선거원칙에 따라 당연히 「민법」상의 성년규정을 기준으로 미성년자의 선거권은 제한된다.

② 선거권자의 국적이나 선거인의 의사능력에 따른 선거권 제한은 기본권 제한입법에 관한 헌법 제37조 제2항의 규정에 따른 것이라기보다는 선거권 및 선거제도의 본질상 요청되는 사유에 의한 내재적 제한에 해당한다.

③ 후보자에게 과도한 기탁금을 요구하는 것은 보통선거의 원칙에 위배된다.

④ 평등선거원칙은 선거권 부여에 있어서의 평등에 한정되지 않고, 선거운동의 기회 등 전체적인 선거과정에 있어서의 평등을 의미한다.

13 선거의 기본원칙에 대한 설명으로 옳은 것은?

① 평등선거의 원칙과 선거권 보장의 중요성을 감안할 때, 범죄자의 선거권을 제한할 필요가 있다 하더라도 그가 저지른 범죄의 경중을 전혀 고려하지 않고 수형자와 집행유예자 모두의 선거권을 제한하는 것은 침해의 최소성원칙에 어긋난다.

② 평등선거의 원칙은 평등의 원칙이 선거제도에 적용된 것으로서 투표의 수적 평등, 즉 복수투표제 등을 부인하고 모든 선거인에게 1인 1표(one man, one vote)를 인정함을 의미할 뿐, 투표의 성과가치의 평등까지 의미하는 것은 아니다.

③ 소형인쇄물을 제작·배부할 수 있는 기회와 방법에 있어서 정당추천후보자와 무소속후보자 사이에 차별하여 제한하는 규정을 두는 것은 평등선거의 원칙에 반하지 않는다.

④ 평등선거원칙은 일정한 집단의 의사가 정치과정에서 반영될 수 없도록 차별적으로 선거구를 획정하는 이른바 '게리맨더링'에 대한 부정을 의미하기도 한다.

14 선거의 기본원칙에 대한 설명으로 옳은 것은?

① 평등선거의 원칙이 선거권의 귀속에 대한 불합리한 차별을 금지하는 것이라면, 보통선거의 원칙은 선거권의 가치에 대한 불합리한 차별을 금지하는 것이다.

② 국회의원 비례대표후보자명단을 확정하기 위한 당내 경선에는 직접·평등·비밀투표 등 일반적인 선거원칙이 그대로 적용되는 것은 아니므로 대리투표는 허용될 수 있다.

③ 비례대표제를 채택하는 경우 직접선거의 원칙은 의원의 선출뿐만 아니라 정당의 비례적인 의석 확보도 선거권자의 투표에 의하여 직접 결정될 것을 요구하는바, 비례대표의원의 선거는 지역구의원의 선거와는 별도의 선거이므로 이에 관한 유권자의 별도의 의사표시, 즉 정당명부에 대한 별도의 투표가 있어야 한다.

④ 국회의원의 선출이나 정당의 의석 획득이 중간선거인이나 정당 등에 의하여 이루어지더라도 직접선거원칙에 위배되지 않는다.

⑤ 직접선거원칙의 핵심적 요소는 '선거 결과가 선거권자에 의하여 직접 결정되어야 한다'는 것인데, 여기서 선거권자에 의하여 직접 결정되어야 할 선거 결과는 개별 의원의 선출만을 의미할 뿐이지, 정당의 비례적 의석 확보는 포함하지 않는다.

15 지역구후보자가 얻은 득표비율에 따라 비례대표 국회의원 의석을 배분하는 1인 1표제도하의 비례대표 의석배분방식에 대한 설명으로 옳지 않은 것은?

① 비례대표후보자를 유권자들이 직접 선택할 수 있는 이른바 자유명부식이나 가변명부식과 달리 고정명부식에서는 후보자와 그 순위가 전적으로 정당에 의하여 결정되나, 직접선거의 원칙에 위반되지 않는다.

② 비례대표의원 선거는 지역구의원 선거와는 별도의 선거로 이에 관한 유권자의 별도의 의사표시, 즉 정당명부에 대한 별도의 투표가 있어야 하므로 정당명부에 대한 투표가 따로 없는 1인 1표제도는 직접선거원칙에 위배된다.

③ 국회의원 선거에서 이른바 1인 1표제를 채택하여 유권자에게 별도의 정당투표를 인정하지 않고, 지역구 선거에서 표출된 유권자의 의사를 그대로 정당에 대한 지지의사로 의제하여 비례대표 의석을 배분토록 「공직선거법」은 선거에 있어 국민의 의사를 제대로 반영하고, 국민의 자유로운 선택권을 보장할 것 등을 요구하는 민주주의원리에 부합하지 않는다.

④ 1인 1표제하에서의 비례대표제 의석배분방식하에서 지역구후보자에 대한 지지는 정당에 대한 지지로 의제할 수 없는데도 이를 의제하여 국민의 정당지지의 정도를 계산함에 있어 불합리한 잣대를 사용하는 한 현행의 저지조항은 그 저지선을 어느 선에서 설정하건 간에 보통원칙에 위반될 수밖에 없다.

16 지역구후보자가 얻은 득표비율에 따라 비례대표 국회의원 의석을 배분하는 1인 1표제도하의 비례대표 의석배분방식에 대한 설명으로 옳은 것은?

① 정당의 지역구후보자가 얻은 득표율을 기준으로 비례대표 의석배분에 있어서 저지기준을 정하는 경우 저지기준을 5%로 했다면 이는 저지기준이 너무 높아서 평등원칙에 위반된다.

② 1인 1표제방식의 비례대표의원 선출방식은 직접선거원칙에 위반되고 선거권도 박탈하는 것이고 그 결과 간접적으로는 입후보자의 피선거권도 침해되게 된다.

③ 정당명부에 대한 별도의 투표가 없는 1인 1표제하에서의 비례대표제는 선거권자의 투표행위가 아니라 정당의 명부작성행위가 최종적·결정적인 의미를 갖게 되므로 보통선거의 원칙에 위배된다.

④ 비례대표제를 택하지 않은 경우 민주주의원칙에 위반된다.

17 선거의 기본원칙에 대한 설명으로 옳지 않은 것을 모두 조합한 것은?

ㄱ. 이론은 있으나 투표율을 높이기 위해 투표할 의무를 지우고, 투표하지 아니한 자를 형사처벌하는 법조항은 자유선거원칙에 위반된다고 보는 것이 일반적 견해이다.
ㄴ. 대통령 선거와 국회의원 선거에 대해 우리 헌법은 보통, 평등, 직접, 비밀, 자유선거라는 민주선거의 원칙을 직접 규정하여 요구하고 있다.
ㄷ. 선거의 자유에는 공직선거에 입후보할 자유는 보호하나, 입후보하였던 자가 참여하였던 선거과정으로부터 이탈할 자유까지 포함된다고 할 수 없다.
ㄹ. 투표일에 실제로 투표권을 행사할지 말지를 자유롭게 결정할 수 있어야 한다는 것이 자유선거원칙의 핵심 내용이다.
ㅁ. 자유선거원칙은 선거의 전 과정에 요구되는 선거권자의 의사형성의 자유와 의사실현의 자유를 말하는바, 구체적으로는 투표의 자유, 입후보의 자유만을 의미할 뿐이지 이탈의 자유까지 의미하는 것은 아니다.

① ㄱ, ㄴ ② ㄴ, ㄷ, ㅁ
③ ㄴ, ㄷ, ㄹ ④ ㄱ, ㄴ, ㄷ

18 국회의원과 지방의원 지역선거구에 대한 설명으로 옳지 않은 것은 모두 몇 개인가?

ㄱ. 선거구 구역표는 전체가 불가분의 일체를 이루는 것으로서 어느 한 부분에 위헌적 요소가 있다면 선거구 구역표 전체가 위헌적 하자가 있는 것으로 보는 것이 상당하다.
ㄴ. 선거구획정은 특단의 불가피한 사정이 없는 한 인접지역이 1개의 선거구를 구성하도록 함이 상당하며, 이는 선거구획정에 관한 국회의 입법재량권의 한계이기도 하다.
ㄷ. 선거구 구역표는 고도의 정치행위이므로 통치행위에 해당하여 사법심사의 대상이 되지 않는다.
ㄹ. 선거구의 획정에 있어서는 행정구역을 가장 중요하고 기본적인 기준으로 삼아야 할 것이다.
ㅁ. 자치구·시·군의원 선거구획정에 있어서는 국회의원의 경우와는 달리 인구비례 못지않게 행정구역, 지세, 교통 등의 요소들도 1차적인 요소로서 중요하게 고려되어야 한다.
ㅂ. 선거구를 획정함에 있어서는 1인 1표와 투표가치 평등의 원칙을 고려한 선거구 간의 인구의 균형을 고려하여야 하고, 행정구역, 교통사정, 생활권 내지 역사적·전통적 일체감과 같은 정책적·기술적 요소까지 고려하여야 한다.
ㅅ. 국회의원 선거제도와 지방의회의원 선거제도는 투표가치 평등의 헌법적 의미가 동일하게 적용되므로 위 두 선거구 구역표 사이에 통일성이 확보되어야 한다.

① 1개 ② 2개
③ 3개 ④ 4개

19 국회의원과 지방의원 지역선거구에 대한 설명으로 옳지 않은 것을 모두 조합한 것은?

ㄱ. 국회의원 선거에 있어서 인구편차 상하 $33\frac{1}{3}$%를 넘어 인구편차를 완화하는 것은 지나친 투표가치의 불평등을 야기하므로 대의민주주의의 관점에서 바람직하지 않고 국회구성에 있어서 국회의원의 지역대표성이 고려되어야 한다고 할지라도 이것이 투표가치의 평등보다 우선시될 수는 없다.
ㄴ. 자치구·시·군의회의원 선거구획정에서는 시·도의회의원 선거구획정에서 요구되는 허용편차기준은 동일하다.
ㄷ. 국회의원 지역선거구 구역표와 지방의회의원 지역선거구 구역표 사이에 불일치가 발생하였다면 입법재량을 일탈했다고 할 수 있다.
ㄹ. 국회의원 선거구 구역표는 정당활동의 자유와 공무담임권을 직접 제한하므로 선거구 구역표의 위헌 여부는 정당활동의 자유 및 공무담임권 침해 여부를 중심으로 판단하여야 한다.
ㅁ. 현시점에서는 해당 선거구가 속한 각 자치구·시·군의회의원 1인당 평균인구 수 대비 인구편차 상하 50%(인구비례 3:1)기준으로 삼는 것이 가장 적절하다.

① ㄱ, ㄴ ② ㄱ, ㄴ, ㄷ, ㅁ
③ ㄷ, ㄹ ④ ㄴ, ㄷ, ㅁ

20 국회의원과 지방의원 선거구 구역표에 대한 설명으로 옳은 것은 모두 몇 개인가?

ㄱ. 인구편차의 허용기준을 제시함에 있어 최소선거구의 인구 수를 기준으로 할 것인가, 전국 선거구의 평균인구 수를 기준으로 할 것인가의 문제가 있으나, 최소선거구의 인구 수를 기준으로 하여 인구편차의 허용기준을 검토하기로 한다.
ㄴ. 자치구·시·군의회의원 선거구 간 인구편차 비교집단 설정에 있어서는 특별시, 광역시, 도내의 모든 선거구를 비교하여 허용 한계를 설정해야 한다.
ㄷ. 도시와 농어촌 간의 인구편차와 개발 불균형이 현저하고 국회가 단원으로 구성되어 있다는 점은 선거구 간의 인구비례를 엄격히 할 요소이다.
ㄹ. 지방자치제도가 정착되었다 하더라도 우리나라 농어촌의 열악한 경제적 상황을 고려하면 지역대표성을 이유로 헌법상 원칙인 투표가치의 평등을 현저히 완화할 필요성이 여전히 크다.
ㅁ. 국회를 구성함에 있어 국회의원의 지역대표성이 고려되어야 한다고 할지라도 투표가치의 평등보다 우선시될 수는 없다.
ㅂ. 국회의원 지역구는 인구범위(인구비례 2:1의 범위를 말한다)를 벗어나지 않는 범위 내에서 획정되어야 한다. 다만, 농산어촌의 지역대표성 반영이 필요한 경우 예외로 한다.
ㅅ. 대의제 민주주의에서는 지역구 국회의원은 국가 전체의 이익을 우선해야 하므로 국회를 구성함에 있어서 국회의원의 지역대표성을 고려해서는 아니 된다.
ㅇ. 국회의원의 지역대표성이나 도농 간의 인구격차, 불균형한 개발 등은 인구편차 상하 $33\frac{1}{3}$%, 인구비례 2:1의 기준을 넘어 인구편차를 완화할 수 있는 사유가 된다.

① 1개 ② 2개
③ 3개 ④ 4개

41회

진도별 모의고사

선거제도

정답 및 해설 p.324

제한시간 : 14분 | 시작시각 ___시 ___분 ~ 종료시각 ___시 ___분 나의 점수 _______

01 선거제도에 대한 설명으로 옳지 않은 것은?

① 지방의회의원 및 지방자치단체의 장의 선거일은 그 임기만료일 전 30일 이후 첫 번째 수요일이다.

② 선거를 실시하는 때마다 구·시·군의 장은 대통령선거에서는 선거일 전 28일, 국회의원선거와 지방자치단체의 의회의원 및 장의 선거에서는 선거일 전 22일 현재 그 관할 구역에 주민등록이 되어 있는 선거권자를 투표구별로 조사하여 선거인명부작성기준일부터 5일 이내에 선거인명부를 작성하여야 한다.

③ 선거기간 개시일부터 선거일 투표마감시각까지 여론조사의 결과를 공표하거나 인용하여 보도할 수 없다.

④ 선거일 이전에 행하여진 선거범죄의 공소시효 기산점을 '당해 선거일 후'로 규정한 「공직선거법」이 평등원칙에 위배된다고 할 수 없다.

02 선거권에 대한 설명으로 옳지 않은 것은?

① 참정권은 주권자로서의 일신전속적 권리이기 때문에 양도나 대리 행사가 불가능한 권리이다.

② 지방의회의원 선거권에 관해서는 헌법에 명시적 규정이 있으나 지방자치단체장에 대한 선거권에 관하여는 오로지 법률에 맡겨져 있으므로, 지방자치단체장 선거권은 헌법상 기본권이 아닌 법률상의 권리이다.

③ 새로운 지방의회를 구성하는 경우에 즉시 선거를 실시할 것인지 아니면 종전에 선출되어 있던 지방의회의원을 통해 지방의회를 구성하고 그들의 임기가 종료된 후에 새로운 선거를 실시할 것인지 여부는 원칙적으로 입법자의 입법형성의 자유에 속하는 사항이므로 지방자치단체의 신설과 동시에 혹은 신설과정에서 새로운 지방의회의원 선거가 헌법적으로 반드시 요청된다고 보기 어렵다.

④ 헌법 제118조 제1항 및 제2항은 지방의회의 설치와 지방의회의원 선거를 규정함으로써 주민들이 지방의회의원을 선출할 수 있는 선거권 및 주민들이 지방의회의원이라는 선출직공무원에 취임할 수 있는 공무담임권을 기본권으로 보호하고 있다.

03 선거권에 대한 설명으로 옳지 않은 것을 모두 조합한 것은?

ㄱ. 농협의 조합장 선거에서 조합장을 선출하거나 조합장으로 선출될 권리, 조합장 선거에서 선거운동을 하는 것은 헌법에 의하여 보호되는 선거권의 범위에 포함되지 아니한다.
ㄴ. 국회의원 선거연령의 하한을 규정한 법률조항에 대한 위헌심사는 입법자가 입법목적 달성을 위해 선택한 수단이 현저하게 불합리하고 불공정하며 자의적인 입법인지의 여부로 판단한다.
ㄷ. 선거권 연령은 선거권 행사에 요구되는 정치적 판단능력의 수준을 설정하고 일정 연령집단의 정치적 판단능력의 보편적 수준을 파악하는 일이 기본적으로 요구되므로, 입법자보다 고도의 전문적 식견을 가지고 있는 헌법재판소는 대의민주제에서 선거권 행사에 요구되는 최소한의 정치적 판단능력의 수준과, 또 일정 연령집단의 정치적 판단능력의 보편적 수준을 계측하여 판단할 수 있다고 보아야 한다.
ㄹ. 선거연령을 20세에서 18세로 낮춘 것은 헌법재판소의 위헌결정에 따른 것이다.

① ㄱ, ㄴ ② ㄱ, ㄴ, ㄷ
③ ㄷ, ㄹ ④ ㄱ, ㄴ, ㄹ

04 선거권에 대한 설명으로 옳은 것은?

① 선거제도는 국가 정체성의 확립과 유지에 관련된 중대한 문제이기 때문에 「공직선거법」상 외국인에게 선거권이 인정되는 경우는 없다.

② 외국인은 대통령 선거 및 국회의원 선거에서는 선거권이 없으나, 지방선거권이 조례에 의해서 인정되고 있다.

③ 국내에 3년 이상 체류하고 있는 18세 이상의 외국인은 모두 지방자치단체장의 선거에서 선거권을 행사할 수 있다.

④ 영내 기거하는 현역병은 「주민등록법」 조항 등에 의해 그가 속한 세대의 거주지 선거에서 선거권을 행사하도록 되어 있어, 해당 군인은 자신의 병영이 소재한 지역의 선거에서는 선거권을 행사할 수 없어도 이를 선거권 자체가 제한된 것으로 볼 수는 없다.

05 선거권에 대한 설명으로 옳지 않은 것은?

> 「공직선거법」 제18조(선거권이 없는 자) ① 선거일 현재 다음 각 호의 어느 하나에 해당하는 사람은 선거권이 없다.
> 1. 금치산선고를 받은 자
> 2. 1년 이상의 징역 또는 금고의 형의 선고를 받고 그 집행이 종료되지 아니하거나 그 집행을 받지 아니하기로 확정되지 아니한 사람. 다만, 그 형의 집행유예를 선고받고 유예기간 중에 있는 사람은 제외한다.
> 3. 선거범, 「정치자금법」 제45조(정치자금부정수수죄) 및 제49조(선거비용 관련 위반행위에 관한 벌칙)에 규정된 죄를 범한 자 또는 대통령·국회의원·지방의회의원·지방자치단체의 장으로서 그 재임 중의 직무와 관련하여 「형법」(「특정범죄 가중처벌 등에 관한 법률」 제2조에 의하여 가중처벌되는 경우를 포함한다) 제129조(수뢰, 사전수뢰) 내지 제132조(알선수뢰)·「특정범죄 가중처벌 등에 관한 법률」 제3조(알선수재)에 규정된 죄를 범한 자로서, 100만 원 이상의 벌금형의 선고를 받고 그 형이 확정된 후 5년 또는 형의 집행유예의 선고를 받고 그 형이 확정된 후 10년을 경과하지 아니하거나 징역형의 선고를 받고 그 집행을 받지 아니하기로 확정된 후 또는 그 형의 집행이 종료되거나 면제된 후 10년을 경과하지 아니한 자(형이 실효된 자도 포함한다)
> 4. 법원의 판결 또는 다른 법률에 의하여 선거권이 정지 또는 상실된 자
>
> ② 제1항 제3호에서 '선거범'이라 함은 제16장 벌칙에 규정된 죄와 「국민투표법」 위반의 죄를 범한 자를 말한다.

① 금치산선고를 받은 자를 받은 자는 선거권이 없다.

② 「국민투표법」 위반으로 벌금 100만 원 이상이 확정되고 5년을 경과하지 않으면 선거권을 가지지 못한다.

③ 사기죄로 징역형의 선고를 받고 그 집행이 종료되면 선거권을 가진다.

④ 관악구청장으로서 그 재임 중의 직무와 관련하여 「형법」 제129조(수뢰, 사전수뢰) 내지 제132조(알선수뢰)에 규정된 죄를 범한 자로서 벌금 100만 원을 확정받은 자는 선거권을 가진다.

⑤ 절도죄로 징역 2년의 집행유예 3년을 선고받고 집행유예기간 중인 자는 선거권을 가진다.

06 집행유예자와 수형자 선거권 제한에 대한 설명으로 옳은 것은?

① 집행유예자와 수형자의 선거권 제한은 범죄자가 범죄의 대가로 선고받은 자유형의 본질에서 당연히 도출되는 것이다.

② '유기징역 또는 유기금고의 선고를 받고 그 집행유예기간 중인 자'의 선거권을 전면적·획일적으로 제한하는 「공직선거법」 조항은 선거권 제한이 지나치게 광범위하므로 과잉금지원칙에 반하여 헌법에 위반된다. 다만, '유기징역 또는 유기금고의 선고를 받고 그 집행유예기간 중인 자'에게 선거권을 부여하는 구체적인 방안은 입법자의 형성재량에 속하므로 헌법불합치결정을 선고하는 것이 타당하다.

③ 선거권 박탈은 범죄자에 대해 가해지는 형사적 제재의 연장으로서 범죄에 대한 응보적 기능도 갖는다.

④ 수형자에 대한 선거권 제한은 목적은 정당하고, 방법도 적정하나, 모든 수형자에 대한 선거권 제한은 최소성원칙에 위반된다하여 헌법재판소는 위헌결정을 하였다.

07 집행유예자와 수형자 선거권 제한에 대한 설명으로 옳지 않은 것을 모두 조합한 것은?

ㄱ. 집행유예기간 중인 자의 선거권을 제한하고 있는 「공직선거법」 제18조 제1항 제2호는 위헌결정됨에 따라 「공직선거법」이 개정되어 1년 이상의 징역 또는 금고의 형의 선고를 받고 그 형의 집행유예를 선고받고 유예기간 중에 있는 사람은 선거권 제한에서 제외되고 있다.
ㄴ. 수형자에 대해 선거권을 제한하고 있는 「공직선거법」 제18조 제1항 제2호가 헌법불합치결정됨에 따라 「공직선거법」이 개정되어 1년 이상의 징역 또는 금고의 형의 선고를 받고 그 집행이 종료되지 아니하거나 그 집행을 받지 아니하기로 확정되지 아니한 사람에 한해 선거권이 제한되고 있다.
ㄷ. 범죄자가 저지른 범죄의 경중을 전혀 고려하지 않고 수형자와 집행유예자 모두의 선거권을 제한하더라도 헌법에 위반되는 것은 아니다.
ㄹ. '유기징역 또는 유기금고의 선고를 받고 그 집행유예기간 중인 자'의 선거권을 전면적·획일적으로 제한하는 「공직선거법」 조항은 선거권 제한이 지나치게 광범위하므로 과잉금지원칙에 반하여 헌법에 위반된다. 다만, '유기징역 또는 유기금고의 선고를 받고 그 집행유예기간 중인 자'에게 선거권을 부여하는 구체적인 방안은 입법자의 형성재량에 속하므로 헌법불합치결정을 선고하는 것이 타당하다.
ㅁ. 선거일 현재 1년 이상의 형의 집행유예를 선고받고 유예기간 중에 있는 사람은 선거권이 없다.

① ㄱ, ㄴ
② ㄱ, ㄴ, ㄷ, ㅁ
③ ㄴ, ㄷ, ㄹ
④ ㄷ, ㄹ, ㅁ

08 1년 이상 징역형 수형자의 선거권 제한한 공직선거법에 대한 설명으로 옳지 않은 것을 모두 조합한 것은?

ㄱ. 선거권이 제한되는 수형자의 범위를 정함에 있어서 선고형이 중대한 범죄 여부를 결정하는 합리적 기준이 될 수 있다.
ㄴ. 1년 이상의 징역형 선고를 받고 그 집행이 종료되지 아니한 사람의 선거권을 제한하는 「공직선거법」 조항에 의한 선거권 박탈은 범죄자에 대해 가해지는 형사적 제재의 연장으로 범죄에 대한 응보적 기능을 갖는다.
ㄷ. 형 집행 중 가석방처분을 받았다는 후발적 사유를 고려하지 아니하고 1년 이상의 징역형 선고를 받은 사람의 선거권을 일률적으로 제한하는 것은 불필요한 제한에 해당한다.
ㄹ. 1년 이상의 징역형을 선고받은 사람의 범죄행위가 국가적·사회적 법익이 아닌 개인적 법익을 침해하는 경우라면 사회적·법률적 비난가능성의 정도는 달리 판단할 수 있다.
ㅁ. 수형자에 대한 형벌 이외의 기본권 제한은 수형자의 정상적 사회복귀라는 목적에 부응하는 것일 때 정당화될 수 있다. 수형자라고 하여 선거권을 제한하는 것은 이러한 목적에 부합한다고 볼 수 없으므로 수형자에 대한 사회적·형사적 제재라는 입법목적은 정당하지 않다.

① ㄱ, ㄴ
② ㄱ, ㄴ, ㄷ, ㅁ
③ ㄴ, ㄷ, ㄹ
④ ㄷ, ㄹ, ㅁ

09 재외국민의 선거권에 대한 설명으로 옳은 것은?

> 「공직선거법」 제218조의4(국외부재자 신고) ① 주민등록이 되어 있는 사람으로서 다음 각 호의 어느 하나에 해당하여 외국에서 투표하려는 선거권자(지역구국회의원선거에서는 「주민등록법」 제6조 제1항 제3호에 해당하는 사람과 같은 법 제19조 제4항에 따라 재외국민으로 등록·관리되는 사람은 제외한다)는 대통령 선거와 임기만료에 따른 국회의원 선거를 실시하는 때마다 선거일 전 150일부터 선거일 전 60일까지(이하 이 장에서 '국외부재자 신고기간'이라 한다) 서면·전자우편 또는 중앙선거관리위원회 홈페이지를 통하여 관할 구·시·군의 장에게 국외부재자 신고를 하여야 한다. 이 경우 외국에 머물거나 거주하는 사람은 공관을 경유하여 신고하여야 한다.
> 1. 사전투표기간 개시일 전 출국하여 선거일 후에 귀국이 예정된 사람
> 2. 외국에 머물거나 거주하여 선거일까지 귀국하지 아니할 사람
>
> 제218조의5(재외선거인 등록신청) ① 주민등록이 되어 있지 아니하고 재외선거인명부에 올라 있지 아니한 사람으로서 외국에서 투표하려는 선거권자는 대통령 선거와 임기만료에 따른 비례대표국회의원 선거를 실시하는 때마다 해당 선거의 선거일 전 60일까지(이하 이 장에서 '재외선거인 등록신청기한'이라 한다) 다음 각 호의 어느 하나에 해당하는 방법으로 중앙선거관리위원회에 재외선거인 등록신청을 하여야 한다.
> 1. 공관을 직접 방문하여 서면으로 신청하는 방법. 이 경우 대한민국 국민은 가족(본인의 배우자와 본인·배우자의 직계존비속을 말한다)의 재외선거인 등록신청서를 대리하여 제출할 수 있다.
> 2. 관할 구역을 순회하는 공관에 근무하는 직원에게 직접 서면으로 신청하는 방법. 이 경우 제1호 후단을 준용한다.
> 3. 우편 또는 전자우편을 이용하거나 중앙선거관리위원회 홈페이지를 통하여 신청하는 방법. 이 경우 외국에 머물거나 거주하는 사람은 공관을 경유하여 신고하여야 한다.

① 서울특별시 관악구에 주소를 둔 23세 대학생 김철수는 미국에 어학연수 중인데, 김철수는 미국에서 대통령 선거와 임기만료에 따른 비례대표국회의원 선거권을 행사할 수 있으나 임기만료에 따른 지역구국회의원 선거에서 그리고 국회의원 보궐선거와 재선거에서는 선거권을 미국에서는 행사하지 못한다.

② 주민등록이 되어있지 않은 선거인으로서 재외선거인 명부에 등록을 한 자는 대통령 선거와 임기만료에 따른 국회의원 선거권을 가지나 국회의원 보궐선거와 재선거에서는 선거권을 가지지 못한다.

③ 주민등록이 되어있지 아니하고 재외선거인명부에 올라와있지 아니한 사람으로서 외국에서 투표하려는 선거권자인 재외선거인은 공관을 직접 방문해서 재외선거인 등록신청을 하여야 한다.

④ 서울특별시 관악구에 주소를 둔 23세 대학생 김철수는 미국에 어학연수 중인데, 선거권을 행사하려면 김철수는 구·시·군의 장에게 국외부재자 신고를 하여야 한다.

10 선거범으로서 100만 원 이상의 벌금형의 선고를 받고 그 형이 확정된 후 5년을 경과하지 아니한 자 또는 형의 집행유예의 선고를 받고 그 형이 확정된 후 10년을 경과하지 아니한 자의 선거권을 제한하는 공직선거법 제18조 제1항 제3호에 대한 헌법소원심판이 청구되었다. 이에 대한 설명으로 옳은 것은?

① 심판대상은 불법성 및 비난가능성에 따라 덜 침해적인 방법을 상정할 수 있음에도 「공직선거법」상 모든 선거범을 대상으로 하여 일률적으로 일정 기간 선거권을 제한하고, 벌금 100만 원 이상이라는 기준도 지나치게 낮은 것으로, 비록 선거범에 대한 제재라 하더라도 이는 과도한 제한으로서 청구인들의 선거권을 침해한다.

② 선거권을 제한하는 법률의 합헌성을 심사하는 경우에는 그 심사의 강도도 엄격하게 하여야 하고 보통선거의 원칙에 반하는 선거권 제한의 입법을 하기 위해서는 헌법 제37조 제2항의 규정에 따른 한계가 한층 엄격히 지켜져야 한다.

③ 선거범으로서 100만 원 이상의 벌금형의 선고를 받고 그 형이 확정된 후 5년을 경과하지 아니한 자 또는 형의 집행유예의 선고를 받고 그 형이 확정된 후 10년을 경과하지 아니한 자의 피선거권을 제한하는 「공직선거법」은 청구인들의 공무담임권을 침해한다.

④ 선거범으로서 100만 원 이상의 벌금형의 선고를 받고 그 형이 확정된 후 5년을 경과하지 아니한 자 또는 형의 집행유예의 선고를 받고 그 형이 확정된 후 10년을 경과하지 아니한 자의 피선거권을 제한하는 「공직선거법」이 정하는 피선거권의 제한은 범죄에 대한 국가형벌권의 실행으로서의 처벌에 해당한다.

11 선거권에 대한 설명으로 옳지 않은 것은?

① 「공직선거법」상 재외선거인의 임기만료 지역구국회의원 선거권을 인정하지 않은 것이 재외선거인의 선거권을 침해하거나 보통선거원칙에 위배된다고 볼 수 없다.

② 주민등록이 되어 있지 아니한 재외국민이 일정한 요건을 갖춘 경우, 외국에서 참여할 수 있는 선거에는 대통령선거와 임기만료에 따른 지역구국회의원 선거가 있고, 주민등록이 되어 있는 재외국민(18세 이상) 국내에서 참여할 수 있는 선거에는 대통령 선거와 임기만료에 따른 국회의원 선거뿐만 아니라, 지방자치단체의 의회의원 및 장의 선거가 포함된다.

③ 국내거주 재외국민은 주민등록을 할 수 없을 뿐이지 '국민인 주민'이라는 점에서는 '주민등록이 되어 있는 국민인 주민'과 실질적으로 동일하므로, 지방선거 선거권 부여에 있어 양자에 대한 차별을 정당화할 어떠한 사유도 존재하지 않는다.

④ 국내거주 재외국민에 대해 그 체류기간을 불문하고 지방선거 선거권을 전면적·획일적으로 박탈하는 것은 국내거주 재외국민의 지방의회의원 선거권을 침해하는 것이다.

12 선거권에 대한 설명으로 옳지 않은 것은?

① 지역구국회의원 선거에서 당해 선거구의 후보자가 없을 때에는 재선거를 실시하고, 당선인이 임기개시 전에 사퇴하거나 사망한 때에는 보궐선거를 실시한다.

② 대통령이 궐위된 때로부터 잔임기간이 1년 이내인 경우라도 후임자를 60일 이내에 선거해야 한다.

③ 재외선거인에게 국회의원 재·보궐선거의 선거권을 인정하지 않은 재외선거인 등록신청조항이 재외선거인의 선거권을 침해하거나 보통선거원칙에 위배된다고 할 수 없다.

④ 재·보궐 선거일을 공휴일로 지정하지 않은 것은 선거권을 침해하지는 않는다.

13 선거권에 대한 설명으로 옳지 않은 것은 모두 몇 개인가?

ㄱ. 투표소로부터 50미터 밖에서 투표의 비밀을 침해하지 않는 방법으로 출구조사를 할 수 있다.
ㄴ. 병원·요양소·수용소·교도소 또는 구치소에 기거하는 사람은 거소신고를 하고 거소에서 투표할 수 있다.
ㄷ. 사전투표 선거의 명부는 중앙선거관리위원회가 작성하고 사전투표 선거기간은 선거일 전 5일부터 2일 동안 치러진다.
ㄹ. 투표용지에 표시되는 기호의 게재순위를 후보자등록마감일 현재 국회에서 다수의석을 가지고 있는 정당의 추천을 받은 후보자, 그렇지 않은 정당추천후보자, 무소속후보자순으로 하는 것은 소수의석 정당이나 무소속후보자 등을 차별하는 것이나, 헌법상의 정당제도 보호취지를 고려할 때 평등권 등 기본권을 침해하지 않는다.
ㅁ. 공직자를 선출하는 선거권의 보호범위에는 '후보자 전부 거부'의 투표방식의 보장까지 포함되는 것은 아니며, '전부 거부'와 같은 투표방식을 마련할 것인지 여부는 입법자가 입법재량으로 결정할 수 있는 사항이므로, '전부 거부' 투표방식을 배제하는 것은 선거권을 제한하지 않는다.
ㅂ. 투표용지의 후보자 게재순위를 국회에서의 다수의석순에 의하여 정하도록 규정한 「공직선거법」 제150조이 소수 정당의 평등권을 침해한다.

① 1개 ② 2개
③ 3개 ④ 4개

14 피선거권에 대한 설명으로 옳은 것은?

> 「공직선거법」 제53조(공무원 등의 입후보) ① 다음 각 호의 어느 하나에 해당하는 사람으로서 후보자가 되려는 사람은 선거일 전 90일까지 그 직을 그만두어야 한다. 다만, 대통령 선거와 국회의원 선거에 있어서 국회의원이 그 직을 가지고 입후보하는 경우와 지방의회의원 선거와 지방자치단체의 장의 선거에 있어서 당해 지방자치단체의 의회의원이나 장이 그 직을 가지고 입후보하는 경우에는 그러하지 아니하다.
> 1. 「국가공무원법」 제2조(공무원의 구분)에 규정된 국가공무원과 「지방공무원법」 제2조(공무원의 구분)에 규정된 지방공무원. 다만, 「정당법」 제22조(발기인 및 당원의 자격) 제1항 제1호 단서의 규정에 의하여 정당의 당원이 될 수 있는 공무원(정무직공무원을 제외한다)은 그러하지 아니하다.
>
> ② 제1항 본문에도 불구하고 다음 각 호의 어느 하나에 해당하는 경우에는 선거일 전 30일까지 그 직을 그만두어야 한다.
> 1. 비례대표국회의원 선거나 비례대표지방의회의원 선거에 입후보하는 경우
> 2. 보궐선거 등에 입후보하는 경우
> 3. 국회의원이 지방자치단체의 장의 선거에 입후보하는 경우
> 4. 지방의회의원이 다른 지방자치단체의 의회의원이나 장의 선거에 입후보하는 경우
>
> ③ 제1항 단서에도 불구하고 비례대표국회의원이 지역구국회의원 보궐선거 등에 입후보하는 경우 및 비례대표지방의회의원이 해당 지방자치단체의 지역구지방의회의원 보궐선거 등에 입후보하는 경우에는 후보자등록신청 전까지 그 직을 그만두어야 한다.
>
> ⑤ 제1항 및 제2항에도 불구하고, 지방자치단체의 장은 선거구역이 당해 지방자치단체의 관할 구역과 같거나 겹치는 지역구국회의원 선거에 입후보하고자 하는 때에는 당해 선거의 선거일 전 120일까지 그 직을 그만두어야 한다. 다만, 그 지방자치단체의 장이 임기가 만료된 후에 그 임기만료일부터 90일 후에 실시되는 지역구국회의원 선거에 입후보하려는 경우에는 그러하지 아니하다.

① 7급 일반 경력직공무원으로 근무하고 있는 구영탄은 지역구국회의원 선거에 입후보하려면 선거일 전 30일까지 그 직을 그만두어야 한다.

② 비례대표국회의원인 박달마가 서울시장 선거에 입후보하려면 선거일 전 30일까지 그 직을 그만두어야 하나, 관악구국회의원 보궐선거 입후보하는 경우 후보자등록신청 전까지 그 직을 그만두어야 한다.

③ 관악구청장 황은하가 관악구국회의원 선거에 입후보하려면 당해 선거의 선거일 전 90일까지 그 직을 그만두어야 한다.

④ 지역구국회의원 구만수가 대통령 선거에 입후보하려면 국회의원직을 선거일 전 30일까지 그 직을 그만두어야 한다.

⑤ 국립대학교 교수인 독고탁은 지역구국회의원 선거에 입후보하려면 선거일 전 90일까지 그 직을 그만두어야 한다.

15 피선거권에 대한 설명으로 옳은 것은 모두 몇 개인가?

> ㄱ. 금고 이상의 형을 받고 형집행이 종료된 자는 피선거권을 가진다.
> ㄴ. 선거권이 없는 자는 피선거권을 가질 수 없으나, 피선거권이 없는 자는 선거권을 가질 수도 있다.
> ㄷ. 대통령 피선거권 40세 이상, 국회의원 피선거권 15세 이상, 선거권 18세 이상은 모두 헌법에 규정되어 있다.
> ㄹ. 선거일 현재 5년 이상 국내에 거주하고 있는 40세 이상의 국민은 대통령의 피선거권이 있다. 그러나 국내에 주소를 두고 일정 기간 외국에 체류한 기간은 국내거주기간으로 보지 아니한다.

① 1개 ② 2개
③ 3개 ④ 4개

16 피선거권에 대한 설명으로 옳지 않은 것은?

① 헌법은 대통령의 임기가 만료되는 때에는 임기만료 70일 내지 40일 전에 후임자를 선거한다고 규정하고 있다.

② 임기만료에 의한 대통령 선거는 그 임기만료일 전 70일 이후 첫 번째 수요일에 실시함이 원칙이다.

③ 대통령이 궐위된 때 또는 대통령 당선자가 사망하거나 판결 기타의 사유로 그 자격을 상실한 때에는 60일 이내에 후임자를 선거한다.

④ 보궐선거로 당선된 대통령의 임기는 전임자의 잔임기간으로 한다.

17 피선거권에 대한 설명으로 옳지 않은 것은?

① 대통령 선거에 있어서 정당추천후보자가 후보자등록기간 중 또는 후보자등록기간이 지난 후에 사망한 때에는 정당의 후보자 추천에 의한 후보자등록을 신청할 수 있다.

② 국회의원 선거에 입후보하려면 선거일 현재 5년 이상 국내에 거주하고 있어야 한다.

③ 정부투자기관 임직원 입후보시 지방의원의 임기만료 전 90일까지 그 직을 그만두도록 한 구 「지방의회의원선거법」 제35조 중 직원 부분에 대해서는 위헌결정이 있었다.

④ 정부투자기관 임직원이 지방의회의 의원직을 수행하는 것은 지방자치단체와 그 주민들의 이익에 반하고 권력분립의 원칙에도 배치된다.

18 선거제도에 대한 설명으로 옳은 것은?

① 거주요건을 지방자치단체장 선거 입후보요건으로 한 것은 공무담임권과 선거권을 제한한다.

② 지방자치단체의 장이 임기 중 그 직을 사퇴하고 다른 공직선거에 출마하지 못하게 제한하는 것은 행정임무 수행의 안정성과 효율성 유지를 위한 합리성 있는 제한이다.

③ 정당은 그 소속 당원이 아닌 자를 후보자로 추천할 수 없다.

④ 정당과 선거권자는 후보자등록 후 원칙적으로 추천을 취소, 변경할 수 없으나 후보자등록기간 중 정당추천후보자가 사퇴·사망하거나, 소속 정당의 제명이나 중앙당의 시·도당창당 승인 취소 외의 사유로 인하여 등록이 무효로 된 때는 후보자에 대한 추천을 취소 또는 변경할 수 없다.

19 선거제도에 대한 설명으로 옳은 것은?

① 정당은 그 소속 당원이 아닌 무소속을 후보자로 추천할 수 있다.

② 관할 선거구선거관리위원회가 당내경선의 투표 및 개표에 관한 사무를 수탁관리하는 경우에는 그 비용은 정당이 부담한다. 다만, 투표 및 개표참관인의 수당은 당해 국가가 부담한다.

③ 시·군·구의원후보자는 정당표방을 할 수 있고, 무소속은 정당표방을 할 수 없는데 다만 정당의 당원경력을 표시하는 행위에 한해 정당표방할 수 있다.

④ 정당의 후보자 추천에 관한 단순한 지지·반대의 의견개진 및 의사표시는 선거운동에 해당하지 않는다.

20 당내경선에 대한 설명으로 옳지 않은 것은?

① 정당의 당내경선 실시는 정당의 재량행위이다.

② 정당이 공직선거후보자를 추천하기 위하여 당내경선을 실시할 수 있다고 규정한 「공직선거법」(2005.8.4. 법률 제7681호로 개정된 것) 제57조의2 제1항이 당내경선에 참여하고자 하는 청구인의 공무담임권과 평등권을 침해할 가능성이 있다.

③ 「공직선거법」은 정당이 당내경선을 실시하는 경우 경선후보자로서 당해 정당의 후보자로 선출되지 아니한 자는 후보자로 선출된 자가 사퇴·사망·피선거권 상실 또는 당적의 이탈·변경 등으로 그 자격을 상실한 때에는 당해 선거의 같은 선거구에서는 후보자로 등록될 수 있다고 규정하고 있다.

④ 관할 선거구선거관리위원회에 당내경선을 위탁하여 실시하는 경우에는 그 경선 및 선출의 효력에 대한 이의제기는 당해 정당에 하여야 한다.

42회 진도별 모의고사

선거제도

정답 및 해설 p.332

제한시간 : 14분 | 시작시각 ___시 ___분 ~ 종료시각 ___시 ___분 나의 점수 _______

01 후보자 추천에 대한 설명으로 옳은 것은?

① 정당이 임기만료에 따른 지역구국회의원 선거에서 후보자를 추천하는 때에는 전국지역구 총수의 100분의 30 이상을 여성으로 추천하여야 한다.

② 정당이 비례대표국회의원 선거에 후보자를 추천하는 때에는 그 후보자 중 100분의 50 이상을 여성으로 추천하되, 그 후보자명부의 순위의 매 홀수에는 여성을 추천하여야 한다.

③ 정당이 임기만료에 따른 지역구국회의원 선거 및 지역구지방의회의원 선거에 후보자를 추천하는 때에는 각각 전국지역구 총수의 100분의 50 이상을 여성으로 추천하도록 노력하여야 한다.

④ 정당이 비례대표국회의원 선거에 후보자를 추천하는 때에는 그 후보자 중 100분의 30 이상을 여성으로 추천하되, 그 후보자명부의 순위의 매 홀수에는 여성을 추천하여야 한다.

02 후보자등록요건으로서 기탁금에 대한 설명으로 옳은 것은 모두 몇 개인가?

ㄱ. 대통령 선거의 기탁금은 5억 원이었는데, 헌법재판소가 헌법불합치결정을 함에 따라 3억원으로 낮춰졌고, 대통령 예비후보자로 등록하려면 6천만 원의 기탁금을 납부하여야 한다.

ㄴ. 정당후보자와 무소속후보자를 차별하여 기탁금을 정하는 것은 보통·평등선거에 위반한다.

ㄷ. 국회의원후보자등록요건으로서 기탁금 1,500만 원은 정당활동의 자유를 침해한다.

ㄹ. 「공직선거법」상 후보자등록을 신청하는 자는 등록신청시에 후보자 1명마다 일정 금액의 기탁금을 중앙선거관리위원회의 규칙으로 정하는 바에 따라 관할 선거구선거관리위원회에 납부하여야 하는데, 특히 대통령 선거는 기탁금이 3억 원이다.

ㅁ. 헌법재판소는 공직선거에 입후보하려는 자에 대하여 기탁금을 부과하는 것 자체가 선거에 입후보하려고 하는 후보자의 공무담임권을 침해한다고 결정하였다.

ㅂ. 지역구국회의원 예비후보자에게 지역구국회의원이 납부할 기탁금의 100분의 20에 해당하는 금액을 기탁금으로 납부하도록 하는 것은 예비후보자의 공무담임권을 침해하고, 비례대표 기탁금조항은 비례대표국회의원후보자가 되어 국회의원에 취임하고자 하는 자의 공무담임권을 침해한다.

ㅅ. 전북대학교 총장후보자로 지원하려는 사람에게 1,000만 원의 기탁금 납부를 요구하고, 납입하지 않을 경우 총장후보자에 지원하는 기회를 주지 않는 것은 공무담임권을 침해한다.

ㅇ. 대구교육대학교 총장임용후보자 선거에서 후보자가 되려는 사람은 1,000만 원의 기탁금을 납부하도록 규정한 '대구교육대학교 총장임용후보자 선정규정' 제23조 제1항 제2호 및 제24조 제1항이 과잉금지원칙에 위배되어 후보자가 되려는 청구인의 공무담임권을 침해한다.

ㅈ. 대구교육대학교 총장임용후보자 선거 후보자가 제1차 투표에서 최종 환산득표율의 100분의 15 이상을 득표한 경우에만 기탁금의 반액을 반환하도록 하고 반환하지 않는 기탁금은 대학 발전기금에 귀속되도록 규정한 '대구교육대학교 총장임용후보자 선정규정' 제24조 제2항이 과잉금지원칙에 위배되어 청구인의 재산권을 침해한다고 할 수 없다.

① 1개 ② 2개
③ 3개 ④ 4개

03 당선인 결정에 대한 설명으로 옳은 것은 모두 몇 개인가?

ㄱ. 대통령 후보자가 1인인 때에는 그 득표수가 선거권자 총수의 3분의 1 이상에 달하여야 당선인으로 결정하며 이렇게 당선인이 결정된 때에는 중앙선거관리위원회 위원장이 이를 공고한다.
ㄴ. 지역구국회의원 선거에서 후보자가 1인일 때는 투표를 실시하지 않고 그 후보자가 당선인이 된다.
ㄷ. 선거일의 투표마감시각 후 당선인결정 전까지 지역구국회의원후보자가 사퇴·사망하거나 등록이 무효로 된 경우에는 개표 결과 유효투표의 다수를 얻은 자를 당선인으로 결정하되, 사퇴·사망하거나 등록이 무효로 된 자가 유효투표의 다수를 얻은 때에는 차순위 득표자가 당선인이 된다.
ㄹ. 지방자치단체장 선거에서 후보자가 1인일 경우 투표자 총수의 3분의 1 이상을 득표하여야 당선된다.
ㅁ. 지역구국회의원 선거에 있어서 최고득표자가 2인 이상인 때는 국회의 재적의원 과반수가 출석한 공개회의에서 다수표를 얻은 자를 당선자로 한다.
ㅂ. 대통령 선거에서 최고득표자가 2인이어서 국회가 당선인을 결정한 경우 국회의장은 이를 중앙선거관리위원회에 통고하고 중앙선거관리위원장이 그 당선을 공고한다.
ㅅ. 대통령 선거에서 최고득표자가 2인이어서 국회가 당선인을 결정한 경우 국회의장은 이를 중앙선거관리위원회에 통고하고 중앙선거관리위원회 위원장이 그 당선을 공고한다.

① 1개　　② 2개
③ 3개　　④ 4개

04 비례대표제에 대한 설명으로 옳은 것은?

① 헌법은 비례대표제를 규정하고 있다.
② 비례대표제는 대의제 민주주의에서 도출되는 대표제이다.
③ 비례대표제는 영미법계 국가에서 발달한 제도로, 직능을 대표하는 전문가로 국회를 구성할 수 있는 장점이 있다.
④ 임기만료에 따른 비례대표국회의원 선거에서 전국 유효투표 총수의 100분의 3 이상을 득표하고 임기만료에 따른 지역구국회의원 선거에서 5 이상의 의석을 차지한 정당에 대하여 비례대표국회의원 의석을 배분한다.

05 비례대표제에 대한 설명으로 옳은 것은?

① 임기만료에 따른 비례대표국회의원 선거에서 정당의 득표비율에 따라 의석을 배분한다.
② 비례대표국회의원 의석 가운데 연동배분 의석수는 '[(국회의원 정수 × 해당 정당의 비례대표국회의원 선거 득표비율) - 해당 정당의 지역구국회의원 당선인 수] ÷ 2'의 계산식에 따른 값을 소수점 첫째 자리에서 반올림하여 산정한다.
③ 비례대표지방의회의원 선거에 있어서는 당해 선거구선거관리위원회가 유효투표 총수의 100분의 5 이상을 득표한 각 정당에 대하여 당해 선거에서 얻은 득표비율에 비례대표지방의회의원 정수를 곱하여 산출된 수의 정수의 의석을 그 정당에 먼저 배분한다.
④ 정당에 배분된 비례대표국회의원 의석 수가 그 정당이 추천한 비례대표국회의원후보자 수를 넘는 때 후보자를 추가로 추천할 수 있다.

06 비례대표의원에 대한 설명으로 옳지 않은 것은?

① 비례대표국회의원 선거에서의 후보자 추천과 등록은 정당에 의해서 이루어지며 정당은 후보자등록 후에는 후보자명부에 후보자를 추가하거나 그 순위를 변경할 수 있다.

② 「공직선거법」이 '고정명부식 비례대표제'를 채택하고 있으므로 선거에 참여한 선거권자들의 정치적 의사표명에 의하여 직접 결정되는 것은 어떠한 비례대표국회의원후보자가 비례대표국회의원으로 선출되느냐의 문제라기보다는 비례대표국회의원을 할당받을 정당에 배분되는 비례대표국회의원의 의석 수이며 비례대표국회의원 선거는 인물에 대한 선거가 아닌 정당에 대한 선거로서의 성격을 갖는다.

③ 신문광고, 방송광고와 인터넷 광고를 통한 선거운동은 비례대표국회의원 선거에서 허용하고, 지역구국회의원후보자 개인에게는 이를 허용하고 있지 않다.

④ 비례대표국회의원후보자에게는 제한된 범위에서 사전 선거운동을 할 수 있는 예비후보자등록을 허용하지 않고 현수막이나 선거벽보와 같이 특정 지역구에서 후보자 개개인을 홍보하는 데에 효과적인 선거운동방법에 대해서는 지역구국회의원후보자만 이를 이용할 수 있도록 규정하고 있다.

⑤ 「공직선거법」 제79조 제1항 및 「공직선거법」 제101조 중 선거운동기간 중 공개장소에서 비례대표국회의원후보자의 연설·대담을 금지하는 부분은 과잉금지원칙에 반하여 비례대표국회의원후보자인 청구인의 선거운동의 자유 및 정당활동의 자유를 침해한다고 할 수 없다.

07 선거제도에 대한 설명으로 옳은 것은?

① 소선거구제, 다수대표제를 채택하는 경우에 중대선거구제나 소수대표제를 채택하는 경우보다 사표가 늘어난다.

② 다수대표제는 소수 보호를 위해서 다수형성을 희생시키나 비례대표제는 다수형성을 위해 소수 보호를 희생시킨다.

③ 다수대표제는 평등선거원칙의 투표가치성과의 평등에 가장 잘 부합한다.

④ 소선거구 다수대표제를 규정하여 다수의 사표가 발생한다면 헌법상 요구된 선거의 대표성의 본질을 침해한다거나 그로 인해 국민주권원리를 침해한다.

⑤ 다수대표제는 거대정당에게 일방적으로 유리하고, 다양해진 국민의 목소리를 제대로 대표하지 못하며, 사표를 양산하는 비례대표제의 문제점에 대한 보완책으로 고안·시행되는 것이다.

08 선거제도에 대한 설명으로 옳은 것은?

① 선거범죄를 정당의 책임으로 귀속시킴으로써 선거부정방지를 도모하고자 하는 입법자의 결단이 현저히 잘못되었거나 크게 부당하다고 보기 어려우므로 선거범죄로 인하여 당선이 무효로 된 때를 비례대표지방의회의원의 의석승계 제한사유로 규정한 「공직선거법」 제200조 제2항이 공무담임권을 침해한다고 할 수 없다.

② 선거범죄로 당선이 무효로 되는 경우에 이미 보전받은 선거비용뿐만 아니라 반환받은 기탁금 전액까지 반환하도록 하는 것은 지나친 제재라고 볼 수 있다.

③ 당선인이 임기개시 전에 사퇴하거나 사망한 때에는 재선거를 실시한다.

④ 정당, 후보자, 선거사무장, 선거연락소장, 선거운동원 또는 연설원이 아닌 자의 선거운동을 금지한 구 「대통령선거법」 제36조은 선거운동의 자유를 침해하지 않는다.

09 선거제도에 대한 설명으로 옳은 것은 모두 몇 개인가?

ㄱ. 헌법재판소 판례에 따르면, 특정 후보자를 당선시킬 목적의 유무에 관계없이 당선되지 못하게 하기 위한 행위 일체를 선거운동으로 규정하여 이를 규제하는 것은 헌법에 합치된다.
ㄴ. 「공직선거법」에 따르면, 정당의 후보자 추천에 관한 단순한 지지·반대의 의견개진 및 의사표시는 선거운동이다.
ㄷ. 「공직선거법」 또는 다른 법령규정에 의해서 허용되는 방식으로 선거운동을 할 수 있고, 법에 규정되지 않은 선거운동은 할 수 없다.
ㄹ. 선거운동의 자유도 무제한일 수는 없는 것이고, 선거의 공정성이라는 또 다른 가치를 위하여 어느 정도 선거운동의 주체, 기간, 방법 등에 대한 규제가 행하여지지 않을 수 없으므로, 그 제한입법의 위헌 여부에 대하여는 엄격한 심사기준이 적용되어서는 안 된다.
ㅁ. 군의 장의 선거의 예비후보자가 되려는 사람은 그 선거기간 개시일 전 60일부터 예비후보자등록신청을 할 수 있다고 규정한 「공직선거법」 제60조의2 제1항 제4이 청구인의 선거운동의 자유를 침해하지 않는다.
ㅂ. 미성년자(18세 미만의 자를 말한다)라고 하더라도 예비후보자·후보자의 직계비속인 경우에는 선거운동을 할 수 있다.
ㅅ. 선거운동기간 전에 「공직선거법」에 규정된 방법을 제외하고 인쇄물 등의 배부를 금지한 「공직선거법」 조항은 정치적 표현의 자유를 침해하지 않는다.

① 1개 ② 2개
③ 3개 ④ 4개

10 선거운동이 금지된 자에 대한 설명으로 옳지 않은 것은 모두 몇 개인가?

ㄱ. 지방의회의원 선거에서 선거권을 갖는 외국인은 누구라도 해당 선거에서 선거운동을 할 수 없다.
ㄴ. 한국철도공사의 상근직원에 대하여 선거운동을 금지하고 이를 위반한 경우 처벌하도록 규정한 「공직선거법」 제60조 제1항 제5호 중 제53조 제1항 제4호 가운데 '한국철도공사의 상근직원 부분'은 선거운동의 자유를 침해한다는 헌법재판소 결정이 있었기 때문에 「공직선거법」 개정으로 공사직원의 선거운동은 허용되고 있다.
ㄷ. 예비후보자의 배우자인 공무원에 대해서 선거운동을 금지하는 것은 선거운동의 자유를 침해하는 것으로 볼 수 없다고 헌법재판소가 합헌결정하였으나, 현행법상 예비후보자의 배우자는 선거운동을 할 수 있다.
ㄹ. 언론인의 선거운동을 금지하고, 이를 위반한 경우 처벌하도록 규정한 「공직선거법」 관련 조항 부분은 선거운동의 자유를 침해한다.
ㅁ. 국민건강보험공단 직원의 업무가 일반 보험회사의 직원이 담당하는 보험업무와 내용상 크게 다르지 않다 하더라도 그 신분상의 특수성과 조직의 규모, 개인정보 지득의 정도, 선거개입시 예상되는 부작용 등이 사보험업체 직원이나 다른 공단의 직원의 경우와 현저히 차이가 나는 이상, 국민건강보험공단 직원의 선거운동의 금지는 정당한 차별목적을 위한 합리적인 수단을 강구한 것으로서 평등권을 침해하지 않는다.
ㅂ. 사회복무요원의 선거운동을 금지한 「병역법」은 선거운동의 자유를 침해하지 않는다.
ㅅ. 교육공무원에 대하여 일체의 선거운동을 금지함으로써 달성되는 공익은 상대적이고 모호하며 그 범주가 매우 다양한 반면, 그에 따른 선거운동의 자유에 대한 제약은 심대하므로 공직선거 및 교육감 선거에서 교육공무원의 선거운동을 금지하는 「공직선거법」은 표현의 자유를 침해한다.
ㅇ. 병역의무를 이행하는 병에 대하여 정치적 중립의무를 부과하면서 선거운동을 할 수 없도록 하는 「국가공무원법」은 청구인의 선거운동의 자유와 평등권을 침해한다고 할 수 없다.

① 1개 ② 2개
③ 3개 ④ 4개

11 **선거운동이 금지된 단체에 대한 설명으로 옳지 않은 것은?**

① 각종 단체는 선거운동을 할 수 없게 금지하면서, 예외적으로 노동조합에만 이를 허용하도록 규정하고 있는 「공직선거법」 제87조 단서는 평등원칙에 위배된다.

② 선거운동을 하거나 할 것을 표방한 노동조합 또는 단체는 선거부정을 감시하는 공명선거추진활동을 할 수 없다.

③ 노동조합은 그 명의로 선거운동을 할 수 있으나, 향우회·종친회 등 개인 간의 사적 모임은 그 명의 또는 그 대표의 명의로 선거운동을 할 수 없다.

④ 정당이 아닌 단체에 정당만큼의 선거운동이나 정치활동을 허용하지 아니하였다 하여 곧 그것이 그러한 단체의 평등권이나 정치적 의사표현의 자유를 제한한 것이라고는 말할 수 없다.

12 **공무원의 선거운동 제한에 대한 설명으로 옳지 않은 것을 모두 조합한 것은?**

ㄱ. 공무원에 대해 선거운동 기획에 참여할 수 없도록 한 「공직선거법」 제86조는 공무원의 지위를 이용한 행위에 적용되면 헌법에 위반되지 않는다.
ㄴ. 공무원이 그 지위를 이용하지 않고 사적인 지위에서 선거운동의 기획행위를 하는 것까지 금지하는 것은 선거의 공정성을 보장하려는 입법목적을 달성하기 위한 합리적인 차별취급이라고 볼 수 있으므로 평등권을 침해한다고 할 수 없다.
ㄷ. 국회의원과 지방의회의원, 지방자치단체의 장은 모두 선거에 의해 선출되는 정무직 공무원으로서 선거운동의 자유가 보장되어야 함에도 불구하고, 구 「공직선거 및 선거부정방지법」이 선거운동의 기획에 참여하거나 그 기획의 실시에 관여하는 행위'를 국회의원, 지방의회의원 등에게는 허용하고 지방자치단체의 장에게는 허용하지 않는 것은, 합리적인 근거 없는 차별로서 평등원칙에 위배된다.
ㄹ. 공무원의 지위를 이용하여 선거에 영향을 미치는 행위를 금지하는 「공직선거법」이 죄형법정주의의 명확성원칙에 위배된다고 할 수 없다.
ㅁ. 공무원의 지위를 이용하여 선거에 영향을 미치는 행위에 대하여 1년 이상 10년 이하의 징역 또는 1천만 원 이상 5천만 원 이하의 벌금에 처하도록 규정한 「공직선거법」 제255조 제5항 중 제85조 제1항의 '공무원이 지위를 이용하여 선거에 영향을 미치는 행위' 부분이 형벌체계상의 균형에 어긋난다.

① ㄱ, ㄴ　　② ㄱ, ㄴ, ㄷ, ㅁ
③ ㄴ, ㄷ　　④ ㄷ, ㄹ, ㅁ

13 선거운동에 대한 설명으로 옳지 않은 것은 모두 몇 개인가?

ㄱ. 문자메시지를 전송하는 방법으로 선거운동을 하는 것은 선거운동기간에 한해 허용된다.
ㄴ. 선거일에도 인터넷 홈페이지를 이용한 선거운동이 허용된다.
ㄷ. 선거운동기간 전에 자신이 개설한 인터넷 홈페이지를 이용한 선거운동을 허용하고 일반 유권자에 대해서는 이를 금지하는 「공직선거법」 조항은 일반 유권자의 선거운동의 자유를 침해하고 평등원칙에 위배된다.
ㄹ. 자기 또는 특정인을 금고의 임원으로 당선되게 하거나 당선되지 못하게 할 목적으로, '금고의 정관으로 정하는 기간 중에' 회원의 호별 방문행위 등을 한 자를 처벌하는 「새마을금고법」은 죄형법정주의에 위배된다.
ㅁ. 선거운동을 위한 호별 방문금지규정에도 불구하고 '관혼상제의 의식이 거행되는 장소와 도로·시장·점포·다방·대합실 기타 다수인이 왕래하는 공개된 장소'에서의 지지호소를 허용하는 「공직선거법」이 죄형법정주의 명확성원칙에 위반된다고 볼 수 없다.
ㅂ. 선거운동을 위한 호별 방문을 금지하고 이를 위반한 자를 처벌하는 「공직선거법」이 선거운동의 자유 내지 정치적 표현의 자유를 침해한다고 할 수 없다.
ㅅ. 점자형 선거공보의 면수를 책자형 선거공보의 면수 이내로 제한한 「공직선거법」 제65조 제4항 본문 중 '제2항에 따른 책자형 선거공보의 면수 이내로 한정한 「공직선거법」은 점자형 선거공보의 작성·발송 비용 등은 국가적 차원에서 감당하기 어렵다 할 수 없으므로 과잉금지원칙에 위배되어 청구인 김○○의 선거권을 침해한다.
ㅇ. 언어장애를 가진 후보자를 위한 선거운동방법을 별도로 마련해 주지 않은 채 언어장애후보자와 비장애후보자의 선거운동방법을 같은 수준에서 일률적으로 제한하는 것은 평등권을 침해한 것이다.

① 1개 ② 2개
③ 3개 ④ 4개

14 기부행위금지에 대한 설명으로 옳지 않은 것은?

① 당해 선거구 안에 있는 자에 대하여 후보자 등이 아닌 제삼자가 기부행위를 한 경우 징역 또는 벌금형에 처하도록 정한 「공직선거법」은 후보자 등이 아닌 제3자의 선거운동의 자유나 일반적 행동자유권을 침해한다고 할 수 없다.

② 후보자는 입후보하고자 하는 지역에서 기부행위를 할 수 없으나, 당해 선거구의 밖에 있지만 그 선거구민과 연고가 있는 자나 기관·단체·시설에는 기부행위를 할 수 없다.

③ 기부행위금지규정에 위반하여 제공받은 금액의 50배에 상당하는 과태료를 부과하도록 한 「공직선거법」 조항은 과잉형벌에 해당한다.

④ 국회의원 등의 후보자가 되고자 하는 자가 선거구 밖에 있는 선거구민과 연고가 있는 자에 대한 기부행위를 금지한 것에 대하여 '기부행위' 부분은 불명확하다고 볼 수 있으므로 명확성원칙에 위배된다.

15 **다음 사례에 대한 설명으로 옳지 않은 것은? (다툼이 있는 경우 판례에 의함)**

> 대통령 甲은 대통령선거를 10개월여 앞둔 시점에서 소상공인들이 주최한 간담회에 참석하여 재벌가의 후손인 야당의 대표가 대통령에 당선되면 소상공인들의 지위는 더욱 불안해질 수밖에 없으니 대통령 선거에서 현명한 선택을 당부한다는 취지의 발언을 하였다. 이에 야당은 甲의 발언이 「공직선거법」 제9조 제1항에 위반된다는 이유로 甲을 중앙선거관리위원회에 고발하였다. 중앙선거관리위원회는 甲에 대해 「공직선거법」 제9조 제1항이 정한 공무원의 선거중립의무를 위반하였다고 결정하면서 대통령의 선거중립의무 준수요청조치를 취한 후, 이를 甲에게 통고하고 언론사를 통하여 공표하였다. 이 같은 중앙선거관리위원회의 요청조치에 대해 甲은 헌법소원심판을 청구하였다.
>
> **[참고조문]**
> 「공직선거법」 제9조 ① 공무원 기타 정치적 중립을 지켜야 하는 자(기관·단체를 포함한다)는 선거에 대한 부당한 영향력의 행사 기타 선거 결과에 영향을 미치는 행위를 하여서는 아니된다.

① 「공직선거법」 제9조와 정무직공무원의 일반적 정치활동을 허용하는 「국가공무원법」 제66조의 관계에서 선거영역에서 특별법은 「공직선거법」이므로 「공직선거법」이 우선하여 적용된다.

② 선거법 위반행위인지 여부와 그에 대한 조치는 위반행위자에게 의견진술의 기회를 보장하는 것이 반드시 필요하거나 적절하다고 보기는 어렵다.

③ 중앙선거관리위원회의 「공직선거법」 준수요청조치는 甲에게 법적 효과를 미치므로 공권력 행사에 해당하고 중앙선거관리위원회의 위 요청조치는 항고소송을 거치지 아니하고 헌법소원심판을 청구할 수 있다.

④ 대통령은 정무직공무원이므로 선거활동에 관하여 대통령의 정치활동의 자유와 선거중립의무가 충돌하는 경우에는 전자가 강조되고 우선되어야 한다.

⑤ 일반 공무원이 「공직선거법」 제9조는 위반한 경우에는 직무상의 의무 위반이나 직무태만으로 징계사유가 되고, 대통령의 경우 탄핵사유가 될 수 있으므로 위 법률조항의 위반에 대한 제재가 전혀 없다고 볼 수도 없다. 따라서 이 사건 법률조항이 구체적 법률효과를 발생시키지 않는 단순한 선언적·주의적 규정이라고 볼 수 없다.

16 **지방자치단체장 선거에서 각급 선거방송토론위원회가 필수적으로 개최하는 대담·토론회 등의 초청 자격을 제한하고 있는 공직선거법에 대한 설명으로 옳은 것은?**

① 지방자치단체장 선거에서 각급 선거방송토론위원회가 필수적으로 개최하는 대담·토론회 등의 초청 자격을 제한하고 있는 「공직선거법」은 공무담임권을 제한한다.

② 선거운동에서의 기회균등 보장은 일반적 평등원칙과 다르게 절대적이고도 획일적인 평등 내지 기회균등을 요구하는 것이다.

③ 선거방송 대담·토론회조항이 선거운동의 기회균등원칙과 관련한 평등권을 침해하는지 여부를 심사함에 있어서는 엄격한 심사에 의하는 것이 타당하다.

④ 지방자치단체장 선거에서 각급 선거방송토론위원회가 필수적으로 개최하는 대담·토론회 등의 초청 자격을 제한하고 있는 「공직선거법」은 평등권을 침해하지 않는다.

17 선거쟁송에 대한 설명으로 옳은 것은?

> 「공직선거법」 제219조(선거소청) ① 지방의회의원 및 지방자치단체의 장의 선거에 있어서 선거의 효력에 관하여 이의가 있는 선거인·정당(후보자를 추천한 정당에 한한다) 또는 후보자는 선거일부터 14일 이내에 당해 선거구선거관리위원회 위원장을 피소청인으로 하여 지역구시·도의원 선거(지역구세종특별자치시의회의원 선거는 제외한다), 자치구·시·군의원 선거 및 자치구·시·군의 장 선거에 있어서는 시·도선거관리위원회에, 비례대표시·도의원 선거, 지역구세종특별자치시의회의원 선거 및 시·도지사 선거에 있어서는 중앙선거관리위원회에 소청할 수 있다.

① 국회의원 선거에 있어서 선거의 효력에 관하여 이의가 있는 선거인·정당(후보자를 추천한 정당에 한한다) 또는 후보자는 당해 선거구선거관리위원회 위원장을 피소청인으로 하여 중앙선거관리위원회에 소청할 수 있다.

② 서울시장 선거의 효력이 있는 선거인은 반드시 소청절차를 거쳐야 선거소송을 제기할 수 있다.

③ 관악구청장 선거에 이의가 있는 선거인은 선거일로부터 30일 이내에 관악구 선거관리위원회 위원장을 피소청인으로 하여 서울시 선거관리위원회에 소청할 수 있다.

④ 부산광역시 비례대표의원 선거에 이의가 있는 선거인·정당(후보자를 추천한 정당에 한한다) 또는 후보자는 제기한 소청결정서가 송달된 때로부터 10일 이내에 부산고등법원에 선거소송을 제기할 수 있다.

18 선거에 관한 소송에 대한 설명으로 옳은 것은?

> 「공직선거법」 제222조(선거소송) ① 대통령 선거 및 국회의원 선거에 있어서 선거의 효력에 관하여 이의가 있는 선거인·정당(후보자를 추천한 정당에 한한다) 또는 후보자는 선거일부터 30일 이내에 당해 선거구선거관리위원회 위원장을 피고로 하여 대법원에 소를 제기할 수 있다.
> ② 지방의회의원 및 지방자치단체의 장의 선거에 있어서 선거의 효력에 관한 제220조의 결정에 불복이 있는 소청인(당선인을 포함한다)은 해당 소청에 대하여 기각 또는 각하 결정이 있는 경우(제220조 제1항의 기간 내에 결정하지 아니한 때를 포함한다)에는 해당 선거구선거관리위원회 위원장을, 인용결정이 있는 경우에는 그 인용결정을 한 선거관리위원회 위원장을 피고로 하여 그 결정서를 받은 날(제220조 제1항의 기간 내에 결정하지 아니한 때에는 그 기간이 종료된 날)부터 10일 이내에 비례대표시·도의원 선거 및 시·도지사 선거에 있어서는 대법원에, 지역구시·도의원 선거, 자치구·시·군의원 선거 및 자치구·시·군의 장 선거에 있어서는 그 선거구를 관할하는 고등법원에 소를 제기할 수 있다.
>
> 제223조(당선소송) ① 대통령 선거 및 국회의원 선거에 있어서 당선의 효력에 이의가 있는 정당(후보자를 추천한 정당에 한한다) 또는 후보자는 당선인결정일부터 30일 이내에 제52조 제1항·제3항 또는 제192조 제1항부터 제3항까지의 사유에 해당함을 이유로 하는 때에는 당선인을, 제187조(대통령 당선인의 결정·공고·통지) 제1항·제2항, 제188조(지역구국회의원 당선인의 결정·공고·통지) 제1항 내지 제4항, 제189조(비례대표국회의원 의석의 배분과 당선인의 결정·공고·통지) 또는 제194조(당선인의 재결정과 비례대표국회의원 의석 및 비례대표지방의회의원 의석의 재배분) 제4항의 규정에 의한 결정의 위법을 이유로 하는 때에는 대통령 선거에 있어서는 그 당선인을 결정한 중앙선거관리위원회 위원장 또는 국회의장을, 국회의원 선거에 있어서는 당해 선거구선거관리위원회 위원장을 각각 피고로 하여 대법원에 소를 제기할 수 있다.

① 선거의 효력을 다투는 선거소송은 일종의 민중소송으로서 대통령 선거, 국회의원 선거의 효력에 관하여 이의가 있는 선거인, 후보자 또는 모든 정당이 제기할 수 있다.

② 국회의원 지역구 선거에 있어서 선거의 효력에 관하여 이의가 있는 선거인·정당(후보자를 추천한 정당에 한한다) 또는 후보자는 선거일부터 30일 이내에 당해 선거구선거관리위원회 위원장을 피고로 하여 대법원에 소를 제기할 수 있다.

③ 관악구청장에 있어서 당선의 효력에 이의가 있는 선거인·정당(후보자를 추천한 정당에 한한다) 또는 후보자는 선거소청결정을 통보받은 날로부터 10일 이내에 서울 행정법원에 소를 제기할 수 있다.

④ 지방의회의원 및 지방자치단체의 장의 선거에 있어서 선거의 효력에 관한 소청결정에 불복이 있는 소청인(당선인을 포함한다)은 소청결정서를 받은 경우에는 그 날로부터 10일 이내에 시·도의원 선거 및 시·도지사 선거에 있어서는 대법원에, 자치구·시·군의원 선거 및 자치구·시·군의 장 선거에 있어서는 그 선거구를 관할하는 고등법원에 소를 제기할 수 있다.

19 **선거에 관한 소송에 대한 설명으로 옳지 않은 것은?**

① 선거 관련 범죄에 대한 검사의 불기소처분에 대하여 고소·고발한 후보자, 정당의 중앙당, 선거관리위원회는 재정을 신청할 수 있으나, 정당의 시·도당과 고발한 선거인은 관할 고등법원에 재정을 신청할 수 없다.

② 선거 관련 범죄에 대한 검사의 불기소처분에 대하여 시·도당은 재정신청할 수 없다.

③ 소청이나 소장을 접수한 선거관리위원회 또는 대법원이나 고등법원은 선거쟁송에 있어서 선거에 관한 규정에 위반된 사실이 있다면 선거의 결과에 영향을 미쳤는가는 관계없이 선거의 전부나 일부의 무효 또는 당선의 무효를 결정하거나 판결할 수 있다.

④ 당선소송에서 당선인이 사망한 경우, 대통령 선거에서는 법무부장관이, 국회의원 선거에서는 관할 고등검찰청 검사장이 피고인이 된다.

20 **선거제도에 대한 설명으로 옳지 않은 것은?**

① 국회의원 선거의 선거기간을 14일로 정한 것은 제한의 입법목적, 제한의 내용, 선거의 태양, 현실적 필요성 등을 고려할 때 선거운동의 자유에 대한 필요하고도 합리적인 제한이므로 헌법에 위반되지 않는다.

② 대통령의 선거기간은 23일이고, 국회의원 선거와 지방자치단체의 의회의원 및 장의 선거의 선거기간은 14일이며, 대통령 선거의 선거기간이라 함은 후보자등록마감일의 다음 날부터 선거일까지를 말한다.

③ 기초의회의원 선거 후보자로 하여금 특정 정당으로부터의 지지 또는 추천받음을 표방할 수 없도록 한 것은 정치적 표현의 자유를 침해한다고 할 수 없다.

④ 정당이 그 목적을 달성하기 위하여 행하는 고유한 기능과 통상적인 활동은 선거에 있어서도 보장되어야 하며, 따라서 그로 인하여 무소속후보자와 정당후보자 간에 차별이 생긴다 하더라도 그것은 불합리한 차별이라고 할 수 없다.

진도별 모의고사

공무담임권 ~ 공무원제도

정답 및 해설 p.341

제한시간 : 14분 | 시작시각 ___시 ___분 ~ 종료시각 ___시 ___분

나의 점수 ______

01 공무담임권 보호영역에 대한 설명으로 옳지 않은 것은?

① 공무담임권이란 입법부, 집행부, 사법부는 물론 지방자치단체 등 국가, 공공단체의 구성원으로서 그 직무를 담당할 수 있는 권리를 말한다.

② 헌법 제7조에서 보장하는 직업공무원제도의 기본적 요소에 능력주의가 포함되는 점에 비추어 공무담임권은 모든 국민이 누구나 그 능력과 적성에 따라 공직에 취임할 수 있는 균등한 기회의 보장을 그 내용으로 한다.

③ 공무원채용시험에서 응시연령의 제한은 중대한 공무담임권의 제한이 된다.

④ 대학총장후보자 선출에 참여할 권리는 헌법상 기본권으로 인정할 수 없다.

02 공무담임권 보호영역에 대한 설명으로 옳은 것은?

① 공무담임권의 보호영역에는 공직취임의 자의적인 배제뿐 아니라, 공무원 신분의 부당한 박탈이나 권한 또는 직무의 부당한 정지도 포함한다.

② 공무담임권의 보호영역에는 일반적으로 공직취임의 기회 보장, 신분 박탈, 직무의 정지가 포함될 뿐만 아니라, 여기서 나아가 공무원이 특정의 장소에서 근무하는 것 또는 특정의 보직을 받아 근무하는 것을 포함하는 일종의 공무수행의 자유까지 그 보호영역에 포함된다.

③ 공무담임권의 보호영역에는 공직취임 기회의 자의적인 배제뿐만 아니라 공무원 신분의 부당한 박탈이나 권한의 부당한 정지, 승진시험의 응시 제한이나 이를 통한 승진 기회의 보장 등이 포함된다.

④ 공무담임권은 공직취임의 기회균등을 요구하지만, 취임한 뒤 승진할 때에도 균등한 기회 제공을 요구하지는 않는다.

03 공무담임권 보호영역에 대한 설명으로 옳은 것은?

① 공무원 내부 승진 기회 보장은 공무담임권의 내용에 포함되므로 「공무원임용령」 부칙 제2조 제1항 등에 의해 경찰청 내에 일반직공무원의 정원이 증가하여 승진경쟁이 치열해졌다면 일반직공무원으로 근무하고 있는 청구인들의 헌법상 공무담임권 침해 문제가 생길 여지는 있다.

② 기능직공무원이 일반직공무원으로 우선 임용될 수 있는 권리나 기회 보장은 공무담임권에서 보호되지 않는다.

③ 공무원의 재임기간 동안 충실한 공무수행을 담보하기 위하여 공무원의 퇴직급여 및 공무상 재해보상을 보장할 것까지 공무담임권의 보호영역에 포함된다.

④ 헌법 제25조는 모든 국민에게 공무담임권을 보장하고 있는바, 이는 모든 국민이 현실적으로 국가나 공공단체의 직무를 담당할 수 있다고 하는 의미이다.

04 공무담임권 보호영역에 대한 설명으로 옳은 것을 모두 조합한 것은?

ㄱ. 공무원채용시험에 있어서의 응시연령은 그 연령에 해당하지 않는 자에게는 응시 기회가 봉쇄된다는 점에서 중대한 공무담임권의 제한이 된다.
ㄴ. 정당의 내부경선에 참여할 권리는 헌법이 보장하는 공무담임권의 내용에 포함되지 않는다.
ㄷ. 단과대학장의 선출에 참여할 권리는 대학의 자율에 포함된다고 볼 수 있으므로 대학의 장이 단과대학장을 지명하도록 하고 있는 「교육공무원임용령」 조항은 공무담임권 침해가능성이 있다.
ㄹ. 서울교통공사의 직원이라는 직위는 헌법 제25조가 보장하는 공무담임권의 보호영역인 '공무'의 범위에는 해당하지 않는다.

① ㄱ, ㄴ
② ㄱ, ㄴ, ㄹ
③ ㄴ, ㄷ, ㄹ
④ ㄷ

05 공무담임권 보호영역에 대한 설명으로 옳지 않은 것은 모두 몇 개인가?

ㄱ. 국회의원 선거의 기탁금제도는 공무담임권의 제한 문제와 관련된다.
ㄴ. 지역구국회의원 선거구 구역표의 획정으로 인하여 공무담임권이 제한된다고 할 수 없다.
ㄷ. 공무원의 '금품수수'로 인한 징계의 시효를 다른 일반적 징계사유의 경우보다 길게 정하고 있다고 하더라도 공무담임권이 제한된다고 보기는 어렵다.
ㄹ. 연로회원지원금은 공무담임권에서 보호되므로 국회의원 재직기간이 1년 미만인 자를 연로회원지원금 지급대상에서 제외하고 있는 「대한민국헌정회 육성법」 조항은 공무담임권을 제한한다.
ㅁ. 승진임용과 평가의 기준이 변경된 경우에 승진임용의 대상자들인 교사들이 제도변경 전후의 평가기준을 승진임용심사에서 동등하게 취급하라고 요구할 권리를 가지므로 1997.12.31. 이전에 도서·벽지학교에 근무한 교원의 근무경력에 더 많은 가산점을 부여하는 것은 공무담임권을 제한한다.
ㅂ. 공무원으로 근무하다가 군복무한 자의 군복무기간은 승진최저연수에 포함시키면서 군복무 후 공무원이 된 자의 군복무기간은 승진최저연수에 포함하지 아니한 경우 승진가능성이 낮아지는 사실상 불이익의 문제가 아니므로 공무담임권의 제한에 해당한다.
ㅅ. 공무담임권이란 국가, 공공단체의 구성원으로서 그 직무를 담당할 수 있는 권리이므로 지역구국회의원 선거에서 시·군·구 선거방송토론위원회가 개최하는 대담·토론회의 초청자격을 제한함으로써, 비초청대상후보자의 경우 국가기관의 공직에 취임할 수 있는 권리가 직접 제한된다.

① 1개
② 2개
③ 3개
④ 4개

06 공무담임권에 대한 설명으로 옳지 않은 것을 모두 조합한 것은?

> ㄱ. 지방자치단체의 장으로 하여금 당해 지방자치단체의 관할 구역과 겹치는 선거구역에서 실시되는 지역구국회의원 선거에 입후보하고자 하는 경우 당해 선거의 선거일 전 120일까지 그 직을 사퇴하도록 한 「공직선거법」 조항은 해당 지방자치단체장의 평등권을 침해하지 않는다.
> ㄴ. 지방자치단체의 장으로 하여금 당해 지방자치단체의 관할 구역과 같거나 겹치는 선거구역에서 실시되는 지역구국회의원 선거에 입후보하고자 하는 경우 당해 선거의 선거일 전 180일까지 그 직을 사퇴하도록 하는 것은 해당 지방자치단체장의 공무담임권을 침해하지 않는다.
> ㄷ. 지방자치단체의 장이 그 임기 중에 그 직을 사퇴하여 대통령 선거, 국회의원 선거, 지방의회의원 선거 및 다른 지방자치단체의 장 선거에 입후보할 수 없도록 하는 것은 공무담임권을 침해한다.
> ㄹ. 광역자치단체장 선거의 예비후보자와 자치구의회의원선거의 예비후보자에게 후원회를 둘 수 없게 된 것은 이로 인해 선거에서 불리한 지위에 놓임으로써 공무담임권을 침해한다고 할 수 없다.

① ㄱ, ㄷ　　② ㄴ, ㄹ
③ ㄱ, ㄴ, ㄷ　　④ ㄷ, ㄹ

07 공무원 연령에 대한 설명으로 옳지 않은 것은 모두 몇 개인가?

> ㄱ. 경찰공무원 응시연령을 30세 이하로 규정한 「경찰공무원임용령」 조항은 공무담임권을 침해한다고 할 수 있다.
> ㄴ. 헌법재판소는 「공무원임용시험령」 제16조 중 5급 공개경쟁채용시험의 응시연령 상한을 '32세까지'로 한 부분이 응시자의 공무담임권을 침해하지 않는다고 결정하였다.
> ㄷ. 경찰대학의 입학연령을 21세 미만으로 정한 것은 공무담임권을 침해한다.
> ㄹ. 9급 공무원 경쟁채용시험의 응시상한연령을 28세로 정한 「공무원법」 조항은 공무담임권을 침해한다.
> ㅁ. 부사관으로 최초로 임용되는 사람의 최고연령을 27세로 정한 「군인사법」 조항은 공무담임권을 침해한다고 할 수 없다.
> ㅂ. 대학 교원을 제외하고 교육공무원의 정년을 65세에서 62세로 단축한 「교육공무원법」 제47조 제1항이 교원들의 공무담임권을 침해하는 것이 아니다.

① 1개　　② 2개
③ 3개　　④ 4개

08 공무담임권에 대한 설명으로 옳은 것은?

① 임용권자로 하여금 형사사건으로 기소된 공무원을 직위해제할 수 있도록 규정한 것은 그러한 공무원을 직무담당으로부터 배제함으로써 공직 및 직무수행의 공정성과 그에 대한 국민의 신뢰를 유지하기 위한 것으로서 입법목적이 정당하지만, 직무와 전혀 관련이 없는 범죄나 지극히 경미한 범죄로 기소된 경우까지 임용권자의 임의적인 판단에 따라 직위해제를 할 수 있게 허용하므로 공무담임권을 침해한다.
② 금고 이상의 형의 선고유예를 받고 그 기간 중에 있는 자를 임용결격사유로 삼고, 위 사유에 해당하는 자가 임용되더라도 이를 당연무효로 하는 구 「국가공무원법」은 공무담임권을 침해한 것이라고 볼 수 없다.
③ 직무와 관련 있는 범죄로 금고 이상의 집행유예를 선고받은 경우 공무원의 당연퇴직은 공무담임권 침해가 아니나, 직무와 무관한 범죄로 인하여 금고 이상의 집행유예를 선고받은 공무원의 당연퇴직은 공무담임권을 침해한다.
④ 수뢰죄로 금고 이상의 선고유예를 받은 국가공무원의 당연퇴직을 규정한 「국가공무원법」은 과잉금지원칙에 반하여 공무담임권을 침해한다.

09 공무담임권에 대한 설명으로 옳은 것은?

① 공무원으로 임용되기 전에 병역의무를 이행한 기간을 공무원 경력평정에 60퍼센트 반영하는 「지방공무원 임용령」은 공무담임권을 침해한다.

② 공무원으로 임용되기 전에 병역의무를 이행한 기간을 승진소요 최저연수에 포함하는 규정을 두지 않은 지방공무원 임용령은 공무담임권을 침해한다.

③ 정당의 공직후보자 추천을 위한 당내경선 실시 여부를 정당이 재량으로 결정할 수 있도록 한 「공직선거법」 조항은 공무담임권을 침해할 가능성이 없다.

④ 「공직선거법」 위반죄로 100만 원 이상의 벌금형의 선고를 받은 때 국회의원 당선무효되도록 규정한 「공직선거법」 조항은 당선무효 여부를 법관의 자유재량으로 정해지는 벌금형의 선고금액에 의존하도록 규정하여 민주주의와 국민주권을 선언한 헌법 제1조와 사법권을 법원에 부여한 헌법 제101조 제1항에 비추어 볼 때 헌법원리에 반하는 방법에 의한 기본권 제한이라고 하지 않을 수 없을 뿐만 아니라, 객관적이거나 합리적인 근거가 전혀 없는 기준을 들어 기본권을 제한하는 것이므로, 위 조항은 방법의 적정성에 반하여 청구인의 참정권을 침해하였다.

10 공무담임권에 대한 설명으로 옳지 않은 것은?

① 교육감후보자 자격에 관하여 후보자등록신청 개시일부터 과거 2년 동안 정당의 당원이 아닌 자로 규정하고 있는 「지방교육자치에 관한 법률」 제10조는 공무담임권을 침해한다고 할 수 없다.

② 교육경력자를 교육위원 정수 중 2분의 1까지 우선 당선시키도록 한 「지방교육자치에 관한 법률」 조항은 공무담임권을 침해한다고 할 수 없다.

③ 후보자등록요건으로 교육경력을 요구하는 교육감, 교육위원 선거조항은 공무담임권을 침해한다고 할 수 없다.

④ 국방부 등의 보조기관에 근무할 수 있는 기회를 현역군인에게만 부여하고 군무원에게는 부여하지 않는 법률조항은 군무원의 공무담임권을 침해한다.

11 공무담임권에 대한 설명으로 옳은 것은?

① 방위사업청장이 행정5급 일반임기제공무원을 채용하는 경력경쟁채용시험 공고를 하면서, 그 응시자격요건으로 '변호사 자격 등록'을 요구한 부분은 변호사 자격을 가졌으나 변호사 자격 등록을 하지 아니한 청구인들의 공무담임권을 침해한다고 할 수 없다.

② 법무부장관이 2020.7.9. 공고한 '2021년도 검사 임용 지원 안내' 중 '2. 임용대상' 가운데 '1. 신규 임용'에서 변호사 자격을 취득하고 2021년 사회복무요원 소집해제 예정인 사람을 제외한 부분은 '법학전문대학원 졸업연도에 실시된 변호사시험에 불합격하여 사회복무요원으로 병역의무를 이행하던 중 변호사 자격을 취득하고 2021년 소집해제 예정인 사람'인 청구인의 공무담임권을 침해한다.

③ 국가정보원의 2005년도 7급 제한경쟁시험 채용공고 중 '남자는 병역을 필한 자' 부분은 공무담임권을 침해한다.

④ 금고 이상의 선고유예판결을 받은 모든 공무원의 당연퇴직을 규정하여 교통사고 관련 범죄 등 과실범의 경우마저 당연퇴직하도록 하는 것은 목적의 정당성이 인정되지 않는다.

12 직업공무원제도에 대한 설명으로 옳지 않은 것은?

① 특수경력직공무원의 종류에는 선거로 취임하거나 임명할 때 국회의 동의가 필요한 정무직공무원과 다른 법률에서 지정한 특정직공무원이 있다.

② 국가기관의 장은 국가안보 및 보안·기밀에 관계되는 분야를 제외하고 외국인을 공무원으로 임용할 수 있다.

③ 국회 소속 공무원은 국회의장이 임용하되, 국회규칙으로 정하는 바에 따라 그 임용권의 일부를 소속 기관의 장에게 위임할 수 있다.

④ 고도의 정책결정업무를 담당하거나 이러한 업무를 보조하는 공무원으로서 법령에서 지정된 정무직공무원은 특수경력직공무원에 해당한다.

⑤ 헌법이 그 정치적 중립성의 준수 내지 보장에 관해 명시적으로 언급하고 있는 대상은 공무원, 국군, 헌법재판소 재판관, 중앙선거관리위원회 위원이고, 헌법은 감사위원의 정치적 중립성을 직접 규정하고 있지는 않다.

13 직업공무원제도에 대한 설명으로 옳은 것은?

① 헌법 제24조는 "모든 국민은 법률이 정하는 바에 의하여 선거권을 가진다."라고 규정하고 있는바, 여기서 선거권이란 국민이 공무원을 선거하는 권리를 말하고, 공무원이란 가장 광의의 공무원으로서 일반직공무원은 물론 대통령·국회의원·지방자치단체장·지방의회의원·법관 등 국가기관과 지방자치단체를 구성하는 모든 자를 말한다.

② 「공직선거법」 제9조에서 규정하고 있는 '공무원의 선거중립의무'에서의 공무원의 범위는 원칙적으로 모든 공무원 즉, 최광의의 공무원이므로 의미의 직업공무원은 물론이고 적극적인 정치활동을 통하여 국가에 봉사하는 정치적 공무원, 예컨대 대통령, 국무총리, 국무위원, 도지사·시장·군수·구청장 등 지방자치단체의 장, 국회의원과 지방의원을 포함한다.

③ 직업공무원제도에서 말하는 공무원은 국가 또는 공공단체와 근로관계를 맺고 이른바 공법상 특별권력관계 내지 특별행정법관계 내지 공무를 담당하는 것을 직업으로 하는 광의의 공무원을 말하며 정치적 공무원이라든가 임시직공무원을 포함한다.

④ 헌법 제7조 제1항은 "공무원은 국민전체에 대한 봉사자이며, 국민에 대하여 책임을 진다."라고 규정하여 공무원의 공익실현의무를 규정하고 있고, 헌법 제7조 제2항에서는 "공무원의 신분과 정치적 중립성은 법률이 정하는 바에 의하여 보장된다."라고 하여 직업공무원제를 규정하고 있는데, 헌법 제7조 제1항에서 규정한 공무원은 신분이 보장되는 경력직공무원을 의미하고, 헌법 제7조 제2항의 공무원은 선출, 정무직공무원을 포함한 광의의 공무원을 의미한다.

14 직업공무원제도에 대한 설명으로 옳은 것은?

① 「국가공무원법」상 공무원의 범위와 「국가배상법」상 공무원의 범위는 동일하다.

② 지방자치단체의 장은 헌법 제7조 제2항에 따라 신분보장이 필요하고 정치적 중립성이 요구되는 공무원에 해당한다.

③ 직업공무원제도가 적용되는 공무원은 국가 또는 공공단체와 근로관계를 맺고 특별행정법관계 아래 공무를 담당하는 것을 직업으로 하는 협의의 공무원을 말하며 정치적 공무원이나 임시적 공무원은 포함되지 않는다.

④ 「국가배상법」 제2조 제1항 단서 중의 경찰공무원은 「경찰공무원법」상의 공무원을 의미하므로 전투경찰순경은 이에 해당하지 않는다는 것이 헌법재판소의 입장이다.

15 직업공무원제도에 대한 설명으로 옳은 것은?

① 헌법 제33조 제2항(공무원인 근로자는 법률이 정하는 자에 한하여 단결권·단체교섭권 및 단체행동권을 가진다) 역시 공무원의 근로자적 성격을 인정하는 것을 전제로 규정하고 있다.

② 공무원의 직무상 불법행위로 손해를 받은 국민이 법률이 정하는 바에 의하여 국가 또는 공공단체에 정당한 배상을 청구하였을 때 공무원 자신의 책임은 면제된다.

③ 공무원이 국가 또는 지방자치단체에 대하여 어느 수준의 보수를 청구할 수 있는 권리는 헌법상 보장된 공무원의 재산권이다.

④ 일반 공무원에 대한 신분 보장규정은 제헌헌법부터 삽입되어진 것이나, 보장되는 내용은 어디까지나 법률이 정하는 바에 의하는 것이기 때문에 어느 정도 국회의 입법재량의 여지가 있는 것이라고 할 것이고, 따라서 「국가공무원법」이나 「지방공무원법」의 개정으로 신분보장의 내용이 변경될 수 있는 것이다.

16 직업공무원제도에 대한 설명으로 옳지 않은 것은?

① 사실상 노무에 종사하는 공무원을 제외한 나머지 공무원의 노동운동과 공무 이외의 일을 위한 집단행위를 금지하는 「지방공무원법」 제58조 제1항의 규정 중 '노동운동', '공무 이외의 일을 위한 집단행위' 등의 개념이 불명확하여 명확성의 원칙에 위반된다고 할 수 없다.

② 제대군인 지원이라는 입법목적은 예외적으로 능력주의를 제한할 수 있는 정당한 근거가 된다.

③ 직업공무원의 경우에는 능력에 따라 임용될 수 있는 균등한 기회가 보장되어야 하며, 직업수행능력과 무관하게 선발하는 것은 원칙적으로 자의적인 차별이지만, 헌법의 기본원리나 특정 조항에 비추어 능력주의 원칙에 대한 예외를 인정할 수 있다.

④ 공무원도 각종 노무의 대가로 얻는 수입에 의존하여 생활하는 사람이라는 점에서는 통상적인 의미의 근로자적인 성격을 지니고 있다.

17 지방자치단체장에 대한 설명으로 옳은 것은?

① 지방자치단체의 장으로 하여금 당해 지방자치단체의 관할 구역과 같거나 겹치는 선거구역에서 실시되는 지역구국회의원 선거에 입후보하고자 하는 경우 당해 선거의 선거일 전 180일까지 그 직을 사퇴하도록 규정하고 있는 구 「공직선거 및 선거부정방지법」은 공무담임권을 침해한다.

② 지방자치단체장을 위한 별도의 퇴직급여제를 마련해야 할 입법의무는 헌법 제7조, 헌법 제25조에서 도출된다.

③ 「공무원연금법」의 공무원에서 지방자치단체장을 배제하는 「공무원연금법」 제3조는 평등권을 침해한다.

④ "지방자치단체의 장은 다른 지방자치단체의 장의 동의를 얻어 그 소속 공무원을 전입할 수 있다."라고만 규정하고 있는 「지방공무원법」 제29조의3에 대해서 헌법재판소는 "지방공무원 본인의 동의를 요하지 않는다고 해석하는 한 헌법에 위반된다."라는 내용의 한정위헌결정을 선고하여야 한다.

18 공무원 신분 보장에 대한 설명으로 옳은 것은 모두 몇 개인가?

ㄱ. 법관은 징계로 파면할 수 없도록 규정하면서 검사에 대해서는 징계로 면직처분할 수 있도록 한 것은 평등원칙에 위반된다.
ㄴ. 「1980년 해직공무원 보상 등에 관한 특별조치법」 제2조 제2항 제1호의 '차관급 상당 이상의 보수를 받은 자'에 법관을 포함시켜서 (강제 해직된 법관들을) 보상대상에서 제외시키는 것은 평등원칙에 위배된다.
ㄷ. 국회사무처와 도서관 공무원은 후임자가 임명될 때까지 그 직을 가진다고 규정한 구 「국가보위입법회의법」은 직업공무원제도의 본질적 내용을 침해한 것이다.
ㄹ. 공무원에 대한 징계시효를 금품수수의 경우는 3년으로 정한 것은 평등권을 침해한다.
ㅁ. 동장의 공직상의 신분을 「지방공무원법」상 신분보장의 적용을 받지 아니하는 별정직공무원의 범주에 넣었다면 헌법 제7조 제2항의 신분 보장정신에 위배된다.
ㅂ. 공무원은 공직자인 동시에 국민의 한 사람이기도 하므로, 공무원은 공인의 지위와 사인의 지위, 국민 전체에 대한 봉사자의 지위와 기본권을 누리는 기본권 주체의 지위라는 이중적 지위를 가진다.
ㅅ. 헌법 제7조 제2항은 공무원이 정당한 이유 없이 해임되지 아니하도록 신분을 보장하여 국민 전체에 대한 봉사자로서 성실히 근무할 수 있도록 하기 위한 것임과 동시에, 공무원의 신분은 무제한 보장되나 공무의 특수성을 고려하여 헌법이 정한 신분 보장의 원칙 아래 법률로 그 내용을 정할 수 있도록 한 것으로 봄이 헌법재판소의 입장이다.

① 1개　　② 2개
③ 3개　　④ 4개

19 공무원 신분 보장에 대한 설명으로 옳지 않은 것은 모두 몇 개인가?

ㄱ. 국민이 공무원으로 임용된 경우에 있어서 그가 정년까지 근무할 수 있는 권리는 헌법의 공무원 신분 보장 규정에 의하여 보호되는 기득권으로서 그 침해 내지 제한은 신뢰보호의 원칙에 위배되지 않는 범위 내에서만 가능하다.
ㄴ. 1980년 해직된 공무원에 대해서는 보상규정을 두면서 정부 산하기관의 임직원에 대해서는 직접 보상하도록 규정하고 있지 않은 것은 평등원칙에 위반된다고 할 수 없다.
ㄷ. 지방자치단체의 직제가 폐지된 경우에 해당 공무원을 직권면직할 수 있는 「지방공무원법」 규정은 면직기준이나 면직대상을 결정함에 있어서 반드시 인사위원회의 의결을 거치도록 하는 등 합리적인 면직기준을 구체적으로 정함과 동시에 그 공정성을 담보할 수 있는 절차를 마련하고 있으므로 직업공무원제도를 위반하지 아니한다.
ㄹ. 직업공무원제도하에서는 직제 폐지로 유휴인력이 생기더라도 직권면직을 하여 공무원의 신분이 상실되도록 해서는 안 된다.
ㅁ. 헌법재판소는 조직의 변경과 관련이 없음은 물론 소속 공무원의 귀책사유의 유무라든가 다른 공무원과의 관계에서 형평성이나 합리적 근거 등을 제시하지 아니한 채 임명권자의 후임자 임명이라는 처분에 의하여 그 직을 상실하게 하는 것은 직업공무원제도의 본질적 내용을 침해하는 것이라고 보았다.
ㅂ. 공무원에게 직무의 내외를 불문하고 품위유지의무를 부과하고 품위손상행위를 공무원에 대한 징계사유로 규정한 법률조항은, '품위가 손상되는 행위'라는 가치개념을 사용하여 어떠한 행위가 여기에 해당하는지 객관적으로 특정하거나 예측할 수 없게 하고, 공무원에 대한 징계사유를 지나치게 광범위하게 규정하여 직무와 관련 없는 사적 영역에서의 행위도 징계사유로 삼을 수 있도록 하고 있으므로, 명확성원칙 및 과잉금지원칙에 위배된다.
ㅅ. 임용 당시의 공무원법상의 정년까지 근무할 수 있다는 기대와 신뢰는 절대적인 권리로서 보호되어야만 하는 것은 아니고 행정조직, 직제의 변경 또는 예산의 감소 등 강한 공익상의 정당한 근거에 의하여 좌우될 수 있는 상대적이고 가변적인 것이라 할 것이므로 입법자에게는 제반 사정을 고려하여 합리적인 범위 내에서 정년을 조정할 입법형성권이 인정된다.

① 1개 ② 2개
③ 3개 ④ 4개

20 공무원 신분 보장에 대한 설명으로 옳은 것은 모두 몇 개인가?

ㄱ. 「국가공무원법」 제66조 제1항이 '공무 외의 일을 위한 집단행위'라고 포괄적이고 광범위하게 규정하고 있다 하더라도, 이는 공무가 아닌 어떤 일을 위하여 공무원들이 하는 모든 집단행위를 의미하는 것이 아니라, '공익에 반하는 목적을 위한 행위로서 직무전념의무를 해태하는 등의 영향을 가져오는 집단적 행위'라고 해석된다.
ㄴ. 공무원 임용 당시에는 연령정년에 관한 규정만 있었는데 사후에 계급정년제도를 신설하여 정년이 단축되도록 하는 것은 정년규정을 변경하는 입법이 구법질서에 대하여 기대했던 당사자의 신뢰보호 내지 신분관계의 안정이라는 이익을 지나치게 침해하지 않는 한 공무원의 신분 보장에 반하지 않는다.
ㄷ. 대법원 판례에 의하면 공무원의 사퇴는 사퇴의 의사표시를 한 때 발생하는 것이 아니라, 임명권자가 면직의 의사표시를 한 때 발생한다.
ㄹ. 검찰총장 퇴직 후 2년 이내 정당활동금지는 직업의 자유, 결사의 자유와 참정권을 침해한다고 할 수 없다.
ㅁ. 경찰청장 퇴직 후 2년 내 정당활동금지는 공무담임권을 침해한다고 할 수 없다.

① 1개 ② 2개
③ 3개 ④ 4개

44회

진도별 모의고사

공무원제도 ~ 청원권

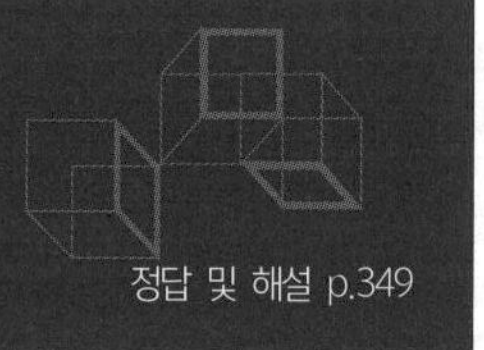

정답 및 해설 p.349

제한시간 : 14분 | 시작시각 ___시 ___분 ~ 종료시각 ___시 ___분 나의 점수 ______

01 공무원제도에 대한 설명으로 옳지 않은 것을 모두 조합한 것은?

> ㄱ. 계약직공무원에 대해 계약의 해지를 다투는 소송은 항고소송이다.
> ㄴ. 정년퇴직발령은 항고소송의 대상이 되는 처분으로 볼 수 없다.
> ㄷ. 국·공립대학교수 재임용 거부는 항고소송의 대상이 되는 처분으로 볼 수 없다.
> ㄹ. 선거관리위원회 공무원에 대하여 특정 정당이나 후보자를 지지·반대하는 단체에의 가입·활동 등을 금지하는 것은, 선거관리위원회 공무원이 특정한 정치적 성향을 표방하는 단체에 가입·활동한다는 사실 자체만으로 그 정치적 중립성과 직무의 공정성, 객관성이 의심될 수 있으므로 선거관리위원회 공무원의 정치적 표현의 자유 등을 침해한다고 할 수 없다.

① ㄱ, ㄴ ② ㄴ, ㄷ
③ ㄱ, ㄷ ④ ㄱ, ㄴ, ㄷ

02 공무원제도에 대한 설명으로 옳은 것을 모두 조합한 것은?

> ㄱ. 공무원은 징계를 받은 경우, 소청심사위원의 심사를 거치지 아니하고 행정소송을 제기할 수 없다.
> ㄴ. 행정기관 소속 공무원의 징계처분, 그 밖에 그 의사에 반하는 불리한 처분이나 부작위에 대한 소청을 심사·결정하기 위하여 대통령 직속기구로 소청심사위원회를 둔다.
> ㄷ. 정치단체에 가입하거나 연설, 문서 또는 그 밖의 방법으로 정치적 의견을 공표하거나 그 밖의 정치운동을 한 사람은 2년 이하의 금고에 처한다고 규정한 「군형법」은 정치적 표현의 자유를 침해한다고 할 수 없다.
> ㄹ. 공무원에 대하여 직무수행 중 정치적 주장을 표시·상징하는 복장 등 착용행위를 금지한 「국가공무원 복무규정」은 공무원의 정치적 표현의 자유를 필요 이상으로 제한하여 헌법에 위반된다.

① ㄱ, ㄴ ② ㄱ, ㄷ
③ ㄴ, ㄷ, ㄹ ④ ㄱ, ㄴ

03 공무원제도에 대한 설명으로 옳지 않은 것은?

① 공무원들의 어느 행위가 「국가공무원법」 제66조 제1항에 규정된 '집단행위'에 해당하려면, 그 행위가 반드시 같은 시간, 장소에서 행하여져야 하는 것은 아니지만, 공익에 반하는 어떤 목적을 위한 다수인의 행위로서 집단성이라는 표지를 갖추어야만 한다고 해석함이 타당하므로, 공무원들이 순차적으로 각각 다른 시간대에 릴레이 1인 시위를 하거나 여럿이 단체를 결성하여 그 단체 명의로 의사를 표현하는 경우에는 「국가공무원법」 제66조 제1항이 금지하는 집단행위에 해당한다.

② 실제 여럿이 모이는 형태로 의사표현을 하는 것은 아니지만 발표문에 서명날인을 하는 등의 수단으로 여럿이 가담한 행위임을 표명하는 경우 또는 일제 휴가나 집단적인 조퇴, 초과근무 거부 등과 같이 정부활동의 능률을 저해하기 위한 집단적 태업행위로 볼 수 있는 경우에 속하거나 이에 준할 정도로 행위의 집단성이 인정되어야 「국가공무원법」 제66조 제1항에 해당한다.

③ 공무원의 정치적 중립성이 요구된다고 하더라도 모든 공무원의 정당가입 및 정치활동이 금지되는 것은 아니다.

④ 「국가공무원법」상 '노동운동'의 개념은 근로자의 근로조건의 향상을 위한 단결권·단체교섭권·단체행동권 등 근로3권을 기초로 하여 이에 직접 관련된 행위를 의미하는 것으로 좁게 해석하여야 한다.

04 공무원제도에 대한 설명으로 옳지 않은 것은?

① 공무원의 정당가입을 금지하는 것은 준비행위의 단계에 이른다거나 선거 관련 활동으로 평가하기 어려운 정당에의 가입 자체를 일상적으로 금지하고 있으므로, 헌법 제37조 제2항의 최소침해의 원칙에 위반된다.

② 공무원의 정치적 중립성이 유지되는 경우에도 공무원의 공직수행에 연관이 없거나 영향력을 미치지 않는 한 공무원 개인으로서의 정치적 자유는 인정되어야 하지만, 공무원의 신분을 지니고 있는 한 공직수행에 있어 정치적 중립성을 침해하거나 침해할 우려가 있는 경우에는 관련 기본권의 제한에 있어 일반인의 경우와 다르게 더 강한 제한을 받을 수 있다.

③ 전산사식, 입력작업, 안내 등의 직렬의 정년을 만 43세로 규정한 구 「국가안전기획부직원법 시행령」은 근로자를 합리적인 이유 없이 성별을 이유로 부당하게 차별대우를 하고 있어 「남녀고용평등과 일·가정 양립 지원에 관한 법률」 제11조 제1항, 「근로기준법」 제6조에 위반되어 무효라고 보아야 한다.

④ 공무담임권의 제한의 경우는 강한 합헌성이 추정될 것이므로, 주로 평등의 원칙이나 목적과 수단의 합리적인 연관성 여부가 심사대상이 될 것이며 법익형량에 있어서도 상대적으로 다소 완화된 심사를 하게 될 것이다.

05 공무원제도에 대한 설명으로 옳지 않은 것은?

① 「지방공무원법」이 근로3권이 보장되는 공무원의 범위를 사실상 노무에 종사하는 공무원에 한정하고 있는 것은 입법자에게 부여하고 있는 형성적 재량권의 범위를 벗어나서 근로3권을 침해한 것으로 위헌이다.

② 공무원의 기부금 모집을 금지하고 있는 법률조항은 선거의 공정성을 확보하고 공무원의 정치적 중립성을 보장하기 위한 것이므로, 정치적 의사표현의 자유를 침해하지 않는다.

③ 공무원의 징계사유가 공금 횡령인 경우에 해당 징계 외에 공금 횡령액의 5배 내의 징계부가금을 부과하도록 하는 것은 이중처벌금지원칙에 위배되지 않는다.

④ 「교육공무원법」 제10조의4 중 미성년자에 대하여 성범죄를 범하여 형을 선고받아 확정된 자와 성인에 대한 성폭력범죄를 범하여 벌금 100만 원 이상의 형을 선고받아 확정된 자는 「초·중등교육법」상의 교원에 임용될 수 없도록 한 부분이 과잉금지원칙에 반하여 청구인의 공무담임권을 침해한다고 할 수 없다.

06 청원권에 대한 설명으로 옳은 것은?

① 외국인과 법인은 청원할 수 있다.

② 헌법상 청원권은 문서로 행사하도록 하고 있으나, 「청원법」은 국민의 기본권 보장을 강화하기 위하여 구두로도 청원할 수 있도록 하고 있다.

③ 재판에 간섭하는 청원은 처리할 수 없다.

④ 청원을 하려고 하는 자는 무기명 또는 익명으로도 청원할 수 있다.

07 청원법에 대한 설명으로 옳은 것은?

① 법령에 의하여 행정권한을 가지고 있거나 행정권한을 위임 또는 위탁받은 개인에게 청원을 제출할 수 없다.

② 공무원의 위법·부당한 행위에 대한 시정은 물론 징계를 요구하는 청원도 할 수 있다.

③ 감사·수사·재판·행정심판·조정·중재 등 다른 법령에 의한 조사·불복 또는 구제절차가 진행 중인 사항에 대해 청원할 수 없다.

④ 청원기관의 장은 청원사항이 다른 기관 소관인 경우에는 지체 없이 청원서를 반려하고 이를 청원인(공동청원의 경우 대표자를 말한다)에게 알려야 한다.

08 청원법에 대한 설명으로 옳지 않은 것은?

① 다수 청원인이 공동으로 청원을 하는 경우에는 그 처리결과를 통지받을 3명 이하의 대표자를 선정하여 이를 청원서에 표시하여야 한다.

② 청원기관의 장은 청원서에 부족한 사항이 있다고 판단되는 경우에는 보완사항 및 보완기간을 표시하여 청원인(공동청원의 경우 대표자를 말한다)에게 보완을 요구하여야 한다.

③ 청원인은 해당 청원의 처리가 종결되기 전에 청원을 취하할 수 있다.

④ 법률·명령·조례·규칙 등의 제정·개정 또는 폐지도 「청원법」에서 규정한 청원사항에 해당한다.

09 청원법에 대한 설명으로 옳지 않은 것은?

① 청원기관의 장은 공개청원의 공개결정일부터 30일간 청원사항에 관하여 국민의 의견을 들어야 한다.

② 청원기관의 장은 이의신청을 받은 날부터 10일 이내에 이의신청에 대하여 인용 여부를 결정하고, 그 결과를 청원인(공동청원의 경우 대표자를 말한다)에게 지체 없이 알려야 한다.

③ 청원기관의 장은 청원을 접수한 때에는 특별한 사유가 없으면 90일 이내에 처리 결과를 청원인에게 알려야 한다.

④ 청원인은 청원기관의 장의 공개 부적합결정에 대하여 불복하는 경우 30일 이내에 청원기관의 장에게 문서로 이의신청을 할 수 있다.

10 청원법에 대한 설명으로 옳은 것은?

① 청원기관의 장은 동일인이 같은 내용의 청원서를 같은 청원기관에 2건 이상 제출한 반복청원의 경우에는 모두 청원서를 반려하거나 종결처리할 수 있고, 종결처리하는 경우 이를 청원인에게 알려야 한다.

② 청원기관의 장은 반드시 청원심의회의 심의를 거쳐 청원을 처리하여야 한다.

③ 국가정책에 관한 청원은 반드시 국무회의 심의를 거쳐야 한다.

④ 법무부장관은 청원제도의 효율적 운영을 위하여 청원제도의 운영 전반에 관한 사항을 확인·점검·지도하고 그 결과를 공개할 수 있다.

11 청원법에 대한 설명으로 옳은 것은?

① 정부에 제출되는 정부의 정책에 관계되는 청원의 심사는 「청원법」에 따라 국무회의의 심의를 거칠 수 있다.

② 헌법은 "누구든지 청원하였다는 이유로 차별대우를 받거나 불이익을 강요당하지 아니한다."라고 규정하고 있다.

③ 헌법은 청원에 대한 국가의 수리·심사·통지의무를 규정하고 있다.

④ 국가는 국민의 청원에 대하여 심사할 의무가 있고, 특별한 사유가 없는 한 그 처리 결과를 통지할 의무도 있다.

12 청원법에 대한 설명으로 옳지 않은 것은?

① 청원기관의 장은 동일인이 같은 내용의 청원서를 같은 청원기관에 2건 이상 제출한 반복청원의 경우에는 나중에 제출된 청원서를 반려하거나 종결처리할 수 있고, 종결처리하는 경우 이를 청원인에게 알려야 한다.

② 청원에 대한 심사 및 통지의무는 재판청구권 및 기타 준사법적인 구제청구와 그 성질을 달리하므로 이러한 의무는 청원을 수리한 국가기관이 이를 성실, 공정, 신속히 심사·처리하여 그 결과를 청원인에게 통지하는 이상의 의무를 요구하는 것은 아니다.

③ 「청원법」은 국회에 청원하고자 할 때 국회의원의 소개를 얻도록 규정하고 있다.

④ 국민은 피해의 구제, 공공의 제도 또는 시설의 운영 관련해서는 청원할 수 있다.

13 국회 청원에 대한 설명으로 옳은 것은 모두 몇 개인가?

ㄱ. 「국회법」상 위원회에서 본회의에 부의할 필요가 없다고 결정한 청원은 그 처리 결과를 의장에게 보고하고, 의장은 청원인에게 알려야 한다. 다만, 폐회 또는 휴회 기간을 제외한 10일 이내에 의원 30명 이상의 요구가 있을 때에는 이를 본회의에 부의한다.
ㄴ. 「국회법」상의 청원은 일반의안과 같이 소관 위원회의 심사를 거쳐야 하며 심사절차도 일반의안과 동일한 절차를 밟는다.
ㄷ. 국회에 청원하려면 반드시 국회의원의 소개를 얻어야 한다.
ㄹ. 지방의회에 청원을 할 경우에는 지방의회의원의 소개를 요한다.
ㅁ. 국회위원회는 위원회에서 본회의에 부의하기로 결정한 청원은 의견서를 첨부하여 의장에게 보고하고 위원회에서 본회의에 부의할 필요가 없다고 결정한 청원은 그 처리 결과를 위원장에게 보고하고, 위원장은 청원인에게 알려야 한다.
ㅂ. 「지방자치법」에 따라 지방의회 위원회가 청원을 심사하여 본회의에 부칠 필요가 없다고 결정하면 그 처리 결과를 지방의회 의장에게 보고하고, 지방의회 위원회는 청원한 자에게 이를 알려야 한다.
ㅅ. 「국회법」에 의한 청원은 일반의안과는 달리 소관 위원회의 심사를 거칠 필요가 없으며 심사절차도 일반의안과 다른 절차를 밟는데, 청원을 소개한 국회의원은 필요할 경우 「국회법」 제125조 제3항에 의해 청원의 취지를 설명해야 하고 질의가 있을 경우 답변을 해야 한다.
ㅇ. 국회나 지방의회에 대한 청원에 국회의원이나 지방의회의원의 소개를 얻도록 규정한 법률조항은 청원심사의 효율성을 확보하기 위한 적절한 수단이지만, 의원 모두가 소개되기를 거절한 경우에 청원권을 행사할 수 없게 된다는 점에서 헌법에 위반된다.

① 1개　② 2개
③ 3개　④ 4개

14 청원권에 대한 설명으로 옳지 않은 것은?

① 우리 헌법 제26조에서 "모든 국민은 법률이 정하는 바에 의하여 국가기관에 문서로 청원할 권리를 가진다. 국가는 청원에 대하여 심사할 의무를 진다."라고 하여 청원권을 기본권으로 보장하고 있으므로 국민은 여러 가지 이해관계 또는 국정에 관하여 자신의 의견이나 희망을 해당 기관에 직접 진술하는 외에 그 본인을 대리하거나 중개하는 제3자를 통해 진술하는 경우, 이는 청원권으로서 보호된다.

② 청원제도는 행정기관에 대한 권리 침해의 구제를 구하기 위한 제도이기도 하므로, 이 경우 청원권은 청원사항에 대한 심리 또는 재결을 요구할 수 있는 권리가 된다.

③ 청원권은 제헌헌법(1948년)에서부터 규정을 두고 있었다.

④ 공무원이 취급하는 사건 또는 사무에 관하여 청탁한다는 명목으로 금품을 받은 경우에 처벌하도록 규정한 구 「변호사법」(2000.1.28. 법률 제6207호로 개정되고, 2007.3.29. 법률 제8321호로 개정되기 전의 것) 제111조는 공무원의 직무에 속하는 사항에 관하여 금품을 대가로 다른 사람을 중개하거나 대신하여 그 이해관계나 의견 또는 희망을 해당 기관에 진술할 수 없게 하므로, 일반적 행동자유권 및 청원권을 제한한다.

15 청원권에 대한 설명으로 옳지 않은 것은?

① 국가기관은 수리한 청원대로 구체적 조치를 취할 의무는 없어 청원처리는 재량행위이다.

② 모든 국민은 법률이 정하는 바에 의하여 국가기관에 문서로 청원할 권리를 가지고, 국가는 청원에 대하여 심사할 의무를 지므로 청원인이 기대한 바에 미치지 못하는 처리 내용은 헌법소원의 대상이 되는 공권력의 불행사에 해당하지 않는다.

③ 청원권의 보호범위에는 청원사항의 처리 결과에 심판서나 재결서에 준하는 이유를 명시할 것을 요구하는 권리가 포함된다.

④ 청원을 수리한 국가기관은 이를 성실, 공정, 신속히 심사, 처리하여 그 결과를 청원인에게 통지하는 이상의 법률상 의무를 지는 것은 아니라고 할 것이다.

16 청원권에 대한 설명으로 옳은 것은?

① 사법절차가 아니나 법률상 이익이 있어야 청원할 수 있으므로 청원은 원고적격이나 자기관련성을 요건으로 한다.

② 청원권은 국가기관에 대하여 그 처리 결과를 통지할 것을 요구할 수 있는 권리를 포함하지 않는다.

③ 공무원이 취급하는 사건 또는 사무에 관한 사항의 청탁에 관해 금품을 수수하는 등의 행위를 청원권의 내용으로서 보장할지 여부에 대해서는 입법자의 재량권이 인정된다.

④ 근로자가 공공기관에 사용자를 비방하는 내용의 청원을 하였다 하더라도 그러한 내용의 청원은 「청원법」 제5조의 청원 불수리사유에 해당하므로 이를 징계사유로 삼는 것은 청원을 하였다는 이유로 불이익을 강요하는 것에 해당하여 허용되지 아니한다.

17 재판청구권에 대한 설명으로 옳지 않은 것은?

① 재판을 보장하는 헌법 제27조 제1항 소정의 재판청구권이 곧바로 모든 사건에서 상고심 또는 대법원의 재판을 받을 권리를 인정하는 것이라고 보기는 어려우므로 형사재판에서 피고인이 중죄를 범한 중죄인이라거나 외국에 도피 중이라는 이유만으로 상소의 제기 또는 상소권회복청구를 전면 봉쇄하는 것이 재판청구권 침해라고 할 수 없다.

② 항고권은 재판청구권에서 보호되므로 합리적 근거 없이 금융기관에게 차별적으로 우월한 지위를 부여하여 경락허가결정에 대한 항고를 하고자 하는 자에게 과다한 경제적 부담을 지게한다면 재판청구권을 침해한다.

③ 상고심재판을 받을 수 있는 객관적인 기준을 정함에 있어 개별적 사건에서의 권리구제보다 법령해석의 통일을 더 우위에 두더라도 그 합리성이 있다고 할 것이다.

④ 어떠한 요증사실의 존부가 확정되지 않았을 때 그 사실이 존재하지 않는 것으로 취급되어 법률판단을 받게 되는 불이익인 증명책임의 분배 문제도 공정한 재판을 받을 권리의 보호범위에 해당한다.

18 재판청구권에 대한 설명으로 옳지 않은 것은?

① 재판청구권과 같은 절차적 기본권은 원칙적으로 제도적 보장의 성격이 강하기 때문에, 자유권적 기본권 등 다른 기본권의 경우와 비교하여 볼 때 상대적으로 광범위한 입법형성권이 인정된다.

② 재판청구권을 구체화하는 절차법은 그를 제한하는 법률이나, 재판청구권은 그 본질상 실체법적 규정에 의해서 침해될 수 없다.

③ 재판청구권은 기본권이 침해당하거나 침해당할 위험에 처해 있을 때 그에 대한 구제 또는 예방을 요청할 수 있는 권리라는 점에서 다른 기본권의 보장을 위한 기본권이라는 성격을 가지고 있다.

④ 법률구조법인이 의뢰자로부터 대통령령이 정하는 변호사보수를 받을 수 있도록 규정한 「법률구조법」 제7조 제1항 단서 중 '변호사보수' 부분은 자력이 부족하여 법률구조를 받고자 하는 자의 재판청구권을 침해한다.

19 재판을 받을 권리에서 보호에 대한 설명으로 옳지 않은 것은?

① 수형자의 민사사건 등에 있어서의 변호사와의 접견교통권은 헌법상 재판을 받을 권리의 한 내용 또는 그로부터 파생되는 권리로서 보장된다.

② '법률에 의한' 재판을 받을 권리를 보장하기 위해 입법자가 재판청구권을 구체적으로 형성하는 것이 반드시 필요하지만, 입법자는 그러한 입법을 할 때에도 헌법 제37조 제2항의 비례의 원칙을 준수하여야 하고, 특히 당해 입법이 단지 법원에 제소할 수 있는 형식적인 권리나 이론적인 가능성만을 허용하는 것이어서는 안되며 상당한 정도로 권리구제의 실효성이 보장되도록 하는 것이어야 한다.

③ 재판청구권의 내용으로서 사실적 측면이 아닌 법률적 측면에 관해서만 한 번 이상 법원의 판단을 받을 권리가 도출된다.

④ 재판청구권에 사건의 경중을 가리지 않고 모든 사건에 대하여 상고심재판을 받을 권리가 포함된다고 볼 수는 없다.

20 재심과 재판청구권에 대한 설명으로 옳은 것을 모두 조합한 것은?

ㄱ. 재심은 상소와는 달리 확정판결에 대한 불복방법이고 확정판결에 대한 법적 안정성의 요청은 미확정판결에 대한 그것보다 훨씬 크기 때문에, 재심청구권은 상고심재판을 받을 권리와는 다르게 재판을 받을 권리에 포함된다.
ㄴ. 재심청구권은 헌법의 규정에 의하여 직접 발생되는 기본적 인권은 아니다.
ㄷ. 재심사유를 알고도 주장하지 아니한 때에는 재심의 소를 제기할 수 없도록 규정한 「민사소송법」 규정은 재판청구권을 침해하지 않는다.
ㄹ. 과학기술의 발전으로 인해 기존의 확정판결에서 인정된 사실과는 다른 새로운 사실이 드러난 경우를 「민사소송법」상 재심사유로 인정하고 있지 않더라도, 이는 확정판결에 기초하여 형성된 복잡·다양한 사법적 관계들을 보호하고 법치주의에 내재된 법적 안정성을 추구하기 위한 것이므로 재판받을 권리를 침해한 것이 아니다.
ㅁ. 재심제도의 규범적 형성에 있어서는 재판의 적정성과 정의의 실현이라는 법치주의의 요청에 의해 입법형성의 자유가 축소된다.

① ㄱ, ㄴ ② ㄱ, ㄴ, ㄷ, ㅁ
③ ㄴ, ㄷ, ㄹ ④ ㄱ, ㄴ, ㄷ

45회 진도별 모의고사

재판청구권

정답 및 해설 p.356

제한시간 : 14분 | 시작시각 ___시 ___분 ~ 종료시각 ___시 ___분 나의 점수 _______

01 재판청구권에 대한 설명으로 옳지 않은 것은 모두 몇 개인가?

ㄱ. 헌법 제27조에서 규정한 재판을 받을 권리에는 모든 사건에 대해 상소법원의 구성 법관에 의한 상소심 절차에 의한 재판을 받을 권리가 당연히 포함된다.
ㄴ. 헌법 제27조 제1항의 규정에 의한 재판청구권은 구체적 소송에 있어서 특정의 당사자가 승소의 판결을 받을 권리를 의미하지는 않는다.
ㄷ. 재판청구권은 기본권의 침해에 대한 구제절차가 반드시 헌법소원의 형태로 독립된 헌법재판기관에 의하여 이루어질 것을 요구하지는 않는다.
ㄹ. '논리적이고 정제된 법률의 적용을 받을 권리'는 헌법상 보장되는 기본권이라 할 수 없다.
ㅁ. 수형자가 재판 당사자로서 재판에 참석하는 것은 재판청구권 행사의 내용이다.
ㅂ. 친일반민족행위결정으로 인하여 조사대상자 및 그 후손의 인격권이 제한받게 되더라도 이는 부수적 결과에 불과할 뿐, 이것을 두고 일종의 형벌로서 '수치형'이나 '명예형'에 해당하지 않으므로 법관이 아니라 위원회가 결정해도 법관에 의한 재판을 받을 권리를 침해한다고 할 수 없다.
ㅅ. 대법원에서 재판을 받을 권리는 헌법이 명시하고 있는 범위 내에서 헌법상 보장되는 것이지, 그 이외의 다른 모든 경우에도 심급제도를 인정하여야 한다거나 대법원을 상고심으로 하는 것이 헌법상 요구된다고 할 수 없다.
ㅇ. 헌법상의 재판을 받을 권리란 법관에 의하여 사실적 측면과 법률적 측면의 적어도 한 차례의 심리검토의 기회는 보장되어야 한다는 것을 의미한다.
ㅈ. 재판청구권은 재판이라는 국가적 행위를 청구할 수 있는 적극적 측면과 헌법과 법률이 정한 법관이 아닌 자에 의한 재판이나 법률에 의하지 아니한 재판을 받지 아니하는 소극적 측면을 아울러 가지고 있다.

① 1개 ② 2개
③ 3개 ④ 4개

02 법관에 의한 재판에 대한 설명으로 옳은 것을 모두 조합한 것은?

ㄱ. 법관에 의한 재판을 받을 권리를 보장한다고 함은 결국 법관이 사실을 확정하고 법률을 해석·적용하는 재판을 받을 권리를 보장한다는 뜻이고, 그와 같은 법관에 의한 사실 확정과 법률의 해석적용의 기회에 접근하기 어렵도록 제약이나 장벽을 쌓는 것은 허용되지 않는다.
ㄴ. 대법원은 특허청의 사실확정을 토대로 재판을 할 수 밖에 없어, 특허심판위원회의 결정에 대해 대법원에 상고하도록 한 「특허법」 제186조는 법관에 의하여 사실확정을 받을 권리를 보장하는 재판청구권 침해이다.
ㄷ. 대한변호사협회징계위원회에서 징계를 받은 변호사가 법무부 변호사징계위원회에서의 이의절차를 밟은 후 대법원에 즉시항고하도록 하였다면, 이를 가지고 재판을 받을 권리를 침해한 것이라 할 수 없다.
ㄹ. 형사보상의 청구에 대하여 한 보상의 결정에 대하여는 불복을 신청할 수 없도록 하여 형사보상의 결정을 단심재판으로 규정한 「형사보상 및 명예회복에 관한 법률」 제19조 제1항은 형사보상청구권과 재판청구권을 침해한다.
ㅁ. 법관에 대한 징계처분 취소청구소송을 대법원의 단심재판에 의하도록 한 구 「법관징계법」 제27조는 사실확정이 법관징계위원회에서 결정되므로 법관에 의한 사실확정을 받을 권리인 재판청구권을 침해한다.

① ㄱ, ㄴ ② ㄴ, ㄷ, ㅁ
③ ㄴ, ㄷ, ㅁ ④ ㄱ, ㄴ, ㄹ

03 보안처분에 대한 설명으로 옳지 않은 것은?

① 보호감호는 법관에 의해 재범의 위험성 여부에 대한 판단을 요하므로 법이 정한 요건에 해당하면 보호감호를 부과하도록 한 「사회보호법」은 국민의 법관에 의한 정당한 재판을 받을 권리를 침해한다.

② '피고인 스스로 치료감호를 청구할 수 있는 권리'는 보호되지 않으나 '법원으로부터 직권으로 치료감호를 선고받을 수 있는 권리'는 헌법상 재판청구권의 보호범위에 포함된다.

③ 보호감호를 규정한 「사회보호법」을 폐지하면서 사회보호법폐지법률 부칙 제2조가 가출소·집행면제 등 보호감호의 관리와 집행에 관한 종전의 사회보호위원회의 권한을 법관이 아닌 「치료감호법」에 따른 치료감호심의위원회로 하여금 행사하도록 한 것은 법관에 의한 재판을 받을 권리를 침해하지 아니한다.

④ 검사는 치료감호대상자가 치료감호를 받을 필요가 있는 경우 관할 법원에 치료감호를 청구할 수 있도록 한 「치료감호 등에 관한 법률」이 재판청구권을 침해하거나 적법절차원칙에 반하지 않는다.

04 공정한 재판을 받을 권리에 대한 설명으로 옳지 않은 것은?

① 공정한 재판을 받을 권리에 외국에 나가 증거를 수집할 권리가 포함된다고 보기도 어렵다.

② 헌법에 '공정한 재판'에 관한 명문의 규정으로 보장하고 있고 이로부터 헌법상 보장되는 기본권인 '공정한 재판을 받을 권리'에는 '공정한 헌법재판을 받을 권리' 도 포함된다.

③ 공정한 재판을 받을 권리 속에는 원칙적으로 당사자주의와 구두변론주의가 보장되어 당사자가 공소사실에 대한 답변과 입증 및 반증하는 등 공격·방어권이 충분히 보장되는 재판을 받을 권리가 포함되어 있다.

④ 헌법은 피고인의 반대신문권을 헌법상의 기본권으로까지 규정하지는 않았으나, 「형사소송법」은 제161조의2에서 피고인의 반대신문권은 공정한 재판을 받을 권리를 구현한 것이다.

05 공정한 재판을 받을 권리에 대한 설명으로 옳은 것은?

① 어떠한 요증사실의 존부가 확정되지 않았을 때 그 사실이 존재하지 않는 것으로 취급되어 법률판단을 받게 되는 불이익인 증명책임의 분배 문제도 공정한 재판을 받을 권리의 보호범위에 해당한다고 볼 수 없다.

② 법원은 피고인에 대한 구속기간 내 심리를 종결하고 판결을 선고할 수밖에 없어 피고인에게 입증 및 반증의 기회를 충분히 보장할 수 없으므로 피고인의 구속기간을 정하고 있는 「형사소송법」은 재판을 받을 권리를 침해한다.

③ 「형사소송법」이 피고인의 구속기간을 제한하는 취지는 미결구금의 부당한 장기화로 인하여 피고인의 신체의 자유가 침해되는 것을 방지하기 위한 목적에서 미결구금기간의 한계를 설정하고 있을 뿐만 아니라, 신속한 재판의 실현 등을 목적으로 법원의 재판기간 내지 심리기간을 제한하려는 것이다.

④ 변호인이 있는 피고인에게 변호인과는 별도로 공판조서열람권을 부여하지 않는다고 하여 피고인의 공정한 재판을 받을 권리가 침해된다고 할 수는 없다고 할 것이다.

06 공정한 재판을 받을 권리에 대한 설명으로 옳은 것은?

① 동석한 신뢰관계인의 성립인정의 진술만으로 성폭력 피해아동의 진술이 수록된 영상녹화물의 증거능력을 인정할 수 있도록 한 「아동·청소년의 성보호에 관한 법률」의 증거능력 특례조항이 적법한 절차에 따라 공정한 재판을 받을 권리를 침해한다.

② 촬영한 영상물에 수록된 피해자의 진술은 공판준비기일 또는 공판기일에 피해자나 조사과정에 동석하였던 신뢰관계에 있는 사람 또는 진술조력인의 진술에 의하여 그 성립의 진정함이 인정된 경우에 증거로 할 수 있도록 「성폭력범죄의 처벌 등에 관한 특례법」 제30조은 성폭력 피해자의 2차 피해를 방지하기 위한 것이고 미성년 피해자의 보호만을 앞세워 피고인의 방어권을 무력화하고 있다고 볼 수 없으므로 공정한 재판을 받을 권리를 침해하지 않는다.

③ 검사와 피고인 쌍방 중 어느 한편이 증인과의 접촉을 독점하거나 상대방의 접근을 차단한다면 공정한 재판을 받을 권리를 침해한다.

④ 검찰 수사서류에 대한 법원의 열람·등사 허용결정이 있었더라도 검찰이 당해 수사서류를 증거로 사용할 수 없는 불이익을 감수한다면 열람·등사 제한이 가능하며 피고인의 신속·공정한 재판을 받을 권리의 침해도 문제되지 아니한다.

07 공정한 재판을 받을 권리에 대한 설명으로 옳지 않은 것은?

① 특별검사가 공소제기한 사건의 재판기간과 상소절차 진행기간을 일반사건보다 단축하는 것은 공정한 재판을 받을 권리를 침해한다.

② 소송의 지연을 목적으로 함이 명백한 경우에 기피신청을 받은 법원 또는 법관이 이를 기각할 수 있도록 하는 것은 공정한 재판을 받을 권리를 침해하는 것이 아니다.

③ 위험발생의 염려가 있는 압수물의 폐기에 관한 규정은 엄격히 해석할 필요가 있으므로 「형법」상 가중적 구성요건요소의 하나인 흉기나 위험한 물건이라도 보관 자체에 위험이 없는 압수물을 폐기하는 것은 공정한 재판을 받을 권리를 침해한다.

④ 소환된 증인이 보복을 당할 우려가 있는 등의 이유로 피고인의 면전에서 충분한 진술을 할 수 없다고 인정한 경우 재판장이 피고인을 퇴정시키고 증인신문을 할 수 있도록 한 「형사소송법」 조항은 피고인의 공정한 재판을 받을 권리를 침해한다고 할 수 없다.

08 신속공개재판을 받을 권리에 대한 설명으로 옳지 않은 것은 모두 몇 개인가?

ㄱ. 신속한 재판을 위한 직접적이고 구체적인 청구권이 헌법규정으로부터 직접 발생하므로, 보안관찰처분들의 취소청구에 대해서 법원이 그 처분들의 효력이 만료되기 전까지 신속하게 판결을 선고해야 할 헌법이나 법률상의 작위의무가 존재한다.
ㄴ. 취소소송의 제소기간을 처분 등이 있음을 안 때로부터 90일 이내로 규정한 것은 지나치게 짧은 기간이라고 보기 어렵고 행정법관계의 조속한 안정을 위해 필요한 방법이므로 재판청구권을 침해하지 않는다.
ㄷ. 헌법에 재판청구권의 내용으로 신속한 재판을 받을 권리가 명시적으로 규정되어 있다.
ㄹ. 신속한 재판을 받을 권리의 실현을 위해서는 구체적인 입법형성이 필요하며, 다른 사법절차적 기본권에 비하여 폭넓은 입법재량이 허용된다.
ㅁ. 헌법 제27조 제3항의 신속한 재판을 받을 권리의 적용범위에는 판결절차 외에 집행절차도 포함된다. 민사상의 분쟁해결에서 판결절차가 권리 또는 법률관계의 존부의 확정, 즉 청구권의 존부의 관념적 형성을 목적으로 하는 절차라면 강제집행절차는 권리의 강제적 실현, 즉 청구권의 사실적 형성을 목적으로 하는 절차이므로 판결절차에 비해 신속성이 더욱 요청된다.
ㅂ. 상고심 심리불속행 판결의 경우에 이유를 붙이지 아니할 수 있도록 한 것은 사건의 보다 신속한 처리를 위한 것인바, 재판청구권을 침해한 것이 아니다.
ㅅ. '신속한 재판을 받을 권리'를 규정하고 있는 헌법 제27조 제3항에 의하여, 모든 국민은 법률에 의한 구체적 형성이 없어도 직접 신속한 재판을 청구할 수 있는 권리를 가진다.

① 1개 ② 2개
③ 3개 ④ 4개

09 군사재판에 대한 설명으로 옳은 것은 모두 몇 개인가?

ㄱ. 비상계엄하의 군사재판은 단심으로 한다.
ㄴ. 비상계엄하의 군사재판은 사형을 선고하는 경우에는 군인·군무원의 범죄에 관해서는 단심으로 할 수 있다.
ㄷ. 중대한 군사상 기밀과 군용물에 관한 죄는 계엄하에서도 단심으로 할 수 없다.
ㄹ. 헌법 제27조 제2항은 일반 국민의 군사재판을 받을 권리를 보장하고 있다.
ㅁ. 군인 또는 군무원이 아닌 국민은 대한민국의 영역 안에서는 중대한 군사상 기밀·초병·초소·유해음식물공급·포로·군사시설에 관한 죄 중 법률이 정한 경우와 경비계엄이 선포된 경우를 제외하고는 군사법원의 재판을 받지 아니한다.
ㅂ. 계엄하의 군사재판은 군인·군무원의 범죄나 군사에 관한 간첩죄의 경우와 초병·초소·유독음식물공급·포로에 관한 죄 중 법률이 정한 경우에 한하여 단심으로 할 수 있다. 다만, 사형을 선고한 경우에는 그러하지 아니하다.

① 없음. ② 1개
③ 2개 ④ 3개

10 군사재판에 대한 설명으로 옳은 것은 모두 몇 개인가?

ㄱ. 성폭력범죄, 군인등의 사망사건 관련 범죄 및 군인등이 그 신분취득 전에 저지른 범죄에 대해서는 군사법원의 재판권에서 제외하여 일반 법원이 재판권을 행사한다.
ㄴ. 「군사법원법」의 적용대상이 되는 모든 범죄에 대하여 수사기관의 구속기간의 연장을 허용하는 것은 부적절한 방식에 의한 과도한 기본권 제한으로서, 신체의 자유 및 신속한 재판을 받을 권리를 침해하는 것이다.
ㄷ. 군사시설 중 전투용에 공하는 시설을 손괴한 일반 국민이 평시에 군사법원에서 재판을 받도록 하는 것은 법관에 의한 재판을 받을 권리를 침해하는 것이다.
ㄹ. 현역병이 군대 입대 전에 범한 범죄에 대하여 군사법원의 재판권을 규정하고 있는 「군사법원법」 조항은 현역병의 재판청구권을 침해하여 위헌이다.

① 없음. ② 1개
③ 2개 ④ 3개

11 행정심판에 대한 설명으로 옳지 않은 것은 모두 몇 개인가?

ㄱ. 불복절차에서 행정심판을 임의적 전치제도로 규정하고 있다면, 불복신청인에게 행정심판을 거치지 아니하고 곧바로 행정소송을 제기할 수 있는 선택권이 보장되어 있으므로, 그 행정심판에 사법절차가 준용되지 않는다 하더라도 헌법에 위반되지 않는다.
ㄴ. 토지수용위원회의 수용재결에 불복하려는 경우 이의신청을 거쳐 수용재결이 아닌 이의재결에 대해서만 항고소송을 제기할 수 있도록 한 「토지수용법」 조항은 재판청구권을 침해한다고 할 수 없다.
ㄷ. 지방공무원이 면직처분에 불복할 경우 반드시 소청심사를 거쳐 행정소송을 제기하도록 한 「지방공무원법」은 재판청구권을 침해한다고 할 수 없다.
ㄹ. 교원에 대한 징계처분에 관하여 재심청구를 거치지 아니하고서는 행정소송을 제기할 수 없도록 한 법률규정은 교원징계처분의 전문성과 자주성을 고려한 것으로 재판청구권을 침해한다.
ㅁ. 「주세법」에 따른 의제주류판매업면허의 취소처분에 대한 행정소송에 관하여 필요적 행정심판전치주의를 규정한 「국세기본법」 제56조 제2항 중 '「주세법」 제8조 제4항 제1호에 따른 의제주류판매업면허의 취소처분'에 관한 부분이 청구인들의 재판청구권을 침해한다고 할 수 없다.
ㅂ. 「도로교통법」상 주취운전을 이유로 한 운전면허 취소처분에 대하여 행정심판의 재결을 거치지 아니하면 행정소송을 제기할 수 없도록 한 것은, 재판청구권을 침해한 것으로서 위헌이다.
ㅅ. 행정기관에 의한 심판은 재판의 전심절차로서만 허용되기 때문에, 그에 관해서는 반드시 법원에 의한 정식재판의 길이 열려 있어야 한다.

① 1개　② 2개　③ 3개　④ 4개

12 보상금 등의 지급결정은 신청인이 동의한 때에는 민주화운동과 관련하여 입은 피해에 대하여 민사소송법의 규정에 의한 재판상 화해가 성립된 것으로 보는 민주화운동 관련자 명예회복 및 보상 등에 관한 법률(이하 '민주화보상법'이라 한다)에 대해 헌법소원심판이 청구되었다. 이에 대한 설명으로 옳지 않은 것은 모두 몇 개인가?

ㄱ. 심판대상조항은 재판상 화해의 성립 간주를 규정하고 있을 뿐 국가배상청구권을 직접 제한하는 것은 아니며, 재판청구권은 다른 기본권을 보장하기 위한 기본권으로서의 성격을 가지고 있음을 고려할 때, 심판대상조항으로 인한 재판청구권 침해 여부를 판단하면 충분하고, 국가배상청구권 제한 여부를 따로 판단할 실익은 없다.
ㄴ. 헌법재판소는 재판청구권 침해 여부는 입법형성권을 일탈했는지 여부를, 국가배상청구 침해 여부는 과잉금지 위반 여부를 각각 심사기준으로 한 바 있다.
ㄷ. 민주화보상법에 따라 지급되는 보상금 등에는 손실전보를 의미하는 '보상'의 성격뿐만 아니라 손해 전보를 의미하는 '배상'의 성격도 포함되어 있다고 봄이 상당하다.
ㄹ. 민주화보상법상 보상금 등에는 적극적·소극적 손해에 대한 배상과 정신적 손해에 대한 배상이 포함되어 있다.
ㅁ. 보상금 등의 지급결정은 신청인이 동의한 때에는 민주화운동과 관련하여 입은 피해에 대하여 「민사소송법」의 규정에 의한 재판상 화해가 성립된 것으로 보는 민주화보상법은 적극적·소극적 손해(재산적 손해)에 대한 국가배상청구권을 침해한다고 볼 수 없다.
ㅂ. 민주화보상법이 보상금 등 산정에 있어 정신적 손해에 대한 배상을 전혀 반영하지 않고 있으므로, 이와 무관한 보상금 등을 지급한 다음 정신적 손해에 대한 배상청구마저 금지하는 것은 법익의 균형성에 위반된다.
ㅅ. 심판대상에서 '민주화운동과 관련하여 입은 피해'는 명확성원칙에 위배되지 않는다.

① 1개　② 2개　③ 3개　④ 4개

13 **보상금 등의 지급결정은 신청인이 동의한 때에는 민주화운동과 관련하여 입은 피해에 대하여 민사소송법의 규정에 의한 재판상 화해가 성립된 것으로 보는 법률에 대한 헌법재판소 판례와 일치하지 않는 것은?**

① 특수임무수행자 등이 보상금 등의 지급결정에 동의한 때에는 특수임무수행 또는 이와 관련한 교육훈련으로 입은 피해에 대하여 재판상 화해가 성립된 것으로 보는 「특수임무수행자 보상에 관한 법률」 제17조의2 가운데 특수임무수행 또는 이와 관련한 교육훈련으로 입은 피해 중 '정신적 손해'에 관한 부분은 국가배상청구권 또는 재판청구권을 침해한다.

② 「민주화운동 관련자 명예회복 및 보상 등에 관한 법률」이 보상금 등 산정에 있어 정신적 손해에 대한 배상을 전혀 반영하지 않고 있으므로, 이와 무관한 보상금 등을 지급한 다음 정신적 손해에 대한 배상청구마저 금지하는 것은 법익의 균형성에 위반된다.

③ 배상심의회의 배상결정절차는 제3자성, 독립성이 희박하여 배상심의회의 배상결정은 신청인이 동의한 때에는 「민사소송법」 규정에 의한 재판상 화해가 성립된 것으로 본다는 「국가배상법」은 재판청구권을 침해한다.

④ 5·18 민주화운동과 관련하여 보상금지급결정에 동의하면 정신적 손해'에 관한 부분도 재판상 화해가 성립된 것으로 보는 구 「광주민주화운동 관련자 보상 등에 관한 법률」은 국가배상청구권을 침해한다.

14 **위원회결정을 민사소송법 규정에 의한 재판상 화해가 성립한 것으로 보는 법률에 대한 설명으로 옳지 않은 것은?**

① 보상금 등의 지급결정은 신청인이 동의한 때에는 민주화운동과 관련하여 입은 피해에 대하여 「민사소송법」의 규정에 의한 재판상 화해가 성립된 것으로 보는 「민주화운동 관련자 명예회복 및 보상 등에 관한 법률」은 재판청구권을 침해한다.

② 보상금 등의 지급결정에 동의한 때에는 특수임무수행 등으로 인하여 입은 피해에 대하여 재판상 화해가 성립된 것으로 보는 「특수임무수행자 보상에 관한 법률」 제17조의2는 재판청구권을 침해한다고 할 수 없다.

③ 심의위원회의 배상금 등 지급결정에 신청인이 동의한 때에는 국가와 신청인 사이에 「민사소송법」에 따른 재판상 화해가 성립된 것으로 보는 「4·16세월호참사 피해구제 및 지원 등을 위한 특별법」 제16조가 과잉금지원칙을 위반하여 청구인들의 재판청구권을 침해했다고 할 수 없다.

④ 「4·16세월호참사 피해구제 및 지원 등을 위한 특별법」은 피해에 상응하는 보상이 이루어질 수 있도록 규정하고 있으므로 심의위원회의 배상금 등 지급결정에 동의한 때에는 재판상 화해가 성립한 것으로 간주하여 손해배상금의 지급을 청구할 수 없도록 한 것은 국가배상청구권을 침해한 것은 아니었다.

15 **재판청구권에 대한 설명으로 옳지 않은 것은?**

① 검사의 불기소처분에 대하여 어떤 방법으로 어느 범위에서 제한하여 그 남용을 통제할 것인지 여부는 기본적으로 입법자의 재량에 속하는 입법정책의 문제이다.

② 재판청구권은 자유권적 기본권 등 다른 기본권을 제한하는 경우와 비교하여 보면 상대적으로 더 넓은 입법형성권이 인정된다.

③ 재판 당사자가 재판에 참석하는 것은 재판청구권의 기본적 내용이라고 할 것이므로 수형자도 형의 집행과 도망의 방지라는 구금의 목적을 반하지 않는 범위에서는 재판청구권이 보장되어야 한다.

④ 재판청구권을 형성하는 법률에 대해서는 엄격한 심사가 필요하다.

16 재판청구권에 대한 설명으로 옳지 않은 것은 모두 몇 개인가?

ㄱ. 「행정소송법」 제20조 제1항(처분이 있음을 안 날로부터 90일 이내 소제기) 중 '처분 등이 있음을 안 날'은 재판청구권을 침해하지 아니한다.
ㄴ. 상속회복청구권 행사기간을 '상속권의 침해행위가 있은 날로부터 10년'이라고 한 개정 「민법」 제999조 제2항은 재산권을 침해한 것이다.
ㄷ. 친생자관계 존부의 당사자가 사망한 경우 이해관계인이 그 사망을 안 날로부터 2년 내에 검사를 상대로 친생자관계부존재확인의 소를 제기할 수 있도록 한 민법 조항은 재판청구권을 침해한다고 볼 수 없다.
ㄹ. 채권자취소권의 제소기간인 '법률행위 있은 날로부터 5년 내'로 정한 「민법」 제406조 제2항은 청구인들의 재판청구권을 침해한 것이다.
ㅁ. 제1심의 형사판결에 대한 항소제기기간을 판결선고 후 7일 이내로 정하고 있는 「형사소송법」은 재판청구권에 대한 과도한 제한을 하고 있다.
ㅂ. 특허무효심결에 대한 소는 심결의 등본을 송달받은 날부터 30일 이내에 제기하도록 한 「특허법」은 재판청구권을 침해하지 않는다.
ㅅ. 재정신청기간을 재항고기각결정을 통지받은 날부터 10일 이내로 제한하고 있는 「형사소송법」은 법원을 설득하기 위한 재정신청절차에서 그 이유를 기재하기에는 지나치게 짧으므로, 위 조항은 검사의 기소독점권과 기소재량권을 감독하고 보완하기 위한 재정신청제도의 근본취지를 형해화시키고 형사피해자의 사법구제청구권을 필요성의 한도를 넘어 과도하게 침해하여 헌법 제37조 제2항에 위반된다.
ㅇ. 비용보상청구권의 제척기간을 무죄판결이 확정된 날부터 6개월로 규정한 「형사소송법」은 평등원칙에 위배된다.
ㅈ. 상소제기기간을 재판의 선고일로부터 산정하는 「형사소송법」 제343조는 재판청구권을 침해한다.
ㅊ. 지방공무원이 면직처분에 대해 불복할 경우 소청심사청구기간을 처분사유 설명서 교부일부터 30일 이내로 정한 구 「소방공무원법」 조항은 청구인의 재판청구권을 침해하지 아니한다.
ㅋ. 특별검사가 공소제기한 사건의 재판기간과 상소절차 진행기간을 일반사건보다 단축하여 제1심에서는 공소제기일부터 3개월 이내에, 제2심 및 제3심에서는 전심의 판결선고일부터 각각 2개월 이내에 하도록 한 것은 공정한 재판을 받을 권리를 침해한다고 할 수 없다.
ㅌ. 정식재판청구기간을 '약식명령의 고지를 받은 날로부터 7일 이내'로 정하고 있는 「형사소송법」 제453조 제1항은 재판청구권을 침해한다고 할 수 없다.
ㅍ. 토지수용위원회의 수용재결서를 받은 날로부터 60일 이내에 보상금증감청구소송을 제기하도록 한 「공익사업을 위한 토지 등의 취득 및 보상에 관한 법률」 조항은 보상금증감청구소송을 제기하려는 토지소유자의 재판청구권을 침해한다.

① 7개
② 8개
③ 9개
④ 10개

17 재판청구권에 대한 설명으로 옳은 것은?

① 상속회복청구권의 행사기간을 상속 개시일로부터 10년으로 제한한 「민법」은 상속인의 재산권과 재판청구권 침해이다.

② 형사보상의 청구는 무죄재판이 확정된 때로부터 1년 이내에 하도록 규정하고 있는 「형사보상 및 명예회복에 관한 법률」은 재판청구권을 침해한다고 할 수 없다.

③ 즉시항고제기기간을 3일보다 조금 더 긴 기간으로 정한다고 해도 피수용자의 신병에 관한 법률관계를 조속히 확정하려는 입법목적이 달성되는 데 큰 장애가 생긴다고 볼 수 없으므로, 피수용자의 구제청구에 대한 기각결정에 대해 3일 이내에 즉시항고할 수 있도록 한 「인신보호법」 제15조는 재판청구권을 침해하지 않는다.

④ 소송절차의 원활한 진행을 위해 신속한 결론이 필요한 사항을 대상으로 하는 것으로서 제기기간을 단기로 정할 필요성이 인정되고, 상소권회복청구제도 등에 관한 규정이 즉시항고에도 적용되므로, 3일이라는 즉시항고제기기간을 정한 「형사소송법」 제405조가 입법재량의 범위를 일탈하여 청구인의 재판청구권을 침해한다고 볼 수 없다.

18 재판청구권에 대한 설명으로 옳은 것은?

① 항소심에서 심판대상이 된 사항에 한하여 법령 위반의 상고 이유로 삼을 수 있도록 상고를 제한하는 형사소송법 규정은 재판청구권을 침해한다고 볼 수 없다.

② 심리불속행재판의 판결이유를 생략할 수 있도록 규정한 「상고심절차에 관한 특례법」 관련 규정은 이유기재가 없는 재판이 가능하도록 한 특례법 제5조 제1항은 헌법과 법률이 정한 바에 따라 재판이 이루어져야 한다는 법치주의원리에 따른 재판을 무의미하게 만들고 당사자의 주장에 대해 실질적으로 아무런 대답이 없는 재판을 가능하게 하는 것으로 재판의 본질에도 반하는 부당한 규정이다.

③ 헌법 제27조 제1항이 규정하는 '법률에 의한' 재판을 받을 권리는 '절차법이 정한 절차에 따라 실체법이 정한 내용대로 재판을 받을 권리'로서 이를 보장하기 위해서는 입법자에 의한 재판청구권의 구체적 형성이 불가피하므로, 이러한 입법이 상당한 정도로 '권리구제의 실효성'을 보장하는 것이어야 한다고 요구할 수는 없다.

④ 특허재판과 지방의회의원 선거, 자치구·시·군의 장의 선거에 관한 선거소송은 예외적으로 단심제로서 대법원에 소를 제기할 수 있다.

19 재판청구권에 대한 설명으로 옳지 않은 것은 모두 몇 개인가?

ㄱ. 변호사보수를 소송비용에 산입하여 패소한 당사자의 부담으로 한 것은 청구인의 재판청구권을 침해하는 것이 아니다.
ㄴ. 「민사소송법」이 통상의 불복방법이 없는 결정·명령에 대하여도 재판에 영향을 미친 헌법 또는 법률의 위반이 있는 때에는 대법원에 불복할 수 있도록 특별항고제도를 두고 있으므로, 가집행선고부 판결에 대한 집행정지의 재판에 대하여 불복을 신청할 수 없도록 규정하고 있다고 하더라도 헌법에 위반된다고 볼 수 없다.
ㄷ. 변호인이 있는 때에 피고인에게 따로 공판조서 열람청구를 인정하지 않아도 기본권을 침해하는 것이 아니다.
ㄹ. 관세청의 통고처분을 행정소송의 대상에서 제외한 「관세법」 규정은 재판청구권 침해가 아니다.
ㅁ. 재정신청절차의 신속하고 원활한 진행을 위하여 구두변론의 실시 여부를 법관의 재량에 맡기는 것은 재판청구권을 침해하지 않는다.
ㅂ. 헌법재판사건의 심판기간을 180일로 정한 「헌법재판소법」은 신속한 재판을 받을 권리를 침해하는 것이 아니다.
ㅅ. 청소년유해매체물의 결정권한을 청소년보호위원회 등에 부여하는 것은 사실확정과 법률의 해석·적용에 관한 법관의 고유권한이 박탈된 것이므로 법관에 의한 재판을 받을 권리를 침해하는 것이다.

① 1개
② 2개
③ 3개
④ 4개

20 재판청구권에 대한 설명으로 옳지 않은 것은?

① 결정으로써 한 법원의 재판에 대한 불복절차를 판결절차로 할 것인지, 아니면 결정절차로 할 것인지는 원칙적으로 입법정책의 문제로서 입법자의 광범위한 형성의 자유에 속하는 사항이다.

② 형사재판에서 사실·법리·양형과 관련하여 피고인이 자신에게 유리한 주장과 자료를 제출할 기회를 보장하는 것이 헌법이 보장한 '공정한 재판을 받을 권리'의 보호영역에 포함된다.

③ 소송구조는 재판을 받는 국민에게 국가가 일정한 조력을 제공하는 제도이어서, 소송구조를 받지 않는다면 그 국민의 재판청구권이 형해화되거나 그 행사에 직접 제한을 받을 수 있으므로, 소송구조의 거부는 국민의 재판청구권의 본질을 침해한다.

④ 비형벌법규에 대한 위헌결정의 경우에는 장래효를 원칙으로 하되 당해 소송사건에 한해서 재심을 허용함으로써, 법적 안정성과 구체적 정의의 실현을 조화시키고 있으므로, 비형벌조항에 대한 위헌결정의 효력을 장래효 원칙으로 정한 「헌법재판소법」 제75조 제6항의 재심사유조항 역시 입법형성권의 한계를 일탈한 것으로 보기 어렵다.

진도별 모의고사

재판청구권

정답 및 해설 p.366

제한시간 : 14분 | 시작시각 ___시 ___분 ~ 종료시각 ___시 ___분 나의 점수 ______

01 재판청구권에 대한 설명으로 옳지 않은 것은?

① 「범죄인 인도법」에 따른 법원의 범죄인 인도심사를 서울고등법원의 전속관할로 하고 그 심사결정에 대한 불복절차를 인정하지 않더라도 재판청구권을 과잉제한하는 것이라 보기 어렵다.

② 소 취하 간주의 경우는 실질적인 재판이 이루어진 것이 아님에도 원고를 패소자로 보고 변호사보수가 산입된 소송비용을 원칙적으로 원고가 부담하도록 하는 것은 원고의 재판청구권을 침해한다.

③ 소송물가액에 비례하여 일정 비율의 인지를 상한 없이 일률적으로 첩부하도록 요구하더라도 재판청구권을 침해한 것은 아니다.

④ 국가정보원 직원이 사건 당사자로서 직무상 비밀에 속하는 사항을 진술을 하고자 할 때에는 미리 원장의 허가를 받도록 한 「국가정보원직원법」은 재판청구권을 과도하게 침해한 것이다.

02 재판청구권에 대한 설명으로 옳지 않은 것은?

① 「변호사법」 제81조 제4항 내지 제6항이 변호사징계사건에 대하여 법원에 의한 사실심리의 기회를 배제함으로써, 징계처분을 다투는 의사·공인회계사 등 다른 전문자격 종사자에 비교하여 변호사를 차별대우함은 변호사의 직업적 특성들을 감안할 때 차별을 합리화할 정당한 목적이 있는 것이다.

② 교도소장의 출정비용납부 거부 또는 상계동의 거부를 이유로 행정소송 변론기일에 수용자의 출정을 제한한 행위는 청구인의 재판청구권을 과도하게 침해하였다고 할 것이다.

③ 검사가 법원의 증인으로 채택된 수감자를 그 증언에 이르기까지 거의 매일 검사실로 하루 종일 소환하여 피고인 측 변호인이 접근하는 것을 차단하고, 검찰에서의 진술을 번복하는 증언을 하지 않도록 회유·압박하는 한편, 때로는 검사실에서 그에게 편의를 제공하기도 한 행위는 피고인의 공정한 재판을 받을 권리를 침해한다.

④ 검사 또는 사법경찰관에게 임의의 진술을 한 자가 공판기일에 전의 진술과 다른 진술을 할 염려가 있고 그의 진술이 범죄의 증명에 없어서는 아니될 것으로 인정될 경우에는 검사는 제1회 공판기일 전에 한하여 판사에게 그에 대한 증인신문을 청구할 수 있고 판사는 수사에 지장이 없다고 인정할 때에는 피고인·피고인 또는 변호인을 증인신문에 참여하게 할 수 있도록 한 「형사소송법」은 재판청구권을 침해한다.

03 재판청구권에 대한 설명으로 옳지 않은 것은?

① 재정신청 기각결정에 대하여 재항고를 금지한 「형사소송법」 제415조는 평등권을 침해한다.

② 수형자가 헌법소원사건의 국선대리인인 변호사를 접견함에 있어 교도소장이 그 접견 내용을 녹음, 기록한 행위는 증거인멸이나 추가 범행을 예방하고 교정시설의 안전과 질서유지를 위한 것으로서 재판청구권을 침해한 경우에 해당하지 아니한다.

③ 형사재판에서 피고인이 중죄를 범한 중죄인이라거나 외국에 도피 중이라는 이유만으로 상소의 제기 또는 상소권회복청구를 전면 봉쇄하는 것은 재판청구권의 침해이다.

④ 소송대리인인 변호사와의 접견시간을 일반 접견과 동일하게 제한하면서, 접견횟수 또는 일반 접견의 횟수에 포함시키고 있는 구 「형의 집행 및 수용자의 처우에 관한 법률 시행령」 제58조 제2항은 수형자의 재판청구권을 침해한다고 할 수 있다.

04 재판청구권에 대한 설명으로 옳지 않은 것은?

① 디엔에이감식시료채취영장 발부과정에서 형이 확정된 채취대상자에게 자신의 의견을 밝히거나 영장 발부 후 불복할 수 있는 절차 등에 관하여 규정하지 않은 것은 재판청구권을 침해하지 않는다.

② 변호사접견권을 악용하는 수형자들로 인한 부작용을 배제하기 위하여, 수용자 일반을 접촉차단시설이 설치된 장소에서 변호사를 접견하게 하는 행위는 정당화되지 않는다.

③ 제소기간의 설정을 지나치게 단기간으로 하거나 기산점을 불명확하게 하여 재판청구권의 행사를 현저히 곤란하게 하거나 사실상 불가능하게 한다면 그것은 재판청구권의 본질을 침해하는 것이다.

④ 중형에 해당하는 사건에 대하여 검사의 청구에 의하여 법원으로 하여금 처음부터 의무적으로 궐석재판을 행하도록 한 「반국가행위자의 처벌에 관한 특별조치법」 제7조 제5항의 궐석재판제도는 피고인의 공정한 재판을 받을 권리를 과도하게 침해한 것이다.

05 교원은 재심위원회의 결정에 대하여 그 결정서의 송달을 받은 날부터 60일 이내에 행정소송법이 정하는 바에 의하여 소송을 제기할 수 있도록 한 교원지위향상을 위한 특별법 제10조 제3항에 대해 위헌제청이 있었다. 이에 대한 설명으로 옳지 않은 것은?

① 학교법인의 사립학교 교원에 대한 인사권의 행사로서 징계는 사법적 법률행위로서의 성격을 가지므로 학교법인의 교원에 대한 징계 등 불리한 처분에 대하여 직접 그 취소를 구하는 행정소송을 제기할 수 없고 민사소송으로 그 효력 유무를 다투어야 한다.

② 국·공립교원 징계에 대한 징계재심위원회(현 교원소청위원회)의 결정은 행정심판의 재결에 해당하다는 데는 이론이 없다.

③ 학교법인의 교원 징계에 대한 불복절차로서 징계재심위원회(현 교원소청위원회)의 결정은 행정심판의 재결에 해당한다.

④ 교원은 재심위원회의 결정에 대하여 그 결정서의 송달을 받은 날부터 60일 이내에 「행정소송법」이 정하는 바에 의하여 소송을 제기할 수 있도록 한 「교원지위향상을 위한 특별법」 제10조 제3항은 사립학교 교원에 대한 징계 등 불리한 처분의 적법 여부에 관하여 재심위원회의 재심결정이 최종적인 것이 되는 결과 일체의 법률적 쟁송에 대한 재판권능을 법원에 부여한 헌법 제101조 제1항에도 위배된다.

06 재판청구권에 대한 설명으로 옳지 않은 것은?

① 국가배상사건인 당해 사건 확정판결에 대하여 헌법재판소 위헌결정을 이유로 한 재심의 소를 제기할 경우, 「민사소송법」을 준용하도록 하여 재심제기기간을 재심사유를 안 날부터 30일 이내로 한 「헌법재판소법」 제75조 제8항이 재판청구권을 침해한다고 할 수 없다.

② 청구인의 변호인이 「국가보안법」 위반죄로 구속기소된 청구인의 변론준비를 위하여 피청구인인 검사에게 그가 보관중인 수사기록 일체에 대한 열람·등사신청을 하였으나, 피청구인은 국가기밀의 누설이나 증거인멸, 증인 협박, 사생활 침해의 우려 등 정당한 사유를 밝히지 아니한 채 이를 전부 거부한 것은 청구인의 신속·공정한 재판을 받을 권리와 변호인의 조력을 받을 권리를 침해하는 것으로 헌법에 위반된다.

③ 「반국가행위자의 처벌에 관한 특별조치법」 제11조 제1항이 피고인이 체포되거나 임의로 검사에게 출석하지 아니하면 상소를 할 수 없도록 제한한 것과 동법 제13조 제1항에서 상소권회복청구의 길을 전면 봉쇄한 것이 헌법상 재판청구권을 침해하는 것은 아니다.

④ 항소기록을 항소법원에 기록송부시 검사를 거치도록 한 「형사소송법」은 피고인의 헌법상 기본권을 침해하고 법관의 재판상 독립에 영향을 주는 것으로서 과잉금지의 원칙에 반하여 헌법 제27조 제1항 및 제3항 규정의 신속·공정한 재판을 받을 기본권을 침해하는 위헌의 법률조항이다.

07 재판청구권에 대한 설명으로 옳지 않은 것은?

① 소송의 지연을 목적으로 함이 명백한 기피신청의 경우 그 신청을 받은 법원 또는 법관이 결정으로 기각할 수 있도록 한 「형사소송법」 제20조 제1항은 공정한 재판을 받을 권리를 침해하지 아니한다.

② 이해관계인에 대한 매각기일 및 매각결정기일의 통지는 집행기록에 표시된 이해관계인의 주소에 대법원규칙이 정하는 방법으로 발송할 수 있다고 규정한 「민사집행법」은 재판을 받을 권리를 침해하지 아니한다.

③ 모든 사건에 대해 똑같이 세 차례의 법률적 측면에서의 심사의 기회의 제공이 곧 헌법상의 재판을 받을 권리의 보장이라고는 할 수 없을 것이다.

④ 국가를 상대로 하는 당사자소송의 경우에는 가집행선고를 할 수 없다고 규정한 「행정소송법」 제43조가 평등원칙에 위배된다고 할 수 없다.

08 재판청구권과 재판절차진술권에 대한 설명으로 옳지 않은 것은?

① 형사피해자를 약식명령의 고지대상자에서 제외하고 있는 「형사소송법」 제452조는 형사피해자의 재판절차진술권을 침해하지 않는다.

② 형사피해자를 정식재판청구권자에서 제외하고 있는 「형사소송법」은 형사피해자의 재판절차진술권을 침해하지 않는다.

③ 행정소송에서 인지액과 송달료 납부를 명하는 보정명령을 받고도 보정기간 내에 이를 이행하지 않은 원고에 대해 재판장으로 하여금 명령으로 소장을 각하하도록 규정한 「민사소송법」 준용은 행정소송에서 원고의 재판을 받을 권리를 침해하지 않는다.

④ 「특정범죄 가중처벌 등에 관한 법률」 조항의 법정형은 2년 이상 20년 이하이므로 명백히 합의부가 심판하여야 할 사항인데, 「특정범죄 가중처벌 등에 관한 법률」에 해당하는 사건을 합의부의 심판권에서 제외하고 단독판사가 재판하도록 한 「법원조직법」 제32조는 피고인의 재판받을 권리와 법관의 양형권을 침해하는 것이다.

⑤ 변호사보수를 소송비용에 산입하도록 한 「민사소송법」을 행정소송에 준용하도록 한 「행정소송법」은 과잉금지원칙에 위반되어 소송당사자의 재판을 받을 권리를 침해한다고 할 수 없다.

09 형사피해자의 재판절차진술권에 대한 설명으로 옳지 않은 것은?

① 종합보험 등에 가입된 교통사고 가해자에 대하여 공소를 제기할 수 없도록 한 「교통사고처리특례법」 제4조 제1항 본문은 중상해를 입은 피해자의 실질적 피해회복에 성실히 임하지 않는 풍조가 있는 점 등에 비추어 보면, 중상해를 입은 피해자의 재판절차진술권의 행사가 근본적으로 봉쇄된 것은 피해자의 사익이 현저히 경시된 것이므로 법익의 균형성에 위반된다.

② 재판절차진술권에 관한 헌법 제27조 제5항이 정한 법률유보는 법률에 의한 기본권의 제한을 목적으로 하는 자유권적 기본권에 대한 법률유보의 경우 동일하게 기본권으로서의 재판절차진술권을 보장하고 있는 헌법규범의 의미와 내용을 법률로써 구체화하기 위한 이른바 기본권형성적 법률유보에 해당하지 않는다.

③ 14세 미만의 자를 형사미성년자로 규정하는 「형법」 제9조가 청구인의 재판절차진술권을 침해한다고 할 수 없다.

④ 형사피해자를 약식명령의 고지대상자에서 제외하고 있는 「형사소송법」 제452조는 형사피해자의 재판절차진술권을 침해하지 않는다.

10 형사피해자의 재판절차진술권에 대한 설명으로 옳지 않은 것은?

① 형사피해자로 하여금 자신이 피해자인 범죄에 대한 형사재판절차에 접근할 가능성을 제한하는 것이 그의 재판청구권에 대한 제한이다.

② 헌법 제27조 제5항 재판절차진술권의 주체는 생명·신체상의 중상해를 입은 형사피해자뿐 아니라 모든 형사피해자가 포함된다.

③ 형사피해자의 재판절차진술권은 형사사법의 절차적 적정성을 확보하기 위한 기본권이다.

④ 형사피해자를 정식재판 청구권자에서 제외하고 있는 「형사소송법」은 형사피해자의 재판절차진술권을 침해한다.

11 형사피해자의 재판절차진술권에 대한 설명으로 옳은 것을 모두 조합한 것은?

ㄱ. 형사피해자는 형사실체법상으로는 직접적인 보호법익의 주체이므로 문제되는 범죄 때문에 법률상 불이익을 받게 되는 자라도 형사실체법상 보호법익의 주체가 아니라면 헌법상 형사피해자의 재판절차진술권의 주체가 될 수 없다.
ㄴ. 헌법 제27조 제5항이 정한 법률유보는 법률에 의한 기본권의 제한을 목적으로 하는 자유권적 기본권에 대한 법률유보의 경우와 같이 보아야 한다.
ㄷ. 교통사고로 사망한 사람의 부모는 헌법상 재판절차진술권이 보장되는 형사피해자의 범주에 속한다.
ㄹ. 공소시효가 완성된 혐의사실에 대하여는 공소제기가 불가능하기 때문에 이러한 피의사실에 관한 검사의 불기소처분에 대한 헌법소원은 권리 보호의 이익이 없어 부적법하다.
ㅁ. 검사의 불기소처분에 대하여 기소처분을 구하는 취지에서 제기하는 헌법소원에 있어서, 형사피해자가 아닌 단순 고발인은 그 불기소처분으로 말미암아 자기의 재판절차상 진술권 기타 기본권을 침해받았다고 볼 수 없으므로, 헌법소원의 요건인 자기관련성의 결여로 청구인적격이 없다.

① ㄱ, ㄴ　② ㄱ, ㄴ, ㄷ, ㅁ
③ ㄴ, ㄷ, ㄹ　④ ㄷ, ㄹ, ㅁ

12 국민참여재판에 대한 설명으로 옳지 않은 것을 모두 조합한 것은?

ㄱ. 피고인이 국민참여재판을 원하지 아니하면 그 의사에 따르는 것이 원칙이나, 법원이 사건의 중요성, 사회의 관심도 등을 종합적으로 고려하여 국민참여재판을 여는 것이 필요하다고 인정되는 경우에는 그 의사에 불구하고 국민참여재판을 받도록 할 수 있다.
ㄴ. 배심원은 만 20세 이상의 대한민국 국민 중에서 선정되므로 외국인은 배심원이 될 수 없다.
ㄷ. 국민참여재판에 관하여 변호인이 없는 때에는 법원은 직권으로 변호인을 선정하여야 한다.
ㄹ. 사형, 무기 또는 단기 1년 이상의 징역 또는 금고에 해당하는 합의부사건은 피고인이 원하지 아니하는 경우에도 국민참여재판을 하여야 한다.

① ㄱ, ㄴ　② ㄱ, ㄷ
③ ㄴ, ㄷ　④ ㄱ, ㄹ

13 국민참여재판에 대한 설명으로 옳지 않은 것은?

① 배심원들의 평결과 의견은 법원을 기속하지 아니한다.

② 누구든지 「국민의 형사재판 참여에 관한 법률」에서 정하는 바에 따라 국민참여재판을 받을 권리를 가지며, 대한민국 국민은 이 법으로 정하는 바에 따라 국민참여재판에 참여할 권리와 의무를 가진다.

③ 국민참여재판은 원칙적으로 모든 형사사건에 적용된다.

④ 법원은 심리의 상황이나 그 밖의 사정을 고려하여 국민참여재판으로 진행하는 것이 적당하지 아니하다고 인정하는 때에는 결정으로 당해 사건을 지방법원 본원 합의부가 국민참여재판에 의하지 아니하고 심판하게 할 수 있는데, 이 결정에 대하여는 불복할 수 없다.

14 국민참여재판에 대한 설명으로 옳지 않은 것은?

① 「성폭력범죄의 처벌 등에 관한 특례법」 제2조의 범죄로 인한 피해자 또는 법정대리인이 국민참여재판을 원하지 아니하는 경우 법원은 공소제기 후부터 공판준비기일이 종결된 다음 날까지 국민참여재판을 하지 아니하기로 하는 결정을 할 수 있는데, 이 결정에 대하여는 즉시항고를 할 수 있다.

② 법원은 피고인의 질병 등으로 공판절차가 장기간 정지되거나 피고인에 대한 구속기간의 만료, 성폭력범죄 피해자의 보호, 그 밖에 심리의 제반 사정에 비추어 국민참여재판을 계속 진행하는 것이 부적절하다고 인정하는 경우에는 직권 또는 검사·피고인·변호인이나 성폭력범죄 피해자 또는 법정대리인의 신청에 따라 결정으로 사건을 지방법원 본원 합의부가 국민참여재판에 의하지 아니하고 심판하게 할 수 있는데, 이 결정에 대하여는 불복할 수 없다.

③ 국민참여재판을 받을 권리는 헌법상 기본권으로서 보호될 수는 없고, 피고인은 원칙적으로 국민참여재판으로 재판을 받을 법률상 권리를 가진다고 할 것이므로, 이러한 형사소송절차상의 권리를 배제함에 있어서는 헌법에서 정한 적법절차원칙을 따르지 않는다.

④ 「국민의 형사재판 참여에 관한 법률」에서의 배심원은 사실인정과 양형과정에 모두 참여한다는 점에서 배심제와 구별되고, 배심원의 의견은 권고적 효력만을 가질 뿐이라는 점에서 배심제나 참심제와 구별된다.

15 국민참여재판에 대한 설명으로 옳은 것을 모두 조합한 것은?

ㄱ. 국민참여재판이 이루어진 경우 판결서에는 배심원이 재판에 참여하였다는 취지와 배심원의 의견을 기재할 수 있으나, 배심원의 평결 결과와 다른 판결을 선고하는 경우 그 기재가 적절하지 아니하다고 인정할 경우 그 이유를 기재하지 않는다.

ㄴ. 배심원 또는 예비배심원은 법원의 증거능력에 관한 심리에 관여할 수 없다.

ㄷ. 평결이 유죄인 경우 배심원은 심리에 관여한 판사와 함께 양형에 관하여 토의하고 그에 관한 의견을 개진한다.

ㄹ. 국민참여재판의 경우 배심원은 유·무죄에 관하여 판사의 의견을 들어야 하며, 이 경우 유·무죄의 평결은 다수결의 방법으로 하고, 심리에 관여한 판사는 평의에 참석하여 의견을 진술한 경우 평결에 참여할 수 있다.

① ㄱ, ㄴ
② ㄴ, ㄷ
③ ㄴ, ㄷ, ㄹ
④ ㄱ, ㄴ, ㄷ

16 국민참여재판에 대한 설명으로 옳지 않은 것은 모두 몇 개인가?

ㄱ. 합의부 관할 사건만을 국민참여재판의 대상사건으로 정한 것은 평등원칙에 위배된다고 할 수 없다.

ㄴ. 「폭력행위 등 처벌에 관한 법률」의 흉기를 이용한 상해죄를 국민참여재판에 포함시키지 않은 「국민의 형사재판 참여에 관한 법률」은 평등원칙에 위배된다고 할 수 없다.

ㄷ. 국민참여재판의 대상사건을 형사사건 중 합의부 관할 사건으로 한정한 「국민의 형사재판 참여에 관한 법률」 조항은 재판청구권 침해에 해당한다고 할 수 없다.

ㄹ. 국민참여재판으로 진행하는 것이 적절하지 아니하다고 인정되는 경우 법원이 국민참여재판 배제결정을 할 수 있도록 한 구 「국민의 형사재판 참여에 관한 법률」 조항은 피고인의 재판청구권을 침해한다고 볼 수 없다.

ㅁ. 법률이 국민참여재판신청권을 부여하면서 단독판사 관할 사건으로 재판받는 피고인과 합의부 관할 사건으로 재판받는 피고인을 다르게 취급하는 것은 합리적인 이유가 있다.

ㅂ. 국민주권주의에 따라 사법권의 민주적 정당성을 위해 국민참여재판이 도입되었는바, 국민주권이념은 사법권을 포함한 모든 권력을 국민이 직접 행사할 것을 요구하므로 모든 사건을 국민참여재판으로 해야 한다.

ㅅ. 국민참여재판을 받을 권리는 직업법관에 의한 재판을 받을 권리를 주된 내용으로 하는 헌법 제27조 제1항에서 규정한 재판을 받을 권리의 보호범위에 속한다.

ㅇ. 법에서 정하는 대상사건에 해당하는 한 피고인은 원칙적으로 국민참여재판으로 재판을 받을 헌법상 권리를 가진다고 할 것이고, 이러한 형사소송절차상의 권리를 배제함에 있어서는 헌법에서 정한 적법절차원칙이 적용된다.

ㅈ. 형사소송에서 배심원제도를 채택할 것을 헌법이 명시적으로 입법위임한 바 없고, 헌법의 해석을 통해서 입법자에게 그와 같은 입법의무가 인정되는 것으로도 볼 수 없다.

ㅊ. 배심원이 직업적인 법관과 함께 합의체를 구성하여 사실문제와 법률문제를 판단하고 유죄 여부 및 형량을 결정함으로써 관료적 사법에 대한 국민의 불신을 막을 수 있다.

① 1개
② 2개
③ 3개
④ 4개

17 국민참여재판에 대한 설명으로 옳지 않은 것은?

① 배심원 연령을 '만 20세 이상'으로 정한 것은 당시 「민법」상 행위능력이 인정되는 성년연령과 일치시킨 결과였으므로, 2011년 성년연령이 만 19세 이상으로 개정된 이상 배심원 연령만을 그대로 유지할 합리적인 이유는 존재하지 않는다.

② 배심원으로서의 권한을 수행하고 의무를 부담할 능력과 「민법」상 행위능력, 선거권 행사능력, 군 복무능력, 연소자 보호와 연계된 취업능력 등이 동일한 연령기준에 따라 판단될 수 없다.

③ 국민참여재판 대상사건을 합의부 관할 사건 및 이에 해당하는 사건의 미수죄·교사죄·방조죄·예비죄·음모죄에 해당하는 사건, 위 사건과 「형사소송법」 제11조에 따른 관련 사건으로서 병합하여 심리하는 사건 등으로 한정하고 있는 「국민의 형사재판 참여에 관한 법률」 제5조 제1항이 청구인의 평등권을 침해한다고 할 수 없다.

④ 「군사법원법」에 의한 군사재판을 국민참여재판 대상사건의 범위에서 제외하고 있는 「국민의 형사재판 참여에 관한 법률」 제5조 제1항이 평등원칙에 위배된다고 할 수 없다.

18 다음 중 국민의 형사재판 참여에 관한 법률 제18조에 따라 배심원이 될 수 있는 자는 모두 몇인가?

ㄱ. 대통령
ㄴ. 지방의회의원
ㄷ. 중앙선거관리위원회의 정무직공무원
ㄹ. 국립대학교수
ㅁ. 감사원의 정무직공무원
ㅂ. 법무사
ㅅ. 검찰공무원
ㅇ. 경찰·소방·교정공무원
ㅈ. 「예비군법」에 따라 동원되거나 교육훈련의무를 이행 중인 예비군
ㅊ. 18세인 자

① 1개　② 2개
③ 3개　④ 4개

19 국민의 형사재판 참여에 관한 법률에 대한 설명으로 옳지 않은 것은?

① 국민참여재판은 필요적 국선변호사건에 해당한다.

② 배심원은 유·무죄에 관하여 전원의 의견이 일치하지 아니하는 때에는 평결을 하기 전에 심리에 관여한 판사의 의견을 들어야 한다.

③ 피고인이 국민참여재판을 원하지 아니하면 그 의사에 따르는 것이 원칙이나, 법원이 사건의 중요성, 사회의 관심도 등을 종합적으로 고려하여 국민참여재판을 여는 것이 필요하다고 인정되는 경우에는 그 의사에 불구하고 국민참여재판을 받도록 할 수 있다.

④ 법률상 배심원의 자격은 대한민국 국민으로 정하여져 있으므로 외국인은 배심원이 될 수 없다.

20 지방세법상 특별행정심판제도인 심사청구에 대한 헌법재판소결정과 일치하지 않는 것은?

> [심판대상]
>
> 「지방세법」 제78조(다른 법률과의 관계) ② 제72조 제1항에 규정된 위법한 처분 등에 대한 행정소송은 「행정소송법」 제18조 제1항 본문·제2항 및 제3항의 규정에 불구하고 이 법에 의한 심사청구와 그에 대한 결정을 거치지 아니하면 이를 제기할 수 없다.
>
> 제81조(행정소송) ① 제72조 제1항에 규정된 위법한 처분등에 대한 행정소송을 제기하고자 할 때에는 제74조 및 제80조의 규정에 의한 심사결정의 통지를 받은 날부터 90일 이내에 처분청을 당사자로 하여 행정소송을 제기하여야 한다.

① 어떤 행정심판을 임의적 전심절차로 규정하면서도 그 절차에 사법절차가 준용되지 않는다면 이는 헌법 제107조 제3항, 나아가 재판청구권을 보장하고 있는 헌법 제27조에도 위반된다 할 것이다.

② 헌법 제107조 제3항은 사법절차가 '준용'될 것만을 요구하고 있으나 판단기관의 독립성과 공정성, 대심적 심리구조, 당사자의 절차적 권리 보장 등의 면에서 사법절차의 본질적 요소를 현저히 결여하고 있다면 '준용'의 요청에마저 위반된다고 하지 않을 수 없다.

③ 헌법 제107조 제3항에서 요구하는 사법절차성의 요소인 판단기관의 독립성과 공정성을 위하여는 권리구제 여부를 판단하는 주체가 객관적인 제3자적 지위에 있을 것이 필요하다.

④ 이의신청·심사청구라는 이중의 행정심판을 필요적으로 거치도록 하면서도 사법절차를 준용하고 있지 않으면 이 사건 법률조항은 헌법 제107조 제3항에 위반될 뿐만 아니라, 사법적 권리구제를 부당히 방해한다고 할 것이어서 재판청구권을 보장하고 있는 헌법 제27조 제3항에도 위반된다고 할 것이다.

⑤ 「지방세법」 제78조 제1항이 위헌선언으로 그 효력을 상실하게 되면 「지방세법」 제81조는 독립하여 존속할 아무런 의미가 없으므로 「지방세법」 제81조에 대하여도 아울러 위헌선언을 하는 바이다.

진도별 모의고사

형사보상청구권 ~ 국가배상청구권

정답 및 해설 p.374

제한시간 : 14분 | 시작시각 ___시 ___분 ~ 종료시각 ___시 ___분 나의 점수 _______

01 형사보상청구권에 대한 설명으로 옳지 않은 것을 모두 조합한 것은?

ㄱ. 형사보상은 국가의 위법한 행위에 대한 보상이 아니므로 위법을 전제로 하지 않고 고의·과실을 요건으로 하지 않는다.
ㄴ. 형사보상의 본질은 비록 관계 공무원에게 고의나 과실이 없을지라도 부당한 구속이나 판결이라는 객관적 위법행위가 있는 이상 국가가 이를 배상하여야 한다는 배상책임설이 통설이다.
ㄷ. 형사보상은 과실책임의 원리에 의하여 고의·과실로 인한 위법행위와 인과관계 있는 모든 손해를 배상하는 손해배상과 마찬가지로, 형사사법절차에 내재하는 위험에 대하여 형사사법기관의 고의·과실을 따져 형사보상청구권자가 입은 손해를 보상하는 것이다.
ㄹ. 형사보상청구권은 국가의 형사사법작용에 의해 신체의 자유라는 중대한 법익을 침해받은 국민을 구제하기 위하여 헌법상 보장된 국민의 기본권이므로 일반적인 사법(私法)상의 권리보다 더욱 확실하게 보호되어야 할 권리이다.

① ㄱ, ㄴ ② ㄴ, ㄷ
③ ㄷ, ㄹ ④ ㄱ, ㄹ

02 형사보상청구권에 대한 설명으로 옳지 않은 것을 모두 조합한 것은?

ㄱ. 「형사소송법」상 소송비용에 대한 보상을 청구할 권리는 구금되었음을 전제로 하는 헌법 제28조의 형사보상청구권과는 마찬가지로 헌법적 차원의 권리라고 볼 수 있다.
ㄴ. 헌법 제28조의 형사보상청구권이 구금되었던 자를 전제로 하는 것과 달리, 「형사소송법」상 비용보상청구는 무죄판결이 확정된 자에게 구금 여부를 묻지 않고 재판에 소요된 비용을 보상해 주는 제도이다.
ㄷ. 형사보상제도는 「국가배상법」상의 손해배상과는 그 근거 및 요건을 달리하므로 형사보상금을 수령한 피고인은 다시 「국가배상법」에 의한 손해배상을 청구할 수 있다.
ㄹ. 형사사법절차를 운영하는 국가는 그로 인한 부담을 무죄판결을 선고받은 자 개인에게 모두 지워서는 아니 되고, 이러한 위험에 의하여 발생되는 손해에 대응한 보상을 하지 않으면 안 된다는 취지하에서 헌법은 구금되었던 자의 형사보상청구권을 기본권으로 인정해왔다.

① ㄱ ② ㄴ, ㄷ
③ ㄷ ④ ㄱ, ㄹ

03 형사보상청구권에 대한 설명으로 옳지 않은 것을 모두 조합한 것은?

ㄱ. 형사피의자와 형사피고인이 형사보상청구권을 주장하기 위해서는 무죄판결을 받아야 한다.
ㄴ. 형사피의자로서 구금되었던 자가 기소중지처분을 받거나 기소유예처분을 받은 경우에도 구금에 대한 보상을 청구할 수 있다.
ㄷ. 무죄판결을 받은 피고인은 지방검찰청 산하의 보상심의회에 보상을 청구한다.
ㄹ. 「형사소송법」에 의한 일반절차 또는 재심이나 비상상고절차에서 무죄재판을 받은 자가 미결구금을 당하였을 때에는 국가에 대하여 그 구금에 관한 보상을 청구할 수 있다.
ㅁ. 비용의 보상은 피고인이었던 자의 청구에 따라 무죄판결을 선고한 법원의 합의부에서 결정으로 하고, 그 결정에 대해서는 즉시항고할 수 있다.

① ㄱ, ㄴ, ㄷ
② ㄷ, ㄹ, ㅁ
③ ㄱ, ㄷ, ㅁ
④ ㄴ, ㄹ, ㅁ

04 형사보상청구권에 대한 설명으로 옳은 것은?

① 형사보상은 형사피고인 등의 신체의 자유를 제한한 것에 대하여 사후적으로 그 손해를 보상하는 것인바, 구금으로 인하여 침해되는 가치는 객관적으로 평가하기 어려운 것이므로, 그에 대한 보상을 어떻게 할 것인지는 국가의 경제적, 사회적, 정책적 사정들을 참작하여 입법재량으로 결정할 수 있는 사항이고, 이러한 점에서 헌법 제28조에서 규정하는 '정당한 보상'은 헌법 제23조 제3항에서 재산권의 침해에 대하여 규정하는 '정당한 보상'과 동일한 의미를 가진다.

② 헌법이 명하는 정당한 보상이라 함은 구금 중에 받은 적극적인 재산상의 손실과 구금으로 인한 정신적·물질적 피해에 대한 보상을 요구할 수 있다는 것이며, 구금되지 않았더라면 얻을 수 있었던 소극적인 이익이나 기대이익의 상실 등은 청구할 수 없다.

③ 보상금 상한을 정하고 있는 「형사보상 및 명예회복에 관한 법률」과 보상금 시행령조항은 헌법 제28조의 정당 보상원칙에 위반하여 청구인들의 형사보상청구권을 침해한다고 할 수 없다.

④ 소송법상 이유 등으로 무죄재판을 받을 수는 없으나 그러한 사유가 없었더라면 무죄재판을 받을 만한 현저한 사유가 있는 경우 그 절차에서 구금되었던 자에 대해서는 보상을 해야 하는 것은 아니다.

05 형사보상청구권에 대한 설명으로 옳은 것은?

① 형사보상은 헌법 제29조의 국가배상과 그 취지가 동일하므로 형사보상절차로서 인과관계 있는 모든 손해를 보상해야 한다.

② 면소나 공소기각의 재판을 받았다고 하더라도 형사보상을 청구할 수 없다.

③ 1개의 재판으로 경합범의 일부에 대하여 무죄재판을 받고 다른 부분에 대하여 유죄재판을 받았을 경우 법원은 보상청구의 전부 또는 일부를 기각할 수 있다.

④ 형사피의자의 경우, 보상을 하는 것이 선량한 풍속 기타 사회질서에 반한다고 할 특별한 사정이 있다 하더라도 보상의 전부를 지급해야 한다.

06 형사소송비용청구를 무죄판결이 확정된 날부터 6개월 이내에 하여야 한다고 규정한 형사소송법에 대한 헌법재판소 결정으로 옳은 것은?

① 우리 헌법은 1948.7.17. 제정 당시부터 구금되었던 피의자의 형사보상청구권을 헌법상 기본권으로 인정하여 왔다

② 비용보상청구제도는 형사사법절차에 내재하는 불가피한 위험성으로 인해 손해를 입은 사람에게 그 위험에 관한 부담을 덜어주기 위해 국가의 고의나 과실 여부를 불문하고 그 손해를 보상해주는 것이다.

③ 국가의 형사사법작용에 내재한 위험성에서 불가피하게 소송비용을 지출한 비용보상청구권자의 재판청구권 및 재산권은 보호할 필요성이 매우 크고, 비용보상청구권의 제척기간을 장기로 규정한다 하여 국가재정의 합리성이 결여된다고 보기도 어려우므로 이 사건 법률조항은 법익의 균형성 요건 또한 갖추었다고 할 수 없다. 따라서 이 사건 법률조항은 입법형성의 한계를 벗어난 것으로서, 비용보상청구권자의 재판청구권과 재산권을 침해한 것이다.

④ 이 사건 법률조항은 비용보상청구권자가 무죄판결 확정을 알았는지 여부나 귀책사유에 대한 고려도 없이 기산점을 일률적으로 '무죄판결이 확정된 날부터'로 규정하면서 그 청구기간도 극히 단기로 규정하고 있는 바, 이는 형사보상청구권과 국가배상청구권의 청구기간과 비교하여 과도하게 비용보상청구권자의 비용보상청구권을 제한하는 것으로 평등원칙에도 위배된다.

07 형사보상청구권에 대한 설명으로 옳은 것은?

① 형사보상청구를 무죄재판이 확정된 때로부터 1년 이내에 하도록 규정한 「형사보상법」 조항은 그 청구기간이 지나치게 단기간이어서 입법목적 달성에 필요한 정도를 넘어선 것이다.

② 형사보상청구는 무죄재판이 확정된 때로부터 1년 이내에 하여야 한다.

③ 형사보상의 청구는 무죄재판이 확정된 때로부터 3년 이내에 하여야한다.

④ 형사보상의 청구는 무죄재판이 확정된 때로부터 또는 검사로부터 공소를 제기하지 아니하는 처분의 고지나 통지를 받은 날로부터 1년 이내에 하여야 한다.

08 형사보상청구권에 대한 설명으로 옳은 것은 모두 몇 개인가?

> ㄱ. 상속인은 보상을 청구할 수 있는 자가 청구를 하지 아니하고 사망한 경우에 한해 형사보상을 청구할 수 있다.
> ㄴ. 외국인뿐 아니라 법인도 형사보상청구권의 주체가 된다.
> ㄷ. 구금에 대해 형사피의자 또는 형사피고인이 국가에 보상을 청구할 권리는 법률에 규정이 있어야 비로소 인정되는 법률상의 권리에 불과하다.
> ㄹ. 무죄재판을 받아 확정된 사건의 피고인이 미결구금을 당한 경우와 피의자로서 구금되었던 자 중 검사로부터 공소를 제기하지 아니하는 처분을 받은 경우에는 지방검찰청의 피의자보상심의회에 보상청구를 한다.
> ㅁ. 무죄판결을 받은 자는 법원에 형사보상을 청구할 수 있고, 법원의 합의부 또는 단독판사가 재판한다.
> ㅂ. 형사보상청구권의 내용은 법률에 의하여 정해지는 바, 입법자가 형사보상에 관한 입법을 함에 있어서는 비록 완화된 의미일지언정 헌법 제37조 제2항의 비례의 원칙이 준수되어야 한다.

① 1개 ② 2개
③ 3개 ④ 4개

09 형사보상청구권에 대한 설명으로 옳지 않은 것은 모두 몇 개인가?

> ㄱ. 형사보상청구권 성립요건으로서의 구금에는 형의 집행을 위한 구치나 노역장 유치의 집행이 포함된다.
> ㄴ. 보상청구는 대리인을 통하여 할 수 없다.
> ㄷ. 1개의 재판으로써 경합범의 일부에 대하여 무죄재판을 받고 다른 부분에 대하여 유죄재판을 받았을 경우에 법원은 보상청구의 전부 또는 일부를 기각할 수 있다.
> ㄹ. 피고인이었던 자가 수사를 그르칠 목적으로 거짓 자백을 한 경우에는 비용의 전부 또는 일부를 보상하지 않을 수 있다.

① 1개 ② 2개
③ 3개 ④ 4개

10 국가배상청구권에 대한 설명으로 옳지 않은 것은?

① 헌법재판소는 구 「국가배상법」 제9조의 배상결정전치주의 규정이 본질적으로 같은 것을 자의적으로 다르게 취급함으로써 국민의 평등권을 침해하는 것으로 보아 위헌으로 결정하였으며, 이에 따라 동 조항의 배상결정전치주의는 선택적 결정전치주의로 개정되었다.

② 입법부가 법률로써 행정부에게 특정한 사항을 위임했음에도 불구하고 행정부가 정당한 이유 없이 시행령을 제정하지 않음으로써 이를 이행하지 않는 것은 불법행위에 해당한다.

③ 헌법상의 국가배상청구권에 관한 규정은 국가배상청구권을 청구권적 기본권으로 보장하며, 국가배상청구권은 그 요건에 해당하는 사유가 발생한 개별 국민에게는 금전청구권으로서의 재산권으로 보장된다.

④ 「국가배상법」 제3조의 배상기준은 배상할 수 있는 기준액이므로 이를 초과하여 배상할 수 있다.

11 국가배상청구권에 대한 설명으로 옳지 않은 것은 모두 몇 개인가?

ㄱ. 「국가배상법」에 따른 손해배상소송은 배상심의회의 배상금 지급 또는 기각결정을 거치지 아니하고는 후에 제기할 수 없다.
ㄴ. 군인이나 군무원이 타인에게 입힌 손해에 대한 배상신청사건을 심의하기 위하여 국방부에 특별심의회를 두며, 특별심의회는 국방부장관의 지휘를 받아야 한다.
ㄷ. 국가나 지방자치단체에 대한 배상신청사건을 심의하기 위하여 법무부에 본부심의회를 두고, 군인이나 군무원이 타인에게 입힌 손해에 대한 배상신청사건을 심의하기 위하여 국방부에 특별심의회를 둔다.
ㄹ. 지구심의회에서 배상신청이 기각된 신청인은 결정정본이 송달된 날부터 2주일 이내에 그 심의회를 거쳐 본부심의회나 특별심의회에 재심을 신청할 수 있으나, 지구심의회에서 배상신청이 각하된 신청인은 재심을 신청할 수 없다.
ㅁ. 「국가배상법」에 따른 손해배상소송은 배상심의회의 배상신청을 하지 아니하고 제기할 수 있다.

① 1개 ② 2개
③ 3개 ④ 4개

12 국가배상청구권에 대한 설명으로 옳은 것은 모두 몇 개인가?

ㄱ. 국가배상청구권의 성립요건으로서 '공무원의 불법행위'에서 말하는 공무원에는 국가공무원과 지방공무원이 모두 포함되나, 공무를 위탁받아 실질적으로 공무를 수행하는 자는 포함되지 아니한다.
ㄴ. 국가배상청구권의 성립요건으로서 공무원의 고의 또는 과실을 규정한 「국가배상법」 조항의 위헌 여부는 엄격한 비례심사를 하여야 한다.
ㄷ. 「국가배상법」에 소멸시효에 관한 규정을 두지 않고 소멸시효에 관해서는 「민법」 규정을 준용하도록 한 「국가배상법」 조항은 헌법에 위반되지 않는다.
ㄹ. 지방자치단체에 의하여 '교통할아버지'로 선정된 노인이 어린이 보호, 교통안내, 거리질서 확립 등의 위탁 받은 업무 범위를 넘어 교차로 중앙에서 교통정리를 하다가 교통사고를 발생시킨 경우, 그 지방자치단체는 「국가배상법」상의 배상책임을 부담한다.
ㅁ. 법관이나 헌법재판소 재판관은 「국가배상법」 제2조에서 말하는 공무원에 해당하지 않는다.
ㅂ. 관계 법령에 의하여 대집행권한을 부여받은 구 한국토지공사는 공무수탁사인으로서, 「국가배상법」상 공무원에 해당한다.

① 1개 ② 2개
③ 3개 ④ 4개

13 국가배상청구권에 대한 설명으로 옳은 것은?

① 국가배상 성립요건의 직무집행판단은 행위자의 주관적 의사를 고려하여 실질적으로 직무집행행위인지에 따라 판단해야 한다.

② 공무원의 행위가 공무집행행위가 아니라는 사정을 피해자가 알았다면 국가배상책임이 인정될 수 없다.

③ 국가배상청구의 요건인 '공무원의 직무'에는 권력적 작용만이 아니라 비권력적 작용도 포함되며 단지 행정주체가 사경제주체로서 하는 활동은 제외된다.

④ 공무원이 근무지로 출근하기 위한 자동차 운행은 직무집행이므로 이 과정에서 교통사고는 「국가배상법」이 적용된다.

14 국가배상청구권에 대한 설명으로 옳지 않은 것은?

① 국가가 지방자치단체장에 위임한 기관위임사무를 지방자치단체 공무원이 고의 또는 과실로 위법하게 처리한 경우 국가뿐 아니라 지방자치단체도 배상책임을 진다.

② 지방자치단체장이 설치하여 관할 지방경찰청장에게 관리권한이 위임된 교통신호기 고장에 의한 교통사고가 발생한 경우 해당 지방자치단체뿐만 아니라 국가도 손해배상책임을 진다.

③ 청구인들이 일본국에 대하여 가지는 원폭피해자로서의 배상청구권이 '대한민국과 일본국 간의 재산 및 청구권에 관한 문제의 해결과 경제협력에 관한 협정' 제2조 제1항에 의하여 소멸되었는지 여부에 관한 한·일 양국 간 해석상 분쟁을 위 협정 제3조가 정한 절차에 따라 해결하지 아니하고 있는 외교부장관의 부작위는 재산권 침해라고 할 수 있다.

④ 피해자에게 손해를 직접 배상한 경과실이 있는 공무원이 국가에 대하여 국가의 손해배상책임의 범위 내에서 자신이 변제한 금액에 관하여 구상권을 행사하는 것은 권리남용으로 허용되지 아니한다.

15 국가배상청구권에 대한 설명으로 옳은 것은?

① 헌법 제29조 제1항 단서는 공무원이 한 직무상 불법행위로 인하여 국가 등이 배상책임을 진 경우 공무원 자신의 민·형사상 책임이나 징계책임이 면제된다.

② 공무원이 직무수행 중 불법행위로 타인에게 손해를 입힌 경우에 국가나 지방자치단체가 국가배상책임을 부담하는 외에 공무원 개인도 고의가 있는 경우에는 불법행위로 인한 손해배상책임을 지지만, 공무원에게 과실이 있을 뿐인 경우에는 공무원 개인은 불법행위로 인한 손해배상책임을 부담하지 아니한다.

③ 고의·중과실로 인한 위법행위로 손해가 발생한 경우 국가가 배상했다면 공무원에 대해서 구상권을 행사할 수 있다.

④ 공무원에게 고의 또는 과실이 있으면 국가나 지방자치단체는 그 공무원에게 구상할 수 있다.

16 국가배상청구권에 대한 설명으로 옳지 않은 것은?

① 경찰관의 부작위가 현저하게 불합리하다고 인정되는 경우에는 직무상 의무 위반으로 되어 위법하게 된다.

② 경찰관이 난동을 부리던 범인을 검거하면서 가스총을 근접 발사하여 가스와 함께 발사된 고무마개가 범인의 눈에 맞아 실명한 경우에는 국가배상책임이 인정된다.

③ 경매담당 공무원이 이해관계인에 대한 기일통지를 잘못한 것이 원인이 되어 경락허가결정이 취소되었다면 과실이 인정된다.

④ 군인과 경찰이 출동신고를 받고도 출동하지 아니한 부작위는 불법행위로서 인정되어 국가의 배상책임이 인정될 수 없다.

17 국가배상청구권에 대한 설명으로 옳은 것은?

① 법령에 대한 해석이 복잡·미묘하여 워낙 어렵고, 이에 대한 학설·판례조차 일치되어 있지 않는 등의 특별한 사정이 없는 한 공무원이 관계 법규에 대한 무지와 잘못된 법규해석으로 행정처분을 하였다면 그가 법률전문가가 아니라 할지라도 과실을 인정할 수 있다.

② 행정처분이 항고소송절차에서 위법한 것으로 인정되어 취소하는 판결이 확정된 경우에는 처분청이 소속된 국가 등 공공단체가 처분상대방에게 위법한 처분으로 인해 발생한 손해를 배상할 책임이 성립한다.

③ 공무원의 위법행위로 인한 손해가 발생했다면 고의·과실은 추정이 되므로 피고 측에서 고의·과실을 입증해야 한다는 일응추정의 법리는 원고의 입증책임을 완화시키는 이론으로서 판례가 이를 수용하고 있다.

④ 헌법재판소 재판관이 청구기간 내에 제기된 헌법소원심판청구사건에서 청구기간을 오인하여 각하결정을 한 경우, 이에 대한 불복절차 내지 시정절차가 없더라도 이것만으로 국가배상책임을 인정할 수 없다.

18 국가배상청구권에 대한 설명으로 옳은 것은?

① 헌법 제29조 제1항은 국가배상청구권을 제한하도록 법률에 유보하고 있다.

② 국가배상청구권의 성립요건으로서 공무원의 고의 또는 과실을 요구함으로써 무과실책임을 인정하지 않은 「국가배상법」 제2조의 헌법 위반 여부는 엄격한 비례원칙을 심사기준으로 한다.

③ 다양한 법해석이 가능한 상태에서 공무원이 그중 하나의 해석을 택하여 처분하였는데 그 후 대법원이 다른 법해석을 하여 그 처분이 위법하게 된 경우 과실이 인정된다고 할 수 없다.

④ 공무원의 부작위로 인한 국가배상책임을 인정하기 위해서는 법령에 명시적으로 공무원의 작위의무가 규정되어 있어야 한다.

19 대한변호사협회장인 甲은 변호사 등록 거부사유가 없음에도 乙의 변호사등록신청을 거부하였다. 이에 乙은 손해배상청구소송을 제기하였다. 대법원 판례와 일치하지 않는 것은?

① 공법인이 국가로부터 위탁받은 공행정사무를 집행하는 과정에서 공법인의 임직원이나 피용인이 고의 또는 과실로 법령을 위반하여 타인에게 손해를 입힌 경우, 공법인의 임직원이나 피용인은 고의 또는 중과실이 있는 경우에만 배상책임을 부담한다.

② 대한변호사협회장으로서 국가로부터 위탁받은 공행정사무인 '변호사등록에 관한 사무'를 수행하는 범위 내에서는 「국가배상법」 제2조에서 정한 공무원에 해당한다.

③ 대한변호사협회장 甲의 등록 거부는 경과실에 의한 것이므로 甲은 배상책임을 지지 않는다.

④ 대한변호사협회장 甲의 등록 거부는 경과실에 의한 것이므로 대한변호사협회는 배상책임을 지지 않는다.

20 국가배상법 제2조의 배상요건으로서 고의 또는 과실에 대한 설명으로 옳은 것은?

① 국가배상청구권의 성립요건으로서 공무원의 고의 또는 과실을 규정한 것은 국가배상청구권의 내용을 형성하는 것이라기보다는 법률로 이미 형성된 국가배상청구권의 행사 및 존속을 제한하는 것이다.

② 「국가배상법」상의 과실관념의 객관화, 조직과실의 인정, 과실 추정과 같은 논리를 통하여 되도록 피해자에 대한 구제의 폭을 넓혀 피해자구제기능을 확대할 필요는 있다.

③ 긴급조치 제1호, 제9호의 발령·적용·집행을 통한 국가의 의도적·적극적 불법행위는 우리 헌법의 근본 이념인 자유민주적 기본질서를 정면으로 훼손하고, 국민의 기본권을 존중하고 보호하여야 한다는 국가의 본질을 거스르는 행위이므로 국가배상책임의 성립요건으로서 공무원의 고의 또는 과실요건에 예외를 인정하여야 한다.

④ '긴급조치 제1호, 제9호의 발령·적용·집행을 통한 국가의 의도적·적극적 불법행위에 관한 부분'에 고의 또는 과실을 요건으로 한다면 「국가배상법」 제2조 제1항은 청구인들의 국가배상청구권을 침해하여 헌법에 위반된다.

48회 진도별 모의고사

국가배상청구권 ~ 인간다운 생활을 할 권리

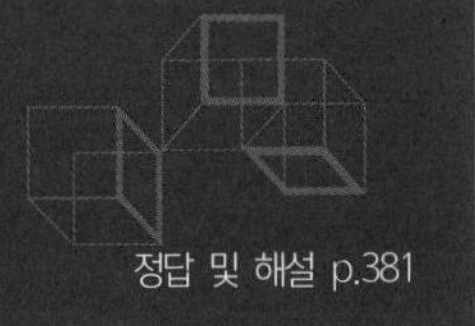

정답 및 해설 p.381

제한시간 : 14분 | 시작시각 ___시 ___분 ~ 종료시각 ___시 ___분 나의 점수 ______

01 **영조물 설치·관리 하자로 인한 손해배상의 성질과 배상책임자에 대한 설명으로 옳지 않은 것은?**

① 영조물 설치·관리 하자로 인한 국가 또는 지방자치단체의 배상책임은 무과실책임이다.

② 영조물 관리자가 설치관리의 주의의무를 다 기울였다고 할지라도 하자로 손해가 발생했다면 배상책임을 진다.

③ 하자의 발생에는 관리자의 관리의무 위반이 있어야 한다는 것이 통설과 판례이다.

④ 자연현상 또는 제3자나 피해자의 행위가 손해의 원인에 가세되었다고 하더라도 국가 등의 배상책임은 성립할 수 있다.

02 **손해배상의 성질과 배상책임자에 대한 설명으로 옳은 것은?**

① 피해자인 국민은 사무의 귀속자와 비용부담자에 대해 선택적으로 배상을 청구할 수 있다.

② 불법행위를 행한 가해공무원을 특정할 수 없는 경우에는 국가배상책임이 인정되지 않는다.

③ 헌법은 국가 또는 지방자치단체로, 「국가배상법」은 국가 또는 공공단체로 국가배상책임의 주체를 규정하고 있다.

④ 영조물 설치·관리 하자상 국가의 배상책임은 헌법에 규정되어 있다.

03 **군인 등에 대한 보상외 배상금지에 대한 설명으로 옳지 않은 것은 모두 몇 개인가?**

ㄱ. 향토예비군대원이 받게 되는 연금 등의 액수가 동원훈련 당시 사회생활에서 얻고 있는 실제 수입을 고려하지 않는 등 경우에 따라서는 손해배상액에 미치지 못함으로써 균형을 잃게 되는 경우가 있다면, 그로 인한 불합리는 입법자가 연금 등의 지급에 관한 법률조항의 개정을 통하여 입법정책적으로 해소하여야 할 문제이다.

ㄴ. 대법원은 전투경찰순경은 헌법 제29조 제2항 및 「국가배상법」 제2조 제1항 단서 등의 경찰공무원에 해당한다고 보아야 하지만, 현역병으로 입영하여 소정의 군사교육을 마치고 경비교도로 임용된 자는 군인의 신분을 상실하고 군인과는 다른 경비교도로서의 신분을 취득하게 되어 국가배상청구권을 행사할 수 있다고 판시하였다.

ㄷ. 헌법재판소는 「국가배상법」 제2조 제1항 단서(이중배상청구가 금지된 자 부분)는 헌법 제29조 제2항에 직접 근거는 없으나 실질적으로 그 내용을 같이 하는 것으로써 헌법에 위반된다.

ㄹ. 헌법은 이중배상청구가 금지될 수 있는 자를 법률로 정할 수 있도록 하였고, 「국가배상법」은 향토예비군대원을 규정하고 있는데, 향토예비군대원은 전역 당시의 계급과 복무기간에 따른 보상금만을 지급하고 있어, 사고 발생 당시의 보수액을 기준으로 산정하는 군인·군무원·경찰공무원에 비해 형평에 반하므로 위헌이다.

ㅁ. 군인이 직무집행과 관련하여 공상을 입었더라도 「군인연금법」 또는 「국가유공자 등 예우 및 지원에 관한 법률」에 의하여 재해보상금, 상이연금 등 별도의 보상을 받을 수 없는 경우에도 「국가배상법」 제2조 제1항 단서의 적용대상에서 제외되어 배상을 청구할 수 있다.

ㅂ. 숙직실 연탄가스 중독으로 사망한 경우 「공무원연금법」상 순직연금을 받는 경우라도 국가배상을 청구할 수 있다.

ㅅ. 훈련 후 경찰서 복귀과정에서 사고 전투경찰대원이 국민학교 교정에서 다중범죄 진압훈련을 일단 마치고 점심을 먹기 위하여 근무하던 파출소를 향하여 걸어가다가 경찰서 소속 대형버스에 충격되어 사망하였고 보상을 받았더라도 배상을 청구할 수 있다.

ㅇ. 경찰공무원이 낙석사고 현장으로 이동하던 중 낙석이 순찰차를 덮쳐 사망한 경우 전투·훈련 또는 이에 준하는 직무집행이므로 지방자치단체의 배상책임이 인정된다.

① 1개 ② 2개

③ 3개 ④ 4개

04 **헌법 제29조 제2항(군인·군무원·경찰공무원 기타 법률이 정하는 자가 전투·훈련 등 직무집행과 관련하여 받은 손해에 대하여는 법률이 정하는 보상 외에 국가 또는 공공단체에 공무원의 직무상 불법행위로 인한 배상은 청구할 수 없다)에 대한 설명으로 옳지 않은 것은?**

① 대법원은 1971년에 군인의 보상 외 배상청구를 금지하는 「국가배상법」 제2조 제1항 단서에 대해 위헌결정한 바 있다.

② 군인 등에 대한 보상 외 배상금지조항은 제7차 개정헌법(1972년 개정헌법)에 최초로 규정되었다.

③ 우리 헌법재판소는 1948년 제정헌법뿐 아니라 개정된 헌법조항 모든 위헌심사를 할 수 없다는 입장이다.

④ 헌법 제29조 제2항의 국가재정 확보라는 입법목적은 여전히 유효한 바, 국가재정 확보를 위해 헌법으로 직접 군인들의 보상 외 배상을 금지할 필요가 있다.

⑤ 헌법재판소에 따르면 군인·군무원·경찰공무원 또는 향토예비군대원이 전투·훈련 등 직무집행과 관련하여 전·순직하거나 공상을 입은 경우에 본인이나 그 유족이 다른 법령에 따라 재해보상금·유족연금·상이연금 등의 보상을 지급받을 수 있을 때에는 이 법 및 「민법」에 따른 손해배상을 청구할 수 없도록 한 「국가배상법」 제2조 제1항 단서는 헌법 제29조 제2항에 직접 근거하고, 실질적으로 그 내용을 같이하는 것이므로 헌법에 위반되지 아니한다.

05 **甲은 승용차를 운전하고 있었고 오토바이를 운전하여 직무를 집행하던 육군중사 乙의 과실이 경합하여 교통사고가 발생하였다. 이 사고로 오토바이 뒷좌석에 동승했던 丙은 상해를 입었다. 甲은 丙에게 그로 인한 손해배상을 하였다. 甲은 乙의 과실로 인한 손해배상 부담 부분에 관하여 그 사용자인 대한민국을 상대로 서울민사지방법원에 구상금청구소송 제기하였고 국가배상법 제2조 제1항 단서에 대해 위헌제청을 신청하였다가 기각되자 헌법재판소법 제68조 제2항의 헌법소원심판을 청구하였다. 이에 대한 설명으로 옳지 않은 것은? (별도의 언급이 없는 경우 헌법재판소 결정에 따름)**

> 「국가배상법」 제2조(배상책임) ① … 다만, 군인·군무원·경찰공무원 또는 예비군대원이 전투·훈련 등 직무집행과 관련하여 전사·순직하거나 공상을 입은 경우에 본인이나 그 유족이 다른 법령에 따라 재해보상금·유족연금·상이연금 등의 보상을 지급받을 수 있을 때에는 이 법 및 민법에 따른 손해배상을 청구할 수 없다.

① 헌법 제29조 제2항을 피해군인 등에게 발생한 국가에 대한 손해배상청구권을 그 군인 등과 국가 사이에서만 상대적으로 소멸시키는 규정으로 해석한다면, 甲은 乙의 부담 부분에 관하여 국가에 대하여 구상권을 행사할 수 있게 된다.

② 헌법 제29조 제2항을 국가의 불법행위책임 자체를 절대적으로 배제하는 규정으로 해석한다면, 甲은 乙의 부담 부분에 관하여 국가에 대하여 구상권을 행사할 없게 된다.

③ 헌법 제29조 제2항은 乙의 불법행위에 대한 국가에 대한 손해배상청구권을 상대적으로 소멸하는 것으로 해석하여야 한다.

④ 국가에 대한 구상권은 헌법 제23조 제1항에 의하여 보장되는 재산권이고 국가에 대한 구상권 행사를 허용하지 않는 것으로 심판대상을 해석한다면 재산권의 제한에 해당한다.

⑤ 대법원은 직무집행과 관련하여 공상을 입은 군인 등이 먼저 「국가배상법」에 따라 손해배상금을 지급받은 다음 구 「국가유공자 등 예우 및 지원에 관한 법률」이 정한 보상금 등 보훈급여금의 지급을 청구하는 경우, 「국가배상법」 제2조 제1항 단서에 따라 손해배상을 받았다는 이유로 그 지급을 거부할 수 있다고 한다.

06 범죄피해자구조청구권에 대한 설명으로 옳은 것은?

① 가해자로부터 피해의 전부를 배상받았다고 하더라도 국가에 대해 범죄피해자는 구조금 지급을 청구할 수 있다.

② 타인의 범죄행위로 인하여 재산과 생명, 신체에 대한 피해를 받은 국민은 법률이 정하는 바에 의하여 국가로부터 구조를 받을 수 있다.

③ 범죄피해자 구조청구권은 제헌헌법에서부터 규정되어 왔다.

④ 범죄피해자구조청구권은 대한민국의 주권이 미치는 영역에서 발생한 범죄로 인한 피해자만이 주체가 될 수 있다.

07 범죄피해자구조청구권에 대한 설명으로 옳지 않은 것을 모두 조합한 것은?

ㄱ. 자기 또는 타인의 형사사건의 수사 또는 재판에서 고소·고발 등 수사단서를 제공하거나 진술, 증언 또는 자료를 제출하다가 구조피해자가 된 경우에 범죄피해구조금을 지급한다.
ㄴ. 범죄피해자구조청구권은 대한민국의 영역 안에서 행하여진 사람의 생명 또는 신체를 해치는 죄에 해당하는 행위로 인하여 사망하거나 장해 또는 중상해를 입은 경우 또는 재산상의 피해를 입은 경우를 대상으로 한다.
ㄷ. 헌법재판소는 범죄피해자구조청구권의 대상이 되는 범죄피해에 해외에서 발생한 범죄피해의 경우를 포함하고 있지 아니한 것이 현저하게 불합리한 자의적인 차별이라고 볼 수 없어 평등원칙에 위배되지 아니한다고 결정하였다.
ㄹ. 범죄피해자구조청구권은 형사보상청구권과 더불어 현행헌법에서 처음으로 도입된 것으로 그 법적 성격은 생존권적 기본권으로서의 성격을 가지는 청구권적 기본권이다.

① ㄱ, ㄴ　② ㄱ, ㄴ, ㄷ
③ ㄴ, ㄷ, ㄹ　④ ㄴ, ㄹ

08 범죄피해자구조청구권에 대한 설명으로 옳은 것은?

① 「범죄피해자 보호법」은 가해자의 불명 또는 무자력으로 피해의 전부 또는 일부를 배상받지 못하는 경우를 구조청구권의 성립요건으로 규정하고 있다.

② 과실에 의한 행위로 사망한 경우는 「범죄피해자 보호법」상 구조의 대상이 되는 범죄피해에 해당한다.

③ 심신상실자와 긴급피난규정에 의하여 처벌되지 아니한 행위로 인한 생명·신체상의 중대한 해를 입은 자는 구조청구권을 행사할 수 없다.

④ 외국인이 구조피해자이거나 유족인 경우에는 해당 국가의 상호보증이 있는 경우에 한하여 범죄피해자구조청구권을 행사할 수 있다.

09 범죄피해자구조청구권에 대한 설명으로 옳은 것은?

① 다른 법령에 급여나 손해배상을 받는 경우라도 구조금은 별개로 지급하여야 한다.

② 범죄행위 당시 구조피해자와 가해자 사이에 사실상의 혼인관계가 있는 경우에도 구조피해자에게 구조금을 지급한다.

③ 피해자 또는 유족이 당해 범죄피해를 원인으로 하여 「산업재해보상보험법」에 의한 장해급여를 지급받을 수 있는 경우에는 그 지급받을 금액의 범위 안에서 범죄피해구조금을 지급하지 않는다.

④ 구조금의 지급에 관한 사항을 심의·결정하기 위하여 지방법원에 범죄피해구조심의회를 둔다.

10 범죄피해자구조청구권에 대한 설명으로 옳은 것은?

① 구조금의 지급을 받을 권리는 그 구조결정이 당해 신청인에게 송달된 날로부터 3년간 행사되지 아니하면 시효로 인하여 소멸된다.

② 구조금의 지급신청은 해당 범죄피해의 발생을 안 날로부터 3년 또는 당해 범죄피해가 발생한 날로부터 10년이 경과한 때에는 이를 할 수 없다.

③ 범죄피해구조금을 받을 권리는 그 2분의 1 상당액에 한하여 양도 또는 담보로 제공하거나 압류할 수 있다.

④ 「범죄피해자 보호법」은 구조피해자의 사실혼 배우자와 구조피해자의 사망 당시 구조피해자의 수입으로 생계를 유지하고 있는 구조피해자의 부모를 유족구조금 지급에서 같은 순위의 유족으로 규정하고 있다.

11 사회적 기본권에 대한 설명으로 옳은 것은?

① 사회연대의 원칙은 사회보험체계 내에서의 소득의 재분배를 정당화하는 근거이며, 사회보험에의 강제가입의무를 정당화하고, 재정구조가 취약한 보험자와 재정구조가 건전한 보험자 사이의 재정조정을 가능하게 한다.

② 우리 헌법은 제34조 제5항에서 신체장애자의 복지향상을 위하여 노력해야 할 국가의 의무를 규정하고 있는 바, 이로부터 신체장애자 등을 위하여 국가의 구체적 내용의 의무가 부과되고 직접 신체장애 등을 가진 국민에게 구체적 기본권이 발생한다.

③ 사회적 기본권에 관한 법률유보는 주로 권리의 내용을 구체화하는 기본권 구체화적 법률유보를 의미하기 때문에, 국회가 사회적 기본권을 구체화하는 입법의무를 게을리 할 경우 헌법재판소는 결정의 형식으로 스스로 입법할 수 있다.

④ 국가에게 장애인의 복지를 위하여 노력해야 할 의무가 있다는 것은 장애인도 인간다운 생활을 누릴 수 있는 사회질서를 형성해야 할 국가의 일반적인 의무를 뜻하는 것이므로, 장애인을 위한 저상버스를 도입해야 한다는 구체적 의무가 헌법으로부터 도출된다.

12 사회적 기본권에 대한 설명으로 옳은 것은?

① 헌법재판소 판례에 따르면 인간다운 생활을 할 권리 내지 생존권은 그 자체로서 원칙적으로 헌법에 의해서 직접 도출되는 구체적·현실적 권리는 아니다.

② '입법위임규정설'에 의하면 사회적 기본권은 구체적 청구권의 근거가 되지 못하므로, 입법, 행정, 사법 등 모든 국가권력에게 특정한 행위를 하게 할 의무의 근거가 될 수 없다.

③ 국가의 사회보장·사회복지 증진의무나 재해예방노력의무 등의 성질에 비추어 국가가 어떠한 내용의 산재보험을 어떠한 범위와 방법으로 시행할지 여부는 입법자의 재량영역에 속하는 문제이나, 산재피해 근로자에게 인정되는 산재보험수급권은 그 입법재량권의 행사에 의하여 제정된 「산업재해보상보험법」에 의하여 비로소 구체화되는 '법률상의 권리'가 아니라 헌법에 의해 직접 발생하는 권리이다.

④ 모든 국민은 인간다운 생활을 할 권리를 가지며 국가는 생활능력 없는 국민을 보호할 의무가 있다는 헌법의 규정은 모든 국가기관을 기속하므로, 그 기속의 의미는 적극적·형성적 활동을 하는 입법부 또는 행정부의 경우와 헌법재판에 의한 사법적 통제기능을 하는 헌법재판소에 있어서 동일하다.

13 사회적 기본권에 대한 설명으로 옳지 않은 것은?

① 사회보장수급권은 법률상의 권리로서 헌법의 기본권으로 인정될 수는 없고, 입법자의 재량에 의해서 사회·경제적 여건 등을 종합하여 합리적인 수준에서 결정된다.

② 「공무원연금법」상의 연금수급권은 국가에 대하여 적극적으로 급부를 요구하는 것이므로 헌법규정만으로는 실현될 수 없고, 법률에 의한 형성을 필요로 한다.

③ 헌법상의 사회보장권은 그에 관한 수급요건, 수급자의 범위, 수급액 등 구체적인 사항이 법률에 규정됨으로써 비로소 구체적인 법적 권리로 형성되는 것이다.

④ 국가의 사회보장·사회복지 증진의무나 재해예방노력의무 등의 성질에 비추어 국가가 어떠한 내용의 산재보험을 어떠한 범위와 방법으로 시행할지 여부는 입법자의 재량영역에 속하는 문제이고, 산재피해 근로자에게 인정되는 산재보험수급권도 그와 같은 입법재량권의 행사에 의하여 제정된 「산업재해보상보험법」에 의하여 비로소 구체화되는 '법률상의 권리'이다.

⑤ 법률에 의하여 구체적으로 형성된 의료보험수급권은 재산권의 보장을 받는 공법상의 권리로서 헌법상의 사회적 기본권의 성격과 재산권의 성격을 아울러 지니고 있다.

14 사회적 기본권에 대한 설명으로 옳지 않은 것을 모두 조합한 것은?

ㄱ. 사립학교 교원에 대한 명예퇴직수당은 장기근속자의 사회복귀나 노후 복지보장과 같은 사회보장과 직접적인 관련성을 가진다.
ㄴ. 도시환경정비사업의 시행으로 인하여 철거되는 주택의 소유자를 위하여 사업시행기간 동안 거주할 임시수용시설을 설치하는 것은 국가에 대하여 최소한의 물질적 생활을 요구할 수 있는 인간다운 생활을 할 권리의 향유와 관련되어 있다고 할 수 없다.
ㄷ. 「국민기초생활 보장법」은 물질적 수준의 급부뿐 아니라 건강하고 문화적인 최저생활을 유지할 수 있는 급여 제공을 목표로 한다.
ㄹ. 「국민기초생활 보장법」상의 급여는 다른 법령의 급여에 우선하는 1차적인 급부이다.

① ㄱ, ㄴ　　② ㄱ, ㄷ
③ ㄴ, ㄹ　　④ ㄱ, ㄹ

15 인간다운 생활을 할 권리에 대한 설명으로 옳은 것은?

① 「국민기초생활 보장법」은 물질적 수준의 급부 보장을 목표로 하나 건강하고 문화적인 최저생활을 유지할 수 있는 급여 제공을 목표로 하지는 않는다.

② 인간다운 생활을 할 권리의 법적 성질에 비추어 볼 때 그 법규범력이 미치는 범위는 '최소한의 물질적 생존'의 보장에 필요한 급부의 요구권으로 한정될 뿐, 그것으로부터 그 이상의 급부를 내용으로 하는 구체적 권리가 직접 도출되어 나오는 것은 아니다.

③ 인간다운 생활을 할 권리란 국가에 대하여 인간의 존엄에 상응하는 최소한의 급부를 국가에 청구할 수 있는 권리를 말하는데, 헌법재판소는 '건강하고 문화적인 최저한도의 생활'을 인간의 존엄에 상응하는 최소한의 보장수준으로 보고 있다.

④ 「국민기초생활 보장법」상의 최저생계비를 고시함에 있어서 장애자에 대하여 장애로 인한 추가지출비용을 반영한 별도의 최저생계비를 결정하지 않은 채 가구별 인원수만을 기준으로 최저생계비를 결정한 것은 실질적 평등의 원칙에 위반되고 인간다운 생활을 할 권리를 침해한다.

16 甲은 1994년 보건복지부장관의 생계보호기준이 최저생계비에 미치지 못하여 인간다운 생활을 할 권리를 침해한다고 하면서 헌법소원심판을 청구하였다. 이에 대한 설명으로 옳지 않은 것은 모두 몇 개인가?

> ㄱ. 1994년 보건복지부장관의 생계보호기준은 직접 대외적 효력을 가지므로 청구인에 대하여 직접적인 효력을 갖는 규정이다.
> ㄴ. 1994년 보건복지부장관의 생계보호기준에 대해 현행 「행정소송법」상 이를 다툴 방법이 있다고 볼 수 없으므로 이에 대한 헌법소원청구는 다른 법적 구제수단이 없는 경우에 해당한다.
> ㄷ. 구 「생활보호법」과 현행 「국민기초생활 보장법」상의 급여는 사회부조로서 다른 법령의 급여에 대해 보충적 성질을 가진다.
> ㄹ. 인간다운 생활을 할 권리규정은 헌법재판에 있어서는 국민소득, 국가의 재정능력과 정책 등을 고려하여 가능한 범위 안에서 최대한으로 모든 국민이 물질적인 최저생활을 넘어서 인간의 존엄성에 맞는 건강하고 문화적인 생활을 누릴 수 있도록 하여야 한다는 행위의 지침, 즉 행위규범으로서 작용한다.
> ㅁ. 국가가 인간다운 생활을 보장하기 위한 헌법적 의무를 다하였는지의 여부가 사법적 심사의 대상이 된 경우에는 엄격한 비례원칙이 적용된다.
> ㅂ. 인간다운 생활을 보장하기 위한 객관적인 내용의 최소한을 보장하고 있는지 여부는 특정한 법률에 의한 생계급여만을 가지고 판단하면 되고, 여타 다른 법령에 의해 국가가 최저생활보장을 위하여 지급하는 각종 급여나 각종 부담의 감면 등을 총괄한 수준으로 판단할 것을 요구하지는 않는다.

① 1개　② 2개
③ 3개　④ 4개

17 사회적 기본권에 대한 설명으로 옳은 것은?

① 국민연금 외의 다른 공적 보험에서는 사용자의 보험료 미납이 있더라도 근로자에게 불이익을 주지 않는데, 근로자에게 귀책사유가 없는 사용자의 기여금 미납기간도 '연금보험료를 내지 아니한 기간'에 포함시켜 미납자의 유족연금 지급을 제한하고 있는 「국민연금법」은 합리적인 이유 없이 국민연금을 차별하여 평등권을 침해한다.

② 연금보험료를 낸 기간이 그 연금보험료를 낸 기간과 연금보험료를 내지 아니한 기간을 합산한 기간의 3분의 2보다 짧은 경우 유족연금 지급을 제한한 구 「국민연금법」은 그 계산에 있어 사용자가 연금보험료를 미납한 기간까지 사업장가입자의 '연금보험료를 내지 아니한 기간'에 포함시킬 수도 있도록 하고 있는바, 입법재량의 한계를 일탈하여 인간다운 생활을 할 권리를 침해하였다.

③ 「군인연금법」상의 유족급여수급권은 단순한 사실상의 이익이나 국가가 일방적으로 베푸는 시혜적인 급부를 요구할 수 있는 것이지 헌법상 보장된 사회적 기본권은 아니다.

④ 사회보장수급권은 최소한의 생계 보장을 위한 급여이므로 압류·양도할 수도 없으나 포기할 수 있다.

18 사회적 기본권에 대한 설명으로 옳은 것은?

① 국민연금제도는 자기 기여를 전제로 하지 않고 국가로부터 소득을 보장받는 순수한 사회부조형 사회보장제도이다.

② 공공부조는 수급자의 노력에 의해서 형성되나, 사회보험은 국가가 수급자의 자기 기여에 관계없이 급부를 제공하므로 국가나 지방자치단체의 예산에서 전액 부담한다.

③ 「공무원연금법」상의 각종 급여는 후불임금으로서의 성격을 띠므로, 그에 관한 입법자의 입법재량은 일반적인 재산권과 유사하게 제한된다.

④ 공무원이 유족 없이 사망하였을 경우, 연금수급자의 범위를 직계존·비속으로만 한정하는 것은 공무원의 형제자매 등 다른 상속권자들의 재산권을 침해한 것으로 볼 수 없다.

19 사회적 기본권에 대한 설명으로 옳지 않은 것은 모두 몇 개인가?

> ㄱ. 「사립학교교직원 연금법」상의 유족의 범위와 유족연금수급권자의 범위에서 유족의 형제자매를 제외한 것은, 입법자가 입법형성권의 범위 내에서 유족급여수급권이라는 사회보장수급권과 재산권을 합리적인 기준에 따라 형성하고 조정하여 구체화한 것으로 입법형성의 한계를 일탈하여 헌법에 위반되는 것이 아니다.
> ㄴ. 「산업재해보상보험법」 소정의 유족의 범위에 '직계혈족의 배우자'를 포함시키고 있지 않은 「산업재해보상보험법」 조항은 헌법 제34조의 인간다운 생활을 할 권리를 침해하지 아니한다.
> ㄷ. 고엽제후유의증환자도 참전유공자로서 구 「국가유공자 등 예우 및 지원에 관한 법률」상 국가유공자에 포함되지만 전몰군경의 유가족을 제외한 국가유공자의 가족은 헌법 제32조 제6항의 보호대상에 포함된다고 할 수 없으므로, 고엽제후유의증환자의 가족을 교육지원과 취업지원의 대상에서 배제한다고 하여 위 헌법조항의 우선적 근로의 기회 제공의무를 위반한 것은 아니다.
> ㄹ. 「공무원연금법」상 퇴직연금의 수급자가 「사립학교교직원 연금법」 제3조의 학교기관으로부터 보수 기타 급여를 지급받고 있는 경우, 그 기간 중 퇴직연금의 지급을 정지하도록 한 것은 기본권 제한의 입법한계를 일탈한 것으로 볼 수 없다.
> ㅁ. 「산업재해보상보험법」에서 업무상 질병으로 인한 업무상 재해에 있어 업무와 재해 사이의 상당인과관계에 대한 입증책임을 이를 주장하는 근로자나 그 유족에게 부담시키는 것은 사회보장수급권을 침해한다고 할 수 없다.
> ㅂ. 「산업재해보상보험법」 제4조 제2호 단서 및 「근로기준법 시행령」 제4조가 정하는 경우에 관하여 노동부장관이 평균임금을 정하여 고시하지 아니하는 부작위는 인간다운 생활을 할 권리를 침해한다.
> ㅅ. 근로능력평가의 기준 등에 관한 고시 중 '평가대상자의 근로수행능력에 영향을 크게 미치는 2개 이내의 평가대상 질병을 등록하도록 한 것'은 질환유형이 다른 3개 이상의 질병을 가진 청구인은 자신의 질병 중 일부를 평가받을 수 없게 되므로 인간다운 생활을 할 권리를 침해한다.

① 1개 ② 2개
③ 3개 ④ 4개

20 직장가입자가 소득월액보험료를 일정 기간 이상 체납한 경우 그 체납한 보험료를 완납할 때까지 국민건강보험공단이 그 가입자 및 피부양자에 대하여 보험급여를 실시하지 아니할 수 있도록 한 구 국민건강보험법에 대한 설명으로 옳지 않은 것은?

① 「국민건강보험법」에 따른 건강보험수급권은 인간다운 생활을 할 권리의 보호범위에 포함된다고 할 수 없다.

② 직장가입자가 소득월액보험료를 일정 기간 이상 체납한 경우 그 체납한 보험료를 완납할 때까지 국민건강보험공단이 그 가입자 및 피부양자에 대하여 보험급여를 실시하지 아니할 수 있도록 한 구 「국민건강보험법」은 재산권을 제한한다.

③ 심판대상조항이 청구인의 건강권, 인간의 존엄과 가치, 행복추구권을 침해 여부에 대하여도 별도로 판단하지 아니한다.

④ 가입자들에 대한 안정적인 보험급여 제공을 보장하기 위해서는 보험료 체납에 따른 보험재정의 악화를 방지할 필요가 있으므로 심판대상은 청구인의 인간다운 생활을 할 권리나 재산권을 침해하지 아니한다.

49회 진도별 모의고사

교육을 받을 권리

정답 및 해설 p.389

제한시간 : 14분 | 시작시각 ___시 ___분 ~ 종료시각 ___시 ___분 나의 점수 ______

01 교육을 받을 권리에 대한 설명으로 옳지 않은 것은?

① 교육을 받을 권리는 국가에 대해 교육을 받을 수 있도록 적극적으로 배려해 줄 것을 요구할 권리와 능력에 따라 균등하게 교육받는 것을 공권력에 의하여 침해받지 않을 권리를 포함한다.

② 교육을 받을 권리의 내용과 관련하여 헌법재판소는 실질적인 평등교육을 실현해야 할 국가의 적극적인 의무가 인정된다고 하여 이로부터 국민이 직접 실질적 평등교육을 위한 교육비를 청구할 권리가 도출된다고 판시하였다.

③ 헌법 제31조 제1항의 교육을 받을 권리로부터 국가에게 교육조건의 개선·정비와 교육 기회의 균등한 보장을 적극적으로 요구할 권리는 인정된다.

④ 헌법 제31조 제1항에 의하여 보장되는 교육을 받을 권리는 개인적 성향·능력 및 정신적·신체적 발달상황 등을 고려하지 아니한 채 동일한 교육을 받을 수 있는 권리를 의미하는 것은 아니다.

02 교육을 받을 권리에 대한 설명으로 옳은 것은?

① 헌법 제31조의 '능력에 따라 균등한 교육을 받을 권리'는 교육의 모든 영역, 특히 학교교육 밖에서의 사적인 교육영역에까지 균등한 교육이 이루어지도록 개인이 별도로 교육을 시키거나 받는 행위를 국가가 금지하거나 제한할 수 있는 근거를 부여하는 수권규범이다.

② 교육의 기회균등에는 교육시설에 균등하게 참여할 수 있는 권리가 포함된다 하더라도, 편입학조치로 인하여 기존의 재학생들의 교육환경이 상대적으로 열악해지는 경우에는 새로운 편입학 자체를 금지할 수 있다.

③ 헌법 제31조 제1항에 의하여 보장되는 교육을 받을 권리에 국민이 국가에 대하여 직접 특정한 교육제도나 교육과정을 요구할 수 있는 권리나, 특정한 교육제도나 교육과정의 배제를 요구할 권리가 포함된다.

④ 헌법 제31조 제1항으로부터 군인이 자기계발을 위하여 해외유학하는 경우 교육비를 청구할 수 있는 권리가 도출된다고 할 수는 없다.

03 교육을 받을 권리에 대한 설명으로 옳은 것은?

① 교육을 받을 권리를 규정한 헌법 제31조 제1항은 헌법 제10조의 행복추구권에 대한 특별규정으로서, 교육의 영역에서 능력주의를 실현하고자 하는 것이다.

② 교육을 받을 권리는 국민이 국가에 대해 직접 특정한 교육제도나 학교시설을 요구할 수 있음을 뜻하지는 않는다.

③ 능력에 따라 균등하게 교육을 받을 권리는 개인의 정신적·육체적·경제적 능력에 따른 차별만을 허용할 뿐 성별·종교·사회적 신분에 의한 차별은 허용하지 않는다.

④ 국민의 교육을 받을 권리로부터 국가가 사립유치원의 교사인건비, 운영비 등을 예산으로 지원해야 할 헌법상 작위의무가 헌법해석상 도출된다.

04 교육을 받을 권리에 대한 설명으로 옳지 않은 것은?

① 교육을 받을 권리란 모든 국민에게 저마다의 능력에 따른 교육이 가능하도록 그에 필요한 설비와 제도를 마련해야 할 국가의 과제와 아울러, 사회적·경제적 약자도 능력에 따른 실질적 평등교육을 받을 수 있도록 적극적인 정책을 실현해야 할 국가의 의무를 뜻한다.

② 헌법 제31조 제1항에 의하여 보장되는 교육을 받을 권리는 개인적 성향·능력 및 정신적·신체적 발달상황 등을 고려하지 아니한 채 동일한 교육을 받을 수 있는 권리를 의미하는 것은 아니다.

③ 헌법 제31조 제1항에 의하여 보장되는 교육을 받을 권리에 국민이 국가에 대하여 직접 특정한 교육제도나 교육과정을 요구할 수 있는 권리나, 특정한 교육제도나 교육과정의 배제를 요구할 권리가 포함되는 것은 아니다.

④ 지능이나 수학능력 등 일정한 능력이 있음에도 법률에 따라 아동의 입학연령을 제한하여 초등학교 입학을 허용하지 않는 것은 능력에 따라 균등한 교육을 받을 권리를 침해한다.

05 교육을 받을 권리에 대한 설명으로 옳지 않은 것은?

① 특수목적고교에 비교평가에 의한 내신특례를 인정하고 그 시행에 따른 합리적인 경과조치를 정하는 것은 교육의 기회균등을 침해한 것이다.

② 기존의 재학생들에 대한 교육환경이 상대적으로 열악해질 수 있음을 이유로 새로운 편입학 자체를 하지 말도록 요구하는 것은 교육을 받을 권리의 내용으로는 포섭할 수 없으므로 중등교사 자격자들 중 교육대학교 3학년에 특별편입학시킬 대상자를 선발하기 위한 시험의 공고로 인해 당해 교육대학교 재학생들이 교육을 받을 권리는 제한되지 않는다.

③ 모집정원의 70%를 임직원 자녀 전형으로 선발하고 10%만을 일반전형으로 선발하는 내용의 충남○○고 입학전형요강을 피청구인 충청남도 교육감이 승인한 것은 교육을 받을 권리를 제한한다고 할 수 없다.

④ 대학수학능력시험을 한국교육방송공사(EBS) 수능교재 및 강의와 연계하여 출제하기로 한 '2018학년도 대학수학능력시험 시행기본계획'은 헌법 제31조 제1항의 능력에 따라 균등하게 교육을 받을 권리를 직접 제한한다고 보기는 어렵다.

06 교육을 받을 권리에 대한 설명으로 옳지 않은 것은?

① 검정고시로 고등학교 졸업학력을 취득한 사람들의 수시모집 지원을 제한하는 내용의 국립교육대학교 등의 2017학년도 신입생 수시모집 입시요강으로 직접 문제가 되는 기본권은 균등하게 교육을 받을 권리이다.

② 대학도서관장이 도서 대출과 열람실 이용을 승인하지 아니한 것으로 교육을 받을 권리는 제한된다.

③ 특수목적고교에 비교평가에 의한 내신특례를 인정하고 그 시행에 따른 합리적인 경과조치를 정하는 것은 교육의 기회균등에 대한 침해가 아니다.

④ 만 6세가 되기 전에 앞당겨서 입학을 허용하지 않는다고 해서 헌법상의 '능력에 따라 균등하게 교육을 받을 권리'를 본질적으로 침해한 것이라 볼 수 없다.

07 학교용지부담금과 무상교육에 대한 설명으로 옳지 않은 것을 모두 조합한 것은?

ㄱ. 의무교육의 무상성에 관한 헌법상 규정은 교육을 받을 권리를 보다 실효성 있게 보장하기 위해 의무교육 비용을 학령아동 보호자의 부담으로부터 의무교육의 모든 비용을 조세로 해결해야 함을 의미한다.
ㄴ. 의무교육에 필요한 학교용지의 부담금을 개발사업지역 내 주택의 수분양자들에게 부과·징수하는 것은 의무교육의 무상원칙에 위배된다.
ㄷ. 학교용지부담금을 개발사업자에게 부과하는 법률규정은 개발사업자가 학교용지부담금을 수분양자에게 전가할 것이 분명하다는 점에서 목적 달성을 위한 수단의 적절성을 인정할 수 없고, 국가의 일반적 과제에 대해 개발사업자에게 종국적이고 과도한 책임을 지우는 것으로 피해의 최소성이나 법익균형성도 충족하지 못하므로 재산권을 침해한다.
ㄹ. 「학교용지 확보 등에 관한 특례법」 제5조 제1항 단서 제5호 중 「도시 및 주거환경정비법」 제2조 제2호 '다목'의 규정에 따른 '주택재건축사업'에 관한 부분이 매도나 현금청산의 대상이 되어 제3자에게 분양됨으로써 기존에 비하여 가구 수가 증가하지 아니하는 개발사업분을 학교용지 부담금 부과대상에서 제외하는 규정을 두지 아니한 것은 평등원칙에 위반된다.
ㅁ. 의무교육 무상의 원칙이 의무교육을 위탁받은 사립학교를 설치·운영하는 학교법인 등과의 관계에서 이미 학교법인이 부담하도록 규정되어 있는 경비까지 국가나 지방자치단체의 부담으로 한다는 취지로 볼 수는 없다.

① ㄱ, ㄷ　　② ㄱ, ㄷ, ㅁ
③ ㄴ, ㄷ, ㅁ　　④ ㄱ, ㄴ, ㄷ

08 무상 교육에 대한 설명으로 옳은 것은?

① 헌법은 초등교육과 중등교육을 의무교육으로 실시하도록 명문으로 규정하고 있다.

② 모든 국민은 그 보호하는 자녀에게 적어도 초등교육과 법률이 정하는 고등교육을 받게 할 의무를 진다.

③ 헌법 제31조 제2항·제3항으로부터 직접 의무교육 경비를 중앙정부로서의 국가가 부담하여야 한다는 결론이 도출된다.

④ "의무교육은 무상으로 한다."라는 헌법 제31조 제3항은 초등교육에 관하여는 직접적인 효력규정으로서, 이로부터 개인은 국가에 대하여 초등학교의 입학금·수업료 등을 면제받을 수 있는 헌법상의 권리를 가진다.

09 무상교육에 대한 설명으로 옳은 것은?

① 의무교육에 있어서 본질적이고 필수불가결한 비용을 포함한 비용을 무상의 범위에 포함시킬 것인지는 입법자가 입법정책적으로 해결해야 할 문제이다.

② 헌법상 의무교육 무상의 범위는 교육의 기회균등을 실현하기 위해 필수불가결한 비용을 말하므로, 단순한 영양공급차원을 넘어 교육적 성격을 가지는 학교급식은 무상의 의무교육 내용에 포함된다.

③ 법률이 의무교육 경비에 대한 지방자치단체의 부담가능성을 예정하고 있더라도 헌법에 위반되지 않는다.

④ 의무교육의 무상원칙은 의무교육에 투입되는 비용을 국가 또는 지방자치단체의 일반재정으로 해결하라는 의미인바, 별도의 재정수단이라 할 수 있는 학교용지부담금을 개발사업자에게 부과하는 법률규정은 위 원칙에 반한다.

10 무상교육에 대한 설명으로 옳은 것은?

① 의무교육에 필요한 학교용지의 부담금을 개발사업지역 내 주택의 수분양자들에게 부과·징수하는 것은 의무교육의 무상원칙에 위배되지 않는다.

② 의무교육의 무상성에 관한 헌법상 규정은 교육을 받을 권리를 보다 실효성 있게 보장하기 위해 의무교육 비용을 학령아동 보호자의 부담으로부터 공동체 전체의 부담으로 이전하라는 명령이므로 의무교육의 모든 비용을 조세로 해결해야 한다.

③ 의무교육제도는 국민에 대하여는 그 보호하는 자녀에게 적어도 초등교육과 법률이 정하는 교육을 받게 할 의무를 부과하고, 국가에 대하여는 인적·물적 교육시설을 정비하고 교육환경을 개선하여야 할 의무를 부과한다.

④ 급식활동이 의무교육에 있어서 필수불가결한 교육과정이며 이에 소요되는 경비가 의무교육의 실질적인 균등보장을 위한 본질적이고 핵심적인 항목에 해당하므로, 이에 관한 모든 재원 마련도 전적으로 국가와 지방자치단체의 몫이 되어야 하므로 급식에 관한 경비를 전면무상으로 하지 않고 그 일부를 학부모의 부담으로 정하고 있는 법률조항들은 의무교육의 무상원칙에 위배된다.

11 교사의 수업권에 대한 설명으로 옳은 것은?

① 교사의 수업권은 자연법적 권리로서 인정되는 권리로서 헌법 제31조 제1항에서도 직접 도출되는 권리이다.

② 교사의 교육을 할 권리는 헌법상 보장되는 기본권이라 보기 어렵지만, 국민의 수학권(헌법 제31조 제1항의 교육을 받을 권리)과 교사의 수업의 자유는 다 같이 보호되어야 하고 그중에서도 교사의 수업권이 더 우선적으로 보호되어야 한다.

③ 학교교육에 있어서 교원의 수업권은 직업의 자유에 의하여 보장되는 기본권이지만, 원칙적으로 학생의 학습권은 교원의 수업권에 대하여 우월한 지위에 있다. 교원의 고의적인 수업 거부행위는 학생의 학습권과 정면으로 상충하는 것인바, 수업권의 우월적 지위가 인정되는 예외적인 경우에만 수업 거부행위는 헌법상 정당화된다.

④ 학교교육에 있어서 교사의 가르치는 권리를 수업권이라고 한다면 그것은 자연법적으로는 학부모에게 속하는 자녀에 대한 교육권을 신탁받은 것이고, 실정법상으로는 공교육의 책임이 있는 국가의 위임에 의한 것이다.

12 교육자치에 대한 설명으로 옳은 것을 모두 조합한 것은?

ㄱ. 지방교육위원 선거에서 다수득표자 중 교육경력자가 선출인원의 2분의 1 미만인 경우에는 득표율에 관계없이 경력자 중 다수득표자 순으로 선출인원의 2분의 1까지 우선당선시키는 것은 교육위원의 자주성·전문성이 확보되는 효과에 비하여 민주주의가 훼손되고 비경력자의 공무담임권 등 기본권이 침해됨으로 인한 불이익은 훨씬 크다고 할 수 있으므로 이 사건 법률조항은 법익의 균형성도 갖추고 있지 못하여 공무담임권을 침해한다.
ㄴ. 중앙권력에 대한 지방자치와 정치권력에 대한 문화적 자치라는 '이중의 자치'의 요청으로 말미암아 지방교육자치의 민주적 정당성 요청을 제한할 수 있다.
ㄷ. 교육부문에 있어서의 국민주권·민주주의의 요청은 정치 부문과는 다른 모습으로 구현될 수 있다.
ㄹ. 지방교육자치는 '민주주의·지방자치·교육자주'라고 하는 세 가지의 헌법적 가치를 골고루 만족시킬 수 있어야만 하는 것이다.
ㅁ. 교육의 자주성·전문성을 구현을 위해 민주적 정당성이 후퇴하는 것은 허용되지 않는다.

① ㄱ, ㄴ ② ㄱ, ㄴ, ㄷ, ㅁ
③ ㄴ, ㄷ, ㄹ ④ ㄱ, ㄴ, ㄷ

13 사립학교운영의 자유에 대한 설명으로 옳은 것을 모두 조합한 것은?

ㄱ. 사립학교법인이 의무의 부담을 하고자 할 때 관할청의 허가를 받도록 하는 「사립학교법」 규정은 사립학교 운영의 자유를 침해하지 않는다.
ㄴ. 자율형 사립고등학교를 후기학교로 정하여 신입생을 일반고와 동시에 선발하도록 하는 한편, 자율형 사립고등학교를 지원한 학생에게 평준화지역 후기학교에 중복지원할 수 없도록 한 것은 학교법인의 사학운영의 자유를 침해한다.
ㄷ. 헌법 제31조 제6항은 "교육제도와 그 운영에 관한 기본적인 사항은 법률로 정한다."라고 규정함으로써 국가는 모든 학교제도의 조직, 계획, 운영, 감독에 관한 포괄적인 권한을 부여받았기 때문에, 사립학교운영의 자유는 헌법상의 기본권으로 인정되지 아니한다.
ㄹ. 사립학교운영이 비정상적인 경우에 하는 임시이사선임은 사학의 운영의 자유를 침해하는 것이 아니다. 또한 학교정상화가 된 경우 관할청이 조정위원회의 의결을 거쳐 정식이사를 선임하도록 한 것은 종전이사의 재산권·경영권 침해라고 할 수 없다.
ㅁ. 사립학교운영권 자체는 종전 이사들의 독립된 재산권의 대상이 되지 아니한다.

① ㄱ, ㄹ, ㅁ ② ㄱ, ㄴ, ㄷ
③ ㄴ, ㄷ, ㄹ ④ ㄱ, ㄴ, ㅁ

14 **사립학교운영의 자유에 대한 설명으로 옳지 않은 것은?**

① 사립학교의 경우에도 국·공립학교와 설립주체가 다를 뿐 교직원, 교과과정, 교과용도서의 사용 등에 있어서 동일하므로 이와 같은 교육의 개인적, 국가적 중요성과 그 영향력의 면에서 국·공립학교와 본질적인 차이가 있을 수 없다.

② 국민의 교육을 받을 권리가 적절하게 보장되도록 하기 위하여 사립학교의 재산관리에 국가 개입은 불가피하다.

③ 사학설립자나 학교법인이 가지는 사학운영의 자유에는 설립자나 학교법인의 종교적·세계관적 교육이념에 따라 교과과정을 자유롭게 형성할 자유가 당연히 포함되므로 종교단체가 설립한 사립학교, 즉 '종립학교'에서 종교행사 및 종교과목 수업을 할 자유는 종교의 자유뿐만 아니라 사학의 자유라는 관점에서도 일반적으로 보장되어야 한다.

④ 공교육체계 내에서 학생에 대한 교육은 집단적인 학교교육을 중심으로 이루어지게 되므로 다양한 가치관과 능력·적성을 가진 학생들이 그에 알맞은 교육을 받을 권리는 현실적인 한계뿐만 아니라 학교교육이라는 제도적인 이유로 인하여 제한될 수밖에 없고 사립학교가 차지하는 비중이 크므로, 사립학교에 학생선발권을 가급적 전면적으로 보장해 주어야 한다.

15 **사립학교운영의 자유에 대한 설명으로 옳은 것은?**

① 사립학교운영의 자유는 헌법 제10조의 행복추구권과 헌법 제31조 등에서 인정되는 기본권이라고 할 수 있다.

② 학교법인의 이사장과 특정 관계에 있는 사람의 학교장 임명을 제한하는 「사립학교법」 제54조의3 제3항이 이사장과 특정 관계에 있는 사람(배우자, 직계존비속과 그 배우자)의 직업의 자유나 학교법인의 사학의 자유를 침해한다.

③ 사립대학 회계의 예·결산절차에 등록금심의위원회의 심사·의결을 거치도록 한 「사립학교법」 제29조 제4항 제1호, 제31조 제3항 제1호 중 각 '등록금심의위원회'에 관한 부분은 사학운영의 자유를 침해한다.

④ 초·중등학교장의 중임횟수를 제한한 「사립학교법」은 임기에 제한을 두고 있지 아니한 대학의 장과 비교할 때 초·중등학교장의 직업의 자유를 침해하고 평등권을 침해한다.

16 **농·어촌학생 특별전형의 지원자격에 2008년도 제2기 신활력지역으로 선정된 시 지역을 포함한 서울대학교 총장의 '2009학년도 대학 신입학생 입학전형 안내'에 대해 농어촌 고등학교 학생들이 헌법소원심판을 청구하였다. 이에 대한 설명으로 옳지 않은 것은?**

① 이 사건 안내 중 '농·어촌학생 특별전형 지원자격 확대 부분'은 헌법소원의 대상이 되는 공권력의 행사에 해당된다고 할 것이다.

② 농·어촌학생 특별전형과 같은 특정한 대학입시제도에 있어서 자신의 교육시설 참여 기회가 축소될 수도 있다는 우려로 인하여 타인의 교육시설 참여 기회를 제한할 것을 청구할 수 있는 권리가 도출된다거나, 자신의 교육시설 참여 기회가 축소될 수 있음을 이유로 지원 자격을 확대하지 않도록 요구하는 것이 본래 균등한 취학 기회 보장을 목표로 하는 교육을 받을 권리의 내용이라고 볼 수는 없다.

③ 이 사건 안내 중 농·어촌학생 특별전형에 있어서 2008년도 제2기 '신활력지역'으로 선정된 시 지역을 2009학년도부터 2011학년도 지원자에 한하여 농·어촌지역으로 인정한 부분이 군에 소재하는 고등학교 3학년에 재학 중인 청구인들의 교육을 받을 권리 및 평등권을 침해할 가능성은 인정되지 않는다.

④ 농·어촌학생 특별전형에 있어서 청구인들의 합격 기회가 축소될 수 있음을 이유로 특별전형의 지원자격을 읍·면지역에 한정하고 '신활력지역'으로 선정된 시 지역으로까지 그 지원자격을 확대하지 않도록 요구하는 것은 행복추구권의 내용에 포함되므로 이 사건 안내로 인한 행복추구권의 침해 문제는 발생할 여지가 있다.

17 **2021학년도 대학입학전형 기본사항 중 재외국민 특별전형 지원자격 가운데 학생 부모의 해외체류요건을 학생의 이수기간의 3분의 2 이상을 해외에 각 체류할 것을 요건으로 하고 있는 것에 대해 헌법소원이 청구되었다. 이에 대한 설명으로 옳은 것은?**

① 2021학년도 대학입학전형 기본사항 중 재외국민 특별전형 지원자격 가운데 학생의 부모의 해외체류요건 부분으로 인한 학부모의 기본권 침해의 자기관련성은 인정된다.

② 재외국민 특별전형과 같은 특정한 입학전형의 설계에 있어 청구인이 원하는 일정한 내용의 지원자격을 규정할 것을 요구하는 것은 포괄적인 의미의 자유권인 행복추구권의 내용에 포함된다.

③ 이 사건 전형사항은 해외근무자의 배우자인 부모 중 일방이 학생의 이수기간의 3분의 2 미만을 해외에 체류한 경우를 부모 모두가 학생의 이수기간의 3분의 2 이상을 해외에 각 체류한 경우와 재외국민 특별전형 지원자격 부여에 있어 차별하고 있다. 따라서 이 사건 전형사항이 법률유보원칙, 신뢰보호원칙 등에 위반하여 균등하게 교육을 받을 권리를 침해하는지 여부를 살피기로 한다.

④ 양부모의 자녀의 경우 부모 모두가 학생 이수기간의 3분의 2 이상 해외체재하는 것을 전형요건으로 하는 것은 균등하게 교육을 받을 권리를 침해하는 것이다.

⑤ 이전의 대학입학전형 기본사항에 따라 재외국민 특별전형에 지원할 수 있을 것으로 기대하거나 신뢰하였다면 원칙적으로 그 신뢰는 보호하여야 한다.

18 **검정고시로 고등학교 졸업학력을 취득한 사람들의 수시모집 지원을 제한하는 내용의 피청구인 국립교육대학교 등의 2017학년도 신입생 수시모집 입시요강에 대한 헌법재판소 판례와 일치하지 않는 것은?**

① 수시모집에서 검정고시 출신자의 지원을 제한하는 사유로 제시 된 공교육을 정상화하기 위한 조치라는 이유는 합리적 이유에 해당하지 않는다.

② 검정고시로 고등학교 졸업학력을 취득한 사람들의 수시모집 지원을 제한하는 내용의 피청구인 국립교육대학교 등의 2017학년도 신입생 수시모집 입시요강은 균등하게 교육을 받을 권리를 침해한다.

③ 이 사건 수시모집요강과 관련하여 직접적으로 관련된 기본권은 교육을 받을 권리라 할 것이므로, 직업선택의 자유에 관하여는 별도로 판단하지 않는다.

④ 헌법 제22조 제1항이 보장하고 있는 학문의 자유와 헌법 제31조 제4항에서 보장하고 있는 대학의 자율성에 따라 대학이 학생의 선발 및 전형 등 대학입시제도를 자율적으로 마련할 수 있으므로 이러한 대학의 자율적 학생 선발권은 국민의 균등하게 교육을 받을 권리보다 우선한다.

⑤ 헌법 제31조는 취학의 기회에 있어서 고려될 수 있는 차별의 기준으로서 능력을 제시하고 있는데, 수학능력은 학교 입학에 있어서 고려될 수 있는 합리적인 차별 기준이 될 수 있다.

19 교육을 받을 권리에 대한 설명으로 옳은 것은?

① 고시 공고일을 기준으로 고등학교에서 퇴학된 날로부터 6월이 지나지 아니한 자를 고등학교 졸업학력 검정고시를 받을 수 있는 자의 범위에서 제외하는 것은, 국민의 교육을 받을 권리 중 그 의사와 능력에 따라 균등하게 교육받을 것을 국가로부터 방해받지 않을 권리, 즉 자유권적 기본권을 제한하는 것이므로, 그 제한에 대하여는 과잉금지원칙에 따른 심사를 하여야 한다.

② 고시 공고일을 기준으로 고등학교에서 퇴학한 날로부터 6월이 지나지 아니한 자를 고등학교 졸업학력 검정고시를 응시할 수 있는 자의 범위에서 제외한 것은 교육을 받을 자유를 침해한다.

③ 2년제 전문대학의 졸업자에게만 대학·산업대학 또는 원격대학의 편입학 자격을 부여하고, 3년제 전문대학의 2년 이상 과정 이수자에게는 편입학 자격을 부여하지 아니한 것은 교육을 받을 권리를 침해한다.

④ 헌법 제31조의 '능력에 따라 균등한 교육을 받을 권리'는 학교교육 밖에서의 사적인 교육영역에까지 균등한 교육이 이루어지도록 개인이 별도로 교육을 시키거나 받는 행위를 국가가 금지하거나 제한할 수 있는 근거를 부여하는 수권규범이다.

20 교육을 받을 권리에 대한 설명으로 옳은 것은?

① 자신의 교육시설 참여 기회가 축소될 수 있음을 이유로 지원자격을 확대하지 않도록 요구하는 것이 본래 균등한 취학 기회 보장을 목표로 하는 교육을 받을 권리의 내용이라고 볼 수 있다.

② 기존의 재학생들에 대한 교육환경이 상대적으로 열악해질 수 있음을 이유로 새로운 편입학 자체를 하지 말도록 요구하는 것은 교육을 받을 권리의 내용으로 포섭된다.

③ 고졸검정고시 또는 '고등학교 입학자격 검정고시'에 합격했던 자는 해당 검정고시에 다시 응시할 수 없도록 응시자격을 제한한 전라남도 교육청 공고 중 해당 검정고시 합격자 응시자격 제한 부분의 위헌 여부는 엄격한 기준으로 법률유보원칙의 준수 여부를 심사하여야 할 것이다.

④ 폐쇄된 서남대의 의과대학생 177명을 전북대 의과대학에 특별편입학 모집하는 것을 내용으로 하는 전북대 총장의 2018.1.2.자 '2018학년도 서남대학교 특별편입학 모집요강' 중 '의예과·의학과'에 관한 부분으로 교육을 받을 권리가 제한된다.

진도별 모의고사

근로의 권리 ~ 근로3권

정답 및 해설 p.397

제한시간 : 14분 | 시작시각 ___시 ___분 ~ 종료시각 ___시 ___분　　나의 점수 ______

01 헌법 제32조 근로의 권리조항에 대한 설명으로 옳은 것은 모두 몇 개인가?

> ㄱ. 적정임금 보장이 최저임금 보장보다 먼저 헌법에 규정되었다.
> ㄴ. 여자의 근로는 특별한 보호를 받으며, 여자는 우선적으로 근로의 기회를 부여받는다.
> ㄷ. 근로조건의 기준은 민주주의원칙에 따라 법률로 정한다.
> ㄹ. 헌법은 명시적으로 국가는 근로의 의무의 내용과 조건을 인간의 존엄성을 보장하도록 법률로 정한다고 규정하고 있다.
> ㅁ. 헌법은 여자 및 연소자 근로의 특별한 보호와 최저임금제의 시행에 관하여 규정하고 있다.
> ㅂ. 장애인의 근로에 대한 보호조항은 헌법 제32조의 근로의 권리조항에 있고 이에 따라 장애인에 대한 고용증진의무와 관련된 법조항은 헌법에 부합되게 된다.
> ㅅ. 헌법은 '여자'와 '연소자', '노인'의 근로는 특별한 보호를 받는다고 규정하고 있다.

① 1개　　② 2개

③ 3개　　④ 4개

02 근로의 권리에 대한 설명으로 옳은 것은?

① 근로의 권리란 인간이 자신의 의사와 능력에 따라 근로관계를 형성하고, 타인의 방해를 받음이 없이 근로관계를 계속 유지하며, 근로의 기회를 얻지 못한 경우에는 국가에 대하여 근로의 기회를 제공하여 줄 것을 요구할 수 있는 권리를 말한다.

② 근로의 권리란 일할 자리에 관한 권리와 일할 환경에 관한 권리를 말하며, 후자는 건강한 작업환경, 일에 대한 정당한 보수, 합리적인 근로조건의 보장 등을 요구할 수 있는 권리 등을 의미하는바, 직장변경의 횟수를 제한하고 있는 구 「외국인근로자의 고용 등에 관한 법률」 규정은 근로의 권리를 제한하는 것이다.

③ 「노동조합 및 노동관계조정법」 그리고 대법원 판례는 해고된 자는 설사 해고의 효력을 다투고 있다고 할지라도 근로자의 지위에 있지 않다고 해석하고 있다.

④ 「교원지위향상을 위한 특별법」에 따른 교원소청심사 청구절차나 행정소송으로 부당해고를 다투는 경우에는 「교원의 노동조합 설립 및 운영 등에 관한 법률」상의 교원에 해당한다.

03 근로의 권리에 대한 설명으로 옳지 않은 것은?

① 근로의 권리는 근로자를 개인의 차원에서 보호하기 위한 권리에 한정되는 것이 아니므로 개인인 근로자뿐만 아니라 노동조합도 그 주체가 될 수 있다.

② 출국만기보험금은 퇴직금의 성질을 가지고 있으나 근로조건의 문제이므로 외국인에게 출국만기보험금을 수령할 권리는 근로의 권리에서 인정된다.

③ 외국인 산업연수생이 연수라는 명목하에 사업주의 지시·감독을 받으면서 사실상 노무를 제공하고 수당 명목의 금품을 수령하는 등 실질적인 근로관계에 있는 경우에도 「근로기준법」이 보장한 근로기준 중 주요사항을 그들에게 적용되지 않도록 하는 「외국인산업기술연수생의 보호 및 관리에 관한 지침」은 합리적인 근거가 없으므로 자의적인 차별이다.

④ 불법체류 중인 외국인근로자의 경우 형사처벌의 대상이 되는 동시에 근로계약도 무효가 되는 것이 아니므로 「산업재해보상보험법」의 적용대상이 되는 사업 또는 사업장에서 근로를 제공하다가 업무상 질병이 걸린 경우에도 이 법상의 요양급여를 지급받을 수 있다.

04 근로의 권리에 대한 설명으로 옳지 않은 것을 모두 조합한 것은?

> ㄱ. 「노동조합 및 노동관계조정법」상의 근로자성이 인정되는 한, 출입국관리법령에 따라 취업활동을 할 수 있는 체류자격을 받지 아니한 외국인 근로자도 노동조합을 설립하거나 노동조합에 가입할 수 있다.
> ㄴ. 근로자가 퇴직급여를 청구할 수 있는 권리는 헌법에서 직접 도출된다.
> ㄷ. 국가는 헌법 제32조의 근로의 권리, 사회국가원리 등에 근거하여 실업방지 및 부당한 해고로부터 근로자를 보호하여야 할 의무가 인정되지 않는다.
> ㄹ. 근로의 권리는 국가에 대하여 직접 일자리를 청구하거나 일자리에 갈음하는 생계비의 지급청구권을 의미하는 것이 아니라 고용증진을 위한 사회적·경제적 정책을 요구할 수 있는 권리에 그치기 때문에, 근로의 권리로부터 국가에 대한 직접적인 직장존속청구권을 도출할 수도 없다.

① ㄱ, ㄴ ② ㄱ, ㄷ
③ ㄴ, ㄷ ④ ㄷ, ㄹ

05 근로의 권리에 대한 설명으로 옳은 것은?

① 헌법 제32조 제1항이 규정하는 근로의 권리는 사회적 기본권으로서 국가에 대하여 직접 일자리를 청구하거나 일자리에 갈음하는 생계비의 지급청구권을 포함한다.

② 사용자로 하여금 2년을 초과하여 기간제근로자를 사용할 수 없도록 한 「기간제 및 단시간근로자 보호 등에 관한 법률」은 근로자의 근로의 권리와 직업의 자유를 제한한다.

③ 근로의 권리는 사회적 기본권으로서, 국가에 대하여 직접 일자리(직장)를 청구하거나 일자리에 갈음하는 생계비의 지급청구권을 의미하는 것이 아니라, 고용증진을 위한 사회적·경제적 정책을 요구할 수 있는 권리에 그치는 것이다.

④ 근로의 권리는 국가에게 사용자의 처분에 따른 직장 상실에 대하여 최소한의 보호를 제공해 줄 의무를 지우는 것으로 여기에서 직장 상실로부터 근로자를 보호하여 줄 것을 청구할 수 있는 헌법상의 권리가 나온다.

06 임금에 대한 설명으로 옳지 않은 것은 모두 몇 개인가?

ㄱ. 고용노동부장관의 최저임금고시는 일반적 행동의 자유에서 도출되는 계약의 자유와 직업의 자유에서 도출되는 기업의 자유를 각 제한한다.
ㄴ. 고용노동부장관의 최저임금고시의 위헌 여부는 개인의 본질적이고 핵심적인 자유영역에 관한 것이라기보다 사회적 연관관계에 놓여 있는 경제활동을 규제하는 사항에 해당한다고 볼 수 있으므로 그 위헌성 여부를 심사함에 있어서는 엄격한 심사기준이 적용된다.
ㄷ. 고용노동부장관의 최저임금고시는 과잉금지원칙을 위반하여 청구인들의 계약의 자유와 기업의 자유를 침해하였다고 할 수 없다.
ㄹ. 헌법 제119조 제1항은 대한민국의 경제질서에 관하여, 제123조 제3항은 국가의 중소기업 보호·육성 의무에 관하여 규정한 조항이고, 제126조는 사영기업의 국·공유화에 대한 제한을 규정한 조항으로서 경제질서에 관한 헌법상의 원리나 제도를 규정한 조항이지 기본권에 대한 조항은 아니므로 최저임금고시가 이들 조항에 위반된다는 것만으로는 청구인들의 기본권이 직접 현실적으로 침해된 것이라고 할 수 없다.
ㅁ. 통상임금의 개념은 통상임금의 개념, 내용과 범위 등을 알 수 없어서 어떤 급여나 임금항목을 기준으로 연장·야간·휴일 근로에 대한 가산임금을 산정해야 하는지 전혀 알 수 없으므로 야간근로 또는 휴일근로에 대하여는 통상임금의 100분의 50 이상을 가산하여 지급하도록 한 「근로기준법」 조항 중 통상임금은 헌법상 명확성원칙에 위배된다.
ㅂ. 최저임금을 받을 권리는 헌법에서 직접 도출된다고 할 수 없으므로 병사에 대해서 최저임금 미만의 급여를 주는 것은 재산권을 침해한다고 할 수 없다.
ㅅ. 적정임금을 받기 위하여 소를 제기할 수 없다.

① 1개 ② 2개
③ 3개 ④ 4개

07 해고예고에 대한 설명으로 옳지 않은 것을 모두 조합한 것은?

ㄱ. 해고예고제도는 근로자의 인간 존엄성을 보장하기 위한 합리적 근로조건에 해당한다고 보기 힘들므로, 해고예고에 관한 권리는 근로자가 향유하는 근로의 권리의 내용에 포함되지 않는다.
ㄴ. 월급근로자로서 6개월이 되지 못한 자를 해고예고제도의 적용 예외사유로 규정하고 있는 「근로기준법」 조항에 대한 심사는 엄격한 심사를 한다.
ㄷ. 해고하기 전 30일 전에 예고하고 해고하는 제도를 6월 미만의 근로자에게 적용하지 않는 것은 근로의 권리를 침해한다.
ㄹ. 일용근로자로서 3개월을 계속 근무하지 아니한 자를 해고예고제도의 적용 제외사유로 규정하고 있는 「근로기준법」 제35조 제1호는 근로의 권리를 침해한다고 할 수 없다.

① ㄱ, ㄴ ② ㄷ, ㄹ
③ ㄴ, ㄹ ④ ㄱ, ㄹ

08 근로의 권리에 대한 설명으로 옳지 않은 것을 모두 조합한 것은?

ㄱ. 연차유급휴가는 근로자의 건강하고 문화적인 생활의 실현에 이바지할 수 있도록 여가를 부여하는 데 그 목적이 있는 것으로, 인간의 존엄성을 보장하기 위한 합리적인 근로조건에 해당하므로 연차유급휴가에 관한 권리는 근로의 권리의 내용에 포함된다.
ㄴ. 정직기간을 연가일수에서 공제할 때 어떠한 비율에 따라 공제할 것인지에 관하여는 입법자에게 재량이 부여되어 있기 때문에, 정직처분을 받은 공무원에 대하여 정직일수를 연차유급휴가인 연가일수에서 공제하도록 규정하는 법령조항은 공무원인 근로자의 근로의 권리를 침해하지 않는다.
ㄷ. 연차유급휴가는 최소한의 인간의 존엄성을 보장하기 위한 핵심적인 근로조건에 해당하므로 근로연도 중도퇴직자의 중도퇴직 전 근로에 대해 유급휴가를 보장하지 않는 것이 근로의 권리를 침해하는지 여부는 과잉금지의 원칙에 의해 엄격히 심사되어야 한다.
ㄹ. 계속근로기간 1년 이상인 근로자가 근로연도 중도에 퇴직한 경우 중도퇴직 전 1년 미만의 근로에 대하여 유급휴가를 보장하지 않는 것은 근로의 권리를 침해한다.

① ㄱ, ㄴ ② ㄷ, ㄹ
③ ㄴ, ㄹ ④ ㄱ, ㄹ

09 근로3권에 대한 설명으로 옳지 않은 것은?

① 국가의 급부를 통하여 실현되고 자원에 종속되는 사회적 기본권으로서 대표적인 것은 근로3권이다.

② 근로3권은 '사회적 보호기능을 담당하는 자유권' 또는 '사회권적 성격을 띤 자유권'이라고 말할 수 있다.

③ 근로3권의 성격은 국가가 단지 근로자의 단결권을 존중하고 부당한 침해를 하지 아니함으로써 보장되는 자유권적 측면인 국가로부터의 자유뿐이 아니라, 근로자의 권리행사의 실질적 조건을 형성하고 유지해야 할 국가의 적극적인 활동을 필요로 한다.

④ 헌법 제33조 제1항으로부터 나오는 입법자의 법적제도 및 법규범 정비의무의 내용은 노동 관련 법제 및 법규범의 정비의무를 의미하는 것으로서, '사용자의 부당노동행위와 관련한 근로자의 법적 구제절차, 근로3권의 행사시 근로자의 사용자에 대한 민사책임의 면제' 등 노동쟁의에 대한 구제절차와 같은 입법조치들이 그 예가 된다.

10 근로3권에 대한 설명으로 옳지 않은 것은?

① 단결권은 사회권적 성격을 띤 자유권으로서의 성격을 가지며, 일반적인 시민적 자유권과는 질적으로 다른 권리로서 설정되어 헌법상 그 자체로 이미 결사의 자유에 대한 특별법적인 지위를 승인받고 있다.

② 근로3권은 대국가적 권리이므로 성질상 사인 간에는 적용되지 않는다.

③ 헌법 제33조 제1항은 단결권·단체교섭권·단체행동권의 주체로서 근로자에 대해서만 규정하고 있고, 사용자에 대해서는 규정하고 있지 않다.

④ 노동력을 제공한 사람과 그 대가를 지급하는 사람이 동일인이라면 근로3권의 주체가 될 수 없다.

11 근로3권에 대한 설명으로 옳지 않은 것을 모두 조합한 것은?

> ㄱ. 취업자격 없는 외국인은 애당초 '정상적으로 취업하려는 근로자'에 해당할 수 없고 이미 취업한 사람조차도 근로계약의 존속을 보장받지 못할 뿐만 아니라, 「노동조합 및 노동관계조정법」상 근로자의 개념에 포함되지 않는다.
> ㄴ. 일시적으로 실업상태에 있거나 구직 중인 사람도 근로3권의 주체가 될 수 있다.
> ㄷ. 노동조합에 대해 사업소세 비과세혜택을 부여할 입법자의 의무는 헌법 제33조 제1항에서 도출되므로 노동조합에 대해 사업소세를 면제하지 아니하고 과세하는 것은 헌법에 위반된다.
> ㄹ. 헌법 제33조 제1항에 의하면 단결권의 주체는 단지 개인인 것처럼 표현되어 있지만, 근로자 개인뿐만이 아니라 단체 자체의 단결권도 보장하고 있는 것으로 보아야 한다.

① ㄱ, ㄴ　　② ㄷ, ㄹ

③ ㄴ, ㄹ　　④ ㄱ, ㄷ

12 공무원의 근로3권에 대한 설명으로 옳지 않은 것을 모두 조합한 것은?

> ㄱ. 국회는 헌법 제33조 제2항에 따라 공무원인 근로자에게 단결권·단체교섭권·단체행동권을 인정할 것인가의 여부, 어떤 형태의 행위를 어느 범위에서 인정할 것인가 등에 대하여 필요한 한도에서만 공무원의 근로3권을 제한할 수 있을 뿐 광범위한 입법형성의 자유를 갖는 것은 아니다.
> ㄴ. 헌법 제33조 제2항은 공무원도 근로자로서 당연히 노동3권을 향유한다는 대전제하에 있으며, 위 조항에 따른 입법자의 입법형성권은 헌법 제37조 제2항에서 정하는 최소제한원칙과 본질적 내용 침해금지원칙에 따라야 하는 한계가 있는 것이다.
> ㄷ. 공무원인 근로자 중 법률이 정하는 자 이외의 공무원에게 근로3권 제한뿐 아니라 금지까지도 할 수 있는 법률을 제정할 수 있다.
> ㄹ. 헌법 제33조 제2항은 공무원의 근로자적 성격을 인정하는 것을 전제로 한 규정이다.

① ㄱ, ㄴ　　② ㄷ, ㄹ

③ ㄴ, ㄹ　　④ ㄱ, ㄷ

13 **공무원의 근로3권에 대한 설명으로 옳지 않은 것은?**

① 공무원인 근로자 중 법률이 정하는 자 이외의 공무원은 노동3권의 주체가 되지 못하므로 노동3권이 인정됨을 전제로 하여 헌법 제37조 제2항의 과잉금지원칙을 적용할 수는 없다.

② 공무원에 대하여 일체의 쟁의행위를 금지한 「공무원의 노동조합 설립 및 운영 등에 관한 법률」 제11조는 헌법 제33조 제2항에 따른 입법형성권의 범위 내에 있다.

③ 근무조건과 직접 관련되지 않는 정책결정이나 임용권의 행사와 같은 기관의 관리·운영에 관한 사항은 행정기관이 전권을 가지고 자신의 권한과 책임하에 집행해야 할 사항으로서, 이를 교섭대상에서 배제하여도 공무원노조의 단체교섭권에 대한 과도한 제한이라고 보기 어렵다.

④ 헌법 제33조 제2항의 해석상 국가공무원이든 지방공무원이든 공무원의 경우에는 전면적으로 단체행동권이 제한되거나 부인될 가능성이 있다.

14 **근로3권에 대한 설명으로 옳은 것은?**

① 법률에서 근로3권이 보장되는 공무원의 범위를 '사실상의 노무'에 종사하는 공무원으로 한정하고 있다면, 이는 헌법상 보장된 근로3권의 범위를 공무원들 중 너무 좁은 일부에게 한정시킨 것이므로 헌법 제33조 제2항이 입법자에게 부여하고 있는 형성적 재량권의 범위를 벗어난 것이다.

② 공무원인 근로자의 노동3권을 인정할 것인가의 여부와 그 인정범위는 과잉금지의 원칙에 따라서 심사된다.

③ 헌법 제37조 제2항에 의하여 근로자의 근로3권에 대해 일부 제한이 가능하다 하더라도, '공무원 또는 주요방위사업체 근로자'가 아닌 근로자의 근로3권을 전면적으로 부정하는 것은 본질적 내용 침해금지에 위반된다.

④ 단체행동권을 보장받는 '사실상 노무에 종사하는 공무원'의 범위를 조례에 위임할 수 있도록 한 「지방공무원법」 조항은 헌법에 위반된다.

15 **근로3권에 대한 설명으로 옳은 것은 모두 몇 개인가?**

ㄱ. 헌법상 공무원인 근로자는 법률이 정하는 자에 한하여 근로3권을 갖는 것으로 규정하였지만, 「국가공무원법」은 사실상 노무에 종사하는 공무원에 한정하여 노동운동이나 그 밖에 공무 외의 일을 위한 집단행위를 허용하고 있다.

ㄴ. 노동조합에 가입할 수 있는 특정직공무원의 범위를 '6급 이하의 일반직공무원에 상당하는 외무행정·외교정보관리직공무원'으로 한정하여, 소방공무원을 노동조합 가입대상에서 제외한 「공무원의 노동조합 설립 및 운영 등에 관한 법률」(2005.1.27. 법률 제7380호로 제정된 것) 제6조 제1항 제2호는 소방공무원의 단결권을 침해하는 위헌적인 법률이다.

ㄷ. 근무조건과 직접 관련되지 않는 정책결정이나 임용권의 행사와 같은 기관의 관리·운영에 관한 사항은 행정기관이 전권을 가지고 자신의 권한과 책임하에 집행해야 할 사항으로서, 이를 교섭대상에서 배제하여도 공무원노조의 단체교섭권에 대한 과도한 제한이라고 보기 어렵다.

ㄹ. 헌법은 사립학교 교원의 단체행동권을 제한하는 명문 규정을 두고 있지 않으나 「교원의 노동조합 설립 및 운영 등에 관한 법률」은 노동조합과 그 조합원의 쟁의행위를 명문으로 금지하고 있다.

① 1개 ② 2개
③ 3개 ④ 4개

16 교원의 근로3권에 대한 설명으로 옳은 것은?

① 「교원의 노동조합의 설립 및 운영 등에 관한 법률」에 의하면 사립학교 교원은 단결권과 단체교섭권이 인정되고 쟁의행위는 금지되지만, 국·공립학교 교원은 근로3권이 모두 부인된다.

② 사립학교 교원은 「교원의 노동조합의 설립 및 운영 등에 관한 법률」에 따라 노동조합에 가입할 수 있으나, 국·공립교원은 공무원이므로 「공무원의 노동조합 설립 및 운영 등에 관한 법률」의 적용을 받는다.

③ 「교원의 노동조합의 설립 및 운영 등에 관한 법률」은 초중등·교원에게는 적용되나, 대학교 교원에게는 적용되지 않는다.

④ 교원이 아닌 사람이 교원노조에 일부 포함되어 있다는 이유로 이미 설립신고를 마치고 활동 중인 노동조합을 법외노조로 할 것인지 여부는 법외노조 통보조항이 정하고 있고, 법원은 법외노조 통보조항에 따른 행정당국의 판단이 적법한 재량의 범위 안에 있는 것인지 판단할 수 있다.

17 대학교 교원은 교원의 노동조합 설립 및 운영 등에 관한 법률(이하 '교원노조법'이라 한다) 적용을 배제하는 교원노조법에 대해 법원이 위헌제청하였다. 이에 대한 설명으로 옳지 않은 것을 모두 조합한 것은? (헌법재판소 판례에 따름)

ㄱ. 초·중·고 교원은 교원노조법을 적용하면서 대학교 교원은 적용을 배제하는 교원노조법의 평등원칙 위배에 관한 제청이유는 초·중등 교원과 달리 대학 교원의 단결권 등을 인정하지 않는 것의 위헌성에 관한 주장으로서, 단결권 침해의 위헌성에 대한 주장과 실질적으로 같다고 할 것이므로 별도로 살펴보지 아니한다.

ㄴ. 초·중등 교원과 달리 대학 교원은 정당가입 및 선거운동 등이 가능하므로, 정치활동 및 각종 위원회, 정부기관 연구활동 등을 통하여 사회정책 및 제도 형성에 폭넓게 참여할 수 있고, 노조형태의 단결체가 아니더라도 전문가단체 혹은 교수회 등을 통하여 사회적·경제적 지위 향상을 도모할 수 있다는 점에서 초·중등 교원과 구별된다. 따라서 대학교 교원은 교원노조법 적용을 배제하는 교원노조법은 합리적인 이유가 있으므로 평등원칙에 위배되지 아니한다.

ㄷ. 공무원 아닌 대학 교원에 대해서는 입법형성의 범위를 일탈하였는지 여부를 기준으로 교육공무원인 대학 교원에 대해서는 과잉금지원칙 준수 여부를 기준으로 나누어 심사하기로 한다.

ㄹ. 헌법 제33조 제2항이 직접 '법률이 정하는 자'만이 노동3권을 향유할 수 있다고 규정하고 있어서 '법률이 정하는 자' 이외의 공무원은 노동3권의 주체가 되지 못하므로, '법률이 정하는 자' 이외의 공무원에 대해서도 노동3권이 인정됨을 전제로 하여 헌법 제37조 제2항의 과잉금지원칙을 적용할 수는 없는 것이다.

ㅁ. 대학 교원의 교원노조가입을 금지하고 있는 「교원의 노동조합 설립 및 운영 등에 관한 법률」은 과잉금지원칙에 위배되어 교육공무원인 교원의 단결권 침해한다.

① ㄱ, ㄷ, ㄹ　　② ㄴ, ㄷ, ㅁ
③ ㄱ, ㄹ　　④ ㄱ, ㄹ, ㅁ

18 다음 심판대상에 대한 헌법재판소 판례와 일치하는 것은?

1. 「교원의 노동조합 설립 및 운영 등에 관한 법률」
제2조(정의) 이 법에서 '교원'이란 「초·중등교육법」 제19조 제1항에서 규정하고 있는 교원을 말한다. 다만, 해고된 사람으로서 「노동조합 및 노동관계조정법」 제82조 제1항에 따라 노동위원회에 부당노동행위의 구제신청을 한 사람은 「노동위원회법」 제2조에 따른 중앙노동위원회(이하 '중앙노동위원회'라 한다)의 재심판정이 있을 때까지 교원으로 본다.

2. 고용노동부장관의 시정요구
해직자는 「교원의 노동조합 설립 및 운영에 관한 법률」 제2조에 의한 조합원 자격이 없는 자에 해당하므로 귀 노동조합에 가입·활동하지 않도록 조치하기 바랍니다. 시정기한 내 시정 결과를 보고하지 않는 경우에는 「교원의 노동조합 설립 및 운영에 관한 법률」에 따른 노동조합으로 보지 않음을 알려드립니다.

① 시정요구에 대하여 항고소송을 거치지 아니하고 곧바로 헌법소원심판을 청구할 수 있다.

② 국제노동기구(ILO)의 '결사의 자유 위원회', 경제협력개발기구(OECD)의 '노동조합자문위원회' 등이 우리나라에 대하여 재직 중인 교사들만이 노동조합에 참여할 수 있도록 허용하는 것은 결사의 자유를 침해하는 것이므로 이를 국제기준에 맞추어 개선하도록 권고한 바 있으나 이러한 권고를 따르지 않았다면 법에 위반된다.

③ 이 사건 법률조항은 교원의 근로조건에 관하여 정부 등을 상대로 단체교섭 및 단체협약을 체결할 권한을 가진 교원노조를 설립하거나 그에 가입하여 활동할 수 있는 자격을 초·중등학교에 재직 중인 교원으로 한정하고 있으므로, 해직 교원이나 실업·구직 중에 있는 교원 및 이들을 조합원으로 하여 교원노조를 조직·구성하려고 하는 교원노조의 단결권을 제한한다.

④ 산업별·지역별 노동조합에 해당하는 교원노조에 재직 중인 교원 외에 해직 교원과 같이 일시적으로 실업 상태에 있는 자나 구직 중인 교사 자격 소지자의 가입을 엄격히 제한할 필요가 없고, 교사라는 직종에서 다른 직종으로 변환이 쉽지 않으므로 심판대상조항은 이들의 단결권을 지나치게 제한하는 결과를 초래할 수 있다.

19 근로3권에 대한 설명으로 옳지 않은 것은 모두 몇 개인가?

ㄱ. 법률이 정하는 주요방위산업체에 종사하는 근로자의 근로3권은 법률이 정하는 바에 의하여 이를 제한하거나 인정하지 아니할 수 있다.
ㄴ. 주요 방산물자를 생산하는 사업장 혹은 생산과정상 그와 긴밀한 연계성이 인정되는 방위산업체에 종사하는 자에 한하여 쟁의권을 부인하는 것은 헌법에 반하지 않는다.
ㄷ. 청원경찰의 복무에 관하여 「국가공무원법」 제66조 제1항을 준용함으로써 노동운동을 금지하는 청원경찰법은 국가기관이나 지방자치단체 이외의 곳에서 근무하는 청원경찰인 청구인들의 근로3권을 침해한다고 할 수 없다.
ㄹ. 국가는 그러한 근로계약관계에 있어서 「노동조합 및 노동관계조정법」 제2조 제2호에 정한 사업주로서 단체교섭의 당사자의 지위에 있는 사용자에 해당한다.
ㅁ. 단체협약에 유니언 숍 협정에 따라 '근로자는 노동조합의 조합원이어야만 된다'는 규정이 있는 경우에는 다른 명문의 규정이 없다면 사용자는 노동조합에서 탈퇴한 근로자를 해고할 의무는 없다.
ㅂ. 노동조합이 당해 사업장에 종사하는 근로자의 3분의 2 이상을 대표하고 있을 때에는 근로자가 그 노동조합의 조합원이 될 것을 고용조건으로 하는 단체협약의 체결을 부당노동행위의 예외로 하는 법률규정은 노동조합의 적극적 단결권이 근로자 개인의 단결하지 않을 자유보다 중시된다고 할 수 없고 노동조합에게 위와 같은 조직강제권을 부여하는 것은 근로자의 단결하지 아니할 자유의 본질적인 내용을 침해하는 것이므로 근로자의 단결권을 보장한 헌법에 위반된다.

① 1개 ② 2개
③ 3개 ④ 4개

20 근로3권에 대한 설명으로 옳은 것은?

① 소위 '소극적 단결권'이란 헌법 제33조 제1항의 단결권에 포함되지 아니하므로, 근로자가 노동조합에 가입하지 아니할 권리 내지 이미 가입한 노동조합에서 탈퇴할 권리는 노동조합의 지위를 약화시키려는 정치적 논리일 뿐 헌법상 기본권으로서 보호되는 권리라고 볼 수 없다.

② 헌법재판소는 헌법 제33조 제1항이 보장하는 단결권은 노동조합을 결성할 적극적 단결권뿐 아니라 단결하지 않을 소극적 단결권도 포함하는 것이며, 소극적 단결권은 행복추구권에서 파생되는 일반적 행동의 자유 또는 헌법 제21조 제1항의 결사의 자유에 대하여 특별관계에 있다고 판단하였다.

③ 헌법 제33조 제1항에서 보장된 근로자의 단결권은 단결할 자유를 가리킬 뿐만 아니라, 단결하지 아니할 자유 이른바 소극적 단결권도 이에 포함한다.

④ 헌법 제33조 제1항의 단결권에는 개별 근로자가 노동조합 등 근로자단체를 조직하거나 그에 가입하여 활동할 수 있는 개별적 단결권뿐만 아니라 근로자단체가 존립하고 활동할 수 있는 집단적 단결권도 포함된다.

51회 진도별 모의고사

근로3권 ~ 환경권, 기타

정답 및 해설 p.405

제한시간 : 14분 | 시작시각 ___시 ___분 ~ 종료시각 ___시 ___분 나의 점수 ______

01 근로3권에 대한 설명으로 옳지 않은 것은?

① 쟁의행위는 업무의 저해라는 속성상 그 자체로 「형법」상의 여러 가지 범죄의 구성요건에 해당될 수 있음에도 불구하고 그것이 정당성을 가지는 경우에는 형사책임이 면제되지만, 민사상 손해배상책임은 면제되지 아니한다.

② 「형법」상 업무방해죄는 모든 쟁의행위에 대하여 무조건 적용되는 것이 아니라, 단체행동권의 내재적 한계를 넘어 정당성이 없다고 판단되는 쟁의행위에 대하여만 적용되는 조항임이 명백하다고 할 것이므로, 그 목적이나 방법 및 절차상 한계를 넘어 업무방해의 결과를 야기시키는 쟁의행위에 대하여만 이 사건 법률조항을 적용하여 형사처벌하는 것은 헌법상 단체행동권을 침해하였다고 볼 수 없다.

③ 헌법재판소는 필수공익사업장에서의 노동쟁의를 노동위원회가 직권으로 중재에 회부함으로써 파업전에 노사분쟁을 해결하는 직권중재제도는 단체행동권의 과잉제한이 아니라고 판시하였다.

④ 근로조건개선을 위하여 노동 관계 법령의 개폐를 쟁점으로 하는 파업은 정당한 쟁의행위로 인정된다.

02 근로3권에 대한 설명으로 옳은 것은?

① 근로3권에 따른 형사책임면책과 민사책임면책은 헌법적 효력으로서, 「노동조합 및 노동관계조정법」의 규정에서 비로소 나오는 것이 아니다.

② 헌법재판소가 쟁의행위에 대한 제3자 개입금지조항을 위헌이라고 판시한 후, 현행 「노동조합 및 노동관계조정법」은 단체교섭과 쟁의행의에 제3자 개입의 가능성을 확대하였다.

③ 국민건강보험공단의 인사, 보수 등에 관한 규정이 효력을 가지려면 보건복지부장관의 승인을 얻도록 한 것은 단체교섭권에 대한 제한의 정도가 공단의 공익성에 비추어 타당한 범위 내로서 과도한 제한으로 볼 수 있다.

④ 사용자의 직장폐쇄는 근로자의 쟁의행위 개시 전후에 행할 수 있다.

03 근로3권에 대한 설명으로 옳지 않은 것은?

① 「노동조합 및 노동관계조정법」은 동법상의 쟁의행위의 개념에 사용자의 직장폐쇄를 포함하고 있다.

② 법령·조례·예산 및 하위규정과 다른 내용으로 체결되는 단체협약에 대하여 효력을 발생하지 않도록 한 「공무원의 노동조합 설립 및 운영 등에 관한 법률」 제10조 제1항은 입법재량권의 한계를 일탈하여 청구인들의 단체협약체결권을 침해한다고 보기 어렵다.

③ 쟁의행위는 주로 단체협약의 대상이 될 수 있는 사항을 목적으로 하는 경우에만 허용되는 것이고, 단체협약의 당사자가 될 수 있는 자에 의하여서만 이루어져야 하는 것이다.

④ 사납금제를 금지하기 위하여 택시운송사업자의 운송수입금 전액 수납의무와 운수종사자의 운송수입금 전액 납부의무를 규정한 「자동차운수사업법」 제24조 제3항 및 제33조의5 제2항은 노사의 단체협약체결의 자유를 필요 이상으로 과도하게 제한하여 헌법에 위반된다.

04 근로3권에 대한 설명으로 옳지 않은 것은?

① 사용자가 노동조합의 대표자 또는 노동조합으로부터 위임을 받은 자와의 단체협약체결 기타의 단체교섭을 정당한 이유 없이 거부하거나 해태하는 행위를 할 수 없도록 한 「노동조합 및 노동관계조정법」 제81조는 헌법에 위반되지 않는다.

② 헌법 제33조 제1항이 "근로자는 근로조건의 향상을 위하여 자주적인 단결권, 단체교섭권, 단체행동권을 가진다."라고 규정하여 단체협약체결권을 명시하고 있지 않으나 단체교섭권에는 단체협약체결권이 포함되어 있다.

③ 국민건강보험공단의 인사, 보수 등에 관한 규정이 효력을 가지려면 보건복지부장관의 승인을 얻도록 한 것은 노사 간의 자율적인 단체교섭을 통하여 체결된 단체협약 조항의 효력 유무를 노사관계의 제3자인 보건복지부장관의 승인 여부에 맡기는 것이므로 헌법상 과잉금지원칙에 위배하여 단체교섭권을 침해한 것이다.

④ 공단은 그 조직·회계·인사 및 보수 등에 관한 사항을 정하여 건설교통부장관(현 국토교통부장관)의 승인을 얻어야 한다고 규정한 구 「한국고속철도건설공단법」 제31조는 단체교섭권 침해가 아니다.

05 근로3권에 대한 설명으로 옳은 것은 모두 몇 개인가?

ㄱ. 사용자의 성실교섭의무 위반에 대한 형사처벌은 계약의 자유와 기업의 자유를 침해하여 위헌이다.
ㄴ. 교섭창구단일화제도는 근로조건의 결정권이 있는 사업 또는 사업장 단위에서 복수 노동조합과 사용자 사이의 교섭절차를 일원화하고, 소속 노동조합과 관계없이 조합원들의 근로조건을 통일하기 위한 것이라고 해도 교섭대표 노동조합이 되지 못한 소수 노동조합의 단체교섭권을 침해한다.
ㄷ. 입법자가 취업 보호대상자를 '국가유공자의 유가족'과 '상이군경의 유가족'에 대하여까지 넓히는 법률을 제정하였다면, 입법재량의 한계를 일탈한 것이다.
ㄹ. 국가유공자의 가족은 헌법 제32조 제6항에 의한 보호대상에 포함된다고 할 수 있으므로, 고엽제후유의증환자의 가족을 교육지원과 취업지원의 대상에서 배제한다면 헌법 제32조 제6항의 우선적 근로의 기회 제공의무를 위반한 것이다.
ㅁ. 헌법 제32조 제6항의 '법률이 정하는 바에 의하여 우선적으로 근로의 기회가 부여되는 대상'이 누구인가에 대하여 헌법재판소는 국가유공자, 상이군경, 전몰군경의 유가족에, 국가유공자의 유가족, 상이군경의 유가족이 포함된다고 판시하고 있다.
ㅂ. 여자의 근로는 특별한 보호를 받으며, 여자는 우선적으로 근로의 기회를 부여받는다.
ㅅ. 근로3권 중 근로자의 단결권은 결사의 자유가 근로의 영역에서 구체화된 것으로서, 근로자의 단결권도 국민의 결사의 자유에 포함되며, 사용자와의 관계에서 특별한 보호를 받아야 할 경우에는 헌법 제33조가 우선적으로 적용되지만, 그렇지 않은 통상의 결사 일반에 대한 문제일 경우에는 헌법 제21조 제2항의 결사에 대한 허가제금지원칙이 적용된다.

① 1개　　② 2개
③ 3개　　④ 4개

06 근로3권에 대한 설명으로 옳지 않은 것은 모두 몇 개인가?

ㄱ. 미확정 노동위원회의 구제명령에 위반한 자를 처벌하는 「노동조합법」은 과잉금지원칙에 위반된다.
ㄴ. 공익사업에서 쟁의가 발생한 경우 노동위원회가 강제중재하면 15일간 쟁의행위를 할 수 없도록 한 「노동쟁의조정법」 제4조, 제30조, 제31조는 근로3권을 침해한다고 할 수 없다.
ㄷ. 노동조합을 설립할 때 행정관청에 설립신고서를 제출하게 하고 그 요건을 충족하지 못한 경우 설립신고서를 반려하도록 한 규정은 근로자의 단결권을 침해하는 것이다.
ㄹ. 노동조합이 비과세 혜택을 받을 권리는 헌법 제33조 제1항(근로3권)이 당연히 예상한 권리의 내용에 포함된다고 보기 어렵고, 위 헌법조항으로부터 국가의 조세법규범 정비의무가 발생한다고 보기도 어렵다.
ㅁ. 노동조합의 규약 및 결의처분에 대한 행정관청의 시정명령이나 회계감사원의 회계감사 등이 있음에도 불구하고 노동조합이 결산 결과와 운영상황에 대한 보고의무를 위반한 경우, 이에 대하여 과태료를 부과하는 것은 노동조합의 민주성을 보장하는 데 불필요한 것으로서 과잉금지원칙에 위반되어 단결권을 침해하는 것이다.
ㅂ. 해고 등의 제한을 규정한 구 「근로기준법」 제30조 제1항 중 '해고'에 있어서 '정당한 이유' 부분은 명확성 원칙에 위반된다.
ㅅ. 「근로기준법」이 정하는 해고의 '정당한 이유'는 일반적으로 해당 근로자와 사용자 사이의 근로관계를 계속 유지할 수 없을 정도의 이유, 즉 해당 근로자와의 근로관계의 유지를 사용자에게 더 이상 기대할 수 없을 정도의 것이어야 하나, 특정 신조나 사상과 밀접히 연관된 소위 경향사업에 있어서 근로자가 이러한 경향성을 상실한 경우는 '정당한 이유'에 해당한다.

① 1개 ② 2개
③ 3개 ④ 4개

07 비상사태하에서 근로자의 단체교섭권 또는 단체행동권의 행사는 미리 주무관청에 조정을 신청하여야 하며, 그 조정결정에 따르도록 하고 위반시 처벌하는 국가보위에 관한 특별조치법에 대해 법원이 위헌제청하였다. 이에 대한 설명으로 옳지 않은 것은?

① 국가비상사태하에서라도 단체교섭권·단체행동권이 제한되는 근로자의 범위를 공무원 등으로 구체적으로 제한함이 없이, 단체교섭권·단체행동권의 행사요건 및 한계 등에 관한 기본적 사항조차 법률에서 규정하지 아니한 채 그 행사의 허용 여부를 주무관청의 조정결정에 포괄적으로 위임하고, 이에 위반하는 경우 형사처벌하도록 규정한 것은 근로3권의 본질적인 내용을 침해한다.

② 국가비상사태가 선포된 경우 단체교섭과 단체행동의 허용 여부를 주무부장관의 조정에 따르도록 한 것은 근로3권을 침해한다고 할 수 없다.

③ 국가비상사태의 선포를 규정한 「국가보위에 관한 특별조치법」이 헌법 제76조와 제77조에 한정적으로 열거된 국가긴급권의 실체적 발동요건 중 어느 하나에도 해당하지 않은 것으로 초헌법적 국가긴급권을 창설하고, 또한 국가비상사태의 해제에 대한 국회에 의한 민주적 통제 절차를 규정하지 아니한 것은 헌법에 위반된다.

④ 공무원인 근로자 또는 법률이 정하는 주요방위산업체에 종사하는 근로자가 아닌 근로자의 경우에는 헌법상 근로3권이 철저하게 보장되어야 하고, 비록 국가안전보장·질서유지·공공복리를 위하여 필요한 경우에 법률로써 일부 제한될 수 있다고 하더라도 근로자의 근로3권을 사실상 전면적으로 부정하는 등 그 본질적인 내용을 침해하는 것은 헌법상 허용되지 아니한다.

08 환경권에 대한 설명으로 옳지 않은 것은?

① 환경보호의 중요성을 인식하여 환경권을 헌법상 기본권으로 명문화하여 보장하고 있는 것은 오늘날 세계 각국의 거의 공통적인 현상은 아니나, 우리나라는 제8차 개정헌법에서 도입되었다.

② 헌법 제35조는 환경권과 환경보전의무를 같이 규정하고 있고, 환경보전의무의 주체로서 국민에 대한 규정만 두고 있으나 국가도 환경보전의무의 주체가 된다.

③ 헌법 제35조 제1항은 환경정책에 관한 국가적 규제와 조정을 뒷받침하는 헌법적 근거가 되며, 국가는 환경정책 실현을 위한 재원 마련과 환경침해적 행위를 억제하고 환경보전에 적합한 행위를 유도하기 위한 수단으로 환경부담금을 부과·징수하는 방법을 선택할 수 있는 것이다.

④ 환경권은 자연인인 인간의 권리이므로 법인은 환경권의 주체가 될 수 없다는 것이 다수설의 견해이다.

09 환경권에 대한 설명으로 옳지 않은 것은?

① 수형자는 국민의 한 사람으로서 건강하고 쾌적한 환경에서 생활할 권리를 가지고, 구금시설 내에서 적정한 수준의 공간과 채광·통풍·난방을 위한 시설이 갖춰진 거실에서 건강하게 생활할 권리를 직접 가진다.

② 수녀원은 헌법 제35조의 환경권의 주체가 될 수 없다.

③ 환경단체의 환경권주체성은 환경보호를 위한 환경단체의 활발한 활동에 비추어 볼 때 당연히 인정된다.

④ 환경권은 명문의 법률규정이나 관계 법령의 규정취지 및 조리에 비추어 권리의 주체, 대상, 내용, 행사방법 등이 구체적으로 정립될 수 있어야만 인정되는 것이므로, 사법상의 권리로서의 환경권을 인정하는 명문의 규정이 없으면 환경권에 기하여 직접 방해배제청구권을 인정할 수는 없다.

10 환경권에 대한 설명으로 옳은 것은?

① 생활환경조성권에는 환경정책의 결정에 직접 국민이 참여할 권리가 인정된다.

② '건강하고 쾌적한 환경에서 생활할 권리'를 보장하는 환경권의 보호대상이 되는 환경에는 자연환경뿐만 아니라 인공적 환경과 같은 생활환경도 포함된다.

③ 환경권의 보호대상인 환경은 자연환경을 의미하고, 인공적 환경과 같은 생활환경을 의미하지 않으므로, 일상생활에서 소음을 제거·방지하여 '정온한 환경에서 생활할 권리'는 환경권의 내용을 구성하지 않는다.

④ 국가가 사인인 제3자에 의한 국민의 환경권 침해에 대해서 적극적으로 기본권 보호조치를 취할 의무를 지는 경우 헌법재판소가 이를 심사할 때에는 과잉금지원칙을 심사기준으로 삼아야 한다.

11 환경권에 대한 설명으로 옳은 것은?

① 환경권은 대국가적 효력만을 가지며 사법의 일반조항을 통하여 사인에게 간접 적용될 수 없다.

② 일정한 경우 국민은 국가에 대하여 건강하고 쾌적한 환경에서 생활할 수 있도록 요구할 수 있는 권리가 인정되지만, '사인'인 제3자에 의한 국민의 환경권 침해에 대해서는 국가가 적극적으로 기본권 보호조치를 취할 의무를 부담하는 것은 아니다.

③ 환경오염 또는 환경훼손으로 피해가 발생한 경우에는 해당 환경오염 또는 환경훼손의 원인자는 과실이 있는 경우에 그 피해를 배상하여야 한다.

④ 사업장 등에서 발생되는 환경오염 또는 환경훼손으로 인하여 피해가 발생한 때에는 당해 사업자는 그 피해를 배상하여야 하고 사업장 등이 2개 이상 있는 경우에 어느 사업장 등에 의하여 그 피해가 발생한 것인지 알 수 없을 때에는 각 사업자는 연대하여 배상하여야 한다.

12 환경권에 대한 설명으로 옳은 것은?

① 환경영향평가 대상사업이라도 그 대상지역 밖의 주민의 경우에는 그들이 누리는 환경상의 이익은 공익으로서의 추상적 이익에 해당하므로 대상사업을 허용하는 허가나 승인처분 등의 취소를 구할 원고적격이 전혀 인정되지 않는다.

② 환경영향평가 대상지역 밖에 거주하는 주민에게는 헌법상의 환경권 또는 「환경정책기본법」에 근거하여 공유수면매립면허처분과 농지개량사업 시행인가처분의 무효확인을 구할 원고적격이 인정된다.

③ 환경영향평가 대상지역 안의 주민들은 수인한도를 넘는 환경 침해를 받을 우려가 있는 경우 쾌적한 환경에서 생활할 수 있는 개별적으로 보호되는 직접적·구체적 이익을 가진다.

④ 환경피해가 수인한도 내라면 가해자의 행위는 위법이 되어 배상책임 등이 인정된다.

13 공직선거 선거운동시 확성장치 사용에 따른 소음 규제를 하지 아니한 공직선거법 제79조에 대한 설명으로 옳지 않은 것은?

① 공직선거 선거운동시 확성장치 사용에 따른 소음 규제를 하지 아니한 「공직선거법」의 위헌 여부는 환경권 침해 여부의 판단한다면 건강권 및 신체를 훼손당하지 않을 권리 침해 여부에 대해서는 별도로 판단할 필요는 없다.

② 환경권의 내용과 행사는 법률에 의해 구체적으로 정해지므로 환경권 보호를 위한 입법이 없거나 현저히 불충분하여 국민의 환경권을 침해하고 있더라도 헌법재판소에 그 구제를 구할 수 없다.

③ 환경권의 보호대상이 되는 환경에는 자연환경뿐만 아니라 인공적 환경과 같은 생활환경도 포함되므로, 일상생활에서 소음을 제거·방지하여 '정온한 환경에서 생활할 권리'는 환경권의 한 내용을 구성한다.

④ 생명·신체의 보호와 같은 중요한 기본권적 법익 침해에 대해서는 그것이 국가가 아닌 제3자로서의 사인에 의해서 유발된 것이라고 하더라도 국가가 적극적인 보호의 의무를 진다.

14 공직선거 선거운동시 확성장치 사용에 따른 소음 규제를 하지 아니한 공직선거법 제79조에 대한 설명으로 옳은 것은?

① 국가가 국민의 건강하고 쾌적한 환경에서 생활할 권리를 보호할 의무는 원칙적으로 권력분립과 민주주의의 원칙에 따라 헌법재판소의 책임범위에 속한다.

② 공직선거 선거운동시 확성장치 사용에 따른 소음 규제를 하지 아니한 「공직선거법」 제79조의 헌법 위반 여부는 헌법 제37조 제2항의 과잉금지원칙이 적용된다.

③ 국가가 국민의 건강하고 쾌적한 환경에서 생활할 권리에 대한 보호의무를 다하지 않았는지 여부를 헌법재판소가 심사할 때에는 최대한의 보호조치를 취하였는가 하는 이른바 '과잉금지원칙'의 위반 여부를 기준으로 삼아야 한다.

④ 「공직선거법」은 확성장치를 사용할 수 있는 기간과 장소, 시간, 용도 등을 엄격하게 제한하고, 자동차에 부착하는 확성장치와 휴대용 확성장치의 개수도 각 1개로 제한하면서 이로써 국민의 건강하고 쾌적한 환경에서 생활할 권리 보호에 충분하다.

⑤ 확성장치의 최고출력 내지 소음 규제기준에 관한 규정을 두지 아니한 것은, 국민이 건강하고 쾌적하게 생활할 수 있는 양호한 주거환경을 위하여 노력하여야 할 국가의 의무를 부과한 헌법 제35조 제3항에 비추어 보면, 적절하고 효율적인 최소한의 보호조치를 취하지 아니하여 국가의 기본권 보호의무를 과소하게 이행한 것으로서, 청구인의 건강하고 쾌적한 환경에서 생활할 권리를 침해한다.

15 보건권에 대한 설명으로 옳은 것은?

① 국가의 국민보건에 관한 보호의무를 명시한 헌법 제36조 제3항에 의한 권리를 헌법소원을 통하여 주장할 수 있는 자는 의료 수혜자적 지위에 있는 국민뿐 아니라 의료시술자적 지위에 있는 안과의사도 포함하므로 안과의사가 자기 고유의 업무범위를 주장하여 다투는 경우에는 위 헌법규정을 원용할 수 있다.

② 치료감호청구권자를 검사로 한정한 구 「치료감호법」 제4조 제1항이 피고인의 치료감호 청구권을 인정하지 않고 있다면 국민의 보건에 관한 권리를 침해하는 것이다.

③ 국민의 보건에 관한 권리는 국민이 자신의 건강을 유지하는데 필요한 국가적 급부와 배려까지 요구할 수 있는 권리를 포함하는 것은 아니다.

④ 검사는 치료감호대상자가 치료감호를 받을 필요가 있는 경우 관할 법원에 치료감호를 청구할 수 있도록 한 「치료감호 등에 관한 법률」이 국민의 보건에 관한 국가의 보호의무에 반하지 않는다.

16 국민의 의무에 대한 설명으로 옳은 것은?

① 교육을 받게 할 의무의 주체는 국가이다.

② 납세의무나 병역의무를 부과하는 법률은 기본권을 제한하는 것이 아니라 의무 부과의 근거이므로 과잉금지원칙이 적용되지 않는다.

③ 국방의 의무는 「병역법」에 의하여 군복무에 임하는 등의 직접적인 병력형성의무만을 가리키는 것이 아니라, 간접적인 병력형성의무 및 병력형성 이후 군작전명령에 복종하고 협력하여야 할 의무도 포함한다.

④ 헌법 제39조 제2항 "누구든지 병역의무의 이행으로 인하여 불이익한 처우를 받지 아니한다."라는 병역의무이행으로 인한 불이익한 처우를 금지할 뿐 아니라 병역의무 이행으로 인한 적극적 보상을 국가에 강제하므로 병역의무를 이행한 사람에게 보상조치를 취하거나 특혜를 부여할 의무를 국가에게 지우는 것이다.

17 국방의 의무에 대한 설명으로 옳은 것을 모두 조합한 것은?

ㄱ. 경찰대학의 입학연령을 17세 이상 21세 미만으로 한정하여 병역의무 이행 후 그 상한연령을 초과하면 입학하지 못하게 하는 것은 병역의무의 이행을 이유로 불이익을 주는 것이 아니다.
ㄴ. 예비군 소집훈련을 받은 청구인에 대해서 훈련의무 이행과정에 불가피하게 지출된 비용을 지급할 의무가 헌법에서 도출된다고 할 수 없다.
ㄷ. 병역의무를 군법무관으로 근무한 자가 제대 후 군법무관으로 근무한 지역에서 변호사 개업을 할 수 없도록 한 「변호사법」 조항은 병역의무 이행으로 인한 불이익을 금지한 헌법 제39조 제2항에 위반되지 않는다.
ㄹ. 병역의무를 완수한 후 직장을 가지고 사회활동을 영위하면서 병력동원훈련에 소집되어 실역에 복무 중인 예비역이 그 소집기간 동안 「군형법」의 적용을 받는 것은 병역의무의 이행을 이유로 불이익을 받는 것이다.

① ㄱ, ㄴ ② ㄱ, ㄴ, ㄷ
③ ㄷ, ㄹ ④ ㄴ, ㄷ

18 납세의 의무에 대한 설명으로 옳지 않은 것은?

① 외국인과 법인은 납세의 의무의 주체가 되나, 법인과 외국인은 교육을 받게 할 의무의 주체가 되지 않는다.

② 헌법 제38조의 납세의 의무는 직접적으로 국민을 구속하는 것이 아니라, 법률규정을 통해 구체적 의무가 발생한다.

③ 헌법 제38조는 국민이 납세의 의무를 진다고 규정하고 있으므로, 외국인은 우리나라와 해당 국가와 사이에 과세할 수 있는 근거 조약이 체결되지 않는 한 우리나라에 대하여 납세의 의무를 지지 않는다.

④ 원칙적으로 조세의 부과·징수는 국민의 납세의무에 기초하는 것으로서 재산권의 침해가 되지 않으나 그에 관한 법률조항이 조세법률주의에 위반되고 이로 인한 자의적인 과세처분권 행사에 의하여 납세의무자의 사유재산에 관한 이용·수익·처분권이 중대한 제한을 받게 되는 경우에는 예외적으로 재산권의 침해가 될 수 있다.

19 심사기준에 대한 설명으로 옳지 않은 것은?

① 고시 공고일을 기준으로 고등학교에서 퇴학된 날로부터 6월이 지나지 아니한 자를 고등학교 졸업학력 검정고시를 받을 수 있는 자의 범위에서 제외하는 것은, 국민의 교육을 받을 권리 중 그 의사와 능력에 따라 균등하게 교육받을 것을 국가로부터 방해받지 않을 권리, 즉 자유권적 기본권을 제한하는 것이므로, 그 제한에 대하여는 과잉금지원칙에 따른 심사를 하여야 한다.

② 법률이 체계정당성원칙에 위반되면 헌법에 위반된다.

③ 심판대상조항의 과잉금지원칙 위배 여부를 판단하는 이상 체계정당성 위반에 대해서는 별도로 살피지 않는다.

④ 국회의사당 100미터 이내 옥외집회를 전면금지하는 「집회 및 시위에 관한 법률」은 헌법 제21조 제2항의 허가제금지 위반은 아니었으나 과잉금지원칙 위반이었다.

20 심사기준에 대한 설명으로 옳지 않은 것은?

① 검열금지의 원칙은 언론의 자유에 대한 검열을 절대적으로 금지하는 원칙이다.

② 표현의 자유를 규제하는 법률이 검열금지원칙에 위배되면 과잉금지 위반 여부를 판단하지 않으나, 표현의 자유를 규제하는 법률이 검열금지원칙에 위배되지 않으면 과잉금지원칙에 위반되지 않는다.

③ 형벌불소급원칙은 절대적인 소급입법금지원칙이나, 헌법 제13조 제2항의 소급입법금지원칙은 예외적으로는 소급입법을 인정하는 원칙이다.

④ 형식적으로 영장주의에 위배되는 법률은 곧바로 헌법에 위반된다.

해커스공무원
gosi.Hackers.com

해커스공무원 황남기 헌법 진도별 모의고사

중간 테스트

1회 중간 테스트

헌법총론 ~ 지방자치제도

정답 및 해설 p.414

제한시간 : 14분 | 시작시각 ___시 ___분 ~ 종료시각 ___시 ___분 나의 점수 ______

01 지방자치법에 대한 설명으로 옳지 않은 것은?

① 지방의원에 대한 징계에 대해 항고소송을 제기할 수 있다.

② 지방의원에 대한 제명에 대한 항고소송에서 지방의원의 임기가 종료되었다하더라도 소의 이익은 인정된다.

③ 지방의원은 「공공기관의 운영에 관한 법률」 제4조에 따른 공공기관(한국방송 공사, 한국교육방송공사 및 한국은행을 포함한다)의 임직원과 「지방공기업법」 제2조에 따른 지방공사와 지방공단의 임직원 직(職)을 겸할 수 없다.

④ 지방의회는 매년 1회 정례회를 개최한다.

02 합헌적 법률해석에 대한 설명으로 옳은 것을 모두 조합한 것은?

ㄱ. 합헌적 법률해석은 입법권을 침해하지 아니하는 범위 내에서 사법부가 최대한 해석상 재량을 발휘하는 것으로 사법적극주의의 전형적인 표현이다.
ㄴ. 합헌적 법률해석은 미국에서 출발해서 독일에 영향을 주었고 우리나라 대법원과 헌법재판소 모두 인정하고 있다.
ㄷ. 구체적 사건에서의 법률의 해석·적용권한은 사법권의 본질적 내용을 이루는 것으로서, 합헌적 법률해석은 대법원을 정점으로 하는 일반법원이 하여야 하는 임무이고, 법률의 위헌심사를 맡는 헌법재판소의 임무는 아니다.
ㄹ. 헌법재판소는 법원이 일반법률의 해석·적용을 충실히 수행한다는 것을 전제하고, 합헌적 법률해석의 요청에 의하여 위헌심사의 관점이 법률해석에 바로 투입되는 경우가 아닌 한 먼저 나서서 일반법률의 해석·적용을 확정해서는 안 된다.
ㅁ. 합헌적 법률해석은 헌법재판소가 법률을 해석할 때 사용하는 해석기법이나, 일반법원과 무관하다.

① ㄱ, ㄷ ② ㄴ, ㄹ
③ ㄴ, ㅁ ④ ㄹ, ㅁ

03 헌법의 개정에 대한 설명으로 옳지 않은 것은?

① 헌법개정은 국회 재적의원 과반수 또는 대통령의 발의로 제안되고, 헌법개정안에 대한 국회의 의결은 국회의원 재적의원 3분의 2 이상의 찬성을 얻어야 한다.

② 헌법개정안은 국회가 의결한 후 30일 이내에 국민투표에 붙여야 하고, 국회의원 선거권자 과반수의 투표와 투표자 과반수의 찬성을 얻어야 한다.

③ 우리나라 헌법은 9차례 개정되었는데, 그중 국회의 의결과 국민투표를 모두 거쳐 개정된 헌법은 제6차 및 제9차 개정헌법이다.

④ 현행헌법은 제9차 개정헌법으로 국회의 의결을 거친 다음 국민투표에 의하여 확정되었고, 대통령이 즉시 이를 공포함으로써 그 효력이 발생하였다.

04 신행정수도 후속대책을 위한 연기·공주지역 행정중심복합도시 건설을 위한 특별법에 대한 헌법재판소 판례와 일치하지 않는 것은?

① 입법기능이 수행되는 곳으로서 입법기관의 소재지와 대통령의 활동이 수행되는 장소, 사법권이 행사되는 장소와 도시의 경제적 능력은 국민정서상의 상징가치를 가지고 심리적으로 국가통합의 계기를 이루는 것으로 수도성 판단의 본질적인 중요성을 가진다.

② 상당수 행정기관을 연기·공주지역 행정중심복합도시로 이전하는 것은 수도의 변경은 또는 수도분산이 아니므로 신행정수도 후속대책을 위한 연기·공주지역 행정중심복합도시 건설을 위한 특별법」은 국민투표권 침해가능성이 없다.

③ 대통령과 국무총리가 서울이라는 하나의 도시에 소재하고 있어야 한다는 관습헌법의 존재를 인정할 수 없으므로 국무총리 소재지만 세종시로 이전하려면 법률 제정으로 할 수 있다.

④ 대통령과 국무총리가 서울이라는 하나의 도시에 소재하고 있어야 한다는 관습헌법의 존재를 인정할 수 없다.

05 헌법 보호에 대한 설명으로 옳지 않은 것은?

① 유신헌법인 제7차 개정헌법은 긴급조치권을 국가긴급권으로 규정하였다.

② 헌법재판소는 비상시 헌법수호기능을 한다면, 대통령은 평상시 헌법수호기능을 한다는 점에 차이가 있다.

③ 헌법수호의 범위는 형식적 의미의 헌법뿐 아니라 불문헌법이나 실질적 의미의 헌법도 포함된다.

④ 비상시적 헌법 보장제도로는 저항권와 계엄선포권을 들 수 있다.

06 저항권에 대한 설명으로 옳지 않은 것은?

① 혁명은 새로운 사회질서를 위해 기존질서를 부정하는 것이라면 저항권은 기존질서 회복을 위한 것이다.

② 저항권은 민주적 기본질서의 유지, 회복을 목적으로 저항할 수 있을 뿐, 기존의 위헌적인 정권을 물러나게 하기 위한 목적으로는 행사할 수 없다.

③ 헌법재판소에 따르면, 저항권은 국가권력에 의하여 헌법의 기본원리에 대한 중대한 침해가 행하여지고 그 침해가 헌법의 존재 자체를 부인하는 것으로서 다른 합법적인 구제수단으로는 목적을 달성할 수 없을 때에 국민이 자기의 권리·자유를 지키기 위하여 실력으로 저항하는 권리이기 때문에, 「국회법」 소정의 협의 없는 개의시간의 변경과 회의일시를 통지하지 아니한 입법과정의 하자는 저항권 행사의 대상이 아니다.

④ 소수의 특수집단을 중심으로 헌정체제의 변화를 유발하는 쿠데타는 혁명이나 저항권과 같이 국민적 정당성을 확보한다고 볼 수 없다. 국민적 정당성은 선거나 국민의 여론에 의한 지지에 의해 부여되기 때문이다.

07 기본권 관련 헌정사에 대한 설명으로 옳지 않은 것은?

① 1962년 헌법은 인권 보장의 이념적 지표가 되는 인간의 존엄과 가치의 존중에 관한 조항이 신설되고, 인간다운 생활을 할 권리, 고문금지 및 자백의 증거능력 제한규정을 신설하였다.

② 1980년 헌법은 국가가 최저임금제를 시행할 의무를 처음으로 규정하였고, 1987년 헌법은 국가가 근로자의 적정임금의 보장에 노력하여야 할 의무와 환경권을 규정하였다.

③ 제8차 개정헌법은 행복추구권을 신설하였다.

④ 제8차 개정헌법(1980년)은 재외국민 보호조항을 신설하였다.

08 제도 관련 헌정사에 대한 설명으로 옳지 않은 것은?

① 1948년 제헌헌법은 지방자치에 관한 장을 최초로 두었다.

② 제3차 개정헌법은 정당에 관한 규정을 처음으로 두었고, 정당이 민주적 기본질서에 위배되는 경우에 헌법재판소의 결정에 의하여 해산될 수 있도록 하였다.

③ 정당해산심판조항은 제3차 개정헌법(1960년 헌법)에서 최초로 규정된 이래 제7차 개정헌법(1972년 헌법)에서 삭제되었다가 현행헌법에서 부활되었다.

④ 1960년 헌법(제3차 개정헌법)은 대법원장과 대법관을 법관의 자격이 있는 자로 조직되는 선거인단이 선거하고 대통령이 이를 확인하며, 그 외의 법관은 대법관회의의 결의에 따라 대법원장이 임명하도록 하였다.

09 헌정사에 대한 설명으로 옳지 않은 것은?

① 1972년 제7차 개정헌법에서는 국정감사와 국정조사를 모두 규정하지 않았다.

② 1962년 헌법은 헌법개정에 대한 국민투표제를 도입하면서, 기존에 규정되어 있던 헌법개정안의 국민발안제를 폐지하였다.

③ 1962년 헌법(제5차 개정헌법)은 국무총리·국무위원에 대한 국회의 해임건의가 있을 때에는 대통령은 특별한 사유가 없는 한 이에 응하도록 규정하였다.

④ 현행헌법은 신체의 자유 보장에 있어 적법절차원리를 도입하는 등 기본권의 절차적 보장을 확대·강화하고, 범죄피해자구조청구권 등의 새로운 유형의 기본권들을 신설한 것이 특색이다.

10 대통령 관련 헌정사에 대한 설명으로 옳지 않은 것은?

① 건국헌법은 대통령, 부통령, 국무총리를 모두 두고 있었다.

② 제2공화국 헌법은 의원내각제를 채택하였음에도 불구하고, 국가원수이고 의례상 국가를 대표하는 대통령을 국민이 직접 선출하도록 하였다.

③ 1969년 제6차 개정헌법은 대통령에 대한 탄핵소추요건을 제5차 개정헌법과 다르게 규정하였다.

④ 제3공화국의 대통령은 임기 4년의 직선제 선출기관이었음에도 부통령은 두지 않았으며, 잔임기간 2년 미만의 궐위시에는 국회에서 후임대통령을 선출하고 잔임기간만 재임하도록 하였다.

11 헌정사에 대한 설명으로 옳지 않은 것은?

① 제9차 개정헌법은 자유민주적 기본질서에 입각한 평화적 통일정책의 수립·추진규정을 신설하였다.

② 1980년 헌법은 재외국민 보호조항 및 정당운영자금의 국고보조조항을 두었고, 징계처분에 의한 법관의 파면을 배제하였다.

③ 제4공화국 헌법에서는 임기 6년의 대통령을 통일주체국민회의에서 기명투표로 선거하도록 하였다.

④ 1987년 헌법 전문에서는 불의에 항거한 4·19 민주이념을 계승하도록 처음으로 규정하였다.

12 헌정사에 대한 설명으로 옳지 않은 것은?

① 제헌헌법은 중요한 운수, 통신, 금융, 보험, 전기, 수리, 수도, 가스 및 공공성을 가진 기업을 국영 혹은 공영으로 하도록 하였다.

② 현행헌법은 대통령직선제로 변경하면서 5년 단임제를 채택하였고, 대통령의 국회해산권은 폐지하였다.

③ 헌법재판제도는 현행헌법이 최초로 채택하고 있다.

④ 대통령의 선출방식은 1948년 헌법의 간선제, 1952년 헌법의 직선제, 1960년 헌법의 간선제, 1962년 헌법의 직선제, 1972년 헌법의 간선제, 1980년 헌법의 간선제, 1987년 헌법의 직선제로 변화되어 왔다.

13 헌정사에 대한 설명으로 옳은 것은?

① 1972년 헌법은 국회의원의 입후보에 정당추천을 의무화하였고 임기 중 당적을 이탈하거나 변경하더라도 의원직을 상실하도록 하였다.

② 1962년 개정헌법은 정당에 대한 국가의 보호규정을 신설하였을 뿐만 아니라 국회의원에 대한 정당기속을 강하게 인정하고 있었다.

③ 제8차 개정헌법에 의한 정부형태에서는 대통령이 국회해산권을 갖는 대신 국회는 국무총리와 국무위원에 대한 개별적인 해임의결권을 가지되 국무총리에 대한 해임의결은 전체 국무위원의 연대책임을 초래하였다.

④ 국군의 정치적 중립성 준수에 관한 규정은 군의 정치개입 폐단을 방지하려는 의지를 천명한 것으로서, 1980년 제8차 개정헌법에서 처음으로 규정하였다.

14 선거 관련 헌정사에 대한 옳지 않은 것은?

① 각급 선거관리위원회는 제5차 개정헌법(1962년)부터 헌법기관으로 규정되었다.

② 독립된 헌법기관인 중앙선거관리위원회가 선거의 공정한 관리를 위하여 1960년 헌법개정으로 처음 도입된 이래 현행헌법에 이르기까지 선거관리기능을 담당해 왔다.

③ 1962년 제5차 개정헌법은 국회의원 하한을 200인이상으로 규정하였다.

④ 제5차 개정헌법과 제6차 개정헌법만 헌법상 대통령과 국회의원후보자에 대해 정당추천을 받도록 규정하였다.

15 국적에 대한 설명으로 옳은 것은?

① 우리나라의 「국적법」은 속인주의를 택하면서 아버지를 중심으로 하는 부계혈통주의를 원칙으로 하고 예외적으로 모계혈통주의를 택하고 있다.

② 부모 중 어느 한쪽이 분명하지 아니한 경우 출생한 자는 대한민국 국적을 취득한다.

③ 우리 「국적법」은 혈통주의에 따라 속인주의를 채택하고 있어 국적취득에 있어 속지주의는 적용되지 않는다.

④ 「국적법」상 부모가 모두 국적이 없는 경우에는 대한민국에서 출생했다면 대한민국의 국적을 취득한다.

16 인지에 의한 국적취득에 대한 설명으로 옳은 것은 모두 몇 개인가?

ㄱ. 만 18세의 외국인은 출생 당시 대한민국 국민인 부 또는 모가 인지하는 경우에 법무부장관의 허가를 받아 대한민국 국적을 취득할 수 있다.
ㄴ. 일본에서 출생하여 일본 국적을 갖고 있던 중 한국인 부모에 의해 인지된 성년자의 경우 대한민국의 국적을 취득한다.
ㄷ. 외국인으로서 대한민국의 국민인 부 또는 모에 의하여 인지된 사람은 「국적법」에 따라 법무부장관에게 신고함으로써 출생시로 소급하여 대한민국 국적을 취득할 수 있다.
ㄹ. 출생할 당시에 부 또는 모가 대한민국의 국민이어야 인지신고가 가능하고, 인지신고는 재외공관의 장에게 한다.
ㅁ. 사실혼관계에 있는 한국인 아버지와 외국인 어머니 사이에서 출생한 미성년인 자는 한국인 생부(生父)가 인지하여야 대한민국 국적을 취득할 수 있다. 이때에 인지를 하는 한국인 생부는 자의 출생 당시에 대한민국의 국민이어야 한다.

① 없음. ② 1개
③ 2개 ④ 3개

17 법치주의에 대한 설명으로 옳은 것은?

① 신뢰보호원칙에 위반되는 법률은 위헌이지만, 체계정당성에 위반되는 법률이라는 이유 때문에 바로 위헌이라고 할 수는 없다.

② 체계정당성의 원리는 동일 규범 내에서 또는 상이한 규범 간에 그 규범의 구조나 내용 또는 규범의 근거가 되는 원칙 면에서 상호 배치되거나 모순되어서는 안 된다는 하나의 헌법적 원칙으로, 이러한 체계정당성의 위반을 정당화할 합리적인 사유의 존재에 대하여는 입법재량이 인정될 수 없다.

③ '책임 없는 자에게 형벌을 부과할 수 없다'는 형벌에 관한 책임주의는 형사법의 기본원리로서 헌법상 법치국가의 원리에 내재하는 원리인 동시에 헌법 제10조의 취지로부터 도출되는 원리이고 법인의 경우 책임주의 원칙이 적용된다고 할 수 없다.

④ 명확성의 원칙은 기본적으로 최소한이 아닌 최대한의 명확성을 요구하는 것이다.

18 법치주의에 대한 설명으로 옳은 것은?

① 경찰청장이 2009.6.3. 경찰버스들로 서울특별시 서울광장을 둘러싸 통행을 제지한 행위가 법률유보원칙에 위배되지 않는다.

② 살수차, 최루제와 그 발사장치 등을 사용할 수 있다는 내용과 그 사용에 관한 일반적 요건과 기준이 법률 및 대통령령에 명시적으로 규정되어 있는 이상, 최루제를 이 중 어떠한 발사장치를 이용하여 분사할 것인지, 최루제와 물을 혼합하여 살수차로 분사할 수 있는 것인지 등 그 구체적인 최루제의 사용방법이나 기준까지 법률로써 규율하여야만 하는 사항이라고 할 수는 없다.

③ 운전면허를 받은 사람이 자동차 등을 이용하여 살인 또는 강간 등 행정안전부령이 정하는 범죄행위를 한 때 운전면허를 취소하도록 한 「도로교통법」은 법률유보원칙에 위반된다.

④ 오늘날 법률유보원칙은 행정작용이 법률에 근거를 두기만 하면 충분한 것이 아니라 국가공동체와 그 구성원에게 기본적이고도 중요한 의미를 갖는 영역, 특히 국민의 기본권 실현에 관련된 영역에 있어서는 행정에 맡길 것이 아니라 국민의 대표자인 입법자 스스로 그 본질적 사항에 대하여 결정하여야 한다는 요구까지 내포하는 것으로 이해하여야 한다.

19 **형벌불소급원칙에 대한 설명으로 옳지 않은 것은?**

① 형벌불소급의 원칙은 행위의 가벌성에 관한 것이 아니고, 형사소추가 얼마 동안 가능한가의 문제에 관한 것이다.

② 보안처분이라 하더라도 형벌적 성격이 강하여 신체의 자유를 박탈하거나 박탈에 준하는 정도로 신체의 자유를 제한하는 경우에는 소급입법금지원칙이 적용된다.

③ 디엔에이신원확인정보의 수집·이용은 수형인 등에게 심리적 압박으로 인한 범죄예방효과를 가진다는 점에서 보안처분의 성격을 지니지만, 처벌적인 효과가 없는 비형벌적 보안처분으로서 소급입법금지원칙이 적용되지 않는다.

④ 전자장치 부착명령은 전통적 의미의 형벌이 아닐뿐더러, 피부착자의 행동 자체를 통제하는 것이 아니어서 처벌적인 효과를 가진다고 보기 어렵다. 따라서 이는 형벌과 구별되는 비형벌적 보안처분으로서 소급효금지의 원칙이 적용되지 아니한다. 그러므로 전자장치 부착명령제도가 처음 도입되어 시행될 당시 부착명령의 대상에서 제외되었던 자들을 법 시행 이후의 법개정을 통하여 새로이 부착명령대상에 포함시키더라도 위헌이라고 볼 수 없다.

20 **신뢰보호에 대한 설명으로 옳지 않은 것은?**

① 수형자가 「형법」에 규정된 형집행 경과기간요건을 갖춘 것만으로 가석방을 요구할 권리를 취득하는 것이므로, 10년간 수용되어 있으면 가석방 적격심사대상자로 선정될 수 있었던 구 「형법」에 대한 청구인의 신뢰를 헌법상 권리로 보호할 필요성이 있다고 할 수 없다.

② 일반적으로 법률은 현실상황의 변화나 입법정책의 변경 등으로 인하여 언제든지 개정될 수 있기 때문에 법적 상태의 변화를 예측하기가 어려워 원칙적으로 법률의 개정은 예측할 수 없다.

③ 토양오염관리대상시설을 양수한 자를 양수시기에 관계없이 오염원인자로 보도록 한 구 「토양환경보전법」 제10조의3 제3항 제3호는 신뢰보호에 위배된다.

④ 폐기물재생처리업을 허가제로 하도록 법률을 개정하면서 종전 규정에 의하여 폐기물 재생처리신고를 한 자는 「폐기물관리법」 시행일로부터 1년 이내에 허가를 받도록 한 것은 신뢰보호를 위한 경과조치를 규정하고 있고 그 유예기간이 지나치게 짧은 것이라 할 수 없으므로 신뢰보호 위반이 아니다.

21 **법치주의에 대한 설명으로 옳지 않은 것은?**

① 노인장기요양 급여비용의 구체적인 산정방법 등에 관하여 필요한 사항을 보건복지부령에 정하도록 위임한 「노인장기요양보험법」 제39조 제3항이 법률유보원칙에 위배된다고 할 수 없다.

② 법률조항의 시행일과 시행일 당시 종전 규정에 따라 세무사의 자격이 있던 변호사는 개정 규정에도 불구하고 세무사 자격이 있는 것으로 변호사의 세무사 자격에 관한 경과조치를 정하고 있는 「세무사법」 부칙이 신뢰보호원칙에 반하여 청구인들의 직업선택의 자유를 침해한다.

③ 매립대상 건설폐기물 절단을 위한임시보관장소 수집·운반을 허용하지 않고 있는 「건설폐기물의 재활용촉진에 관한 법률」은 2년의 유예기간을 둔 점 등을 고려하면, 심판대상조항은 신뢰보호원칙에 반하여 직업수행의 자유를 침해하지 않는다.

④ 낚시어선업신고요건에서 관리선(어장관리 또는 양식장 관리에 필요한 어선)으로 지정받은 어선을 제외한 「낚시 관리 및 육성법 시행령」 제16조 제1항 제1호 및 개정 시행령 시행 이전에 낚시어선업신고가 된 어선에 대하여는 5년의 유예기간을 두고 있는 「낚시 관리 및 육성법 시행령」 부칙 제2조가 신뢰보호원칙에 반하여 청구인들의 직업의 자유를 침해한다고 할 수 없다.

⑤ 「약사법」에 따라 의약품을 판매할 수 있는 자는 보건복지부령으로 정하는 바에 따라 의약품 등의 유통 체계 확립과 판매 질서 유지에 필요한 사항을 지켜야 하도록 규정하고 있는 구 「약사법」은 포괄위임금지원칙에 위배되지 않는다.

22 헌법원리에 대한 설명으로 옳지 않은 것은?

① 운전면허 취소 또는 정지처분의 요건으로서 구호조치를 취하지 않은 경우의 개별적 유형을 입법자가 반드시 법률로 규율하여야 하는 것은 아니므로 교통사고로 사람을 사상한 후 필요한 조치를 하지 아니한 경우 행정자치부령(현 행정안전부령)이 정하는 바에 따라 운전면허를 취소 또는 정지시킬 수 있도록 한 「도로교통법」은 법률유보원칙에 위배된다고 할 수 없다.

② 유치원의 학교에 속하는 회계의 예산과목 구분을 정한 「사학기관 재무·회계 규칙」이 법률유보원칙에 위반된다고 볼 수 없다.

③ 유치원의 학교에 속하는 회계의 예산과목 구분을 정한 「사학기관 재무·회계 규칙」이 신뢰보호의 원칙에 위반된다고 할 수 없다.

④ 어업면허의 우선순위에 관하여 청구인에게 헌법상 보호가치 있는 신뢰이익이 인정되므로 어촌계 등에 어업면허를 하는 경우 우선순위규정의 적용대상에서 제외하도록 규정한 「수산업법」은 신뢰보호원칙에 반한다.

23 소급입법에 대한 설명으로 옳지 않은 것은?

① 소급효를 가지는 법률이 헌법 제13조 제2항이 금하는 소급입법에 해당하지 아니하더라도 신뢰보호원칙 위반이 될 수 있다.

② 기존에 총포의 소지허가를 받은 자는 이 법 시행일부터 1개월 이내에 허가관청이 지정하는 곳에 총포와 그 실탄 또는 공포탄을 보관하여야 하도록 한 「총포·도검·화약류 등의 안전관리에 관한 법률」 부칙조항은 헌법 제13조 제2항이 금하는 진정소급입법에 해당한다.

③ 1990.1.13. 법률 제4199호로 개정된 「민법」의 시행일 이전에 발생한 전처의 출생자와 계모 사이의 친족관계를 1990년 개정 「민법」 시행일부터 소멸하도록 규정한 「민법」 부칙은 헌법 제13조 제2항이 금하는 소급입법에 해당하지 아니한다.

④ 「독점규제 및 공정거래에 관한 법률」 위반행위에 대한 시정조치 및 과징금 부과처분의 시한을 '공정거래위원회가 조사를 개시한 때는 조사 개시일부터 5년, 조사를 개시하지 않은 때에는 법 위반행위 종료일부터 7년'으로 정한 「독점규제 및 공정거래에 관한 법률」을 최초로 조사하는 사건부터 적용하는 부칙은 신뢰보호원칙에 위반되지 않는다.

24 경제조항에 대한 설명으로 옳은 것은?

① 지속가능한 국민경제의 성장을 현행헌법이 명문으로 규정하고 있다.

② 헌법 제121조는 전근대적인 법률관계인 소작제도를 금지하고, 부재지주로 인하여 야기되는 농지이용의 비효율성을 제거하기 위한 경자유전의 원칙을 천명하고 있으므로 농지의 위탁경영은 허용되지 않는다.

③ 국가는 경자유전의 원칙이 달성될 수 있도록 노력하여야 하며, 농지의 소작제도는 필요한 경우 허용된다.

④ 국토와 자원은 국가의 보호를 받으며, 국가는 그 균형있는 개발과 이용을 위하여 필요한 계획을 수립한다.

25 소비자 보호운동에 대한 설명으로 옳지 않은 것은?

① 일간신문에 대한 불매운동의 수단으로 해당 신문에 광고를 게재하는 광고주들을 대상으로 '전화걸기'는 「형법」상 '위력에 의한 업무방해죄'의 구성요건에 해당하여 허용되지 않는다. 광고주들에 대한 소비자불매운동의 정당성 여부를 판단함에 있어 이 사건 청구인들이 불매운동의 수단으로 선택한 '무차별적 전화걸기' 자체가 가지는 위력도 충분히 고려해야 할 것이다.

② 현행헌법이 보장하는 소비자 보호운동은 단체를 조직하고 이를 통하여 활동하는 형태, 즉 근로자의 단결권이나 단체행동권에 유사한 활동뿐만 아니라, 하나 또는 그 이상의 소비자가 동일한 목표로 함께 의사를 합치하여 벌이는 운동이면 모두 이에 포함된다 할 것이다.

③ 소비자불매운동이란 '하나 또는 그 이상의 운동주도세력이 소비자의 권익을 향상시킬 목적으로 개별 소비자들로 하여금 시장에서 특정 상품의 구매를 억지하거나 제3자로 하여금 그렇게 하도록 설득하는 조직화된 행위'를 의미하고, 잠재적으로 소비자가 될 가능성이 있다면 누구나 소비자불매운동의 주체가 될 수 있다.

④ 소비자들이 헌법과 법률이 보장하고 있는 한계를 넘어 집단적으로 벌이는 소비자 불매운동을 형사처벌하는 것은 소비자 보호운동에 위배된다.

26 경제질서에 대한 설명으로 옳은 것은?

① 헌법 제119조 제2항에 규정된 '경제주체 간의 조화를 통한 경제민주화'의 이념은 경제영역에서 정의로운 사회질서를 형성하기 위하여 추구할 수 있는 국가목표일 뿐, 개인의 기본권을 제한하는 국가행위를 정당화하는 헌법규범이 아니다.

② 헌법 제119조 제2항은 국가가 경제영역에서 실현하여야 할 목표의 하나로서 '적정한 소득의 분배'를 들고 있고, 이로부터 반드시 소득에 대하여 누진세율에 따른 종합과세를 시행하여야 할 구체적인 헌법적 의무가 조세입법자에게 부과되는 것이라고 할 수 있다.

③ 현행헌법은 소비자의 권리를 소비자 보호운동의 보장 차원에서 규정하고 있을 뿐 기본권으로 명시하고 있지는 않다.

④ 의약품 도매상 허가를 받기 위해 필요한 창고면적의 최소기준을 규정하고 있는 「약사법」 조항들은 국가의 중소기업 보호·육성의무를 위반하였다.

27 조약 체결 비준을 함에 있어 국회의 동의에 대한 설명으로 옳지 않은 것은?

① 대통령의 비준행위는 조약의 국제법적 효력 발생에 필요할 뿐, 조약의 국내법적 효력은 국회의 동의를 받은 때부터 발생한다.

② 정부의 전권대사가 대통령의 비준을 유보하여 서명하고 추후 대통령의 비준에 의하여 확정되는 조약은 비준 전에 국회의 동의를 받는 것이 원칙이다.

③ 한미무역협정은 전권대사가 서명 후 헌법 제60조의 우호통상항해조약으로서 대통령 비준 전에 국회의 동의가 필요한 조약이다.

④ 조약의 명칭이 '협정'으로 되어 있다 하더라도 외국 군대의 지위에 관한 것이고, 국가에게 재정적 부담을 지우는 내용과 입법사항을 포함하고 있으면 국회의 동의를 요하는 조약으로 취급되어야 한다.

28 헌법 제6조에 대한 설명으로 옳은 것은?

① 일반적으로 승인된 국제법규로 인정되기 위해서 우리나라의 승인 여부가 기준이 된다.

② 강제노동의 폐지에 관한 국제노동기구(ILO) 제105호 조약은 일반적으로 승인된 국제법규성으로서 위헌심사의 척도로 삼을 수 있다.

③ 국제노동기구 산하 '결사의 자유위원회'의 권고는 국내법과 같은 효력이 있거나 일반적으로 승인된 국제법규라고 볼 수 없다.

④ 일반적으로 승인된 국제법규는 국회의 동의, 대통령의 비준, 대통령의 공포 등을 절차를 거쳐 국내법적 효력을 가지게 된다.

29 조약 체결 비준을 함에 있어 국회의 동의에 대한 설명으로 옳지 않은 것을 모두 조합한 것은?

ㄱ. 대통령이 국회의 동의 없이 조약을 체결·비준하였다 하더라도 국가기관의 부분 기관이 자신의 이름으로 소속 기관의 권한을 주장할 수 있는 '제3자 소송담당'을 명시적으로 허용하는 법률의 규정이 없는 현행법 체계하에서는 국회의 구성원인 국회의원이 국회의 조약에 대한 체결·비준 동의권의 침해를 주장하는 권한쟁의심판을 청구할 수는 없다.
ㄴ. 조약의 체결 비준의 주체인 대통령이 국회의 동의를 필요로 하는 조약에 대하여 국회의 동의절차를 거치지 아니한 채 체결 비준하는 경우 조약안에 대한 국회의원의 심의·표결권이 침해된다.
ㄷ. 국회 상임위원회 위원장이 회의장 출입문을 폐쇄하여 소수당 소속 상임위원회 위원들의 출입을 봉쇄한 상태에서 상임위원회 전체 회의를 개의하여 안건을 상정한 행위 및 소위원회로 안건심사를 회부한 행위는 그 회의에 참석하지 못한 소수당 소속 상임위원회 위원들의 조약비준동의안에 대한 심의권을 침해한다.
ㄹ. 대통령이 국회의 동의를 요하는 조약을 그 동의 없이 체결한 경우 국회의원은 대통령을 상대로 조약에 대한 심의·의결권 침해를 이유로 권한쟁의심판을 제기할 수 있다.
ㅁ. 정부가 국회의 동의 없이 예산 외에 국가의 부담이 될 계약을 체결한 경우에는 국회의 동의권이 침해될 뿐만 아니라, 국회의원 자신의 심의·표결권이 침해된다.

① ㄱ, ㄷ, ㄹ　　② ㄷ, ㄹ, ㅁ
③ ㄴ, ㄷ, ㄹ　　④ ㄴ, ㄹ, ㅁ

30 조약에 대한 설명으로 옳지 않은 것은?

① 특정 지방자치단체의 초·중·고등학교에서 실시하는 학교급식을 위해 지방자치단체에서 생산되는 우수농산물을 우선적으로 사용하도록 한 지방자치단체의 조례안은 내국민대우원칙을 규정한 '1994년 관세 및 무역에 관한 일반협정'에 위반되어 그 효력이 없다.

② 헌법에 의하여 체결 공포된 조약은 국내법과 같은 효력을 갖지만, 일반적으로 승인된 국제법규는 그렇지 않다.

③ 국제통화기금협정은 법률의 효력을 가지므로 위헌법률심판의 대상이 될 수 있다.

④ 한미무역협정에 대해 국민투표를 거치지 아니하였다고 하더라도 헌법 제72조, 헌법 제130조의 국민투표권 침해가능성이 없다.

31 다음 설명으로 옳지 않은 것은? (다툼이 있는 경우 헌법재판소 판례에 의함)

① 헌법 전문은 헌법의 이념 내지 가치를 제시하고 있는 헌법규범의 일부로서 헌법으로서의 규범적 효력을 나타내기 때문에 구체적으로는 헌법소송에서의 재판규범인 동시에 헌법이나 법률에서의 해석기준이 된다.

② 관련 당사자가 공평에 반하는 이익을 얻을 가능성이 있다면, 이미 실효된 법률조항을 유효한 것으로 해석하여 과세의 근거로 삼더라도 헌법상 권력분립원칙에 반하는 것은 아니다.

③ 「국적법」상 '병역을 기피할 목적으로 대한민국 국적을 상실하였거나 이탈하였던 사람'에 대하여 법무부장관은 국적회복을 허가하지 아니한다.

④ 관습헌법은 주권자인 국민에 의하여 유효한 헌법규범으로 인정되는 동안에만 존속하는 것이며, 관습법의 존속요건의 하나인 국민적 합의성이 소멸되면 관습헌법으로서의 법적 효력도 상실하게 된다.

32 현행헌법상 헌법개정에 대한 설명으로 옳은 것은?

① 제안된 헌법개정안은 대통령이 30일 이상의 기간 이를 공고하여야 한다.

② 국회는 헌법개정안이 공고된 날로부터 60일 이내에 의결하여야 하며, 국회의 의결은 재적의원 3분의 2 이상의 찬성을 얻어야 한다.

③ 헌법개정안은 국회가 의결한 후 20일 이내에 국민투표에 붙여 국회의원선거권자 과반수의 투표와 투표자 과반수의 찬성을 얻어야 한다.

④ 대통령의 임기연장 또는 중임변경을 위한 헌법개정은 그 헌법개정 제안 당시의 대통령에 대하여도 효력이 있다.

33 헌법을 개정하지 않고서도 채택할 수 있는 것은?

① 국회의원의 수를 200인으로 하는 것

② 국회 부의장을 1인으로 하는 것

③ 대통령의 피선거권 연령을 30세로 낮추는 것

④ 감사원의 감사위원 수를 12인으로 하는 것

⑤ 대법원장과 대법관이 아닌 법관의 임기를 5년으로 하는 것

34 민주적 기본질서에 대한 설명으로 옳지 않은 것은? (다툼이 있는 경우 판례에 의함)

① 민주주의 원리는 사회의 자율적인 의사결정이 궁극적으로 올바른 방향으로 전개될 것이라는 신뢰를 바탕으로 한다.

② 헌법 제8조 제4항이 의미하는 '민주적 기본질서'는 개인의 자율적 이성을 신뢰하고 모든 정치적 견해들이 각각 상대적 진리성과 합리성을 지닌다고 전제하는 다원적 세계관에 입각한 것으로서 모든 폭력적·자의적 지배를 배제하고, 다수를 존중하면서도 소수를 배려하는 민주적 의사결정과 자유·평등을 기본원리로 하여 구성되고 운영되는 정치적 질서를 말하며, 구체적으로는 국민주권의 원리, 기본적 인권의 존중, 권력분립제도, 복수정당제도 등이 현행헌법상 주요한 요소라고 볼 수 있다.

③ 정당은 오늘날 민주주의에 있어서 필수불가결한 요소이기 때문에 정당의 자유로운 설립과 활동은 민주주의 실현의 전제조건이라고 할 수 있다.

④ 모든 정당의 존립과 활동이 최대한 보장되어야 하는 것은 아니므로, 어떤 정당이 민주적 기본질서를 부정하고 이를 적극적으로 공격하는 경우에는 행정부의 통상적인 처분에 의해서도 해산될 수 있다.

35 헌법상 영토조항에 대한 설명으로 옳지 않은 것은? (다툼이 있는 경우 판례에 의함)

① 영토조항만을 근거로 하여 독자적으로 헌법소원을 청구할 수 있다.

② 국민의 기본권 침해에 대한 권리구제를 위하여 그 전제조건으로서 영토에 관한 권리를 영토권이라 구성하여, 이를 헌법소원의 대상인 기본권으로 간주하는 것은 가능하다.

③ 우리 헌법이 "대한민국의 영토는 한반도와 그 부속도서로 한다."라는 영토조항(제3조)을 두고 있는 이상 대한민국의 헌법은 북한지역을 포함한 한반도 전체에 그 효력이 미치고 따라서 북한지역은 당연히 대한민국의 영토가 된다.

④ 외국환거래의 일방당사자가 북한의 주민일 경우 그는 「남북교류협력에 관한 법률」상 '북한의 주민'에 해당하는 것이므로, 북한의 조선아시아태평양위원회가 「외국환거래법」 제15조에서 말하는 '거주자'나 '비거주자'에 해당하는지 또는 「남북교류협력에 대한 법률」상 '북한의 주민'에 해당하는지 여부는 법률해석의 문제에 불과한 것이고, 헌법 제3조의 영토조항과는 관련이 없다.

36 대한민국헌법 전문(前文)에 규정된 내용이 아닌 것은?

① 1948년 7월 12일에 제정되고 9차에 걸쳐 개정된 헌법

② 3·1 운동으로 건립된 대한민국 임시정부의 법통

③ 4·19 민주이념

④ 국민생활의 균등한 향상

⑤ 항구적인 세계평화와 인류공영

37 헌법 전문(前文)에 대한 설명으로 옳은 것(○)과 옳지 않은 것(×)을 바르게 조합한 것은? (다툼이 있는 경우 판례에 의함)

> ㄱ. 태평양전쟁 전후 일제에 의한 강제동원으로 피해를 입은 자에 대한 위로금 지급에 있어 대한민국 국적을 갖고 있지 않은 유족을 위로금 지급대상에서 제외하는 것은 정의·인도와 동포애로써 민족의 단결을 공고히 할 것을 규정한 헌법 전문에 비추어 헌법에 위반된다.
> ㄴ. 헌법 전문이 규정하는 대한민국 임시정부의 법통 계승은 선언적·추상적 의미에 불과하므로, 우리 헌법이 제정되기 전에 발생한 일제강점기 피해자들의 훼손된 인간의 존엄과 가치를 회복시켜야 할 의무는 지금의 정부가 국민에 대하여 부담하는 근본적 보호의무에 속한다고 볼 수 없다.
> ㄷ. 헌법 전문에 기재된 3·1 정신은 우리나라 헌법의 연혁적·이념적 기초로서 헌법이나 법률해석에서의 해석기준으로 작용할 수 있지만, 그에 기하여 곧바로 국민의 개별적 기본권성을 도출해낼 수는 없다.
> ㄹ. 국가가 일제로부터 조국의 자주독립을 위하여 공헌한 독립유공자와 그 유족에 대하여는 응분의 예우를 하여야 할 헌법적 의무를 헌법 전문으로부터 도출할 수 있다.

① ㄱ(×), ㄴ(○), ㄷ(○), ㄹ(○)

② ㄱ(○), ㄴ(×), ㄷ(×), ㄹ(×)

③ ㄱ(×), ㄴ(×), ㄷ(○), ㄹ(×)

④ ㄱ(×), ㄴ(×), ㄷ(○), ㄹ(○)

38 신뢰보호원칙에 대한 설명으로 옳지 않은 것은? (다툼이 있는 경우 판례에 의함)

① 조세에 관한 법규·제도는 신축적으로 변할 수밖에 없다는 점에서 납세의무자로서는 구법 질서에 의거한 신뢰를 바탕으로 적극적으로 새로운 법률관계를 형성하였다든지 하는 특별한 사정이 없는 한 원칙적으로 현재의 세법이 변함없이 유지되리라고 기대하거나 신뢰할 수는 없다.

② 사회환경이나 경제여건의 변화에 따른 필요성에 의하여 법률은 신축적으로 변할 수밖에 없고 변경된 새로운 법질서와 기존의 법질서 사이에는 이해관계의 상충이 불가피하므로, 국민이 가지는 모든 기대 내지 신뢰가 헌법상 권리로서 보호될 것은 아니다.

③ 법률의 제정이나 개정시 구법질서에 대한 당사자의 신뢰가 합리적이고도 정당하며, 법률의 제정이나 개정으로 야기되는 당사자의 손해가 극심하여 새로운 입법으로 달성하고자 하는 공익적 목적이 그러한 당사자의 신뢰의 파괴를 정당화할 수 없다면, 그러한 새로운 입법은 신뢰보호의 원칙상 허용될 수 없다.

④ 법률에 따른 개인의 행위가 단지 법률이 반사적으로 부여하는 기회의 활용을 넘어서 국가에 의하여 일정 방향으로 유인된 것이라 하더라도 개인의 신뢰보호가 국가의 법률개정이익에 우선된다고 볼 여지는 없다.

39 법치주의에 대한 설명으로 옳지 않은 것은? (다툼이 있는 경우 헌법재판소 판례에 의함)

① 헌법에 규정된 대통령의 '헌법을 준수하고 수호해야 할 의무'는 헌법상 법치국가원리가 대통령의 직무집행과 관련하여 구체화된 헌법적 표현이다.

② 위임입법과 관련하여 위임조항 자체에서 위임의 구체적 범위를 명백히 규정하고 있지 않다고 하더라도 당해 법률의 전반적 체계와 관련 규정에 비추어 위임조항의 내재적인 위임의 범위나 한계를 객관적으로 분명히 확정할 수 있다면 이를 포괄적인 백지위임에 해당하는 것으로는 볼 수 없다.

③ 자율형 사립고등학교를 후기학교로 정하여 신입생을 일반고와 동시에 선발하도록 한 「초·중등교육법 시행령」 규정은 신뢰보호원칙에 위배되는 바, 동시선발로 달성할 수 있는 공익에 비해 학교법인의 신뢰를 보호하여야 할 가치나 필요성이 더 크기 때문이다.

④ '소급입법'은 '진정소급입법'과 '부진정소급입법'으로 구분되는데, 전자는 헌법상 원칙적으로 허용되지 않고 특단의 사정이 있는 경우에만 예외적으로 허용되는 반면, 후자는 원칙적으로 허용되지만 소급효를 요구하는 공익상의 사유와 신뢰보호 요청 사이의 교량과정에서 신뢰보호의 관점이 입법자의 입법형성권에 일정한 제한을 가하게 된다.

40 문화국가원리에 대한 설명으로 옳은 것은? (다툼이 있는 경우 판례에 의함)

① 개인의 정치적 견해를 기준으로 청구인들을 문화예술계 정부지원사업에서 배제되도록 차별취급한 것은 헌법상 문화국가원리에 반하는 자의적인 것으로 정당화될 수 없다.

② 우리나라는 제9차 개정헌법에서 문화국가원리를 헌법의 기본원리로 처음 채택하였으며, 문화국가원리는 국가의 문화국가실현에 관한 과제 또는 책임을 통하여 실현된다.

③ 국가의 문화육성의 대상에는 원칙적으로 다수의 사람에게 문화창조의 기회를 부여한다는 의미에서 엘리트문화를 제외한 서민문화, 대중문화를 정책적인 배려의 대상으로 하여야 한다.

④ 우리 헌법상 문화국가원리는 견해와 사상의 다양성을 그 본질로 하지만, 이를 실현하는 국가의 문화정책이 국가가 어떤 문화현상에 대하여도 이를 선호하거나 우대하는 경향을 보이지 않는 불편부당의 원칙을 따라야 하는 것은 아니다.

2회

중간 테스트

지방자치제도 ~ 행복추구권

정답 및 해설 p.426

제한시간 : 14분 | 시작시각 ___시 ___분 ~ 종료시각 ___시 ___분 나의 점수 _______

01 주민투표에 대한 설명으로 옳은 것을 모두 조합한 것은?

ㄱ. 주민투표의 대상에 관련하여 동일한 사항에 관하여 주민투표가 실시된 후 2년이 경과되지 아니한 사항에 대해서는 주민투표를 실시할 수 없도록 「주민투표법」이 규정하고 있다.
ㄴ. 주민에게 과도한 부담을 주거나 중대한 영향을 미치는 지방자치단체의 주요결정사항으로서 그 지방자치단체의 조례로 정하는 사항은 주민투표에 부쳐야 한다.
ㄷ. 전체 투표수가 주민투표권자 총수의 4분의 1에 미달되는 경우에는 개표를 하지 않고, 찬성과 반대 양자를 모두 수용하지 않거나 양자택일의 대상이 되는 사항 모두를 선택하지 아니하기로 확정된 것으로 본다.
ㄹ. 지방의회의 의장 또는 부의장은 주민에게 과도한 부담을 주거나 중대한 영향을 미치는 지방자치단체의 주요 결정사항 등에 대하여 주민투표에 부칠 수 있다.
ㅁ. 주민투표권이 헌법상 기본권이 아닌 법률상의 권리에 해당한다 하더라도 비교집단 상호 간에 차별이 존재할 경우에 헌법상의 평등권 심사까지 배제된다.

① ㄱ, ㄷ, ㄹ ② ㄷ, ㄹ, ㅁ
③ ㄴ, ㄷ, ㄹ, ㅁ ④ ㄱ, ㄷ

02 인구 50만 이상의 일반 시에는 자치구가 아닌 구를 두고 그 구청장은 시장이 임명하도록 한 지방자치법에 대한 헌법소원청구에 대한 설명으로 옳지 않은 것은?

① 모든 지방자치단체를 전면적으로 폐지하거나 지방자치단체인 시·군이 수행해 온 자치사무를 국가의 사무로 이관하는 것뿐 아니라 지방자치단체의 중층구조를 어떻게 형성할 것인가에 관한 판단도 역시 입법자의 선택범위에 들어간다.

② 행정구의 경우 기초자치단체인 시 관할 구역 안에 있는 것을 감안하여 지방자치단체의 지위를 부여하지 않고, 현행 지방자치의 일반적인 모습인 2단계 지방자치단체의 구조를 형성한 입법자의 선택이 현저히 자의적이라고 보기 어렵다.

③ 헌법 제117조 제2항은 지방자치단체의 종류를 법률로 정하도록 규정하고 있을 뿐 지방자치단체의 종류 및 구조를 명시하고 있지 않으므로 이에 관한 사항은 기본적으로 입법자에게 위임된 것이다.

④ 인구가 적거나 비슷한 다른 기초자치단체 주민에 비하여, 행정구에 거주하는 청구인이 행정구의 구청장이나 구의원을 선출하지 못하는 차이가 있지만, 이러한 차별취급이 자의적이거나 불합리하다고 보기 어려우므로, 인구 50만 이상의 일반 시에는 자치구가 아닌 구를 두고 그 구청장은 시장이 임명하도록 한, 지방자치법은 행정구 주민의 평등권을 침해하지 아니한다.

03 지방자치법에 대한 설명으로 옳지 않은 것은?

① 지방의회의원 총선거 후 최초로 집회되는 임시회는 지방의회 사무처장·사무국장·사무과장이 지방의회의원 임기 개시일부터 25일 이내에 소집한다.

② 지방의회는 지방의회의원 중에서 의장과 부의장 각 1명을 무기명투표로 선출하여야 한다.

③ 지방의회의 의장이나 부의장에 대한 불신임 의결은 재적의원 4분의 1 이상의 발의와 재적의원 과반수의 찬성으로 한다.

④ 지방의회는 재적의원 3분의 1 이상의 출석으로 개의한다.

04 조례에 대한 설명으로 옳지 않은 것은?

① 주민의 권리 실현 또는 의무 면제에 관한 사항을 정하려면 법률에서 위임을 받아야 한다.

② 「지방자치법」 제22조, 「행정규제기본법」 제4조 제3항에 의하면, 법률의 위임 없이 주민의 권리 제한 또는 의무부과에 관한 사항을 정한 조례는 효력이 없다.

③ 침익적 조례는 법률의 위임이 있어야 하나, 수익적 조례는 법률의 위임이 있어야 하는 것은 아니다.

④ 법령보다 생활보호대상자를 확대하는 조례는 위법하지 않으나, 법령보다 더 높은 수준의 자동차등록기준을 정하는 차고지확보조례는 법령에 위반된다.

05 지방자치법에 대한 설명으로 옳은 것은?

① 주무부장관이나 시·도지사는 재의결된 사항이 법령에 위반된다고 판단됨에도 불구하고 해당 지방자치단체의 장이 소를 제기하지 아니하면 시·도에 대해서는 주무부장관이, 시·군 및 자치구에 대해서는 시·도지사가 그 지방자치단체의 장에게 제소를 지시할 수는 있으나 직접 제소 및 집행정지결정을 신청할 수 없다.

② 특별시장·광역시장·도지사가 법령의 규정에 의하여 그 사무에 속하는 국가위임사무의 관리 및 집행을 명백히 해태하고 있다고 인정되는 때에는 행정안전부장관이 기간을 정하여 서면으로 그 이행할 사항을 명령할 수 있다.

③ 광역지방자치단체의 정무직 또는 일반직국가공무원으로 보하는 부시장·부지사는 시·도지사의 제청으로 행정안전부장관을 거쳐 대통령이 임명한다.

④ 시의 부시장, 군의 부군수, 자치구의 부구청장은 일반직 지방공무원으로 보하되, 그 직급은 대통령령으로 정하며 시·도지사가 임명한다.

06 중앙행정기관의 장의 자치사무 감사에 대한 설명으로 옳은 것은?

① 지방자치단체는 중앙정부의 하급행정기관으로서 자치사무에 관한 한 중앙행정기관과 지방자치단체의 관계는 상하의 감독관계에 있다.

② 전반기 또는 후반기 감사와 같은 포괄적·사전적 일반감사나 위법사항을 특정하지 않고 개시하는 감사는 허용되지 않으나 법령 위반사항을 적발하기 위한 감사는 허용될 수 있다.

③ 행정안전부장관은 지방자치단체의 자치사무에 관하여 보고를 받거나 서류·장부 또는 회계를 감사할 수 있으며, 이 경우 감사는 자치사무의 합목적성 및 법령 위반사항에 대하여 실시한다.

④ 행정안전부장관이 「지방자치법」에 따라 감사에 착수하기 위해서는 자치사무에 관하여 특정한 법령 위반행위가 확인되었거나 위법행위가 있었으리라는 합리적 의심이 가능한 경우이어야 하고, 또한 그 감사대상을 특정해야 한다.

07 기본권에 대한 설명으로 옳은 것은?

① 미국에서 기본권은 전체 사회의 변혁을 지향한 객관적인 성격을 띨 수 밖에 없었다. 즉 기본권은 기본권적 가치에 조화되는 민법, 형법, 절차법 등 법질서를 창설하기 위한 입법자에 대한 지침의 성격을 띠었다는 것이다. 따라서 미국도 기본권의 객관적 질서로서의 성격이 인정되어 왔다.

② 기본권을 국가로부터의 자유로 보는 견해는 기본권의 대사인적 효력을 인정하기 어렵게 된다.

③ 기본권을 국가공권력의 침해에 대한 주관적 방어권으로서 뿐만 아니라 객관적인 원칙규범으로도 보아야 한다는 주장은 기본권의 대사인적 효력을 인정하는 주장과는 관련되지만, 기본권으로부터 국가의 보호의무를 도출하는 주장과는 관계가 없다.

④ 기본권은 국가가 확인하고 보장한다는 점에서 국가가 제정한 법률의 범위 내에서 그 효력이 인정되는 권리이다.

08 기본권 주체에 대한 설명으로 옳은 것은?

①「출입국관리법」에 따른 영주의 체류자격 취득일 후 3년이 경과한 18세 이상의 외국인에게는 지방자치단체 의회의원 및 장의 선거권이 부여되어 헌법상의 정치적 기본권이 인정된다.

② 기본권 행사능력은 「민법」상 성년을 기준으로 결정되는 것은 아니다.

③ 기본권 주체능력과 행사능력을 구분할 경우, 미성년자의 서신비밀의 자유와 결사의 자유의 행사가 제한되는 것은 기본권 주체능력이 제한되는 예에 해당한다.

④ 「민법」 제914조의 친권자의 거소지정권으로 제한되는 기본권의 유형은 주거의 자유이다.

09 다음 중 헌법에 명시적 규정이 있는 것은 모두 몇 개인가?

ㄱ. 저항권
ㄴ. 소비자의 권리
ㄷ. 부모의 자녀교육권
ㄹ. 생명권
ㅁ. 법인의 기본권 주체성
ㅂ. 공정한 재판을 받을 권리
ㅅ. 교육을 받을 권리
ㅇ. 교사의 수업권
ㅈ. 알 권리
ㅊ. 기본권의 이중성
ㅋ. 기본권이라는 용어
ㅌ. 통신의 자유
ㅍ. 적법절차
ㅎ. 장애인의 우선적으로 취업의 기회 보장을 받을 권리

① 1개　　② 2개
③ 3개　　④ 4개

10 외국인의 입국에 대한 설명으로 옳지 않은 것은?

① 대한민국에서 출생하여 오랜 기간 대한민국 국적을 보유하면서 거주한 사람은 사증발급 거부처분의 취소를 구할 법률상 이익이 인정된다.

② 사증발급 거부처분을 다투는 외국인은 아직 대한민국에 입국하지 않은 상태에서 대한민국에 입국하게 해달라고 주장하는 것으로, 대한민국과의 실질적 관련성 내지 대한민국에서 법적으로 보호가치 있는 이해관계를 형성한 경우는 아니어서 사증발급 거부처분의 취소를 구할 법률상 이익이 인정되지 않는다고 봄이 타당하다.

③ 외국 국적의 동포들 사이에 「재외동포의 출입국과 법적 지위에 관한 법률」의 수혜대상에서 차별하는 것은 평등권 침해라는 이유로 외국인도 헌법소원을 청구할 수 있다.

④ 불법체류 중인 외국인은 다른 기본권은 별론으로 하더라도 주거의 자유의 주체가 될 수는 없다.

11 기본권의 효력에 대한 설명으로 옳지 않은 것은?

① 오늘날 기본권은 입법, 행정, 사법의 모든 국가권력을 구속하는 것은 아니므로 기본권의 구속으로부터 자유로운 국가행위의 영역은 인정된다.

② 국가의 사경제적 행위 또는 국고작용은 국가의 사경제적 활동에 의하여 기본권을 침해받은 사인은 헌법소원을 제기하여 기본권 침해를 구제받을 수 없다.

③ 국가의 관리작용과 국고작용 등 비권력작용에도 기본권의 효력이 미친다고 보는 것이 다수의 견해이다.

④ 대통령의 국가긴급권 행사시 그 국가작용이 국민의 기본권 침해와 직접 관련되는 경우에는 당연히 헌법재판소의 심판대상이 될 수 있다.

12 기본권의 제한에 대한 설명으로 옳지 않은 것을 모두 조합한 것은?

ㄱ. 정신질환자의 보호의무자 2인의 동의와 정신과 전문의 1인 진단만 있으면 정신질환자를 정신의료기관에 입원시킬 수 있도록 한 법률은 개인의 자기결정권이나 통신의 자유를 직접 제한하는 것이다.
ㄴ. 안전벨트를 맬 것인가의 여부는 자신의 운명이나 생활습관 등과 같은 사생활의 영위를 스스로 형성할 자유와 관련되는 것이고, 헌법 제17조에서 보장되는 사생활의 자유는 일반적 행동자유권과의 관계에서 특별기본권의 지위를 가지므로, 좌석안전벨트 착용강제의 사생활 자유 침해 여부가 문제될 때 일반적 행동자유권의 침해 여부에 대한 심사는 배제된다.
ㄷ. 주민등록증 발급신청서에 열 손가락의 지문을 찍도록 한 구 「주민등록법 시행령」 조항에 대하여 주된 기본권인 개인정보자기결정권에 대해서만 판단하면 족하고 인간의 존엄과 가치, 행복추구권, 일반적 행동자유권, 사생활의 비밀과 자유, 양심의 자유가 침해여부는 판단할 필요가 없다.
ㄹ. 연안체험활동운영자로 하여금 보험가입의무를 지운 「연안사고 예방에 관한 법률」은 재산권과 인간다운 생활을 할 권리를 직접 제한한다고 할 수 없다.

① ㄱ, ㄴ ② ㄴ, ㄷ
③ ㄷ, ㄹ ④ ㄱ, ㄷ

13 기본권 경합과 충돌에 대한 설명으로 옳은 것은?

① 기본권의 경합은 대사인적 효력의 문제라면, 기본권 충돌은 대국가적 효력의 문제이다.

② 두 기본권이 충돌하는 경우 그 해법으로는 기본권의 서열이론, 실제적 조화의 원리(규범조화적 해석) 등을 들 수 있는데, 헌법재판소는 기본권 충돌의 문제에 관하여 기본권 서열이론을 선택하여 이를 해결하여 왔다.

③ 건물 임대차 존속기간을 20년으로 하는 「민법」 조항으로 인한 재산권 제한은 2차적으로 발생하는 문제이므로 계약의 자유를 중심으로 위헌 여부를 심판해야 한다.

④ 방송광고판매대행을 특정 공사를 통해서만 판매하도록 한 「방송광고판매대행 등에 관한 법률」은 계약의 자유와 직업수행의 자유를 제한하나, 계약의 자유를 중심으로 판단한다.

⑤ 근로자의 단결선택권과 노동조합의 집단적 단결권이 충돌하는 경우, 기본권의 서열이론에 입각하여 근로자의 개인적 단결권을 상위기본권이라고 판단하고 있다.

14 기본권 충돌에 대한 설명으로 옳은 것은?

① 기본권 충돌의 해결이론으로 법익형량이론의 해결방식으로는 상위기본권우선의 원칙과 과잉금지의 원칙, 대안식 해결, 최후수단의 억제성이론이 있다.

② 기본권의 충돌을 해결하는 방법 중 이익형량론에 의하면, 기본권 효력의 우열을 결정하는 일은 바로 헌법적 가치질서에 대한 형성기능을 의미하지만 기본권 효력의 우열을 가리기 위한 합리적인 기준을 제시하기가 쉽지 않다는 점 때문에 제한적인 해결만이 가능하다.

③ 기본권 간에 충돌의 경우 규범조화적 해석과 법익형량의 원칙을 적용하여 해결하여야 하나, 기본권 간의 유사충돌의 경우도 이를 적용할 필요가 있다.

④ 기본권 충돌시 법익형량에 따라 해결하는 데 있어서 법익형량은 추상적인 법익형량을 통해 해결하여야 한다.

15 기본권 충돌에 대한 설명으로 옳지 않은 것은 모두 몇 개인가?

ㄱ. 기본권 충돌의 경우 양 기본권의 조정이 전혀 불가능한 경우는 없으므로 충돌하는 기본권들이 조화를 이루는 해결방법을 찾아야 한다.
ㄴ. 종립학교(종교단체가 설립한 사립학교)가 가지는 종교교육의 자유 및 운영의 자유와 학생들이 가지는 소극적 종교행위의 자유 및 소극적 신앙고백의 자유 사이에 충돌이 생기게 되는데, 이와 같이 하나의 법률관계를 둘러싸고 두 기본권이 충돌하는 경우에는 구체적인 사안에서의 사정을 종합적으로 고려한 이익형량과 함께 양 기본권 사이의 실제적인 조화를 꾀하는 해석 등을 통하여 이를 해결하여야 하고, 그 결과에 따라 정해지는 양 기본권 행사의 한계 등을 감안하여 그 행위의 최종적인 위법성 여부를 판단하여야 한다.
ㄷ. 친생부모의 기본권과 친양자가 될 자의 기본권이 충돌시 규범조화적 해석에 따라 기본권 충돌을 해결해야 한다.
ㄹ. 학생의 수학권과 교사의 수업권은 대등한 지위에 있으므로, 학생의 수학권의 보장을 위하여 교사의 수업권을 일정한 범위 내에서 제약할 수 없다.
ㅁ. 공공기관이 보유·관리하는 개인정보의 공개와 관련하여 국민의 알 권리(정보공개청구권)와 개인정보주체의 사생활의 비밀과 자유가 서로 충돌하는 경우, 국민의 알 권리(정보공개청구권)가 개인정보주체의 사생활의 비밀과 자유보다 상위기본권이므로 기본권의 서열이나 법익의 형량을 통하여 해결할 수 있다. 따라서 국민의 알 권리(정보공개청구권)가 개인정보주체의 사생활의 비밀과 자유보다 우선한다.
ㅂ. 이화학당과 이화여대 법학전문대학원에 입학하려는 남학생 간의 기본권 충돌은 상충하는 기본권 모두 최대한으로 그 기능과 효력을 발휘할 수 있도록 조화로운 방법이 모색되어야 한다.

① 1개 ② 2개
③ 3개 ④ 4개

16 처분적 법률에 대한 설명으로 옳지 않은 것은 모두 몇 개인가? (다툼이 있는 경우에는 판례에 의함)

ㄱ. 「상법」상의 주식회사에 불과한 연합뉴스사를 국가기간뉴스통신사로 지정하고, 정부가 위탁하는 공익업무와 관련하여 정부의 예산으로 재정지원을 할 수 있는 법적 근거를 두고 있는 법률은 특정인에 대해서만 적용되는 개인대상법률로서 처분적 법률에 해당한다.
ㄴ. 이른바 행복도시 예정지역을 충청남도 연기군 및 공주시의 지역 중에서 지정한다고 규정한 「신행정수도 후속대책을 위한 연기·공주지역 행정중심복합도시 건설을 위한 특별법」은 '연기·공주'라는 특정 지역에 거주하는 주민이면서 특정 범위의 국민들에 대하여만 특별한 희생을 강요하므로 처분적 법률에 해당한다.
ㄷ. 불특정 다수인을 규율대상으로 하는 것이 아니라 친일반민족행위자의 후손만을 규율하고 있는 「친일반민족행위자 재산의 국가귀속에 관한 특별법」은 처분적 법률에 해당한다.
ㄹ. 특별검사에 의한 수사대상을 특정인에 대한 특정 사건으로 한정하고 있는 「한나라당 대통령 후보 이명박의 주가 조작 등 범죄혐의의 진상규명을 위한 특별검사의 임명 등에 관한 법률」은 처분적 법률의 성격을 갖는다.
ㅁ. 법률의 일반성에 따르면 어느 누구도 동일한 상황에서 다른 사람이 당하지 않는 기본권 제한을 당하지 않아야 한다.
ㅂ. 기본권을 제한하는 법률은 일반적·추상적인 법률이어야 하고 그래야만 권력분립·평등원칙 정신에 부합된다. 따라서 처분적 법률로 기본권을 제한하는 것은 원칙적으로 금지된다.

① 1개 ② 2개
③ 3개 ④ 4개

17 입법부작위에 대한 설명으로 옳지 않은 것은 모두 몇 개인가? (다툼이 있는 경우 판례에 의함)

ㄱ. 헌법에서 기본권 보장을 위하여 법령에 명시적인 입법위임을 하였음에도 불구하고 입법자가 이를 이행하지 아니한 경우이거나, 헌법해석상 특정인에게 구체적인 기본권이 생겨 이를 보장하기 위한 국가의 행위의무 내지 보호의무가 발생하였음이 명백함에도 불구하고 입법자가 아무런 입법조치를 취하지 아니한 경우에 한하여 입법자에게 입법의무를 인정한다.
ㄴ. 헌법의 해석상 특정인에게 구체적인 기본권이 생겨 이를 보장하기 위한 국가의 행위의무 내지 보호의무가 발생하였음에도 입법자가 아무런 입법조치를 취하지 않았다면 이러한 입법부작위는 헌법소원심판의 대상이 된다.
ㄷ. 입법부작위는 입법권자의 형성의 자유 내지 입법재량에 근거한 것으로서 이로 인하여 기본권의 침해가 있다고 볼 수 없다.
ㄹ. 입법자가 헌법상 입법의무가 있는 어떤 사항에 관하여 입법은 하였으나 그 입법의 내용·범위·절차 등을 불완전·불충분 또는 불공정하게 규율함으로써 입법행위에 결함이 있는 이른바 부진정입법부작위의 경우에도 입법부작위로서 헌법소원의 대상으로 삼을 수 있으며, 반드시 그 불완전한 규정을 대상으로 하여 그것이 헌법 위반이라는 적극적인 헌법소원을 청구하여야 하는 것은 아니다.
ㅁ. 하위행정입법의 제정 없이 상위법령의 규정만으로 집행이 이루어질 수 있는 경우라 하더라도 상위법령에서 세부적인 사항을 하위행정입법에 위임하고 있다면 하위행정입법을 제정할 헌법적 작위의무가 인정된다.
ㅂ. 행정입법의 제정이 법률의 집행에 필수불가결한 경우로서 행정입법을 제정하지 아니하는 것이 곧 행정권에 의한 입법권 침해의 결과를 초래하는 경우, 행정권의 행정입법 등 법집행의무는 헌법적 의무라고 할 수 있다.

① 1개 ② 2개
③ 3개 ④ 4개

18 기본권 보호의무 위반심사에 대한 설명으로 옳은 것을 모두 조합한 것은?

ㄱ. 국가가 적극적으로 국민의 기본권을 보장하기 위한 제반조치를 취할 의무를 부담하는 경우에는 그 보호의 정도가 국민이 바라는 이상적인 수준에 미치지 못한다하여 헌법에 위반된다고 할 수 없다.
ㄴ. 선거운동을 위하여 확성장치의 사용을 허용하면서 확성장치에 의한 소음허용기준을 규정하지 아니한 「공직선거법」이 청구인의 환경권을 침해하였는지 여부에 대해서는 헌법 제37조 제2항의 과잉금지원칙이 아니라 과소보호금지원칙에 따라 심사기준이 되어야 한다.
ㄷ. 국가가 국민의 기본권을 보호하기 위한 충분한 입법조치를 취하지 아니함으로써 기본권 보호의무를 다하지 못하였다는 이유로 국회의 입법이나 입법부작위가 헌법에 위반된다고 판단함에 있어서는, 국가권력에 의해 국민의 기본권이 침해당하는 경우와는 다른 판단기준이 적용되어서는 아니 된다.
ㄹ. 헌법재판소는 기본권 보호의무 위배 여부를 심사하는 기준으로 과잉금지원칙을 채택하고 있다.
ㅁ. 기본권 주체인 사인에 의한 위법한 침해 또는 침해의 위험으로부터 기본권적 법익을 보호하여야 하는 기본권 보호의무를 국가가 이행하였는지 여부에 대한 심사는 제3자의 기본권 보호차원에서 엄격한 과잉금지원칙에 입각하여야 한다.

① ㄱ, ㄴ ② ㄷ, ㄹ
③ ㄹ, ㅁ ④ ㄴ, ㄷ

19 국가인권위원회법에 대한 설명으로 옳지 않은 것은?

① 인권위원은 국회의원의 직 등을 겸직할 수 없고, 정당에 가입하거나 정치운동에 관여할 수 없다.

② 인권위원은 금고 이상의 형의 선고에 의하지 아니하고는 그 의사에 반하여 면직되지 아니한다. 다만, 위원이 신체상 또는 정신상의 장애로 직무수행이 현저히 곤란하게 되거나 불가능하게 된 경우에는 전체 위원 3분의 2 이상의 찬성에 의한 의결로 퇴직하게 할 수 있다.

③ 국가인권위원회는 인권의 보호와 향상에 중대한 영향을 미치는 재판이 계속 중인 경우 법원 또는 헌법재판소의 요청이 있는 경우에 한해 법원의 담당재판부 또는 헌법재판소에 법률상의 사항에 관하여 의견을 제출할 수 있다.

④ 국가인권위원회의 진정에 대한 조사·조정 및 심의는 비공개한다. 다만, 위원회의 의결이 있을 때에는 이를 공개로 할 수 있다.

20 국가인권위원회에 대한 설명으로 옳지 않은 것은?

① 인권의 보호와 향상을 위한 업무를 수행하기 위하여 대통령 소속하에 국가인권위원회를 둔다.

② 국가인권위원회는 헌법에 의하여 설치되고 헌법과 법률에 의하여 독자적인 권한을 부여받은 국가기관이라 할 수 없으므로 권한쟁의심판의 당사자능력이 인정되지 않는다.

③ 위원은 국회가 선출하는 4인(상임위원 2인을 포함한다), 대통령이 지명하는 4인(상임위원 1명을 포함한다), 대법원장이 지명하는 3인을 대통령이 임명하되, 특정 성(性)이 10분의 6을 초과하지 아니하도록 하여야 한다.

④ 국가인권위원회는 중앙행정기관에 해당하고, 국가인권위원회와 타 부처와의 갈등이 생길 우려가 있는 경우 대통령의 명을 받아 행정각부를 통할하는 국무총리나 대통령에 의해 분쟁이 해결될 수 있으므로 국가인권위원회가 대통령을 수반으로 하는 행정부에 속한다.

21 낙태죄에 대한 설명으로 옳지 않은 것을 모두 조합한 것은?

ㄱ. 태아가 모체를 떠난 상태에서 독자적으로 생존할 수 있는 시점인 임신 22주 내외에 도달하기 전이면서 동시에 임신 유지와 출산 여부에 관한 자기결정권을 행사하기에 충분한 시간이 보장되는 시기까지의 낙태에 대해서는 국가가 생명 보호의 수단 및 정도를 달리 정할 수 있다.
ㄴ. 이른바 임신 제1삼분기(대략 마지막 생리기간의 첫날부터 14주 무렵까지)에는 어떠한 사유를 요구함이 없이 임신한 여성이 자신의 숙고와 판단 아래 낙태할 수 있도록 하여야 한다.
ㄷ. 업무상 동의낙태죄와 자기낙태죄는 대향범이므로, 임신한 여성의 자기낙태를 처벌하는 것이 위헌이라고 판단되는 경우에는 동일한 목표를 실현하기 위해 부녀의 촉탁 또는 승낙을 받아 낙태하게 한 의사를 형사처벌하는 의사낙태죄조항도 당연히 위헌이 되는 관계에 있다.
ㄹ. 「모자보건법」에서 정한 자기낙태의 위법성을 조각하는 정당화사유에 '임신 유지 및 출산을 힘들게 하는 다양하고 광범위한 사회적·경제적 사유에 의한 낙태갈등 상황'이 포섭된다.

① ㄱ, ㄴ　② ㄱ, ㄷ
③ ㄴ, ㄷ　④ ㄴ, ㄹ

22 인간의 존엄과 가치의 보호영역에 대한 설명으로 옳지 않은 것은?

① 헌법 제10조로부터 도출되는 일반적 인격권에는 개인의 명예에 관한 권리도 포함될 수 있으나, '명예'는 사람이나 그 인격에 대한 '사회적 평가', 즉 객관적·외부적 가치평가뿐 아니라 주관적·내면적인 명예감정은 포함된다.

② 사람은 누구나 자신의 얼굴 기타 사회통념상 특정인임을 식별할 수 있는 신체적 특징에 관하여 함부로 촬영 또는 그림묘사되거나 공표되지 아니하며 영리적으로 이용당하지 않을 권리를 가지는데, 이러한 초상권은 우리 헌법 제10조 제1문에 의하여 헌법적으로 보장되는 권리이다.

③ 한시적 번호이동을 허용하도록 한 방송통신위원회의 이행명령은 010번호 이외의 식별번호를 사용하는 청구인들의 인격권, 개인정보자기결정권, 재산권을 제한한다고 볼 수 없으며, 이동전화번호를 구성하는 숫자가 개인의 인격 내지 인간의 존엄과 관련성을 가진다고 보기 어렵다.

④ 사자(死者)에 대한 사후적 평판이나 명예권 등은 보호될 수 있고, 특히 유족들과의 관계에서 그 보호가 요구될 수 있다.

23 인간의 존엄과 가치에 대한 설명으로 옳지 않은 것은 모두 몇 개인가?

ㄱ. 인간의 존엄과 가치에서 유래하는 인격권은 자연적 생명체로서 개인의 존재를 전제로 하는 기본권으로서 그 성질상 법인에게는 적용될 수 없지만, 법률에 의하여 법인에게 인격권 유사의 내용이 인정될 수 있으므로 그 범위 내에서 법인은 법률적 수준의 인격권적 권리만을 누릴 수 있다.
ㄴ. 변호사에 대한 징계결정정보를 인터넷 홈페이지에 공개하도록 한 「변호사법」 제98조의5 제3항과 징계결정정보의 공개범위와 시행방법을 정한 「변호사법」 시행령은 인격권을 제한하나 재산권을 제한하지 않는다.
ㄷ. 일반적 인격권에는 각 개인이 그 삶을 사적으로 형성할 수 있는 자율영역에 대한 보장이 포함되어 있음을 감안할 때, 장래 가족의 구성원이 될 태아의 성별정보에 대한 접근을 국가로부터 방해받지 않을 부모의 권리는 일반적 인격권에 의하여 보호된다.
ㄹ. 혼인을 빙자하여 부녀를 간음한 남자를 처벌하는 「형법」 조항은 사생활의 비밀과 자유를 제한하는 것이라고 할 수 있지만, 혼인을 빙자하여 부녀를 간음한 남자의 성적 자기결정권을 제한하는 것은 아니다.
ㅁ. 헌법 제10조는 개인의 인격권과 행복추구권을 보장하고 있고, 인격권과 행복추구권은 개인의 자기운명결정권을 전제로 한다. 이 자기운명결정권에는 성행위 여부 및 그 상대방을 결정할 수 있는 성적 자기결정권이 포함되어 있다.
ㅂ. 「주세법」 제38조의7 등이 규정한 구입명령제도는 소주판매업자에게 자도소주의 구입의무를 부과함으로써, 소주제조업자의 기업의 자유 및 경쟁의 자유를 제한하고, 소비자가 자신의 의사에 따라 자유롭게 상품을 선택하는 것을 제약함으로써 소비자의 행복추구권에서 파생되는 자기결정권도 제한하고 있다.

① 1개　　② 2개
③ 3개　　④ 4개

24 자기책임의 원리에 대한 설명으로 옳지 않은 것은?

① 법인의 대리인·사용인 기타의 종업원이 그 법인의 업무에 관하여 근로자가 노동조합을 조직 또는 운영하는 것을 지배하거나 이에 개입하는 행위를 한 때에는 그 법인에 대하여도 벌금형을 과하도록 한 「노동조합 및 노동관계조정법」은 법치국가원리로부터 도출되는 책임주의원칙에 위배된다.

② 배우자가 위법한 행위를 한 사실을 알고도 공직자 등이 신고의무를 이행하지 아니할 때 처벌하도록 하는 「부정청탁 및 금품등 수수의 금지에 관한 법률」의 제재조항은 연좌제에 해당하여 자기책임원리에도 위배된다.

③ 자동차 운전전문학원 졸업생이 교통사고를 일으킨 경우 당해 자동차 전문학원의 운영을 정지시키는 것은 자기책임의 범위를 벗어난 것이다.

④ 퇴임한 임원은 퇴임 전에 생긴 상호신용금고의 예금 등과 관련된 채무에 대하여 퇴임 후 3년 내에는 상호신용금고의 예금 등과 관련된 채무에 대하여 상호신용금고와 연대하여 변제할 책임을 지도록 한 「상호신용금고법」은 책임주의원칙에 위반된다.

25 연명치료 중단에 대한 설명으로 옳은 것은?

① 연명치료의 거부 또는 중단 결정은 헌법상 기본권인 자기결정권의 한 내용으로 보장되므로, 연명치료 중단에 관한 법률을 제정할 국가의 입법의무가 존재한다.

② 장차 죽음에 임박한 상태를 대비하여 미리 연명치료 거부 또는 중단에 관한 의사를 밝히는 등의 환자의 결정은 인간으로서의 존엄과 가치에 위반되므로 헌법상 기본권인 자기결정권의 한 내용으로 인정되기 어렵다.

③ 개인의 자기운명결정권에는 성행위 여부 및 그 상대방을 결정할 수 있는 성적 자기결정권뿐만 아니라 자신의 운명을 자신의 의도대로 종지시킬 권리 또는 존엄한 죽음을 택할 권리도 포함하는 것이므로 '자살할 권리'도 기본권으로 인정된다는 것이 헌법재판소의 판례이다.

④ 의학적으로 환자가 의식의 회복가능성이 없고 생명과 관련된 중요한 생체기능의 상실을 회복할 수 없으며 환자의 신체상태에 비추어 짧은 시간 내에 사망에 이를 수 있음이 명백한 경우 환자가 자기결정권을 행사하는 것으로 인정되는 경우에는 특별한 사정이 없는 한 연명치료의 중단이 허용될 수 있고, 이러한 환자의 연명치료 거부 내지 중단에 관한 의사는 명시적이지 않은 경우에 여러 사정을 종합하여 이를 추정할 수 있다.

26 배아에 대한 설명으로 옳은 것을 모두 조합한 것은?

ㄱ. 오늘날 생명공학 등의 발전과정에 비추어 인간의 존엄과 가치가 갖는 헌법적 가치질서로서의 성격을 고려할 때 인간으로 발전할 잠재성을 갖고 있는 초기배아라는 원시생명체에 대하여도 위와 같은 헌법적 가치가 소홀히 취급되지 않도록 노력해야 할 국가의 보호의무가 있음을 인정하지 않을 수 없다 할 것이다.
ㄴ. 배아생성자는 배아에 대해 자신의 유전자정보가 담긴 신체의 일부를 제공하고, 또 배아가 모체에 성공적으로 착상하여 인간으로 출생할 경우 생물학적 부모로서의 지위를 갖게 되지만, 배아생성자가 배아의 관리 또는 처분에 대한 결정권을 가진다고 볼 수는 없다.
ㄷ. 배아생성자는 배아에 대해 자신의 유전자정보가 담긴 신체의 일부를 제공하고, 또 배아가 모체에 성공적으로 착상하여 인간으로 출생할 경우 생물학적 부모로서의 지위를 갖게 되므로 배아의 관리 또는 처분에 대한 결정권을 가지며, 이러한 배아생성자의 배아에 대한 결정권은 헌법상 명문으로 규정되어 있지 않으므로 기본권이라 할 수 없다.
ㄹ. 잔여배아를 5년간 보존하고 이후 폐기하도록 한 생명윤리법으로 법학자, 윤리학자, 철학자, 의사의 인간의 존엄과 가치, 양심의 자유, 직업수행의 평등권이 침해될 가능성이 없다.

① ㄱ, ㄴ　② ㄴ, ㄷ
③ ㄷ, ㄹ　④ ㄱ, ㄹ

27 기본권에 대한 설명으로 옳지 않은 것은?

① 기본권의 주체가 될 수 있는 자만이 헌법소원을 청구할 수 있고, 이때 기본권의 주체가 될 수 있는 '자'라 함은 통상 출생 후의 인간을 가리키는 것이다.

② 「민법」 제762조는 "태아는 손해배상의 청구권에 관하여는 이미 출생한 것으로 본다."라고 규정함으로써 '살아서 출생한 태아'와는 달리 '살아서 출생하지 못한 태아'에 대해서는 손해배상청구권을 부정함으로써 후자에게 불리한 결과를 초래하고 있으나 이러한 결과는 사법(私法)관계에서 요구되는 법적 안정성의 요청이라는 법치국가이념에 의한 것으로 헌법적으로 정당화된다 할 것이므로, 그와 같은 차별적 입법조치가 있다는 이유만으로 곧 국가가 기본권 보호를 위해 필요한 최소한의 입법적 조치를 다하지 않아 그로써 위헌적인 입법적 불비나 불완전한 입법상태가 초래된 것이라고 볼 수 없다.

③ 오늘날 생명공학 등의 발전과정에 비추어 인간의 존엄과 가치가 갖는 헌법적 가치질서로서의 성격을 고려할 때 인간으로 발전할 잠재성을 갖고 있는 초기배아라는 원시생명체에 대하여도 위와 같은 헌법적 가치가 소홀히 취급되지 않도록 노력해야 할 국가의 보호의무가 있음을 인정하지 않을 수 없다 할 것이다.

④ 일반적 행동자유권은 가치있는 행동만 보호영역으로 하는 것인바, 개인이 대마를 자유롭게 수수하고 흡연할 자유가 일반적 행동자유권의 보호영역에 속하지는 아니한다.

28 행복추구권에 대한 설명으로 옳지 않은 것은 모두 몇 개인가?

ㄱ. 헌법재판소는 18세 미만자의 당구를 칠 자유가 행복추구권의 한 내용인 '일반적 행동자유권'에서 도출된다고 판시했다.
ㄴ. 헌법에 열거되지 아니한 자유와 권리로서 인정되고 있는 것은 자기결정권, 일반적 행동자유권, 휴식권, 문화향유권, 육아휴직신청권 등이 있다.
ㄷ. 헌법에 열거되지 아니한 자유와 권리로 새롭게 인정되기 위해서는 구체적 권리로서의 실체뿐만 아니라 그 필요성 또한 특별히 인정되어야 한다.
ㄹ. 일반적 행동자유권에는 적극적으로 자유롭게 행동하는 자유뿐 아니라 소극적으로 행동을 하지 않을 자유가 포함된다.
ㅁ. 무면허의료행위라 할지라도 지속적인 소득활동이 아니라 취미, 일시적 활동 또는 무상의 봉사활동으로 삼는 경우에는 일반적 행동자유권의 보호영역에 포섭된다.
ㅂ. 가족에 대한 수형자의 접견교통권은 비록 헌법에 열거되지는 아니하였지만, 행복추구권에 포함되는 기본권의 하나인 일반적 행동자유권으로부터 나온다.

① 1개　② 2개
③ 3개　④ 4개

29 행복추구권에 대한 설명으로 옳지 않은 것은 모두 몇 개인가?

ㄱ. 성전환자에 해당함이 명백한 사람에 대해서는 호적의 성별란 기재의 성을 전환된 성에 부합하도록 수정할 수 있도록 허용함이 상당하므로, 성전환자임이 명백한 사람에 대하여 호적정정을 허용하지 않는 것은 인간의 존엄과 가치를 향유할 권리를 온전히 구현할 수 없게 만드는 것이다.
ㄴ. 사회복지법인의 법인운영의 자유는 헌법 제10조의 행복추구권에서 보장되는 일반적 행동자유권 내지 사적 자치권으로 보장되는 것이다.
ㄷ. 주민투표권 행사의 절차를 형성함에 있어서 투표일 현재 주소지에서 투표할 자유를 요구하는 것은 행복추구권의 보호범위에 포함된다.
ㄹ. 사회복지법인의 법인운영의 자유는 헌법 제10조의 행복추구권에서 보장되는 기본권이라 할 수 없다.
ㅁ. 인지청구의 소를 부모 사망을 안 날로부터 1년 이내 제기하도록 한 「민법」 규정은 행복추구권을 침해한다고 할 수 없다.
ㅂ. 혼인 취소사유에 해당하는 중혼에 대해 그 취소청구권자로 직계비속을 포함하지 않은 법률조항은 합리적인 이유 없이 직계비속을 차별하고 있어, 평등원칙에 위반된다.

① 1개　② 2개
③ 3개　④ 4개

30 교통사고 후 도주한 운전자에 대한 설명으로 옳지 않은 것은?

① 교통사고 발생시 사상자 구호 등 필요한 조치를 하지 않은 자에 대한 형사처벌을 정하는 구 「도로교통법」 제148조는 과잉금지원칙에 위반하여 일반적 행동자유권을 침해한다고 할 수 없다.

② "차량의 교통으로 인하여 사람을 사상하거나 물건을 손괴한 때에는 그 차의 운전자 등은 경찰공무원이 현장에 있는 때에는 그 경찰공무원에게 신속히 신고하여야 한다."라고 규정한 구 「도로교통법」 제50조는 피해자의 구호 및 교통질서의 회복을 위한 조치가 필요한 상황에만 적용되는 것이고 형사책임과 관련되는 사항에는 적용되지 아니하는 것으로 해석하는 한 헌법에 위반되지 아니한다.

③ 교통사고로 사람을 사상한 후 필요한 조치를 하지 아니한 경우 운전면허를 취소 또는 정지시킬 수 있도록 한 구 「도로교통법」은 일반적 행동의 자유 또는 직업의 자유를 침해한다고 할 수 없다.

④ 이륜자동차를 운전하여 고속도로 또는 자동차전용도로를 통행한 자를 형사처벌하도록 규정한 「도로교통법」 규정은 이륜자동차를 운전하여 고속도로 또는 자동차전용도로를 통행한 자의 직업의 자유를 제한하는 것이지 일반적 행동자유권을 제한하는 것은 아니다.

31 2세대·3세대 통신서비스 등 사이의 번호이동을 010 사용자에 한해 허용하도록 한 방송통신위원회의 이행명령에 대한 설명으로 옳은 것은?

① 오랜 기간 동일한 이동전화번호를 사용하여 온 사람들로서 개인별로 특별한 의미와 사연이 있는 이동전화번호를 계속하여 사용하기를 원하는 헌법소원 청구인들은 2세대·3세대 통신서비스 등 사이의 번호이동을 010 사용자에 한해 허용하도록 한 방송통신위원회의 이행명령으로 행복추구권으로 침해될 여지가 있다.

② 번호통합과 번호이동에 관한 구 통신위원회와 방송통신위원회 의결 및 방송통신위원회의 번호통합정책 추진경과 등에 관한 홈페이지 게시는 헌법소원의 대상이 되는 공권력 행사에 해당한다.

③ 010 번호를 사용하는 이용자에 한하여만 기존 번호를 그대로 유지한 채 2세대 서비스에서 3세대 서비스로의, 이른바 '번호이동'이 허용하는 통신위원회의 이행명령은 010 이외의 번호를 사용하는 2세대 서비스 이용자의 경우에도 한시적으로 기존번호를 그대로 유지하면서 3세대 서비스를 이용할 수 있도록 번호이동을 허용하는 것이므로, 이는 010 이외의 번호 이용자에게 편의를 제공해 주는 수혜적인 조치이다. 따라서 이 사건 이행명령으로 인하여, 청구인들의 기본권이 침해될 가능성이나 위험성이 없다.

④ 이동전화번호 가입자들은 이동전화번호에 대하여 사적 유용성 및 그에 대한 원칙적 처분권을 내포하는 재산가치 있는 구체적 권리인 재산권을 가진다.

32 부정청탁 및 금품등 수수의 금지에 관한 법률(이하 '청탁금지법'이라 한다)에 대한 헌법재판소 결정과 일치하지 않는 것은 모두 몇 개인가?

ㄱ. 청탁금지법의 적용대상에 언론인을 포함시킴으로써 언론의 자유가 제한된다고 할 수 없다.
ㄴ. 청탁금지법의 적용대상에 언론인을 포함하는 것으로는 한국기자협회는 그 구성원인 기자들을 대신하여 헌법소원을 청구할 수 있다.
ㄷ. 청탁금지법에 사립학교 교원을 포함시켰다고 하더라도 사학의 자유는 제한된다고 할 수 없다.
ㄹ. 배우자의 금품수수에 대해 신고의무를 부과하는 청탁금지법 조항은 양심상 갈등을 초래하므로 양심의 자유가 제한된다고 볼 수 있다.
ㅁ. 청탁금지법 조항의 '부정청탁', '사회상규'라는 용어는 명확성원칙에 반하지 않는다.
ㅂ. 사립학교 관계자, 언론인의 부정청탁금지와 금품수수금지조항은 과잉금지원칙에 반하지 않는다.
ㅅ. 사립학교 관계자, 언론인이 외부강의 등의 대가로 대통령령을 초과하는 금액을 수령하고도 신고 및 변환하지 않은 경우 과태료를 부과하고 있는데 과태료는 죄형법정주의의 규율대상에 해당한다고 할 수 없다.
ㅇ. 배우자가 법을 위반하여 금품을 수수한 경우 신고하도록 하고, 신고하지 않은 경우 제재하는 부정청탁법은 연좌제금지원칙에 위반된다고 할 수 없다.

① 1개 ② 2개
③ 3개 ④ 4개

33 인간으로서의 존엄과 가치 및 행복추구권에 대한 설명으로 옳지 않은 것은? (다툼이 있는 경우 헌법재판소 판례에 따름)

① 청구인이 공적인 인물의 부당한 행위를 비판하는 과정에서 모욕적인 표현을 사용한 행위가 사회상규에 위배되지 아니하는 행위로서 정당행위에 해당될 여지가 있음에도, 이에 대한 판단 없이 청구인에게 모욕 혐의를 인정한 피청구인의 기소유예처분은 청구인의 행복추구권을 침해한다.

② '카메라나 그 밖에 이와 유사한 기능을 갖춘 기계장치를 이용하여 성적 욕망 또는 수치심을 유발할 수 있는 다른 사람의 신체를 그 의사에 반하여 촬영죄의 미수범을 처벌하는 「성폭력범죄의 처벌 등에 관한 특례법」이 직접 제한하는 기본권은 일반적 행동의 자유이다.

③ 누구든지 응급의료종사자의 응급환자에 대한 진료를 폭행, 협박, 위계, 위력, 그 밖의 방법으로 방해하여서는 아니된다고 규정한 「응급의료에 관한 법률」은 자기결정권 내지 일반적 행동의 자유의 제한 문제가 발생하지 않는다.

④ 부정취득한 운전면허를 취소하는 것은 과잉금지원칙에 반하여 일반적 행동의 자유 또는 직업의 자유를 침해한다.

34 인간으로서의 존엄과 가치 및 행복추구권에 대한 설명으로 옳지 않은 것은 모두 몇 개인가? (다툼이 있는 경우 헌법재판소 판례에 따름)

> ㄱ. '거짓이나 그 밖의 부정한 수단으로 받은 운전면허를 제외한 운전면허'를 필요적으로 취소하도록 한 「도로교통법」은 과잉금지원칙에 반하여 일반적 행동의 자유 또는 직업의 자유를 침해한다.
> ㄴ. 헌법 제17조가 보호하고자 하는 기본권은 '사생활영역'의 자유로운 형성과 비밀유지라고 할 것이며, 공적인 영역의 활동은 다른 기본권에 의한 보호는 별론으로 하고 사생활의 비밀과 자유가 보호하는 것은 아니라고 할 것이다.
> ㄷ. 자기결정권은 개인의 인격권, 행복추구권에서 개인의 자기결정권이 파생되며 생전에 시체를 해부용도로 제공할 것인지 여부도 자기결정권에서 보호된다.
> ㄹ. 형제자매에게 가족관계등록부 등의 기록사항에 관한 증명서 교부청구권을 부여하는 「가족관계의 등록 등에 관한 법률」 제14조 제1항 본문 중 '형제자매' 부분은 과잉금지의 원칙을 위반하여 개인정보자기결정권을 침해한다.
> ㅁ. 「주세법」 제38조의7 등이 규정한 구입명령제도는 소주판매업자에게 자도소주의 구입의무를 부과함으로써, 소주제조업자의 기업의 자유 및 경쟁의 자유를 제한하고, 소비자가 자신의 의사에 따라 자유롭게 상품을 선택하는 것을 제약함으로써 소비자의 행복추구권에서 파생되는 자기결정권도 제한하고 있다.
> ㅂ. 국산영화의무상영제는 균형있는 영화산업의 발전이라는 경제적 고려와 공동체의 이익을 위한 목적에서 비롯된 행복추구권에서 파생되는 소비자의 자기결정권을 정당한 이유 없이 제한하고 있다고 볼 수 없다.
> ㅅ. 탁주의 공급구역제한제도로 인하여 부득이 다소간의 소비자선택권의 제한이 발생한다고 하더라도 이를 두고 행복추구권에서 파생되는 소비자의 자기결정권을 정당한 이유 없이 제한하고 있다고 볼 수 없다.

① 없음. ② 1개
③ 2개 ④ 3개

35 전동킥보드의 최고속도는 25km/h를 넘지 않아야 한다고 규정한 구 '안전확인대상생활용품의 안전기준'에 관한 헌법소원청구에 대한 설명으로 옳은 것은?

① 심판대상은 전동킥보드를 구입하고자 하는 청구인의 신체의 자유와 자기결정권 및 일반적 행동자유권을 제한한다.

② 전동킥보드는 차도에서만 주행할 수 있는데, 최대시속 25km 이내로만 움직임으로써 그보다 빨리 달리는 자동차 등 교통의 흐름을 방해하고, 뒷 차량이 늘 추월할 수 있는 불안정한 상태에 놓이므로 신체의 자유가 침해된다.

③ 전동킥보드와 배기량 125cc 이하의 이륜자동차는 동일하게 취급되어야 하는 비교집단이라 볼 수 없다.

④ 전동킥보드에 대해서만 최고속도 제한기준을 둠으로써 그와는 제한기준이 30km/h로 다른 전기자전거, 또는 그러한 제한기준이 없는 배기량 125cc 이하의 이륜자동차나 새로운 개인형 이동수단(스마트 모빌리티) 및 해외제조 전동킥보드와 비교하여 평등권을 제한한다.

36 부모의 자녀교육권에 대한 설명으로 옳지 않은 것은?

① 헌법상 부모의 자녀에 대한 교육권은 비록 명문으로 규정되어 있지 않지만 모든 인간이 국적과 관계없이 누리는 양도할 수 없는 불가침의 인권으로서, 혼인과 가족생활을 보장하는 헌법 제36조 제1항, 행복추구권을 보장하는 헌법 제10조 및 국민의 자유와 권리는 헌법에 열거되지 아니한 이유로 경시되지 아니한다고 규정하는 헌법 제37조 제1항에서 나오는 중요한 기본권이다. 따라서 학부모의 학교참여권은 일반적으로 부모의 자녀에 대한 교육권으로부터 바로 도출된다.

② 거주지를 기준으로 중·고등학교의 입학을 제한하는 규정이 학부모의 자녀를 교육시킬 학교선택권의 본질적 내용을 침해하는 것은 아니다.

③ 고교평준화지역에서 일반계 고등학교에 진학하는 학생을 교육감이 학교군별로 추첨에 의하여 배정하도록 하는 「초·중등교육법 시행령」 조항은 학부모의 학교선택권을 과도하게 제한한다고 보기 어렵다.

④ 부모는 자녀의 교육에 관하여 전반적인 계획을 세우고 자신의 인생관·사회관·교육관에 따라 자녀의 교육을 자유롭게 형성할 권리를 가지므로 학부모의 학교선택권에는 종교학교선택권도 포함된다.

⑤ '부모의 자녀의 학교선택권'은 미성년인 자녀의 교육을 받을 권리를 실효성 있게 보장하기 위한 것이므로, 미성년인 자녀의 교육을 받을 권리의 근거규정인 헌법 제31조 제1항에서 헌법적 근거를 찾을 수 있다.

37 인간의 존엄과 가치와 행복추구권에 대한 설명으로 옳지 않은 것은?

① 각급 선거관리위원회 위원·직원의 선거범죄조사에 있어서 피조사자에게 자료제출의무를 부과한 「공직선거법」이 일반적 행동자유권을 침해한다고 볼 수 없다.

② 형의 선고유예를 받은 자가 유예기간 중 자격정지 이상의 형에 처한 판결이 확정되거나 자격정지 이상의 형에 처한 전과가 발견된 때에는 유예한 형을 선고하도록 한 「형법」 제61조(선고유예의 실효)는 책임주의에 위반되지 아니한다.

③ 교통사고로 사람을 사상한 후 필요한 조치를 하지 아니한 경우 운전면허를 취소 또는 정지시킬 수 있도록 한 구 「도로교통법」이 과잉금지원칙에 반하여 일반적 행동의 자유 또는 직업의 자유를 침해한다고 할 수 없다.

④ 상조회사인 선불식 할부거래업자의 임원 또는 지배주주였던 사람이 임원 또는 지배주주인 회사에 대해서 필요적으로 등록을 취소하도록 규정한 「할부거래에 관한 법률」이 자기책임원칙에 위배된다.

38 행복추구권에 대한 설명으로 옳지 않은 것은?

① '카메라나 그 밖에 이와 유사한 기능을 갖춘 기계장치를 이용하여 성적 욕망 또는 수치심을 유발할 수 있는 다른 사람의 신체를 그 의사에 반하여 촬영죄의 미수범을 처벌하는 「성폭력범죄의 처벌 등에 관한 특례법」이 직접 제한하는 기본권은 일반적 행동의 자유이다.

② 누구든지 응급의료종사자의 응급환자에 대한 진료를 폭행, 협박, 위계, 위력, 그 밖의 방법으로 방해하여서는 아니 된다고 규정한 응급의료에 관한 법률은 자기결정권 내지 일반적 행동의 자유의 제한 문제가 발생하지 않는다.

③ 부정취득한 운전면허를 취소하는 것은 과잉금지원칙에 반하여 일반적 행동의 자유 또는 직업의 자유를 침해한다.

④ '거짓이나 그 밖의 부정한 수단으로 받은 운전면허를 제외한 운전면허'를 필요적으로 취소하도록 한 「도로교통법」은 과잉금지원칙에 반하여 일반적 행동의 자유 또는 직업의 자유를 침해한다.

⑤ '음주운전으로 벌금 이상의 형을 선고받은 날부터 5년 이내에 다시 음주운전으로 벌금 이상의 형을 선고받고 그 집행이 종료(집행이 종료된 것으로 보는 경우를 포함한다)되거나 면제된 날부터 5년이 지나지 아니한 사람'에 대해 총포소지허가의 결격사유를 정한 「총포·도검·화약류 등의 안전관리에 관한 법률」은 과잉금지원칙에 반하여 직업의 자유 및 일반적 행동의 자유를 침해한다고 볼 수 없다.

39 행복추구권에 대한 설명으로 옳지 않은 것은?

① 교통사고 발생시 사상자 구호 등 필요한 조치를 하지 않은 자에 대한 형사처벌을 정하는 구 「도로교통법」 제148조가 과잉금지원칙에 위반하여 일반적 행동자유권을 침해한다고 보기 힘들다.

② 차량의 교통으로 인하여 사람을 사상하거나 물건을 손괴한 때에는 그 차의 운전자 등은 경찰공무원이 현장에 있는 때에는 그 경찰공무원에게 신속히 신고하여야 한다고 규정한 구 「도로교통법」 제50조는 피해자의 구호 및 교통질서의 회복을 위한 조치가 필요한 상황에만 적용되는 것이고 형사책임과 관련되는 사항에는 적용되지 아니하는 것으로 해석하는 한 헌법에 위반되지 아니한다.

③ 법인의 대리인·사용인 기타의 종업원이 그 법인의 업무에 관하여 근로자가 노동조합을 조직 또는 운영하는 것을 지배하거나 이에 개입하는 행위를 한 때에는 그 법인에 대하여도 벌금형을 과하도록 한 「노동조합 및 노동관계조정법」은 법치국가원리로부터 도출되는 책임주의원칙에 위배된다.

④ 법인의 대표자가 법인의 재산을 국외로 도피한 경우 행위자를 벌하는 외에 그 법인에도 도피액의 2배 이상 10배 이하에 상당하는 벌금형을 과하는 「특정경제범죄 가중처벌 등에 관한 법률」 제4조 제4항 본문 중 '법인에 대한 처벌'에 관한 부분은 책임주의에 위반된다.

⑤ 누구든지 응급의료종사자의 응급환자에 대한 진료를 폭행, 협박, 위계, 위력, 그 밖의 방법으로 방해하여서는 아니된다고 규정한 「응급의료에 관한 법률」 제12조는 자기결정권 내지 일반적 행동의 자유의 제한이 아니다.

40 인격권과 행복추구권에 대한 설명으로 옳지 않은 것은 모두 몇 개인가?

ㄱ. 청구인이 2017.10.17. 대구지방법원에 출정할 때 피청구인이 청구인에게 행정법정 방청석에서 청구인의 변론 순서가 될 때까지 대기하는 동안 수갑 1개를 착용하도록 한 행위는 과잉금지원칙을 위반하여 청구인의 신체의 자유와 인격권을 침해하지 않는다.

ㄴ. 출정시 피청구인인 ○○교도소장이 민사법정 내에서 청구인으로 하여금 양손수갑 2개를 앞으로 사용하고 상체승을 한 상태에서 변론을 하도록 한 행위는 민사법정 내 교정사고를 예방하고 법정질서 유지를 위한 것으로 청구인의 인격권과 신체의 자유를 침해하지 아니한다.

ㄷ. 의료분쟁 조정신청의 대상인 의료사고가 사망에 해당하는 경우 한국의료분쟁조정중재원의 원장은 지체 없이 조정절차를 개시해야 한다고 규정한 「의료사고 피해구제 및 의료분쟁 조정 등에 관한 법률」 제27조 제9항이 청구인의 일반적 행동의 자유를 침해한다고 할 수 없다.

ㄹ. '카메라나 그 밖에 이와 유사한 기능을 갖춘 기계장치를 이용하여 성적 욕망 또는 수치심을 유발할 수 있는 다른 사람의 신체를 그 의사에 반하여 촬영한 자'를 처벌하는 것은, '자신의 신체를 함부로 촬영당하지 않을 자유' 등 인격권 보호를 목적으로 '몰래카메라'의 폐해를 방지하기 위한 것으로서, 일반적 행동자유권은 침해하지 않는다.

ㅁ. 범죄행위 당시에 없었던 위치추적 전자장치 부착명령을 출소예정자에게 소급적용할 수 있도록 한 「특정 범죄자에 대한 위치추적 전자장치 부착 등에 관한 법률」 부칙 경과조항은 과잉금지원칙에 위반되지 않아 피부착자의 인격권을 침해하지 않는다.

ㅂ. 이미 출국 수속 과정에서 일반적인 보안검색을 마친 승객을 상대로, 촉수검색(patdown)과 같은 추가적인 보안 검색 실시를 예정하고 있는 국가항공보안계획은 과잉금지원칙에 위반되지 않아 청구인의 인격권을 침해하지 않는다.

① 없음. ② 1개
③ 2개 ④ 3개

3회 중간 테스트

행복추구권 ~ 신체의 자유

정답 및 해설 p.441

제한시간 : 14분 | 시작시각 ___시 ___분 ~ 종료시각 ___시 ___분 나의 점수 ______

01 행복추구권에 대한 설명으로 옳지 않은 것은 모두 몇 개인가?

ㄱ. 주방용 오물분쇄기의 판매와 사용을 금지하는 것은 주방용 오물분쇄기를 사용하려는 자의 일반적 행동자유권을 제한하나, 현재로서는 음식물 찌꺼기 등이 바로 하수도로 배출되더라도 이를 적절히 처리할 수 있는 사회적 기반시설이 갖추어져 있다고 보기 어렵다는 점 등을 고려하면 이러한 규제가 사용자의 기본권을 침해한다고 볼 수 없다.

ㄴ. 사망을 보험사고로 한 보험계약의 경우 사고가 보험계약자 또는 피보험자나 보험수익자의 중대한 과실로 인하여 생긴 경우에도 보험자의 보험금액 지급책임이 면책될 수 없도록 강제하는 「상법」 규정은 보험상품을 판매하는 보험자와 보험계약자의 헌법 제10조의 일반적 행동자유권에서 파생되는 계약의 자유를 침해하는 것이 아니다.

ㄷ. 18세 미만자의 노래연습장 출입을 금지하는 것은 18세 미만 청소년들의 행복추구권을 침해하지 않는다.

ㄹ. 소유권이전등기신청을 의무화하고 그 위반에 대하여 과태료를 부과하도록 한 「부동산등기 특별조치법」 제11조 제1항은 과잉금지의 원칙에 어긋나게 일반적 행동자유권을 제한한 것이다.

ㅁ. 대학생들은 신체적·정신적으로 성숙하여 자신의 판단에 따라 자율적으로 행동하고 책임을 질 수 있는바, 대학생이 종교기관이 운영하는 납골시설로 인하여 부정적인 심리적 영향을 받는다거나 학습에 지장을 받을 가능성은 희박하다고 할 것이므로, 「학교보건법」에서 대학 주변의 학교정화구역 안에 납골시설의 유형이나 설치주체 등에 관계없이 모든 유형의 납골시설을 전면적으로 금지하는 것은 조상이나 가족 혹은 문중·종중 구성원을 위하여 납골시설을 설치하려는 자의 행복추구권을 침해한다.

ㅂ. 국민으로 하여금 건강보험에 강제로 가입하게 하는 것은 건강보험의 목적을 달성하기 위하여 적합하고도 반드시 필요한 조치이고 위와 같은 목적에 비추어 볼 때 강제가입으로 인하여 달성되는 공익이 그로 인하여 침해되는 사익에 비하여 월등히 크다고도 할 수 있으므로, 건강보험에의 강제가입조항은 과잉금지원칙을 위배하여 행복추구권, 재산권 등을 침해하는 것이라고 볼 수 없다.

① 없음. ② 1개
③ 2개 ④ 3개

02 행복추구권에 대한 설명으로 옳은 것은?

① 의사의 면허 없이 영리를 목적으로 의료행위를 업으로 행하는 자에게 무기 또는 2년 이상의 징역형과 100만 원 이상 1천만 원 이하의 벌금형을 병과하는 것은 그 법정형이 가혹하여 인간으로서의 존엄과 가치를 규정한 헌법에 위반되는 것으로 볼 수 없다.

② 비어업인이 잠수용 스쿠버장비를 사용하여 수산자원을 포획·채취하는 것을 금지하는 「수산자원관리법 시행규칙」 조항은 비어업인의 일반적 행동의 자유를 침해한다.

③ 「부정청탁 및 금품등 수수의 금지에 관한 법률」의 부정청탁금지조항 및 금품수수금지조항은 과잉금지원칙을 위반하여 언론인 및 사립학교 관계자의 일반적 행동자유권을 침해한다.

④ 「이동통신단말장치 유통구조 개선에 관한 법률」상 이동통신단말장치 구매지원금 상한조항은 이동통신단말장치를 구입하고, 이동통신서비스의 이용에 관한 계약을 체결하고자 하는 자의 일반적 행동자유권에서 파생하는 계약의 자유를 침해한다.

03 **행복추구권에 대한 설명으로 옳지 않은 것은 모두 몇 개인가?**

> ㄱ. 비어업인이 잠수용 스쿠버 장비를 사용하여 수산자원을 포획·채취하는 것을 금지하는 것은 일반적 행동자유권의 침해가 아니다.
> ㄴ. 공정거래위원회의 명령으로 「독점규제 및 공정거래에 관한 법률」 위반의 혐의자에게 스스로 법 위반사실을 인정하여 공표하도록 강제하고 있는 '법 위반사실공표명령' 부분은 헌법상 일반적 행동의 자유, 명예권, 무죄추정권 및 양심의 자유를 침해한다.
> ㄷ. 각급 선거관리위원회 위원·직원의 선거범죄조사에 있어서 피조사자에게 자료제출의무를 부과한 「공직선거법」 및 허위자료를 제출하는 경우 형사처벌하는 구 「공직선거법」이 일반적 행동자유권을 침해한다고 할 수 없다.
> ㄹ. 단체의 재정 확보를 위한 모금행위가 단체의 결성이나 결성된 단체의 활동과 유지에 있어서 중요한 의미를 가질 수 있기 때문에 기부금품모집행위의 제한이 결사의 자유에 영향을 미칠 수 있다는 것은 인정되나, 결사의 자유에 대한 제한은 기부금품모집행위를 규제하는 데서 오는 간접적이고 부수적인 효과일 뿐이고, 기부금품모집행위의 규제에 의하여 제한되는 기본권은 행복추구권이다.
> ㅁ. 기부금품의 모집에 허가를 받도록 한 것은 행복추구권을 침해하지 않는다.
> ㅂ. 기부금품 모집을 원칙적으로 금지하고, 일정한 경우에만 허가할 수 있도록 규정하면서 허가요건을 규정하지 아니한 구 「기부금품모집금지법」 제3조는 행복추구권을 침해한다.

① 없음. ② 1개
③ 2개 ④ 3개

04 **헌법 제12조의 해석에 대한 설명으로 옳지 않은 것은? (다툼이 있는 경우 판례에 의함)**

> 헌법 제12조 ① 모든 국민은 신체의 자유를 가진다. 누구든지 법률에 의하지 아니하고는 체포·구속·압수·수색 또는 심문을 받지 아니하며, 법률과 적법한 절차에 의하지 아니하고는 처벌·보안처분 또는 강제노역을 받지 아니한다.
> ③ 체포·구속·압수 또는 수색을 할 때에는 적법한 절차에 따라 검사의 신청에 의하여 법관이 발부한 영장을 제시하여야 한다. 다만, 현행범인인 경우와 장기 3년 이상의 형에 해당하는 죄를 범하고 도피 또는 증거인멸의 염려가 있을 때에는 사후에 영장을 청구할 수 있다.
> ④ 누구든지 체포 또는 구속을 당한 때에는 즉시 변호인의 조력을 받을 권리를 가진다. 다만, 형사피고인이 스스로 변호인을 구할 수 없을 때에는 법률이 정하는 바에 의하여 국가가 변호인을 붙인다.
> ⑥ 누구든지 체포 또는 구속을 당한 때에는 적부의 심사를 법원에 청구할 권리를 가진다.

① 헌법 제12조 제3항이 정한 영장주의는 수사기관이 강제처분을 함에 있어 중립적 기관인 법원의 허가를 얻어야 함을 의미하는 것 외에 법원에 의한 사후통제까지 마련되어야 함을 의미한다.

② 헌법 제12조 제1항은 "… 법률과 적법한 절차에 의하지 아니하고는 처벌·보안처분 또는 강제노역을 받지 아니한다."라고 규정하여 적법절차원칙을 선언하고 있는데, 이 원칙은 형사소송절차에 국한되지 않고 모든 국가작용 전반에 대하여 적용된다.

③ 헌법 제12조 제4항 본문의 문언 및 헌법 제12조의 조문체계, 변호인 조력권의 속성, 헌법이 신체의 자유를 보장하는 취지를 종합하여 보면 헌법 제12조 제4항 본문에 규정된 '구속'은 사법절차에서 이루어진 구속뿐 아니라, 행정절차에서 이루어진 구속까지 포함하는 개념이므로 헌법 제12조 제4항 본문에 규정된 변호인의 조력을 받을 권리는 형사절차에서 피의자 또는 피고인의 방어권을 보장하기 위한 것으로서 「출입국관리법」상 보호 또는 강제퇴거의 절차에도 적용된다.

④ 모든 형태의 공권력 행사기관이 '체포' 또는 '구속'의 방법으로 '신체의 자유'를 제한하는 사안에 대하여는 체포·구속적부심사청구권을 규정한 헌법 제12조 제6항이 적용된다.

05 2018학년도 수능시험의 문항 수 기준 70%를 한국교육방송공사 수능교재 및 강의와 연계하여 출제한다는 내용이 포함된 2018학년도 수능시행기본계획에 대해 헌법소원심판이 청구되었다. 이에 대한 설명으로 옳은 것은?

① 고등학교 교사들이 이 사건 계획에 따라 EBS 교재를 참고하여 하는 부담은 법적 의무이므로 심판대상계획은 고등학교 교사인 청구인들에 대해 기본권 침해가능성이 인정된다.

② 심판대상계획이 성년의 자녀를 둔 부모의 자녀교육권을 제한한다고 볼 수 없으므로, 성년의 자녀를 둔 청구인에 대해서는 기본권 침해가능성이 인정되지 않는다.

③ 심판대상계획은 자신의 교육에 관하여 스스로 결정할 권리, 즉 교육을 통한 자유로운 인격발현권과 헌법 제31조 제1항의 능력에 따라 균등하게 교육을 받을 권리를 직접 제한한다.

④ 심판대상계획이 청구인들의 기본권을 침해하는지 여부를 심사할 때 엄격한 비례원칙을 적용해야 한다.

⑤ 심판대상계획이 추구하는 학교교육 정상화와 사교육비 경감이라는 공익보다는 심판대상계획에 따라 수능시험을 준비하는 사람들이 안게 되는 EBS 교재를 공부하여야 하는 부담이 크므로 심판대상계획은 법익균형성원칙에 위배된다.

06 가산점제도와 평등원칙 위반의 심사기준에 대한 설명으로 옳은 것은?

① 초등교사 임용시험에서 동일 지역 교육대학 출신 응시자에게 제1차 시험 만점의 6% 내지 8%의 지역가산점을 부여하고 최종합격자 결정을 위한 총점에 지역가산점을 포함하도록 한 것이 문제되는 경우에 적용되는 심사척도는 자의금지원칙이다.

② 7급 공무원시험에서 기능사자격을 가진 자에게 가산점을 주지 않은 것은 비례심사원칙을 적용한다.

③ 중등교사 임용시험에서 복수전공 및 부전공 교원 자격증 소지자에게 가산점을 부여하고 있는 「교육공무원법」 조항에 의해 복수·부전공 가산점을 받지 못하는 자가 불이익을 입는다고 하더라도 이를 공직에 진입하는 것 자체에 대한 제약이라 할 수 없어, 그러한 가산점제도에 대하여는 자의금지원칙에 따른 심사척도를 적용하여야 한다.

④ 국가유공자에 대한 가산점제도는 헌법 제32조 제6항에 근거를 둔 것이므로 비례성심사를 내용으로 하는 엄격심사기준이 아니라 자의금지원칙을 내용으로 하는 완화된 심사기준이 적용된다는 것이 헌법재판소의 결정례이다.

07 **공중보건의사가 군사교육에 소집된 기간을 복무기간에 산입하지 않도록 규정한 병역법 제34조에 대한 헌법소원이 청구되었다. 이에 대한 설명으로 옳지 않은 것은?**

① 심판대상에 의해 복무기간에 산입되지 않은 군사교육 소집기간 동안 거주·이전의 자유가 제한된다고 할 수 없다.

② '특정 시점부터 해당 직업을 선택하고 직업수행을 개시할 자유'가 직업선택의 자유, 직업수행의 자유의 내용으로 보호된다고 보기는 어렵다.

③ 심판대상조항으로 인해 청구인들의 수련 시작이 늦어져 이 점이 개별 수련병원별로 진행되는 채용경쟁상 불리한 요소로 작용할 수 있다고 하더라도, 이는 개별 수련병원의 구체적 사정에 따른 사실상의 불이익에 불과하므로 청구인들의 직업의 자유가 침해될 여지는 없다.

④ 대학생도 연구에 참여하는 가능성을 배제할 수 없으므로, 이러한 점에서는 학문의 자유의 주체가 될 수 있으므로 단순히 대학생으로서 수학하는 것은 학문의 자유에 의하여 보호된다.

⑤ 군사교육기간의 의무복무기간에 산입 여부와 관련해서 전문연구요원은 공중보건의사는 비교집단이 되나, 병역을 필하였거나 면제받은 의사들은 비교집단이 아니다.

08 **평등권에 대한 설명으로 옳지 않은 것은?**

① '신 앞의 평등'이 근대 합리주의적 자연법사상의 영향을 받아 '법 앞의 평등'의 원칙으로 발전하였다. 여기서 법은 국회의결을 거친 형식적 의미의 법률을 의미한다.

② 평등권은 자연인인 국민만이 주체가 아니라 외국인이나 법인도 그 주체가 될 수 있다.

③ 단기복무군인 중 여성에게만 육아휴직을 허용하는 것은 성별에 의한 차별로 볼 수 없다.

④ 「일제강점하 반민족행위 진상규명에 관한 특별법」에 근거한 친일반민족행위 결정이 헌법 제11조 제2항에 반하여 어떠한 사회적 특수계급을 인정하거나 창설한 것으로 볼 여지는 없다.

09 **평등권에 대한 설명으로 옳지 않은 것은? (다툼이 있는 경우 판례에 의함)**

① 보호법익이나 죄질이 서로 다른 둘 또는 그 이상의 범죄를 같은 선 위에 놓고 그중 어느 한 범죄의 법정형을 기준으로 단순한 평면적인 비교로 다른 범죄의 법정형의 과중 여부를 판정하면 안 된다.

② 유사한 성격의 규율대상에 대하여 이미 입법이 있다면 평등원칙을 근거로 입법자에게 청구인들에게도 적용될 입법을 하여야 할 헌법상의 의무가 발생한다.

③ 헌법 제11조 제1항은 "모든 국민은 법 앞에 평등하다."라고 선언하면서, 이어서 "누구든지 성별·종교 또는 사회적 신분에 의하여 정치적·경제적·사회적·문화적 생활의 모든 영역에 있어서 차별을 받지 아니한다."라고 규정하고 있으나, 예시한 사유가 있는 경우에 절대적으로 차별을 금지할 것을 요구함으로써 입법자에게 인정되는 입법형성권을 제한하는 것은 아니다.

④ 평등원칙은 입법자와 같이 적극적으로 형성적 활동을 하는 국가기관에게는 행위의 지침이자 한계인 행위규범을 의미하나, 헌법재판소에게는 다른 국가기관의 행위의 합헌성을 심사하는 기준으로서의 재판규범, 즉 통제규범을 의미한다.

10 **가산점제도에 대한 설명으로 옳지 않은 것은?**

① 헌법 제32조 제6항은 국가유공자, 상이군경 및 전몰군경의 유가족뿐 아니라 국가유공자 가족의 가산점제도의 헌법상 근거가 된다.

② 노동직류와 직업상담직류를 선발할 때 직업상담사 자격증 소지자에게 점수를 가산하도록 한 「공무원임용시험령」의 평등원칙 위반 여부는 비례원칙에 따라 심사하여야 하고 공무담임권 제한의 위헌 여부에 대하여도 마찬가지로 비례원칙에 따른 심사를 하므로 그 심사기준이 같고 판단하는 내용이 다르지 아니하므로, 공무담임권과 평등권 침해 여부를 함께 심사한다.

③ 국가유공자 가족에게 가산점을 부여하는 것은 헌법상 허용될 수 있다.

④ 국가유공자 가산점 적용에 있어 선발예정인원의 30퍼센트를 초과할 수 없도록 하여 선발예정인원이 3인 이하의 채용시험에서 국가유공자 등이 가점을 받을 수 없도록 한 「국가유공자 등 예우 및 지원에 관한 법률」은 평등권을 침해한다고 할 수 없다.

11 **차별취급으로 인한 평등권의 침해가 문제시되는 경우에 차별이 존재하는지 여부를 확인하기 위해서 차별집단의 비교대상성을 먼저 검토하게 된다. 헌법재판소 판례에 의할 때 차별의 비교집단에 대한 설명으로 옳은 것은 모두 몇 개인가?**

> ㄱ. 법무관은 판사, 검사와 같은 보수를 받을 권리를 가지지 못하므로 비교대상이 되므로 군법무관의 보수 입법부작위는 판사, 검사와 군법무관을 합리적 이유 없이 차별하는 것으로서 평등권을 침해한다.
> ㄴ. 동일한 범죄로 외국에서 형의 집행을 받고 다시 국내에서 처벌을 받은 자와 국내에서만 형의 집행을 받은 자는 '본질적으로 동일한 비교집단'이라고 할 수 있어 차별취급 여부를 논할 수 있다.
> ㄷ. 대학구성원이 아닌 사람의 도서관 이용에 관하여 대학도서관의 관장이 승인 또는 허가할 수 있도록 규정한 '서울교육대학교 도서관 규정' 제9조, 제13조, 구 '서울시립대학교 중앙도서관 규정'은 평등권 침해의 직접성이 인정되지 아니한다.
> ㄹ. 대학구성원이 아닌 청구인의 대학도서관에서의 도서대출 또는 열람실 이용을 승인하지 않는 서울교육대학교 도서관장의 회신은 평등권을 침해한다.
> ㅁ. 공중보건의사에 편입되어 군사교육에 소집된 사람을 현역병이나 사회복무요원과 달리 군사교육 소집기간 동안의 보수를 지급하지 않도록 한 「군인사법」은 평등권을 침해한다.
> ㅂ. 변호사시험의 응시기간과 응시횟수를 법학전문대학원의 석사학위를 취득한 달의 말일 또는 취득예정기간 내 시행된 시험일부터 5년 내에 5회로 제한한 「변호사시험법」 제7조 제1항으로 의사·약사시험 준비생과 변호사시험 준비생 간이 평등권 침해 문제는 발생하지 않는다.

① 1개　　② 2개
③ 3개　　④ 4개

12 **평등권에 대한 설명으로 옳은 것은 모두 몇 개인가?**

> ㄱ. 코로나 사태에서 국민 모두가 피해자이므로 재난지원금은 모두에게 동등해야 하므로 사회적·경제적 기본권에서는 절대적 평등이 적용된다.
> ㄴ. 대통령의 군법무관 보수입법부작위에 의해 직업의 자유, 평등권, 재산권, 행복추구권이 침해되었다.
> ㄷ. 훈장을 받은 자에 대해서 조세감면과 처벌면제는 허용되지 아니하나 연금지급은 허용된다.
> ㄹ. 친일반민족행위자 측의 친일재산을 국가에 귀속시키는 것은 신분계급을 창설했거나 영전의 세습을 인정했다고 볼 수 있으므로 평등원칙에 반한다.
> ㅁ. 특수계급제도는 인정되지 아니하며, 어떠한 형태로도 이를 창설할 수 없으므로 법률로 창설할 수 없다.

① 1개　　② 2개
③ 3개　　④ 4개

13 **차별금지사유에 대한 설명으로 옳지 않은 것은?**

① 헌법 제11조 제1항은 성별·종교 또는 사회적 신분에 의한 차별을 금지를 예시하고 있는데, 예시한 사유가 있는 경우에 절대적으로 차별을 금지할 것을 요구함으로써 입법자에게 인정되는 입법형성권을 제한하는 것은 아니다.

② '성별'을 기준으로 병역의무를 달리 부과하도록 한 구 「병역법」 조항은 헌법 제11조 제1항 후문이 예시하는 사유에 기한 차별임은 분명하지만, 이러한 예시사유가 있는 경우 절대적 차별금지를 요구함으로써 입법자에게 인정되는 입법형성권을 제한하는 것은 아니며, 성별에 의한 차별취급이 언제나 엄격한 심사를 요구하는 것도 아니다.

③ 전과자는 사회적 신분에 해당하지 않으므로 전과자에 대한 가중처벌은 헌법 제11조의 사회적 신분에 의한 차별금지원칙에 위배되지 않는다.

④ 의료기기 관련 리베이트를 다른 영역에 비해 엄격하게 처벌하는 「의료법」은 수범자가 의료인이라는 사회적 신분에 의한 차별로 볼 수 없다.

14 **평등원칙 위반에 대한 심사기준에 대한 설명으로 헌법재판소 판례와 일치하는 것은 모두 몇 개인가?**

> ㄱ. 국가기간뉴스통신사를 지정하여 우대조치를 취하는 것의 평등 위반인지 여부를 심사함에 있어서는 완화된 심사기준인 자의금지원칙을 적용함이 상당하다.
> ㄴ. 행정법규 위반자에 대한 행정제재에 대한 평등 위반인지 여부를 심사함에 있어서는 완화된 심사기준인 자의금지원칙을 적용함이 상당하다.
> ㄷ. '학교, 학원, 유치원, 보육원, 호텔, 교육·문화·예술·체육시설, 종교시설, 금융기관 또는 병원의 이용자를 위하여 운행하는 경우'에는 셔틀버스의 운행을 허용하면서도 백화점의 셔틀버스 운행은 금지하는 것에 대해서는 비례심사를 한다.
> ㄹ. 보건복지부장관이 최저생계비를 고시함에 있어 장애로 인한 추가지출비용을 반영한 별도의 최저생계비를 결정하지 않은 채 가구별 인원 수만을 기준으로 최저생계비를 결정한 고시는 엄격한 기준인 비례성원칙에 따른 심사를 함이 타당하다.
> ㅁ. 「국가보안법」 등을 위반한 수형자에 대한 가석방심사시 준법서약서를 요구하는 제도가 평등권을 침해하는지 여부는 엄격한 심사기준에 따라 판단한다.
> ㅂ. 지방자치단체장의 계속 재임을 3기로 제한한 것은 공무담임권에 중대한 제한을 초래하므로 엄격한 심사척도에 의해 심사되어야 하지만, 비례원칙에 어긋나지 않아 평등권을 침해하지 않는다.
> ㅅ. 특정한 조세 법률조항이 혼인이나 가족생활을 근거로 부부 등 가족이 있는 자를 혼인하지 아니한 자 등에 비하여 차별취급하는 것은 과세단위의 설정에 대한 입법자의 입법형성의 재량에 속하는 정책적 문제이므로, 헌법 제36조 제1항의 위반 여부는 자의금지원칙에 의하여 심사한다.

① 1개 ② 2개
③ 3개 ④ 4개

15 **평등권에 대한 설명으로 옳은 것은?**

① 노동직류와 직업상담직류를 선발할 때 직업상담사 자격증 소지자에게 점수를 가산하도록 한 「공무원임용시험령」의 공무담임권과 평등권 침해 여부는 별도로 심사해야 한다.

② 평등원칙 위반 여부는 헌법에서 특별히 평등을 요구하고 있는 경우나 차별적 취급으로 인하여 관련 기본권에 중대한 제한을 초래하는 경우 이외에는 엄격한 심사척도인 비례원칙에 의하여 심사하여야 한다.

③ 자의금지원칙을 평등원칙의 심사기준으로 하다 보면 지나치게 입법자의 재량을 넓게 확보해 주는 문제가 있어 차별적 취급으로 인하여 관련 기본권에 대한 중대한 제한을 초래하게 된다면 입법형성권은 축소되어 보다 엄격한 심사척도인 비례원칙을 적용한다.

④ 국가유공자, 상이군경, 전몰군경의 유가족에 대한 가산점제도의 평등원칙 위반 여부는 엄격한 비례원칙을 심사기준으로 한다.

16 혼인과 가족생활에 대하여 규정하고 있는 헌법 제36조 제1항에 대한 설명으로 옳은 것은 모두 조합한 것은? (다툼이 있는 경우 판례에 의함)

> ㄱ. 헌법 제36조에서 친양자 입양을 할지 여부를 결정할 수 있는 자유를 갖고, 양자의 양육에 보다 적합한 가정환경에서 양자를 양육할 것을 선택할 권리가 보호된다.
> ㄴ. 부모가 자녀의 이름을 지을 자유'는 혼인과 가족생활을 보장하는 헌법 제36조 제1항과 행복추구권을 보장하는 헌법 제10조에 의하여 보호받는다.
> ㄷ. 헌법재판소는 과외교습금지결정에서 부모의 자녀에 대한 교육권은 비록 헌법에 명문으로 규정되어 있지 않으나 교육을 받을 권리를 보장하는 헌법 제31조 제1항에서 도출되는 권리라고 한다.
> ㄹ. 거주자 1인과 그와 생계를 같이 하는 동거가족으로서 배우자가 사업소득이 발생하는 사업을 공동으로 경영하는 사업자인 경우에 그들의 사업소득을 지분 또는 손익분배의 비율이 큰 공동사업자의 소득금액으로 보고 종합소득세를 과세하는 것은 혼인이나 가족관계에 있다는 이유만으로 그러한 관계에 있지 아니한 공동사업자보다 더 많은 조세부담을 강요하는 것으로서 부당한 차별로부터 혼인과 가족생활을 특별히 더 보호하도록 하는 헌법상 국가의 의무와 상충되고 평등원칙에 위배된다.

① ㄱ, ㄴ ② ㄱ, ㄷ
③ ㄴ, ㄷ ④ ㄴ, ㄹ

17 혼인가족생활과 평등원칙 위반에 대한 심사기준에 대한 설명으로 헌법재판소 판례와 일치하지 않는 것을 모두 조합한 것은?

> ㄱ. 자기 또는 배우자의 직계존속을 고소하지 못하도록 규정한 「형사소송법」과 중혼의 취소청구권자로 직계존속과 4촌 이내의 방계혈족을 규정하면서도 직계비속을 제외하는 「민법」의 평등권 위반 여부는 엄격한 심사척도를 적용하여 비례성원칙에 따른 심사를 행하여야 할 것이다.
> ㄴ. 부계혈통주의를 채택한 구 「국적법」 조항의 평등권 위반 여부는 엄격한 심사척도를 적용하여 비례성원칙에 따른 심사를 행하여야 할 것이다.
> ㄷ. 종합부동산세의 과세방법을 '세대별 합산'으로 규정한 「종합부동산세법」 조항이 혼인이나 가족생활을 근거로 부부 등 가족이 있는 자를 혼인하지 아니한 자 등에 비하여 차별취급의 평등원칙 위반 여부는 자의심사를 기준으로 합리적 이유가 있는지를 심사하여야 한다.
> ㄹ. 처(妻) 사망시 부(夫)의 유족연금 수급자격을 부(夫)가 60세 이상이거나 장애등급 2급 이상에 해당하는 경우로 한정한 구 「국민연금법」 제63조 제1항 제1호 단서의 평등권 위반 여부는 엄격한 심사척도를 적용하여 비례성원칙에 따른 심사를 행하여야 할 것이다.

① ㄱ, ㄴ ② ㄱ, ㄷ
③ ㄴ, ㄷ ④ ㄴ, ㄹ

18 평등권에 대한 설명으로 옳은 것은? (다툼이 있는 경우 판례에 의함)

① 소년심판절차에서 검사에게 형사소송절차와 달리 상소권을 인정하지 않는 것은 소년심판절차의 특수성을 감안하면 합리적인 이유가 있어 피해자의 평등권을 침해한다고 볼 수 없다.

② 자격정지 이상의 형을 받은 전과가 있는 자에 대하여 선고유예를 할 수 없도록 규정한 「형법」 조항은 평등원칙에 위반된다.

③ 「형법」이 반의사불벌죄 이외의 죄를 범하고 피해자에게 자복한 사람에 대하여 반의사불벌죄를 범하고 피해자에게 자복한 사람과 달리 임의적 감면의 혜택을 부여하지 않은 것은 자의적인 차별이어서 평등의 원칙에 반한다.

④ 자기 또는 배우자의 직계존속을 고소하지 못하도록 규정한 「형사소송법」 제224조는 비속을 차별취급하여 평등권을 침해한다.

19 형벌에 대한 설명으로 옳은 것은?

① 「형법」에서 강제추행죄의 법정형을 강간죄보다 낮게 규정하고 있음에 반하여, 주거침입강제추행죄의 법정형을 주거침입강간죄와 동일하게 규정한 구 「성폭력범죄의 처벌 등에 관한 특례법」 제3조는 '평등한 것은 평등하게, 불평등한 것은 불평등하게'라는 실질적 평등원칙에 어긋나고, 형벌체계상 균형을 잃었다고 하지 않을 수 없다.

② 흉기·기타 위험한 물건을 휴대한 폭행을 가중 처벌하는 「폭력행위 등 처벌에 관한 법률」은 형법과 똑같은 내용의 구성요건을 규정하고 있으므로 형벌체계상의 균형을 상실하여 평등원칙에 위배된다.

③ 상습절도의 형을 기본범죄에 정한 형의 2분의 1까지 가중한다고 규정한 「형법」 조항은 책임과 형벌의 비례원칙에 위반된다.

④ 상습절도죄로 두 번 이상 실형을 선고받고 형 집행 후 3년 이내 다시 동일 범죄를 범한 경우 형의 단기의 2배까지 가중한다는 「특정범죄 가중처벌 등에 관한 법률」은 명확성원칙에 위반되지 않는다.

20 평등권에 대한 설명으로 옳지 않은 것은? (다툼이 있는 경우 판례에 의함)

① 친고죄에 있어서 고소 취소가 가능한 시기를 제1심 판결선고 전까지로 제한한 「형사소송법」 조항은 수사단계에서부터 제1심 판결선고 전까지의 기간이 부당하게 짧은 기간이라고 하기 어렵고 「형사소송법」상 제1심, 제2심이 근본적으로 동일하다고 볼 수 없으므로, 제1심 판결선고 전에 고소 취소를 받은 피고인과 그 이후에 고소 취소를 받은 피고인을 합리적인 이유 없이 차별하지 않는다.

② 고소인·고발인만을 항고권자로 규정한 「검찰청법」 조항은 「검찰청법」상 항고를 통하여 불복할 수 없게 된 기소유예 처분을 받은 피의자의 평등권을 침해하는 것이 아니다.

③ 어음 발행인과 달리 부도수표 발행인에 대해서만 형사처벌하는 규정을 두었다고 하더라도 수표는 어음과는 본래적 성질을 달리 하므로 수표 발행인과 어음 발행인을 달리 취급하는 것은 합리적 근거 있는 차별이다.

④ 집행유예는 집행유예기간 중 '고의로 범한 죄로' 금고 이상의 실형을 선고받아 그 판결이 확정된 때 실효되는 것으로 선고유예는 여전히 선고유예기간 중에 자격정지 이상의 판결이 확정되기만 하면 실효되도록 한 것은 평등원칙에 위반된다.

21 평등권에 대한 설명으로 옳지 않은 것은? (다툼이 있는 경우 판례에 의함)

① 형사소송절차와 달리 소년심판절차에서 검사에게 상소권이 인정되지 않는 것은 소년심판절차의 특수성을 감안하면 합리적 이유가 있어 피해자의 평등권을 침해했다고 할 수 없다.

② 「형법」이 반의사불벌죄 이외의 죄를 범하고 피해자에게 자복한 사람에 대하여 반의사불벌죄를 범하고 피해자에게 자복한 사람과 달리 임의적 감면의 혜택을 부여하지 않은 것은 자의적인 차별이어서 평등의 원칙에 반한다.

③ 실형을 선고받고 집행이 종료되거나 면제된 경우에는 자격에 관한 법령의 적용에 있어 형의 선고를 받지 아니한 것으로 본다고 하여 공무원 임용 등에 자격 제한을 두지 않으면서 소년범 중 형의 집행유예를 선고를 받고 유예기간 중인 자에 대해서는 특례규정을 두지 않아 공무원 임용을 제한받도록 한 「소년법」 제67조는 평등원칙에 위반된다.

④ 친고죄에 있어서 고소 취소가 가능한 시기를 제1심 판결선고 전까지로 제한한 「형사소송법」 제232조 제1항은 항소심단계에서 고소 취소된 사람을 자의적으로 차별하는 것이라고 할 수는 없다.

22 甲은 사기혐의로 기소되었으며, 법무부장관 乙은 甲이 형사재판에 계속 중임을 이유로 출입국관리법 제4조 제1항 제1호에 근거하여 甲에 대해서 6개월 동안 출국을 금지하였다. 이에 甲은 출입국관리법 제4조 제1항 제1호의 위헌 여부를 다투고자 한다. 이에 대한 설명으로 옳은 것은? (다툼이 있는 경우 판례에 의함)

> 「출입국관리법」 제4조(출국의 금지) ① 법무부장관은 다음 각 호의 어느 하나에 해당하는 국민에 대하여는 6개월 이내의 기간을 정하여 출국을 금지할 수 있다.
> 1. 형사재판에 계속 중인 사람

① 「출입국관리법」 제4조 제1항 제1호에 따른 乙의 출국금지결정은 형사재판에 계속 중인 甲의 출국의 자유를 제한하는 행정처분일 뿐이고, 영장주의가 적용되는 신체에 대하여 직접적으로 물리적 강제력을 수반하는 강제처분이라고 할 수는 없다.

② 공정한 재판을 받을 권리가 보장되기 위해서는 피고인이 자신에게 유리한 증거를 제한 없이 수집할 수 있어야 하므로, 공정한 재판을 받을 권리에는 외국에 나가 증거를 수집할 권리가 포함된다.

③ 「출입국관리법」 제4조 제1항 제1호는 무죄추정의 원칙에서 금지하는 유죄 인정의 효과로서의 불이익, 즉 유죄를 근거로 형사재판에 계속 중인 사람에게 사회적 비난 내지 응보적 의미의 제재를 가하는 것이므로 무죄추정의 원칙에 위배된다.

④ 「출입국관리법」 제4조 제1항 제1호는 외국에 주된 생활의 근거지가 있거나 업무상 해외출장이 잦은 불구속 피고인의 경우와 같이 출국의 필요성이 강하게 요청되는 사람의 기본권을 과도하게 제한할 소지가 있으므로 출국의 자유를 침해한다.

23 평등권에 대한 설명으로 옳지 않은 것은? (다툼이 있는 경우 판례에 의함)

① 미성년 자녀를 제외한 유족이 보상금을 받다가 1998. 1.1. 이후 보상금수급권이 소멸한 경우의 유자녀에게 1997.12.31. 이전에 보상금수급권이 소멸한 경우의 유자녀에 비하여 6·25 전몰군경자녀수당을 적게 지급하도록 규정한 구 「국가유공자 등 예우 및 지원에 관한 법률 시행령」은 평등권을 침해한다.

② 교사 근무성적의 평정자·확인자 권한을 교장·원장·교감·원감에게는 부여하면서 수석교사에게는 부여하지 않은 부분이 수석교사인 청구인들의 평등권을 침해한다고 할 수 없다.

③ 수석교사는 교장·교감, 장학관·교육연구관과 달리 성과상여금 등을 지급받지 못하거나 일반교사와 동일하게 지급받도록 한 「공무원수당 등에 관한 규정」은 수석교사인 청구인들의 평등권을 침해한다고 할 수 없다.

④ 교육경력만으로 장학관·교육연구관을 특별채용하는 경우 그 교육경력에 1년 이상의 교장, 원장, 교감 또는 원감 재직 경력이 포함되어야 한다고 규정한 「교육공무원임용령」이 수석교사인 청구인들의 평등권을 침해한다고 할 수 없다.

24 평등권에 대한 설명으로 옳은 것은 모두 몇 개인가? (다툼이 있는 경우 판례에 의함)

ㄱ. 협의수용을 '양도'로 보고 양도소득세를 부과하는 것은 환지처분을 '양도'로 보지 않고 양도소득세를 부과하지 않는 것에 비해 불합리하게 차별하는 것이다.

ㄴ. 상속의 경우에는 예외적으로 비상장주식의 물납을 허용하는 것과 달리 증여의 경우는 비상장주식의 물납을 전면적으로 금지하는 구 「상속세 및 증여세법」 제73조 제1항 부분은 합리적 이유 없이 비상장주식을 상속받은 자와 증여받은 자를 차별하는 것이어서 평등원칙에 위배된다.

ㄷ. 일정 규모 이상의 사업주에게 직장보육시설 설치의무를 부과하는 것은 여러 가지 요인을 종합적으로 고려함이 없이 해당 사업주에게만 그 의무를 부담시키는 것으로서 자의적인 차별이다.

ㄹ. 법무부장관이 제1회 및 제2회 변호사시험의 시험장을 서울 소재 4개 대학교로 선정하여 하나의 지역에서 집중실시한 행위는 지방 소재 법학전문대학원 응시자의 평등권을 침해하는 조치이다.

ㅁ. 7급 교정직공무원으로의 승진시험 응시횟수를 3회로 제한하고 있는 교정직공무원 승진임용규정은 평등권을 침해하지 아니한다.

① 1개 ② 2개
③ 3개 ④ 4개

25 평등권에 대한 설명으로 옳은 것을 모두 조합한 것은? (다툼이 있는 경우 판례에 의함)

> ㄱ. 경사 이상의 경찰공무원에게 재산등록의무를 부과하는 「공직자윤리법 시행령」 제3조 제4항 제6호는 평등권을 침해한다고 볼 수 없다.
> ㄴ. 「공무원보수규정」 경찰공무원·소방공무원 및 전투경찰순경의 봉급표 중 '경장'에 관한 부분이 같은 계급인 중사보다 적은 것은 평등원칙에 위배된다고 볼 수 없다.
> ㄷ. '공상군경'을 '군인이나 경찰·소방공무원으로서 국가의 수호·안전보장 또는 국민의 생명·재산 보호와 직접적인 관련이 있는 교육훈련 또는 직무수행 중 상이를 입은 자'로 한정하고 있는 「국가유공자 등 예우 및 지원에 관한 법률」 제4조 제1항 제6호는 평등원칙에 위반된다.
> ㄹ. 일반 응시자와 달리 공무원의 근무연수 및 계급에 따라 행정사 자격시험의 제1차 시험을 면제하거나 제1차 시험의 전 과목과 제2차 시험의 일부 과목을 면제하는 것은 평등권을 침해한다.

① ㄱ, ㄴ　② ㄱ, ㄴ, ㄷ
③ ㄴ, ㄷ, ㄹ　④ ㄱ, ㄷ, ㄹ

26 구금에 대한 설명으로 옳지 않은 것은?

① 「형사소송법」의 피고인 구속기간은 '법원이 형사재판을 할 수 있는 기간' 내지 '법원이 구속사건을 심리할 수 있는 기간'을 의미한다.

② 「군사법원법」상 군사법경찰관의 피의자 구속기간을 10일 추가로 연장할 수 있도록 한 「군사법원법」 조항은 과잉금지원칙에 위반된다.

③ 「국가보안법」 제7조(찬양·고무 등) 및 제10조(불고지)의 죄에 대해 검사와 사법경찰관이 구속기간을 10일 더 연장할 수 있도록 한 「국가보안법」 제19조는 과잉금지의 원칙을 현저하게 위배하여 피의자의 신체의 자유, 무죄추정의 원칙 및 신속한 재판을 받을 권리를 침해하는 것이다.

④ 「형사소송법」 피의자 구속기간에 「국가보안법」 회합통신죄에 대해 검사와 사법경찰관이 구속기간을 10일 더 연장할 수 있도록 한 「국가보안법」 제19조는 평등의 원칙, 신체의 자유, 무죄추정의 원칙 및 신속한 재판을 받을 권리 등을 침해하는 것은 아니다.

27 다음 헌법조항에 대한 설명으로 옳지 않은 것은?

> 헌법 제13조 ① 모든 국민은 행위시의 법률에 의하여 범죄를 구성하지 아니하는 행위로 소추되지 아니하며, 동일한 범죄에 대하여 거듭 처벌받지 아니한다.
> ② 모든 국민은 소급입법에 의하여 참정권의 제한을 받거나 재산권을 박탈당하지 아니한다.

① 헌법 제13조 제1항은 절대적인 소급효금지를 규정한 것으로 헌법에 근거가 없는 한 어떠한 경우에도 그 예외를 둘 수 없다.

② 제3차 개정헌법은 1960년 3월 15일에 실시된 대통령, 부통령 선거에 관련하여 불정행위를 한 자와 그 불정행위에 항의하는 국민에 대하여 살상 기타의 불정행위를 한 자를 처벌할 수 있도록 규정하여 헌법 제13조 제1항에 대한 예외를 둔 바 있다.

③ 헌법 제13조 제2항은 진정소급입법만을 금지하고 있는데, 진정소급입법은 예외적으로 허용될 수 있다.

④ 1979.12.12.과 1980.5.18. 전후하여 발생한 헌정질서 파괴범죄행위에 대하여 공소시효를 소급적으로 정지하는 것은 헌법 제13조 제1항의 적용을 받지 않고, 헌법 제13조 제2항은 적용되나 진정소급입법일지라도 예외적으로 허용되는 경우에 해당한다.

28 형벌불소급에 대한 설명으로 옳지 않은 것은?

① 전자장치 부착명령은 형벌과 구별되고, 형벌과는 목적이나 심사대상 등을 달리하는 보안처분에 해당한다.

② 보안처분은 형벌과는 달리 행위자의 장래 재범위험성에 근거하는 것으로서, 행위시의 재범위험성 여부에 대한 판단에 따라 보안처분 선고를 결정하므로 원칙적으로 재판 당시 현행법을 소급적용할 수 없다.

③ 상습범 등에 대한 보안처분의 하나로서 신체에 대한 자유의 박탈을 그 내용으로 하는 보호감호처분은 형벌과 같은 차원에서의 적법한 절차와 헌법 제13조 제1항에 정한 죄형법정주의의 원칙에 따라 비로소 과해질 수 있는 것이라 할 수 있고, 따라서 그 요건이 되는 범죄에 관한 한 소급입법에 의한 보호감호처분은 허용될 수 없다.

④ 행위시법이 아닌 재판시법 규정에 의하여 보호관찰을 명하는 것은 형벌불소급원칙에 위배되지 않는다.

29 죄형법정주의의 명확성원칙에 대한 설명으로 옳은 것은 모두 몇 개인가?

ㄱ. 명확성의 원칙은 헌법상 법치국가원리의 표현이므로 부담적 성격을 가진 법률규정이나 수익적 성격을 가진 규정 등 모든 법률규정에 있어서 명확성의 원칙은 동일한 정도가 요구된다.
ㄴ. 명확성의 원칙은 기본적으로 모든 기본권 제한입법에 대하여 요구되는 것은 아니다.
ㄷ. 기본권을 제한하는 법률에 대해 명확하고 구체적일 것을 요구하는 원칙은 기본적으로 최대한의 명확성을 요구한다.
ㄹ. 위임의 구체성·명확성의 요구 정도는 급부행정영역이 침해행정영역에서보다 훨씬 더 높다.
ㅁ. 예시적 입법형식이 명확성원칙에 위반되지 않으려면 예시한 구체적인 사례(개개 구성요건)들이 그 자체로 일반조항의 해석을 위한 판단지침을 내포하는 것으로 충분하고, 일반조항 자체가 그러한 구체적인 예시들을 포괄할 수 있는 의미까지 담고 있어야 하는 것은 아니다.
ㅂ. 형벌법규의 명확성원칙은 범죄구성요건에 관한 문제이므로 형벌의 종류나 형량에 대해서까지 명확성원칙이 적용되는 것은 아니다.

① 없음. ② 1개
③ 2개 ④ 3개

30 죄형법정주의의 명확성원칙에 대한 설명으로 옳지 않은 것은?

① 정당한 이유 없이 이 법에 규정된 범죄에 공용(供用)될 우려가 있는 흉기나 그 밖의 위험한 물건을 휴대한 사람을 처벌하도록 규정한 「폭력행위 등 처벌에 관한 법률」 조항에서 '공용(供用)될 우려가 있는'은 흉기나 그 밖의 위험한 물건이 '사용될 위험성이 있는'의 뜻으로 해석할 수 있으므로 죄형법정주의의 명확성원칙에 위배되지 않는다.

② 「경범죄 처벌법」 제3조 제1항 제33호(과다노출) '여러 사람의 눈에 뜨이는 곳에서 공공연하게 알몸을 지나치게 내놓거나 가려야 할 곳을 내놓아 다른 사람에게 부끄러운 느낌이나 불쾌감을 준 사람'의 부분은 죄형법정주의의 명확성원칙에 위배된다.

③ 강도상해죄 또는 강도치상죄를 무기 또는 7년 이상의 징역에 처하도록 규정한 「형법」 제337조는 강도치상죄가 강간치상죄, 인질치상죄, 현주건조물등방화치상죄 등에 비하여 법정형의 하한이 높게 규정되어 있다 하더라도, 기본범죄, 보호법익, 죄질 등이 다른 이들 범죄를 강도치상죄와 단순히 평면적으로 비교하여 법정형의 과중 여부를 판단할 수 없으므로, 심판대상조항이 형벌체계상 균형을 상실하여 평등원칙에 위반된다고 할 수 없다.

④ 행정관청이 단체협약 중 위법한 내용에 대하여 노동위원회의 의결을 얻어 그 시정을 명한 경우에 그 명령을 위반한 행위를 처벌하는 「노동조합 및 노동관계조정법」 조항은 형벌법규의 명확성원칙에 반한다.

31 죄형법정주의의 명확성원칙에 대한 설명으로 옳지 않은 것은 모두 몇 개인가?

ㄱ. 모의총포의 기준을 구체적으로 정한 「총포·도검·화약류 등의 안전관리에 관한 법률 시행령」 조항에서 '범죄에 악용될 소지가 현저한 것'은 진정한 총포로 오인·혼동되어 위협 수단으로 사용될 정도로 총포와 모양이 유사한 것을 의미하므로 죄형법정주의의 명확성원칙에 위반되지 않는다.
ㄴ. 어린이집이 시·도지사가 정한 수납한도액을 초과하여 보호자로부터 필요경비를 수납한 경우, 해당 시·도지사는 「영유아보육법」에 근거하여 시정 또는 변경 명령을 발할 수 있는데, 이 시정 또는 변경명령조항의 내용으로 환불명령을 명시적으로 규정하지 않았다고 하여 명확성원칙에 위배된다고 볼 수 없다
ㄷ. 구 「법관징계법」 제2조 제2호는 '품위손상', '위신실추'와 같은 추상적인 용어를 사용하여 수범자인 법관이 구체적으로 어떠한 행위가 이에 해당하는지를 충분히 예측할 수 없을 정도로 그 적용범위가 모호하거나 불분명하다고 할 수 있다.
ㄹ. 행정심판위원회에서 위원이 발언한 내용, 기타 공개할 경우 위원회의 심리·의결의 공정성을 해할 우려가 있는 사항으로서 대통령령이 정하는 사항은 이를 공개하지 아니한다고 규정하고 있는 「행정심판법」 제26조의2는 명확성의 원칙에 위배되지 않는다.
ㅁ. 「증권거래법」이 금지하는 시세조종행위 등을 처벌하는 조항에서 '위반행위로 얻은 이익'은 위반행위가 개입된 거래에서 얻은 총수입에서 총비용을 공제한 액수(시세차익)로 파악하는 데 어려움이 없으므로 명확성원칙에 위배되지 않는다.
ㅂ. 의사 아닌 자가 영리목적의 업으로 문신시술하는 것을 의료행위로 보아 금지하는 것은 명확성의 원칙에 위배된다고 할 수 없다.

① 1개 ② 2개
③ 3개 ④ 4개

32 죄형법정주의의 명확성원칙에 대한 설명으로 옳지 않은 것은 모두 몇 개인가?

ㄱ. 교정시설의 장이 마약류사범에 대하여는 시설의 안전과 질서유지를 위하여 필요한 범위에서 다른 수용자와의 접촉을 차단하거나 계호를 엄중히 하는 등 법무부령으로 정하는 바에 따라 다른 수용자와 달리 관리할 수 있도록 한 규정은 마약류의 중독성 및 높은 재범률 등 마약류사범의 특성에 대한 전문적 이해를 필요로 하고, 규율되는 범위나 방법이 어느 정도인지를 누구라도 쉽게 예측할 수 있어 포괄위임금지원칙에 위배되지 않는다.
ㄴ. 「학원의 설립·운영 및 과외교습에 관한 법률」에 따른 등록을 하지 아니하고 학원을 설립·운영한 자를 처벌하도록 한 「학원의 설립·운영 및 과외교습에 관한 법률」 조항은 명확성원칙에 위배된다.
ㄷ. 구 「개발제한구역의 지정 및 관리에 관한 특별조치법」 조항 중 허가를 받지 아니한 '토지의 형질변경' 부분은 개발제한구역 지정 당시의 토지의 형상을 사실상 변형시키고 또 그 원상회복을 어렵게 하는 행위를 의미하는 것이므로, 명확성원칙에 위배되지 않는다.
ㄹ. 「방송통신위원회법」 제21조 제4호 중 '건전한 통신윤리'라는 개념은 다소 추상적인 것이기는 하나, 전기통신회선을 이용하여 정보를 전달함에 있어 우리 사회가 요구하는 최소한의 질서 또는 도덕률을 의미한다.
ㅁ. 공중도덕상 유해한 업무에 취업시킬 목적으로 근로자를 파견한 사람을 형사처벌하도록 한 구 「파견근로자보호 등에 관한 법률」 조항 중 공중도덕 부분은 명확성원칙에 위배되지 않는다.
ㅂ. 「도로교통법」의 운전면허 취소사유로 규정된 '운전면허를 받은 사람이 자동차 등을 이용하여 범죄행위를 한 때'는 명확성원칙에 위반된다고 할 것이다.
ㅅ. 제한상영가 등급의 영화를 '상영 및 광고·선전에 일정한 제한이 필요한 영화'라고 정의한 구 「영화진흥법」은 명확성의 원칙에 위배된다.

① 1개 ② 2개
③ 3개 ④ 4개

33 죄형법정주의의 명확성원칙에 대한 설명으로 옳은 것은?

① 사람을 공갈하여 재물의 교부를 받거나 재산상의 이익을 취득하여 그 이득액이 5억 원 이상인 경우 가중처벌하는 구 「특정경제범죄 가중처벌 등에 관한 법률」 제3조 제1항 중 '「형법」 제350조 제1항'에 관한 부분 및 「특정경제범죄 가중처벌 등에 관한 법률」 제3조 제1항 중 '「형법」 제350조 제1항'에 관한 부분은 죄형법정주의의 명확성원칙에 위배된다.

② 공공의 질서 및 선량한 풍속을 문란하게 할 염려가 있는 상표는 등록을 받을 수 없다고 규정한 것은 명확성의 원칙에 위배된다.

③ 광고가 금지되는 내용으로서 '대부조건 등'은 대부업자가 자신의 용역에 관한 대부계약을 소비자와 맺기에 앞서 내놓는 중요한 요구와 거래의 상대방 보호를 위해 대부업자에게 요구되는 중요한 사항으로서, 대부업자의 모든 광고가 아니라 대부계약에 대한 청약의 유인으로서의 광고를 금지하는 것이므로, 명확성원칙에 위배되지 않는다.

④ 정당한 명령 또는 규칙을 준수할 의무가 있는 자가 이를 위반하거나 준수하지 아니한 때에 형사처벌을 하도록 규정한 구 「군형법」 제47조는 그 내용이 모호하고 추상적이어서 수범자인 군인·군무원이 무엇이 금지된 행위인지 알 수 없게 하므로 명확성원칙에 위배된다.

34 무죄추정에 대한 설명으로 옳지 않은 것은? (다툼이 있는 경우 판례에 의함)

① 사업자단체의 「독점규제 및 공정거래에 관한 법률」 위반행위가 있을 때 공정거래위원회가 당해 사업자단체에 대하여 법 위반사실의 공표를 명할 수 있도록 한 것은 무죄추정의 원칙에 반한다.

② 유죄에 관한 입증이 없으면 '의심스러울 때에는 피고인의 이익'의 원칙에 따라 무죄가 선고되어야 하므로, 유죄의 입증책임은 국가, 즉 검사에게 있다는 의미에서 무죄추정의 원칙은 수사절차에서만 적용된다는 것이 판례의 입장이다.

③ 헌법 제27조 제4항에서 말하는 유죄의 판결에는 실형의 판결, 형의 면제, 선고유예와 집행유예 등이 모두 포함된다.

④ 범죄에 대한 확증이 없는 경우, 법관은 '의심스러울 때는 피고인의 이익을 위하여(in dubio pro reo)' 원칙을 적용하여야 하는 것도 이 원칙에 영향 받은 것이다.

35 형벌에 대한 설명으로 옳지 않은 것은?

① 은닉, 보유·보관된 문화재에 대하여 필요적 몰수를 규정한 「문화재보호법」 규정은 책임과 형벌 간 비례원칙에 위배된다.

② 대중교통수단, 공연·집회 장소, 그 밖에 공중이 밀집하는 장소에서 사람을 추행한 사람을 처벌하는 구 「성폭력범죄의 처벌 등에 관한 특례법」 제11조 중 '추행' 부분이 죄형법정주의의 명확성원칙에 위반된다.

③ 500만 원 이상 5천만 원 이하 가액의 「마약류 관리에 관한 법률」 제2조 제3호 나목의 향정신성의약품을 소지한 경우 무기 또는 3년 이상의 징역에 처하도록 규정한 「특정범죄 가중처벌 등에 관한 법률」이 책임과 형벌 사이의 비례원칙에 위배된다고 볼 수 없다.

④ 아동학대신고의무자인 초·중등학교 교원이 보호하는 아동에 대하여 아동학대범죄를 범한 때에는 그 죄에 정한 형의 2분의 1까지 가중하도록 한 「아동학대범죄의 처벌 등에 관한 특례법」 제7조 가운데 제10조 제2항 제20호 중 「초·중등교육법」 제19조에 따른 교원에 관한 부분이 책임과 형벌 간의 비례원칙에 위배된다고 볼 수 없다.

36 헌법상 이중처벌금지의 원칙에 대한 설명으로 옳지 않은 것은 모두 몇 개인가? (다툼이 있는 경우 헌법재판소 결정에 의함)

ㄱ. 구 「조세범 처벌법」 제4조 제3항에 따른 외국항행선박 또는 원양어업선박 외의 용도로 반출한 석유류를 판매한 자에게 판매가액의 3배 이하의 과태료를 부과하도록 정한 구 「조세범 처벌법」 제4조 제4항 중 '판매'에 관한 부분이 이중처벌금지원칙에 위배된다.
ㄴ. 주취 중 운전금지규정을 2회 이상 위반한 사람이 다시 이를 위반한 때에 부과하는 운전면허의 필요적 취소처분은 이중처벌금지원칙에서의 '처벌'로 보기 어렵다.
ㄷ. 이중위험금지의 원칙은 일사부재리의 원칙보다 적용범위가 좁다.
ㄹ. 일사부재리의 원칙에 따르면 무죄판결이 선고된 사건에 대해서 검사는 다시 기소할 수 없다.
ㅁ. 이중위험금지의 원칙은 1791년 개정 미연방헌법에 규정되었다.
ㅂ. 이중위험금지의 원칙은 절차법상 원칙인데 반해, 일사부재리의 원칙은 실체법상의 원칙이다.
ㅅ. 집행유예의 취소시 부활되는 본형은 집행유예의 선고와 함께 선고되었던 것으로 판결이 확정된 동일한 사건에 대하여 다시 심판한 결과 부과되는 것이므로 일사부재리의 원칙이 적용된다.
ㅇ. 동일인을 구 「석유 및 석유대체연료 사업법」 규정에 따라 유사석유제품 제조행위로 처벌하고, 구 「조세범 처벌법」 규정에 근거하여 유사석유제품을 제조하여 조세를 포탈한 행위로도 처벌하는 것은 기본적 사실관계로서의 행위가 동일하여 이중처벌금지원칙에 위배된다.

① 1개 ② 2개
③ 3개 ④ 4개

37 연좌제에 대한 설명으로 옳지 않은 것은? (다툼이 있는 경우 판례에 의함)

① 후보자의 배우자가 「공직선거법」 소정의 범죄를 범함으로 인하여 징역형 또는 300만 원 이상의 벌금형의 선고를 받은 때에는 그 후보자의 당선을 무효로 하는 것은 헌법 제13조 제3항에서 금지하고 있는 연좌제에 해당한다.

② 선거사무장의 선거범죄로 인한 당선무효를 규정하고 있는 「공직선거법」 제265조는 헌법상의 연좌제금지에 반하지 않는다.

③ 후보자는 최소한 회계책임자 등에 대하여 선거범죄를 범하지 않도록 지휘·감독할 책임을 지므로, 회계책임자가 선거범죄로 인하여 300만 원 이상의 벌금형을 선고받은 경우 후보자의 당선을 무효로 하고 있는 「공직선거법」 조항은 헌법상 자기책임의 원칙에 위반되지 아니한다.

④ 승객이 사망하거나 부상한 경우 운행자에게 무과실책임을 지우는 것은 헌법 제13조 제3항의 연좌제금지의 원칙에 위반된다고 할 수 없다.

38 적법절차원칙에 대한 설명으로 옳은 것은 모두 몇 개인가? (다툼이 있는 경우 판례에 의함)

ㄱ. 연락운송 운임수입의 배분에 관한 협의가 성립하지 아니한 때에는 당사자의 신청을 받아 국토교통부장관이 결정하도록 한 「도시철도법」 제34조는 적법절차원칙에 위배되지 아니한다.
ㄴ. 적법절차원칙은 형사절차상의 제한된 범위 내에서만 적용되는 것이 아니라 국가작용으로서 기본권 제한과 관련되든 아니든 모든 입법작용 및 행정작용에도 광범위하게 적용된다고 해석된다.
ㄷ. 대통령이 임명할 특별검사 1인에 대하여 그 후보자 2인의 추천권을 교섭단체를 구성하고 있는 두 야당의 합의로 행사하게 한 「박근혜 정부의 최순실 등 민간인에 의한 국정농단 의혹사건 규명을 위한 특별검사의 임명 등에 관한 법률」의 적법절차원칙 위반 여부와는 별도로 평등원칙 위반 여부나 공정한 재판을 받을 권리 침해 여부에 대하여는 별도로 판단할 필요가 있다.
ㄹ. 대통령이 임명할 특별검사 1인에 대하여 그 후보자 2인의 추천권을 교섭단체를 구성하고 있는 두 야당의 합의로 행사하게 한 「박근혜 정부의 최순실 등 민간인에 의한 국정농단 의혹사건 규명을 위한 특별검사의 임명 등에 관한 법률」은 합리성과 정당성을 잃은 입법이라고 볼 수 없다.
ㅁ. 강제퇴거명령을 받은 사람을 즉시 대한민국 밖으로 송환할 수 없으면 송환할 수 있을 때까지 보호시설에 보호할 수 있도록 규정한 「출입국관리법」은 보호명령을 받는 자가 자신에게 유리한 진술을 하거나 의견을 제출할 수 있는 기회가 전혀 없으므로 적법절차원칙에 위반된다.
ㅂ. 관계 행정청이 등급분류를 받지 아니하거나 등급분류를 받은 게임물과 다른 내용의 게임물을 발견한 경우 관계 공무원으로 하여금 이를 수거·폐기하게 할 수 있도록 하는 경우 적법절차의 원칙에 위반된다.

① 1개　　② 2개
③ 3개　　④ 4개

39 적법절차원칙에 대한 설명으로 옳지 않은 것은?

① 1787년 미국 연방헌법이 제정된 이래로 명문화되어 미국 헌법의 기본원리의 하나로 자리잡고 모든 국가작용을 지배하는 일반원리로 해석·적용되는 중요한 원칙으로서, 오늘날에는 독일 등 대륙법계의 국가에서도 이에 상응하여 일반적인 법치국가원리 또는 기본권 제한의 법률유보원리로 정립되게 되었다.

② 산업단지의 지정권자로 하여금 산업단지계획안에 대한 주민의견청취와 동시에 환경영향평가서 초안에 대한 주민의견청취를 진행하도록 한 구 「산업단지 인·허가 절차 간소화를 위한 특례법」 규정은 주민의 절차적 참여를 보장해 주고 있으므로, 적법절차원칙에 위배되지 않는다.

③ 보안처분에 적용되어야 할 적법절차의 원리의 적용범위 내지 한계는 각 보안처분의 구체적 자유박탈 내지 제한의 정도를 고려하여 차이가 있는바, 예컨대 처벌 또는 강제노역에 버금가는 심대한 기본권의 제한을 수반하는 보안처분에는 좁은 의미의 적법절차의 원칙이 엄격히 적용되어야 할 것이나, 보안관찰처분과 같이 단순히 피보안관찰자에게 신고의무를 부과하는 자유제한적인 조치에는 보다 완화된 적법절차의 원칙이 적용된다.

④ 범죄의 피의자로 입건된 자가 경찰공무원이나 검사의 신문을 받는 과정에서 자신의 신원을 밝히지 않고 지문채취에 불응하는 경우 벌금, 과료, 구류의 형사처벌에 처하도록 하는 적법절차원칙에 반한다고 할 수 없다.

40 영장주의에 대한 설명으로 옳지 않은 것은 모두 몇 개인가? (다툼이 있는 경우 판례에 의함)

> ㄱ. 법원이 직권으로 발부하는 영장과 수사기관의 청구에 의하여 발부하는 구속영장의 법적 성격은 같다.
> ㄴ. 법원이 피고인의 구속 또는 그 유지 여부의 필요성에 관하여 한 재판의 효력이 검사나 다른 기관의 이견이나 불복이 있다 하여 좌우되거나 제한받는다면 이는 영장주의에 위반된다고 할 것이다.
> ㄷ. 영장주의는 구속의 개시시점에 한하여 법관의 판단에 의하여 결정되어야 한다는 것을 의미하고, 구속영장의 효력을 계속 유지할 것인지 여부와는 관련이 없다.
> ㄹ. 수사단계가 아닌 공판단계에서 법관이 직권으로 영장을 발부하여 구속하는 경우에는 검사의 영장신청이 불필요하다.
> ㅁ. 행정상 즉시강제의 경우 급박한 필요가 있고 공익이 우선하는 경우에는 영장 없이도 불법물을 수거·폐기할 수 있다.

① 1개 ② 2개
③ 3개 ④ 4개

4회

중간 테스트

주거의 자유 ~ 재산권

정답 및 해설 p.457

제한시간 : 14분 | 시작시각 ___시 ___분 ~ 종료시각 ___시 ___분 나의 점수 _______

01 주거의 자유에 대한 설명으로 옳지 않은 것은?

① 헌법 제17조의 사생활의 비밀과 자유가 사적 공간인 주거를 공권력이나 제3자에 의해 침해당하지 않도록 함으로써 국민의 사생활영역을 보호하기 위한 권리인데 반해, 헌법 제16조가 보장하는 주거의 자유는 사생활의 내용을 보호하는 권리이다.

② 대학교 강의실은 주거이므로 누구나 자유롭게 출입할 수 있는 것은 아니다.

③ 여관에서 주거의 자유의 주체는 투숙객이므로 여관 주인만의 동의를 받아 여관방을 수색한 것은 주거의 자유를 침해한다.

④ 관리처분계획의 인가만 받으면 바로 부동산의 임차인을 상대로 인도청구를 할 수 있도록 하여 주택재개발사업에서의 주거세입자에 대해 일정 기간 동안 임차권의 대상인 건축물의 사용·수익을 제한하는 「도시 및 주거환경정비법」 제49조 제6항은 주거의 자유를 제한한다고 볼 수 없다.

02 사생활의 비밀과 자유에 대한 설명으로 옳은 것은?

① 외국인과 다르게 법인은 사생활의 비밀과 자유의 주체가 되지 않는다.

② 국가기관이 행정목적 달성을 위하여 언론에 보도자료를 제공하는 등의 방법으로 실명을 공개함으로써 타인의 명예를 훼손한 경우, 그 공표된 사람에 관하여 적시된 사실의 내용이 진실이라는 증명이 없는 경우에도 국가기관이 공표 당시 이를 진실이라고 믿었다면 위법성이 조각된다.

③ 고액·상습체납자 등의 명단 공개는 사생활의 비밀을 침해하므로 허용될 수 없다.

④ 감사 또는 조사는 계속 중인 재판 또는 수사 중인 사건의 소추에 관여할 목적으로 행사되어서는 아니 되나 개인의 사생활 침해목적으로는 행사될 수 있다.

03 사생활의 비밀과 자유에 대한 설명으로 옳지 않은 것은?

① 한국에 입국하기 위하여 중국대사관에 결혼동거목적 거주 사증발급을 신청함에 있어 대사가 신청인에게 중국인 배우자와의 교제과정, 결혼하게 된 경위, 소개인과의 관계, 교제경비내역 등을 당해 한국인이 직접 기재한 서류를 제출할 것을 요구하는 조치가 중국인 배우자와 결혼하려는 한국인인 청구인에게 수인한도를 넘는 과중한 부담을 부과하거나 기본권의 본질적인 부분을 침해하는 것이라고 평가할 수는 없다.

② 일반 국민의 알 권리와 무관하게 국가기관이 평소의 동향을 감시할 목적으로 개인의 정보를 비밀리에 수집한 경우에는 그 대상자가 공적 인물이라는 이유만으로 면책되지 않는다.

③ 자신을 알아볼 수 없도록 해 달라는 조건하에 사생활에 관한 방송을 승낙하였는데, 방영 당시 그림자 처리되기는 하였으나 그림자에 옆모습 윤곽이 그대로 나타나고 음성이 변조되지 않는 등 그 신분이 주변 사람들에게 노출되게 한 것은 사생활의 비밀을 침해한 것이다.

④ 금융감독원의 4급 이상 직원에 대하여 「공직자윤리법」상 재산등록의무를 부과하는 조항은 해당 업무에 대한 권한과 책임이 부여되지 아니한 3급 또는 4급 직원까지 재산등록의무자로 규정하여 재산등록의무자의 범위를 지나치게 확대하고, 등록대상 재산의 범위도 지나치게 광범위하며, 직원 본인뿐 아니라 배우자, 직계존비속의 재산까지 등록하도록 하는 등 이들의 사생활의 비밀과 자유를 침해한다.

04 개인정보자기결정권과 사생활의 비밀과 자유에 대한 설명으로 옳은 것은?

① 「영유아보육법」에서 보호자가 자녀 또는 보호아동의 안전을 확인할 목적으로 CCTV 영상정보 열람을 할 수 있도록 규정한 것은 어린이집 보육교사의 개인정보자기결정권을 침해하지 않는다.

② 19세 미만자에 대하여 성폭력범죄를 저지른 때 전자장치 부착기간의 하한을 2배 가중하는 「특정 범죄자에 대한 보호관찰 및 전자장치 부착 등에 관한 법률」 조항은 피부착자의 사생활의 비밀과 자유를 침해한다.

③ 학교폭력 가해학생에 대한 조치사항을 학교생활기록부에 기재하고 졸업할 때까지 보존하는 것은 과잉금지원칙에 위배되어 가해학생의 개인정보자기결정권을 침해한다.

④ 수형인등이 재범하지 않고 상당 기간을 경과하는 경우에는 재범의 위험성이 그만큼 줄어든다고 할 것임에도 일률적으로 이들 대상자가 사망할 때까지 디엔에이신원확인정보를 보관하는 것은 과잉금지원칙에 위반하여 수형인 등의 개인정보자기결정권을 침해한다.

05 개인정보자기결정권과 사생활의 비밀과 자유에 대한 설명으로 옳은 것은?

① 게임물 관련사업자에게 게임물 이용자의 회원가입시 본인인증을 할 수 있는 절차를 마련하도록 하고 있는 「게임산업진흥에 관한 법률」 및 동 법률 시행령조항이 과잉금지원칙을 위반하여 게임물 이용자들의 일반적 행동의 자유와 개인정보자기결정권을 침해하지 않는다.

② 현행 「주민등록법」은 주민등록번호로 인하여 생명·신체 또는 재산에 위해를 입거나 입을 우려가 있다고 인정되는 사람 등의 일정한 경우에 주민등록번호의 변경을 신청은 허용되지 않는다.

③ 甲 등이 인터넷 포털사이트 등의 개인정보 유출사고로 자신들의 주민등록번호 등 개인정보가 불법유출되자 이를 이유로 관할 구청장에게 주민등록번호를 변경해 줄 것을 신청하였으나 구청장이 '주민등록번호가 불법유출된 경우 「주민등록법」상 변경이 허용되지 않는다'는 이유로 주민등록번호 변경을 거부하는 행위는 항고소송의 대상이 되는 행정처분에 해당하지 않는다.

④ 공공기관의 장은 정보주체의 동의가 있는 경우 외에는 사상·신조 등 개인의 기본적 인권을 현저하게 침해할 우려가 있는 개인정보를 수집하여서는 아니 된다.

06 민감정보에 대한 설명으로 옳지 않은 것은 모두 몇 개인가?

> ㄱ. 성명, 생년월일, 졸업일자 정보는 민감한 정보이므로 이를 수집하기 위한 법률은 명확성이 엄격히 요구된다.
> ㄴ. 소송서류, 접수일자, 소송의 종류 등은 민감정보에 해당한다고 볼 수 없고, 교도관이 이를 등재한 행위는 개인정보자기결정권을 침해하는 것으로 볼 수 없다.
> ㄷ. 교도소 내 징벌정보는 개인의 인격이나 내밀한 사적 영역과 연관된 정보에 해당하지 않아 그 자체로 엄격한 보호의 대상이 되는 정보라고 할 수 없어 교도소장이 미결수용자에게 징벌을 부과한 후 그 징벌대상 행위 등에 관한 양형자료를 법원에 통보한 행위는 개인정보자기결정권을 침해하는 것으로 볼 수 없다.
> ㄹ. 디엔에이신원확인정보는 개인의 존엄과 인격권에 심대한 영향을 미칠 수 있는 민감한 정보로 보기 어렵다.
> ㅁ. 요양기관명을 포함한 총 38회의 요양급여내역은 「개인정보 보호법」 제23조 제1항이 규정한 민감정보에 해당한다.
> ㅂ. 「개인정보 보호법」상 사상·신념, 노동조합·정당의 가입·탈퇴, 정치적 견해 등에 관한 정보는 민감정보에 해당하나, 건강이나 성생활 등에 관한 정보는 민감정보에 해당하지 않는다.

① 1개 ② 2개
③ 3개 ④ 4개

07 개인정보자기결정권과 사생활의 비밀과 자유에 대한 설명으로 옳지 않은 것은?

① 직계혈족이 가족관계증명서 및 기본증명서의 교부를 청구할 수 있도록 한 「가족관계의 등록 등에 관한 법률」은 청구인의 개인정보자기결정권을 침해한다.

② 어린이집에 폐쇄회로 텔레비전(CCTV)을 원칙적으로 설치하도록 정한 것이 어린이집 보육교사의 사생활의 비밀과 자유 등을 침해한다고 할 수 없다.

③ 영상정보처리기기는 목욕실, 화장실, 발한실, 탈의실, 교도소, 정신보건시설 등 개인의 사생활을 현저히 침해할 우려가 있는 장소의 내부를 볼 수 있도록 영상정보처리기기를 설치·운영하여서는 아니 된다.

④ 영상정보처리기기 운영자는 영상정보처리기기를 임의로 조작하거나 다른 곳을 비춰거나 녹음기능은 사용할 수 없다.

08 거주·이전의 자유에 대한 설명으로 옳은 것은?

① 거주·이전의 자유는 국민에게 그가 선택할 직업을 그가 선택하는 임의의 장소에서 자유롭게 행사할 수 있는 권리까지 보장하는 것이므로, 법인의 대도시 내 부동산 취득에 대하여 통상보다 높은 세율인 5배의 등록세를 부과함으로써 법인의 대도시 내 활동을 간접적으로 억제하는 것은 거주·이전의 자유를 침해하는 것이다.

② 거주지를 중심으로 중·고등학교의 입학을 제한하는 입학제도는 특정학교에 자녀를 입학시키려고 하는 부모에게 해당 학교가 소재하고 있는 지역으로의 이주를 사실상 강제하는 것으로 거주·이전의 자유를 침해하고 있는 것이다.

③ 체류자격 변경허가는 신청인에게 당초의 체류자격과 다른 체류자격에 해당하는 활동을 할 수 있는 권한을 부여하는 일종의 설권적 처분의 성격을 가지므로, 허가권자는 신청인이 관계 법령에서 정한 요건을 충족하였다고 하더라도, 허가 여부에 관하여 재량권을 가진다.

④ 해직공무원의 보상금산출기간 산정에 있어 이민을 제한사유로 한 「1980년 해직공무원의 보상 등에 관한 특별조치법」 제2조 제5항은 헌법상 거주·이전의 자유 속에 국외거주의 자유가 포함되므로 거주이전의 자유나 국외이주를 제한하는 규정이다.

09 거주·이전의 자유에 대한 설명으로 옳지 않은 것은?

① 기간의 제한 없이 귀화허가를 취소할 수 있도록 규정한「국적법」제21조는 과잉금지원칙에 위반하여 청구인의 거주·이전의 자유를 침해하지 아니한다.

② 여행금지국가로 고시된 사정을 알면서도 외교부장관으로부터 예외적 여권 사용 등의 허가를 받지 않고 여행금지국가를 방문하는 등의 행위를 형사처벌하는 여권법은 국제 인도주의 비정부기구 소속으로 국외 위험지역에서 근무하는 직업을 가진 사람의 직업의 자유를 우선적으로 제한한다.

③ 여행금지국가로 고시된 사정을 알면서도 외교부장관으로부터 예외적 여권 사용 등의 허가를 받지 않고 여행금지국가를 방문하는 등의 행위를 형사처벌하는 여권법은 과잉금지원칙에 반하여 청구인의 거주·이전의 자유를 침해하지 않는다.

④ 주택에 대한 양도소득세 비과세를 적용함에 있어 임대주택을 당해 거주자의 소유주택으로 보지 아니한다고 규정하여 양도소득세 비과세 요건을 규정한「조세특례제한법」조항은 거주·이전의 자유를 제한한다고 할 수 없다.

10 거주·이전의 자유에 대한 설명으로 옳지 않은 것은?

① 주택 등에 대한 종합부동산세의 부과로 거주·이전의 자유가 법적으로 제한을 받는다.

② 설치신고대상이 되는 양로시설에 대하여 그 운영주체가 누구인지를 가리지 않고 신고의무를 부과하고 있는「노인복지법」제33조 제2항은 거주·이전의 자유를 제한한다고 할 수 없다.

③ 거주·이전의 자유가 국민에게 그가 선택할 직업 내지 그가 취임할 공직을 그가 선택하는 임의의 장소에서 자유롭게 행사할 수 있는 권리까지 포함하는 것은 아니다.

④ 법인이 본점이나 사무소를 어디에 둘 것인지, 어디로 이전할 것인지는 거주·이전의 자유와 직업의 자유에서 보호된다.

11 통신의 자유에 대한 설명으로 옳은 것은?

① 자유로운 의사소통은 통신 내용의 비밀에서 보장되나 구체적인 통신관계의 발생으로 야기된 모든 사실관계, 특히 통신관여자의 인적 동일성·통신장소·통신횟수·통신시간 등 통신의 외형을 구성하는 통신이용의 전반적 상황의 비밀까지도 보장한다고 할 수 없다.

② 검사, 사법경찰관 또는 정보수사기관의 장은 국가안보를 위협하는 음모행위, 직접적인 사망이나 심각한 상해의 위험을 야기할 수 있는 범죄 또는 조직범죄 등 중대한 범죄의 계획이나 실행 등 긴박한 상황에 있다면 긴급통신제한조치를 할 수 있는데, 긴급통신제한조치를 한 후의 집행착수 후 지체 없이 법원에 허가청구를 하여야 하며, 그 긴급통신제한조치를 한 때부터 36시간 이내에 법원의 허가를 받지 못한 때에는 즉시 이를 중지하여야 한다.

③ 사법경찰관이 긴급통신제한조치를 할 경우에는 긴급통신제한조치의 집행착수 후 지체 없이 검사의 승인을 얻어야 한다.

④ 검사는 통신제한조치를 집행한 사건에 관하여 공소를 제기 한 날부터 30일 이내에 우편물 검열의 경우에는 그 대상자에게, 감청의 경우에는 그 대상이 된 전기통신의 가입자에게 통신제한조치를 집행한 사실과 집행기관 및 그 기간 등을 서면으로 통지하여야 한다. 다만, 공소의 제기 또는 입건을 하지 아니하는 처분을 한 때에는 통지해야 하는 것은 아니다.

12 통신의 자유에 대한 설명으로 옳은 것을 모두 조합한 것은?

ㄱ. 검사 또는 사법경찰관이 수사를 위하여 필요한 경우 「전기통신사업법」에 의한 전기통신사업자에게 정보통신망에 접속된 정보통신기기의 위치를 확인할 수 있는 발신기지국의 위치추적자료의 열람이나 제출을 요청할 수 있도록 한 「통신비밀보호법」 조항은 해당 정보주체의 개인정보자기결정권을 침해한다.
ㄴ. 공개되지 아니한 타인 간의 대화를 녹음 또는 청취하여 그 내용을 공개하거나 누설한 자를 처벌하는 「통신비밀보호법」 조항은 불법감청·녹음 등으로 생성된 정보를 합법적으로 취득한 자가 이를 공개 또는 누설하는 경우에도 그것이 진실한 사실로서 오로지 공공의 이익을 위한 경우에는 이를 처벌하지 아니한다는 특별한 위법성조각사유를 두지 아니한 이상 통신비밀만을 과도하게 보호하고 표현의 자유 보장을 소홀히 한 것이므로 그 범위에서는 헌법에 위반된다.
ㄷ. 미결수용자인 청구인이 변호인 아닌 자와의 접견시 그 대화 내용을 녹음·녹화할 수 있도록 하는 「형의 집행 및 수용자의 처우에 관한 법률」 조항은 과잉금지원칙에 위배되어 청구인의 사생활의 비밀과 자유 및 통신의 비밀을 침해하지 아니한다.
ㄹ. 전기통신역무 제공에 관한 계약을 체결하는 경우 전기통신 사업자로 하여금 가입자에게 본인임을 확인할 수 있는 증서 등을 제시하도록 요구하고 부정가입방지시스템 등을 이용하여 본인인지 여부를 확인하도록 한 전기통신사업법령 조항들은 휴대전화를 통한 문자·전화·모바일 인터넷 등 통신기능을 사용하고자 하는 자에게 반드시 사전에 본인확인절차를 거치는 데 동의해야만 이를 사용할 수 있도록 하므로, 익명으로 통신하고자 하는 청구인들의 통신의 자유를 침해한다.

① ㄱ, ㄴ　② ㄱ, ㄷ
③ ㄴ, ㄷ　④ ㄴ, ㄹ

13 양심의 자유에 대한 설명으로 옳은 것은?

① 음주측정요구와 그 거부는 양심의 자유의 보호영역에 포괄되지 아니하나, 운전 중 운전자가 좌석안전띠를 착용여부는 양심의 자유에서 보호된다.

② 「주민등록법」상의 지문을 날인할 것인지 여부의 결정은 양심의 자유에서 보호된다.

③ 침묵의 자유는 사실에 관한 지식 또는 기술적 지식의 진술을 거부하는 자유도 포함된다.

④ 헌법재판소는 「전투경찰대설치법」에 대한 헌법소원에서 전투경찰순경이 법률에 근거한 경찰공무원으로서 시위진압업무를 수행하는 것이 양심의 자유를 침해한다고 할 수 없다고 판시한 바 있다.

14 양심의 자유에 대한 설명으로 옳지 않은 것은?

① 양심적 병역 거부자에 대한 대체복무제를 규정하지 아니한 병역종류조항과 양심상의 결정에 따라 입영을 거부하거나 소집에 불응하는 자에 대하여 형벌을 부과하는 처벌조항은 '양심에 반하는 행동을 강요당하지 아니할 자유', 즉 '부작위에 의한 양심실현의 자유'를 제한한다.

② 양심적 병역 거부의 허용 여부는 헌법 제19조 양심의 자유 등 기본권 규범과 헌법 제39조 국방의 의무 규범 사이의 충돌·조정 문제이며, 「병역법」 제88조 제1항에서 정한 '정당한 사유'라는 문언의 해석을 통하여 해결하여야 한다.

③ 양심적 병역 거부는 '양심에 따른' 병역 거부를 가리키는 것일 뿐 병역 거부가 '도덕적이고 정당하다'는 의미는 아니다.

④ 특정한 내적인 확신 또는 신념이 양심으로 형성된 이상 그 내용 여하를 떠나 양심의 자유에 의해 보호되는 양심이 될 수 있으므로, 헌법상 양심의 자유에 의해 보호받는 양심으로 인정할 것인지의 판단은 그것이 깊고 확고하며 진실된 것인지 여부와 관계없다.

15 양심의 자유에 대한 설명으로 옳지 않은 것은?

① 양심의 진실성과 진지성을 확인할 현실적 필요가 있다는 이유로 양심적 병역 거부를 주장하는 사람에게 자신의 '양심'을 외부로 표명하여 증명할 의무를 부과하는 것은 개인적 현상으로서의 지극히 주관적인 내심의 상태를 기본권으로 보장하는 취지에 부합하지 아니한다.

② 양심적 병역 거부는 「병역법」 제88조의 정당한 사유에 해당하므로 대체복무제가 마련되어 있지 않다거나 향후 대체복무제가 도입될 가능성이 있더라도, 「병역법」 제88조 제1항에 따라 처벌할 수 없다고 보아야 한다.

③ 입법자는 대체복무제를 형성함에 있어 그 신청절차, 심사주체 및 심사방법, 복무 분야, 복무기간 등을 어떻게 설정할지 등에 관하여 광범위한 입법재량을 가진다.

④ 구체적인 「병역법」 위반사건에서 피고인이 양심적 병역 거부를 주장할 경우, 그 양심이 과연 깊고 확고하며 진실한 것인지 가려내는 일이 무엇보다 중요하다. 인간의 내면에 있는 양심을 직접 객관적으로 증명할 수는 없으므로 사물의 성질상 양심과 관련성이 있는 간접사실 또는 정황사실을 증명하는 방법으로 판단하여야 한다.

16 종교의 자유에 대한 설명으로 옳지 않은 것은 모두 몇 개인가?

ㄱ. 헌법 제20조 제2항은 국교금지와 정교분리원칙을 규정하고 있는데 종교시설의 건축행위에만 기반시설부담금을 면제한다면 국가가 종교를 지원하여 종교를 승인하거나 우대하는 것으로 비칠 소지가 있다.
ㄴ. 공교육체계의 헌법적 도입과 우리의 고등학교 교육현실 및 평준화정책이 고등학교 입시의 과열과 그로 인한 부작용을 막기 위하여 도입된 사정, 그로 인한 기본권의 제한 정도 등을 모두 고려한다면 고등학교 평준화정책에 따른 학교 강제배정제도에 의하여 학생이나 학교법인의 기본권에 제한이 가하여지는 측면이 있으므로 위헌적 소지가 강하다.
ㄷ. 우리 헌법은 정교분리의 원칙을 선언하고 있지만, 국가가 특정 종교를 국교로 지정하는 것을 금지하고 있지는 않다.
ㄹ. 종교의 자유는 자신의 종교 또는 종교적 확신을 알리고 선전하는 종교전파의 자유를 포함하고, 국민에게 그가 선택한 임의의 장소에서 자유롭게 행사할 수 있는 권리도 보장하고 있으므로, 국민이 선교를 위하여 여권의 사용 제한 대상국가로 출국하는 것을 금지하는 것은 종교의 자유를 침해한다.
ㅁ. 종교적 목적을 위한 언론·출판의 자유를 행사하는 과정에서 타 종교의 신앙의 대상을 우스꽝스럽게 묘사하거나 다소 모욕적이고 불쾌하게 느껴지는 표현을 사용하였더라도 그것이 그 종교를 신봉하는 신도들에 대한 증오의 감정을 드러내는 것이거나 그 자체로 폭행·협박 등을 유발할 우려가 있는 정도가 아닌 이상 허용된다고 보아야 한다.
ㅂ. 신앙의 형성, 변경, 포기의 자유뿐 아니라 무신앙의 자유도 종교의 자유에 의해서 보호된다.
ㅅ. 종교의 자유의 구체적 내용으로는 신앙의 자유, 종교적 행위의 자유 및 종교적 집회·결사의 자유가 포함된다.

① 1개 ② 2개
③ 3개 ④ 4개

17 종교의 자유와 학문의 자유에 대한 설명으로 옳지 않은 것은 모두 몇 개인가?

ㄱ. 신앙선택의 자유, 신앙변경(개종)의 자유 및 신앙을 포기할 자유는 제한할 수 없는 절대적 자유이다.
ㄴ. 종교의 자유의 핵심적 내용은 신앙의 자유이므로, 무신앙의 자유는 종교의 자유에 의해서가 아니라 일반적 행동의 자유에 의해서만 보호된다.
ㄷ. 공군 참모총장이 군종장교로 하여금 교계에 널리 알려진 특정 종교에 대한 비판적 정보를 담은 책자를 장병들을 상대로 발행·배포하게 한 것은 헌법 제20조 제2항이 정한 정교분리의 원칙에 위반되지 않는다.
ㄹ. 종교단체가 운영하는 학교 혹은 학원 형태의 교육기관도 예외 없이 학교 설립인가 혹은 학원설립등록을 받도록 규정함으로써 종교교단의 재정적 능력에 따라 학교 내지 학원의 설립상 차별을 초래한다고 해도 이는 합리적 이유가 있으므로 평등원칙에 위배된다고 할 수 없다.
ㅁ. 종교단체의 권징결의는 사법심사의 대상이 되지 아니하고 그 효력과 집행은 교회 내부의 자율에 맡겨져야 한다.
ㅂ. 사립학교 교원이 선거범죄로 100만 원 이상의 벌금형을 선고받아 그 형이 확정되면 당연퇴직되도록 규정한 것은 교수의 자유를 침해하지 않는다.

① 1개　　② 2개
③ 3개　　④ 4개

18 예술의 자유에 대한 설명으로 옳지 않은 것은?

① 학교정화구역 내의 극장 시설 및 영업을 금지하고 있는 법률조항은 정화구역 내에서 극장업을 하고자 하는 자의 직업의 자유뿐만 아니라 예술의 자유를 침해한다.

② 「음반에 관한 법률」상 음반제작자의 등록제도는 실제에 있어 허가제와 다름없이 운영될 가능성이 있어 예술의 자유를 규정한 헌법 제22조 제1항과 언론·출판에 대한 허가제를 금지한 헌법 제21조 제2항에 위반된다.

③ 음반제작시설을 자기소유이어야 하는 것으로 해석하는 한, 음반제작등록제는 헌법상 금지된 허가제의 수단으로 남용될 우려가 있으므로 예술의 자유, 언론·출판의 자유, 평등권을 침해할 수 있게 되고, 죄형법정주의에 반하는 결과가 된다.

④ 영화 그 제작 및 상영은 학문·예술의 자유를 규정하고 있는 헌법 제22조 제1항에 의하여 보호된다.

19 방송의 자유에 대한 설명으로 옳지 않은 것은?

① 방송사업자가 「방송법」 소정의 심의규정을 위반한 경우에는 방송통신위원회가 시청자에 대한 사과를 명할 수 있도록 한 「방송법」 규정은 방송의 자유를 침해한다고 할 수 없다.

② 방송매체의 특수성을 고려하더라도 방송의 기능을 보장하기 위한 규율의 필요성은 신문 등 다른 언론매체보다 높다고 할 수 있어 입법자는 광범위한 입법형성 재량을 가진다.

③ 방송매체에 대한 규제의 필요성과 정당성을 논의함에 있어서 방송사업자의 자유와 권리뿐만 아니라 시청자의 이익과 권리도 고려되어야 한다.

④ 방송의 자유의 보호영역에는, 단지 국가의 간섭을 배제함으로써 성취될 수 있는 방송프로그램에 의한 의견 및 정보를 표현, 전파하는 주관적인 자유권 영역 외에 그 자체만으로 실현될 수 없고 그 실현과 행사를 위해 실체적, 조직적, 절차적 형성 및 구체화를 필요로 하는 객관적 규범질서의 영역이 존재한다.

20 방송의 자유에 대한 설명으로 옳지 않은 것은?

① 허위사실표현도 헌법 제21조가 규정하는 언론·출판의 자유의 보호영역에 해당한다.

② 단순한 사실 전달도 의사표현의 자유에서 보호된다.

③ 게임물과 영화는 의사형성적 작용을 하는 한 의사의 표현·전파의 형식의 하나로 인정되므로 학문·예술의 자유와 언론·출판의 자유에서 보호된다.

④ 의료에 관한 광고는 표현의 자유의 보호영역에 속하지만 사상이나 지식에 관한 정치적·시민적 표현행위와는 차이가 있고, 한편 직업수행의 자유의 보호영역에도 속하지만 인격발현과 개성신장에 미치는 효과가 중대한 것은 아니므로, 의료에 관한 광고의 규제에 대한 과잉금지원칙 위배 여부를 심사함에 있어 그 기준을 완화하는 것이 타당하다.

21 알 권리에 대한 설명으로 옳지 않은 것은?

① 국민의 알 권리는 국민 누구나가 일반적으로 접근할 수 있는 모든 정보원으로부터 정보를 수집할 수 있는 권리이나 정보수집의 수단에는 제한이 없다.

② 헌법재판소는 「공공기관의 정보공개에 관한 법률」이 제정되기 이전에 이미, 정부가 보유하고 있는 정보에 대하여 정당한 이해관계가 있는 자가 그 공개를 요구할 수 있는 권리를 알 권리로 인정하면서 이러한 알 권리는 표현의 자유에 당연히 포함되는 기본권으로 보았다.

③ 알 권리에 대한 제한의 정도는 청구인에게 이해관계가 있고 타인의 기본권을 침해하지 않으면서 동시에 공익실현에 장애가 되지 않는다면 가급적 널리 인정하여야 하고, 적어도 직접의 이해관계가 있는 자에 대하여는 특단의 사정이 없는 한 의무적으로 공개하여야 한다.

④ 정보에의 접근·수집·처리의 자유는 자유권적 성질뿐 아니라 청구권적 성질도 가지기 때문에, 이를 구체화하는 법률이 제정되어 있지 않으면 그 실현이 불가능하다.

22 알 권리에 대한 설명으로 옳지 않은 것은 모두 몇 개인가?

ㄱ. 알 권리가 일반 국민 누구나 국가에 대하여 보유·관리하고 있는 정보의 공개를 청구할 수 있는 권리를 의미한다.
ㄴ. 국민은 헌법상 보장된 알 권리의 한 내용으로서 국회에 대하여 입법과정의 공개를 요구할 권리를 가지며, 국회의 의사에 대하여는 직접적인 이해관계 유무와 상관없이 일반적 정보공개청구권을 가진다.
ㄷ. 알 권리는 모든 정보원으로부터 일반적 정보를 수집하고 이를 처리할 수 있는 권리를 말하는데, 여기서 '일반적'이란 신문, 잡지, 방송 등 불특정 다수인에게 개방될 수 있는 것을, '정보'란 양심, 사상, 의견, 지식 등의 형성에 관련이 있는 일체의 자료를 말한다.
ㄹ. 적극적으로 정보원에 접근할 권리뿐 아니라 이를 이용하고 정보를 전파하는 것은 알 권리에서 직접 보호된다.
ㅁ. 출판사등록 취소사유로서 '저속'의 개념은 그 적용범위가 매우 광범위할 뿐만 아니라 법관의 보충적인 해석에 의한다 하더라도 그 의미 내용을 확정하기 어려울 정도로 매우 추상적이어서 명확성원칙에 위배된다.
ㅂ. 한의사 국가시험의 문제와 정답을 공개하지 아니할 수 있도록 한 것은 과잉금지원칙에 위반하여 알 권리를 침해한다고 볼 수 없다.
ㅅ. 공시대상정보로서 교원의 교원단체 및 노동조합 가입현황(인원 수)만을 규정할 뿐 개별 교원의 명단은 규정하고 있지 않은 구 「교육관련기관의 정보공개에 관한 특례법 시행령」 조항은, 교원의 개인정보자기결정권에 대한 중대한 침해의 가능성을 고려할 때 학부모들의 알 권리를 침해한다고 볼 수 없다.
ㅇ. 속기록, 녹음물 또는 영상녹화물은 재판이 확정되면 폐기하도록 한 「형사소송규칙」 제39조가 피고인의 알 권리를 침해한다고 할 수 없다.

① 1개 ② 2개
③ 3개 ④ 4개

23 인터넷언론사는 선거운동기간 중 당해 홈페이지 게시판 등에 정당·후보자에 대한 지지·반대 등의 정보를 게시하는 경우 실명을 확인받는 기술적 조치를 하도록 정한 공직선거법 조항에 대해 헌법소원이 청구되었다. 이에 대한 설명으로 옳지 않은 것은?

① 표현의 자유를 규제하는 법률은 규제되는 표현의 개념을 세밀하고 명확하게 규정할 것이 헌법적으로 요구된다.

② 인터넷언론사는 선거운동기간 중 당해 홈페이지 게시판 등에 정당·후보자에 대한 지지·반대 등의 정보를 게시하는 경우 실명을 확인받는 기술적 조치를 하도록 정한 「공직선거법」 조항 중 '인터넷언론사' 및 '지지·반대' 부분이 명확성원칙에 위배된다.

③ 실명확인조항은 인터넷언론사에게 인터넷홈페이지 게시판 등을 운영함에 있어서 선거운동기간 중 이용자의 실명확인 조치의무, 실명인증표시 조치의무 및 실명인증표시가 없는 게시물에 대한 삭제의무를 부과하여 인터넷언론사의 직업의 자유도 제한하나, 이 사건과 가장 밀접한 관계에 있으며 또 침해의 정도가 큰 주된 기본권은 실명확인조항에 의하여 제한되는 언론의 자유라고 할 것이므로 직업의 자유 제한의 정당성 여부에 관하여는 따로 판단하지 않는다.

④ 인터넷언론사는 선거운동기간 중 당해 홈페이지 게시판 등에 정당·후보자에 대한 지지·반대 등의 정보를 게시하는 경우 실명을 확인받는 기술적 조치를 하도록 정한 「공직선거법」 조항은 과잉금지원칙에 반하여 인터넷언론사 홈페이지 게시판 등 이용자의 익명표현의 자유와 개인정보자기결정권, 인터넷언론사의 언론의 자유를 침해한다.

24 의료기기와 관련하여 심의를 받지 아니하거나 심의받은 내용과 다른 내용의 광고를 하는 것을 금지하고 이를 위반한 경우 행정제재와 형벌을 부과하도록 한 의료기기법에 대한 헌법재판소 결정과 일치하는 것은?

① 잘못된 의료기기 광고로 인해 국민들이 입을 수 있는 피해가 크고, 사후적 제재만으로는 국민의 생명과 건강을 담보할 수 없으므로, 심판대상조항이 의료기기 광고에 대해 사전심의를 거치도록 규정한 것은 국민의 생명과 건강을 보호하기 위한 불가피한 규제로서 입법목적 달성을 위해 필요한 범위 내라 할 것이어서, 과잉금지원칙에 위반되지 않는다.

② 의료기기에 대한 광고는 의료기기의 성능이나 효능 및 효과 또는 그 원리 등에 관한 정보를 널리 알려 해당 의료기기의 소비를 촉진시키기 위한 상업광고로서 헌법 제21조 제1항의 표현의 자유의 보호대상이 됨과 동시에 같은 조 제2항의 사전검열금지원칙의 적용대상이 된다.

③ 소비자를 기만하거나 의료기기의 성능이나 효능 및 효과에 대해 지나치게 과장하거나, 또는 오인하게 할 우려가 있는 의료기기의 광고에 대해서는 더욱 강력한 규제가 필요하다. 심판대상조항이 규정하고 있는 의료기기 광고에 대한 사전심의는 국민의 생명과 건강을 지키기 위한 것으로 불가피한 규제이다.

④ 한국의료기기산업협회는 의료기기 광고 사전심의업무와 관련하여 식약처장으로부터 구체적 업무지시를 받지 않고 있고, 심의위원회 구성에 있어 식약처장의 관여가 최소화되어 있을 뿐만 아니라, 재정적으로 독립하여 운영되는 등 행정청으로부터 독립된 민간 자율기구로서 그 행정주체성이 인정되지 아니하므로, 의료기기 광고 사전심의는 헌법이 금지하는 사전검열에 해당한다고 할 수 없다.

25 표현의 자유에 대한 설명으로 옳은 것은?

① 세종특별자치시 옥외광고물 관리조례에서 특정 구역 안에서 업소별로 표시할 수 있는 옥외광고물의 총수량을 원칙적으로 1개로 제한한 것은 표현의 자유를 침해한다.

② 교통수단을 이용하여 타인의 광고를 할 수 없도록 하고 있는 「옥외광고물등관리법 시행령」 규정은 언론의 자유(표현의 자유)를 침해한다.

③ '공공의 안녕질서 또는 미풍양속을 해하는 내용의 통신'을 금한 「전기통신사업법」 제53조 제1항에서 '공공의 안녕질서' 또는 '미풍양속'은 모든 국민이 준수하고 지킬 것이 요구되는 최소한도의 질서 또는 도덕률을 의미한다고 할 수 있어 비교적 명백하다고 할 수 있다.

④ 누구든지 정보통신망을 통하여 '그 밖에 범죄를 목적으로 하거나 교사 또는 방조하는 내용의 정보'를 유통하여서는 아니된다는 법률규정은, 수범자의 예견가능성을 해하거나 행정기관의 자의적 집행을 가능하게 할 정도로 불명확하다고 할 수 없다.

26 표현의 자유에 대한 설명으로 옳은 것은?

① 긴급조치 제1호는 유신헌법을 부정하거나 반대하고 폐지를 주장하는 행위 중 실제로 국가의 안전보장과 공공의 안녕질서에 대한 심각하고 중대한 위협이 명백하고 현존하는 경우 이외에도, 국가긴급권의 발동이 필요한 상황과는 전혀 무관하게 헌법과 관련하여 자신의 견해를 단순하게 표명하는 행위까지 모두 처벌하고 처벌의 대상이 되는 행위를 구체적으로 특정할 수 없으므로 표현의 자유를 침해한다.

② '제한상영가' 등급의 영화를 '상영 및 광고·선전에 있어서 일정한 제한이 필요한 영화'라고 규정하고 있는 법률규정은, '제한상영가' 등급의 영화란 영화의 내용이 지나치게 선정적, 폭력적, 또는 비윤리적이어서 청소년에게는 물론 일반적인 정서를 가진 성인에게조차 혐오감을 주거나 악영향을 끼치는 영화로 해석될 수 있으므로 명확성원칙에 위반되지 않는다.

③ 상영에 있어서 일정한 제한이 필요한 영화를 제한상영가로 분류하는 것은 검열금지의 원칙에 위반된다.

④ 인터넷에서 「국가보안법」이 금지하는 행위를 수행하는 내용의 정보에 대하여 방송통신위원회가 정보통신서비스 제공자 또는 게시판 관리·운영자에게 해당 정보의 취급을 거부·정지 또는 제한하도록 명할 수 있도록 하는 법률규정은 과도하게 언론의 자유를 침해하고 사법권을 법원에 둔 권력분립원칙에 위반된다.

27 표현의 자유에 대한 설명으로 옳은 것을 모두 조합한 것은?

> ㄱ. '저작자 아닌 자를 저작자로 하여 실명·이명을 표시하여 저작물을 공표한 자'를 처벌하는 「저작권법」은 표현의 자유 또는 일반적 행동의 자유를 침해하지 아니한다.
> ㄴ. 프로그램의 활발한 유통과 안정적 창작을 위하여 법인 등의 기획 하에 피용자가 통상적인 업무의 일환으로 보수를 지급받고 컴퓨터 프로그램 저작물을 작성한 경우 그 저작자를 법인 등으로 정하도록 규정한 저작권법은 입법형성권의 한계를 일탈하였다고 보기 어렵다.
> ㄷ. 「금융지주회사법」 제48조의3 제2항 중 금융지주회사의 임·직원이 업무상 알게 된 공개되지 아니한 정보 또는 자료를 다른 사람에게 누설하는 것을 금지하는 부분은 표현의 자유를 침해하지 않는다.
> ㄹ. 언론보도의 피해자가 아닌 자의 시정권고신청권을 규정하지 아니한 「언론중재 및 피해구제 등에 관한 법률」 제32조 제1항의 위헌 여부에 관해서 액세스권은 권리의 실질이 확립된 개념이므로 액세스권을 침해했는지 여부를 중심으로 판단해야 한다.
> ㅁ. 알 권리가 기본권의 효력 중 대사인적 효력의 문제라면, 액세스권은 대국가적 효력의 문제이다.

① ㄱ, ㄴ, ㄷ　　② ㄷ, ㄹ, ㅁ
③ ㄴ, ㄷ, ㄹ　　④ ㄱ, ㄴ, ㄹ, ㅁ

28 반론보도, 정정보도청구권에 대한 설명으로 옳은 것을 모두 조합한 것은?

> ㄱ. 언론보도의 피해를 받은 자는 정정보도, 반론보도, 언론중재의 중재신청, 손해배상, 가처분신청, 사죄광고를 구하는 청구를 할 수 있다.
> ㄴ. 언론으로부터 피해를 입은 사람은 「언론중재 및 피해구제 등에 관한 법률」에 따라 인터넷신문을 상대로 정정보도청구, 반론보도청구, 추후보도청구를 할 수 있고, 형사상 명예훼손죄로 고소할 수도 있으나, 민사상 손해배상청구를 할 수는 없다.
> ㄷ. 반론보도청구는 보도 내용이 진실 여부와 관계없이 청구할 수 있다.
> ㄹ. 반론보도청구의 소를 「민사집행법」상 가처분절차에 의하여 재판하도록 규정한 「언론중재 및 피해구제 등에 관한 법률」은 언론의 자유를 침해한다.
> ㅁ. 정정보도청구권의 요건으로 언론사의 고의·과실이나 위법성을 요하지 않도록 규정한 「언론중재 및 피해구제 등에 관한 법률」은 표현의 자유를 침해한다.

① ㄱ, ㄴ, ㄷ　　② ㄷ
③ ㄷ, ㄹ　　④ ㄱ, ㄴ, ㄹ, ㅁ

29 집회 및 시위에 관한 법률에 대한 설명으로 옳지 않은 것은?

① 헌법재판소의 결정에 따라 해산된 정당의 목적을 달성하기 위한 집회 또는 시위를 주최하는 행위는 금지된다.

② 옥외집회뿐 아니라 옥내집회도 신고제가 적용된다.

③ 옥외집회를 주최하려는 자는 옥외집회신고서를 관할경찰서장에게 제출하여야 하며, 신고한 옥외집회를 하지 아니하게 된 경우에는 신고서에 적힌 집회 일시 24시간 전에 그 철회사유 등을 적은 철회신고서를 관할경찰서장에게 제출하여야 한다.

④ 「집회 및 시위에 관한 법률」에서 옥외집회란 천장이 없거나 사방이 폐쇄되지 아니한 장소에서 여는 집회를 말한다.

30 집회의 자유 침해 여부에 대한 설명으로 옳지 않은 것은?

① 민주적 기본질서에 위배되는 집회·시위를 금지하고 위반 시 형사처벌하는 것은 규율범위의 광범성으로 인하여, 집회·시위의 내용이나 목적이 민주적 기본질서에 조금이라도 위배되는 경우 처벌이 가능할 뿐 아니라 사실상 사회현실이나 정부정책에 비판적인 사람들의 집단적 의견표명 일체를 봉쇄하는 결과를 초래하므로 집회의 자유를 침해한다.

② 재판에 영향을 미칠 염려가 있거나 미치게 하기 위한 집회 및 시위를 금지한 「집회 및 시위에 관한 법률」 조항은 집회의 자유를 침해한다고 할 수 없다.

③ 원칙적으로 공공의 안녕질서에 대한 위협이 예상되거나 가능성이 있다하여 집회를 해산하는 것은 집회의 자유를 침해한다.

④ 국회의 업무가 없는 '공휴일이나 휴회기 등에 행하여지는 집회'를 예외 없이 금지하는 것은 과도하게 집회의 자유를 제한하는 것이다.

31 법원 100미터 이내 옥외집회금지에 대한 설명으로 옳은 것을 모두 조합한 것은?

> ㄱ. 법원 인근에서의 집회라 할지라도 법관의 독립을 위협하거나 재판에 영향을 미칠 염려가 없는 집회도 있다.
> ㄴ. 각급 법원 인근에서의 옥외집회와 시위를 절대적으로 금지한 「집회 및 시위에 관한 법률」은 입법에 의한 것이므로 헌법 제21조 제2항의 '사전허가제금지'에 위반되지는 않는다.
> ㄷ. 각급 법원 인근에 집회·시위금지장소를 설정하는 것은 입법목적 달성을 위한 적합한 수단으로 볼 수 없다.
> ㄹ. 사법행정과 관련된 의사표시 전달을 목적으로 한 집회는 법관의 독립을 침해할 우려가 있으므로 금지되어야 한다.
> ㅁ. 각급 법원 인근이나 외교기관 경계 지점으로부터 100미터 이내의 장소에서의 옥외집회나 시위를 예외 없이 절대적으로 금지하더라도 이는 추상적 위험의 발생을 근거로 금지하는 불가피한 수단이므로 침해의 최소성을 갖추었다.

① ㄱ, ㄴ ② ㄱ, ㄴ, ㄷ, ㅁ
③ ㄴ, ㄷ, ㄹ ④ ㄱ, ㄴ, ㄷ

32 집회의 자유 침해 여부에 대한 설명으로 옳은 것은?

① 구 「집회 및 시위에 관한 법률」상 국내주재 외교기관 청사의 경계 지점으로부터 100미터 이내의 장소에서의 옥외집회를 금지하는 것 자체가 집회의 자유를 침해한다고 할 수 없다.

② 외교기관의 경계 지점으로부터 반경 100미터 이내 지점에서의 집회 및 시위를 원칙적으로 금지하되 외교기관의 기능이나 안녕을 침해할 우려가 없다고 인정되는 예외적인 경우에 집회 및 시위를 허용하는 법률조항은, 외교기관을 대상으로 하는 경우에는 그 경계 지점으로부터 100미터 이내의 장소에서는 개별 집회·시위의 내용과 성질을 불문하고 일체의 집회·시위를 전면 금지하고 있는 것으로서 집회의 자유를 과도하게 침해하여 헌법에 위반된다.

③ '외국과의 선린관계'란 법익은 외교기관 인근에서 국민의 기본권 행사를 금지할 수 있는 합리적인 이유가 된다.

④ 외교기관 인근에서의 집회가 일반적으로 다른 장소와 비교할 때 중요한 보호법익과의 충돌상황을 야기할 수 있다거나, 이로써 법익에 대한 침해로 이어질 개연성이 높다고는 할 수 없다.

⑤ 국내주재 외국의 외교기관 청사의 경계 지점으로부터 100미터 이내의 옥외집회를 전면 금지하는 법률조항은 국제평화주의 및 외교관의 특권에 비추어 위헌이라 할 수 없다.

33 결사의 자유에 대한 설명으로 옳지 않은 것은?

① 변리사협회와 대한안마사협회의 경우 가입을 의무화 시킨 것은 결사의 자유를 침해한다고 할 수 없다.

② 광역시 내 군상공회의소를 설치할 수 없도록 한 것은 결사의 자유를 침해한다고 할 수 없다.

③ 공동주택의 동별 대표자의 중임을 한 번으로 제한하고 있는 구 「주택법 시행령」 제50조 제8항 후단은 결사의 자유를 침해한다고 할 수 없다.

④ 개별 학교법인은 전국단위 또는 시·도단위의 교섭단의 구성원으로서만 단체교섭에 참여할 수 있도록 한 것은 각 사립학교를 설립한 학교법인의 자주성과 자율성을 무시할 뿐만 아니라 학교법인과 그 교원이 각자의 근무조건에 맞추어 필요한 사항을 교섭할 수 있는 자유와 권리를 본질적으로 침해하는 것이다.

34 결사의 자유에 대한 설명으로 옳지 않은 것은?

① 법정된 선거운동방법만을 허용하면서 합동연설회 또는 공개토론회의 개최나 언론기관 및 단체가 주최하는 대담·토론회를 허용하지 아니하는 「공공단체 등 위탁선거에 관한 법률」 제3항 제1호는 조합장 선거의 후보자 및 선거인인 조합원의 결사의 자유 등을 침해한다고 할 수 없다.

② 지역축산업협동조합 조합원이 조합원 자격이 없는 경우 당연히 탈퇴되고, 이사회가 이를 확인하여야 한다고 규정하고 있는 「농업협동조합법」은 과잉금지원칙을 위반하여 청구인의 결사의 자유 등을 침해한다고 할 수 없다.

③ 직선제 조합장 선거의 경우 선거운동기간을 후보자등록마감일의 다음 날부터 선거일 전일까지로 한정하면서 예비후보자제도를 두지 아니한 구 「공공단체 등 위탁선거에 관한 법률」 제24조 제2항은 결사의 자유를 침해한다고 할 수 없다.

④ 농협은 기본적으로 사법인의 성격을 지니므로, 「농업협동조합법」에서 정하는 특정한 국가적 목적을 위하여 설립되는 공공성이 강한 법인으로서 공적인 역할을 수행한다고 하더라도, 농협의 구성원들이 기본권 침해를 주장하여 과잉금지원칙 위배 여부를 판단할 때에는 사적인 임의결사의 기본권이 제한되는 경우와 마찬가지로 엄격한 심사기준이 적용된다.

35 재산권에 대한 설명으로 옳지 않은 것은?

① 상호신용금고 임원의 재산 그 자체도 재산권에서 보호된다.

② 「우편법」상의 손해배상을 청구할 수 있는 자를 발송인의 승인을 받은 수취인으로 규정한 「우편법」 제42조 중 '그 승인을 받은 수취인' 부분은 통신의 자유, 재판청구권 제한이 아니라 재산권을 제한하나, 재산권 침해라고 볼 수 없다.

③ 일본국에 의하여 광범위하게 자행된 반인도적 범죄행위에 대하여 일본군 위안부 피해자들이 일본에 대하여 가지는 배상청구권은 헌법상 보장되는 재산권에 해당한다.

④ 공무원이 유족 없이 사망하였을 경우 수급권자의 범위를 직계비속으로만 한정하고 있는 것은 직계비속이 아닌 상속권자들의 「공무원연금법」상 급여수급권에 대한 상속권을 침해하여 헌법에 위반된다.

36 재산권에 대한 설명으로 옳지 않은 것은 모두 몇 개인가?

ㄱ. 19세 이상인 자녀를 「공무원연금법」상 유족에서 제외하는 「공무원연금법」은 합리적인 입법재량의 범위를 벗어났다고 볼 수도 없다.
ㄴ. 공무원이거나 공무원이었던 사람이 재직 중의 사유로 금고 이상의 형을 받거나 형이 확정된 경우 퇴직급여 및 퇴직수당의 일부를 감액하여 지급함에 있어 그 이후 형의 선고의 효력을 상실하게 하는 특별사면 및 복권을 받은 경우를 달리 취급하는 규정을 두지 아니한 구 「공무원연금법」이 재산권을 침해한다.
ㄷ. 명예퇴직 공무원이 재직 중의 사유로 금고 이상의 형을 받은 때 명예퇴직수당을 필요적으로 환수하는 것은 재산권 침해라고 볼 수 없다.
ㄹ. 범죄의 종류와 그 형의 경중을 가리지 않고 재직기간 5년 이상인 공무원에게 금고 이상의 형이 있으면 무조건 퇴직급여의 2분의 1을 감액하도록 규정하고 있는 구 「공무원연금법 시행령」은 재산권, 인간다운생활을 할 권리, 평등권을 침해한다고 할 수 없다.
ㅁ. 연금수급권자에게 임금 등 소득이 퇴직 후에 새로 생겼다면 이러한 소득과 연계하여 퇴직연금 지급을 정지하는 퇴직연금지급정지제도 자체가 위헌이라고 볼 수는 없다.

① 1개　　② 2개
③ 3개　　④ 4개

37 재산권에 대한 설명으로 옳지 않은 것을 모두 조합한 것은?

ㄱ. 재생처리신고업자의 영업활동은 반사적으로 부여되는 기회를 활용한 것에 지나지 않는다 할 것이므로 구법상의 재생처리신고업자가 영업을 계속하기 위해서는 신법상의 허가를 받도록 한 「폐기물관리법」 부칙 제5조 제2항으로 인하여 청구인들의 재산권이 침해되었다거나, 소급입법에 의하여 재산권이 박탈되었다고 할 수 없다.
ㄴ. 상공회의소의 의결권 또는 회원권은 상공회의소라는 법인의 의사형성에 관한 권리일 뿐 이를 따로 떼어 헌법상 보장되는 재산권이라고 보기 어렵다.
ㄷ. 헌법상의 재산권은 경제적 가치가 있는 모든 공법상·사법상의 권리인바, 체육시설업에 대한 사업계획 승인권은 그 권리에 어떠한 재산적 가치가 내포되어 있다고 할 수 없으므로 헌법상 보호되는 재산권에 해당되지 않는다.
ㄹ. 법률상 조합의 해산이나 합병시 조합원의 의료보험조합의 적립금청구에 관한 규정을 두고 있지 않더라도 의료보험조합의 적립금은 재산권의 보호대상이므로, 다른 의료보험조합의 적립금과의 통합은 재산권의 보장을 받는 공법상의 권리인 「의료보험법」상의 의료보험수급권을 제한하는 것이다.
ㅁ. 업종별로 수입금액이 일정 규모 이상인 사업자에게 성실신고확인서를 제출하도록 하고 있는 소득세법으로 인해 세무사가 입는 재산상 손해는 재산권의 내용에 포함된다.

① ㄱ, ㄴ ② ㄱ, ㄴ, ㄷ, ㅁ
③ ㄹ, ㅁ ④ ㄱ, ㄴ, ㄷ

38 재산권 제한에 대한 설명으로 옳지 않은 것은?

① 보상원칙은 시가에 의한 보상이 원칙이나 표준지공시지가에 따른 보상은 정당보상원칙에 위배되지 아니한다.

② 개발이익은 재산권에서 보호되지 않으므로 개발이익을 배제하고 보장한 것은 헌법 제23조 제3항의 정당보상원칙에 위배된다고 할 수 없다.

③ 수용된 토지 보상액을 산정함에 있어서 해당 공익사업과는 관계없는 다른 사업의 시행으로 인한 개발이익은 이를 포함한 가격으로 평가하여야 한다.

④ 토지의 수용으로 인한 모든 손실을 보상해야 하므로 정신적 손해에 대한 보상도 인정된다.

39 헌법 제23조 제3항의 재산권 제한에 대한 설명으로 옳은 것은?

① 도로 등 영조물 주변 일정 범위에서 광업권자의 채굴행위를 제한하는 구 「광업법」은 개별적·구체적으로 박탈하거나 제한하는 것으로서 보상을 요하는 헌법 제23조 제3항의 수용·사용 또는 제한을 규정한 것이다.

② 토지를 건축이나 개발목적으로 사용할 수 있으리라는 기대가능성이나 신뢰에 따른 지가 상승의 기회는 재산권에서 보호되지 않으므로 지가가 하락했다고 하여 헌법 제23조 제3항의 보상이 필요한 것은 아니다.

③ 「가축전염병 예방법」상 가축전염병의 확산을 막기 위한 방역조치인 도축장 사용정지·제한명령과 그 명령을 받은 도축장 소유자에 대한 보상금은 헌법 제23조 제3항의 정당한 보상에 해당한다.

④ 토지구획정리사업에 있어 학교교지를 환지처분의 공고가 있은 다음 날에 국가 등에 귀속하게 하되, 유상으로 귀속되도록 한 구 「토지구획정리사업법」 제63조가 헌법 제23조 제3항의 수용에 해당한다.

40 헌법 제23조 제3항의 재산권 제한에 대한 설명으로 옳은 것은?

① 가축전염병의 확산을 막기 위한 방역조치로서 도축장 사용정지·제한명령은 공익목적을 위하여 이미 형성된 구체적 재산권을 박탈하거나 제한하는 헌법 제23조 제3항의 수용·사용 또는 제한에 해당하는 것이 아니라, 도축장 소유자들이 수인하여야 할 사회적 제약으로서 헌법 제23조 제1항의 재산권의 내용과 한계에 해당한다.

② 구 「도시 및 주거환경정비법」 제65조 제2항은 정비기반시설의 설치와 관련된 비용의 적정한 분담과 그 시설의 원활한 확보 및 효율적인 유지·관리의 관점에서 정비기반시설과 그 부지의 소유·관리·유지관계를 정한 규정인데, 같은 항 전단에 따른 정비기반시설의 소유권 귀속은 헌법 제23조 제3항의 수용에 해당한다.

③ 청중이나 관중으로부터 당해 공연에 대한 반대급부를 받지 아니하는 경우에는 상업용 목적으로 공표된 음반 또는 상업용 목적으로 공표된 영상저작물을 재생하여 공중에게 공연할 수 있다고 규정한 「저작권법」 제29조 제2항 본문 및 저작인접권의 목적이 되는 실연·음반 및 방송에 관하여 공연권 제한조항은 헌법 제23조 제3항의 공용수용에 해당한다.

④ '역사문화지구'를 지정하고 토지소유자들에게 지정목적에 맞는 건축 제한 등 재산권 제한을 부과하는 것은 보상을 요하는 헌법 제23조 제3항에 해당한다.

5회 중간 테스트

직업의 자유 ~ 선거제도

정답 및 해설 p.472

제한시간 : 14분 | 시작시각 ___시 ___분 ~ 종료시각 ___시 ___분　　나의 점수 ______

01 직업의 자유에 대한 설명으로 옳지 않은 것은?

① 특정인에게 배타적·우월적인 직업선택권이나 독점적인 직업활동의 자유까지 보장하는 것은 보장하지 않으나 여러 개의 직업을 선택하여 동시에 함께 행사할 수 있는 자유, 즉 겸직의 자유는 보장한다.

② 노조전임자 급여금지 등을 규정한 「노동조합 및 노동관계조정법」 조항들에 의하여 근로에 대한 적정한 대가를 받지 못함으로써 직업의 자유가 제한된다.

③ '게임물의 이용을 통하여 획득한 유·무형의 결과물의 환전을 업으로 하는 행위를 한 자'를 처벌하는 「게임산업진흥에 관한 법률」은 직업의 자유를 제한하나, 재산권 제한은 아니다.

④ 비어업인이 잠수용 스쿠버장비를 사용하여 수산자원을 포획·채취하는 것을 금지하는 「수산자원관리법 시행규칙」은 직업의 자유가 아니라 일반적 행동의 자유를 제한한다.

02 직업의 자유에 대한 설명으로 옳지 않은 것은?

① 사법시험의 합격자를 정원제로 선발하도록 한 「사법시험법」 제4조는 객관적 사유에 의한 직업선택의 자유 제한이다.

② 외국인근로자의 직장변경의 횟수를 제한하고 있는 법률조항은 근로의 권리를 제한하는 것은 아니나 직장선택의 자유를 제한하는 것이다.

③ 현 농협조합장의 임기를 연장하고, 차기 농협조합장 선거의 시기를 늦추는 내용의 「농업협동조합법」 부칙조항은 직업선택의 자유를 제한한다.

④ 음주측정 거부자에 대하여 필요적으로 운전면허를 취소하도록 규정한 「도로교통법」 제78조 제1항 단서 중 제8호 부분은 직업의 자유와 일반적 행동의 자유를 제한하는 조항이라고 할 것이다.

03 단계이론에 대한 설명으로 옳은 것을 모두 조합한 것은?

ㄱ. 세금계산서 교부의무 위반의 경우 주류판매면허를 취소하도록 한 「주세법」은 주관적 사유에 의한 직업선택의 자유 제한이다.
ㄴ. 공인회계사시험의 응시자격을 일정 과목에 대하여 일정학점을 이수한 사람으로 제한하고 있는 「공인회계사법」 제5조 제3항은 주관적 요건에 의한 직업선택의 자유의 제한에 해당한다.
ㄷ. 직업선택의 자유를 제한함에 있어서 주관적 사유에 의한 제한은 객관적 사유에 의한 제한보다 더 중요한 공익을 위하여 명백한 위험을 방지하려는 경우에 정당화된다.
ㄹ. 학력고사에 의한 대학교 선택, 공무원임용에 있어 일정시험의 합격을 전제조건으로 하는 것은 주관적 사유에 의한 직업선택의 자유를 제한한다.

① ㄱ, ㄴ, ㄹ　　② ㄴ, ㄷ
③ ㄴ, ㄷ, ㄹ　　④ ㄱ, ㄴ, ㄷ

04 직업의 자유에 대한 설명으로 옳은 것은?

① 국민의 생명·건강에 직결되는 분야에 대한 민간자격의 신설·관리·운영을 금지하는 것은 국민의 보건에 관한 국가의 보호의무를 이행하기 위한 목적의 정당성은 존재하나, 금지되는 민간자격 신설·관리·운영의 범위가 지나치게 광범위하므로 과잉금지원칙에 위배된다.

② 국세 관련 경력 공무원에게 세무사 자격을 부여하지 않도록 개정한 것은 그 내용이나 방법에 있어서 합리성을 결하여 직업선택의 자유를 침해하는 것이다.

③ 20년 이상 관세행정 분야에서 근무한 자에게 일정한 절차를 거쳐 관세사 자격을 부여한 구 「관세사법」 규정은 헌법에 위반되지 않는다.

④ 헌법재판소는 제1종 운전면허의 취득요건으로 양쪽 눈의 시력(교정시력 포함)이 0.5 이상일 것을 요구하는 것은, 기준수치가 특별한 과학적 근거 없이 임의로 설정된 것이며 운전으로 인한 위험의 부담은 결국 당사자가 지는 것이고 만약 발생할 수 있는 타인에 대한 피해의 배상으로 인한 부담 역시 당사자가 지게 되어 손해에 대한 전보가 가능하고 특히 보험가입이 일반화된 요즘의 사정을 감안할 때 직업의 자유를 침해하여 위헌이라고 판단하였다.

05 성범죄로 형을 선고받은 의료인에 대해 의료기관에 10년 동안 취업할 수 없도록 한 구 아동·청소년의 성보호에 관한 법률에 대한 헌법재판소 결정과 일치하지 않는 것은 모두 몇 개인가?

ㄱ. 구 「아동·청소년의 성보호에 관한 법률」이 정하고 있는 취업 제한제도로 인해 성범죄자에게 일정한 직종에 종사하지 못하는 제재가 부과되기는 하지만, 위 취업 제한제도는 형법이 규정하고 있는 형벌에 해당하지 않으므로, 헌법 제13조 제1항 전단의 형벌불소급원칙이 적용되지 않는다.
ㄴ. 성인대상 성범죄자에 대하여 일정 기간 아동·청소년 관련 학원을 운영이나 취업 제한은 입법목적은 정당하나 성인대상 성범죄자에 대하여 일정 기간 아동·청소년 관련 학원에 취업 제한을 하는 것은 수단의 적합성이 인정된다.
ㄷ. 예술가나 체육지도사, 의료기관에서 일하는 의료기사에 대해서는 취업 제한을 두고 있지 않으면서 의료인에 대해서는 취업 제한을 두고 있는 것은 성인대상 성범죄로 형을 선고받은 평등권 침해의 문제는 과잉금지 위반 여부와 별도로 심사할 필요가 없다.
ㄹ. 아동학대 관련 범죄전력자의 취업 제한을 하는 것 자체는 직업의 자유를 침해하므로 허용될 수 없다.
ㅁ. 아동학대 관련 범죄전력자의 취업 제한을 하려면 그러한 대상자들에게 재범의 위험성이 있는지 여부, 만약 있다면 어느 정도로 취업 제한을 해야 하는지를 구체적이고 개별적으로 심사하는 절차가 필요하다.
ㅂ. 성인대상 성범죄로 형을 선고받은 자에 대해 10년 동안 아동복지시설에 종사할 수 없도록 한 구 「아동·청소년의 성보호에 관한 법률」과 10년간 아동·청소년 학원을 운영할 수 없도록 한 구 「아동·청소년의 성보호에 관한 법률」과 성적 목적공공장소침입죄로 형을 선고받아 확정된 자로 하여금 그 형의 집행을 종료한 날부터 10년 동안 의료기관을 제외한 아동·청소년 관련 기관 등을 개설하거나 그에 취업할 수 없도록 한 구 「아동·청소년의 성보호에 관한 법률」과 아동학대 관련 범죄전력자가 아동 관련 기관인 체육시설 등을 운영하거나 학교에 취업하는 것을 형이 확정된 때부터 형의 집행이 종료되거나 집행을 받지 아니하기로 확정된 후 10년까지의 기간 동안 제한하는 것은 직업선택의 자유를 침해한다.

① 없음. ② 1개
③ 2개 ④ 3개

06 직업의 자유에 대한 설명으로 옳지 않은 것은?

① 청원경찰이 법원에서 자격정지의 형을 선고받은 경우 「국가공무원법」을 준용하여 당연퇴직하도록 한 「청원경찰법」 조항은 직업의 자유를 침해한다.

② 청원경찰이 금고 이상의 형의 선고유예를 받은 경우 당연퇴직되도록 규정한 「청원경찰법」은 직업의 자유를 침해한다.

③ 형사사건으로 기소된 사립학교 교원에 대하여 당해 교원의 임명권자로 하여금 필요적으로 직위해제처분을 하도록 규정한 「사립학교법」 조항은 침해최소성에 위배된다.

④ 사립학교 교원이 금고 이상의 형의 집행유예를 받은 경우 당연퇴직되도록 규정한 「사립학교법」 조항은 사립학교 교원의 직업의 자유를 침해하지 않는다.

07 직업의 자유에 대한 설명으로 옳지 않은 것은 모두 몇 개인가?

ㄱ. 「마약류 관리에 관한 법률」을 위반하여 금고 이상의 실형을 선고받고 그 집행이 끝나거나 면제된 날부터 20년이 지나지 아니한 것을 택시운송사업의 운전업무 종사자격의 결격사유 및 취소사유로 정한 구 「여객자동차 운수사업법」 조항은 직업선택의 자유를 침해한다.

ㄴ. 택시운전자격을 취득한 사람이 강제추행 등 성범죄를 범하여 금고 이상의 형의 집행유예를 선고받은 경우 그 자격을 취소하도록 규정한 「여객자동차 운수사업법」 관련 조항은 과잉금지원칙에 위배되어 직업의 자유를 침해한다고 할 수 없다.

ㄷ. 제조업의 직접생산 공정업무를 근로자파견의 대상 업무에서 제외하는 법률조항은 근로자 파견을 허용하되 파견기간을 제한하는 방법도 고려해 볼 수 있으므로 제조업의 직접생산 공정업무에 관하여 근로자 파견의 역무를 제공받고자 하는 사업주의 직업수행의 자유를 침해한다.

ㄹ. 외국인 근로자의 사업장 변경허가기간을 그 신청일로부터 2개월로 제한한 것은 외국인 근로자의 사업장 변경 자체를 금지하는 것이 아니라 허가기간을 제한하는 것에 불과하므로 외국인 근로자의 직장선택의 자유를 침해하지 않는다.

ㅁ. 샘플 화장품을 판매금지하고 그 위반자에 대해서 형사처벌을 규정한 것은 직업의 자유를 침해하지 아니한다.

ㅂ. 현금영수증 의무발행업종 사업자로 하여금 건당 10만 원 이상의 현금거래시 의무적으로 현금영수증을 발급하도록 하고, 그 의무 위반시 미발급 거래대금의 100분의 50에 상당하는 과태료를 부과하도록 한 「법인세법」은 구체적·개별적 사정에 따른 감면의 여지 없이 과도하게 부과되는 과태료 제재에 따른 불이익은 매우 크므로, 과태료조항은 과잉금지원칙에 위반되어 직업수행의 자유를 침해한다.

ㅅ. 공연장의 경영자가 국산영화를 연간상영일수의 5분의2 이상 상영하여야 한다고 규정한 「영화법」 관련 조항은 국산영화의 존립과 진흥의 발판을 확보하려는 입법목적의 달성을 위한 제한으로서 과잉금지의 원칙에 반하지 아니한다.

① 1개
② 2개
③ 3개
④ 4개

08 직업의 자유에 대한 설명으로 옳지 않은 것은 모두 몇 개인가?

ㄱ. 농협·축협조합장이 금고 이상의 형을 선고받은 경우 그 형이 확정되기 전에 이사가 그 직무를 대행하도록 규정한 것만으로는 조합장의 직업수행의 자유를 침해하지 않는다.
ㄴ. 성매매알선행위를 처벌하고 알선으로 얻은 이익을 몰수하도록 한 「성매매알선 등 행위의 처벌에 관한 법률」은 직업선택의 자유를 제한하므로 과잉금지의 원칙에 따라, 반드시 법률로써 하여야 할 뿐 아니라 국가안전보장·질서유지·공공복리라는 공공의 목적을 달성하기 위하여 필요하고 적정한 수단·방법에 의해서만 가능하다.
ㄷ. 방송문화진흥회가 최다출자자인 방송사업자의 경우 한국방송광고공사의 후신인 한국방송광고진흥공사가 위탁하는 방송광고에 한하여 방송광고를 할 수 있도록 한 「방송광고판매대행 등에 관한 법률」 제5조 제2항은 직업수행의 자유 침해한다고 할 수 없다.
ㄹ. 주방에서 발생하는 음식물 찌꺼기 등을 분쇄하여 오수와 함께 배출하는 주방용 오물분쇄기의 판매와 사용을 금지하는 '주방용 오물분쇄기의 판매·사용금지'는 직업수행의 자유를 침해한다.
ㅁ. 대통령령으로 정하는 공공기관 및 공기업으로 하여금 매년 정원의 100분의 3 이상씩 34세 이하의 청년 미취업자를 채용하도록 한 「청년고용촉진 특별법」 조항은 직업선택의 자유를 침해한다.
ㅂ. 금융투자업자가 투자권유를 함에 있어서 불확실한 사항에 대하여 단정적 판단을 제공하거나 확실하다고 오인하게 할 소지가 있는 내용을 알리는 행위를 한 경우 형사 처벌하도록 규정한 「자본시장과 금융투자업에 관한 법률」 제445조는 직업의 자유를 침해한다.

① 1개　　② 2개
③ 3개　　④ 4개

09 직업의 자유에 대한 설명으로 옳지 않은 것은 모두 몇 개인가?

ㄱ. 신용카드가맹점에 대하여 신용카드로 거래한다는 이유로 신용카드결제를 거부하거나 회원을 불리하게 대우하는 것을 금지하는 「여신전문금융법」은 직업의 자유를 침해한다고 할 수 없다.
ㄴ. 「할부거래에 관한 법률」 제40조에 따른 등록 취소 당시 임원 또는 지배주주였던 사람이 임원 또는 지배주주인 회사에 대해서 필요적으로 등록을 취소하도록 규정한 「할부거래에 관한 법률」은 등록 취소 당시 임원 또는 지배주주였던 사람에 대하여 선불식 할부거래업자의 임원 또는 지배주주가 될 자격을 영구히 상실하도록 하고 있어 침해의 최소성과 법익의 균형성을 갖추지 못하였으므로 과잉금지원칙에 반하여 직업의 자유를 침해한다.
ㄷ. 학교환경위생정화구역에서 금지되는 행위 및 시설을 여성가족부고시에 위임하고 있는 「청소년 보호법」은 직업의 자유를 침해한다.
ㄹ. 대학교 정화구역 내 당구장 설치금지는 직업의 자유를 침해하나 유치원과 초·중·고등학교 주변의 당구장 설치금지는 직업의 자유를 침해한다고 할 수 없다.
ㅁ. 나무의사만이 수목진료를 할 수 있도록 규정한 「산림보호법」은 객관적 사유에 의한 직업선택의 자유 제한이다.
ㅂ. 다른 교육훈련기관의 학습과정 등록을 유도하거나 교육훈련기관 간에 연계하여 공동으로 학습자를 모집하지 말 것을 규정한 「평가인정 학습과정 운영에 관한 규정」은 직업행사의 자유를 제한하고 있으며, 비례원칙이 위헌 여부 심사기준이 된다.
ㅅ. 지방공무원의 의사에 반하는 타 지방자치단체로의 전출명령은 직업의 자유를 침해하지 않는다.
ㅇ. 최저임금의 적용을 위해 주 단위로 정해진 근로자의 임금을 시간에 대한 임금으로 환산할 때, 해당 임금을 1주 동안의 소정근로시간 수와 법정주휴시간 수를 합산한 시간 수로 나누도록 규정한 「최저임금법 시행령」 조항은 사용자의 직업의 자유를 침해하지 않는다.

① 2개　　② 3개
③ 4개　　④ 5개

10 소비자권리에 대한 설명으로 옳지 않은 것은?

① 소비자는 물품 또는 용역을 선택하는 데 필요한 지식 및 정보를 제공받을 권리와 사업자의 사업활동 등에 대하여 소비자의 의견을 반영시킬 권리가 있다.

② 대형마트로 등록된 대규모점포에 대해 한 달에 2일의 의무휴업을 명할 수 있도록 한 것은 소비자 선택권의 본질적 내용이 침해되었다고 볼 수 없다.

③ 소주구입명령제도는 소비자의 행복추구권에서 파생된 자기결정권을 지나치게 침해하는 위헌적인 규정이다.

④ 소비자는 물품용역에 대한 알 권리를 가지나 소비자권익보호를 위한 단결과 단체활동의 권리는 소비자의 권리보다는 결사의 자유에서 보호된다.

⑤ 소비자의 권리가 침해된 경우 재화와 용품의 하자와 손해 간의 인과관계는 개연성만 인정되어도 손해배상을 받을 수 있다.

11 정당제도에 대한 설명으로 옳은 것은?

① 헌법재판소가 정당설립의 자유를 제한하는 법률의 합헌성을 심사하는 경우 제도 보장의 법리에 따라 합리성 기준에 따른 심사를 하여야 한다.

② 정당설립에 대한 국가의 간섭은 원칙적으로 허용되지 아니하며, 입법자가 정당설립에 대해 형식적 요건을 설정하는 것은 금지된다.

③ 어떤 정당이 민주적 기본질서를 부정하고 이를 적극적으로 공격 하는 것으로 보인다 하더라도 국민의 정치적 의사형성에 참여하는 정당으로서 존재하는 한, 오직 헌법재판소가 그 정당의 위헌성을 확인하고 해산의 필요성을 인정한 경우에만 정당정치의 영역에서 배제된다.

④ 누구든지 정당이 특정인을 후보자로 추천하는 일과 관련하여 어떠한 명목으로건 금품이나 그 밖의 재산상 이익을 제공하거나 제공받을 수 없도록 금지하는 것은 정당 본연의 활동인 정치자금의 모금행위까지 금지하는 것으로 헌법상 보장된 정당활동의 자유를 침해한다.

12 정당제도에 대한 설명으로 옳지 않은 것은 모두 몇 개인가?

ㄱ. 각 시·도당 내에 1천 명 이상의 당원을 획일적으로 요구하고 있는 「정당법」 제18조 제1항은 국민의 정당설립의 자유에 어느 정도 제한을 가하고 있으나, 그러한 제한은 국민의 정치적 의사형성과정에 참여해야 한다는 정당의 개념표지를 구현하기 위한 합리적인 제한이라고 할 것이므로 헌법적으로 정당화된다고 할 것이다.

ㄴ. 정당의 정책이나 정치적 현안에 대한 입장을 인쇄물·시설물·광고 등을 이용하여 홍보하는 행위와 당원을 모집하기 위한 호별 방문은 통상적인 정당활동으로 보장되어야 한다.

ㄷ. 국고보조금을 배분받는 정당에 한하여 정책의 개발·연구활동을 촉진하기 위하여 중앙당에 별도 법인의 정책연구소를 설치·운영하여야 한다.

ㄹ. 정당은 국회의원지역구 및 자치구·시·군, 읍·면·동별로 당원협의회를 둘 수 있으며, 시·도당 하부조직의 운영을 위하여 당원협의회 등의 사무소를 둘 수 있다.

ㅁ. 정당이 합당할 경우, 합당하는 정당들이 대의기관의 결의나 합동회의의 결의로써 신설정당이 합당 전 정당들의 권리·의무를 승계하지 않기로 정하였다면, 이는 정당 내부의 자율적 규율사항에 해당하므로 그 결의는 효력이 있다.

ㅂ. 정당이 그 소속 국회의원을 제명하는 경우 당헌이 정하는 절차 외에도 그 소속 국회의원 전원의 3분의 2 이상의 찬성이 있어야 하며, 무기명투표를 원칙으로 하되 예외적인 경우에는 서면에 의하여 의결할 수 있다.

① 1개 ② 2개
③ 3개 ④ 4개

13 정당제도에 대한 설명으로 옳지 않은 것을 모두 조합한 것은?

ㄱ. 중앙당은 정당의 재정에 관한 사항을 확인·검사하기 위하여 예산결산위원회를 두어야 한다.
ㄴ. 정당의 시·도당 하부조직의 운영을 위하여 당원협의회 등의 사무소를 두는 것을 금지한 「정당법」 규정은 정당활동의 자유를 침해하지 않는다.
ㄷ. 지구당을 폐지에 대해서는 정치적 결사의 자유 제한이므로 엄격한 심사를 하여야 한다.
ㄹ. 정당의 시·도당 하부조직의 운영을 위하여 당원협의회를 둘 수 없다.
ㅁ. 정당에서 제명된 의원은 당원 자격을 상실하나 의원직을 유지한다.

① ㄱ, ㄴ　　② ㄱ, ㄴ, ㄷ, ㅁ
③ ㄷ, ㄹ　　④ ㄱ, ㄴ, ㅁ

14 정당제도에 대한 설명으로 옳지 않은 것은 모두 몇 개인가?

ㄱ. 정당의 자진해산의 신고가 있거나 헌법재판소의 해산결정의 통지가 있는 때에는 정부는 그 정당의 등록을 말소하고 지체 없이 그 뜻을 공고하여야 한다.
ㄴ. 정당이 그 소속 국회의원을 제명하는 경우 소속 국회의원 과반수의 찬성을 요한다.
ㄷ. 정당이 그 소속 국회의원을 제명하기 위해서는 당헌이 정하는 절차를 거치는 외에 그 소속 국회의원 중 출석의원의 2분의 1 이상의 찬성이 있어야 한다.
ㄹ. 정당이 새로운 당명으로 합당하거나 다른 정당에 합당될 때에는 합당을 하는 정당들의 대의기관이나 그 수임기관의 합동회의의 결의로써 합당할 수 있다.
ㅁ. 정당에 있어서 대의기관의 결의와 소속 국회의원의 제명에 관한 결의는 서면으로 하여야 하며, 대리인에 의해서는 의결할 수 없다.

① 1개　　② 2개
③ 3개　　④ 4개

15 정당제도에 대한 설명으로 옳은 것은?

① 1960년 개정헌법에서 헌법재판소가 위헌정당해산결정을 하려면 재판관 6인 이상의 찬성을 요했다.
② 1962년 개정헌법에서는 정당의 목적이나 활동이 민주적 기본질서에 위배될 때에는 정부는 헌법재판소에 그 해산을 제소할 수 있고, 정당은 헌법재판소의 판결에 의하여 해산된다.
③ 1972년 개정헌법에서는 정당의 목적이나 활동이 민주적 기본질서에 위배되거나 국가의 존립에 위해가 될 때에는 정부는 헌법위원회에 그 해산을 제소할 수 있고, 정당은 헌법재판소의 결정에 의하여 해산된다.
④ 1972년 개정헌법에서는 정당해산의 결정을 할 때에는 위원 6인 이상의 찬성이 있어야 한다.

16 위헌정당해산에 대한 설명으로 옳은 것은?

① 정당의 목적이나 활동이 민주적 기본질서에 위배될 때에는 정부는 헌법재판소에 그 해산을 제소할 수 있고, 헌법재판소는 재판관 과반수 이상의 찬성에 따라 정당해산의 결정을 할 수 있다.
② 민주적 기본질서를 부정하는 정당이라도 헌법재판소가 그 위헌성을 확인하여 해산결정을 할 때까지는 존속한다.
③ 정당의 해산을 명하는 헌법재판소의 결정은 국회가 「정당법」에 따라 집행한다.
④ 정당해산을 명하는 결정서는 중앙선거관리위원회가 피청구인 외에 국회, 정부 및 법원에 송달하여야 한다.

17 위헌정당해산에 대한 설명으로 옳지 않은 것은?

① 헌법 제8조 제4항의 민주적 기본질서는 모든 정치적 견해들이 각각 상대적 진리성과 합리성을 지닌다고 전제하는 다원적 세계관에 입각한 것이다.

② 정당의 목적이나 활동이 의회제도와 선거제도를 부정하는 것인 때에는 정부는 헌법재판소에 그 해산을 제소할 수 있고, 그 정당은 헌법재판소의 심판에 의하여 해산될 수 있다.

③ 정당해산심판제도는 민주적 기본질서를 보호하기 위해 도입되었는바, 헌법을 수호하기 위해서라도 적극적으로 운용되어야 한다.

④ 정당해산심판의 사유로서 정당의 활동은 정당 기관의 행위나 주요 정당 관계자, 당원 등의 행위로서 그 정당에 귀속시킬 수 있는 활동 일반을 의미하므로, 정당대표나 주요 관계자의 행위라 하더라도 개인적 차원의 행위에 불과한 것은 이에 포함된다고 보기는 어렵다.

18 정치자금에 대한 설명으로 옳은 것은 모두 몇 개인가?

> ㄱ. 헌법의 총강에서는 정당운영에 필요한 자금에 대한 국가보조의무원칙을 명시하고 있다.
> ㄴ. 후원회를 통한 정치자금의 조달을 허용하는 대통령선거의 예비후보자나 국회의원선거의 예비후보자와 달리 광역자치단체장 선거의 예비후보자에게 이를 불허하는 것에는 합리적인 이유가 있고, 이를 두고 입법재량을 현저히 남용하거나 한계를 일탈한 것이라고 보기는 어렵다.
> ㄷ. 후원회 설치에 있어서 국회의원 선거의 예비후보자와 자치구의회의원 선거의 예비후보자를 달리 취급하는 것은, 불합리한 차별에 해당하고 입법재량을 현저히 남용하거나 한계를 일탈한 것이므로 자치구의 회의원선거의 예비후보자 및 이들 예비후보자에게 후원금을 기부하고자 하는 자의 평등권을 침해한다.
> ㄹ. 특별시장·광역시장·특별자치시장·도지사·특별자치도지사 선거의 예비후보자와 자치구의 지역구의회의원 선거의 예비후보자의 후원회 설치를 허용하지 않은 「정치자금법」은 헌법에 합치되지 아니한다.
> ㅁ. 국회의원과 달리 시·도의원에 대해서 개인후원회의 구성을 금지한 것은 평등의 원칙에 위배되지 않는다.
> ㅂ. 정당 후원회를 금지함으로써 정당에 대한 재정적 후원을 전면적으로 금지하는 것은 국민의 정치적 표현의 자유를 침해한다.
> ㅅ. 「정치자금법」상 후원인이 후원회에 기부할 수 있는 후원금은 연간 1천만 원을 초과할 수 없다.

① 1개　　② 2개
③ 3개　　④ 4개

19 국민투표권에 대한 설명으로 옳은 것은?

① 헌법이 채택하고 있는 국민투표 가운데 필요적 국민투표제에 관하여는 의결정족수규정이 없으나, 임의적 국민투표제에 관한 헌법상의 의결정족수규정을 유추적용할 수 있다.

② 국민투표의 가능성은 국민주권주의나 민주주의원칙과 같은 일반적인 헌법원칙에 근거하여 인정될 수 없으며, 헌법에 명문으로 규정되지 않는 한 허용되지 않는다.

③ 국민투표의 대상으로 외교·국방·통일 기타 국가안위에 관한 중요정책을 명시한 것은 현행헌법부터이다.

④ 국민은 특정의 국가정책에 관하여 국민투표에 회부할 것을 대통령에게 요구할 권리를 가진다.

20 국민투표권에 대한 설명으로 옳지 않은 것을 모두 조합한 것은?

> ㄱ. 대통령이 국민투표를 정치적 무기화하고 정치적으로 남용할 수 있는 위험성이 있다는 점을 고려해, 국민투표부의권을 규정한 헌법 제72조는 엄격하게 해석되어야 한다.
> ㄴ. 헌법은 대의민주주의를 기본으로 하고 있어, 중요 정책에 관한 사항이면 국민의 직접적인 의사를 확인하여 결정해야 한다.
> ㄷ. 신임과 연계한 국민투표를 단지 제안하였을 뿐 강행하지는 않았다면 재신임 국민투표를 국민들에게 제안한 것 그 자체만으로 헌법 제72조에 반한다고 볼 수 없다.
> ㄹ. 대통령은 헌법상 국민에게 자신에 대한 신임을 국민투표의 형식으로 물을 수 없을 뿐만 아니라, 특정 정책을 국민투표에 붙이면서 이에 자신의 신임을 결부시키는 대통령의 행위도 위헌적인 행위로서 헌법적으로 허용되지 않는다.
> ㅁ. 직접민주제의 구현방법에 속하는 국민투표의 성격을 국가의 중요 정책사항에 대해 국민이 직접 결정하는 레퍼랜덤(Referendum)과 대의기관의 신임을 묻는 플레비시트(Plebiscite)의 두 유형으로 흔히 나누고 있다. 대통령이 특정 정책을 국민투표에 부친 결과 그 정책의 실시가 국민의 동의를 얻지 못한 경우, 이를 자신에 대한 불신임으로 간주하여 스스로 물러나는 것이 어쩔 수 없는 일인 데서도 확인되듯이 우리 헌법에서 레퍼랜덤과 플레비시트, 두 유형의 국민투표가 모두 인정된다는 것이 헌법재판소의 입장이다.

① ㄱ, ㄴ　　② ㄴ, ㄷ, ㅁ
③ ㄴ, ㄷ, ㄹ　　④ ㄱ, ㄴ, ㅁ

21 선거권에 대한 설명으로 옳은 것은?

① 헌법 제24조는 모든 국민은 '법률이 정하는 바에 의하여' 선거권을 가진다고 규정함으로써 법률유보의 형식을 취하고 있으므로 국민의 선거권은 '법률이 정하는 바에 따라서만 인정될 수 있다'는 포괄적인 입법권의 유보하에 있다.

② 해상에 장기 기거하는 선원이 모사전송(팩스) 시스템을 이용하여 선상에서 투표를 할 수 있는 방안이 마련된다면, 전송과정에서 투표의 내용이 직·간접적으로 노출되어 비밀선거원칙에 위배되므로 헌법에 위반된다.

③ 선거공영제는 선거의 관리·운영에 필요한 비용을 후보자 개인에게 부담시키지 않고 국민 모두의 공평부담으로 하고자 하는 원칙이다.

④ 우리 헌법이 채택하고 있는 선거공영제는 국가가 선거를 관리하고 그에 소요되는 선거비용을 원칙적으로 정당 또는 후보자의 기탁금에서 공제함으로써 선거의 형평을 기하고 선거비용을 경감하며 나아가 공명선거를 실현하려는 제도이다.

22 선거제도에 대한 설명으로 옳지 않은 것은?

① 예비후보자의 선거비용을 보전대상에서 제외하고 있는 「공직선거법」은 청구인들의 선거운동의 자유를 침해한다고 할 수 없다.

② 선거범죄로 당선이 무효로 되는 경우에 이미 보전받은 선거비용뿐만 아니라 반환받은 기탁금 전액까지 반환하도록 하는 것은 과잉금지원칙을 위반한 재산권 침해라고 할 수 없다.

③ 선거공영제의 내용은 우리의 선거문화와 풍토, 정치문화 및 국가의 재정상황과 국민의 법감정 등 여러 가지 요소를 종합적으로 고려하여 입법자가 정책적으로 결정할 사항으로서 넓은 입법형성권이 인정되는 영역이다.

④ 지방자치단체가 선거비용을 지방자치단체의 비용으로 부담하도록 한 것은 지방자치단체의 자치권한을 침해한다.

23 국회의원와 지방의원 지역 선거구 구역표에 대한 설명으로 옳지 않은 것은 모두 몇 개인가?

> ㄱ. 국회의원 선거제도와 지방의회의원 선거제도는 투표가치 평등의 헌법적 의미가 동일하게 적용되므로 위 두 선거구 구역표 사이에 통일성이 확보되어야 한다.
> ㄴ. 선거구획정은 특단의 불가피한 사정이 없는 한 인접 지역이 1개의 선거구를 구성하도록 함이 상당하며, 이는 선거구획정에 관한 국회의 입법재량권의 한계이기도 하다.
> ㄷ. 인구편차에 의한 투표가치의 불평등은 인구비례가 아닌 행정구역별로 시·도의원 정수를 2인으로 배분하고 있는 「공직선거법」은 헌법상 보장된 선거권과 평등권을 침해한다고 할 수 없다.
> ㄹ. 선거구 구역표는 전체로서 유기적 관련성을 가지나 한 선거구가 위헌이면 그 선거구만 위헌이 된다.
> ㅁ. 투표수비율과 의원당선자의 비율이 비례하지 아니한다는 이유만으로 사표가 된 투표를 한 선거권자가 법적으로 차별받았다고 할 수 있다.

① 2개 ② 3개
③ 4개 ④ 5개

24 선거의 기본원칙에 대한 설명으로 옳지 않은 것은?

① 선거인의 의사결정이 타인에게 알려지지 않도록 하는 선거원칙에 따르면 선거인이 자신이 기표한 투표지를 공개한 경우 투표지는 무효가 된다.

② 선거인은 법령에서 정하는 언론사가 출구조사를 하는 경우를 제외하고, 투표한 후보자의 성명이나 정당명을 누구에게도 또한 어떠한 경우에도 진술할 의무가 없으며, 누구든지 선거일의 투표마감시각까지 이를 질문하거나 그 진술을 요구할 수 없다.

③ 공개투표제는 선거인에게 책임을 지울 수 있는 긍정적인 측면도 있으나 선거 간섭이나 매표 등의 우려가 있기 때문에 국회의원의 선거에는 비밀선거의 원칙이 채택된다.

④ 모사전송 시스템 등 대한민국 국외의 구역을 항해하는 선박에서 장기 기거하는 선원들이 선거권을 행사할 수 있도록 하는 것은 비밀선거원칙상 허용되기 힘들므로 해상에 장기 기거하는 선원들을 부재자투표대상자로 규정하지 아니한 「공직선거법」은 선거권을 침해한다.

25 선거의 기본원칙에 대한 설명으로 옳지 않은 것은?

① 모사전송 시스템을 이용한 선상투표와 같은 제도는 국외를 항해하는 대한민국 선원들의 선거권을 충실히 보장하기 위한 입법수단으로 충분히 수용될 수 있고, 입법자는 비밀선거원칙을 이유로 이를 거부할 수 없다 할 것이다.

② 투표를 통한 정치적 의사표현은 가장 내밀한 영역에 해당하므로, 무엇보다 선거인은 자신이 신뢰할 수 있는 사람을 스스로 투표보조인으로 선정할 수 있어야 하지만, 신체의 장애로 인하여 자신이 기표할 수 없는 선거인에 대해 투표보조인이 가족이 아닌 경우 반드시 2인을 동반하여서만 투표를 보조하게 할 수 있도록 정하고 있는 「공직선거법」은 선거인이 자신에게 필요한 투표보조인의 수를 스스로 결정할 수 없게 하고, 2인의 투표보조인에게 투표의 내용을 공개하도록 하여 선거권 행사를 위축시킨다.

③ 투표를 마친 선거인에게 국·공립 유료시설의 이용요금을 면제·할인하는 것은 자유선거원칙에 위반된다고 할 수 없다.

④ 자유선거원칙은 선거의 전 과정에 요구되는 선거권자의 의사형성의 자유와 의사실현의 자유를 말하는바, 구체적으로는 투표의 자유, 입후보의 자유뿐 아니라 이탈의 자유까지 의미한다.

26 선거제도에 대한 설명으로 옳지 않은 것은?

① 국회의원선거구획정위원회는 중앙선거관리위원회에 두고 직무에 관하여 중앙선거관리위원회의 지휘·감독을 받지 아니한다.

② 국회의원지역선거구의 공정한 획정을 위하여 임기만료에 따른 국회의원 선거의 선거일 전 18개월 전부터 해당 국회의원 선거에 적용되는 국회의원지역선거구의 명칭과 그 구역이 확정되어 효력을 발생하는 날까지 국회의원선거구획정위원회를 설치·운영한다.

③ 국회의원이 지역구에서 선출되더라도 추구하는 목표는 지역구의 이익이 아닌 국가 전체의 이익이어야 한다는 원리는 양원제가 아닌 단원제를 채택하고 있는 우리 헌법하에서 동일하게 적용된다.

④ 국회의원 및 정당의 당원(「공직선거법」 제24조 제1항에 따른 국회의원선거구획정위원회의 설치일부터 과거 1년 동안 정당의 당원이었던 사람을 포함한다)은 획정위원회 위원이 될 수 있다.

27 선거제도에 대한 설명으로 옳은 것은?

① 선거권자의 연령을 선거일 현재를 기준으로 산정하도록 규정한 「공직선거법」 제17조 중 "선거권자의 연령은 선거일 현재로 산정한다." 부분이 선거권이나 평등권을 침해한다.

② 득표율에 따라 기탁금 반환 금액을 차등적으로 정한 「공직선거법」 제57조 제1항 제1호 중 '지방자치단체의 장 선거'에 관한 부분으로서 가목 가운데 '유효투표 총수의 100분의 15 이상을 득표한 경우'에 관한 부분 및 나목이 '유효투표 총수의 100분의 10'에 미치지 못하는 득표율을 얻은 청구인의 평등권을 침해한다고 할 수 없다.

③ ㅇㅇ정책연구원의 원장 직을 국회의원 선거일 전 30일이 지난 후 그만두고 비례대표국회의원후보자로 등록하여 당선된 자에 대하여 중앙선거관리위원회가 당선무효를 공고하고 이를 통지하여야 할 작위의무가 인정된다.

④ 선거 당일 문자메시지 등을 이용한 선거운동을 허용하더라도 선거의 불공정성을 초래할 위험이 크다고 보기 어렵고, 오히려 선거일 전일에 제기된 의혹 등에 대처할 수 있게 하여 유권자의 합리적인 선택을 보장할 수 있으므로 선거일에 선거운동을 한 자를 처벌하는 구 「공직선거법」은 과잉금지원칙을 위반하여 정치적 표현의 자유를 침해한다.

28 선거제도에 대한 설명으로 옳은 것은?

① 공직선거 및 교육감 선거 입후보시 선거일 전 90일까지 교원직을 그만 두도록 하는 「공직선거법」이 교원의 공무담임권과 평등권을 침해한다고 할 수 없다.

② 「공직선거법」은 대통령 선거, 국회의원 선거, 지방의회의원 선거, 지방자치단체장 선거와 정당대표자 선출에 적용된다.

③ 선거에서의 평등은 획일적 평등이므로 차별은 허용되지 아니한다.

④ 연령에 의한 선거권 제한은 주권자인 국민의 참정권 제한이므로 엄격한 비례원칙을 적용해야 한다.

29 선거제도에 대한 설명으로 옳지 않은 것은?

① 선거범과 다른 죄의 경합범을 선거범으로 의제하는 것은 선거권과 공무담임권을 침해한다.

② 법원의 100만 원 이상 벌금형 선고된 경우 국회의원 신분의 상실시키는 당선무효조항에 의한 공무담임권의 제한에 대하여는 그에 상응하는 비례의 원칙 심사가 엄격하게 이루어져야 한다.

③ 수형자에 대한 선거권을 제한하는 법률의 합헌성을 심사하는 경우에는 그 심사의 강도는 엄격하여야 한다.

④ 헌법재판소는 개표절차에 투표지 분류기를 사용하도록 한 「공직선거법」은 선거권 자체의 제한이 아니므로 입법권이 자의적으로 행사되어 현저하게 불합리하고 불공정한 입법이 되었다고 인정되지 않는 한 헌법에 위반된다고 볼 수 없다.

30 선거제에 대한 설명으로 옳지 않은 것을 모두 조합한 것은?

> ㄱ. 선거일 현재 선거범으로서 100만 원 이상의 벌금형의 선고를 받고 그 형이 확정된 후 5년 또는 형의 집행유예의 선고를 받고 그 형이 확정된 후 10년을 경과하지 아니한 사람은 선거권이 없다.
> ㄴ. 선거일 현재 「정치자금법」 제45조(정치자금부정수수죄)에 규정된 죄를 범한 자로서, 100만 원 이상의 벌금형의 선고를 받고 그 형이 확정된 후 5년 또는 형의 집행유예의 선고를 받고 그 형이 확정된 후 10년을 경과하지 아니하거나 징역형의 선고를 받고 그 집행을 받지 아니하기로 확정된 후 또는 그 형의 집행이 종료되거나 면제된 후 10년을 경과하지 아니한 자(형이 실효된 자도 포함한다)는 선거권이 없다.
> ㄷ. 선거범으로서 100만 원 이상의 벌금형의 선고를 받고 그 형이 확정된 후 5년을 경과하지 아니한 자 또는 형의 집행유예의 선고를 받고 그 형이 확정된 후 10년을 경과하지 아니한 자의 선거권을 제한하는 규정은 국민주권과 대의제 민주주의의 실현수단으로서 선거권이 가지는 의미와 보통선거원칙의 중요성을 감안하면, 필요 최소한을 넘어 과도한 제한으로서 이들 선거범의 선거권을 침해한다.
> ㄹ. 「국민투표법」 위반 범죄로 300만 원의 벌금형이 확정된 후 4년이 지난 자는 선거권이 인정된다.
> ㅁ. 「정치자금법」 제45조(정치자금부정수수죄) 위반 범죄로 2년 징역에 5년의 집행유예를 선고받고 형이 확정된 뒤 9년이 지난 자는 선거권이 인정된다.

① ㄱ, ㄴ　　② ㄱ, ㄴ, ㄷ, ㅁ
③ ㄷ, ㄹ, ㅁ　　④ ㄱ, ㄴ, ㄷ

31 선거제도에 대한 설명으로 옳은 것은?

① 주민등록이 되어 있는지 여부에 따라 선거인명부에 오를 자격을 결정하여 그에 따라 선거권 행사 여부가 결정되도록 함으로써 엄연히 대한민국의 국민임에도 불구하고 「주민등록법」상 주민등록을 할 수 없는 재외국민의 선거권 행사를 전면적으로 부정하고 있는 「공직선거법」 제37조 제1항은 어떠한 정당한 목적도 찾기 어려우므로 헌법 제37조 제2항에 위반하여 재외국민의 선거권과 평등권을 침해하고 보통선거원칙에도 위반된다.

② 재외선거인으로 하여금 선거를 실시할 때마다 재외선거인 등록신청을 하도록 한 「공직선거법」상 재외선거인 등록신청조항은 재외선거인의 선거권을 침해한다.

③ 입법자가 재외선거제도를 도입하면서 인터넷투표방법이나 우편투표방법을 채택하지 아니하고 원칙적으로 공관에 설치된 재외투표소에 직접 방문하여 투표하는 방법을 채택한 것은 재외선거인의 선거권을 침해하는 것이다.

④ 재외국민으로서 「주민등록법」에 따라 주민등록표에 3개월 이상 계속하여 올라 있고 해당 국회의원지역선거구 안에 주민등록이 되어 있는 사람은 지방의회의원, 지방자치단체장 선거권을 가지나 대통령 선거권과 국회의원 선거권은 없다.

32 선거제도에 대한 설명으로 옳지 않은 것은?

① 대통령 선거에 있어서 직업이나 학문 등의 사유로 자진 출국한 자들이 선거권을 행사하려고 하면 반드시 귀국해야 하고 귀국하지 않으면 선거권 행사를 못하도록 하는 것은 헌법이 보장하는 해외체류자의 국외거주·이전의 자유, 직업의 자유, 공무담임권, 학문의 자유 등의 기본권을 희생하도록 강요한다는 점에서 부적절하다.

② 재외국민과 단기해외체류자 등 국외거주자의 부재자 투표권을 부인하는 것은 선거의 공정성을 확보하기 위한 것이므로 선거권의 침해는 아니다.

③ 대통령이 탄핵결정으로 파면되면 파면된 때 궐위가 발생하므로 그 때로부터 60일 이내에 보궐선거를 해야 한다.

④ 대통령의 궐위로 인한 선거 또는 재선거의 선거일은 늦어도 선거일 전 50일까지 대통령권한대행자가 공고하여야 한다.

33 당내경선에 대한 설명으로 옳지 않은 것은?

① 국회의원 비례대표후보자명단을 확정하기 위한 당내 경선에는 직접·평등·비밀투표 등 일반적인 선거원칙이 그대로 적용되고 대리투표는 허용되지 않는다.

② 정당의 대통령 선거 후보 선출은 자발적인 조직 내부의 의사결정에 지나지 아니하므로, 후보경선과정에서 여론조사 결과를 반영한 것은 헌법소원심판의 대상이 되는 공권력 행사에 해당된다고 할 수 없다.

③ 당내경선에서 경선후보자로서 당해 정당의 후보자로 선출되지 아니한 자는 원칙적으로 당해 선거의 같은 선거구에서 무소속의 후보자로 등록할 수 있다.

④ 대통령 선거 경선후보자가 당내경선후보자로 등록을 하고 당내경선과정에서 탈퇴함으로써 후원회를 둘 수 있는 자격을 상실한 때에는 후원회로부터 후원받은 후원금 전액을 국고에 귀속하도록 하는 것은 경선에 참여하여 낙선한 대통령 선거 경선후보자와의 관계에서 합리적인 이유가 있는 차별이라고 하기 어렵다.

34 선거운동이 금지되는 자에 대한 설명으로 옳지 않은 것은?

> 「공직선거법」 제60조(선거운동을 할 수 없는 자) ① 다음 각 호의 어느 하나에 해당하는 사람은 선거운동을 할 수 없다. 다만, 제1호에 해당하는 사람이 예비후보자·후보자의 배우자인 경우와 제4호부터 제8호까지의 규정에 해당하는 사람이 예비후보자·후보자의 배우자이거나 후보자의 직계존비속인 경우에는 그러하지 아니하다.
> 1. 대한민국 국민이 아닌 자. 다만, 제15조 제2항 제3호에 따른 외국인이 해당 선거에서 선거운동을 하는 경우에는 그러하지 아니하다.
> 2. 미성년자(18세 미만의 자를 말한다. 이하 같다)
> 3. 제18조(선거권이 없는 자) 제1항의 규정에 의하여 선거권이 없는 자
> 4. 「국가공무원법」 제2조(공무원의 구분)에 규정된 국가공무원과 「지방공무원법」 제2조(공무원의 구분)에 규정된 지방공무원. 다만, 「정당법」 제22조(발기인 및 당원의 자격) 제1항 제1호 단서의 규정에 의하여 정당의 당원이 될 수 있는 공무원(국회의원과 지방의회의원외의 정무직공무원을 제외한다)은 그러하지 아니하다.
> 5. 제53조(공무원 등의 입후보) 제1항 제2호 내지 제8호에 해당하는 자(제4호 내지 제6호의 경우에는 그 상근직원을 포함한다)
> 6. 예비군 중대장급 이상의 간부

① 외국인으로서 지방자치단체의 장, 지방의원 선거에서 선거권을 가지는 외국인은 해당 선거에서 선거운동을 할 수 있다.

② 외국인이 예비후보자·후보자의 배우자인 경우와 경력직 공무원이 예비후보자·후보자의 배우자이거나 후보자의 직계존비속인 경우 선거운동할 수 있다.

③ 미성년자가 후보자의 직계비속인 경우에 선거운동을 할 수 있다.

④ 국회의원과 지방의회의원은 선거운동할 수 있으나, 법무부장관은 선거운동할 수 없다.

35 **여당과 야당은 연동비례대표제 도입을 합의하고 공직선거법 개정안을 처리하고자 했는데 이를 반대하는 A당 의원들이 다른 당 의원들의 회의장 출입을 방해하였다. 또한 B당 의원을 회의에 참석 할 수 없도록 하기 위해 의원실에 감금하기도 하였다. 이에 대한 설명으로 옳지 않은 것은?**

> 「국회법」 제165조(국회 회의 방해금지) 누구든지 국회의 회의(본회의, 위원회 또는 소위원회의 각종 회의를 말하며, 국정감사 및 국정조사를 포함한다. 이하 이 장에서 같다)를 방해할 목적으로 회의장이나 그 부근에서 폭력행위 등을 하여서는 아니 된다.
>
> 제166조(국회 회의 방해죄) ① 제165조를 위반하여 국회의 회의를 방해할 목적으로 회의장이나 그 부근에서 폭행, 체포·감금, 협박, 주거침입·퇴거불응, 재물손괴의 폭력행위를 하거나 이러한 행위로 의원의 회의장 출입 또는 공무 집행을 방해한 사람은 5년 이하의 징역 또는 1천만 원 이하의 벌금에 처한다.
>
> 「공직선거법」 제18조(선거권이 없는 자) ① 선거일 현재 다음 각 호의 어느 하나에 해당하는 사람은 선거권이 없다.
> 2. 1년 이상의 징역 또는 금고의 형의 선고를 받고 그 집행이 종료되지 아니하거나 그 집행을 받지 아니하기로 확정되지 아니한 사람. 다만, 그 형의 집행유예를 선고받고 유예기간 중에 있는 사람은 제외한다.
> 3. 선거범, 「정치자금법」 제45조(정치자금부정수수죄) 및 제49조(선거비용 관련 위반행위에 관한 벌칙)에 규정된 죄를 범한 자 또는 대통령·국회의원·지방의회의원·지방자치단체의 장으로서 그 재임 중의 직무와 관련하여 「형법」(「특정범죄 가중처벌 등에 관한 법률」 제2조에 의하여 가중처벌되는 경우를 포함한다) 제129조(수뢰, 사전수뢰) 내지 제132조(알선수뢰)·「특정범죄 가중처벌 등에 관한 법률」 제3조(알선수재)에 규정된 죄를 범한 자로서, 100만 원 이상의 벌금형의 선고를 받고 그 형이 확정된 후 5년 또는 형의 집행유예의 선고를 받고 그 형이 확정된 후 10년을 경과하지 아니하거나 징역형의 선고를 받고 그 집행을 받지 아니하기로 확정된 후 또는 그 형의 집행이 종료되거나 면제된 후 10년을 경과하지 아니한 자(형이 실효된 자도 포함한다)
>
> 제19조(피선거권이 없는 자) 선거일 현재 다음 각 호의 어느 하나에 해당하는 자는 피선거권이 없다.
> 1. 제18조(선거권이 없는 자) 제1항 제1호·제3호 또는 제4호에 해당하는 자
> 4. 「국회법」 제166조(국회 회의 방해죄)의 죄를 범한 자로서 다음 각 목의 어느 하나에 해당하는 자(형이 실효된 자를 포함한다)
>   가. 500만 원 이상의 벌금형의 선고를 받고 그 형이 확정된 후 5년이 경과되지 아니한 자
>   나. 형의 집행유예의 선고를 받고 그 형이 확정된 후 10년이 경과되지 아니한 자
>   다. 징역형의 선고를 받고 그 집행을 받지 아니하기로 확정된 후 또는 그 형의 집행이 종료되거나 면제된 후 10년이 경과되지 아니한 자

① A당 의원이 국회 회의 방해죄로 500만 원 이상의 벌금형의 선고를 받고 그 형이 확정되면 선거권을 상실한다.

② A당 의원이 국회 회의 방해죄로 징역형이 선고받고 그 집행을 받지 아니하기로 확정된 후 또는 그 형의 집행이 종료되거나 면제된 후 10년이 경과되지 아니했다면 피선거권을 갖지 못한다.

③ 국회 회의 방해죄로 500만 원 이상의 벌금형이 확정되면 선거권을 가지나 피선거권을 가지지 못한다.

④ 국회 회의 방해죄로 징역 2년의 집행유예 3년형이 확정된 경우 선거권을 가지나 피선거권을 가지지 못한다.

36 **선거제도에 대한 설명으로 옳지 않은 것은?**

① 지방자치단체의 장 선거에서 당선인이 반드시 일정비율이상의 득표를 해야 민주적 정당성이나 대표성을 획득한다고 할 수 없다.

② 지방자치단체의 장 선거에서 후보자가 1명만 등록한 경우 무투표 당선으로 규정한 선거법은 선거권을 침해한다고 할 수 없다.

③ 다수대표제는 그것이 적절히 운용될 경우 사회세력에 상응한 대표를 형성하고, 정당정치를 활성화하며, 정당간의 경쟁을 촉진하여 정치적 독점을 배제하는 장점을 가질 수 있다.

④ 우리나라 국회의원선거와 시도의원선거에서 지역선거구는 다수대표제이나, 시·군·구 의원선거에서 지역선거구는 소수대표제이다.

37 **선거쟁송에 대한 설명으로 옳은 것은?**

① 시·도지사 선거에 대한 효력에 이의가 있는 경우 정당은 소청절차를 경유하지 않고, 대법원에 소송을 제기할 수 있다.

② 국회의원 선거에 있어서 선거의 효력에 관하여 이의가 있는 선거인·정당(후보자를 추천한 정당에 한한다) 또는 후보자는 당해 선거구선거관리위원회 위원장을 피소청인으로 하여 중앙선거관리위원회에 소청할 수 있다.

③ 대통령 선거에 있어서 당선의 효력에 이의가 있는 정당(후보자를 추천한 정당에 한한다) 또는 후보자는 당선인 결정일부터 30일 이내에 대법원에 소를 제기할 수 있다.

④ 국회의원 선거에 있어서 선거의 효력에 관하여 이의가 있는 선거인 정당(후보자를 추천한 정당에 한한다) 또는 후보자는 선거일로부터 45일 이내에 헌법재판소에 소를 제기할 수 있다.

⑤ 국회의원 지역구 선거에 있어서 선거의 효력에 관하여 이의가 있는 선거인·정당(후보자를 추천한 정당에 한한다) 또는 후보자는 선거일부터 30일 이내에 중앙선거관리위원회 위원장을 피고로 하여 대법원에 소를 제기할 수 있다.

38 **선거쟁송에 대한 설명으로 옳지 않은 것은 모두 몇 개인가?**

> ㄱ. 선거의 효력을 다투는 선거소송은 일종의 민중소송으로서 대통령 선거, 국회의원 선거의 효력에 관하여 이의가 있는 선거인, 후보자 또는 모든 정당이 제기할 수 있다.
> ㄴ. 당선무효소송은 선거가 적법·유효하게 실시된 것을 전제로 선거관리위원회의 당선인 결정 자체가 위법하다고 한 경우에 그 효력을 다투는 소송이므로 선거가 무효가 되는 사유가 있으면 더 나아가서 당선무효 여부를 따져 볼 필요가 없다.
> ㄷ. 당선소송은 선거의 일부 무효를 주장하는 것으로서 선거의 효력에 관하여 이의가 있는 자가 중앙선거관리위원회 위원장을 피고로 하여 대법원에 소를 제기하는 것이다.
> ㄹ. 대통령선거에서 당선의 효력에 이의가 있는 경우, 정당 또는 후보자는 사안에 따라 당선인을 피고로 하거나 중앙선거관리위원회 위원장 또는 국무총리를 피고로 하여 대법원에 소를 제기할 수 있다.

① 1개 ② 2개
③ 3개 ④ 4개

39 **공무원의 선거중립에 대한 설명으로 옳지 않은 것은?**

① 지방의회의원은 선거운동의 주체로서 그에게는 선거에서의 정치적 중립성이 요구될 수 없으므로, 선거 결과에 영향을 미치는 행위를 금지하는 「공직선거법」 제9조의 공무원에 포함되지 않는다고 해석된다.

② 구 「공직선거법」 제85조 제2항은 공무원 지위를 이용한 선거운동을 금지하고 있는데, 공무원의 지위를 이용한 선거운동을 금지대상에서 지방의회의원은 제외된다고 해석할 수 있다.

③ 선거에서의 공무원의 정치적 중립의무는 헌법적 요청이며, 대통령, 지방자치단체의 장 등에게는 다른 공무원보다도 선거에서의 정치적 중립성이 특히 요구된다.

④ 국회의원이나 지방의회의원은 선거운동을 허용하면서 지방자치단체의 장이 선거운동을 금지하는 「공직선거법」 제60조는 평등권을 침해한다고 할 수 없다.

40 **경선운동에 대한 설명으로 옳은 것은?**

① 당내경선에서 허용되는 경선운동방법을 한정하고, 이를 위반하여 경선운동을 한 자를 처벌하는 「공직선거법」이 경선후보자가 지지호소행위를 하면서 확성장치를 사용할 수 있는지 여부가 불분명하여 죄형법정주의 명확성원칙에 위배된다고 할 수 없다.

② 당내경선에서 허용되는 경선운동방법을 한정하고, 이를 위반하여 경선운동을 한 자를 처벌하는 「공직선거법」이 경선후보자가 지지호소행위를 하면서 확성장치를 사용할 수 없게 하였는바, 이는 정치적 표현의 자유를 침해한다.

③ 광주광역시 광산구 시설관리공단의 상근직원이 당원이 아닌 자에게도 투표권을 부여하는 당내경선에서 경선운동을 할 수 없도록 금지·처벌하는 「공직선거법」은 과잉금지원칙에 반하여 정치적 표현의 자유를 침해하지 않는다.

④ 당내경선은 공직선거 자체와는 구별되는 정당 내부의 자발적인 의사결정에 해당하고, 경선운동은 원칙적으로 공직선거에서의 당선 또는 낙선을 위한 행위인 선거운동에 해당한다.

6회 중간 테스트

공무담임권 ~ 환경권

정답 및 해설 p.486

제한시간 : 14분 | 시작시각 ___시 ___분 ~ 종료시각 ___시 ___분 　　나의 점수 ______

01 공무담임권에 대한 설명으로 옳지 않은 것은?

① 국회의원 당선무효조항에 의한 공무담임권 제한에 대하여는 그에 상응하는 비례의 원칙심사가 엄격하게 이루어져야 한다.

② 사립대학 교원이 국회의원으로 당선된 경우 임기개시일 전까지 그 직을 사직하도록 하는 것은 사립대학 교원의 직업선택의 자유를 제한하는 것이지 공무담임권을 제한하는 것은 아니다.

③ 교육의원후보자가 되려는 사람은 5년 이상의 교육경력 또는 교육행정경력을 갖추도록 규정하고 있는 「제주특별자치도 설치 및 국제자유도시 조성을 위한 특별법」은 공무담임권을 침해하는 것이라 볼 수 없다.

④ 검찰총장 퇴임 후 2년 이내에는 모든 공직에의 임명을 금지하는 것은 공무담임권을 침해하는 것이다.

02 공무담임권에 대한 설명으로 옳은 것은?

① 공무원이 국가를 상대로 실질이 보수에 해당하는 금원의 지급을 구하려면 공무원의 '근무조건 법정주의'에 따라 국가공무원법령 등 공무원의 보수에 관한 법률에 지급근거가 되는 명시적 규정이 존재하여야 하고, 나아가 해당 보수항목이 국가예산에도 계상되어 있어야만 한다.

② 헌법이 공무원의 신분 보장을 명문으로 규정하고 있고 공무수행의 독자성과 영속성을 유지하는 것은 헌법상 목표이므로, 직업공무원제도는 최대한 보장의 원칙을 적용하여 그 위헌성 여부를 판단한다.

③ 직업공무원제도하에서의 공무원은 국가 또는 공공단체와 근로관계를 맺고, 공무를 담당하는 것을 직업으로 하는 자로서 선거직 공직자를 포함한 광의의 공무원을 말한다.

④ 직업공무원으로의 공직취임권은 임용지원자의 능력·전문성·적성·품성을 기준으로 하는 능력주의 또는 성과주의를 바탕으로 하여야 하므로 공직자 선발에 있어 직무수행능력과 무관한 요소를 기준으로 삼아서는 안 된다. 따라서 헌법 제32조 제4항에서 여자의 근로에 대한 특별한 보호를 규정하고 있다 하더라도 이를 이유로 공직자 선발에 있어 능력주의의 예외가 인정될 수 있는 것은 아니다.

03 **공무원의 결격사유와 당연퇴직에 대한 설명으로 옳지 않은 것은?**

① 벌금형의 선고유예판결을 공무원의 결격사유로 하지 않으면서 금고형의 선고유예판결을 결격사유로 하는 것은 합리성과 형평에 반한다고 볼 수 없다.

② 징계에 의하여 해임처분을 받은 공무원에 대해 경찰공무원으로의 임용을 금지하고 있는 「경찰공무원법」은 공무담임권을 침해한다고 할 수 없다.

③ 경찰공무원이 자격정지 이상의 형의 선고유예를 받은 경우 공무원직에서 당연퇴직하도록 규정하고 있는 구 「경찰공무원법」의 규정은 누구에게나 위험이 상존하는 교통사고 관련 범죄 등 과실범의 경우마저 사유에서 제외하지 않고 있으므로 최소침해성의 원칙에 반한다.

④ 공무원의 범죄행위가 직무와 직접적 관련이 없고 과실에 의한 경우라도 금고 이상 형의 선고유예 판결을 받은 경우라면 당연퇴직토록 한 소정의 법률조항은 직업공무원제도와 공무원의 신분 보장을 규정한 헌법 제7조 제2항에 반한다는 것이 헌법재판소의 입장이다.

04 **초·중·고 교사의 정당가입을 금지한 정당법 제22조와 정당이나 그 밖의 정치단체의 결성에 관여하거나 이에 가입할 수 없도록 한 국가공무원법 제65조에 대한 설명으로 옳지 않은 것은?**

① 교원이 사인으로서 정치적 자유권을 행사하게 되면 직무수행에 있어서도 정치적 중립성을 훼손하게 된다고 볼 수 없는 점은 대학 교원과 동일하다. 학생들을 민주시민으로 양성하기 위한 교육과 훈련은 초·중등학교에서부터 이루어지는 것이므로, 직무의 본질이나 내용을 고려하더라도 정당의 설립·가입과 관련하여 대학 교원과 교원을 달리 취급할 합리적인 이유가 있다고 보기 어렵다. 따라서 「정당법」 조항 및 「국가공무원법」 조항 중 '정당'에 관한 부분은 나머지 청구인들의 평등권을 침해한다.

② 정치단체의 결성에 관여하거나 이에 가입할 수 없도록 한 「국가공무원법」 제65조는 정치적 표현의 자유, 결사의 자유를 제한한다.

③ 「국가공무원법」 조항 중 '그 밖의 정치단체'에 관한 부분은 어떤 단체에 가입하는가에 관한 집단적 형태의 '표현의 내용'에 근거한 규제이므로, 엄격한 명확성이 요구된다.

④ 「국가공무원법」 조항 중 '그 밖의 정치단체'에 관한 부분은 불명확한 개념을 사용하여, 수범자에 대한 위축효과와 법 집행 공무원의 자의적 판단 위험을 야기하고 있어 명확성원칙에 위배된다.

⑤ 「국가공무원법」 조항 중 '그 밖의 정치단체'에 관한 부분에 대해 과잉금지 위반에 대해서는 위헌의견을 가진 재판관 6인 중 3인만 위반으로 판단하여 과잉금지 위반으로 표현의 자유를 침해한 것이 법정의견이라고 할 수 없다.

05 공무원제도에 대한 설명으로 옳지 않은 것은?

① 학교의 교원대표·학부모대표, 지역사회인사는 학교운영위원이 될 수 있도록 하면서 학교행정직원은 될 수 없도록 한 「초·중등교육법」 조항은 공무담임권을 침해한다고 할 수 없다.

② 공무원 또는 공무원이었던 자가 재직 중의 사유로 금고 이상의 형을 받은 때에는 대통령령이 정하는 바에 의하여 퇴직급여 및 퇴직수당의 일부를 감액하여 지급하도록 한 「국가공무원법」 조항은 평등원칙에 위배되지 않는다.

③ 채용 예정 분야의 해당 직급에 근무한 실적이 있는 군인을 전역한 날부터 3년 이내에 군무원으로 채용하는 경우 특별채용시험으로 채용할 수 있도록 한 구 「군무원인사법」은 공무담임권을 침해한다고 할 수 없다.

④ 「교육공무원법」 제10조의4 중 미성년자에 대하여 성범죄를 범하여 형을 선고받아 확정된 자와 성인에 대한 성폭력범죄를 범하여 벌금 100만 원 이상의 형을 선고받아 확정된 자는 「초·중등교육법」상의 교원에 임용될 수 없도록 한 부분이 과잉금지원칙에 반하여 청구인의 공무담임권을 침해한다고 할 수 없다.

06 청원권에 대한 설명으로 옳은 것은?

① 국가기관은 청원을 수리한 후 그 내용에 따라 조치를 취할 의무가 있다.

② 청원 소관 관서는 「청원법」이 정하는 절차와 범위 내에서 청원사항을 성실·공정·신속히 심사하고 청원인에게 그 처리 결과를 통지할 의무가 있고, 그 처리 내용은 공권력의 행사 또는 불행사에 해당하므로 청원인은 그 처리 내용이 기대하는 바에 미치지 못하는 경우라면 헌법소원심판을 제기하는 것이 허용된다.

③ 청원은 반드시 문서로 하여야 하고 문서로 하지 아니한 청원은 효력이 없다.

④ 수용자가 발송하는 서신이 국가기관에 대한 청원적 성격을 가지고 있는 경우에 교도소장의 허가를 받도록 한 것은 청원권을 침해한다.

07 청원권에 대한 설명으로 옳지 않은 것을 모두 조합한 것은?

ㄱ. 모든 국민은 법률이 정하는 바에 의하여 국가기관에 문서로 청원할 권리를 가지고, 국가는 청원에 대하여 심사할 의무를 지므로 청원인이 기대한 바에 미치지 못하는 처리 내용은 헌법소원의 대상이 되는 공권력의 불행사이다.
ㄴ. 국회에 청원을 하려는 자는 국회의원의 소개를 받지 않더라도 청원할 수 있다.
ㄷ. 근로자가 공공기관에 사용자를 비방하는 내용의 청원을 하였다 하더라도 그러한 내용의 청원은 「청원법」 제5조의 청원 불수리사유에 해당하므로 이를 징계사유로 삼는 것은 청원을 하였다는 이유로 불이익을 강요하는 것에 해당하여 허용되지 아니한다.
ㄹ. 국가의 소송구조의 거부 자체가 국민의 재판청구권의 본질을 침해하는 것은 아니나, 소송구조가 소송비용을 지출할 자력이 없는 국민의 권리구제를 위해 필요한 경우에는 소송구조의 거부가 재판청구권의 본질적 침해가 될 수 있다.

① ㄱ, ㄴ　　② ㄱ, ㄴ, ㄷ
③ ㄴ, ㄷ, ㄹ　　④ ㄱ, ㄷ

08 검사의 공소권 행사에 대한 설명으로 옳지 않은 것은 모두 몇 개인가?

> ㄱ. 「형사소송법」이 2007.6.1. 법률 제8496호로 개정된 후에는 재정신청의 대상범죄에 대한 제한이 없어져, 고소인은 검사의 불기소처분에 대하여 불복하는 경우 고등법원에 재정신청을 제기하여야 하므로, 결국 헌법소원심판청구가 허용되지 않게 되었다.
> ㄴ. 결국 「형사소송법」이 2007.6.1. 법률 제8496호로 개정된 후로는 검사의 기소유예처분에 대하여 피의자가 자신은 무죄라고 주장하면서 헌법소원심판을 청구하는 것은 허용되나, 검사의 불기소처분에 대하여 범죄피해자가 헌법소원을 제기하는 것은 허용되지 않는다.
> ㄷ. 비록 범죄피해자라 하더라도 고소를 하지 아니하였다면 검사의 불기소처분이 있어도 그것은 범죄피해자의 공소권 행사요구에 대한 처분이라 하기 어렵고, 따라서 고소권을 행사하지 않은 한에 있어서는 '해당 불기소처분으로 인하여서는' 헌법상의 어떠한 기본권도 침해받은 것이 아니므로 당해 불기소처분결정의 취소를 구하는 헌법소원심판청구의 청구인적격이 없다.
> ㄹ. 검사의 기소유예처분에 대하여 피의자가 불복하여 법원의 재판을 받을 수 있는 절차를 국가가 법률로 마련해야 할 헌법적 의무는 존재하지 않는다.

① 1개　　② 2개
③ 3개　　④ 4개

09 재판청구권에 대한 설명으로 옳은 것은?

① 수형자가 국선대리인인 변호사를 접견하는데 교도소장이 그 접견 내용을 녹음·기록하였다고 해도 재판을 받을 권리를 침해하는 것은 아니다.

② 무죄판결이 확정된 형사피고인에게 국선변호인의 보수에 준하여 변호사 보수를 보상하여 주도록 규정한 「형사소송법」 규정은 재판청구권을 침해하지 않는다.

③ 법관의 자격이 없는 법원공무원으로 하여금 소송비용액 확정결정절차 등 재판의 부수적 업무를 처리하게 하는 사법보좌관제도는 법관에 의한 재판을 받을 권리를 침해한다.

④ 형사소송에서 배심원제도를 채택할 것을 헌법이 명시적으로 입법위임한 바 없지만, 헌법의 해석을 통해서 입법자에게 그와 같은 입법의무가 인정되는 것으로 볼 수 있다.

10 재판청구권에 대한 설명으로 옳지 않은 것은?

① 대한변호사협회 변호사징계위원회나 법무부 변호사징계위원회의 징계에 관한 결정은 비록 그 징계위원 중 일부로 법관이 참여한다고 하더라도 이를 헌법과 법률이 정한 법관에 의한 재판이라고 볼 수 없으므로, 법무부 변호사징계위원회의 결정이 법률에 위반된 것을 이유로 하는 경우에 한하여 법률심인 대법원에 즉시항고할 수 있도록 한 「변호사법」 제81조 제4항 내지 제6항은, 법관에 의한 사실확정 및 법률적용의 기회를 박탈한 것으로서 헌법상 국민에게 보장된 '법관에 의한' 재판을 받을 권리를 침해하는 위헌규정이다.

② 행정기관인 청소년보호위원회 등으로 하여금 청소년유해매체물을 결정하도록 하고, 그 결정된 매체물을 청소년에게 판매 등을 하는 경우 형사처벌하도록 하는 「청소년 보호법」은 법관에 의한 재판을 받을 권리를 침해한다고 할 수 없다.

③ 사법보좌관에게 「민사소송법」에 따른 독촉절차에서의 법원의 사무를 처리할 수 있도록 규정한 「법원조직법」 제54조 제2항 제1호는 법관에 의한 재판받을 권리를 침해한다고 할 수 없다.

④ 피고인이 체포되거나 임의로 검사에게 출석하지 아니하면 상소를 할 수 없도록 제한하고 상소권회복청구에 관한 「형사소송법」 규정도 적용 배제하도록 하는 「반국가행위자의 처벌에 관한 특별조치법」 조항은 상소권을 본질적으로 박탈하는 것이어서 재판청구권을 침해한다고 할 수 없다.

11 재판청구권에 대한 설명으로 옳은 것은?

① 객관적으로 법률적 중요성을 가지는 사건에 한하여 상고를 허가하도록 함으로써 상고심재판을 제한한 것은 자의적인 차별이다.

② 민사, 가사, 행정 등 소송사건에 있어서 상고심재판을 받을 수 있는 객관적 기준을 정함에 있어 개별적 사건에서의 권리구제보다 법령해석의 통일을 더 우위에 둔 규정은 헌법에 위반된다.

③ 사실오인 또는 양형부당을 이유로 원심판결에 대한 상고를 할 수 있는 경우를 '사형, 무기 또는 10년 이상의 징역이나 금고가 선고된 사건'의 경우로만 제한한 「형사소송법」 제383조 제4호는 과잉금지원칙에 위반하여 당사자의 재판받을 권리를 침해한 것으로 볼 수 없다.

④ 「소액사건심판법」의 적용을 받는 소액사건에 관하여 상고이유를 제한한 「소액사건심판법」 관련 규정은 해당 당사자의 재판청구권을 침해하여 헌법에 위반된다.

12 법원의 심리와 판결에 대한 설명으로 옳은 것은?

① 국가의 안전보장 또는 안녕질서를 방해하거나 선량한 풍속을 해할 염려가 있을 때에는 법원의 결정으로 심리와 판결을 공개하지 아니할 수 있다.

② 국가의 안전보장 또는 안녕질서를 방해하거나 선량한 풍속을 해할 염려가 있을 때에는 당사자의 청구가 있어야만 법원의 결정에 의해서 심리를 공개하지 않을 수 있다.

③ 재판의 심리와 판결은 공개하는 것이 원칙이지만, 이 중 심리는 국가의 안전보장 또는 안녕질서를 방해하거나 선량한 풍속을 해할 염려가 있는 때에는 법원이 결정으로 공개하지 아니할 수 있다.

④ 심리는 국가의 안전보장 또는 질서유지를 방해하거나 공공복리를 해할 염려가 있을 때에는 법원의 결정으로 공개하지 아니할 수 있다.

13 학교안전사고에 대한 공제급여결정에 대하여 학교안전공제중앙회 소속의 학교안전공제보상재심사위원회가 재결을 행한 경우 재심사청구인이 공제급여와 관련된 소를 제기하지 아니하거나 소를 취하한 경우에는 학교안전공제회와 재심사청구인 간에 당해 재결 내용과 동일한 합의가 성립된 것으로 간주하는 학교안전사고 예방 및 보상에 관한 법률 제64조에 대한 헌법재판소 판례와 일치하지 않는 것은?

① 학교안전공제회는 공법인적 성격과 사법인적 성격을 겸유하고 있는데 공제회가 일부 공법인적 성격을 갖고 있다고 하더라도 공무를 수행하거나 고권적 행위를 하는 경우가 아닌 사경제주체로서 활동하는 경우나 조직법상 국가로부터 독립한 고유업무를 수행하는 경우, 그리고 다른 공권력주체와의 관계에서 지배복종관계가 성립되어 일반 사인처럼 그 지배하에 있는 경우 등에는 기본권 주체가 될 수 있다.

② 학교안전사고에 대한 공제급여결정에 대하여 학교안전공제중앙회 소속의 학교안전공제보상재심사위원회가 재결을 행한 경우 재심사청구인이 공제급여와 관련된 소를 제기하지 아니하거나 소를 취하한 경우에는 학교안전공제회와 재심사청구인 간에 당해 재결 내용과 동일한 합의가 성립된 것으로 간주하는 「학교안전사고 예방 및 보상에 관한 법률」 제64조는 재판청구권을 침해한다.

③ 학교안전공제기금은 공제회에 귀속되어 사적 유용성을 갖는다거나 원칙적 처분권이 있는 재산적 가치라고 보기 어려워 헌법 제23조 제1항에 의하여 보호되는 재산권에 해당되지 않으므로 심판대상법률이 공제회의 재산권을 제한한다고 볼 수 없다.

④ 학교안전사고에 대하여 「국가배상법」을 준용하여 노동능력상실률에 따른 일실수입 전액을 지급하도록 하는 「학교안전법」 제37조는 평등원칙에 반한다.

14 전투용에 공하는 시설'을 손괴한 군인 또는 군무원이 아닌 국민이 군사법원에서 재판받도록 하는, 구 군사법원법에 대해 위헌제청이 있었다. 이에 대한 설명으로 옳지 않은 것을 모두 조합한 것은?

> ㄱ. 1987.10.29. 헌법 제10호로 개정된 현행헌법 제27조 제2항은 군사법원의 평시 일반 국민에 대한 재판권 중에서 '군용물에 관한 죄'를 삭제하였고, 유해음식물공급이 아닌 유독음식물공급죄를 범한 경우로 군사법원의 재판권을 축소하였다.
> ㄴ. 헌법 제27조 제2항의 취지는 평시 일반 국민에 대한 군사법원의 재판권을 제한하려는 것이므로, 일반 국민에 대한 군사법원의 재판권범위를 규정한 헌법 제27조 제2항은 엄격하게 해석하여야 할 것이다.
> ㄷ. '군용물'의 사전적 의미, 헌법 제27조 제1항과 제2항의 내용과 입법취지, 구 「군형법」의 내용과 구조 등을 종합적으로 고려하면, 헌법 제27조 제2항의 '군용물'은 널리 군사시설을 포함하여 군사상의 용도로 사용되거나 사용될 가능성이 있는 모든 물건을 포함하는 의미로 새기는 것이 타당하고, 이 사건 법률조항의 '전투용에 공하는 시설' 역시 헌법 제27조 제2항의 군용물에 당연히 포함된다고 해석하여야 할 것이다.
> ㄹ. 헌법 제27조 제2항의 '군용물'은 '군사상의 용도로 사용되고 있거나 사용될 가능성이 있는 물건'을 통칭하므로, '군사시설'도 포함하나 이 사건 법률조항은 군사적인 중요성과 관계없이 '전투용에 공하는 시설'을 평시에 손괴한 일반인을 모두 군사법원에서 재판받도록 함으로써, 중대한 범죄로 그 범위를 한정하지 아니하므로, 국민이 일반법원에서 재판받을 권리를 침해한다.

① ㄱ, ㄴ　　② ㄴ, ㄹ
③ ㄱ, ㄷ, ㄹ　　④ ㄴ

15 甲은 소위 N번방사건의 형사재판에 배심원으로 선정되었다. 이에 대한 설명으로 옳지 않은 것은?

① 甲은 피고인·증인에 대하여 필요한 사항을 신문하여 줄 것을 재판장에게 요청할 수 있으나 평의가 시작되기 전에 당해 사건에 관한 자신의 견해를 밝히거나 의논하는 행위를 할 수는 없다.

② 甲은 법원의 증거능력에 관한 심리에 관여할 수 없다.

③ 재판장은 변론이 종결된 후 법정에서 배심원에게 공소사실의 요지와 적용법조, 피고인과 변호인 주장의 요지, 증거능력, 그 밖에 유의할 사항에 관하여 설명하여야 한다.

④ 심리에 관여한 배심원은 법관의 공소사실의 요지 등에 대한 설명을 들은 후 유·무죄에 관하여 평의하고, 전원의 의견이 일치하면 그에 따라 평결하고 배심원은 유·무죄에 관하여 전원의 의견이 일치하지 아니하는 때에는 평결을 하기 전에 심리에 관여한 판사의 의견을 들어야 한다.

⑤ 평결이 유죄인 경우 甲은 심리에 관여한 판사와 함께 양형에 관하여 토의할 수 있으나 그에 관한 의견을 개진할 수 없다.

16 형사보상청구권에 대한 설명으로 옳은 것은?

① 형사보상의 청구는 무죄재판이 확정된 때로부터 또는 불기소처분 또는 불송치결정의 고지나 통지를 받은 날로부터 6개월 이내에 하여야 한다.

② 형사보상의 청구는 무죄재판이 확정된 때로부터 3년 이내에 하여야 한다.

③ 현행 「형사소송법」에 의하면, 비용보상청구는 무죄판결이 확정된 사실을 안 날로부터 3년, 무죄판결이 확정된 때로부터 5년 이내에 하여야 하는데, 헌법재판소는 구 「형사소송법」상의 비용보상청구기간이 지나치게 짧아 위헌이라고 하였다.

④ 형사보상의 청구에 대하여 한 보상의 결정에 대하여는 불복을 신청할 수 없도록 하여 형사보상의 결정을 단심재판으로 규정한 「형사보상 및 명예회복에 관한 법률」 제19조 제1항에 대한 헌법재판소의 위헌결정에 따라 「형사보상 및 명예회복에 관한 법률」이 개정되어 법원의 보상결정에 대해서 즉시항고할 수 있다.

17 국가배상청구권에 대한 설명으로 옳지 않은 것을 모두 조합한 것은?

ㄱ. 대체로 영미법계에서는 일찍부터 국가의 책임을 인정해 왔고, 대륙법계에서는 국가무책임의 원칙을 강조했다.
ㄴ. 생명·신체 및 재산의 침해로 인한 국가배상을 받을 권리는 양도하거나 압류하지 못한다.
ㄷ. 입법부가 법률로써 행정부에게 특정한 사항을 위임했음에도 불구하고 행정부가 정당한 이유 없이 시행령을 제정하지 않음으로써 이를 이행하지 않는 것은 불법행위에 해당한다.
ㄹ. 국가배상의 범위는 적극적 손해는 포함할 뿐만 아니라 기대이익과 같은 소극적 손해, 나아가 정신적 손해에 대해 배상인 위자료 책임까지 포함하는 것이다.
ㅁ. 공무원 직무상 불법행위로 피해자가 손해를 입은 동시에 이익을 얻은 경우에는 손해배상액에서 그 이익에 상당하는 금액을 빼야 한다.

① ㄱ, ㄴ ② ㄱ, ㄴ, ㄷ, ㅁ
③ ㄷ, ㄹ, ㅁ ④ ㄱ, ㄴ, ㄷ

18 국가배상법에 대한 설명으로 옳지 않은 것은?

「국가배상법」 제2조(배상책임) ① 국가나 지방자치단체는 공무원 또는 공무를 위탁받은 사인이 직무를 집행하면서 고의 또는 과실로 법령을 위반하여 타인에게 손해를 입히거나, 「자동차손해배상 보장법」에 따라 손해배상의 책임이 있을 때에는 이 법에 따라 그 손해를 배상하여야 한다. 다만, 군인·군무원·경찰공무원 또는 예비군대원이 전투·훈련 등 직무 집행과 관련하여 전사·순직하거나 공상을 입은 경우에 본인이나 그 유족이 다른 법령에 따라 재해보상금·유족연금·상이연금 등의 보상을 지급받을 수 있을 때에는 이 법 및 「민법」에 따른 손해배상을 청구할 수 없다.
② 제1항 본문의 경우에 공무원에게 고의 또는 중대한 과실이 있으면 국가나 지방자치단체는 그 공무원에게 구상할 수 있다.

제5조(공공시설 등의 하자로 인한 책임) ① 도로·하천, 그 밖의 공공의 영조물의 설치나 관리에 하자가 있기 때문에 타인에게 손해를 발생하게 하였을 때에는 국가나 지방자치단체는 그 손해를 배상하여야 한다. 이 경우 제2조 제1항 단서, 제3조 및 제3조의2를 준용한다.

제6조(비용부담자 등의 책임) ① 제2조·제3조 및 제5조에 따라 국가나 지방자치단체가 손해를 배상할 책임이 있는 경우에 공무원의 선임·감독 또는 영조물의 설치·관리를 맡은 자와 공무원의 봉급·급여, 그 밖의 비용 또는 영조물의 설치·관리 비용을 부담하는 자가 동일하지 아니하면 그 비용을 부담하는 자도 손해를 배상하여야 한다.

① 공무원의 직무상 불법행위로 인한 배상은 고의 또는 과실을 요하나, 영조물 설치·관리 하자로 인한 배상은 무과실책임이다.
② 「국가배상법」 제2조 제2항에 따르면 공무원이 경과실로 인한 손해를 배상을 했다면 구상권을 행사할 수 없다.
③ 대전시가 설치한 신호기 관리를 대전시장이 충남경찰청장에게 위임하였는데, 신호기 관리 하자로 손해가 발생한 경우 대한민국은 「국가배상법」 제6조에 따라 배상책임을 진다.
④ 한국토지주택공사의 위법행위로 인한 손해는 「국가배상법」 제2조가 적용되지 않는다.

19 인간다운 생활을 할 권리에 대한 설명으로 옳지 않은 것은?

① 선거방송에서 청각장애인을 위한 수화 및 자막방송을 의무화하지 않는 것은 청각장애인의 참정권을 침해한다고 할 수 없다

② 국가가 국가재정이 허용하는 범위 내에서 사회적 약자를 위하여 최선을 다하는 것은 바람직하지만, 국가기관 간의 권력분립원칙에 비추어 볼 때 헌법이 스스로 국가기관에게 특정한 의무를 부과하는 경우에 한하여 헌법재판소가 헌법재판의 형태로써 국가기관이 특정한 행위를 하지 않은 부작위의 위헌성을 확인할 수 있을 뿐, 헌법의 규범으로부터 장애인을 위한 저상버스의 도입과 같은 구체적인 국가의 행위의무를 도출할 수 없는 것이다.

③ 사회적 기본권의 성격을 가지는 연금수급권은 국가에 대하여 적극적으로 급부를 요구하는 것이므로 헌법규정만으로는 실현될 수 없고, 법률에 의한 형성을 필요로 한다.

④ 「국민기초생활 보장법상」의 최저생계비를 고시함에 있어서 장애자에 대하여 장애로 인한 추가지출비용을 반영한 별도의 최저생계비를 결정하지 않은 채 가구별 인원 수만을 기준으로 최저생계비를 결정한 것은 실질적 평등의 원칙에 위반되고 인간다운 생활을 할 권리를 침해한다.

20 인간다운 생활을 할 권리에 대한 설명으로 옳은 것은?

① 사회적 기본권은 입법과정이나 정책결정과정에서 사회적 기본권에 규정된 국가목표의 무조건적인 최우선적 배려가 아니라 단지 적절한 고려를 요청하는 것이다.

② 기초생활보장제도의 보장단위인 개별 가구에서 교도소·구치소에 수용 중인 자를 제외하도록 한 규정은 이들의 인간다운 생활을 할 권리를 침해한다.

③ 인간다운 생활을 할 권리 중 최소한의 물질적 생활유지 이상의 급부를 요구할 권리는 헌법 제34조로부터 직접 도출될 수 있다.

④ 2004년도 「국민기초생활 보장법」상 최저생계비 보건복지부장관의 고시는 장애인이 포함된 가구의 추가비용을 고려하지 않고 가구인원 수만을 기준으로 하였는데 위 최저생계비고시에 대하여 평등심사를 할 경우, 비교대상은 「국민기초생활 보장법」상의 생계급여를 지급받을 자격을 갖춘 장애인가구와 그 자격을 갖추지 않은 장애인가구로 보아야 한다.

21 인간다운 생활을 할 권리에 대한 설명으로 옳지 않은 것은 모두 몇 개인가?

> ㄱ. 구치소·치료감호시설에 수용 중인 자에 대하여 「국민기초생활 보장법」에 의한 중복적인 보장을 피하기 위하여 개별 가구에서 제외하기로 한 입법자의 판단이 헌법상 용인될 수 있는 재량의 범위를 일탈하여 인간다운 생활을 할 권리를 침해한다고 볼 수 없다.
> ㄴ. 휴직자에게 직장가입자의 자격을 유지시켜 휴직전월의 표준 보수월액을 기준으로 보험료를 부과하는 것은 사회국가원리에 위배되지 않는다.
> ㄷ. 「군인연금법」상 퇴역연금수급권은 사회보장수급권과 재산권이라는 두 가지 성격이 불가분적으로 혼화되어, 전체적으로 재산권의 보호대상이 되면서도 순수한 재산권만이 아닌 특성을 지니므로, 비록 퇴역연금수급권이 재산권으로서의 성격을 일부 지닌다고 하더라도 사회보장법리에 강하게 영향을 받을 수밖에 없다.
> ㄹ. 기초연금 수급액을 「국민기초생활 보장법」상 이전소득에 포함시키도록 하는 구 「국민기초생활 보장법 시행령」 제5조 제1항 제4호 다목 중 「기초연금법」에 관한 부분이 청구인들과 같이 기초연금을 함께 수급하고 있거나 장차 수급하려는 「국민기초생활 보장법」상 수급자인 노인들의 인간다운 생활을 할 권리를 침해한다고 할 수 없다.
> ㅁ. 보험자가 보건복지부장관이 정하는 바에 따라 요양기관의 지정을 취소할 수 있도록 한 구 「의료보험법」 제33조(요양기관 지정의 취소)는 포괄위임금지원칙에 위배된다.
> ㅂ. 분만급여의 범위·상한기준을 보건복지부장관이 정하도록 위임한 「의료보험법」 제31조 제2항이 분만급여의 범위나 상한기준을 더 구체적으로 정하지 아니하였다면 포괄위임에 해당한다고 할 수 없다.
> ㅅ. 생계급여 지급과 관련하여 임신부 등은 자활사업 참가조건의 부과를 유예하면서, '대학원에 재학 중인 사람'과 '부모에게 버림받아 부모를 알 수 없는 사람'에 대하여 조건 부과 유예사유를 두지 않은 「국민기초생활 보장법 시행령」 조항은 청구인의 인간다운 생활을 할 권리를 침해한다고 할 수 없다.
> ㅇ. 국가의 임용 과실책임을 임용결격공무원에게만 모두 전가시키는 것은 부당한 결과를 초래하는 점 등을 고려하면 퇴직연금수급과 관련하여 「국가공무원법」 제33조 소정의 임용결격사유가 존재함에도 불구하고 공무원으로 임용되어 근무하거나 하였던 자를 공무원 퇴직연금수급권자에 포함시키지 않는 「공무원연금법」 조항은 청구인의 인간다운 생활을 할 권리를 침해한다.

① 1개 ② 2개
③ 3개 ④ 4개

22 지뢰피해자 및 그 유족에 대한 위로금 산정시 사망 또는 상이를 입을 당시의 월평균임금을 기준으로 하고, 그 기준으로 산정한 위로금이 2천만 원에 이르지 아니할 경우 2천만 원을 초과하지 아니하는 범위에서 조정·지급할 수 있도록 한 '지뢰피해자 지원에 관한 특별법'에 대해 헌법재판소법 제68조 제2항의 헌법소원심판이 청구되었다. 이에 대한 설명으로 옳지 않은 것은?

① 「지뢰피해자 지원에 관한 특별법」상 위로금과 같이 수급권의 발생요건이 법정되어 있는 경우 법정요건을 갖춘 후 발생하는 위로금수급권은 구체적인 법적 권리로 보장되는 경제적·재산적 가치가 있는 공법상의 권리라 할 것이지만, 그러한 법정요건을 갖추기 전에는 헌법이 보장하는 재산권이라고 할 수 없다.

② 지뢰피해자 및 그 유족에 대한 위로금 산정시 사망 또는 상이를 입을 당시의 월평균임금을 기준으로 하고, 그 기준으로 산정한 위로금이 2천만 원에 이르지 아니할 경우 2천만 원을 초과하지 아니하는 범위에서 조정·지급할 수 있도록 한 「지뢰피해자 지원에 관한 특별법」에 의해 재산권이 제한된다고 볼 수 없다.

③ 지뢰피해자 및 그 유족에 대한 위로금 산정시 사망 또는 상이를 입을 당시의 월평균임금을 기준으로 하고, 그 기준으로 산정한 위로금이 2천만 원에 이르지 아니할 경우 2천만 원을 초과하지 아니하는 범위에서 조정·지급할 수 있도록 한 「지뢰피해자 지원에 관한 특별법」에 의한 기본권 보호의무 위반이 문제가 된다.

④ 지뢰피해자 및 그 유족에 대한 위로금 산정시 사망 또는 상이를 입을 당시의 월평균임금을 기준으로 하고, 그 기준으로 산정한 위로금이 2천만 원에 이르지 아니할 경우 2천만 원을 초과하지 아니하는 범위에서 조정·지급할 수 있도록 한 「지뢰피해자 지원에 관한 특별법」이 인간다운 생활을 할 권리를 침해한다고 볼 수 없다.

23 교육을 받을 권리에 대한 설명으로 옳지 않은 것을 모두 조합한 것은?

> ㄱ. 재학 중인 학교의 법적 형태를 법인이 아닌 영조물인 국립대학으로 유지해줄 것을 요구할 권리는 교육을 받을 권리에서 보호된다.
> ㄴ. 헌법 제31조 제2항의 '법률로 정하는 교육'에서 '법률'은 형식적 의미의 법률로 한정 해석되기보다는 법률에 근거한 대통령령도 포함하는 실질적 의미의 법률로 해석해야 한다.
> ㄷ. 중학교 의무교육의 실시 여부와 연한과 다르게 의무교육의 실시 시기와 범위는 국회가 반드시 법률로 정해야 할 사항이 아니므로 대통령령에 위임할 수 있다.
> ㄹ. 헌법상 교육기본권은 국민의 교육을 받을 권리를 뒷받침하기 위한 헌법상의 교육제도에 부수하는 권리이다.

① ㄱ, ㄴ　　② ㄴ, ㄷ
③ ㄴ, ㄷ, ㄹ　　④ ㄱ, ㄹ

24 교육을 받을 권리에 대한 설명으로 옳지 않은 것은?

① 초등교육을 의무교육으로 할 것인가에 대한 결정은 입법자에게 위임되어 있다. 초등교육은 구체적으로 법률에서 이에 관한 규정이 제정되어야 가능하고 초등교육의 의무교육의 실시범위를 정하는 것은 입법자의 형성의 자유에 속한다.

② 의무교육에 있어서 무상의 범위에는 의무교육이 실질적이고 균등하게 이루어지기 위한 본질적 항목으로, 수업료나 입학금의 면제, 학교와 교사 등 인적·물적 시설 및 그 시설을 유지하기 위한 인건비와 시설유지비, 신규시설투자비 등의 재원 부담으로부터의 면제가 포함된다 할 것이며, 그 외에도 의무교육을 받는 과정에 수반하는 비용으로서 의무교육의 실질적인 균등보장을 위해 필수불가결한 비용은 무상의 범위에 포함된다.

③ 국가 또는 지방자치단체에게 사립유치원의 교사인건비, 운영비, 영양사 인건비를 예산으로 지원해야 할 헌법상의 작위의무가 도출되지 아니한다.

④ 학교운영지원비는 기본적으로 학부모의 자율적 협찬금의 성격을 갖고 있으며 그 지출에 대한 내용도 충분하게 통제되고 있다고 해도, 이를 중학교 학생으로부터 징수하도록 하는 법률조항은 의무교육의 무상원칙에 위배된다.

25 교육을 받을 권리에 대한 설명으로 옳지 않은 것은?

① 의무교육에 있어서 본질적이고 필수불가결한 비용 이외의 비용을 무상의 범위에 포함시킬 것인지는 입법자가 입법정책적으로 해결해야 할 문제이다.

② 교사의 수업권은 헌법상 보장되는 기본권이 아니며 설령 보장된다고 하더라도 학생의 수학권을 위한 제약이 불가피하다.

③ 「지방교육자치에 관한 법률」 등을 개정하여 의무교육 관련 경비를 국가뿐만 아니라 지방자치단체에도 부담케 하는 것은 지방자치단체의 자치재정권을 침해한다.

④ 지방의회와는 별도의 기관이던 시·도교육위원회를 시·도의회의 상임위원회로 전환하여 교육의원 및 일반 시·도의회의원들로 구성하게 하는 법률조항은 교사의 어떠한 기본권을 직접 침해하는 것은 아니다.

26 교육을 받을 권리에 대한 설명으로 옳지 않은 것을 모두 조합한 것은?

ㄱ. 사립학교를 위하여 출연된 재산에 대한 소유권은 학교법인에 있고 학교가 정상적 운영이 가능하여 임시이사의 선임사유가 해소되었을 경우 설립자와 학교법인 사이의 법적 관계는 지속되지 않으므로 종전이사 등이 사립학교 운영에 대해 가지는 재산적 이해관계는 법률적인 것이 아니라 사실상의 것에 불과하다 할 것이므로, 사립학교를 설립한 주체에게 학교재단법인 이사선임권을 부여해야 하는 것은 아니다.

ㄴ. 고졸검정고시 또는 '고등학교 입학자격 검정고시'에 합격했던 자는 해당 검정고시에 다시 응시할 수 없도록 응시자격을 제한한 전라남도 교육청 공고 중 해당 검정고시 합격자 응시자격 제한 부분은 청구인들의 교육을 받을 권리를 침해하지 않는다.

ㄷ. 고시 공고일을 기준으로 고등학교에서 퇴학한 날로부터 6월이 지나지 아니한 자를 고등학교 졸업학력 검정고시를 응시할 수 있는 자의 범위에서 제외한 것은 사건 규칙조항은 고등학교 자퇴생은 자퇴 이후 6월 이내에는 검정고시에 응시할 수 없는 중대한 불이익을 받는 반면, 이 사건 응시 제한을 통해 달성할 수 있는 효과는 불분명하거나 오히려 부작용이 크다고 예상되므로, 청구인의 교육을 받을 권리를 침해하여 헌법에 위반된다.

ㄹ. 학교설립인가를 받지 아니하고 학교의 명칭을 사용하거나 학생을 모집하여 시설을 사실상 학교의 형태로 운영하는 행위를 처벌하는 「초·중등교육법」 제67조 제2항 제1호는 사학의 자유 등 기본권을 침해한다고 볼 수 없다.

① ㄱ, ㄴ　　② ㄴ, ㄷ

③ ㄴ, ㄷ, ㄹ　　④ ㄱ, ㄹ

27 사립학교운영의 자유에 대한 설명으로 옳지 않은 것은?

① 학교가 법령 등을 위반하여 정상적인 학사운영이 불가능한 경우에 교육과학기술부장관(현 교육부장관)은 학교의 폐쇄를 명할 수 있다고 규정한 구 「고등교육법」은 사학의 자유를 침해하지 않는다.

② 사립학교 운영의 자유는 헌법에서 인정될 수 있는 권리이나, 사립학교 운영의 자유를 제한하는 경우 엄격한 심사를 하게 된다.

③ 행정·입법·사법부가 추천한 인사로 구성하도록 한 사학분쟁위원회의 설치·기능 및 구성에 관한 「사립학교법」 제24조의2 제1항·제2항 및 제24조의3 제1항이 권력분립원칙에 위반되지 않는다.

④ 국민의 교육을 받을 권리가 적절하게 보장되도록 하기 위하여 사립학교의 재산관리에 국가개입은 불가피하다.

28 근로의 권리에 대한 설명으로 옳지 않은 것은?

① 헌법 제32조 제3항이 그에 관한 모든 문제를 국회가 정하는 법률로 규정할 것을 요구한다고는 볼 수 없으므로 산업재해를 입은 근로자의 보상에 대해 대강의 기준을 국회가 제정하는 법률로 정하고 기타 상세한 사항은 하위법령으로 정하도록 위임하는 것을 전면적으로 금지하고 있는 것은 아니다.

② 고용허가를 받아 국내에 입국한 외국인근로자의 출국만기보험금을 출국 후 14일 이내에 지급하도록 하는 것은 외국인 근로자들의 근로의 권리를 침해한다.

③ 계속근로기간 1년 미만인 근로자를 퇴직급여 지급대상에서 제외하는 「근로자퇴직급여 보장법」 제4조 제1항 단서는 평등권 침해라 할 수 없다.

④ 헌법 제32조 제1항의 근로의 권리에서 근로자가 퇴직급여를 청구할 수 있는 권리도 헌법상 바로 도출되는 것이 아니라 「근로자퇴직급여 보장법」 등 관련 법률이 구체적으로 정하는 바에 따라 비로소 인정될 수 있는 것이므로 계속근로기간 1년 미만인 근로자가 퇴직급여를 청구할 수 있는 권리가 헌법 제32조 제1항에 의하여 보장된다고 보기는 어렵다.

29 근로의 권리에 대한 설명으로 옳은 것은?

① 국가가 법률로 국가보조연구기관을 통폐합함에 있어 재산상의 권리·의무만 승계시키고, 근로관계의 당연 승계조항을 두고 있지 아니한 것은 위헌이다.

② 근로의 권리는 사회적 기본권으로서 국가에 대하여 직접 일자리를 청구하거나 일자리에 갈음하는 생계비의 지급청구권을 의미한다.

③ 헌법 제32조 제1항 후단은 "국가는 사회적·경제적 방법으로 근로자의 고용의 증진과 적정임금의 보장에 노력하여야 하며, 법률이 정하는 바에 의하여 최저임금제를 시행하여야 한다."라고 규정하고 있어서 근로자가 최저임금을 청구할 수 있는 권리가 바로 헌법상 도출되지 않는다.

④ 현재 대법원은 임금이분설에 근거하여 생활보장적 임금은 근로 제공의 대가로서 지급되는 것이 아니라 근로제공과 무관하게 받는 것이라고 한다.

30 근로3권에 대한 설명으로 옳은 것은?

① 노동조합의 정치적 집회나 정치적 목적의 파업은 헌법 제33조의 근로3권이 아니라 헌법 제21조의 표현의 자유에서 보호된다.

② 헌법 제33조 제1항은 단결권·단체교섭권·단체행동권의 주체로서 근로자만을 명시적으로 규정하고 있지 않으므로 사용자도 주체가 될 수 있다.

③ 취업자격이 없는 외국인도 「노동조합 및 노동관계조정법」상 근로자에 해당하나, 노동조합 결성 및 가입이 허용되지 않는다.

④ 「노동조합 및 노동관계조정법」에 의하여 설립된 노동조합이 아니면 노동조합이라는 명칭을 사용할 수 없도록 하는 위 법 제7조 제3항은 근로자들의 단결권이나 단체교섭권의 본질적인 부분을 침해한다.

31 근로3권에 대한 설명으로 옳지 않은 것은?

① 교원인 근로자는 법률이 정하는 자에 한하여 단결권·단체교섭권 및 단체행동권을 가진다.

② 근로자가 근로시간 중에 노동조합의 유지·관리업무에 따른 활동을 하는 것을 사용자가 허용함은 무방하며, 또한 근로자의 후생자금 또는 경제상의 불행 기타 재액의 방지와 구제 등을 위한 기금의 기부와 최소한의 규모의 노동조합사무소의 제공은 예외로 하고는 노동조합의 전임자에게 급여를 지원하거나 노동조합의 운영비를 원조하는 행위를 금지하는 「노동조합 및 노동관계조정법」 제81조는 과잉금지원칙을 위반하여 청구인의 단체교섭권을 침해한다.

③ 노동조합이 노조전임자의 급여 지급을 요구하거나 근로시간 면제 한도를 초과하는 요구를 하고 이를 관철할 목적의 쟁의행위를 하는 것을 금지하는 「노동조합 및 노동관계조정법」 조항은 과잉금지원칙에 위반되어 청구인들의 단체교섭권 및 단체행동권을 침해한다고 볼 수 없다.

④ 하나의 사업 또는 사업장에 두 개 이상의 노동조합이 있는 경우 단체교섭에 있어 그 창구를 단일화하도록 하고, 교섭대표가 된 노동조합에게만 단체교섭권을 부여하는 「노동조합 및 노동관계조정법」 제29조 제2항 및 제29조의2 제1항이 소수 노동조합의 교섭권을 침해하지 아니한다.

32 근로3권에 대한 설명으로 옳지 않은 것은?

① 교원은 학생들에 대한 지도·교육이라는 노무에 종사하므로 일반근로자와 성격을 달리하므로 근로자에 해당하지 않는다.

② 노조전임자에 대한 급여의 지급 요구나 근로시간의 면제한도를 초과하는 요구를 하고 이를 관철하기 위한 쟁의행위를 금지하는 「노동조합 및 노동관계조정법」은 노사합의에 따라 노조전임자를 두는 것 자체에는 단결권을 직접적으로 제한하고 있지는 아니하므로, 단결권의 침해 여부는 별도로 판단하지 아니한다.

③ 노동조합의 규약 및 결의처분에 대한 행정관청의 시정명령이나 회계감사원의 회계감사 등이 있음에도 불구하고 노동조합이 결산 결과와 운영상황에 대한 보고의무를 위반한 경우, 이에 대하여 과태료를 부과하는 것은 과잉금지원칙에 위반되어 단결권을 침해한다고 할 수 없다.

④ 국가·지방자치단체 및 「방위산업에 관한 특별조치법」에 의하여 지정된 방위산업체에 종사하는 노동자는 쟁의행위를 할 수 없도록 한 「노동쟁의조정법」 제12조 제2항에서 국가·지방자치단체 종사하는 노동자 부분은 헌법 제33조 제2항에 위반된다.

33 근로3권에 대한 설명으로 옳은 것은?

① 교원의 지위를 상실한 교원은 중앙노동위원회의 재심판정이 있을 때까지는 「교원의 노동조합 설립 및 운영 등에 관한 법률」의 적용을 받으나 교원소청심사청구나 행정소송으로 다투는 경우 「교원의 노동조합 설립 및 운영 등에 관한 법률」의 교원에서 배제된다.

② 헌법재판소 판례는 국·공립학교 교원의 노동3권을 부정하는 헌법상 근거는 헌법 제33조 제2항이고 사립학교 교원의 노동3권을 제한하는 헌법상 근거는 헌법 제31조 제6항(학교교육 및 평생교육을 포함한 교육제도와 그 운영, 교육재정 및 교원의 지위에 관한 기본적인 사항은 법률로 정한다)라고 판시하였으나, 현행법상 국·공립학교 교원과 사립학교 교원은 단결권·단체교섭권과 단체행동권은 가진다.

③ 「교원의 노동조합 설립 및 운영 등에 관한 법률」은 국·공립학교 교원과 사립학교 교원을 구분하여 규율하지 않으며, 학교 단위로 교원노조를 설립할 수 있도록 하고 있다.

④ 현행헌법은 근로자의 단체행동권에 관한 제한규정을 두고 있지 않으므로 헌법 제37조 제2항의 일반유보조항에 따라 단체행동권을 제한할 수 없다.

34 근로3권에 대한 설명으로 옳은 것은?

① 헌법 제33조 제2항은 모든 공무원의 근로3권을 부정하는 게 아니라 일정한 범위의 공무원의 근로3권을 인정을 전제로 해서 그 범위를 입법자에게 위임하고 있다.

② 사립학교의 설립·경영자들은 교원노조와 개별적으로 단체교섭을 할 수 없고 반드시 연합하여 단체교섭에 응하도록 규정한 「교원의 노동조합 설립 및 운영 등에 관한 법률」은 사립학교의 설립·경영자인 청구인들의 단결권을 제한한다.

③ 법률이 정하는 주요방위산업체에 종사하는 근로자의 단체교섭권은 법률이 정하는 바에 의하여 이를 제한하거나 인정하지 아니할 수 있다.

④ 특수경비원에게 경비업무의 정상적인 운영을 저해하는 쟁의행위를 금지하는 「경비업법」 규정은 단체행동권을 침해하는 것이다.

35 환경권에 대한 설명으로 옳지 않은 것은?

① 사업장 등에서 발생되는 환경오염 또는 환경훼손으로 인하여 피해가 발생한 때에는 오염원인자 책임이 우선하고 그 다음에 연대책임이 적용된다.

② 사인의 환경침해에 대해서는 사법상 법률관계에서 발생한 문제이므로 민사소송으로 해결해야 하지 국가를 상대로 행정심판, 항고소송, 손해배상을 청구할 수는 없다.

③ 사인에 의해 환경권이 침해되어 피해가 발생했을 경우에는 무과실책임이 인정된다.

④ 사업장 등에서 발생되는 환경오염 또는 환경훼손으로 인하여 피해가 발생한 때에는 해당 사업자는 그 피해를 배상하여야 하고 사업장 등이 2개 이상 있는 경우에 어느 사업장 등에 의하여 그 피해가 발생한 것인지 알 수 없을 때에는 각 사업자는 연대하여 배상하여야 한다.

36 판례변경이 된 판례에 대한 설명으로 옳지 않은 것은?

① 일반 불법행위에 대한 과실책임주의의 예외로서 경과실로 인한 실화의 경우 실화피해자의 손해배상청구권을 전면 부정하고 있는 「실화책임에 관한 법률」은 판례변경으로 재산권을 침해한다고 하여 헌법재판소는 헌법불합치결정하였다.

② 지방자치단체의 장이 금고 이상의 형을 선고받고 그 형이 확정되지 아니한 경우 부단체장이 그 권한을 대행하도록 규정한 「지방자치법」은 판례변경되어 공무담임권 침해로 헌법불합치결정되었다.

③ 임신한 여성의 자기낙태를 처벌하는 「형법」 제269조 제1항과 의사가 임신한 여성의 촉탁 또는 승낙을 받아 낙태하게 한 경우를 처벌하는 같은 법 제270조 제1항 중 '의사'에 관한 부분은 판례가 변경되어 자기결정권 침해라고 하여 헌법불합치결정되었다.

④ 현역입영 또는 소집 통지서(모집에 의한 입영 통지서를 포함한다)를 받은 사람이 정당한 사유 없이 입영일이나 소집일부터 일정 기간이 지나도 입영하지 아니하거나 소집에 응하지 아니한 경우에는 3년 이하의 징역에 처하도록 한 「병역법」 제88조는 판례변경으로 위헌결정된 바 있다.

37 제도에 대한 헌법재판소 판례와 일치하는 것은?

① 헌법재판소는 제대군인 가산점제도는 합헌이나, 제대군인에게 3% 내지 5%의 가산점을 부여하는 것은 최소성원칙에 위배된다고 보았다.

② 태아 성별을 의사가 감지하고 부모에게 고지하는 것을 금지하는 것 자체가 부모의 인격권을 침해한다고 보았다.

③ 국적관련 부계혈통주의제도는 혼인·가족생활에서 양성 평등원칙에 위배된다.

④ 자녀의 성(姓)과 관련하여 아버지 성을 따르도록 한 부성주의는 헌법에 위배된다.

38 제도에 대한 헌법재판소 판례와 일치하지 않는 것은?

① 교수 정년제를 채택하지 않고 교수 기간임용제를 채택한 것은 헌법 제31조 제6항의 교원지위법정주의에 위배된다.

② 환경 보호나 국가안보를 위한 개발제한구역제도 자체가 헌법 제23조 재산권조항에 위배된다고 할 수 없다.

③ 외교기관 100미터 이내, 국회의사당 100미터 이내 옥외집회금지 그 자체가 집회의 자유를 침해한다고 할 수 없다.

④ 야간시위를 금지하는 것 자체가 집회의 자유를 침해한다고 할 수 없다.

39 심사기준에 대한 설명으로 옳지 않은 것은 모두 몇 개인가?

> ㄱ. 개별사건법률금지원칙의 기본정신은 입법자에 대하여 기본권을 제한하는 법률은 일반적 성격을 가져야 한다는 형식을 요구함으로써 평등원칙 위반의 위험성을 입법과정에서 미리 제거하려는 데 있으므로, 특정규범이 어떤 개별사건에만 적용되는 개별사건법률에 해당한다면 실질적 내용이 정당한지 여부를 따져볼 필요도 없이 곧바로 위헌이라고 보아야 한다.
> ㄴ. 헌법상 평등원칙은 법률이 일반적으로 적용되어야지 어떤 개별사건에만 적용되어서는 아니 될 것을 요구하며, 만일 입법자가 개별사건에만 적용되는 법률을 제정하였더라도 그 자체로 자의적인 입법으로서 허용되지 않는다고 할 수 없다.
> ㄷ. 대전시 교육감의 동일지역 사범대졸업자에게 가산점을 인정하는 교원시험 공고는 법률유보원칙에 위반했으나 과잉금지 위반은 아니었다.
> ㄹ. 시각장애인에 한해 안마사 자격을 인정하는 안마사 시행규칙은 법률유보원칙에 위반되나, 시각장애인한해 안마사 자격을 인정하는 「의료법」은 과잉금지에 위반은 아니었다.
> ㅁ. 운전면허를 받은 사람이 자동차 등을 이용하여 살인 또는 강간 등 행정안전부령이 정하는 범죄행위를 한 때 운전면허를 취소하도록 하는 구 「도로교통법」은 법률유보원칙 위반은 아니었으나 과잉금지원칙 위반이었다.
> ㅂ. 교육부장관의 ○○대학교법학전문대학원의 2015학년도 및 2016학년도 신입생 각 1명의 모집을 정지하도록 한 행위는 법률유보원칙 위반은 아니었으나 과잉금지원칙 위반이었다.
> ㅅ. 5인 이상 취재 및 편집 인력을 고용하도록 한 구 「신문 등의 진흥에 관한 법률」은 허가제금지 위반은 아니었으나 과잉금지원칙 위반이었다.
> ㅇ. 상영에 제한이 필요한 영화를 제한상영가로 분류하는 구 「영화진흥법」은 검열금지 위반은 아니었으나 명확성원칙에 위반되었다.

① 1개　　② 2개
③ 3개　　④ 4개

40 심사기준에 대한 설명으로 옳은 것은 모두 몇 개인가?

ㄱ. 기본권규정에 형성적 법률유보가 있는 경우 제한적 법률유보가 있는 경우보다 입법에 있어서 재량의 폭이 넓어지게 되므로, 원칙적으로 청구권적 기본권의 침해 여부 심사의 경우에 자유권적 기본권의 침해 여부 심사의 경우보다 심사기준이 완화되는 경향이 있다.
ㄴ. 출입국관리에 관한 사항 중 외국인의 입국에 관한 사항은 주권국가로서의 기능을 수행하는 데 필요한 것으로서 광범위한 정책재량의 영역이므로, 국적에 따라 사증발급신청시의 첨부서류에 관해 다르게 정하고 있는 조항이 평등권을 침해하는지 여부는 자의금지원칙 위반 여부에 의하여 판단한다.
ㄷ. 헌법재판소는 선거권 연령을 규정하고 있는 「공직선거법」 제15조에 대한 심사는 입법재량의 한계를 넘는지를 심사를 하였으나, 수형자의 선거권을 제한한 「공직선거법」 제18조의 위헌 여부는 엄격한 비례심사를 하였다.
ㄹ. 헌법재판소는 사립학교 운영의 자유는 헌법에서 인정될 수 있는 권리이나, 사립학교 운영의 자유를 제한하는 경우 엄격한 비례심사를 하였다.
ㅁ. 헌법재판소는 인간다운 생활을 할 권리를 위반했느냐 여부에 대해서는 국가가 생계 보호에 관한 입법을 전혀 하지 아니한 경우에 한하여 헌법에 위반된다고 할 수 있다.
ㅂ. 입법자는 일정한 전문분야에 관한 자격제도를 마련함에 있어서 자격요건에 관한 법률조항은 엄격한 위헌심사가 필요하다.
ㅅ. 상업광고에 대한 규제에 의한 표현의 자유 내지 직업수행의 자유의 제한은 비례의 원칙 심사에 있어서 '피해의 최소성'원칙은 제약적인 수단이 없을 것인지 혹은 입법목적을 달성하기 위하여 필요한 최소한의 제한인지를 심사한다.
ㅇ. 상업광고에 대한 규제에 의한 표현의 자유 내지 직업수행의 자유의 제한은 헌법 제37조 제2항에서 도출되는 비례의 원칙(과잉금지원칙)이 적용된다.
ㅈ. 선거운동으로 발생하는 소음의 제한기준을 설정하지 아니한 「공직선거법」의 위헌 여부는 과잉금지원칙을 적용해야 한다.

① 1개 ② 2개
③ 3개 ④ 4개

MEMO

MEMO

MEMO

해커스공무원 황남기 헌법 진도별 모의고사 기본권편 문제

초판 2쇄 발행 2023년 3월 15일
초판 1쇄 발행 2022년 6월 17일

지은이	황남기
펴낸곳	해커스패스
펴낸이	해커스공무원 출판팀
주소	서울특별시 강남구 강남대로 428 해커스공무원
고객센터	1588-4055
교재 관련 문의	gosi@hackerspass.com 해커스공무원 사이트(gosi.Hackers.com) 교재 Q&A 게시판 카카오톡 플러스 친구 [해커스공무원 노량진캠퍼스]
학원 강의 및 동영상강의	gosi.Hackers.com
ISBN	문제: 979-11-6880-356-5 (14360) 세트: 979-11-6880-355-8 (14360)
Serial Number	01-02-01